개념과 정리가 한번에 끝나는 기본서

개념풀

지구과학 I

쉽게 풀어 이해가 잘되는

개념책

구성과 특징

쉽게 풀어 이해가 잘 되는 **개념책**

이해하기 쉬운 개념 학습

▪단원 도입 학습

'배울 내용 살펴보기'로 이 단원의 흐름을 한눈에 파악할 수 있습니다.

❶ 소단원별 흐름을 한눈에 파악

❷ 스토리로 단원의 흐름을 전개

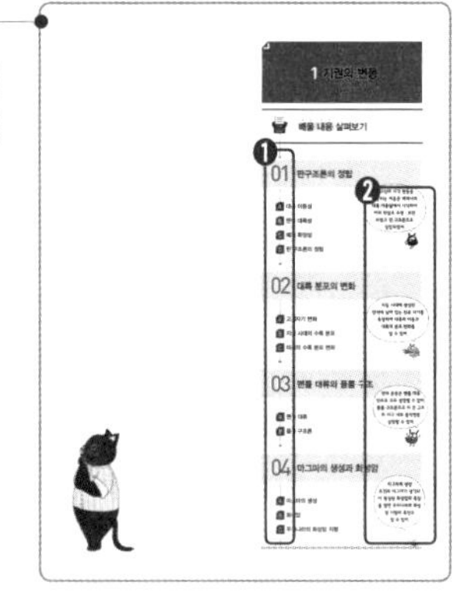

▪본문 학습

6종 교과서를 완벽 분석하여 중요 개념을 쉽게 풀어 정리하였습니다.

❶ '핵심 키워드로 흐름잡기'와 '출제 단서'를 통해 시험에 잘 나오는 중요 개념을 한눈에 파악

❷ '빈출 자료', '빈출 탐구', '빈출 계산연습'으로 관련 내용을 생생하게 설명

❸ '용어 알기'를 통해 내용을 이해하는 데 도움이 되는 단어 정리

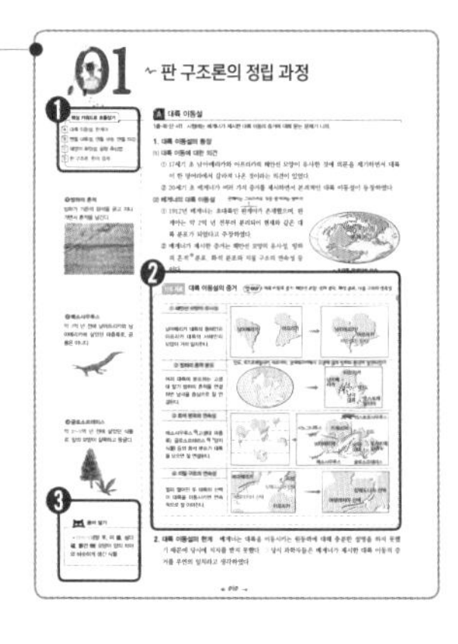

▪특강 학습

개념과 탐구의 완벽한 이해를 위해 생생한 자료로 자세하게 설명하였습니다.

❶ '개념 POOL'을 통해 개념을 한 번에 쉽게 이해

❷ '탐구 POOL'을 통해 교과서 중요 탐구를 과정별 사진으로 생생하게 제시

❸ '확인 문제'로 이해도 점검

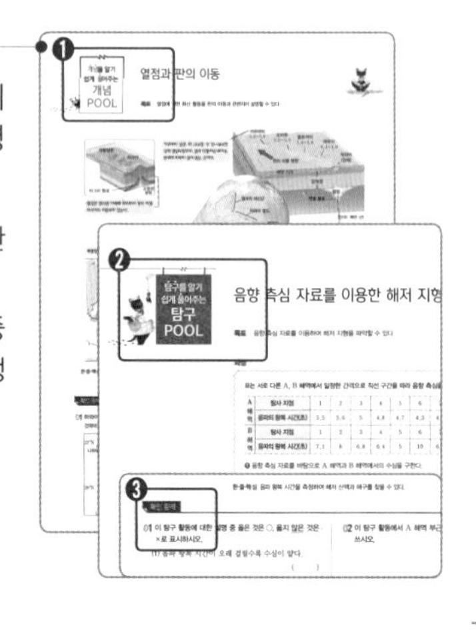

다양한 유형의 단계별 문제

▪콕콕! 개념 확인하기

개념 확인에 적합한 유형을 엄선하여 구성하였습니다.

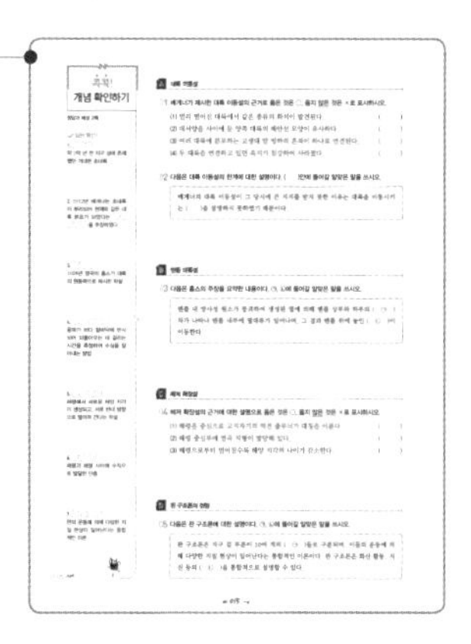

▪탄탄! 내신 다지기

학교 시험 빈출 유형 중에서 난이도 중 이하의 문제로 구성하였습니다.

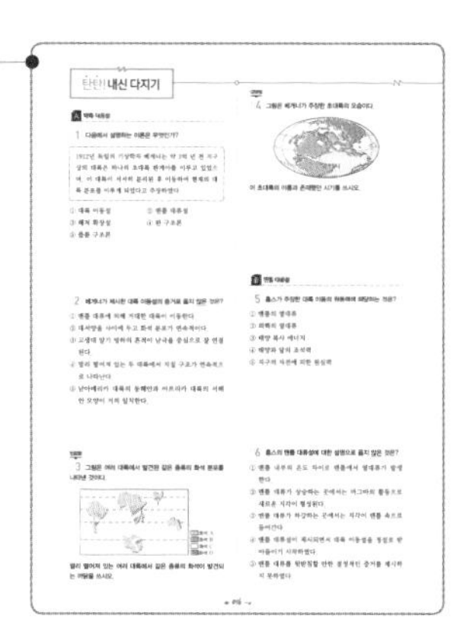

▪도전! 실력 올리기

학교 시험에 꼭 나오는 난이도 중상의 문제와 서답형 문제로 구성하였습니다.

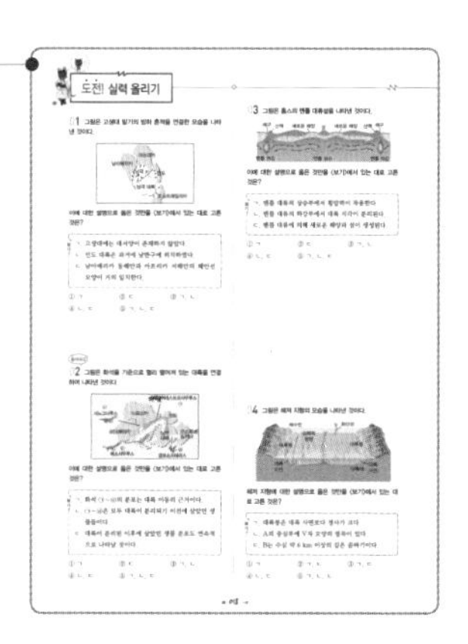

개념책+정리노트 제대로 활용하기

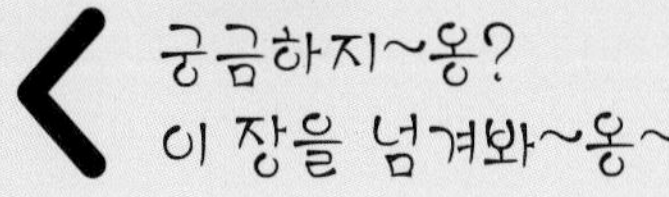

개념을 학습하고 노트에 스스로 정리하는 사과탐 기억 학습법 구현!!

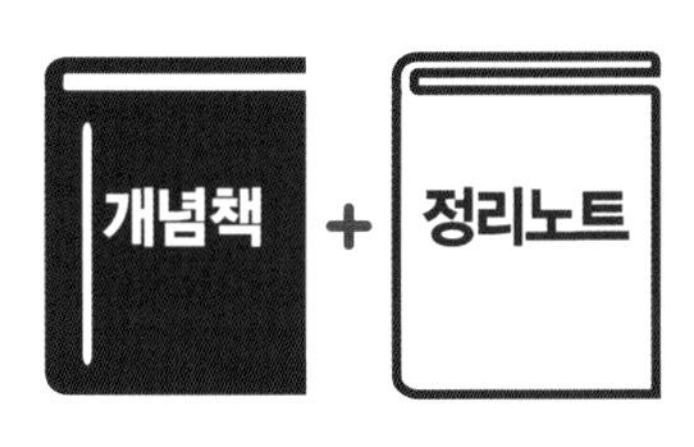

교재 구성

- 개념을 쉽게 풀어 이해가 잘되는 **개념책**
- 학습한 개념을 정리해 보는 개념책 맞춤 **정리노트**

사과탐 기억 학습법이란?

핵심 단어-주제어 기억법과 **PQ4R 학습법**을 적용하여 사과탐 공부를 효과적으로 할 수 있도록 구성된 개념풀만의 학습법입니다.

개념책을 보며 나만의 스타일로

노트 정리~

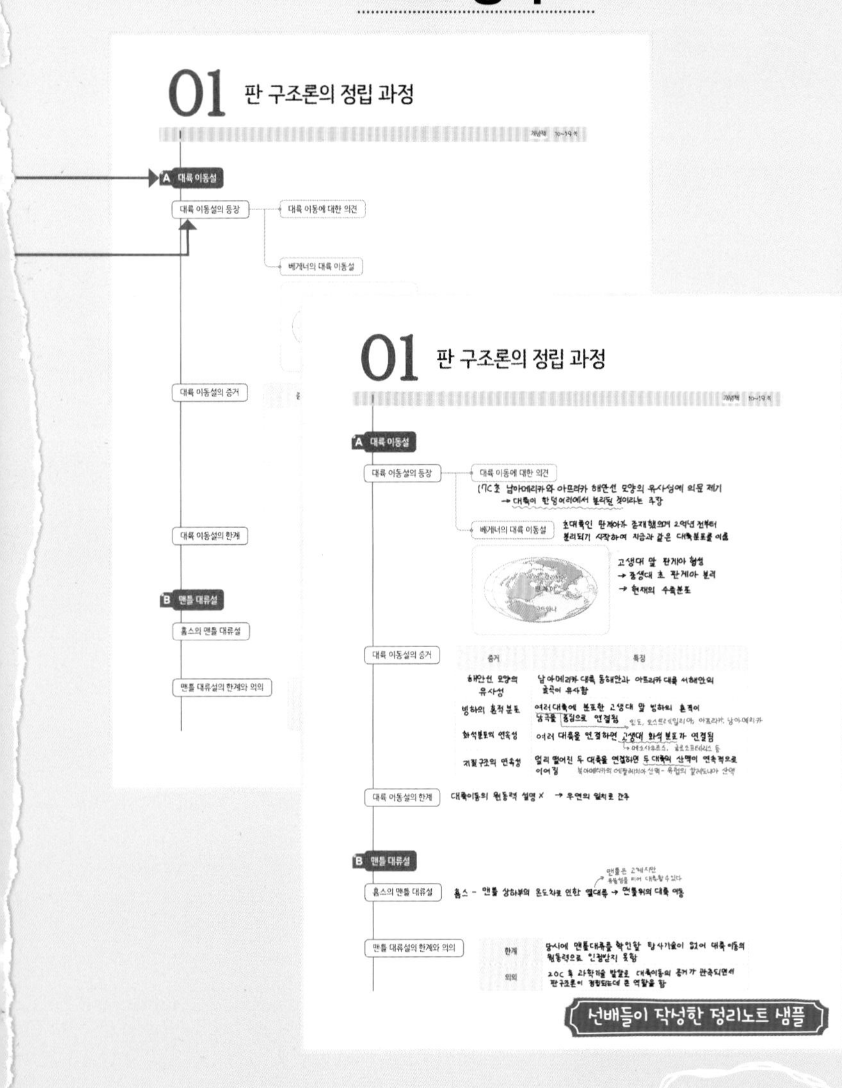

개념책을 보지 않고
노트 정리에
도전해 볼까?

정리가 막막하다면?

1등급 받은 선배들이 작성한
정리노트를 참고해 봐~

선배들의 노트 바로가기

선배들의 정리노트
활용법 동영상

선배들의
공부 팁! 동영상

군더더기 없이 핵심만
정리한 선배의 노트

자신만의 팁을 많이
제시한 선배의 노트

정리노트를 다시 쓰고 싶다면?

빈 노트 바로가기

개념 학습과 정리가 한번에 끝나는 기본서 개념풀

개념 학습과 정리가 한번에 끝나는 개념풀이면, 지구과학Ⅰ의 모든 개념은 완벽하게 끝!!!

쉽게 풀어 이해가 빠른 개념책으로 개념 학습~

개념풀 TIP

개념책을 공부할 때, '핵심 키워드로 흐름잡기'로 휘리릭 먼저 점검하면 학습 속도가 빨라져.

핵심 키워드로 흐름잡기

A 대륙 이동설, 판게아
B 맨틀 대류설, 맨틀 상승, 맨틀 하강
C 해양저 확장설, 음향 측심법
D 판 구조론, 판의 경계

❶ 방하의 흔적
빙하가 기존의 암석을 긁고 지나가면서 흔적을 남긴다.

❷ 메소사우루스
약 3억 년 전에 아프리카와 남아메리카에 살았던 파충류로, 공룡은 아니다.

❸ 글로소프테리스
약 3~2억 년 전에 살았던 식물로, 잎의 모양이 길쭉하고 둥글다.

용어 알기
*양치식물(양 羊, 이 齒, 식다 植, 물건 物) 모양이 양의 치아와 비슷하게 생긴 식물

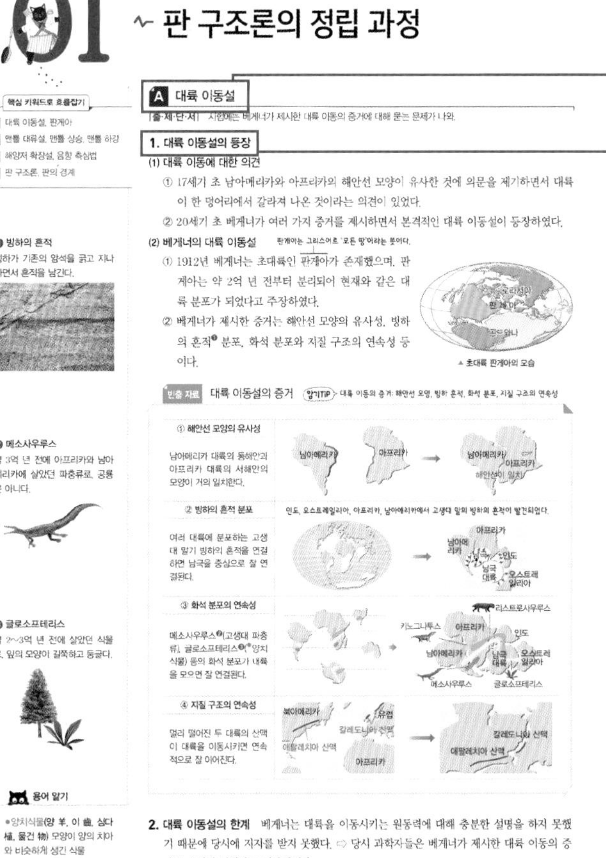

01 판 구조론의 정립 과정

A 대륙 이동설

출제 단서 시험에는 베게너가 제시한 대륙 이동의 증거에 대해 묻는 문제가 나와.

1. 대륙 이동설의 등장

(1) 대륙 이동에 대한 의견
① 17세기 초 남아메리카와 아프리카의 해안선 모양이 유사한 것에 의문을 제기하면서 대륙이 한 덩어리에서 갈라져 나온 것이라는 의견이 있었다.
② 20세기 초 베게너가 여러 가지 증거를 제시하면서 본격적인 대륙 이동설이 등장하였다.

(2) 베게너의 대륙 이동설 판게아는 그리스어로 '모든 땅'이라는 뜻이다.
① 1912년 베게너는 초대륙인 판게아가 존재했으며, 판게아는 약 2억 년 전부터 분리되어 현재와 같은 대륙 분포가 되었다고 주장하였다.
② 베게너가 제시한 증거는 해안선 모양의 유사성, 빙하의 흔적❶ 분포, 화석 분포와 지질 구조의 연속성 등이다.

▲ 초대륙 판게아의 모습

빈출 자료 대륙 이동설의 증거 암기TIP 대륙 이동의 증거: 해안선 모양, 빙하 흔적, 화석 분포, 지질 구조의 연속성

① 해안선 모양의 유사성
남아메리카 대륙의 동해안과 아프리카 대륙의 서해안의 모양이 거의 일치한다.

② 빙하의 흔적 분포
인도, 오스트레일리아, 아프리카, 남아메리카에서 고생대 말의 빙하의 흔적이 발견되었다.
여러 대륙에 분포하는 고생대 말기 빙하의 흔적을 연결하면 남극을 중심으로 잘 연결된다.

③ 화석 분포의 연속성
메소사우루스❷(고생대 파충류), 글로소프테리스❸(*양치식물) 등의 화석 분포가 대륙을 모으면 잘 연결된다.

④ 지질 구조의 연속성
멀리 떨어진 두 대륙의 산맥이 대륙을 이동시키면 연속적으로 잘 이어진다.

2. 대륙 이동설의 한계 베게너는 대륙을 이동시키는 원동력에 대해 충분한 설명을 하지 못했기 때문에 당시에 지지를 받지 못했다. ⇨ 당시 과학자들은 베게너가 제시한 대륙 이동의 증거를 우연의 일치라고 생각하였다.

010

공부할 때는 스트레칭 필수~

지구과학Ⅰ을 집필하신 선생님

진만식 상암고등학교 교사
강인모 경기부흥고등학교 교사
김연귀 혜원여자고등학교 교사
이미애 매홀중학교 교사

실전에 대비하는 마무리 학습

▪ 수능을 알기 쉽게 풀어주는 수능 POOL

출제 의도와 문제 분석을 통해 수능 대표 유형을 미리 연습할 수 있도록 구성하였습니다.

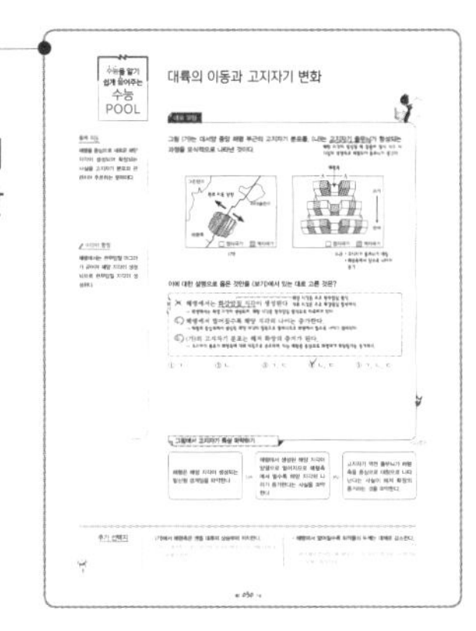

▪ 실전! 수능 도전하기

수능 기출 분석을 통한 실전 수능형 문제로 구성하여 수능에 대비할 수 있도록 구성하였습니다.

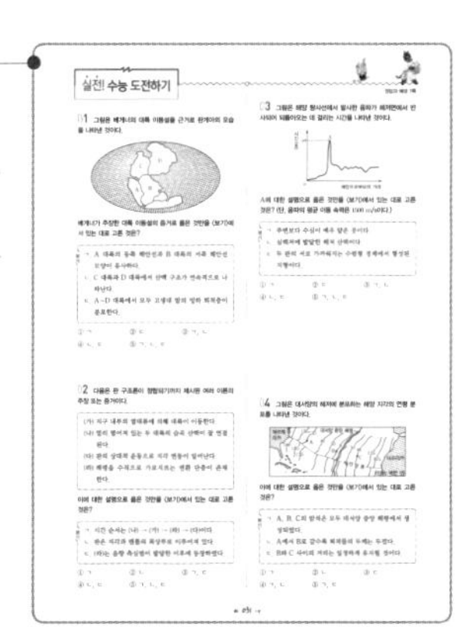

▪ 대단원 마무리

'한눈에 보는 대단원 정리'를 통해 대단원 핵심 내용을 다시 한 번 정리하고, '한번에 끝내는 대단원 문제'로 학교 시험에 대비할 수 있도록 구성하였습니다.

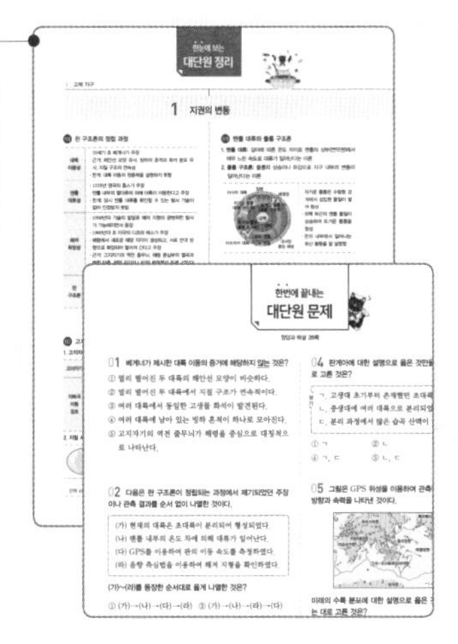

학습한 개념을 정리해 보는 나만의 정리노트

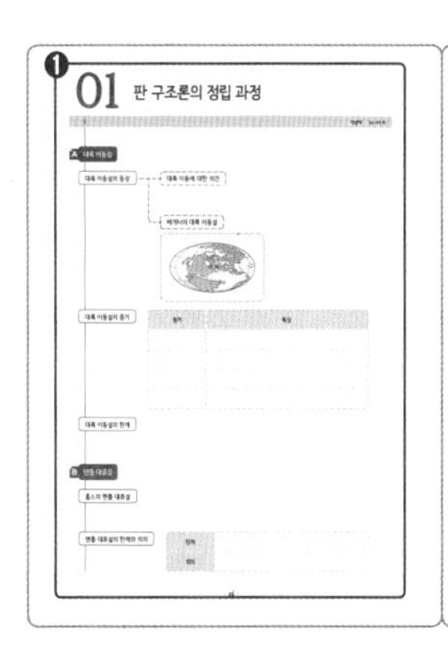

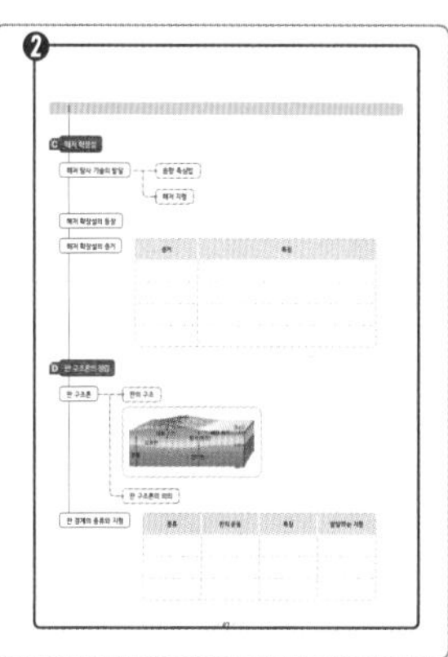

▪ 소단원별 노트 정리

❶ 개념책의 흐름을 한눈에 살펴보고 스스로 정리해 볼 수 있도록 충분한 여백을 두고 구성하였습니다.

❷ 개념책과 교과서를 보면서 소단원 전체의 중요한 내용을 정리하여 단권화할 수 있도록 최적의 노트 형태로 구성하였습니다.

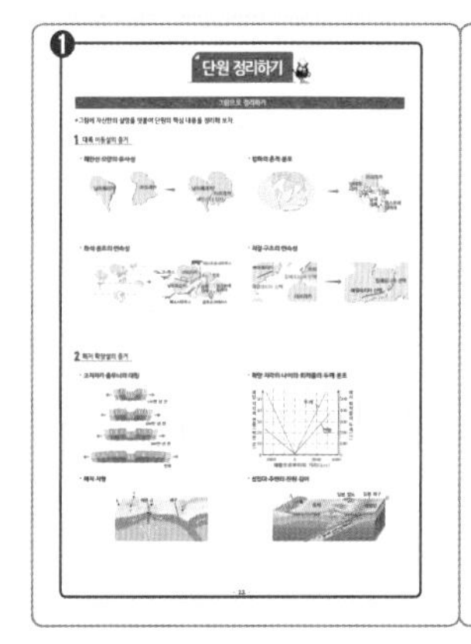

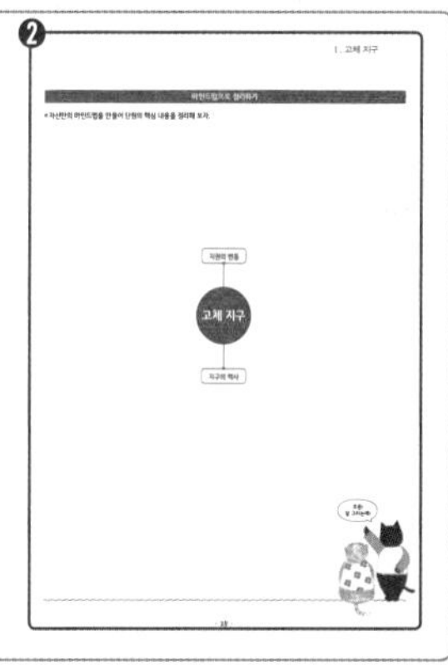

▪ 단원 정리하기

❶ '그림으로 정리하기'는 단원별로 중요한 그림에 자신만의 설명을 적어 정리할 수 있도록 구성하였습니다.

❷ '마인드맵으로 정리하기'는 자신만의 마인드맵을 만들어 단원의 핵심 내용을 구조화하여 정리할 수 있도록 구성하였습니다.

차례

I 고체 지구

1 지권의 변동

2 지구의 역사

II 대기와 해양

1 대기와 해양의 변화

2 대기와 해양의 상호 작용

우주

1 별과 외계 행성계

2 외부 은하와 우주 팽창

개념풀과 우리 학교

교과서 비교

대단원	중단원	소단원	개념풀
I 고체 지구	1 지권의 변동	01. 판 구조론의 정립 과정	10~19
		02. 고지자기와 대륙 분포의 변화	20~29
		03. 맨틀 대류와 플룸 구조론	34~41
		04. 마그마의 생성과 화성암	42~51
	2 지구의 역사	01. 퇴적 구조와 퇴적 환경	56~65
		02. 지질 구조와 지층의 나이	66~75
		03. 지질 시대의 환경과 생물	76~85
II 대기와 해양	1 대기와 해양의 변화	01. 기압과 날씨 변화	100~109
		02. 태풍과 우리나라의 악기상	110~119
		03. 해수의 성질	120~129
	2 대기와 해양의 상호 작용	01. 해수의 표층 순환	136~145
		02. 해수의 심층 순환	146~155
		03. 대기와 해양의 상호 작용	160~169
		04. 지구의 기후 변화	170~179
III 우주	1 별과 외계 행성계	01. 별의 물리량	192~201
		02. 별의 분류와 진화	202~211
		03. 별의 에너지원과 내부 구조	216~225
		04. 외계 행성계와 외계 생명체 탐사	226~235
	2 외부 은하와 우주 팽창	01. 외부 은하	242~251
		02. 빅뱅 우주론	252~263
		03. 우주의 구성 물질과 미래	264~271

우리 학교 교과서가
개념풀의 어느 단원에
해당하는지 확인하세요!

교학사	금성	미래엔	비상	천재	YBM
13~22	13~18	14~21	11~18	11~17	13~22
23~26	19~23	22~27	20~25	18~21	23~28
27~29	27~29	28~30	26~29	22~25	29~33
30~33	30~33	32~35	30~33	31~38	34~37
37~41	45~48	46~49	39~43	47~51	45~49
42~55	49~61	50~63	44~57	52~66	50~61
56~63	62~69	64~71	58~ 65	67~72	62~72
75~82	79~83	82~89	77~ 83	81~85	81~88
83~91	84~95	90~97	84~95	86~94	89~101
92~98	99~103	98~103	96~103	97~102	102~109
101~106	113~115	114~117	109~113	111~114	117~122
107~110	116~119	118~121	114~117	115~117	123~127
111~117	120~123	122~129	118~123	118~122	128~134
118~124	127~135	130~136	124~132	125~138	135~145
133~138	145~149	148~151	143~147	147~151	153~159
139~147	150~157	152~159	149~159	152~160	160~168
148~151	158~160	160~162	160~164	161~164	169~172
152~161	165~171	164~171	166~177	167~172	173~183
165~169	181~183	182~187	183~188	181~185	191~197
170~175	184~191	188~195	189~197	186~193	198~210
176~178	192~195	196~197	198~201	194~196	211~214

I

고체 지구

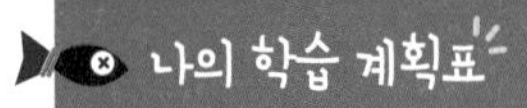

중단원	소단원	계획일	실천일	성취도
1 지권의 변동	01. 판 구조론의 정립 과정	/	/	○△×
	02. 고지자기와 대륙 분포의 변화	/	/	○△×
	수능 POOL + 실전! 수능 도전하기	/	/	○△×
	03. 맨틀 대류와 플룸 구조론	/	/	○△×
	04. 마그마의 생성과 화성암	/	/	○△×
	수능 POOL + 실전! 수능 도전하기	/	/	○△×
2 지구의 역사	01. 퇴적 구조와 퇴적 환경	/	/	○△×
	02. 지질 구조와 지층의 나이	/	/	○△×
	03. 지질 시대의 환경과 생물	/	/	○△×
	수능 POOL + 실전! 수능 도전하기	/	/	○△×
	대단원 정리 + 문제	/	/	○△×

1 지권의 변동

배울 내용 살펴보기

01 판 구조론의 정립 과정

지구상의 지각 변동을 설명하는 이론은 베게너의 대륙 이동설에서 시작하여 여러 학설로 수정·보완되었고 판 구조론으로 정립되었어.

- A 대륙 이동설
- B 맨틀 대류설
- C 해저 확장설
- D 판 구조론의 정립

02 고지자기와 대륙 분포의 변화

지질 시대에 생성된 암석에 남아 있는 잔류 자기를 측정하여 대륙의 이동과 대륙의 분포 변화를 알 수 있어.

- A 고지자기 변화와 대륙 이동
- B 지질 시대의 대륙과 해양 분포
- C 미래의 대륙과 해양 분포 변화

03 맨틀 대류와 플룸 구조론

판의 운동은 맨틀 대류만으로 모두 설명할 수 없어. 플룸 구조론으로 더 큰 규모의 지구 내부 움직임을 설명할 수 있어.

- A 맨틀 대류와 판의 이동
- B 플룸 구조론과 열점

04 마그마의 생성과 화성암

마그마의 생성 조건과 마그마가 냉각되어 형성된 화성암의 특징을 알면 우리나라의 화성암 지형의 특징도 알 수 있어.

- A 마그마의 종류와 생성 과정
- B 화성암
- C 우리나라의 화성암 지형

01 판 구조론의 정립 과정

핵심 키워드로 흐름잡기
- A 대륙 이동설, 판게아
- B 맨틀 대류설, 맨틀 상승, 맨틀 하강
- C 해양저 확장설, 음향 측심법
- D 판 구조론, 판의 경계

A 대륙 이동설

|출·제·단·서| 시험에는 베게너가 제시한 대륙 이동의 증거에 대해 묻는 문제가 나와.

1. 대륙 이동설의 등장

(1) 대륙 이동에 대한 의견

① 17세기 초 남아메리카와 아프리카의 해안선 모양이 유사한 것에 의문을 제기하면서 대륙이 한 덩어리에서 갈라져 나온 것이라는 의견이 있었다.

② 20세기 초 베게너가 여러 가지 증거를 제시하면서 본격적인 대륙 이동설이 등장하였다.

(2) 베게너의 대륙 이동설 판게아는 그리스어로 '모든 땅'이라는 뜻이다.

① 1912년 베게너는 초대륙인 판게아가 존재했으며, 판게아는 약 2억 년 전부터 분리되어 현재와 같은 대륙 분포가 되었다고 주장하였다.

② 베게너가 제시한 증거는 해안선 모양의 유사성, 빙하의 흔적❶ 분포, 화석 분포와 지질 구조의 연속성 등이다.

▲ 초대륙 판게아의 모습

❶ 빙하의 흔적
빙하가 기존의 암석을 긁고 지나가면서 흔적을 남긴다.

빈출 자료 대륙 이동설의 증거 암기TiP 대륙 이동의 증거: 해안선 모양, 빙하 흔적, 화석 분포, 지질 구조의 연속성

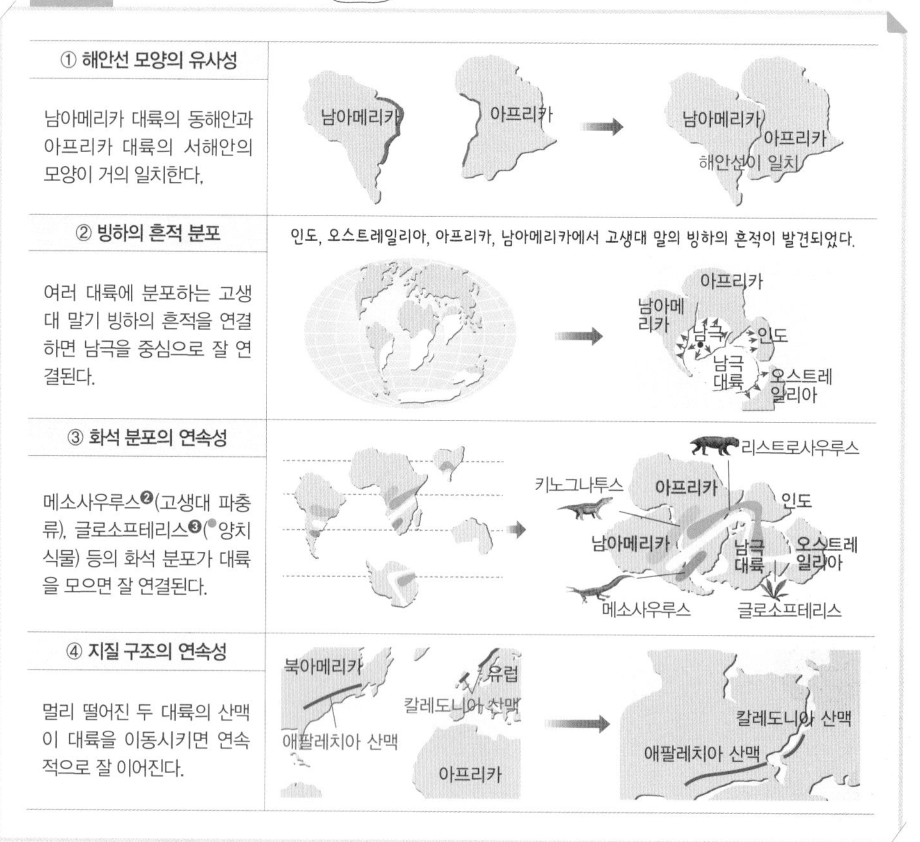

① 해안선 모양의 유사성	남아메리카 대륙의 동해안과 아프리카 대륙의 서해안의 모양이 거의 일치한다.
② 빙하의 흔적 분포	여러 대륙에 분포하는 고생대 말기 빙하의 흔적을 연결하면 남극을 중심으로 잘 연결된다.
③ 화석 분포의 연속성	메소사우루스❷(고생대 파충류), 글로소프테리스❸(*양치식물) 등의 화석 분포가 대륙을 모으면 잘 연결된다.
④ 지질 구조의 연속성	멀리 떨어진 두 대륙의 산맥이 대륙을 이동시키면 연속적으로 잘 이어진다.

❷ 메소사우루스
약 3억 년 전에 아프리카와 남아메리카에 살았던 파충류로, 공룡은 아니다.

❸ 글로소프테리스
약 2~3억 년 전에 살았던 식물로, 잎의 모양이 길쭉하고 둥글다.

용어 알기
- 양치식물(양 羊, 이 齒, 심다 植, 물건 物) 모양이 양의 치아와 비슷하게 생긴 식물

2. 대륙 이동설의 한계

베게너는 대륙을 이동시키는 원동력에 대해 충분한 설명을 하지 못했기 때문에 당시에 지지를 받지 못했다. ⇨ 당시 과학자들은 베게너가 제시한 대륙 이동의 증거를 우연의 일치라고 생각하였다.

B 맨틀 대류설

|출·제·단·서| 시험에는 맨틀 대류설이 처음 제안된 시기, 한계와 의의에 대해 묻는 문제가 나와.

1. 홈스의 맨틀 대류설 1928년 홈스는 맨틀 상부와 하부의 온도 차에 의해 맨틀 내부에 열대류가 일어나며, 그 결과 맨틀 위에 놓인 대륙이 이동한다고 주장하였다.

빈출 자료 **홈즈의 맨틀 대류설 모형**

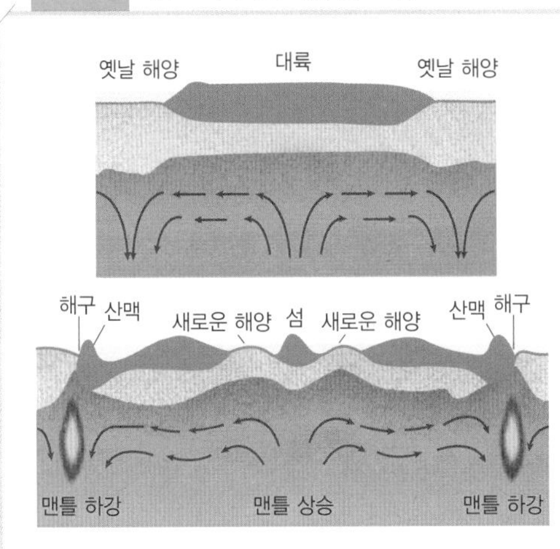

주요 방사성 원소에는 우라늄, 토륨 등이 있다.

- 맨틀 내 방사성 원소가 붕괴하여 생성된 열에 의해 맨틀 대류가 일어난다. ⇨ 고체인 맨틀이 유동성을 띤다.
- 맨틀 물질이 상승하는 곳은 맨틀 물질이 발산하면서 장력을 받는다. ⇨ 대륙이 갈라져 양쪽으로 이동하여 새로운 해양과 섬이 형성된다.
- 맨틀 물질이 하강하는 곳은 맨틀 물질이 수렴하면서 횡압력을 받는다. ⇨ 지각이 맨틀 속으로 들어가고, 해구와 산맥이 형성된다.

현재 판 구조론에서 설명하는 맨틀 대류와는 많은 차이가 있다. 당시에는 연약권과 암석권, 부분 용융 등의 개념이 없었다.

2. 맨틀 대류설의 한계 현재 알려져 있는 맨틀 대류 과정과 비슷하였으나 당시에는 맨틀 대류를 확인할 수 있는 탐사 기술이 없어 대륙 이동의 원동력으로 인정받지 못하였다.

C 해저 확장설

|출·제·단·서| 시험에는 음향 측심 자료 해석, 해저 확장설의 증거에 대해 묻는 문제가 나와.

1. 해저 탐사 기술의 발달 1950년대 이후 탐사 장비와 기술이 크게 발달함에 따라 해저 지형을 광범위하게 탐사할 수 있었다.

(1) 음향 측심법 탐구 POOL

해양 탐사선에서 발사한 음파가 바다 밑바닥에서 반사되어 가장 빨리 되돌아오는 데 걸리는 시간을 측정하여 수심을 알아낸다. ⇨ 수심이 깊을수록 음파의 왕복 시간이 길다.

> 음파가 반사되어 가장 빨리 되돌아오는 데 걸리는 시간을 t, 음파의 속도를 v라고 하면 수심 d는 다음과 같다.
>
> $$수심(d) = \frac{1}{2}vt$$

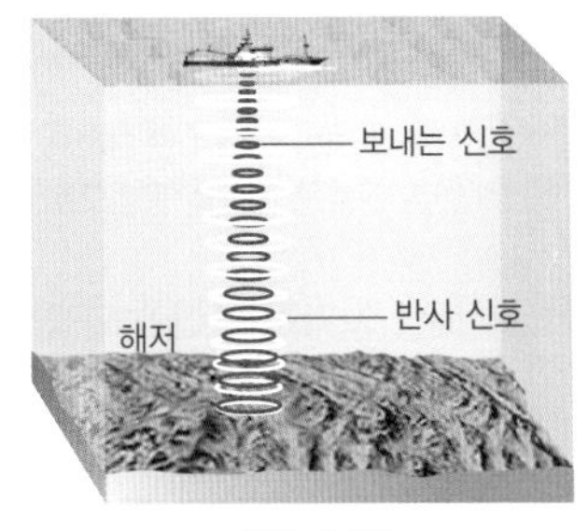

▲ 음향 측심법

(2) 음향 측심법을 이용한 해저 지형 탐사 음향 측심법을 이용한 수심 측정으로 대륙 주변부와 심해저에 특징적인 지형이 발달해 있음을 알아내었다.

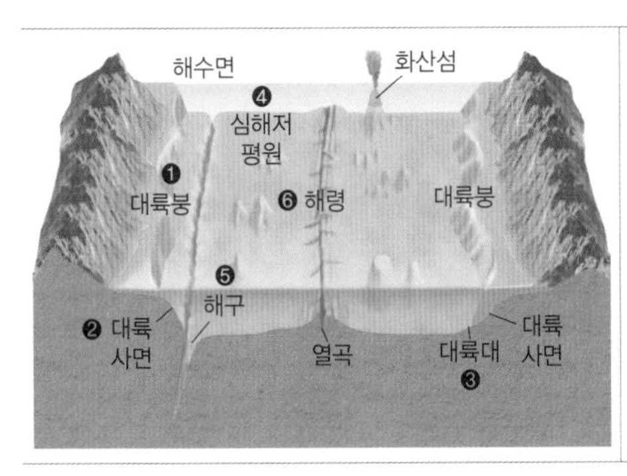

❶ 대륙붕: 대륙의 연장으로 경사가 거의 없는 지형이다.
❷ 대륙 사면: 대륙붕에서 이어진 비교적 경사가 급한 지형이다.
❸ 대륙대: 경사가 완만한 지형이다.
❹ 심해저 평원: 평균 수심 약 4 km로, 해저의 대부분을 차지한다.
❺ 해구: 수심 약 6 km 이상의 깊은 골짜기이다.
❻ 해령: 주변보다 수심이 얕은 해저 산맥으로 중앙에 열곡이 발달한다. ┌ V자 모양의 골짜기

맨틀은 고체 상태인데 어떻게 대류가 가능할까?

맨틀은 난난한 고체의 특징(예 지진파 전달)을 갖지만, 오랜 시간에 걸쳐 일어나는 변화를 보면 유체에 가까운 성질(예 열대류)을 갖는다.

맨틀 대류설의 의의

20세기 중반 이후 과학 기술의 발달로 맨틀 대류를 뒷받침하는 여러 가지 관측 자료가 나오면서 판 구조론이 정립되는 데 중요한 역할을 하게 되었다.

최근의 해저 지형 탐사

인공위성에서 해수면의 높낮이를 측정하면, 중력 분포 자료를 이용하여 해저 지형을 파악할 수 있다.

용어 알기

- 유동성(흐르다 流, 움직이다 動, 성질 性) 흘러 움직일 수 있는 성질
- 장력(넓히다 張, 힘 力) 수평 방향으로 양쪽에서 당기는 힘
- 횡압력(가로 橫, 누르다 壓, 힘 力) 수평 방향으로 양쪽에서 누르는 힘

2. 해저 확장설의 등장과 증거

(1) 해저 확장설의 등장 1960년대 초 디츠와 헤스는 해령에서 고온의 맨틀 물질이 상승하여 새로운 해양 지각이 생성되고, 해령에서 양쪽으로 확장되어 멀어져 간다고 주장하였다.

(2) 해저 확장설의 증거 고지자기 줄무늬의 대칭, 해저 지형(열곡, 변환 단층[4] 등), 해양 지각의 나이와 해저 퇴적물[5]의 두께 분포, •섭입대 주변 지진의 진원 깊이 등이 있다.

① **고지자기 줄무늬의 대칭:** 해령을 중심으로 고지자기의 줄무늬가 대칭적으로 나타난다.

⇨ 과학자들은 해령에서 생성된 해양 지각이 양쪽으로 이동하여 고지자기 줄무늬가 대칭적으로 나타난다고 설명하였다.

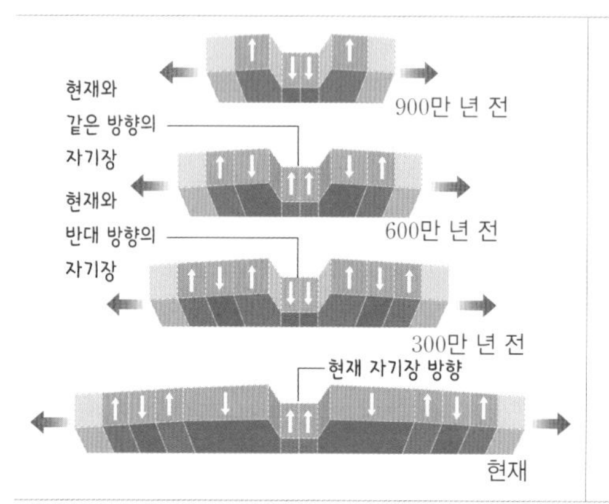

- 암석이 생성될 때 일부 광물들은 당시의 지구 자기장 방향으로 배열되는데, 이를 통해 과거 지구 자기장인 고지자기에 대한 정보를 얻을 수 있다.
- 해양 지각에 분포하는 지구 자기를 측정한 결과 지구 자기장의 남극과 북극이 반복적으로 바뀌었다는 것을 밝혀냈는데, 이를 고지자기의 역전[6]이라고 한다.
- 고지자기의 역전이 해령을 축으로 대칭을 이루고 있는 것은 해령을 중심으로 해저가 양쪽으로 확장되었음을 나타낸다.

② **해저 지형(열곡, 변환 단층):** 해령 중심부에서 해저가 양쪽으로 확장되면서 열곡 지형이 발달하며, 해령과 해령 사이에 변환 단층이 생성된다.

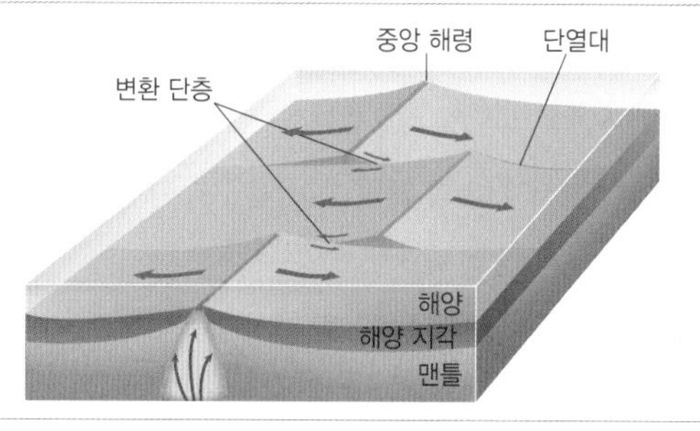

- 해령과 해령 사이에 존재하는 변환 단층은 지각이 서로 어긋나는 경계로 지진이 활발하다.
- 변환 단층은 해령을 중심으로 해저가 양쪽으로 멀어지기 때문에 생성된다.

③ **해양 지각의 나이와 퇴적물의 두께 분포:** 해령으로부터 멀어질수록 해양 지각의 나이가 증가하고, 퇴적물의 두께가 두꺼워진다.

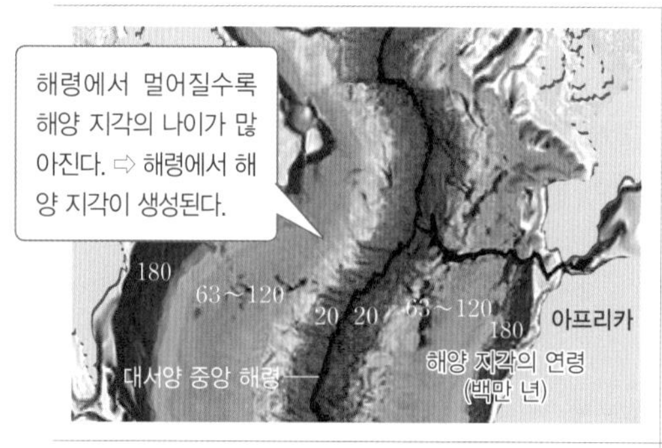

전 세계 해양 지각의 나이를 측정해 보면 대부분 2억 년을 넘지 않는다. 이는 해령에서 생성된 해양 지각이 이동하다가 해구에서 맨틀 속으로 섭입되어 소멸하기 때문이다.

해령에서 해양 지각이 생성되므로 해양 지각의 나이가 가장 적다.

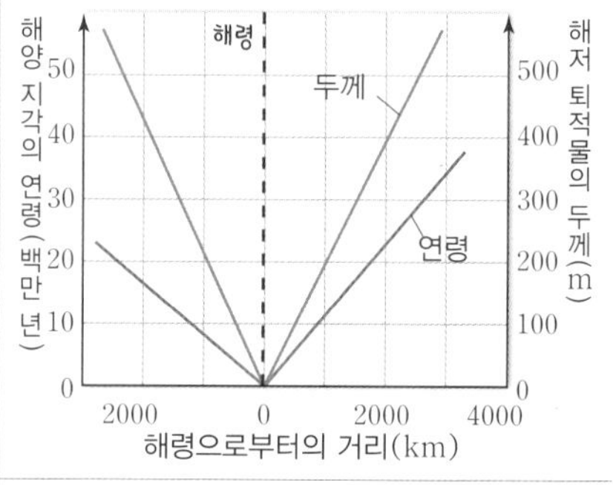

심해저에서는 거의 일정한 속도로 퇴적물이 쌓인다. 따라서 해저에 쌓여 있는 퇴적물의 두께는 해양 지각이 생성된 시기가 오래될수록 두껍다.

해령에서 멀어질수록 퇴적물이 쌓이는 시간이 길어져 퇴적물의 두께가 두껍고, 수심이 깊다.

❹ 변환 단층
처음에는 해령과 해령 사이에 수직으로 발달한 단층을 변환 단층이라고 하였으나, 현재는 두 판의 운동이 어긋나는 곳에 발달한 단층을 변환 단층이라고 한다. 산안드레아스 단층은 대륙 지각에 발달한 변환 단층이다.

❺ 해저 퇴적물
육지에서 멀리 떨어진 곳에서 생성되는 퇴적물로 주로 점토, 플랑크톤의 껍질, 화산재, 침전 광물 등이다. 퇴적 속도는 매우 느린 편인데 1000년에 수 cm~수 mm 이하이다.

❻ 고지자기의 역전
지질 시대 동안 지구 자기장의 방향은 현재와 같은 정자극기와 반대인 역자극기가 반복되었다.

지구가 둥글기 때문에 해령의 위치에 따라 해양 지각이 확산되는 속도가 달라 변환 단층이 형성되고, 이동 방향이 같은 단열대에서는 지진이 거의 발생하지 않아!

용어 알기

•섭입(잡다 攝, 들어가다 入)
어느 한쪽이 다른 쪽의 밑으로 들어가는 현상

④ **섭입대 주변 지진의 진원 깊이**: 섭입대에서 대륙으로 갈수록 지진의 깊이가 깊어진다.
⇨ 섭입대에서 판이 소멸한다. 판이 섭입하면서 지진이 발생하는 깊이가 점차 깊어지는 섭입대를 베니오프대라고 한다.

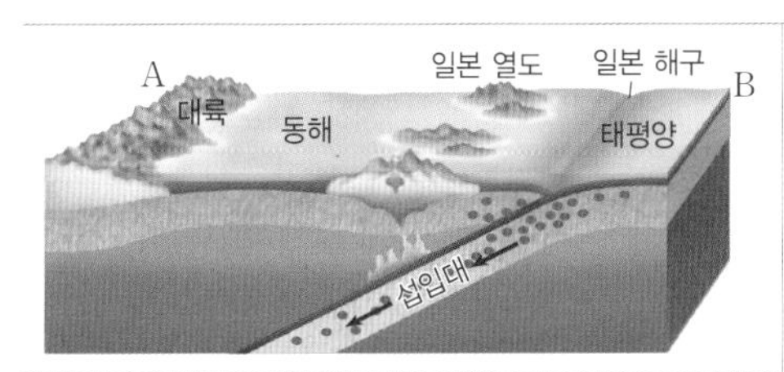

- 1960년대 초반 기술의 발전으로 지진의 발생 위치와 깊이를 정확하게 알아낸 수 있게 되었다.
- 섭입대 주변 지진의 발생 깊이가 해구에서 대륙으로 갈수록(B→A) 깊어진다.❼
⇨ 해양 지각이 해구에서 섭입되어 소멸된다.

D 판 구조론의 정립

암기TiP 대륙 이동설 → 맨틀 대류설 → 해저 확장설 → 판 구조론

|출·제·단·서| 시험에는 판 구조론의 정립 과정과 판 경계의 특징에 대해 묻는 문제가 나와.

1. 판 구조론 1970년대 초 지구 겉 부분이 10여 개의 판들로 이루어져 있으며, 판의 운동❽에 의해 다양한 지질 현상이 일어난다는 통합적인 이론인 판 구조론이 정립되었다.

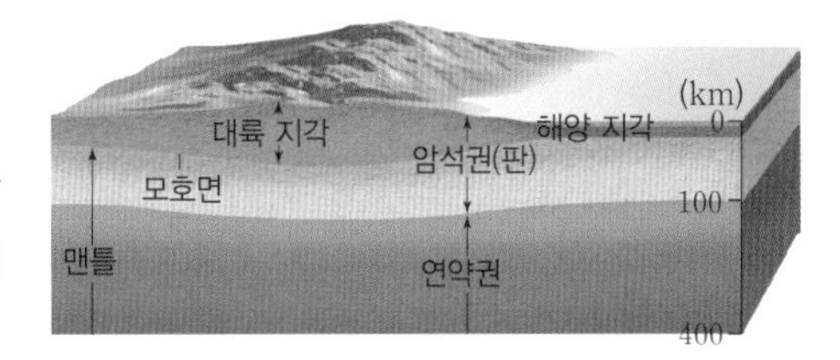

(1) 암석권(판) 지각과 상부 맨틀을 포함하는 평균 두께 약 100 km인 부분을 암석권이라 하고, 암석권의 조각을 판이라고 한다.

(2) 연약권 판 아래에 부분 용융되어 있는 부분으로 이곳에서 맨틀의 대류가 일어나 판이 이동한다.

2. 판 구조론의 의의 판 구조론을 통해 서로 관계없이 일어난다고 생각하였던 여러 가지 지각 변동(화산 활동, 지진, •조산 운동 등)을 통합적으로 해석할 수 있게 되었다.

빈출 자료 판 경계의 종류와 분포

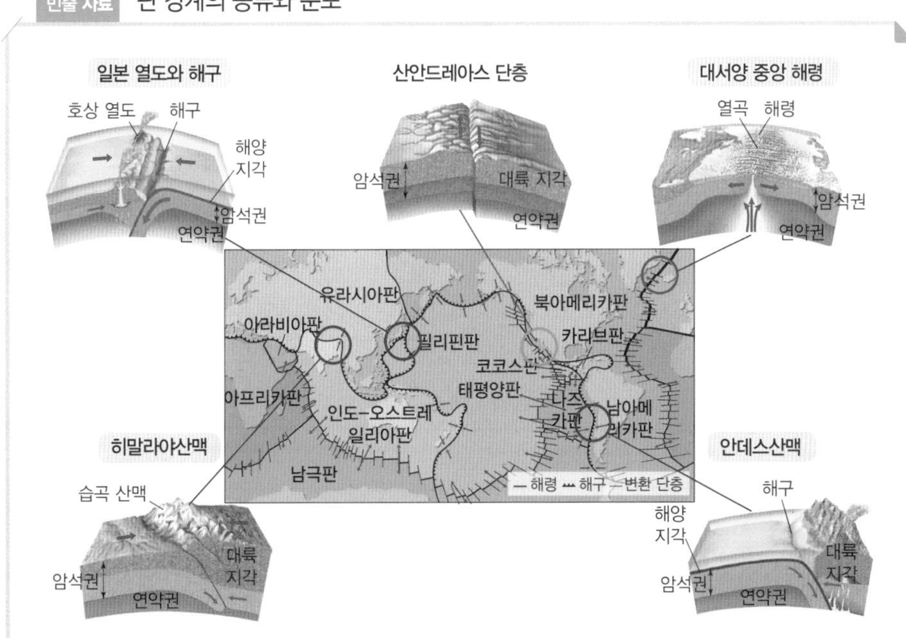

종류	판의 운동	특징	발달하는 지형
발산형 경계	두 판이 서로 멀어진다.	판이 생성된다.	해령, 열곡대
수렴형 경계	두 판이 서로 가까워진다.	판이 소멸한다.	해구, •호상 열도, 습곡 산맥
보존형 경계	두 판이 서로 어긋난다.	판의 생성이나 소멸이 없다.	변환 단층

❓ 섭입대를 따라 지진이 발생하는 까닭은?
지진은 단단한 암석에 누적되어 있던 에너지가 한번에 방출되면서 발생한다. 따라서 섭입대를 따라 지구 내부로 들어가는 암석권에서 주로 지진이 발생한다.

❼ 지진의 구분
지진이 발생한 깊이에 따라 천발 지진, 중발 지진, 심발 지진으로 구분할 수 있다.

구분	진원 깊이
천발 지진	0~70 km
중발 지진	70~300 km
심발 지진	300 km 이상

❽ 판의 이동 속도
판은 보통 수 cm/년의 속도로 이동하며, 가장 빠르게 이동하는 판은 태평양판으로 속도가 10 cm/년 이상이다.

최근의 판의 이동 탐사
최근에는 인공위성을 이용한 위치 측정 기술의 발달로 판 경계의 위치와 이동 속도를 정밀하게 측정할 수 있다.

해양 지각은 주로 현무암질 암석, 대륙 지각은 주로 화강암질 암석으로 이루어져 있어!

용어 알기
•조산 운동(짓다 造, 산 山, 옮기다 運, 움직이다 動) 산맥이나 높은 산지를 만드는 지각 변동
•호상 열도(활 弧, 모양 狀, 늘어서다 列, 섬 島) 활과 비슷한 모양으로 늘어서 있는 섬

음향 측심 자료를 이용한 해저 지형 측정

목표 음향 측심 자료를 이용하여 해저 지형을 파악할 수 있다.

과정

표는 서로 다른 A, B 해역에서 일정한 간격으로 직선 구간을 따라 음향 측심을 한 자료이다.

A 해역	탐사 지점	1	2	3	4	5	6	7	8	9	10
	음파의 왕복 시간(초)	5.5	5.6	5	4.8	4.7	4.3	4.5	5.1	5.4	5.5
B 해역	탐사 지점	1	2	3	4	5	6	7	8	9	10
	음파의 왕복 시간(초)	7.1	8	6.8	6.4	5	10	6.1	7.6	7.8	7.1

❶ 음향 측심 자료를 바탕으로 A 해역과 B 해역에서의 수심을 구한다.
(단, 해양에서 음파의 속력은 1500 m/s이다.)

❷ 과정 ❶에서 구한 값을 가로축은 탐사 지점, 세로축은 수심으로 그래프를 작성한다.

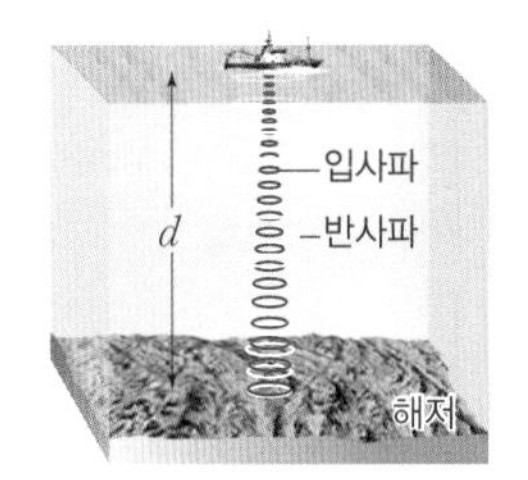

수심(d) $= \frac{v \times t}{2}$
(v: 음파의 평균 속도, t: 음파의 왕복 시간)
예 A 해역 탐사 지점 1의 수심
$\frac{1}{2} \times 5.5\ \text{s} \times 1500\ \text{m/s}$
$= 4125\ \text{m}$

결과 및 해석

과정 ❶에서 계산한 수심을 바탕으로 A 해역과 B 해역의 해저 지형의 모습을 그려보면 다음과 같다.

A해역	탐사 지점	1	2	3	4	5	6	7	8	9	10
	수심(m)	4125	4200	3750	3600	3525	3225	3375	3825	4050	4125
B해역	탐사 지점	1	2	3	4	5	6	7	8	9	10
	수심(m)	5325	6000	5100	4800	3750	7500	4575	5700	5850	5325

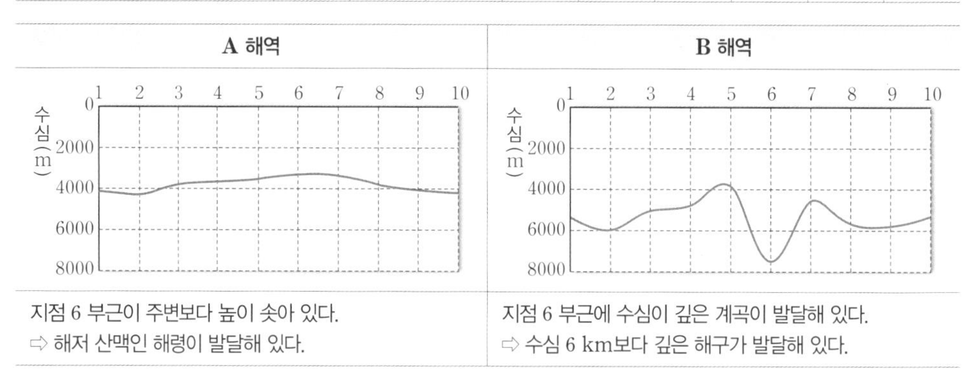

A 해역	B 해역
지점 6 부근이 주변보다 높이 솟아 있다. ⇨ 해저 산맥인 해령이 발달해 있다.	지점 6 부근에 수심이 깊은 계곡이 발달해 있다. ⇨ 수심 6 km보다 깊은 해구가 발달해 있다.

한·줄·핵·심 음파 왕복 시간을 측정하여 해저 산맥과 해구를 찾을 수 있다.

확인 문제

정답과 해설 02쪽

01 이 탐구 활동에 대한 설명 중 옳은 것은 ○, 옳지 않은 것은 ×로 표시하시오.

(1) 음파 왕복 시간이 오래 걸릴수록 수심이 얕다. ( )

(2) A 해역에서 수심이 가장 깊은 곳은 지점 6이다. ( )

(3) B 해역에는 판의 수렴형 경계가 발달해 있다. ( )

02 이 탐구 활동에서 A 해역 부근에 발달한 경계는 무엇인지 쓰시오.

03 대륙붕에서 대륙 사면을 거쳐 대륙대까지 음향 측심법으로 탐사를 수행한다면 음파 왕복 시간은 어떻게 측정될지 쓰시오.

콕콕! 개념 확인하기

정답과 해설 02쪽

✔ 잠깐 확인!

1. □□□
약 3억 년 전 지구 상에 존재했던 거대한 초대륙

2. 1912년 베게너는 초대륙 이동이 분리되어 현재와 같은 대륙 분포가 되었다는 □□ □□□을 주장하였다.

3. □□ □□□
1928년 영국의 홈스가 대륙 이동의 원동력으로 제시한 학설

4. □□ □□□
음파가 바다 밑바닥에 반사되어 되돌아오는 데 걸리는 시간을 측정하여 수심을 알아내는 방법

5. □□ □□□
해령에서 새로운 해양 지각이 생성되고, 양쪽으로 멀어져 간다는 학설

6. □□ □□
해령과 해령 사이에 수직으로 발달한 단층

7. □ □□□
판의 운동에 의해 다양한 지질 현상이 일어난다는 통합적인 이론

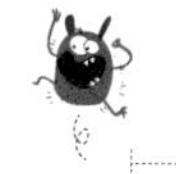

A 대륙 이동설

01 베게너가 제시한 대륙 이동설의 근거로 옳은 것은 ○, 옳지 않은 것은 ×로 표시하시오.

(1) 멀리 떨어진 대륙에서 같은 종류의 화석이 발견된다. ( )

(2) 대서양을 사이에 둔 양쪽 대륙의 해안선 모양이 유사하다. ( )

(3) 여러 대륙에 분포하는 고생대 말 빙하의 흔적이 하나로 연결된다. ( )

(4) 두 대륙을 연결하고 있던 육지가 침강하여 사라졌다. ( )

02 다음은 대륙 이동설의 한계에 대한 설명이다. ( ) 안에 들어갈 알맞은 말을 쓰시오.

> 베게너의 대륙 이동설이 그 당시에 큰 지지를 받지 못한 이유는 대륙을 이동시키는 ( )을 설명하지 못하였기 때문이다.

B 맨틀 대류설

03 다음은 홈스의 주장을 요약한 내용이다. ㉠, ㉡에 들어갈 알맞은 말을 쓰시오.

> 맨틀 내 방사성 원소가 붕괴하여 생성된 열에 의해 맨틀 상부와 하부의 (㉠) 차가 나타나 맨틀 내부에 열대류가 일어나며, 그 결과 맨틀 위에 놓인 (㉡)이 이동한다.

C 해저 확장설

04 해저 확장설의 근거에 대한 설명으로 옳은 것은 ○, 옳지 않은 것은 ×로 표시하시오.

(1) 해령을 중심으로 고지자기의 줄무늬가 대칭을 이룬다. ( )

(2) 해령 중심부에 열곡 지형이 발달해 있다. ( )

(3) 해령으로부터 멀어질수록 해양 지각의 나이가 감소한다. ( )

D 판 구조론의 정립

05 다음은 판 구조론에 대한 설명이다. ㉠, ㉡에 들어갈 알맞은 말을 쓰시오.

> 판 구조론은 지구 겉 부분이 10여 개의 (㉠)들로 구분되며, 이들의 운동에 의해 다양한 지질 현상이 일어난다는 이론이다. 판 구조론은 화산 활동, 지진 등의 (㉡)을 통합적으로 설명할 수 있다.

탄탄! 내신 다지기

A 대륙 이동설

01 다음에서 설명하는 이론은 무엇인가?

> 1912년 독일의 기상학자 베게너는 약 3억 년 전 지구상의 대륙은 하나의 초대륙을 이루고 있었으며, 이 대륙이 서서히 분리된 후 이동하여 현재의 대륙 분포를 이루게 되었다고 주장하였다.

① 대륙 이동설　② 맨틀 대류설
③ 해저 확장설　④ 판 구조론
⑤ 플룸 구조론

02 베게너가 제시한 대륙 이동설의 증거로 옳지 <u>않은</u> 것은?

① 맨틀 대류에 의해 거대한 대륙이 이동한다.
② 대서양을 사이에 두고 화석 분포가 연속적이다.
③ 고생대 말기 빙하의 흔적이 남극을 중심으로 잘 연결된다.
④ 멀리 떨어져 있는 두 대륙에서 지질 구조가 연속적으로 나타난다.
⑤ 남아메리카 대륙의 동해안과 아프리카 대륙의 서해안 모양이 거의 일치한다.

단답형

03 그림은 여러 대륙에서 발견된 같은 종류의 화석 분포를 나타낸 것이다.

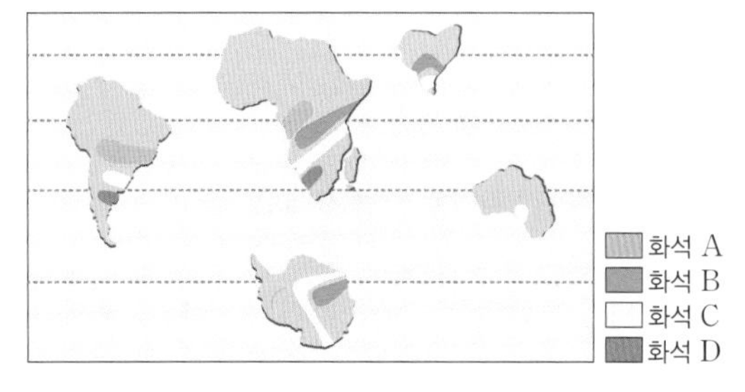

멀리 떨어져 있는 여러 대륙에서 같은 종류의 화석이 발견되는 까닭을 쓰시오.

단답형

04 그림은 베게너가 주장한 초대륙의 모습이다.

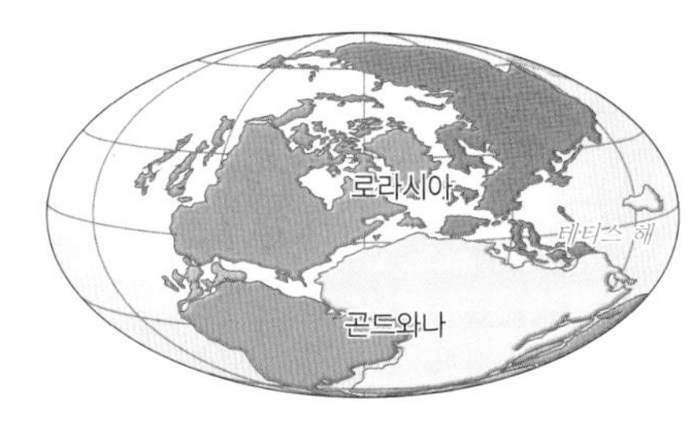

이 초대륙의 이름과 존재했던 시기를 쓰시오.

B 맨틀 대류설

05 홈스가 주장한 대륙 이동의 원동력에 해당하는 것은?

① 맨틀의 열대류
② 외핵의 열대류
③ 태양 복사 에너지
④ 태양과 달의 조석력
⑤ 지구의 자전에 의한 원심력

06 홈스의 맨틀 대류설에 대한 설명으로 옳지 <u>않은</u> 것은?

① 맨틀 내부의 온도 차이로 맨틀에서 열대류가 발생한다.
② 맨틀 대류가 상승하는 곳에서는 마그마의 활동으로 새로운 지각이 형성된다.
③ 맨틀 대류가 하강하는 곳에서는 지각이 맨틀 속으로 들어간다.
④ 맨틀 대류설이 제시되면서 대륙 이동설을 정설로 받아들이기 시작하였다.
⑤ 맨틀 대류를 뒷받침할 만한 결정적인 증거를 제시하지 못하였다.

C 해저 확장설

07 음향 측심법을 이용한 해저 지형 탐사에 대한 설명으로 옳지 않은 것은?

① 제2차 세계 대전 이후 탐사 장비와 기술이 크게 발전하였다.
② 음향 측심법을 활용하여 해령과 해구 등의 해저 지형을 알게 되었다.
③ 음파가 해저면에 반사되어 되돌아오기까지 걸리는 시간을 재어 수심을 측정한다.
④ 수심은 (음파의 평균 속력×음파 왕복 시간)에 해당한다.
⑤ 해저 지형의 발견은 해저 확장설의 바탕이 되었다.

08 해저 확장의 증거로 옳지 않은 것은?

① 해령 부근에는 나이가 적은 암석이 분포한다.
② 대륙 주변부에 거대한 습곡 산맥이 발달한다.
③ 해령과 해령 사이에는 변환 단층이 존재한다.
④ 해령에서 멀어질수록 해저 퇴적물의 두께가 증가한다.
⑤ 해령을 중심으로 고지자기 줄무늬가 대칭적으로 나타난다.

단답형

09 그림에서 변환 단층에 해당하는 구간을 기호로 쓰시오.

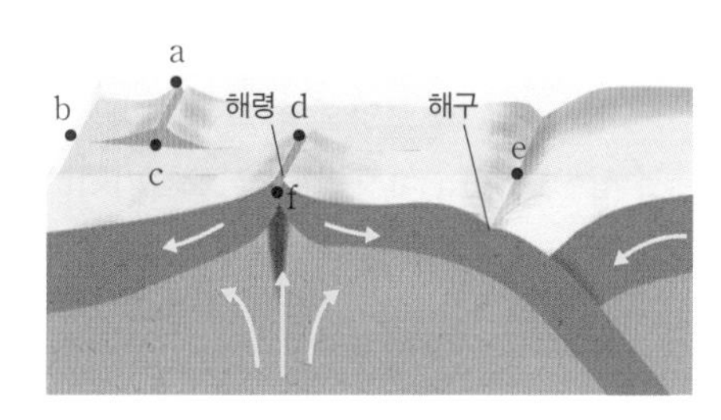

D 판 구조론의 정립

단답형

10 다음은 판 구조론이 정립되기까지의 과정을 나타낸 것이다. ㉠, ㉡에 들어갈 알맞은 말을 쓰시오.

> 대륙 이동설 → (㉠) → (㉡) → 판 구조론

11 판 구조론에 대한 설명으로 옳지 않은 것은?

① 지각과 상부 맨틀을 포함하는 평균 두께가 약 100 km인 부분을 암석권이라고 한다.
② 해양판의 밀도는 대륙판보다 크다.
③ 지구의 겉 부분은 하나로 연결된 거대한 판으로 이루어져 있다.
④ 탐사 기술의 발전은 판 구조론이 정립되는 데 중요한 역할을 하였다.
⑤ 1970년대 초 지각 변동을 설명하는 통합 이론으로 판 구조론이 탄생하였다.

12 다음은 판의 경계에서 발달하는 지형을 나열한 것이다.

> (가) 변환 단층 (나) 열곡대 (다) 습곡 산맥

(가), (나), (다)가 발달하는 판의 경계를 옳게 짝지은 것은?

	(가)	(나)	(다)
①	발산형 경계	수렴형 경계	보존형 경계
②	발산형 경계	보존형 경계	수렴형 경계
③	수렴형 경계	발산형 경계	보존형 경계
④	보존형 경계	수렴형 경계	발산형 경계
⑤	보존형 경계	발산형 경계	수렴형 경계

도전! 실력 올리기

01 그림은 고생대 말기의 빙하 흔적을 연결한 모습을 나타낸 것이다.

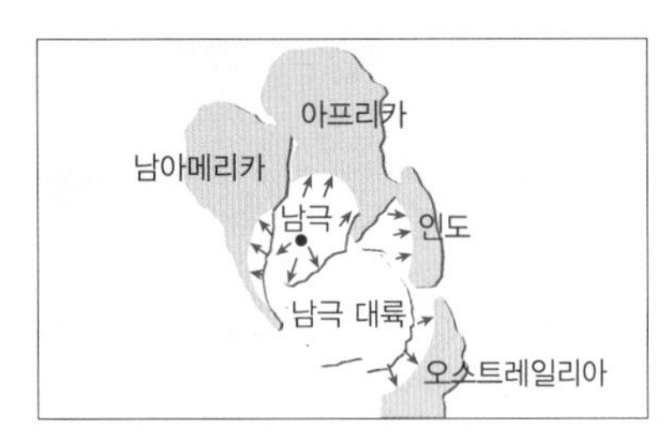

이에 대한 설명으로 옳은 것만을 〈보기〉에서 있는 대로 고른 것은?

보기
ㄱ. 고생대에는 대서양이 존재하지 않았다.
ㄴ. 인도 대륙은 과거에 남반구에 위치하였다.
ㄷ. 남아메리카 동해안과 아프리카 서해안의 해안선 모양이 거의 일치한다.

① ㄱ ② ㄷ ③ ㄱ, ㄴ
④ ㄴ, ㄷ ⑤ ㄱ, ㄴ, ㄷ

출제예감

02 그림은 화석을 기준으로 멀리 떨어져 있는 대륙을 연결하여 나타낸 것이다.

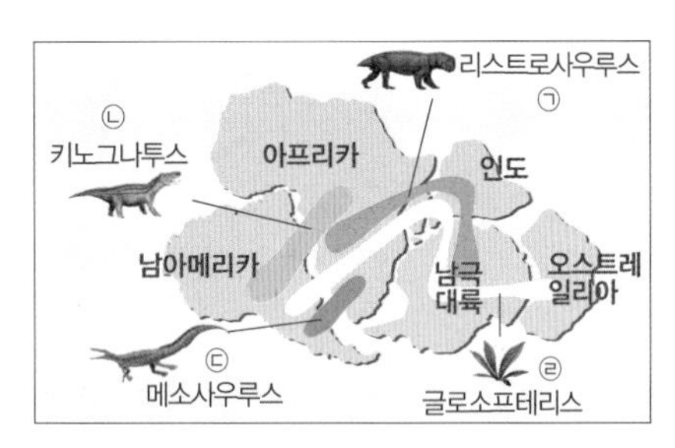

이에 대한 설명으로 옳은 것만을 〈보기〉에서 있는 대로 고른 것은?

보기
ㄱ. 화석 ㉠~㉣의 분포는 대륙 이동의 증거이다.
ㄴ. ㉠~㉣은 모두 대륙이 분리되기 이전에 살았던 생물들이다.
ㄷ. 대륙이 분리된 이후에 살았던 생물 분포도 연속적으로 나타날 것이다.

① ㄱ ② ㄷ ③ ㄱ, ㄴ
④ ㄴ, ㄷ ⑤ ㄱ, ㄴ, ㄷ

03 그림은 홈스의 맨틀 대류설을 나타낸 것이다.

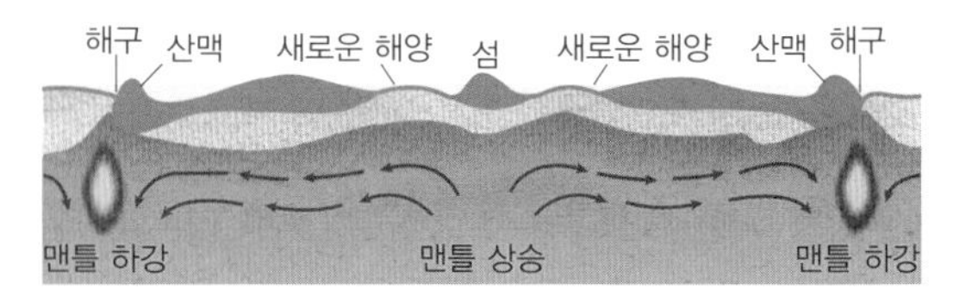

이에 대한 설명으로 옳은 것만을 〈보기〉에서 있는 대로 고른 것은?

보기
ㄱ. 맨틀 대류의 상승부에서 횡압력이 작용한다.
ㄴ. 맨틀 대류의 하강부에서 대륙 지각이 분리된다.
ㄷ. 맨틀 대류에 의해 새로운 해양과 섬이 생성된다.

① ㄱ ② ㄷ ③ ㄱ, ㄴ
④ ㄴ, ㄷ ⑤ ㄱ, ㄴ, ㄷ

04 그림은 해저 지형의 모습을 나타낸 것이다.

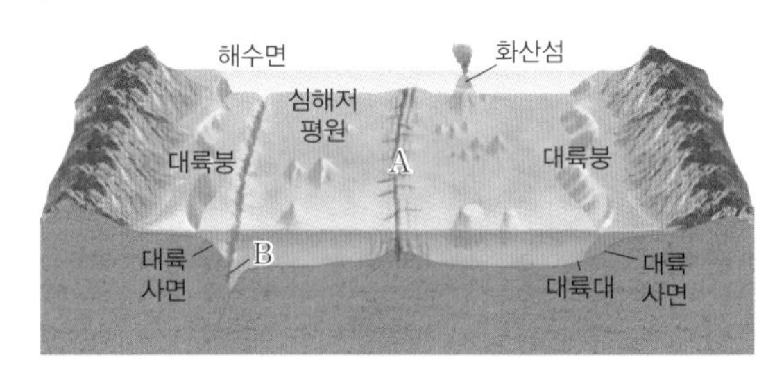

해저 지형에 대한 설명으로 옳은 것만을 〈보기〉에서 있는 대로 고른 것은?

보기
ㄱ. 대륙붕은 대륙 사면보다 경사가 크다.
ㄴ. A의 중심부에 V자 모양의 열곡이 있다.
ㄷ. B는 수심 약 6 km 이상의 깊은 골짜기이다.

① ㄱ ② ㄱ, ㄴ ③ ㄱ, ㄷ
④ ㄴ, ㄷ ⑤ ㄱ, ㄴ, ㄷ

정답과 해설 03쪽

05 그림은 판의 경계 A~E를 나타낸 것이다.

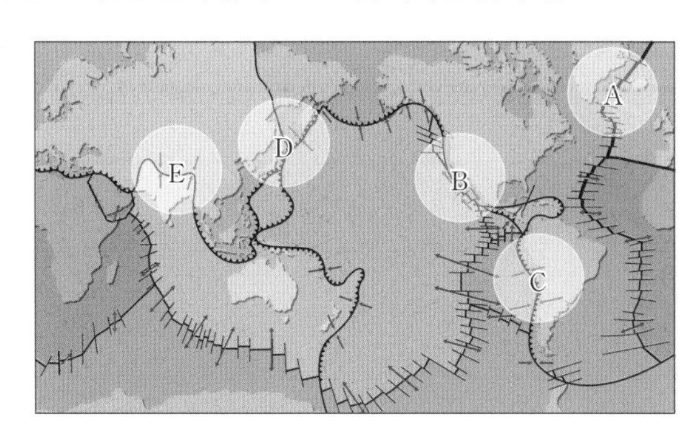

A~E에 대한 설명으로 옳은 것만을 〈보기〉에서 있는 대로 고른 것은?

보기
ㄱ. A에서는 새로운 해양 지각이 생성된다.
ㄴ. B에는 변환 단층이 발달한다.
ㄷ. C, D, E는 맨틀 대류의 하강부에 위치한다.

① ㄱ ② ㄷ ③ ㄱ, ㄴ
④ ㄱ, ㄷ ⑤ ㄱ, ㄴ, ㄷ

출제예감

06 다음은 판 구조론이 정립되는 과정에서 제기되었던 여러 가지 학설을 순서 없이 나열한 것이다.

(가) 해령에서 새로운 해양 지각이 만들어진다.
(나) 맨틀 내부의 온도 차에 의해 대류가 일어난다.
(다) 초대륙이 분리되어 현재의 대륙 분포를 이루었다.
(라) 지구의 겉 부분은 여러 개의 판으로 이루어져 있다.

(가)~(라)를 등장한 순서대로 옳게 나열한 것은?

① (가) → (나) → (다) → (라)
② (가) → (다) → (라) → (나)
③ (나) → (다) → (라) → (가)
④ (다) → (나) → (가) → (라)
⑤ (다) → (나) → (라) → (가)

단답형

07 표는 어느 해역에서 직선 구간을 따라 일정한 간격으로 음향 측심을 한 자료이다. 이 해역에서 수심이 가장 깊은 지점을 찾고, 수심을 계산하여 쓰시오. (단, 음파의 평균 속력은 1500 m/s이다.)

탐사 지점	1	2	3	4	5
음파 왕복 시간(초)	7.1	8.0	6.8	6.4	5.0
탐사 지점	6	7	8	9	10
음파 왕복 시간(초)	10.0	6.1	7.6	7.8	7.1

서술형

08 해령 부근에서는 고지자기의 줄무늬가 대칭을 이룬다. 이런 관측 결과를 해저 확장과 관련지어 서술하시오.

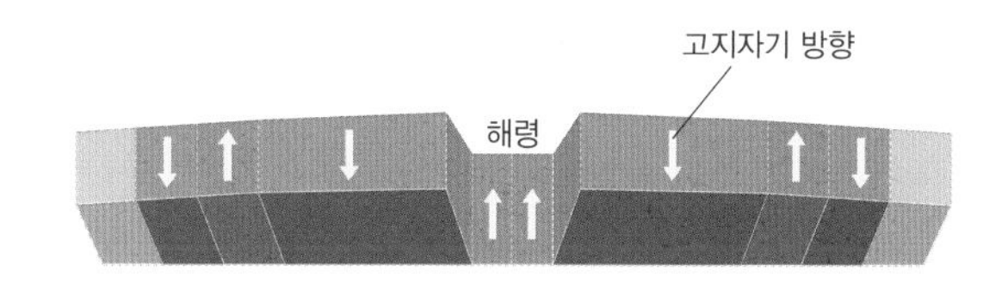

서술형

09 그림은 두 대륙의 이동을 나타낸 것이다.

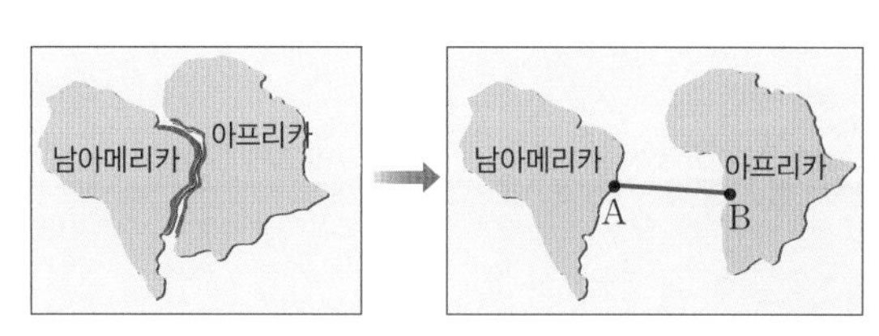

A에서 B로 가는 동안 해양 지각의 나이 분포는 어떻게 달라질지 서술하시오.

02 고지자기와 대륙 분포의 변화

핵심 키워드로 흐름잡기

- A 지구 자기장, 편각, 복각, 잔류 자기, 자북극
- B 로디니아, 판게아, 초대륙
- C 판의 이동 속력, 방향, GPS 위성

A 고지자기 변화와 대륙 이동

|출·제·단·서| 시험에는 고지자기 변화와 대륙 이동, 자북극의 이동 경로에 대해 묻는 문제가 나와.

1. 지구 °자기장 나침반의 자침은 특정 방향을 가리키는데 이것은 지구가 자석의 성질을 띠기 때문이다. ⇨ 지구에 의해 형성된 자기의 성질이 미치는 공간을 지구 자기장이라고 한다.

2. 편각과 복각 지구 자기장의 방향과 세기를 나타낼 때 주로 편각과 복각으로 나타낸다.

진북은 지리상의 북극 방향 / 나침반 자침의 N극이 가리키는 방향

(1) 편각 진북과 자북이 이루는 각을 편각이라고 한다. ⇨ 지리상 북극과 자북극[1]이 일치하지 않으므로 진북과 나침반 자침이 가리키는 자북 역시 일치하지 않는다.

(2) 복각 나침반의 자침이 수평면과 이루는 각도를 복각이라고 한다. 복각은 자기 적도에서 0°, 자북극에서 +90°, 자남극에서 −90°이다. 복각은 북반구에서 (+), 남반구에서 (−)이다.

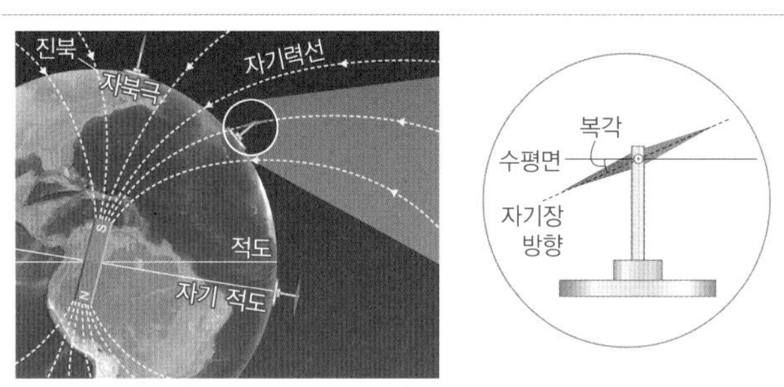

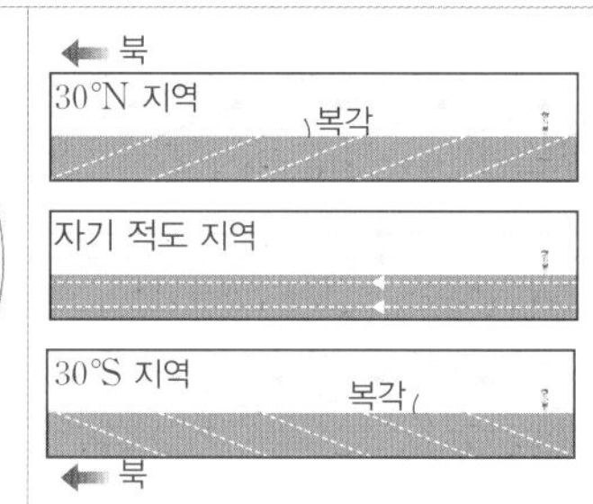

- 지구 자기장은 마치 지구 내부에 거대한 막대 자석이 있는 것과 유사한 형태이다.
- 지구의 자기축은 지구 자전축에 대해 11.5° 기울어져 있다.
- 지구 자기장의 영향으로 위도에 따라 복각의 크기가 다르다.
- 암석에 기록된 고지자기의 복각 측정으로 암석 생성 당시의 위치(위도)와 자극의 위치를 알 수 있다.
  ⇨ 복각이 +30°라면 자기 적도에서 30° 북쪽으로 위치한 지역이었고, 복각이 +90°라면 자북극이었다.

❶ 지리상 북극(북극점)과 자북극의 위치 비교

- 지리상 북극: 지구 자전축과 북반구의 지표면이 만나는 지점
- 자북극: 지구 자기장의 북극으로, 지구 자기장을 지구 중심에 놓인 거대한 막대자석이 만드는 자기장이라고 할 때 막대자석의 S극 방향 축과 지표면이 만나는 지점

서울에서 측정한 편각과 복각

- 편각: 서울에서 나침판의 자침은 진북에 대해 약 6.5° 서쪽을 가리킨다.
- 복각: 수평면에 대해 약 55° 기울어진다.

3. 화성암과 퇴적암의 고지자기

(1) 고지자기 지질 시대에 생성된 암석에 기록되어 있는 지구 자기

(2) °잔류 자기 마그마가 식어 굳거나 퇴적물이 퇴적될 때 자성을 띤 광물은 당시의 지구 자기장 방향으로 자화된다. 이후 지구 자기장의 방향이 변해도 광물의 자화 방향은 보존되는데, 이를 잔류 자기라고 한다.

(3) 화성암의 고지자기 암석에 포함된 자성을 띤 물질은 뜨거운 용암 상태에서는 자성을 잃었다가 냉각되는 과정에서 다시 자성을 띤다. 이때 광물 입자는 그 당시의 지구 자기장 방향에 따라 배열된다. ⇨ 배열된 후 암석에 고정되어 지구 자기장의 방향이 바뀌어도 배열된 방향은 달라지지 않는다.

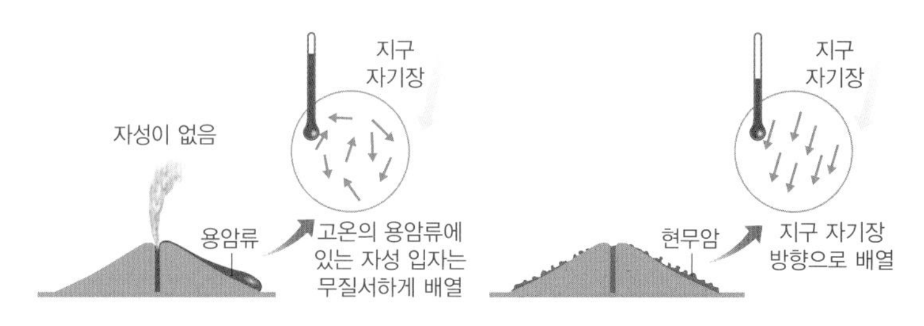

용어 알기

- 자기장(자석 磁, 기운 氣, 구획 場) 자석이나 전류 등에 의해 형성된 자기의 성질이 미치는 공간
- 잔류 자기(남을 殘, 머무르다 留, 자석 磁, 기운 氣) 지구 자기장에 의해 자화된 후 지구 자기장이 변하더라도 처음의 방향으로 남아 있는 자기

(4) 퇴적암의 고지자기 자성이 있는 광물 입자가 물속에서 퇴적되어 가라앉을 때, 퇴적물 속의 자성 광물은 그 당시의 자기장 방향으로 배열된다. ⇨ 퇴적암이 형성된 후에는 배열 방향이 바뀌지 않는다.

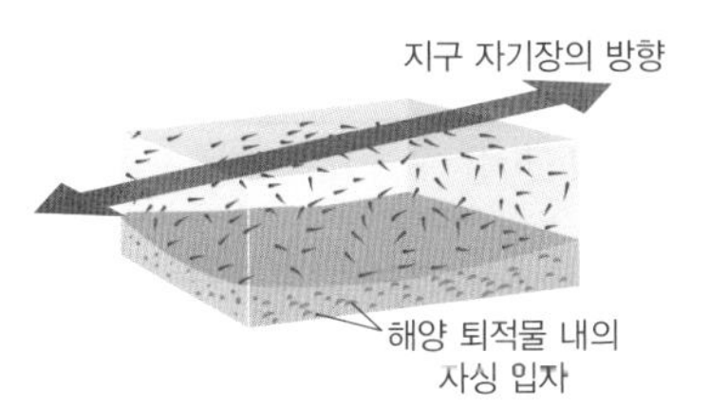

4. 자북극의 이동 경로와 복각의 변화

(1) 자북극의 이동 경로 잔류 자기를 측정하여 지질 시대 동안 자북극이 이동한 경로를 비교하면 대륙이 이동했다는 사실을 알 수 있다.

빈출 자료 자북극의 이동 경로

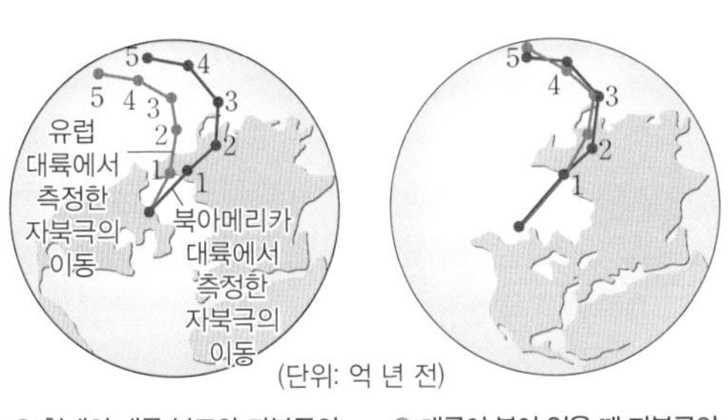

❶ 현재의 대륙 분포와 자북극의 이동 경로 ❷ 대륙이 붙어 있을 때 자북극의 이동 경로

❶ 유럽 대륙의 암석과 북아메리카 대륙의 암석에서 측정된 자북극의 이동 경로가 서로 다르다.

❷ 자북극은 1개이므로 자북극의 이동 경로가 일치하도록 대륙을 이동시키면 과거의 대륙 분포를 알아낼 수 있다.

⇨ 두 대륙이 과거에 붙어 있었으며, 서로 다른 방향으로 이동했다.

(2) 암석에 기록된 복각 변화 고지자기의 복각을 측정하면 과거 암석이 생성될 당시의 •위도를 알아낼 수 있다.

빈출 탐구 지질 시대 동안 인도 대륙의 위치 변화

고지자기 복각을 이용하여 지질 시대 동안 대륙의 위도 변화와 이동 속도를 알아낼 수 있다.

과정 그림 (가)는 지질 시대 동안 인도 대륙의 위치와 복각을 나타낸 것이고, (나)는 위도와 복각과의 관계를 나타낸 것이다. (위도 1° 사이의 거리는 약 110 km이다.)

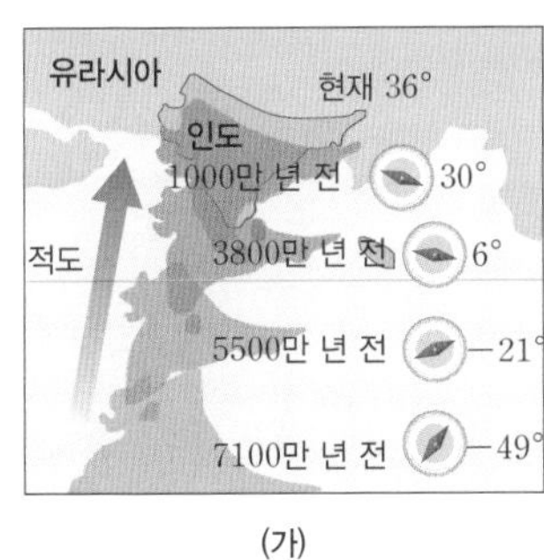

(가)

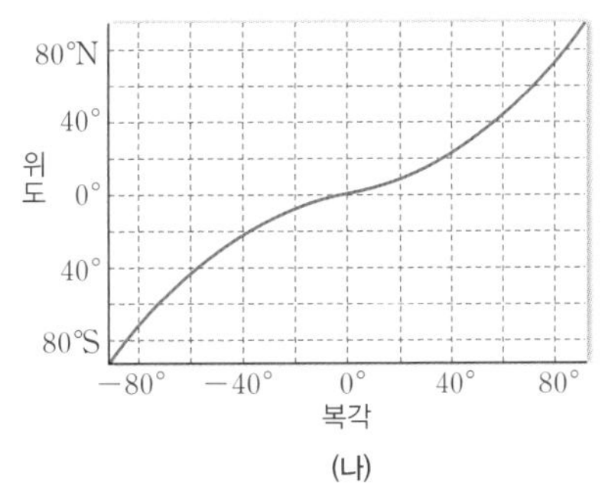

(나)

결과 및 해석

(가)에서 측정한 각 시기별 인도 대륙의 복각을 (나)의 그래프에 대입하여 지질 시대 동안 인도 대륙의 위도 변화와 이동 속도를 구할 수 있다.❷

시기(만 년 전)	7100	5500	3800	1000	현재
복각	−49°	−21°	6°	30°	36°
위도	30° S	11° S	3° N	15° N	20° N
이동 속도 (cm/년)	$\frac{33\times110\times10^5}{3300\times10^4}=11$		$\frac{17\times110\times10^5}{3800\times10^4}\fallingdotseq4.9$		

❶ 인도 대륙은 복각이 (−)에서 (+)로 바뀌었으므로 남반구에서 북반구로 이동하였다.

❷ 3800만 년 전을 기준으로 그 이전 시기의 위도 변화량이 그 이후 시기의 위도 변화량보다 크다. 따라서 인도 대륙의 이동 속도는 3800만 년 전 이전에 더 빨랐다.

❓ 자북극의 위치가 지리상의 북극과 일치하지 않는데, 어떻게 복각을 측정하여 위도를 알 수 있을까?

특정 시점에 측정한 자북극의 위치는 지리상의 북극과 일치하지 않으나, 일정한 기간 동안의 평균 자북극 위치는 지리상의 북극과 일치한다. 따라서 암석에 기록된 복각의 평균값은 암석이 생성된 시기의 위도를 나타낸다.

대륙 이동과 자북극

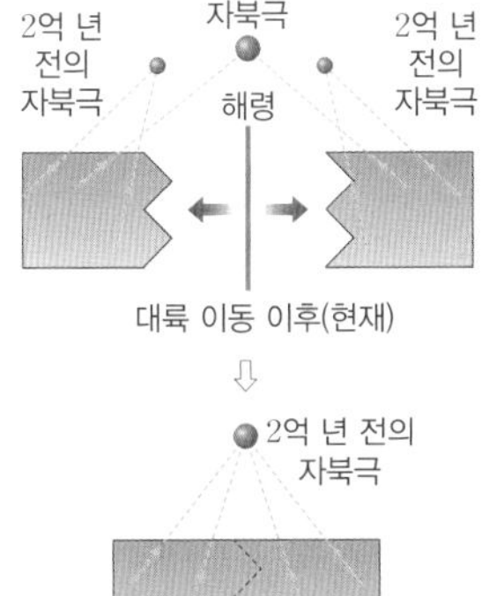

대륙 이동 이전(과거)

❷ 대륙의 이동 거리와 이동 속도

- 이동 거리: 위도 차이에 위도 1° 사이의 거리를 곱해서 구한다.
  예 (20°−15°)×110 km =550 km
- 이동 속도: 이동 거리를 이동한 시간으로 나누어서 구한다.
  예 550 km÷1000만 년 =5.5 cm/년

히말라야산맥의 형성

약 3천 8백만 년 전부터 인도 대륙과 유라시아 대륙이 충돌하기 시작하여 현재의 히말라야산맥이 되었다.

용어 알기

• 위도(가로 緯, 정도 度) 지구의 적도를 기준으로 북쪽 또는 남쪽으로 얼마나 떨어져 있는지 나타내는 정도

B 지질 시대의 대륙과 해양 분포

|출·제·단·서| 시험에는 초대륙 판게아의 형성과 분리 과정에 대해서 묻는 문제가 나와.

1. 로디니아에서 판게아까지의 분포

로디니아 초대륙은 화석 자료가 충분하지 않아 연대별 지층 순서 비교 등을 통해 알아내었다.

(1) 판게아 이전의 초대륙❸ 판게아 이전 시대에도 초대륙이 존재하였다. 약 12억 년 전에 형성된 초대륙 '로디니아'는 분리되었다가 새로운 초대륙 형성을 반복하였다.

(2) 판게아 최근에 형성된 마지막 초대륙은 약 2억 4천만 년 전에 존재하였던 초대륙 '판게아'이다.

▲ 12억 년 전 ▲ 4억 년 전 ▲ 2억 4천만 년 전(고생대 말기)

빈출 자료 초대륙의 형성과 분리❹

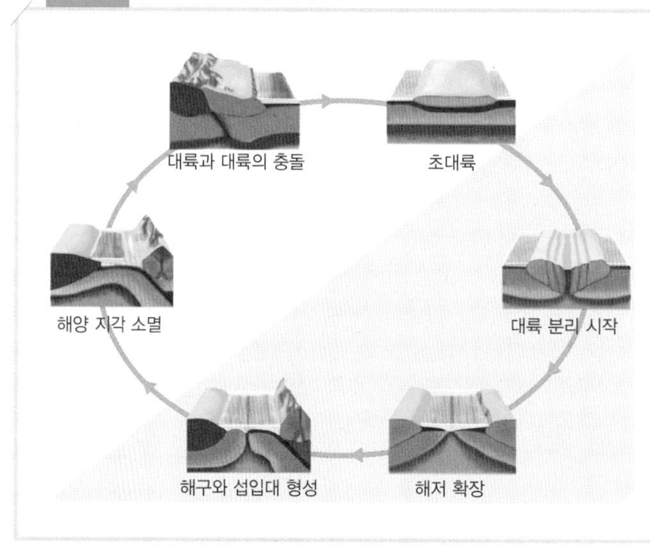

초대륙의 형성
해양 지각이 대륙 지각 밑으로 섭입하고 대륙과 대륙이 충돌한다. 대륙 지각은 지구 내부로 섭입할 수 없으므로 충돌을 통해 대륙은 합쳐지면서 성장하여 초대륙을 형성한다.

초대륙의 분리
초대륙 내부에서 맨틀 대류의 상승류가 발달하면 분리될 수 있다. 초대륙이 분리되어 작은 대륙으로 나누어지면 다양한 기후대가 형성된다.

2. 판게아에서 오늘날까지의 분포

(1) 판게아의 형성 판게아는 판탈라사라는 거대한 해양에 둘러싸여 있었다. 판게아가 형성될 때 판의 충돌로 습곡 산맥이 형성되었다.

① 판게아가 형성될 때 북아메리카 대륙이 아프리카 대륙 및 유럽 대륙과 충돌하여 거대한 습곡 산맥이 형성되었다.

② 이후 대서양이 형성되면서 이 습곡 산맥은 애팔래치아산맥과 칼레도니아산맥으로 분리되었다. 베게너는 애팔래치아산맥의 분포를 대륙 이동설의 증거로 들기도 하였다.

▲ 애팔래치아산맥과 칼레도니아산맥

(2) 판게아의 분리 약 2억 년 전(중생대 초기)부터 판게아가 분리되기 시작하였다. 열곡을 따라 용암이 분출되면서 대륙이 분리된다.

① 중생대 중기에 대서양이 넓어지기 시작하면서 곤드와나 대륙에서 아프리카 대륙과 남아메리카 대륙이 분리되었고, 인도 대륙이 남극 대륙에서 분리되어 북쪽으로 이동하였다.

❸ **초대륙**
로디니아 초대륙 이전에도 지질 시대 동안 여러 차례 초대륙이 형성되었으며, 로디니아와 판게아 사이에도 초대륙이 존재하였다. 현재까지 알려진 가장 오래된 초대륙은 약 36억 년 전에 존재했던 초대륙 발바라이다.

❹ **초대륙의 형성과 분리가 기후에 미치는 영향**
초대륙은 일교차가 큰 대륙성 기후가 강하게 나타나며, 특히 대륙 중앙부에서는 사막이 발달할 가능성이 매우 크다. 이와는 달리 초대륙이 작은 대륙으로 나누어지면, 기후대가 다양해지고 대륙 연안의 •대륙붕이 넓어지면서 생물 다양성이 증가한다.

용어 알기
•대륙붕(**크다 大, 육지 陸, 사다리 棚**) 대륙의 가장자리에서 바다로 이어지는 완만한 경사를 이루고 있는 바다 밑의 부분

② 약 9천만 년 전에는 남대서양이 확장되고, 마다가스카르섬이 아프리카 대륙에서 분리되었다. 이후 오스트레일리아 대륙은 남극 대륙과 분리되었다.

③ 신생대 초~중기에 인도 대륙은 유라시아 대륙과 충돌하여 히말라야산맥이 형성되기 시작하였다. 이 시기 이후 현재와 비슷한 대륙과 해양 분포를 이루게 되었다.

▲ 1억 5천만 년 전(중생대 중기) ▲ 6500만 년 전(신생대 초기) ▲ 현재

C 미래의 대륙과 해양 분포 변화

|출·제·단·서| 시험에는 판의 이동 속력과 방향으로 미래의 수륙 분포에 대해 추론하는 내용에 대한 문제가 나와.

1. 현재의 대륙 이동

(1) 인공위성을 이용한 대륙의 이동 속도 측정 •GPS(Global Positioning System) 위성을 이용하여 각 판의 이동 속력과 방향을 구할 수 있다.❺

(2) 현재의 대륙 이동 판의 이동 속력은 대략 수 cm/년이며, 현재 가장 빠르게 이동하는 판은 태평양판이다. 지구는 구면이기 때문에 하나의 판 내부에서도 각 위치마다 판의 이동 속력이 조금씩 다르다.

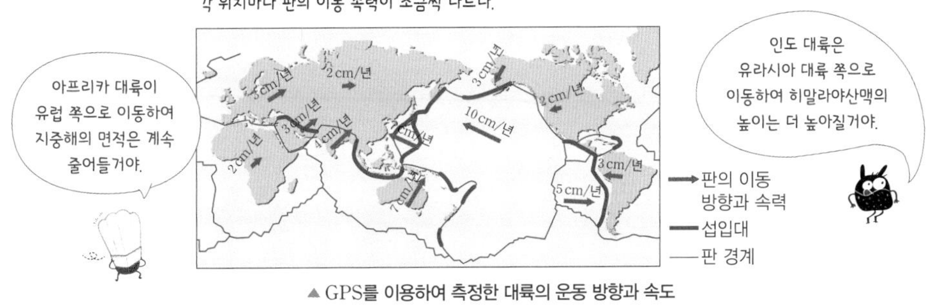

▲ GPS를 이용하여 측정한 대륙의 운동 방향과 속도

2. 미래의 대륙과 해양의 분포 탐구 POOL

(1) 미래의 대륙과 해양 분포 예측 판의 이동 방향과 속력을 분석하면 미래의 대륙과 해양의 분포를 예측할 수 있다. ⇨ 현재 대서양은 넓어지고 있으며, 태평양은 좁아지는 추세이다.

(2) 미래의 대륙과 해양 분포 예측 모형 먼 미래에는 대서양은 다시 좁아져 사라지고, 태평양은 다시 넓어질 것으로 예측된다.

① 대륙들이 하나의 초대륙이었던 시기는 지질 시대 동안 몇 번이나 있었다. ⇨ 초대륙의 형성과 분리가 되풀이되며, 초대륙이 형성되는 주기는 약 3억 년~5억 년으로 추정된다.

② 앞으로 약 2억 년~2억 5천만 년 후에는 현재의 대륙들이 모여 새로운 초대륙을 형성할 것으로 예측된다.

▲ 5천만 년 후 ▲ 1억 5천만 년 후 ▲ 2억 5천만 년 후

❺ GPS 위치 측정
GPS는 지구 상공을 일정한 주기로 도는 24개 이상의 인공위성에서 발신하는 마이크로파를 지상의 GPS 수신기에서 수신하여 수신 시간 차를 이용하여 수신기의 현재 위치를 결정하는 방식이다.

? 초대륙의 형성과 분리가 계속되면 대륙의 총면적은 변화할까?
초대륙의 생성과 분리가 반복되지만, 판 경계에서 생성되고 소멸하는 비율은 거의 일정하기 때문에 지구 전체 대륙의 총면적은 거의 변화가 없다.

용어 알기
•GPS(Global Positioning System) 전(全) 지구 위치 파악 시스템

대륙 이동 속도로부터 미래의 대륙 분포 추정

목표 판의 경계와 판의 이동 방향 및 속력 자료로부터 미래의 대륙과 해양 분포를 예측할 수 있다.

과정

그림은 전 세계 주요 판의 경계와 이동 방향 및 속력(cm/년)을 나타낸 것이다.

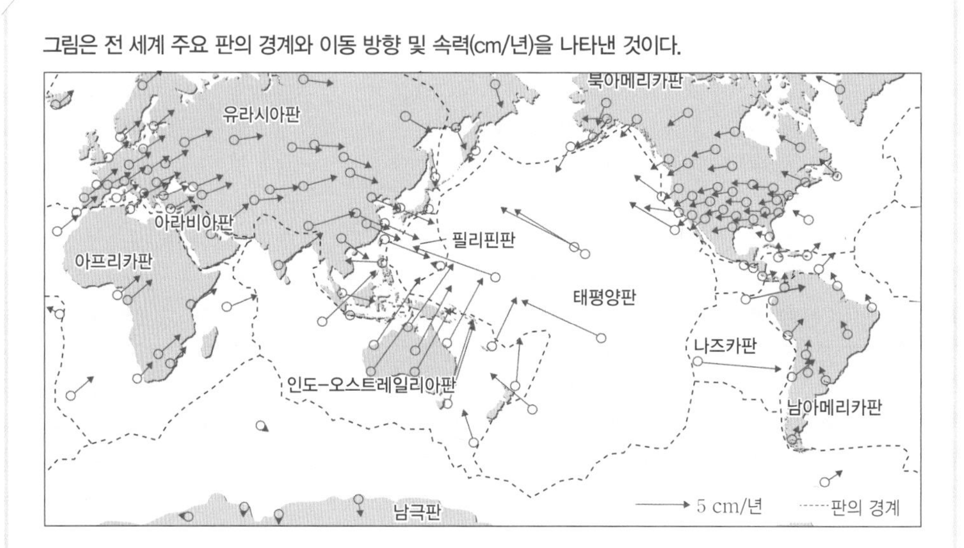

❶ 5천만 년 후 태평양판의 이동 거리는 어느 정도인지 계산해본다.
❷ 태평양과 대서양의 해구와 해령 분포를 고려하여 태평양과 대서양의 크기 변화를 생각한다.
❸ 유럽과 아프리카 사이에 위치한 지중해는 어떻게 될지 예상한다.
❹ 오스트레일리아 대륙은 어떻게 될지 예상한다.

태평양과 대서양은 지금과 같은 움직임을 보이다가 다시 태평양은 넓어지고, 대서양은 좁아져 새로운 초대륙이 형성될 거야!

결과 및 해석

▲ 현재 ▲ 5천만 년 후 ▲ 1억 년 후

❶ 태평양판의 이동 속력: 약 10 cm/년 → 10 cm/년 × 5000 × 10^4년 = 5 × 10^8 cm = 5000 km정도 북서쪽으로 이동한다.
❷ 대서양에는 판이 섭입하는 해구가 없기 때문에 계속 넓어질 것이고, 상대적으로 태평양은 좁아질 것이다.
❸ 5천만 년 후에 아프리카판이 유라시아판과 충돌하여 지중해가 사라질 것이다.
❹ 오스트레일리아 대륙이 북쪽으로 이동하여 아시아 대륙과 합쳐질 것이다.

한·줄·핵심 판의 이동으로 먼 미래에 다시 초대륙이 형성될 것이다.

확인 문제

정답과 해설 05쪽

01 이 탐구 활동에 대한 설명 중 옳은 것은 ○, 옳지 않은 것은 ×로 표시하시오.

(1) 판의 이동 속도는 유라시아판이 가장 빠르다. ( )

(2) 앞으로 태평양의 면적은 좁아질 것이다. ( )

02 판의 이동 방향 및 속력을 고려할 때, 미래에 대륙은 전체적으로 어느 방향으로 움직일지 쓰시오.

03 태평양에서 나이가 1억 8천만 년 이상인 해양 지각이 없는 까닭을 쓰시오.

콕콕! 개념 확인하기

정답과 해설 05쪽

✔ 잠깐 확인!

1. □□ □□□
지구에 의해 형성된 자기의 성질이 미치는 공간

2. 복각이 0°인 곳을 자기 적도, 90°인 곳을 □□□이라고 한다.

3. □□ □□
마그마가 식어 굳거나 퇴적물이 퇴적될 때 자성을 띤 광물이 당시의 지구 자기장 방향으로 자화되어 형성

4. □□□ 말에 판게아가 형성되었고, □□□ 초부터 분리되기 시작하였다.

5. 현재와 비슷한 수륙 분포를 이루게 된 지질 시대는 □□□이다.

6. GPS 위성을 이용하여 각 □의 이동 속력과 방향을 구할 수 있다.

A 고지자기 변화와 대륙 이동

01 지구 자기장과 고지자기에 대한 설명으로 옳은 것은 ○, 옳지 않은 것은 ×로 표시하시오.

(1) 나침반의 자침이 수평면과 이루는 각을 복각이라고 한다. ( )

(2) 진북과 자북이 이루는 각을 편각이라고 한다. ( )

(3) 암석이 생성될 때 광물은 당시의 지구 자기장 방향으로 자화되며, 이후 지구 자기장의 방향이 변하면 광물의 자화 방향도 변한다. ( )

(4) 암석에 기록된 복각 변화를 이용하여 과거 암석이 생성될 당시의 위도를 알아낼 수 있다. ( )

02 다음은 지질 시대 동안 지구 자기장의 자북극 이동 경로에 대한 설명이다.

> 유럽 대륙과 북아메리카 대륙에서 측정한 자북극의 이동 경로는 과거에 2개였던 것처럼 보인다. 자북극의 이동 경로가 2개로 나타나는 것은 ( )하였음을 뜻한다.

( ) 안에 들어갈 알맞은 말을 쓰시오.

B 지질 시대의 대륙과 해양 분포

03 다음은 지질 시대의 수륙 분포에 대한 설명이다. ( ) 안에 들어갈 알맞은 말을 쓰시오.

(1) 최근에 형성된 마지막 초대륙은 약 2억 4천만 년 전에 존재하였던 ( )이다.

(2) 초대륙이 형성될 때 판의 충돌로 거대한 ( )이 형성된다.

(3) 초대륙 내부에서 맨틀 대류의 ( )류가 발달하면 분리될 수 있다.

C 미래의 대륙과 해양 분포 변화

04 현재와 미래의 수륙 분포에 대한 설명으로 옳은 것은 ○, 옳지 않은 것은 ×로 표시하시오.

(1) 현재 판의 이동 속도가 너무 느리기 때문에 각 판의 이동 속력과 방향을 알아내기 어렵다. ( )

(2) 판의 이동 속력은 대략 수 cm/년이며, 현재 가장 빠르게 이동하는 판은 태평양판이다. ( )

(3) 현재 대서양은 좁아지고, 태평양은 넓어지고 있다. ( )

(4) 미래에는 현재의 대륙들이 모여 새로운 초대륙을 형성할 것이다. ( )

탄탄! 내신 다지기

A 고지자기 변화와 대륙 이동

01 그림은 지리상 북극과 자북극의 위치를 나타낸 것이다.

이에 대한 설명으로 옳은 것은?

① A는 자북극이다.
② A에서 복각은 90°이다.
③ 시간에 따라 B의 위치는 달라진다.
④ B는 지구 자전축과 지표면이 만난 점이다.
⑤ 자기 적도에서는 A의 방향과 B의 방향이 같다.

단답형

02 다음은 서로 다른 세 지역에서 지구 자기장과 복각을 나타낸 것이다. (가), (나), (다)는 각각 북반구 중위도, 자기 적도, 남반구 중위도 지역 중 하나이다.

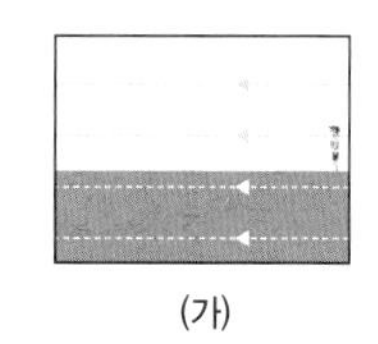
(가)

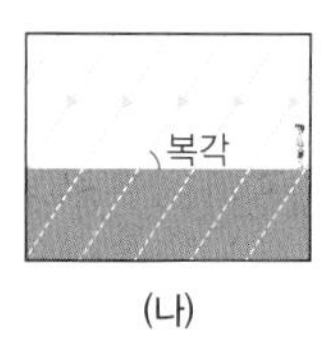

(나)

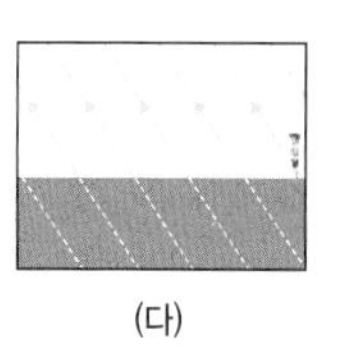
(다)

(가), (나), (다)는 각각 어느 지역인지 쓰시오.

03 암석의 잔류 자기에 대한 설명으로 옳은 것만을 <보기>에서 있는 대로 고른 것은?

> 보기
> ㄱ. 자성을 띤 물질은 뜨거운 용암 상태에서도 자성을 잃지 않는다.
> ㄴ. 자성이 있는 광물 입자가 물속에서 퇴적될 때 그 당시의 자기장 방향으로 배열될 수 있다.
> ㄷ. 광물 입자는 항상 지구 자기장 방향에 따라 배열해 있다.

① ㄱ ② ㄴ ③ ㄱ, ㄷ
④ ㄴ, ㄷ ⑤ ㄱ, ㄴ, ㄷ

04 다음은 과거 대륙의 이동 모습을 알아내는 방법에 대한 설명이다.

> 어느 대륙이 남북 방향으로 이동하였다면 그 대륙에서 만들어진 암석은 생성 시기에 따라 (㉠)의 크기가 다르다. 따라서 이 값과 암석의 나이를 측정하면 암석이 생성될 당시의 (㉡)를 알 수 있으므로 시간에 따른 대륙의 이동 경로를 복원할 수 있다.

㉠, ㉡ 안에 들어갈 말을 옳게 짝지은 것은?

	㉠	㉡
①	복각	위도
②	복각	경도
③	자북극	진북
④	편각	위도
⑤	편각	경도

05 그림은 유럽 대륙과 북아메리카 대륙의 암석에서 측정한 자북극의 겉보기 이동 경로를 나타낸 것이다.

(단위: 억 년 전)

자북극의 이동 경로가 서로 다른 까닭으로 옳은 것은?

① 과거에는 자북극이 2개였다.
② 암석이 지각 변동을 받았기 때문이다.
③ 해령에서 새로운 지각이 계속 생성되기 때문이다.
④ 두 대륙이 서로 다른 방향으로 이동했기 때문이다.
⑤ 암석의 잔류 자기가 시간에 따라 달라지기 때문이다.

단답형

06 인도 대륙은 과거에 남반구에 위치하였다가 현재는 북반구에 위치해 있다. 인도 대륙의 암석에 남아 있는 복각은 시간에 따라 어떻게 달라졌을지 쓰시오.

B 지질 시대의 대륙과 해양 분포

07 초대륙에 대한 설명으로 옳지 않은 것은?

① 가장 최근에 존재했던 초대륙은 판게아이다.
② 초대륙을 형성하는 에너지원은 태양 에너지이다.
③ 초대륙이 작은 대륙으로 나누어지면 다양한 기후대가 형성된다.
④ 지질 시대 동안 초대륙을 형성한 시기는 몇 차례 있었다.
⑤ 미래에 대륙이 모여 새로운 초대륙을 형성할 것이다.

08 판게아의 형성과 분리에 대한 설명으로 옳은 것은?

① 판게아는 중생대에 형성되었다.
② 판게아가 형성될 때 히말라야산맥이 형성되었다.
③ 대서양은 판게아가 형성되기 이전부터 존재하였다.
④ 판게아에서 습곡 산맥이 형성되면서 서서히 분리되기 시작하였다.
⑤ 인도 대륙은 남극 대륙과 분리되어 북쪽으로 이동하였다.

단답형

09 그림 (가), (나), (다)는 지질 시대 동안 일어난 대륙 분포의 변화를 순서 없이 나열한 것이다.

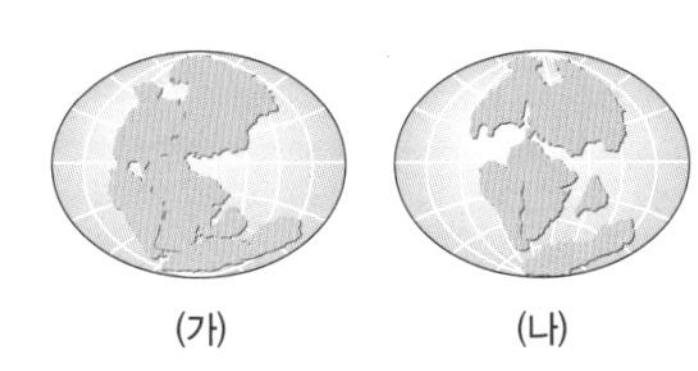

(가) (나) (다)

(가), (나), (다)를 오래된 것부터 순서대로 쓰시오.

C 미래의 대륙과 해양 분포 변화

10 그림은 현재 판의 이동 방향과 속력을 나타낸 것이다.

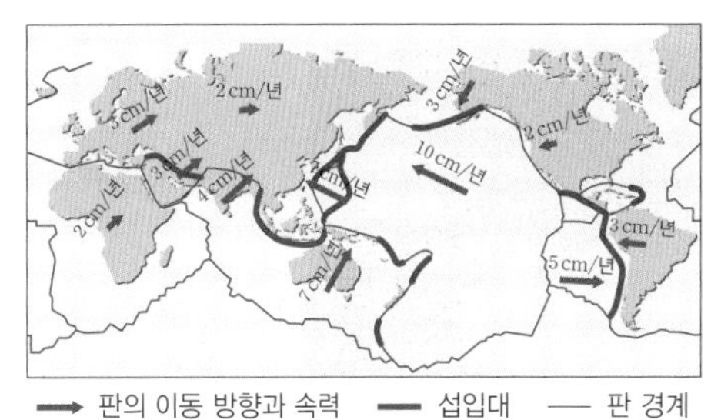

판의 이동 방향과 속력을 근거로 해양 면적 변화를 옳게 예상한 것은?

	태평양	대서양	지중해
①	넓어진다.	넓어진다.	넓어진다.
②	넓어진다.	좁아진다.	좁아진다.
③	좁아진다.	넓어진다.	좁아진다.
④	좁아진다.	넓어진다.	넓어진다.
⑤	좁아진다.	좁아진다.	좁아진다.

11 그림 (가)와 (나)는 현재와 약 1억 년 후의 대륙 분포를 나타낸 것이다.

(가) 현재

(나) 약 1억 년 후

이에 대한 설명으로 옳은 것만을 〈보기〉에서 있는 대로 고른 것은?

보기
ㄱ. 약 1억 년 후 초대륙이 형성된다.
ㄴ. 태평양의 면적은 (가)보다 (나)에서 좁다.
ㄷ. 이 기간 동안 대륙은 대체로 남쪽으로 이동하였다.

① ㄱ ② ㄴ ③ ㄱ, ㄷ
④ ㄴ, ㄷ ⑤ ㄱ, ㄴ, ㄷ

도전! 실력 올리기

01 그림은 지구 표면에서 나침판의 자침이 기울어진 정도를 나타낸 것이다.

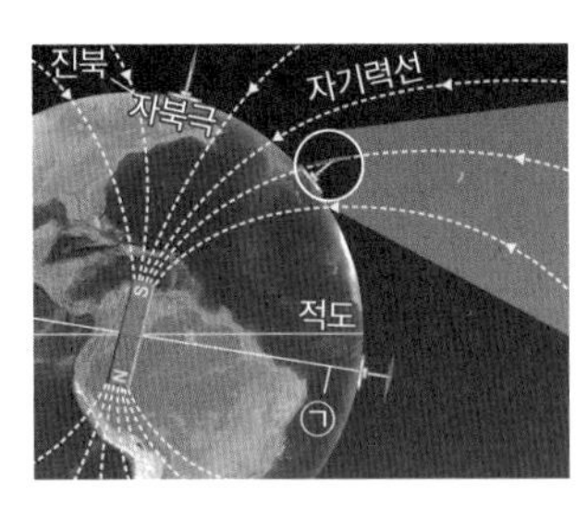

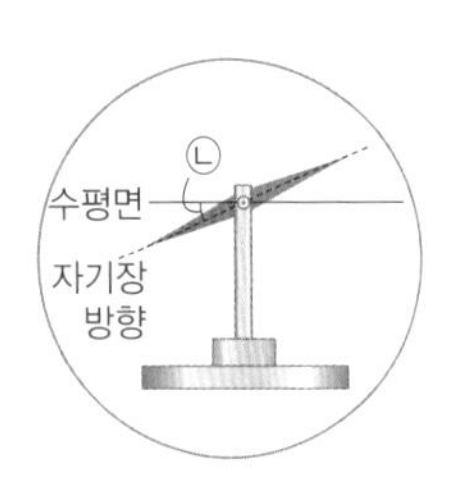

이에 대한 설명으로 옳은 것만을 〈보기〉에서 있는 대로 고른 것은?

> 보기
> ㄱ. ㉠은 자기 적도이다.
> ㄴ. ㉡은 복각이다.
> ㄷ. ㉡은 진북보다 자북극에서 크다.

① ㄱ ② ㄷ ③ ㄱ, ㄴ
④ ㄴ, ㄷ ⑤ ㄱ, ㄴ, ㄷ

02 그림은 약 7100만 년 전부터 현재까지 인도 대륙의 위치 변화와 암석의 잔류 자기를 이용하여 측정한 복각 변화를 나타낸 것이다.

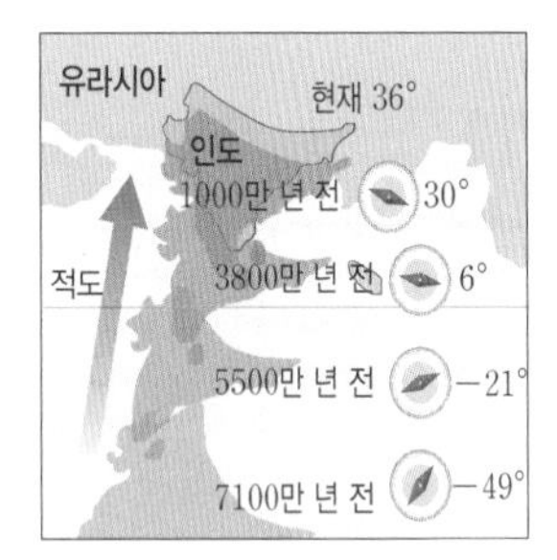

이에 대한 설명으로 옳은 것만을 〈보기〉에서 있는 대로 고른 것은?

> 보기
> ㄱ. 이 기간 동안 인도 대륙은 자북극에 계속 가까워졌다.
> ㄴ. 이 기간 동안 인도 대륙의 이동 속도는 점점 빨라졌다.
> ㄷ. 히말라야산맥은 약 7100만 년 전부터 형성되기 시작하였다.

① ㄱ ② ㄷ ③ ㄱ, ㄴ
④ ㄴ, ㄷ ⑤ ㄱ, ㄴ, ㄷ

출제예감

03 그림 (가)는 북아메리카 대륙과 유라시아 대륙에서 측정한 자북극의 겉보기 이동 경로를, (나)는 두 대륙의 위치를 이동시킨 후 자북극의 겉보기 이동 경로를 나타낸 것이다.

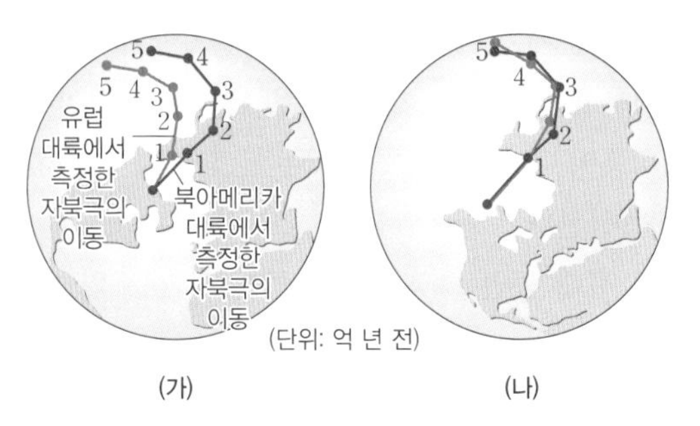

(가) (나)

이에 대한 설명으로 옳은 것만을 〈보기〉에서 있는 대로 고른 것은?

> 보기
> ㄱ. 과거에는 자북극이 2곳이었다.
> ㄴ. 북아메리카 대륙과 유라시아 대륙은 현재보다 과거에 더 거리가 멀었다.
> ㄷ. (나)의 결과는 대륙이 이동했다는 증거이다.

① ㄱ ② ㄴ ③ ㄷ
④ ㄱ, ㄷ ⑤ ㄴ, ㄷ

04 그림 (가)와 (나)는 과거 지구상에 존재했을 것으로 알려진 초대륙의 모습을 시간 순서 없이 나타낸 것이다.

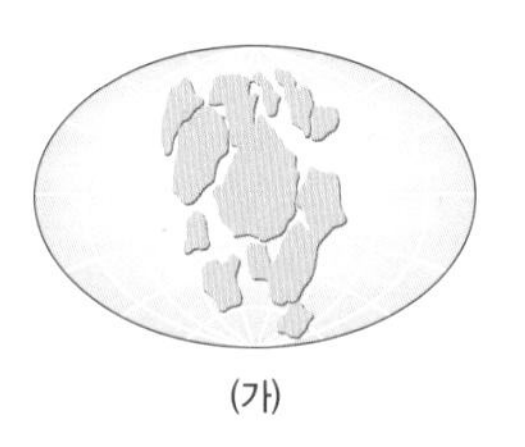

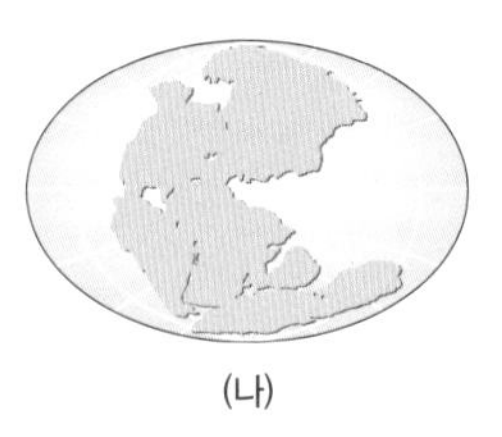

(가) (나)

이에 대한 설명으로 옳은 것만을 〈보기〉에서 있는 대로 고른 것은?

> 보기
> ㄱ. (가)는 (나)보다 먼저 형성되었다.
> ㄴ. (가)의 초대륙은 화석 자료를 이용하여 복원할 수 있다.
> ㄷ. (나)의 초대륙이 분리될 때 열곡대가 발달하였다.

① ㄱ ② ㄴ ③ ㄷ
④ ㄱ, ㄷ ⑤ ㄴ, ㄷ

정답과 해설 06쪽

05 그림은 GPS 위성을 이용하여 관측한 전 세계 판의 운동 방향과 속력을 나타낸 것이다.

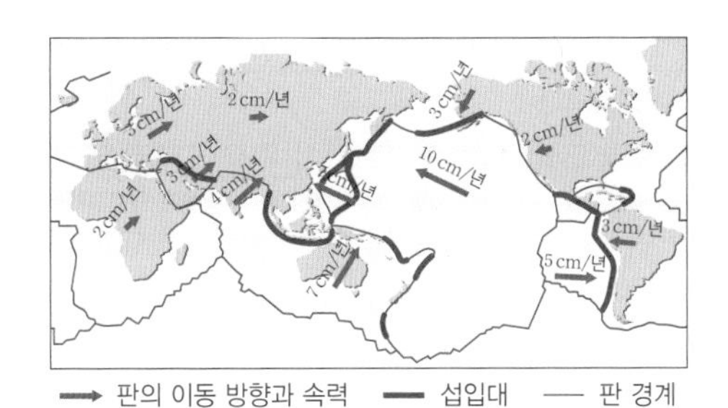

이에 대한 설명으로 옳지 않은 것은?

① 판의 이동 방향과 속력은 모두 다르다.
② 대서양의 면적은 계속 넓어질 것이다.
③ 태평양 가장자리에서 판의 소멸이 활발하다.
④ 오스트레일리아 대륙은 남극에 더 가까워질 것이다.
⑤ 히말라야산맥의 높이는 현재보다 더 높아질 것이다.

06 그림은 초대륙의 분리를 나타낸 것이다.

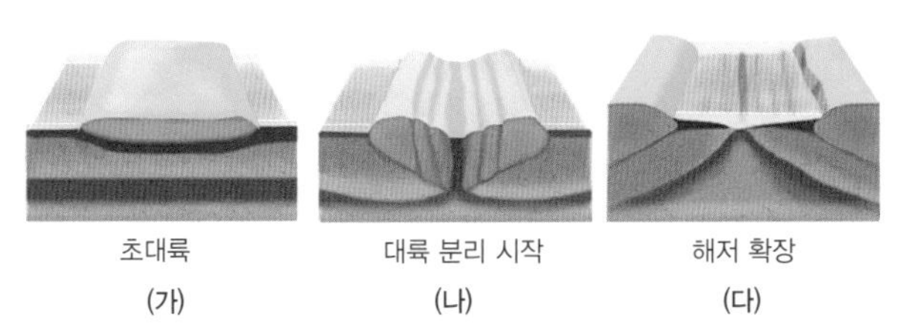

초대륙 (가)   대륙 분리 시작 (나)   해저 확장 (다)

이에 대한 설명으로 옳은 것만을 〈보기〉에서 있는 대로 고른 것은?

보기
ㄱ. (가) → (나) 과정에서 습곡 산맥이 형성된다.
ㄴ. (다)에서 해양 중앙부에 발산형 경계가 발달한다.
ㄷ. 대륙의 기후대는 (가) 시기보다 (다) 시기에 다양하다.

① ㄱ ② ㄷ ③ ㄱ, ㄴ
④ ㄴ, ㄷ ⑤ ㄱ, ㄴ, ㄷ

[07~08] 그림은 복각과 위도의 관계를, 표는 인도 대륙의 암석에서 측정된 복각과 복각으로 알아낸 위도 변화를 나타낸 것이다. 이 기간 동안 인도 대륙은 정북쪽 방향으로 이동하였다고 가정한다.

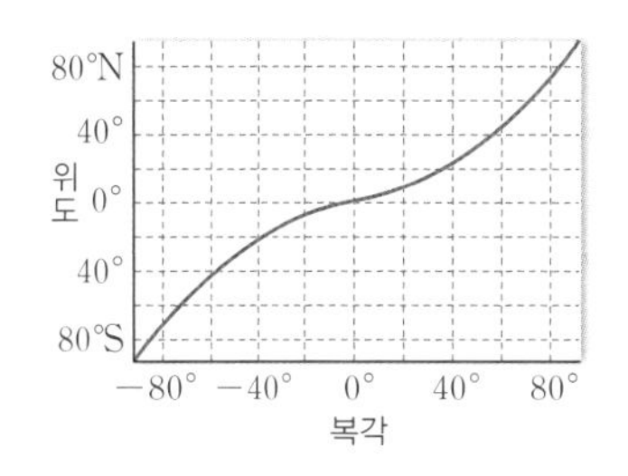

시간 (백만 년 전)	71	55	38	10	0
복각	−49°	−21°	6°	30°	36°
위도	30°S	11°S	3°N	15°N	20°N

단답형

07 인도 대륙이 적도에 위치한 시기가 대략 언제인지 쓰시오.

서술형

08 최근 1000만 년 동안 인도 대륙의 이동 속도를 구하고, 풀이 과정을 서술하시오. (단, 위도 1° 간 거리는 약 110 km이다.)

서술형

09 초대륙이 작은 대륙들로 분리될 때 생태 환경에 미치는 긍정적인 영향을 2가지 서술하시오.

수능을 알기 쉽게 풀어주는 수능 POOL

대륙의 이동과 고지자기 변화

대표 유형

출제 의도

해령을 중심으로 새로운 해양 지각이 생성되어 확장되는 사실을 고지자기 분포와 관련지어 추론하는 문제이다.

이것이 함정

해령에서는 현무암질 마그마가 굳어져 해양 지각이 생성되므로 현무암질 지각이 생성된다.

그림 (가)는 대서양 중앙 해령 부근의 고지자기 분포를, (나)는 고지자기 줄무늬가 형성되는 과정을 모식적으로 나타낸 것이다.

해양 지각이 생성될 때 광물이 당시 지구 자기장의 방향으로 배열되어 줄무늬가 생긴다.

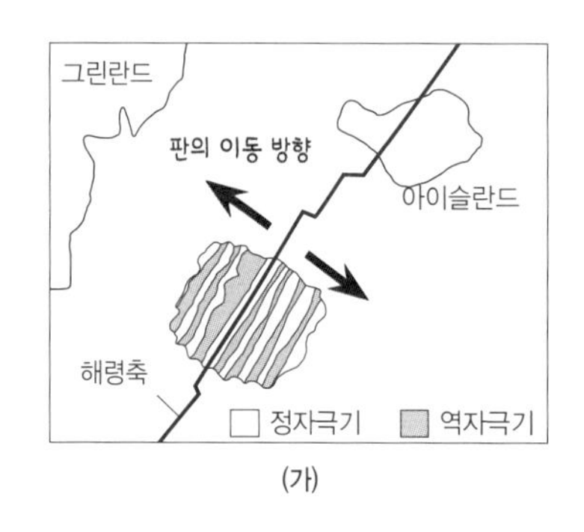

(가)

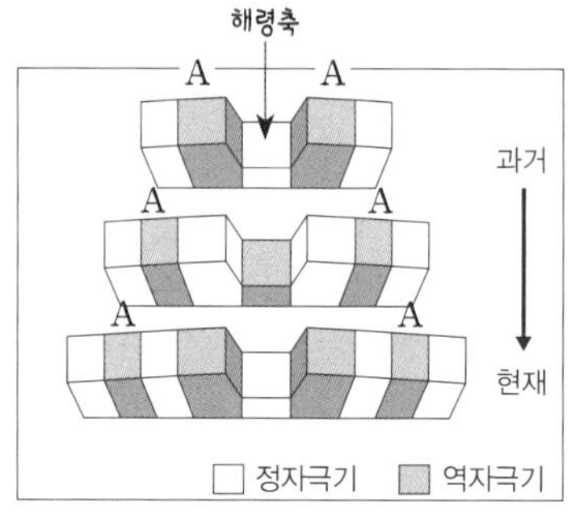

(나) • 고지자기 줄무늬가 대칭
• 해령축에서 멀수록 나이가 증가

이에 대한 설명으로 옳은 것만을 〈보기〉에서 있는 대로 고른 것은?

〈보기〉

ㄱ. 해령에서는 화강암질 지각이 생성된다.
해양 지각은 주로 현무암질 암석, 대륙 지각은 주로 화강암질 암석이다.
→ 해령에서는 해양 지각이 생성되며, 해양 지각은 현무암질 암석으로 이루어져 있다.

ㄴ. 해령에서 멀어질수록 해양 지각의 나이는 증가한다.
→ 해령의 중심부에서 생성된 해양 지각이 양쪽으로 멀어지므로 해령에서 멀수록 나이가 많아진다.

ㄷ. (가)의 고지자기 분포는 해저 확장의 증거가 된다.
→ 고지자기 분포가 해령축에 대해 대칭으로 분포하며, 이는 해령을 중심으로 해양저가 확장된다는 증거이다.

① ㄱ ② ㄴ ③ ㄱ, ㄷ ④ ㄴ, ㄷ ⑤ ㄱ, ㄴ, ㄷ

그림에서 고지자기 특성 파악하기

해령은 해양 지각이 생성되는 발산형 경계임을 파악한다. >>> 해령에서 생성된 해양 지각이 양옆으로 멀어지므로 해령축에서 멀수록 해양 지각의 나이가 증가한다는 사실을 파악한다. >>> 고지자기 줄무늬가 해령축을 중심으로 대칭으로 나타난다는 사실이 해저 확장의 증거라는 것을 파악한다.

추가 선택지

• (가)에서 해령축은 맨틀 대류의 상승부에 위치한다. (○)
⋯→ (가)의 해령축은 판의 발산형 경계에 해당하므로 맨틀 대류의 상승부에 위치한다.

• 해령에서 멀어질수록 퇴적물의 두께는 대체로 감소한다. (×)
⋯→ 해령에서 멀어질수록 해양 지각의 나이가 증가하므로 퇴적물의 두께도 증가한다.

실전! 수능 도전하기

정답과 해설 07쪽

01 그림은 베게너의 대륙 이동설을 근거로 판게아의 모습을 나타낸 것이다.

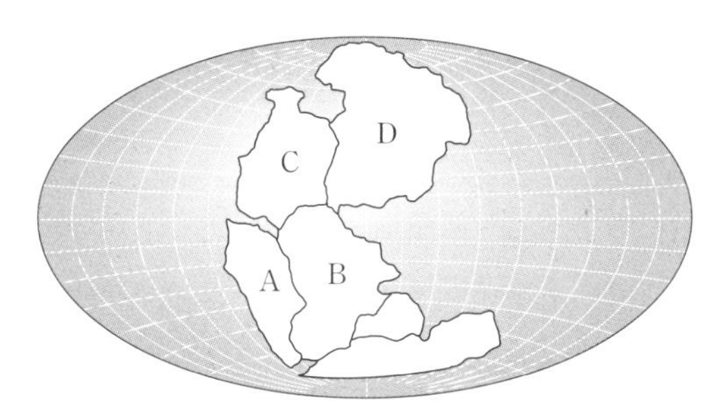

베게너가 주장한 대륙 이동설의 증거로 옳은 것만을 〈보기〉에서 있는 대로 고른 것은?

〈보기〉
ㄱ. A 대륙의 동쪽 해안선과 B 대륙의 서쪽 해안선 모양이 유사하다.
ㄴ. C 대륙과 D 대륙에서 산맥 구조가 연속적으로 나타난다.
ㄷ. A~D 대륙에서 모두 고생대 말의 빙하 퇴적층이 분포한다.

① ㄱ ② ㄷ ③ ㄱ, ㄴ
④ ㄴ, ㄷ ⑤ ㄱ, ㄴ, ㄷ

02 다음은 판 구조론이 정립되기까지 제시된 여러 이론의 주장 또는 증거이다.

(가) 지구 내부의 열대류에 의해 대륙이 이동한다.
(나) 멀리 떨어져 있는 두 대륙의 습곡 산맥이 잘 연결된다.
(다) 판의 상대적 운동으로 지각 변동이 일어난다.
(라) 해령을 수직으로 가로지르는 변환 단층이 존재한다.

이에 대한 설명으로 옳은 것만을 〈보기〉에서 있는 대로 고른 것은?

〈보기〉
ㄱ. 시간 순서는 (나) → (가) → (라) → (다)이다.
ㄴ. 판은 지각과 맨틀의 최상부로 이루어져 있다.
ㄷ. (라)는 음향 측심법이 발달한 이후에 등장하였다.

① ㄱ ② ㄴ ③ ㄱ, ㄷ
④ ㄴ, ㄷ ⑤ ㄱ, ㄴ, ㄷ

03 그림은 해양 탐사선에서 발사한 음파가 해저면에서 반사되어 되돌아오는 데 걸리는 시간을 나타낸 것이다.

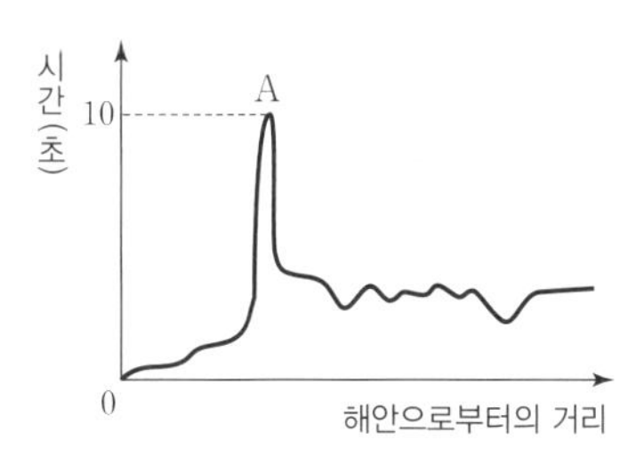

A에 대한 설명으로 옳은 것만을 〈보기〉에서 있는 대로 고른 것은? (단, 음파의 평균 이동 속력은 1500 m/s이다.)

〈보기〉
ㄱ. 주변보다 수심이 매우 얕은 곳이다.
ㄴ. 심해저에 발달한 해저 산맥이다.
ㄷ. 두 판의 서로 가까워지는 수렴형 경계에서 형성된 지형이다.

① ㄱ ② ㄷ ③ ㄱ, ㄴ
④ ㄴ, ㄷ ⑤ ㄱ, ㄴ, ㄷ

04 그림은 대서양의 해저에 분포하는 해양 지각의 연령 분포를 나타낸 것이다.

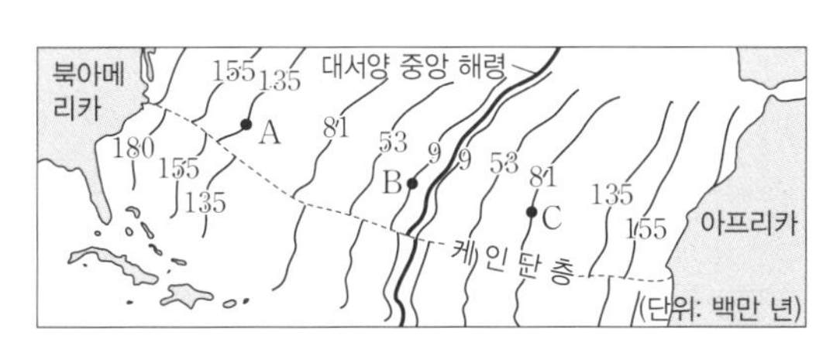

이에 대한 설명으로 옳은 것만을 〈보기〉에서 있는 대로 고른 것은?

〈보기〉
ㄱ. A, B, C의 암석은 모두 대서양 중앙 해령에서 생성되었다.
ㄴ. A에서 B로 갈수록 퇴적물의 두께는 두껍다.
ㄷ. B와 C 사이의 거리는 일정하게 유지될 것이다.

① ㄱ ② ㄴ ③ ㄷ
④ ㄱ, ㄴ ⑤ ㄱ, ㄷ

05 그림 (가)는 대서양의 해저 지형 모습이고, (나)는 A와 B 지점 사이에서 측정된 어떤 물리량의 변화 경향을 나타낸 것이다.

(가)

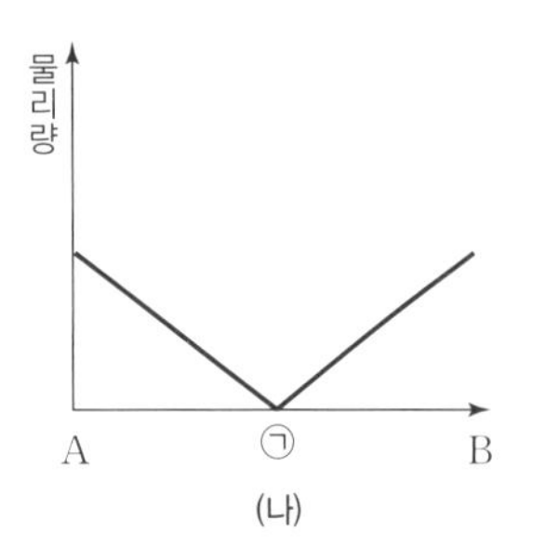

(나)

이에 대한 설명으로 옳은 것만을 〈보기〉에서 있는 대로 고른 것은?

보기
ㄱ. 해양 지각의 연령은 (나)의 세로축 물리량으로 적절하다.
ㄴ. ㉠ 주변에는 해저 산맥이 발달한다.
ㄷ. ㉠에서 새로운 해양 지각이 생성된다.

① ㄱ ② ㄷ ③ ㄱ, ㄴ
④ ㄴ, ㄷ ⑤ ㄱ, ㄴ, ㄷ

06 그림은 해령 부근에서 판의 상대적 운동을 나타낸 것이다.

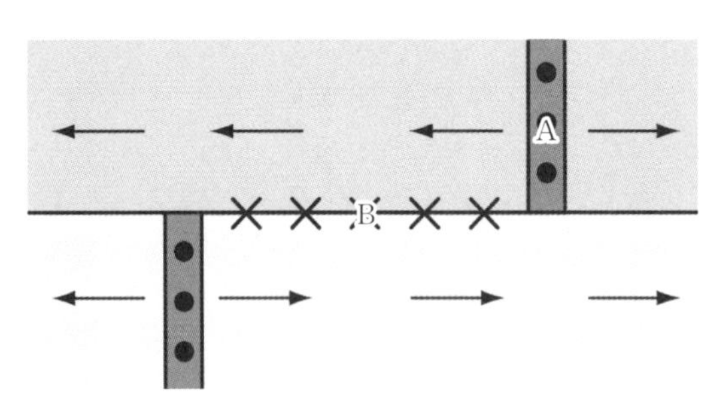

A와 B의 공통점으로 옳은 것만을 〈보기〉에서 있는 대로 고른 것은?

보기
ㄱ. 지진이 활발하다.
ㄴ. 열곡이 발달한다.
ㄷ. 해양 지각이 생성된다.

① ㄱ ② ㄴ ③ ㄱ, ㄷ
④ ㄴ, ㄷ ⑤ ㄱ, ㄴ, ㄷ

수능 기출

07 그림은 태평양과 대서양 해령 부근의 고지자기 분포를 나타낸 모식도이다. 그림에서 A와 B 지점의 암석의 연령은 같다.

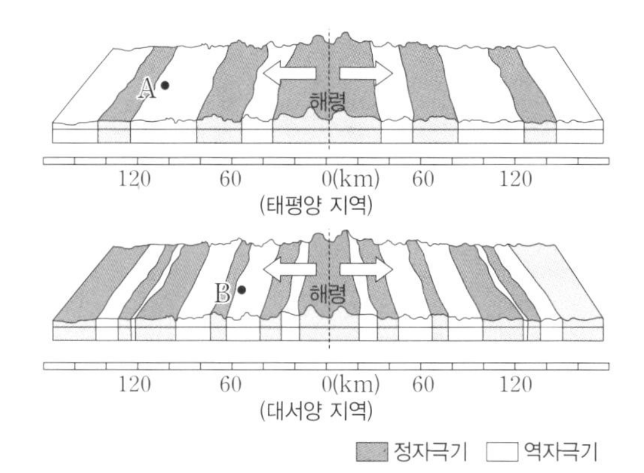

이에 대한 설명으로 옳은 것만을 〈보기〉에서 있는 대로 고른 것은?

보기
ㄱ. 고지자기 분포는 해령을 중심으로 대칭적이다.
ㄴ. 해양 지각의 암석 연령은 해령에서 멀어질수록 증가한다.
ㄷ. 지각의 이동 속도는 태평양 지역이 대서양 지역보다 느리다.

① ㄱ ② ㄷ ③ ㄱ, ㄴ
④ ㄴ, ㄷ ⑤ ㄱ, ㄴ, ㄷ

08 그림 (가)와 (나)는 서로 다른 지질 시대의 대륙 분포 위치를 나타낸 것이다.

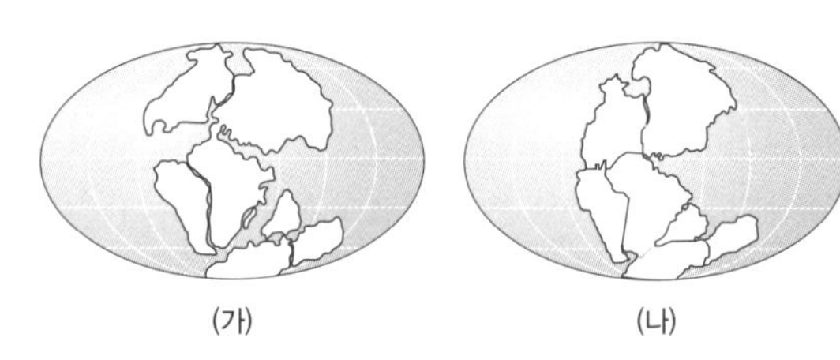
(가) (나)

이에 대한 설명으로 옳은 것만을 〈보기〉에서 있는 대로 고른 것은?

보기
ㄱ. 지질 시대는 (가)가 (나)보다 오래되었다.
ㄴ. 대륙붕의 총넓이는 (가)가 (나)보다 넓다.
ㄷ. 생물의 서식 환경은 (가)가 (나)보다 다양하다.

① ㄱ ② ㄴ ③ ㄱ, ㄷ
④ ㄴ, ㄷ ⑤ ㄱ, ㄴ, ㄷ

09 표는 대륙의 이동을 알아보기 위해 어느 지역의 암석에 기록된 지질 시대별 고지자기 복각과 진북 방향을 나타낸 것이다.

지질 시대	쥐라기	전기 백악기	후기 백악기	제3기
고지자기 복각	+25°	+36°	+44°	+50°
진북 방향	63°	35°	17°	0°

←···· 진북 방향 ←— 고지자기로 추정한 진북 방향

이 지역에 대한 설명으로 옳은 것만을 <보기>에서 있는 대로 고른 것은? (단, 진북의 위치는 변하지 않았다.)

보기
ㄱ. 제3기에 북반구에 위치하였다.
ㄴ. 백악기 동안 고위도 방향으로 이동하였다.
ㄷ. 쥐라기 이후 시계 방향으로 회전하였다.

① ㄱ ② ㄷ ③ ㄱ, ㄴ
④ ㄴ, ㄷ ⑤ ㄱ, ㄴ, ㄷ

10 그림은 지질 시대 중 일부 시기 A, B 동안 해수면의 높이와 대륙 분포를 나타낸 것이다.

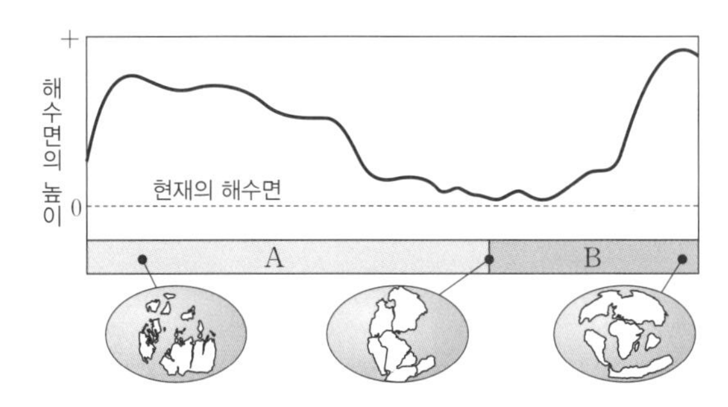

이에 대한 설명으로 옳은 것만을 <보기>에서 있는 대로 고른 것은?

보기
ㄱ. A 시기는 고생대이다.
ㄴ. 초대륙이 형성되면서 해수면은 상승했다.
ㄷ. 지구의 평균 기온은 A 시기 말기보다 B 시기 말기에 높았을 것이다.

① ㄱ ② ㄴ ③ ㄱ, ㄷ
④ ㄴ, ㄷ ⑤ ㄱ, ㄴ, ㄷ

수능 기출

11 그림은 대륙에서 발산 경계가 만들어지는 초기 과정을 나타낸 모식도이다.

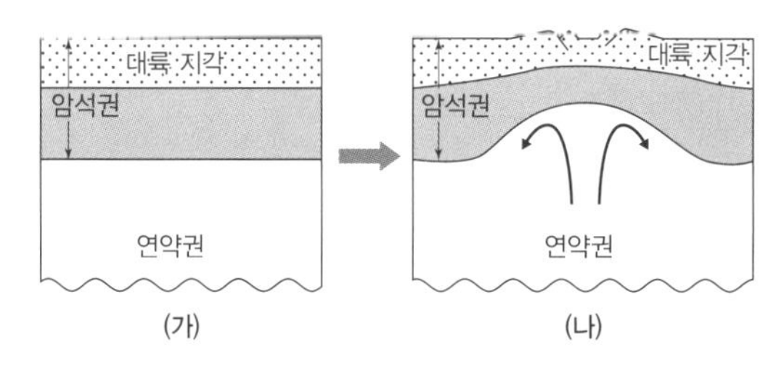

이 과정에 대한 설명으로 옳은 것만을 <보기>에서 있는 대로 고른 것은?

보기
ㄱ. 맨틀이 상승하는 지역에서 암석권의 두께가 얇아진다.
ㄴ. (나) 이후 암석권이 분리되면 해양 지각이 생성된다.
ㄷ. 동아프리카 열곡대는 이러한 과정을 거쳐 형성되었다.

① ㄱ ② ㄷ ③ ㄱ, ㄴ
④ ㄴ, ㄷ ⑤ ㄱ, ㄴ, ㄷ

12 그림은 최근 GPS 위성에서 관측한 판의 운동 방향과 속도를 나타낸 것이다.

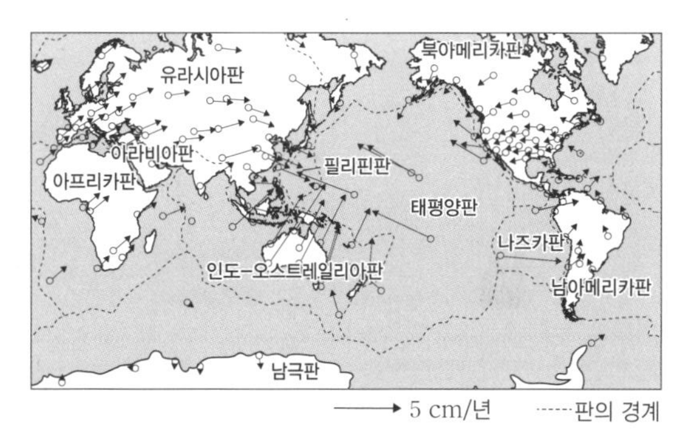

이에 대한 설명으로 옳은 것만을 <보기>에서 있는 대로 고른 것은?

보기
ㄱ. 유라시아판과 북아메리카판은 서로 가까워진다.
ㄴ. 대서양은 현재보다 넓어진다.
ㄷ. 남극판의 크기는 현재보다 커진다.

① ㄱ ② ㄷ ③ ㄱ, ㄴ
④ ㄴ, ㄷ ⑤ ㄱ, ㄴ, ㄷ

03 맨틀 대류와 플룸 구조론

핵심 키워드로 흐름잡기

A 맨틀 대류, 연약권

B 플룸 구조론, 열점

A 맨틀 대류와 판의 이동

|출·제·단·서| 시험에는 맨틀 대류와 판을 이동시키는 세 가지 힘에 대해서 묻는 문제가 나와.

1. 맨틀 대류 연약권 내에서 방사성 원소의 붕괴열과 깊이에 따른 온도 차이 등으로 매우 느린 속도로 대류가 일어난다.

(1) 연약권 암석권 바로 아래 맨틀의 상부에서 유동성을 띠는 영역이다. ⇨ 지구 내부 온도가 물질의 •용융점에 근접하여 부분적으로 용융이 일어나 유동성이 있는 상태이다.

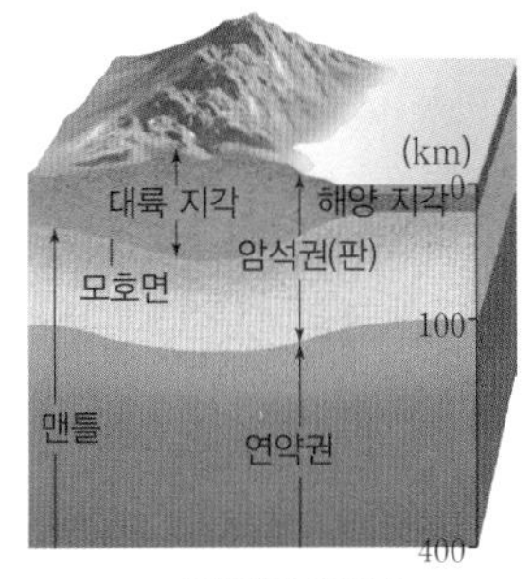

▲ 암석권과 연약권

(2) 맨틀 대류의 특징

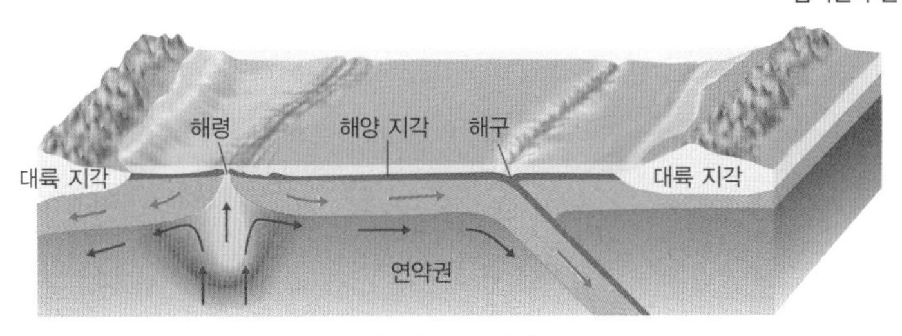

▲ 맨틀 대류와 판의 이동

① 온도가 상대적으로 높은 맨틀 물질은 상승한다. ⇨ 상승부에서는 발산형 경계(해령이나 열곡대)가 형성된다.

② 온도가 상대적으로 낮은 맨틀 물질은 하강한다. ⇨ 하강부에서는 수렴형 경계(해구나 습곡 산맥)가 형성된다.

③ 연약권의 대류로 그 위에 위치하는 판(암석권)이 이동한다.

④ 맨틀 대류로 판 경계에서 일어나는 화산 활동과 지진은 설명할 수 있지만, 판 내부의 대규모 화산 활동은 설명할 수 없다.

하와이 열도와 같은 판 내부에서 일어나는 화산 활동을 맨틀 대류로 설명할 수 없어. 이를 설명하기 위해 플룸 구조론이 등장했지.

2. 판을 움직이는 원동력 맨틀 대류는 판을 움직이는 주요 원동력이다. 맨틀 대류 이외에도 판 자체에서 발생하는 힘도 판을 움직이는 데 영향을 주는 것으로 알려져 있다.

빈출 자료 판을 이동시키는 원동력

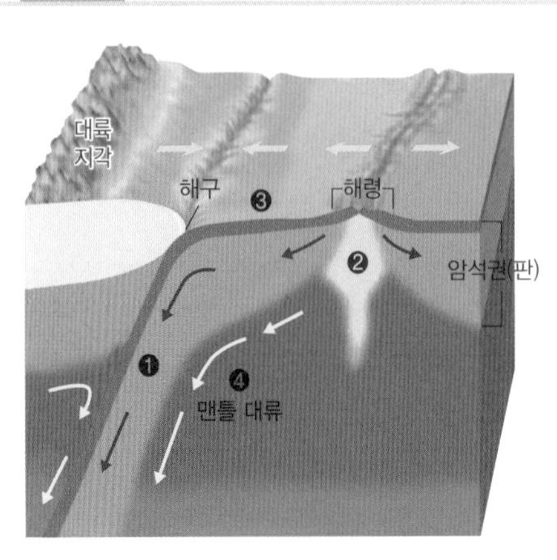

판을 움직이는 주요 힘에는 4가지가 있다.

❶ **판을 잡아당기는 힘:** 해령에서 멀어짐에 따라 냉각된 암석권이 섭입대에서 연약권 아래의 맨틀 깊숙한 곳으로 내려가면서 판을 잡아당긴다.

❷ **판을 밀어내는 힘:** 해령에서 맨틀 상승류에 의해 마그마가 분출하면서 판을 양쪽으로 밀어낸다.

❸ **판 자체의 무게:** 해령에서 해구로 갈수록 수심이 깊어진다. 즉, 해저 경사에 의해 발생하는 중력에 의해 판이 이동한다.

❹ **맨틀 대류:** 연약권의 대류에 의해 암석권인 판이 이동한다.

용어 알기

•용융점(녹이다 鎔, 녹이다 融, 점 點) 고체가 녹아서 액체가 되기 시작하는 온도

B 플룸 구조론과 열점

|출·제·단·서| 시험에는 플룸 구조론과 열점에 대해서 묻는 문제가 나와.

1. 플룸 구조론 맨틀 내부의 온도 차에 의한 지구 내부의 밀도 변화로 플룸이 상승하거나 하강하여 지구 내부의 변동이 일어난다는 이론이다.

(1) 플룸 맨틀과 핵의 경계에서 지각으로 상승하거나 지각에서 하부 맨틀로 하강하는 기둥 형태의 물질과 에너지의 흐름이다.

(2) 플룸의 생성 과정❶

① **차가운 플룸:** 상대적으로 냉각된 해양판이 지속적으로 섭입하면서 맨틀에는 큰 규모의 물질이 축적 되는데, 시간이 지남에 따라 이 물질은 하강하는 차가운 플룸이 된다.

② **뜨거운 플룸:** 하강하는 차가운 플룸이 핵과 맨틀의 경계면까지 도달하면, 경계면의 온도 분포가 불안정해지면서 뜨거운 플룸이 생성되어 상승한다.

(3) 플룸의 운동

① 지구 내부의 플룸 운동은 플룸 하강류와 플룸 상승류로 나타낼 수 있다.

② 플룸 상승류가 있는 곳은 주변의 맨틀보다 온도가 높으므로 지진파의 속도가 느리다. ⇨ 지진파의 속도가 느린 영역이 플룸이 상승하는 영역에 해당한다.

③ 판의 내부(하와이섬이나 동아프리카 지역 등)에서 일어나는 화산 활동은 판 구조론으로 설명하기 어렵지만, 플룸 구조론으로 쉽게 설명된다.

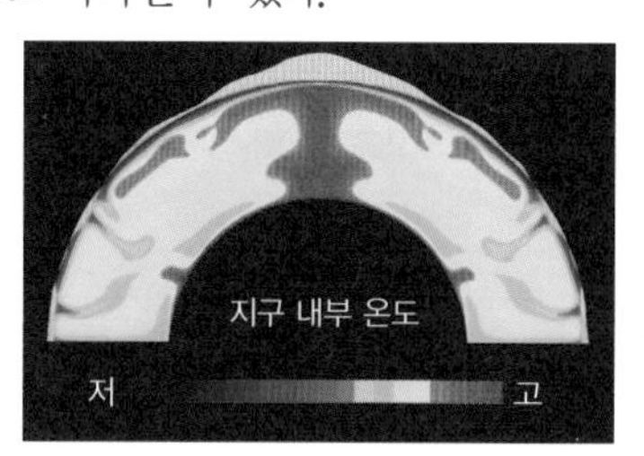

▲ 지진파로 파악한 지구 내부의 온도 분포

빈출 자료 플룸 구조론의 모식도

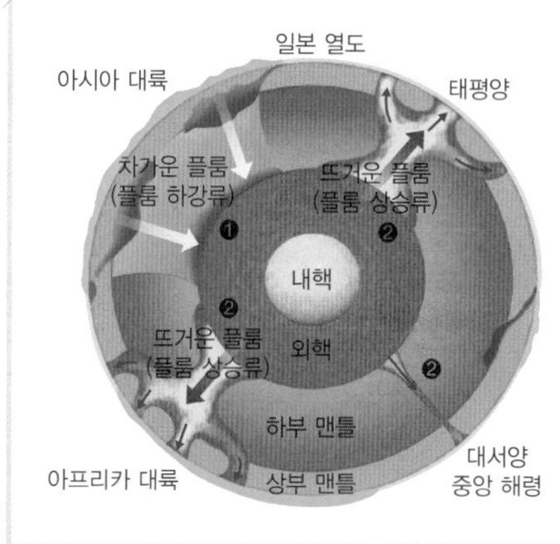

❶ 차가운 플룸은 수렴형 경계에서 섭입된 판의 물질이 상부 맨틀과 하부 맨틀의 경계 부근에 쌓여 있다가 가라앉아 생성되는 것으로 알려져 있다.
⇨ 현재 아시아 대륙에 거대한 플룸 하강류가 존재한다.

❷ 차가운 플룸이 맨틀과 외핵의 경계에 도달하면 그 영향으로 일부 맨틀 물질이 상승하여 뜨거운 플룸이 된다.
⇨ 현재 거대 상승류가 올라오는 곳은 태평양과 아프리카 대륙 아래에 있으며, 대서양 중앙 해령에도 뜨거운 플룸이 상승하고 있는 것으로 알려져 있다.

뜨거운 플룸이 상승하는 곳은 판 내부와 판의 경계 둘 다 존재한다.

2. •열점 개념 POOL 플룸 상승류가 지표면과 만나는 지점 아래 마그마가 생성되는 곳이다.

(1) 열점의 위치 열점은 연약권보다 깊은 곳에 고정되어 있다. 따라서 판이 이동하더라도 지구 내부의 열점은 이동하지 않는다.

(2) 열점과 화산섬의 형성

① 위치가 고정된 열점에서 마그마가 계속 분출되면, 판이 이동함에 따라 지표에서는 연속적으로 새로운 화산이 만들어진다.

② 열점에서 멀어질수록 화산의 연령이 점점 많아진다. 이를 이용하여 판의 이동 방향과 속력을 구할 수 있다.

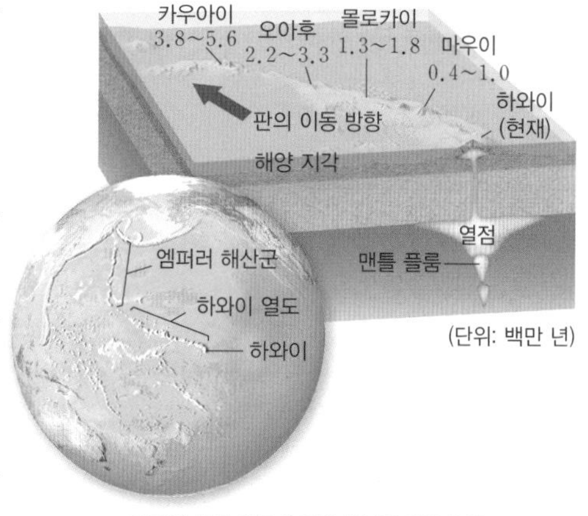

▲ 열점의 화산 활동에 의해 형성된 하와이 열도

---

❶ 플룸의 생성 과정

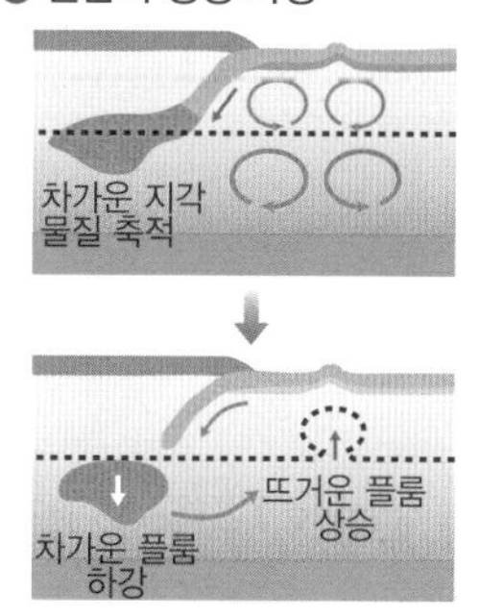

지구 내부 에너지의 이동
맨틀 대류와 플룸의 대규모 운동은 판을 움직이게 하는 힘을 발생시킬 뿐만 아니라 지구 내부의 열에너지를 끊임없이 지구 표면으로 전달하는 중요한 역할을 한다.

맨틀 대류와 플룸 구조론 비교

맨틀 대류	플룸 구조론
지표에서 판의 수평 운동, 섭입대에서 수직 운동을 설명	지구 내부의 대규모 수직 운동을 설명
연약권 내에서 대류	맨틀과 핵 경계 사이를 대류
방사성 원소의 붕괴열과 온도 차이로 발생하는 열대류에 의해 운동	뜨거운 플룸과 차가운 플룸의 대류에 의해 운동

용어 알기
•열점(덥다 熱, 점 點, hot-spot) 뜨거운 마그마를 분출하는 고정된 지점

열점과 판의 이동

목표 열점에 의한 화산 활동을 판의 이동과 관련지어 설명할 수 있다.

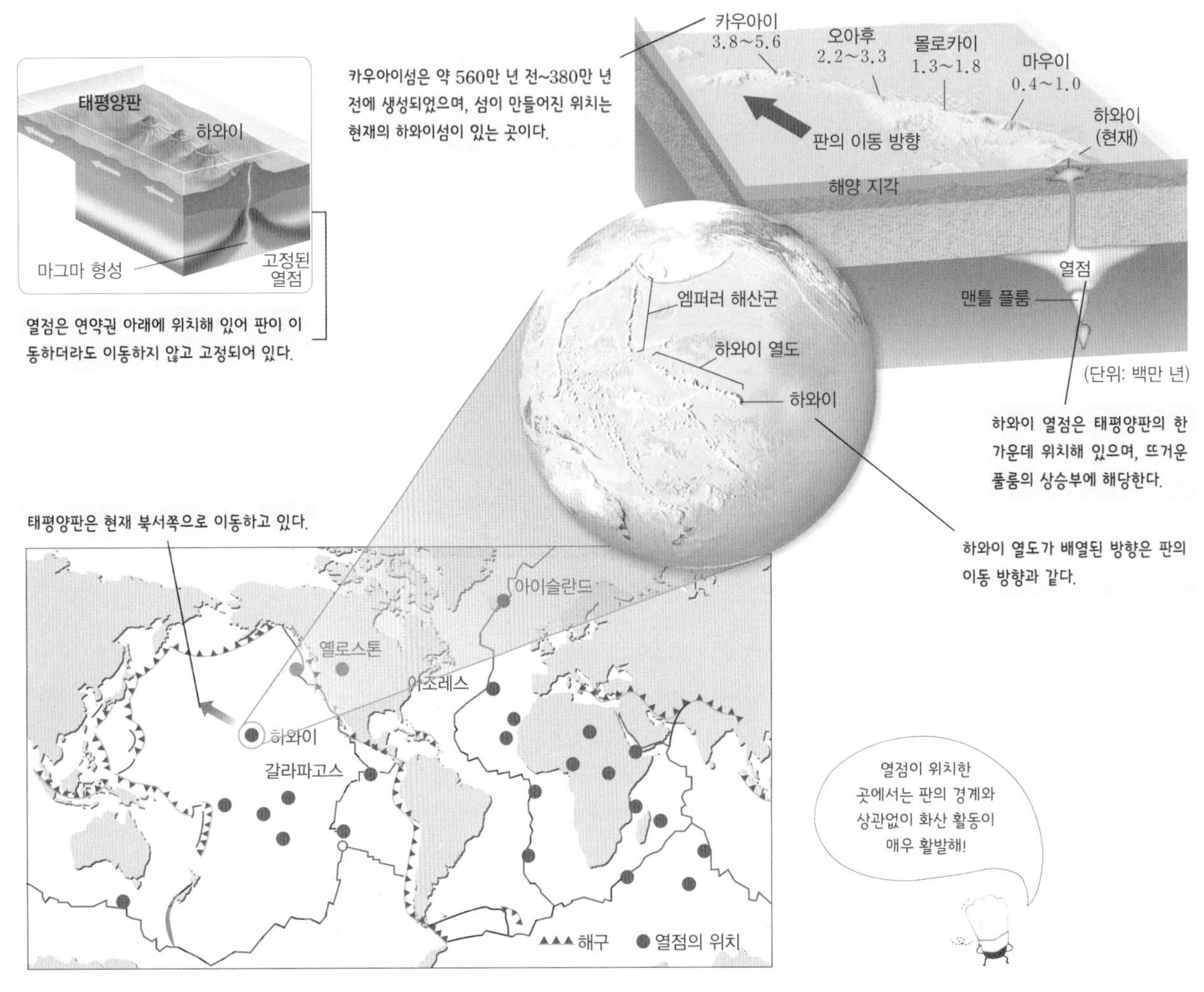

한·줄·핵심 열점에서 멀어질수록 화산의 연령이 점점 많아진다.

확인 문제

정답과 해설 09쪽

01 하와이 열도를 구성하는 섬 ㉠~㉢을 암석의 나이가 많은 것부터 순서대로 나열하시오.

02 다음 설명 중 옳은 것은 ○, 옳지 않은 것은 ×로 표시하시오.

(1) 열점의 화산 활동은 대부분 판의 경계에서 일어난다. ( )

(2) 하와이 열도의 방향은 판의 이동 방향에 수직하다. ( )

(3) 하와이 열도는 차가운 플룸의 하강부에 위치해 있다. ( )

(4) 하와이 열도를 이루고 있는 섬들은 모두 현재의 하와이섬 부근에서 형성되었다. ( )

콕콕! 개념 확인하기

정답과 해설 09쪽

✓ 잠깐 확인!

1. 연약권은 암석권의 바로 아래 맨틀의 상부에서 맨틀 물질이 부분적으로 ☐☐되어 유동성을 띠는 영역이다.

2. ☐☐ 대류
판을 움직이는 주요 원동력

3. 해령에서 ☐☐로 갈수록 수심이 깊어지므로 해저 경사에 의해 발생하는 중력에 의해서도 판이 이동한다.

4. ☐☐
맨틀과 핵의 경계에서 지각으로 상승하거나 지각에서 하부 맨틀로 하강하는 기둥 형태의 물질과 에너지의 흐름

5. 차가운 플룸은 ☐☐형 경계에서 섭입된 판의 물질이 상부 맨틀과 하부 맨틀의 경계 부근에 쌓여 있다가 가라앉아 생성된다.

6. 하와이섬이나 동아프리카 지역의 화산 활동은 ☐☐☐☐☐으로 설명할 수 있다.

A 맨틀 대류와 판의 이동

01 판의 구조와 맨틀 대류에 대한 설명으로 옳은 것은 ○, 옳지 않은 것은 ×로 표시하시오.

(1) 암석권의 바로 아래 영역은 맨틀 물질이 부분적으로 용융되어 유동성을 띤다. (　　)

(2) 맨틀은 액체 상태이며, 깊이에 따른 온도 차이로 매우 천천히 대류가 일어난다. (　　)

(3) 맨틀 대류의 상승부에서는 수렴형 경계인 해구나 습곡 산맥이 형성된다. (　　)

(4) 맨틀 대류의 하강부에서는 화산 활동과 지진이 일어난다. (　　)

02 다음은 판을 움직이는 주요 원동력에 대한 설명이다. 옳게 연결하시오.

(1) 판을 잡아당기는 힘 •　　　• ㉠ 해저면의 경사로 발생하는 중력에 의해 판이 이동한다.

(2) 판을 밀어내는 힘 •　　　• ㉡ 냉각된 암석권이 섭입대에서 맨틀 심부로 내려가면서 판을 잡아당긴다.

(3) 판 자체의 무게 •　　　• ㉢ 맨틀 대류에 의해 연약권과 암석권 사이의 마찰로 판이 이동한다.

(4) 맨틀 대류 •　　　• ㉣ 해령에서 맨틀 상승류에 의해 마그마가 분출하면서 판을 양옆으로 밀어낸다.

B 플룸 구조론과 열점

03 다음은 플룸 구조론에 대한 설명이다. (　　) 안에 들어갈 알맞은 말을 쓰시오.

(1) (　　　)은 상대적으로 냉각된 해양판이 섭입하여 형성된다.

(2) 플룸 상승류가 있는 곳은 주변의 맨틀보다 온도가 높으므로 지진파의 속도가 (　　　).

(3) 판의 내부에서 일어나는 화산 활동은 판 구조론으로 설명하기 어렵지만, (　　　)으로 쉽게 설명된다.

04 열점의 분포와 특징에 대한 설명으로 옳은 것은 ○, 옳지 않은 것은 ×로 표시하시오.

(1) 플룸 상승류가 지표면과 만나는 지점 아래 마그마가 생성되는 곳을 열점이라고 한다. (　　)

(2) 판이 이동함에 따라 열점의 위치도 함께 이동한다. (　　)

(3) 하와이 열도를 이루는 화산섬들은 거의 동시에 생성되었다. (　　)

탄탄! 내신 다지기

A 맨틀 대류와 판의 이동

01 그림은 지구 내부의 단면을 나타낸 것이다.

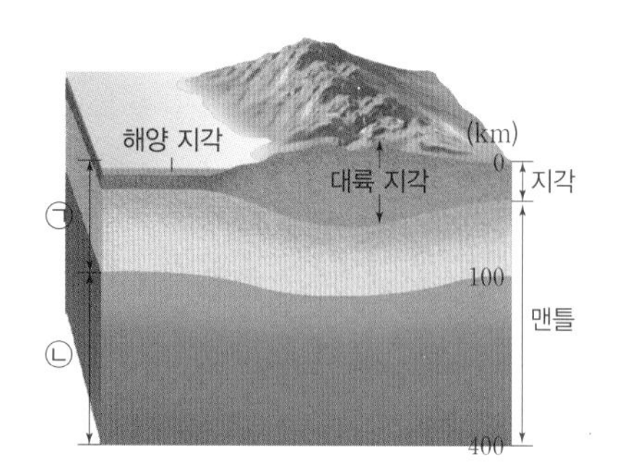

이에 대한 설명으로 옳지 않은 것은?

① ㉠은 암석권이다.
② ㉡은 연약권이다.
③ ㉠은 부분 용융되어 있다.
④ ㉠의 조각을 판이라고 한다.
⑤ ㉡에서 맨틀의 열대류가 나타난다.

02 맨틀에 대한 설명으로 옳은 것만을 〈보기〉에서 있는 대로 고른 것은?

> 보기
> ㄱ. 맨틀은 고체 상태이다.
> ㄴ. 상부 맨틀에는 부분 용융 상태인 연약권이 존재한다.
> ㄷ. 맨틀은 전체적으로 거의 일정한 온도를 유지하고 있다.

① ㄱ ② ㄷ ③ ㄱ, ㄴ
④ ㄱ, ㄷ ⑤ ㄴ, ㄷ

03 맨틀 대류를 일으키는 에너지원에 대한 설명으로 적절한 것은?

① 태양 에너지
② 태양과 달의 조력 에너지
③ 방사성 동위 원소의 붕괴열
④ 대기와 해양의 운동 에너지
⑤ 지구의 자전에 의한 원심력

04 맨틀 대류의 상승부와 하강부에서 각각 발달하는 지형만을 〈보기〉에서 있는 대로 고른 것은?

> 보기
> ㄱ. 해령 ㄴ. 해구 ㄷ. 열곡대
> ㄹ. 습곡 산맥 ㅁ. 변환 단층

	맨틀 대류 상승부	맨틀 대류 하강부
①	ㄱ	ㄴ
②	ㄱ	ㄴ, ㄹ
③	ㄱ, ㄷ	ㄴ
④	ㄱ, ㄷ	ㄴ, ㄹ
⑤	ㄱ, ㄷ	ㄴ, ㄹ, ㅁ

05 그림은 판을 이동시키는 주요 힘을 나타낸 것이다.

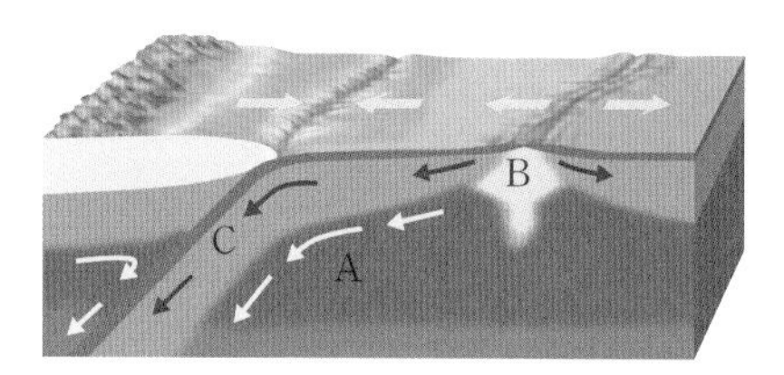

A, B, C는 각각 어떤 힘인지 〈보기〉에서 옳게 짝지은 것은?

> 보기
> ㄱ. 맨틀 대류에 의한 힘
> ㄴ. 해령에서 밀어내는 힘
> ㄷ. 섭입대에서 잡아당기는 힘

	A	B	C
①	ㄱ	ㄴ	ㄷ
②	ㄱ	ㄷ	ㄴ
③	ㄴ	ㄱ	ㄷ
④	ㄷ	ㄱ	ㄴ
⑤	ㄷ	ㄴ	ㄱ

단답형

06 판을 이동시키는 원동력에 대한 설명 중 (　　) 안에 들어갈 알맞은 말을 쓰시오.

> (　　　)가 발달한 해양판은 대체로 이동 속도가 빠르다. 그 까닭은 섭입대에서 차가워진 판이 지구 내부로 들어가면서 자체 무게에 의해 끌어당기는 힘이 작용하기 때문이다.

B 플룸 구조론과 열점

07 판 구조론을 이용하여 설명이 어려운 현상만을 〈보기〉에서 있는 대로 고른 것은?

> 보기
> ㄱ. 해령과 해령 사이에 변환 단층이 발달한다.
> ㄴ. 판의 내부에서 대규모 화산 활동이 일어난다.
> ㄷ. 고지자기의 줄무늬가 해령을 중심으로 대칭적으로 나타난다.

① ㄱ ② ㄴ ③ ㄱ, ㄷ
④ ㄴ, ㄷ ⑤ ㄱ, ㄴ, ㄷ

단답형

08 다음은 어느 이론에 대한 설명이다.

- 판 내부의 대규모 화산 활동을 설명하기 위해 처음 등장한 이론이다.
- 뜨거운 물질의 상승이나 차가운 물질의 하강으로 지구 내부의 변동이 일어난다고 설명한다.
- 지구 내부 움직임 중 대규모의 수직 운동을 주로 설명할 수 있다.

이 이론은 무엇인지 쓰시오.

단답형

09 표는 맨틀 대류와 플룸 구조론을 비교한 것이다.

구분	맨틀 대류	플룸 구조론
이론	지구 표면의 수평 운동 및 판의 섭입 과정에서의 수직 운동을 설명	지구 내부의 변동이 (㉠)의 상승이나 하강에 의해 일어난다는 이론
활동 영역	(㉡) 내의 대류	맨틀과 핵 경계 사이에서의 물질 상승과 하강
원동력	맨틀 내에 존재하는 방사성 원소의 붕괴열과 깊이에 따른 온도 차이로 발생하는 열대류	상승하는 뜨거운 플룸과 하강하는 차가운 플룸이 일으키는 거대 규모의 대류

㉠, ㉡에 들어갈 알맞은 말을 쓰시오.

10 플룸 구조론에 대한 설명으로 옳은 것은?

① 화산대와 지진대의 분포를 설명할 수 있다.
② 해저 지형의 탐사 기술이 발달하면서 정립된 이론이다.
③ 섭입대에서 뜨거운 플룸이 형성된다.
④ 하와이는 차가운 플룸의 하강 지역에 위치한다.
⑤ 대규모의 뜨거운 플룸은 초대륙을 분리시킬 수 있다.

11 뜨거운 플룸과 차가운 플룸에 대한 설명으로 옳은 것만을 〈보기〉에서 있는 대로 고른 것은?

> 보기
> ㄱ. 뜨거운 플룸은 차가운 플룸보다 밀도가 크다.
> ㄴ. 차가운 플룸은 수렴형 경계에서 섭입된 판이 가라앉아 생성된다.
> ㄷ. 플룸 상승류가 있는 곳은 주변의 맨틀보다 온도가 높으므로 지진파의 속도가 느리다.

① ㄱ ② ㄴ ③ ㄱ, ㄷ
④ ㄴ, ㄷ ⑤ ㄱ, ㄴ, ㄷ

12 그림은 열점의 분포를 나타낸 것이다.

이에 대한 설명으로 옳은 것만을 〈보기〉에서 있는 대로 고른 것은?

> 보기
> ㄱ. 열점은 대부분 판의 경계에 분포한다.
> ㄴ. 열점은 뜨거운 플룸이 상승하여 지각을 뚫고 분출하는 곳이다.
> ㄷ. 판이 이동하면 열점의 위치도 함께 이동한다.

① ㄱ ② ㄴ ③ ㄱ, ㄷ
④ ㄴ, ㄷ ⑤ ㄱ, ㄴ, ㄷ

도전! 실력 올리기

01 그림은 지구 내부 구조와 깊이에 따른 P파의 속도 변화를 나타낸 것이다.

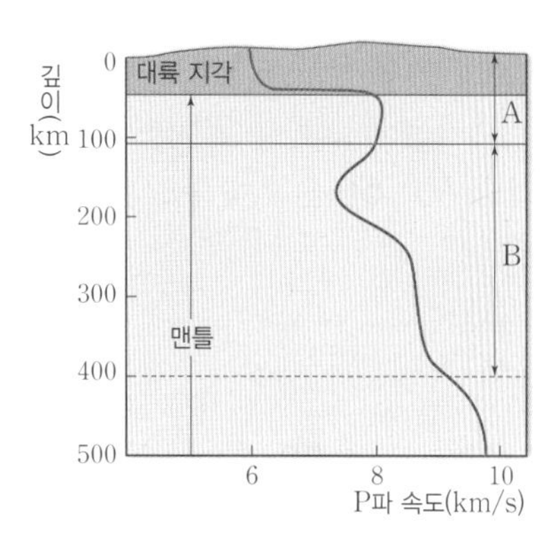

이에 대한 설명으로 옳은 것만을 〈보기〉에서 있는 대로 고른 것은?

보기
ㄱ. A는 암석권이다.
ㄴ. B에는 지진파의 속도가 감소하는 층이 존재한다.
ㄷ. B의 대류에 의해 A가 이동할 수 있다.

① ㄱ ② ㄷ ③ ㄱ, ㄴ
④ ㄴ, ㄷ ⑤ ㄱ, ㄴ, ㄷ

02 그림은 맨틀 대류 모형을 나타낸 것이다.

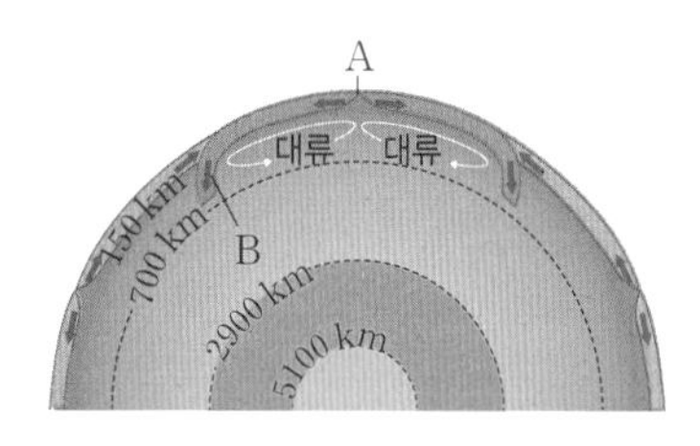

이에 대한 설명으로 옳은 것만을 〈보기〉에서 있는 대로 고른 것은?

보기
ㄱ. 연약권에서 일어나는 맨틀 대류를 나타낸 모형이다.
ㄴ. A에서 새로운 해양 지각이 생성된다.
ㄷ. B에서 해령이 발달한다.

① ㄱ ② ㄴ ③ ㄱ, ㄴ
④ ㄴ, ㄷ ⑤ ㄱ, ㄴ, ㄷ

출제예감

03 그림은 판을 움직이는 원동력을 나타낸 것이다.

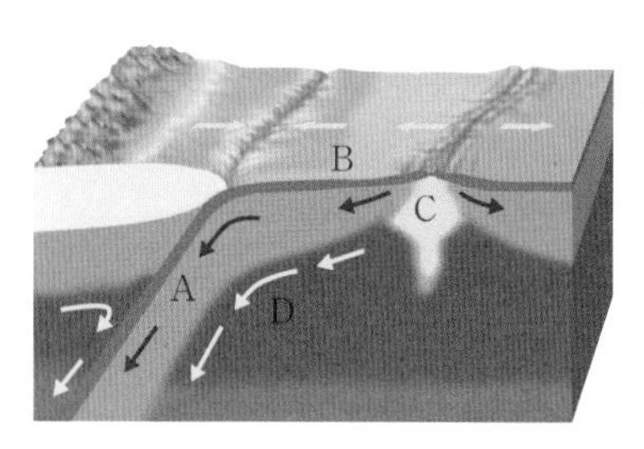

힘 A~D에 대한 설명으로 옳은 것만을 〈보기〉에서 있는 대로 고른 것은?

보기
ㄱ. A는 섭입하는 판의 밀도가 작을수록 크다.
ㄴ. B는 해저면의 경사가 완만할수록 크다.
ㄷ. C는 발산형 경계에서 발생하는 힘이다.
ㄹ. D는 맨틀의 열대류에 의해 발생하는 힘이다.

① ㄱ, ㄴ ② ㄴ, ㄹ ③ ㄷ, ㄹ
④ ㄱ, ㄴ, ㄷ ⑤ ㄱ, ㄷ, ㄹ

04 그림은 맨틀 대류와 판의 이동을 나타낸 것이다.

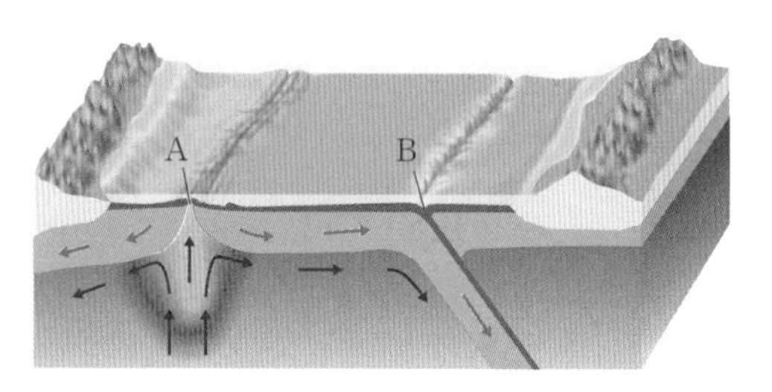

이에 대한 설명으로 옳은 것만을 〈보기〉에서 있는 대로 고른 것은?

보기
ㄱ. 수심은 A보다 B에서 깊다.
ㄴ. B에서 밀도가 작은 판이 밀도가 큰 판 아래로 섭입한다.
ㄷ. 맨틀 대류의 상승부에서 심발 지진이 자주 발생한다.

① ㄱ ② ㄴ ③ ㄷ
④ ㄱ, ㄷ ⑤ ㄴ, ㄷ

05 그림은 지진파로 파악한 지구 내부의 온도 분포를 나타낸 것이다.

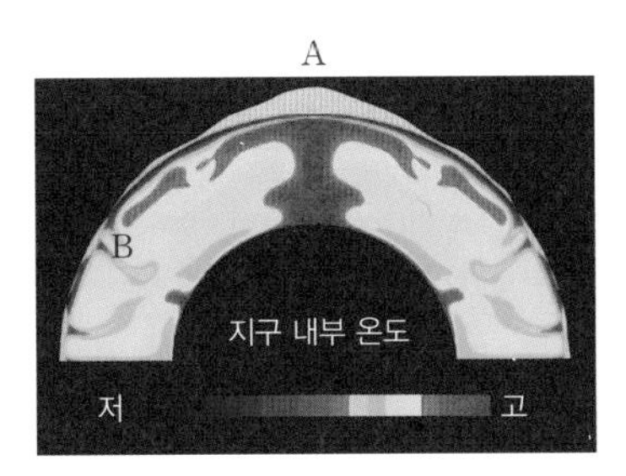

이에 대한 설명으로 옳은 것만을 〈보기〉에서 있는 대로 고른 것은?

보기
ㄱ. A에서 화산 활동이 활발하다.
ㄴ. B의 하부에서 플룸의 상승류가 발달한다.
ㄷ. 지진파의 속도는 온도가 높은 영역일수록 빠르다.

① ㄱ ② ㄷ ③ ㄱ, ㄴ
④ ㄴ, ㄷ ⑤ ㄱ, ㄴ, ㄷ

출제예감

06 그림은 플룸 구조론을 나타낸 모식도이다.

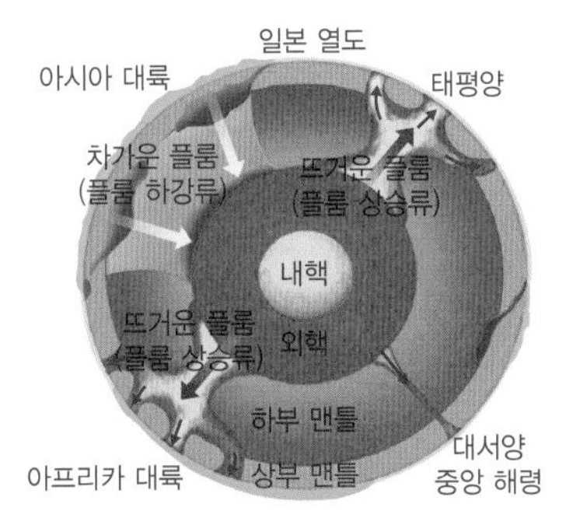

이에 대한 설명으로 옳은 것만을 〈보기〉에서 있는 대로 고른 것은?

보기
ㄱ. 뜨거운 플룸은 내핵에서 형성된다.
ㄴ. 플룸 상승류는 태평양과 대서양에 모두 존재한다.
ㄷ. 열곡대는 아프리카 대륙보다 아시아 대륙에 발달한다.

① ㄱ ② ㄴ ③ ㄱ, ㄷ
④ ㄴ, ㄷ ⑤ ㄱ, ㄴ, ㄷ

[07~08] 그림은 화산 A~D의 위치와 세계의 주요 지진 발생 지역을 나타낸 것이다.

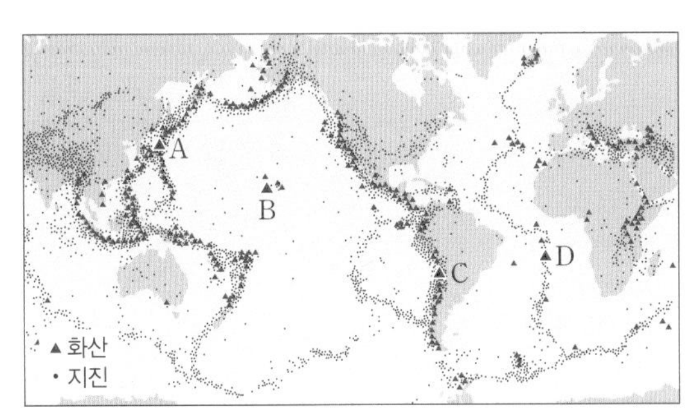

단답형

07 A~D 중 판의 수렴형 경계 부근에 위치한 화산을 모두 쓰시오.

서술형

08 A~D 중 판의 경계가 아닌 곳에서 일어난 화산을 찾고, 그 화산은 어떻게 형성되었는지 서술하시오.

서술형

09 그림은 하와이 화산섬들의 분포를 나타낸 것이다.

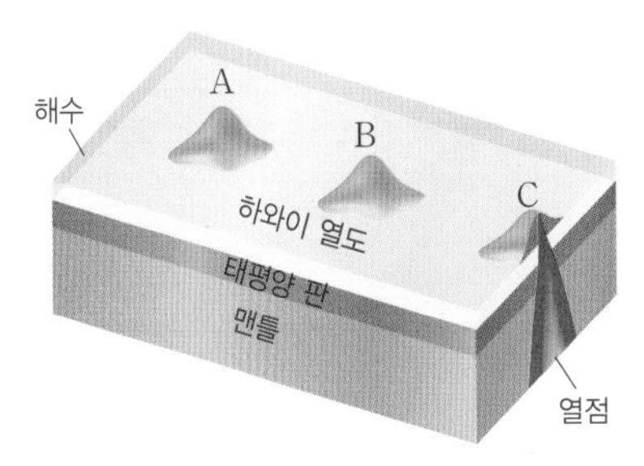

화산섬 A, B, C의 생성 위치와 구성 암석의 평균 연령에 대해 서술하시오.

04 마그마의 생성과 화성암

핵심 키워드로 흐름잡기

- A 마그마, 현무암질, 안산암질, 유문암질, 용융 곡선
- B 화성암, 화산암, 심성암, 염기성암, 중성암, 산성암
- C 심성암 지형, 화산암 지형

A 마그마의 종류와 생성 과정

|출·제·단·서| 시험에는 마그마의 생성 과정과 장소에 대해 묻는 문제가 나와.

1. 마그마 지구 내부에서 지각이나 맨틀 물질이 녹아서 만들어진 암석의 용융체이다.

2. 마그마의 종류 마그마는 일반적으로 마그마의 화학 조성(SiO_2 함량)을 기준으로 현무암질 마그마, 안산암질 마그마, 유문암질 마그마로 구분한다.

빈출 자료 마그마의 종류와 성질

구분		현무암질 마그마	안산암질 마그마	유문암질 마그마
SiO_2 함량		52 % 이하	52~63 %	63 % 이상
온도		높다.	←→	낮다.
유동성❶		크다.	←→	작다.
점성❶		작다.	←→	크다.
화산 가스 분출량		적다.	←→	많다.
분출 형태		조용히 분출	용암과 화산 쇄설물이 교대로 분출	격렬히 폭발
화산체	경사	완만하다.	←→	급하다.
	지형	용암 대지, 순상 화산	성층 화산	종상 화산
	형태❷	용암 대지 / 순상 화산		

❶ 유동성과 점성
용암이 액체처럼 흐르는 성질을 유동성이라고 한다. 용암이 끈적끈적하여 서로 붙어 있는 부분이 떨어지지 않으려는 성질을 점성이라고 한다.

❷ 화산체의 형태
- 용암 대지: 마그마가 조용하게 분출되어 생성된 평탄한 지형 예 철원 평야
- 순상 화산: 경사가 완만한 화산체 예 제주도 한라산
- 성층 화산: 층상 구조를 갖는 화산체 예 후지산
- 종상 화산: 경사가 급한 화산체 예 제주도 산방산

3. 마그마의 생성 과정 일반적으로 지하의 온도 분포는 지각이나 맨틀 물질의 •용융점보다 낮기 때문에 마그마가 생성되지 않는다. 하지만 온도 상승, 압력 감소, 물 공급 등이 일어나면 마그마가 생성될 수 있다.

(1) 부분 용융 마그마가 생성될 수 있는 환경이 되면 암석 전체가 한꺼번에 녹는 것이 아니라 용융점이 낮은 광물이 먼저 녹는데, 이를 부분 용융이라고 한다. ⇨ 부분 용융으로 만들어진 마그마는 밀도가 낮아 위로 상승한다.

(2) 마그마의 생성 조건

① **온도 상승:** 암석의 온도가 상승하여 용융점에 도달하면 녹으면서 마그마가 생성될 수 있다.
⇨ 대륙 지각의 하부(지하 약 30~40 km 깊이)에서 온도가 상승하면 화강암으로 이루어진 대륙 지각이 녹아 마그마가 생성된다. 대륙 지각은 주로 화강암, 해양 지각은 주로 현무암으로 이루어져 있다.

② **압력 감소:** 암석에 작용하는 압력이 감소하면 용융점이 낮아지므로 마그마가 생성될 수 있다.
⇨ 맨틀 대류로 맨틀 물질이 상승함에 따라 압력이 감소하면 용융되어 현무암질 마그마가 생성된다.

③ **물 공급:** 맨틀 물질에 물이 공급되면 용융점이 낮아져 마그마가 생성될 수 있다.
⇨ 섭입대에서 연약권으로 물이 공급되면 용융점이 낮아져 현무암질 마그마가 생성된다.

광물의 용융점
광물은 종류에 따라 화학 성분이 다르므로 용융점도 다르다. 암석을 이루고 있는 주요 •조암 광물의 경우 석영<정장석<흑운모<각섬석<휘석<감람석 순으로 용융점이 높아진다.

용어 알기
- •용융점(녹다 溶, 녹다 融, 점 點) 고체가 녹아서 액체가 되기 시작하는 온도
- •조암 광물(만들다 造, 바위 岩, 광석 鑛, 사물 物) 암석을 구성하는 광물

빈출 자료 **지하의 온도 분포와 암석의 용융 곡선** 개념 POOL

마그마의 생성 조건: 암석 주변의 온도가 암석의 용융점보다 높아야 한다.

⇨ 일반적으로는 지하로 들어갈수록 온도가 높아지지만, 압력도 높아져 용융점이 상승하여 마그마가 생성되기 어렵다

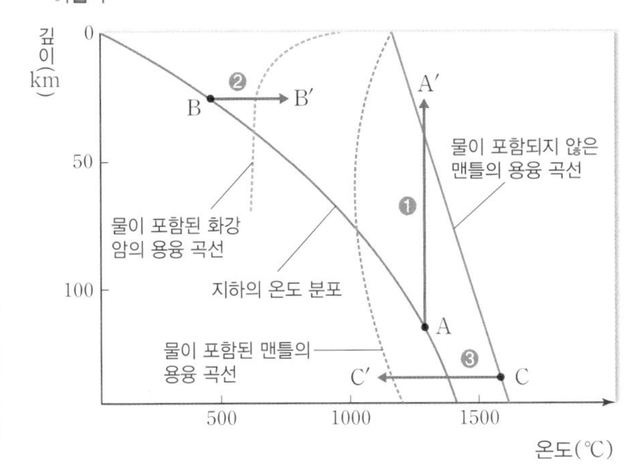

❶ A → A′: 압력 감소로 지구 내부의 온도 곡선이 맨틀의 용융 곡선과 만나면 현무암질 마그마가 생성된다.

❷ B → B′: 지구 내부 온도가 상승하여 물이 포함된 화강암의 용융 곡선과 대륙 지각의 온도 곡선이 만나면 안산암질(유문암질) 마그마가 생성된다.

❸ C → C′: 물이 공급되어 용융 곡선의 위치가 변화되어 현무암질 마그마가 생성될 수 있다.

4. 마그마가 생성되는 장소 개념 POOL

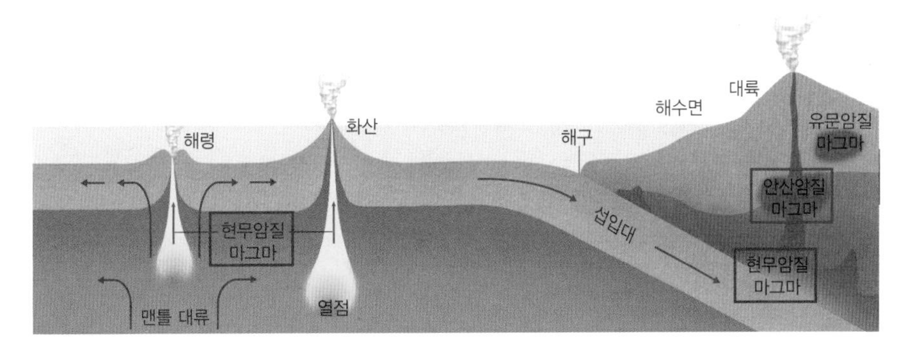

(1) 판의 경계 발산형 경계인 해령과 수렴형 경계인 섭입대에서는 마그마가 생성될 수 있다.

① **해령:** 뜨거운 맨틀 물질이 지표 가까이 상승하면 압력은 빠르게 감소하지만 온도는 서서히 낮아진다.

⇨ 압력 감소에 의해 부분 용융이 일어나 현무암질 마그마가 생성된다.

② **섭입대:** 섭입대에서 해양 지각과 퇴적물이 섭입하면 온도와 압력이 높아져 지각과 퇴적물의 •함수 광물❸로부터 물이 빠져나와 연약권 물질에 물이 공급될 수 있다.

⇨ 물은 맨틀의 용융점을 낮추고, 그 결과 맨틀의 부분 용융이 일어나 현무암질 마그마가 만들어진다.

③ **지각 하부**

- 현무암질 마그마가 상승하여 대륙 지각 하부에 도달하면 지각에서 부분 용융이 일어나 주로 안산암질(일부 유문암질) 마그마를 생성한다.
- 안산암선: 태평양 주변을 따라 안산암이 분포하는 한계선으로, 판의 수렴형 경계와 대체로 일치한다. 이 경계선을 기준으로 해양에서는 안산암이 발견되지 않는다. 호상 열도는 주로 안산암선을 기준으로 대륙 쪽에 위치하므로 안산암질 마그마가 분출된다.

안산암선 주변에는 성층 화산이 주로 분포한다.

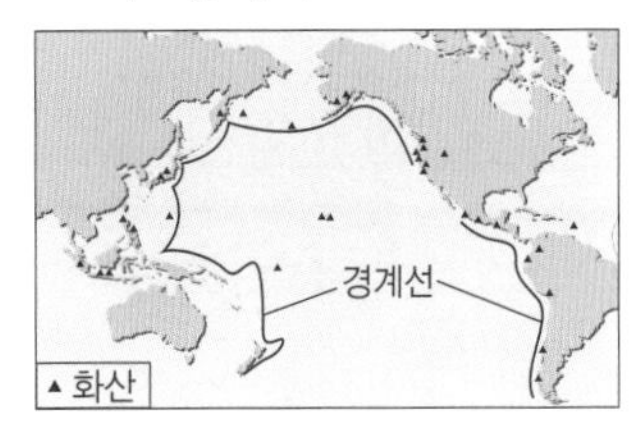

▲ 안산암선

(2) 판의 내부 열점에서는 뜨거운 물질의 상승으로 압력이 감소하여 용융점이 낮아져 현무암질 마그마가 생성된다.

물이 포함되면 암석의 용융점이 낮아지는 까닭

물은 광물을 구성하는 입자들 사이의 결합력을 약화시키는 역할을 하기 때문에 낮은 온도에서도 고체의 성질을 잃어버리게 만드는 역할을 한다.

❸ 함수 광물

광물 내부에 수산화 이온(OH^-)을 포함하고 있는 광물로, 가열하면 물(H_2O)이 빠져나온다. 대표적인 함수 광물로 각섬석이나 운모류가 있다. 화강암이 녹아 형성된 화강암질 마그마는 다량의 수증기를 포함하는데, 이는 화강암에 운모와 각섬석이 풍부하기 때문이다.

? 섭입대에서 생성된 현무암질 마그마가 상승하다가 어떻게 안산암질 마그마로 변할까?

섭입대 하부에서 생성된 현무암질 마그마는 온도가 매우 높은 편이다. 이 마그마가 위로 상승하여 지각 하부에 이르고, 지각에서 용융점이 낮은 광물이 부분 용융되어 마그마에 포함된다. 또한 마그마가 식어감에 따라 용융점이 높은 광물은 고체로 빠져나간다. 이로 인해 마그마의 성분이 안산암질로 바뀐다.

용어 알기

•함수(머금다 含, 물 水) 물을 포함하고 있음

B 화성암

|출·제·단·서| 시험에는 화성암의 분류 기준과 화성암의 종류별 특징에 대해 묻는 문제가 나와.

1. 화성암 마그마가 지각 내부나 지표 부근에서 굳어져 만들어진 암석이다.

2. 화성암의 분류 화성암은 조직이나 화학 조성에 따라 분류할 수 있다.

(1) 조직에 따른 분류 마그마의 조직(냉각 속도)에 따라 화산암과 심성암으로 구분한다.

① **화산암:** 마그마가 지표로 분출하여 빠르게 냉각되어 형성된 암석이다. 주로 용암류가 굳어져 형성되며, 구성 광물의 크기가 매우 작은 •세립질 조직을 갖는다.

② **심성암:** 마그마가 지하 깊은 곳에서 천천히 냉각되어 형성된 암석이다. 구성 광물의 크기가 비교적 큰 •조립질 조직을 갖는다.

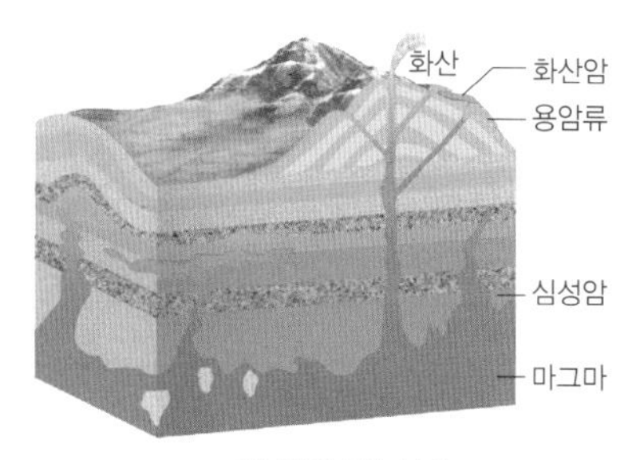

▲ 화성암의 산출 상태

(2) 화학 조성에 따른 분류 화성암은 SiO_2 함량에 따라 염기성암, 중성암, 산성암으로 구분한다.

① **염기성암:** 현무암질 마그마가 식어 만들어진다. 감람석, 휘석, 각섬석 등의 유색 광물의 함량이 많아 어두운 색을 띤다. ㉠ 현무암, 반려암 밀도: 약 3.2 g/cm^3

② **중성암:** 안산암질 마그마가 식어 만들어진다. ㉠ 안산암, 섬록암

③ **산성암:** 유문암질 마그마가 식어 만들어진다. 사장석, 정장석, 석영 등의 무색 광물의 함량이 많아 밝은 색을 띤다. ㉠ 유문암, 화강암 밀도: 약 2.7 g/cm^3

산성암, 염기성암은 화학에서 말하는 산, 염기와는 관련이 없다.

화성암, 화산암, 화강암의 구분
- 화성암: 마그마가 굳어져 만들어진 암석
- 화산암: 지표 부근에서 만들어진 화성암
- 화강암: 지하 깊은 곳에서 만들어진 화성암(심성암) 중 하나

반심성암
마그마가 지표 근처까지 올라와 굳어진 암석으로 화산암과 심성암의 중간 정도 성질을 가지고 있다.
㉠ 휘록암, 섬록 반암, 석영 반암

▲ 휘록암

빈출 자료 **조직과 화학 조성에 따른 화성암의 분류**

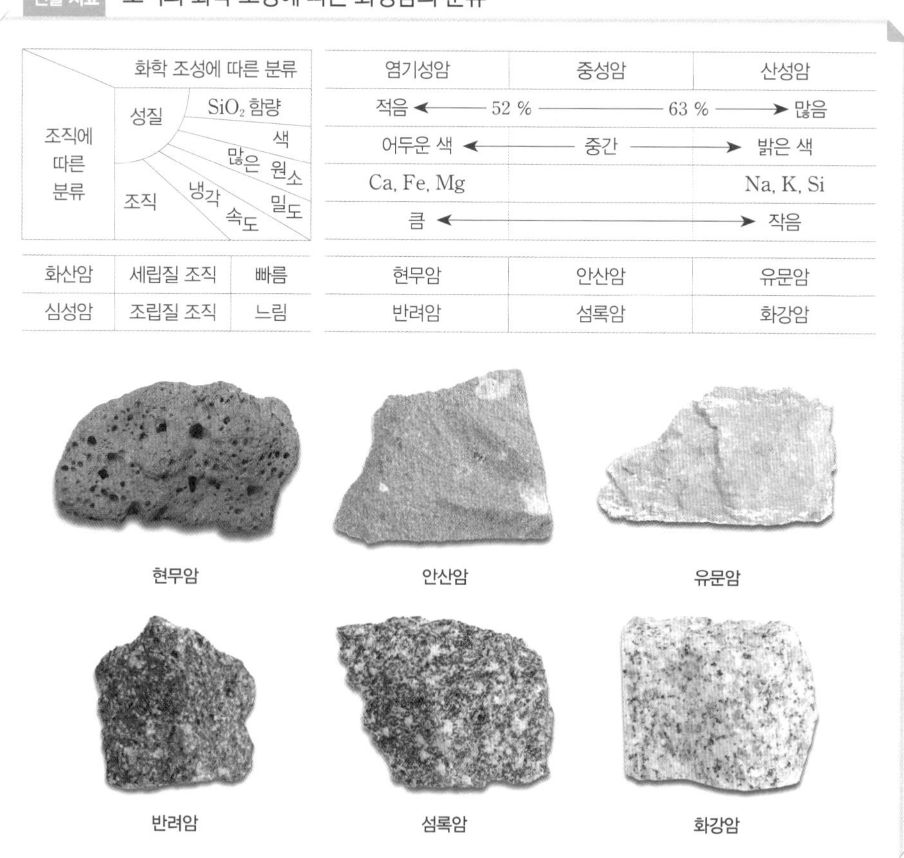

조직에 따른 분류 \ 성질 \ 화학 조성에 따른 분류			염기성암	중성암	산성암
		SiO_2 함량	적음 ← 52 %	― 63 % ―	→ 많음
		색	어두운 색 ←	중간	→ 밝은 색
		많은 원소	Ca, Fe, Mg		Na, K, Si
조직	냉각 속도	밀도	큼 ←		→ 작음
화산암	세립질 조직	빠름	현무암	안산암	유문암
심성암	조립질 조직	느림	반려암	섬록암	화강암

? 지하 깊은 곳에서 만들어진 화강암이 어떻게 지표 부근에서 발견될까?
지하 깊은 곳에서 마그마가 천천히 굳어 화강암이 형성된 다음, 상부 지층이 침식되어 지하의 암석이 지표에 노출된 것이다.

용어 알기
- •세립(가늘다 細, 알갱이 粒) 작은 알갱이
- •조립(굵다 粗, 알갱이 粒) 굵은 알갱이

C 우리나라의 화성암 지형

|출·제·단·서| 시험에는 우리나라에 분포하는 화산암 지형, 심성암 지형의 특징에 대해 묻는 문제가 나와.

1. 우리나라의 화성암 분포 우리나라에 분포하는 화성암은 대부분 중생대에 형성된 화강암이고, 일부는 신생대 화산 활동으로 형성된 화산암이다.

화성암은 우리나라 암석의 약 35 %를 차지하고, 주로 중생대와 신생대에 화산 활동으로 형성되었어!

2. 심성암 지형 우리나라의 설악산, 북한산, 불암산, 오대산 등은 주로 화강암으로 이루어져 있다. └ 우리나라 전역에 골고루 분포한다.

(1) 설악산(강원도) 약 1억 2천만 년 전(중생대)에 지하 깊은 곳에서 마그마가 굳어 화강암체가 생성되었다. 시간이 지나면서 화강암체를 덮고 있던 지표의 암석이 침식 작용을 받아 깎여 나갔고, 화강암체가 •융기하여 지표에 노출되어 현재의 설악산이 되었다.

(2) 북한산(서울) 약 1억 8천만 년 전~1억 6천만 년 전(중생대)에 지하 깊은 곳에서 생성된 화강암이 지표의 침식 작용으로 융기하면서 노출되어 형성되었다.

한반도의 심성암 지형

▲ 강원도 설악산 울산바위(화강암) ▲ 서울 북한산 인수봉(화강암) ▲ 서울 불암산 석장봉(화강암) ▲ 강원도 오대산 식당암(화강암)

3. 화산암 지형 우리나라의 제주도, 울릉도와 독도, 철원군 일대 등은 주로 화산암(현무암)으로 이루어져 있다.

(1) 제주도

① 약 180만 년 전~수천 년 전(신생대)에 유동성이 큰 현무암질 용암이 분출하여 제주도의 전체적인 모습이 형성되었고, 나중에 비교적 점성이 큰 용암이 분출하여 한라산 정상부(백록담 주변)를 형성하였다.

② 한라산, 성산 일출봉, 거문오름 용암 동굴[4]계는 세계자연유산으로 지정되었으며, 제주도 전역은 세계지질공원으로 인증되었다.

(2) 울릉도 약 210만 년 전(신생대)에 유동성이 작은 용암이 분출하여 형성된 화산섬으로 경사가 급한 종상 화산이다.

(3) 독도 약 460만 년 전~270만 년 전(신생대)에 형성된 화산섬으로, 우리나라의 화산섬 중 가장 오래되었다. 파도에 의한 침식을 받아 동도와 서도로 나누어져 있다.

(4) 철원군 일대(강원도) 약 27만 년 전(신생대)에 유동성이 큰 현무암질 용암이 분출하여 용암 대지[5]를 형성하였다. 한탄강 절벽에는 주상 절리[6]가 발달해 있다.

한반도의 화산암 지형

▲ 제주도 용두암(현무암) ▲ 울릉도 코끼리바위(현무암) ▲ 독도(현무암) ▲ 한탄강 재인폭포(현무암)

❹ 용암 동굴
용암이 흘러내릴 때 표면은 차가운 공기에 의해 굳어지고, 내부 용암은 그대로 흘러나가면서 만들어진다.

▲ 제주도 만장굴

❺ 용암 대지
현무암질 용암이 대규모로 분출해서 생긴 편평한 지형이다.

▲ 철원 평야(용암 대지)

❻ 주상 절리
용암이 급격하게 식어서 굳을 때 기둥 모양으로 굳어져 생긴 지형이다.

▲ 한탄강 주상 절리

용어 알기

•융기(높다 隆, 일어나다 起) 땅이 기준면에 대하여 상대적으로 높아짐

변동대에서 생성되는 마그마

목표 마그마의 생성 장소에 따른 마그마 생성 조건을 설명할 수 있다.

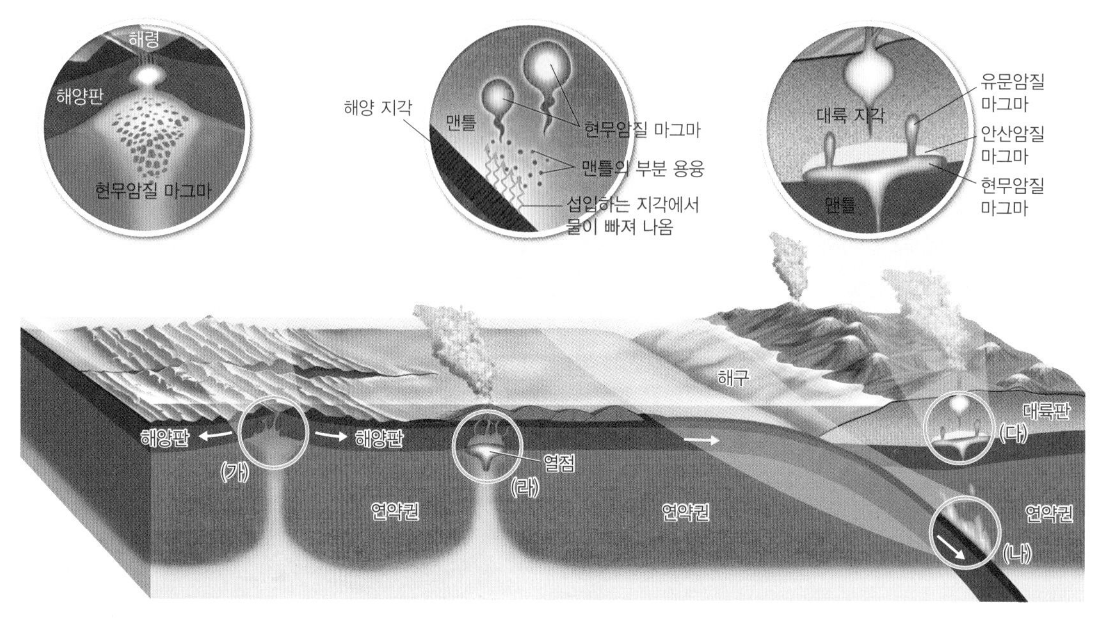

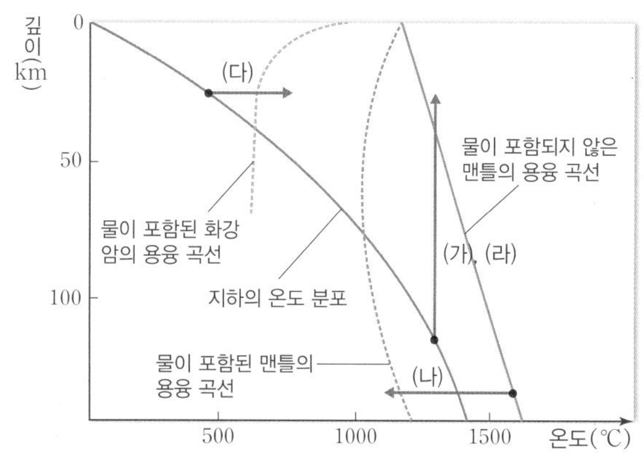

구분	마그마 생성 과정
(가)	해령의 하부에서 고온의 맨틀 물질이 상승 ➡ 압력 감소 ➡ 맨틀 물질 용융 ➡ 현무암질 마그마 생성
(나)	해구에서 해양판이 대륙판 아래로 섭입 ➡ 온도와 압력이 상승 ➡ 해양 지각에서 물이 방출 ➡ 연약권에 물 공급 ➡ 용융점 하강 ➡ 연약권 물질 용융 ➡ 현무암질 마그마 생성
(다)	현무암질 마그마가 상승하여 지각의 하부에 도달 ➡ 지각 가열 ➡ 부분 용융 ➡ 마그마 성분 변화 ➡ 안산암질(유문암질) 마그마 생성
(라)	열점에서는 지하 깊은 곳에서 뜨거운 물질의 상승 ➡ 압력 감소 ➡ 현무암질 마그마 생성

한·줄·핵심 발산형 경계에서는 압력 감소, 수렴형 경계에서는 물 공급, 대륙 내부에서는 온도 증가로 마그마가 생성된다.

확인 문제

정답과 해설 12쪽

01 A, B, C 과정에서 생성되는 마그마의 종류를 쓰시오.

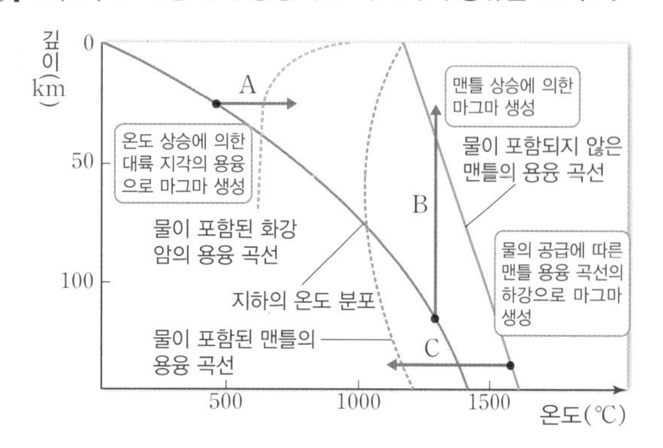

02 다음 설명 중 옳은 것은 ○, 옳지 않은 것은 ×로 표시하시오.

(1) (가), (라) 과정에서 압력이 증가한다. ( )

(2) (나) 과정에서 연약권 물질의 용융점이 낮아진다. ( )

(3) (다) 과정에서 용융점이 높은 물질이 먼저 녹기 시작한다. ( )

(4) 발산형 경계에서는 주로 현무암질 마그마가 생성된다. ( )

콕콕! 개념 확인하기

정답과 해설 12쪽

✔ 잠깐 확인!

1. □□□
지구 내부에서 지각이나 맨틀 물질이 녹아서 만들어진 암석의 용융체

2. 해령에서는 압력 감소에 의해 부분 용융이 일어나 □□□□ 마그마가 생성된다.

3. □□□은 조직과 화학 조성에 따라 분류한다.

4. 마그마가 지하 깊은 곳에서 천천히 냉각되어 형성된 암석은 구성 광물의 크기가 비교적 큰 □□□ 조직을 갖는다.

5. 우리나라의 설악산, 북한산, 불암산, 오대산 등은 주로 □□□으로 이루어져 있다.

6. 우리나라에는 제주도, 울릉도와 독도, 철원군 일대에 화산암인 □□□으로 이루어진 지형이 발달해 있다.

7. □□ □□
용암이 급격하게 식어서 굳을 때 기둥 모양으로 굳어져 생긴 지형

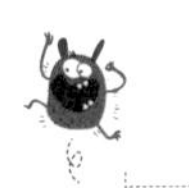

A 마그마의 종류와 생성 과정

01 마그마의 종류와 성질에 대한 설명으로 옳은 것은 ○, 옳지 않은 것은 ×로 표시하시오.

(1) 마그마는 SiO_2 함량을 기준으로 현무암질 마그마, 안산암질 마그마, 유문암질 마그마로 구분한다. (　　)

(2) 마그마에 포함된 SiO_2 함량이 클수록 유동성이 크다. (　　)

(3) 현무암질 마그마는 유문암질 마그마보다 경사가 큰 화산체를 형성한다. (　　)

(4) 안산암질 마그마는 현무암질 마그마에 비해 폭발적으로 분출한다. (　　)

02 마그마의 생성 장소와 생성 조건에 대한 설명을 옳게 연결하시오.

(1) 해령 • 　　• ㉠ 맨틀 물질에 물이 공급되면 용융점이 낮아져 마그마가 생성

(2) 대륙 하부 • 　　• ㉡ 암석에 작용하는 압력이 감소하면 용융점이 낮아져 마그마가 생성

(3) 섭입대 • 　　• ㉢ 온도가 상승하여 암석이 용융점에 도달하면 녹으면서 마그마가 생성

B 화성암

03 다음은 화성암에 대한 설명이다. (　　) 안에 들어갈 알맞은 말을 쓰시오.

(1) 화성암은 (　　　) 함량에 따라 염기성암, 중성암, 산성암으로 구분한다.

(2) 마그마의 냉각 속도에 따라 화산암과 (　　　) 으로 구분한다.

(3) 화산암은 구성 광물의 크기가 매우 작은 (　　　) 조직을 갖는다.

(4) 화성암 중 염기성암이며 심성암에 속하는 암석은 (　　　)이다.

C 우리나라의 화성암 지형

04 한반도의 주요 지질 명소의 모습과 특징을 옳게 연결하시오.

(1)　　(2)　　(3)　　(4)

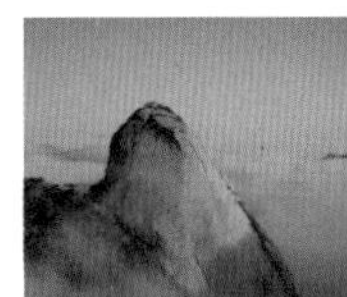

㉠ 한탄강 유역, 주상 절리　　㉡ 제주도, 현무암　　㉢ 북한산, 화강암　　㉣ 오대산, 화강암

탄탄! 내신 다지기

A 마그마의 종류와 생성 과정

01 현무암질 마그마가 유문암질 마그마보다 큰 값을 갖는 것만을 〈보기〉에서 있는 대로 고른 것은?

〈보기〉
ㄱ. 마그마의 온도
ㄴ. 용암의 유동성
ㄷ. 화산체의 경사각
ㄹ. 용암의 SiO_2 함량비

① ㄱ, ㄴ ② ㄱ, ㄹ ③ ㄴ, ㄷ
④ ㄴ, ㄹ ⑤ ㄷ, ㄹ

[02~03] 그림은 마그마가 생성되는 장소 A, B, C를 나타낸 것이다.

02 A, B, C에서 마그마가 생성되는 주요 원인을 옳게 짝지은 것은?

	A	B	C
①	압력 감소	온도 상승	물 공급
②	압력 감소	물 공급	온도 상승
③	온도 상승	압력 감소	물 공급
④	온도 상승	물 공급	압력 감소
⑤	물 공급	온도 상승	압력 감소

03 A, B, C에서 생성되는 마그마의 종류를 옳게 짝지은 것은?

	A	B	C
①	현무암질	안산암질	현무암질
②	현무암질	현무암질	안산암질
③	현무암질	안산암질	유문암질
④	안산암질	현무암질	안산암질
⑤	안산암질	현무암질	현무암질

04 그림은 깊이에 따른 온도 곡선과 현무암의 용융 곡선을 나타낸 것이다.
이에 대한 설명으로 옳은 것만을 〈보기〉에서 있는 대로 고른 것은?

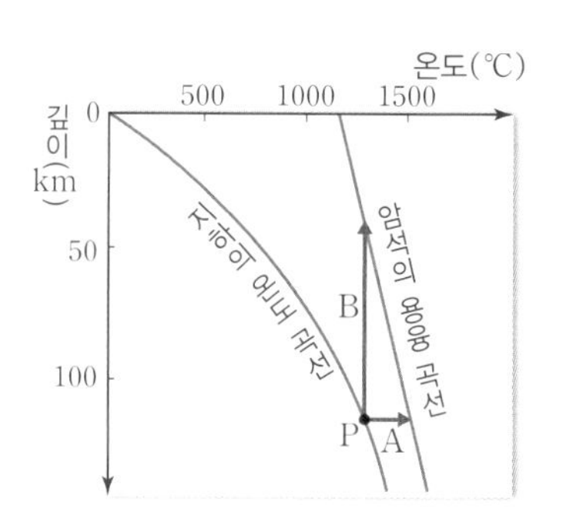

〈보기〉
ㄱ. 연약권의 온도는 암석의 용융점보다 높다.
ㄴ. 판의 섭입대에서는 P → A 과정을 거쳐 마그마가 생성된다.
ㄷ. 해령에서는 P → B 과정을 거쳐 마그마가 생성된다.

① ㄱ ② ㄴ ③ ㄷ
④ ㄱ, ㄷ ⑤ ㄴ, ㄷ

B 화성암

05 화성암에 대한 설명으로 옳지 않은 것은?

① 염기성암은 산성암보다 색이 어둡다.
② 현무암은 화강암보다 SiO_2 함량이 많다.
③ 섬록암은 안산암보다 광물 결정의 크기가 크다.
④ 현무암과 반려암을 구성하는 광물의 종류는 비슷하다.
⑤ 화강암은 유문암보다 마그마가 천천히 냉각되어 생성되었다.

단답형

06 그림은 화성암의 생성 위치를 나타낸 것이다. ㉠~㉢에서 산출된 암석의 구성 광물의 크기를 비교하여 쓰시오.

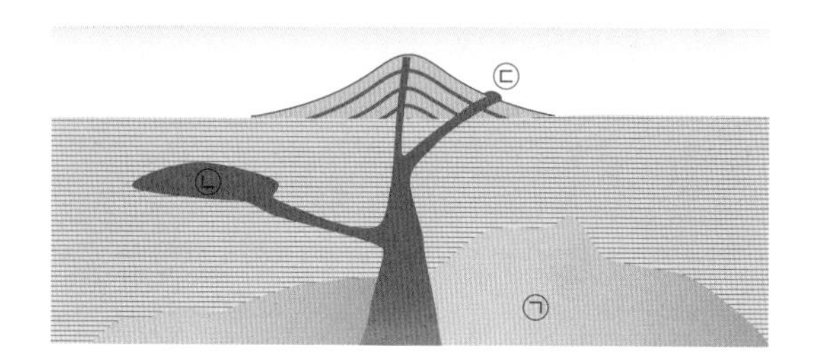

단답형

07 화성암을 분류하는 2가지 기준은 무엇인지 쓰시오.

08 그림 (가)와 (나)는 화강암과 현무암의 특성에 따른 물리량의 차이를 나타낸 것이다.

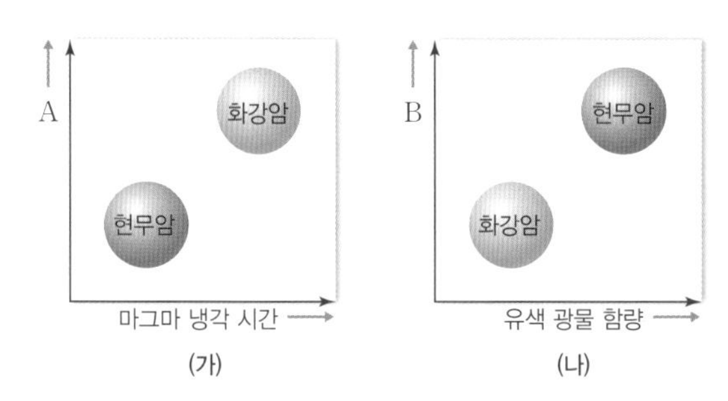

물리량 A, B로 적절한 것을 옳게 짝지은 것은?

	A	B
①	밝기	광물 크기
②	밝기	SiO_2 함량
③	냉각 속도	밝기
④	광물 크기	SiO_2 함량
⑤	SiO_2 함량	냉각 속도

단답형

09 표는 화성암의 종류를 조직과 SiO_2의 함량에 따라 나타낸 것이다.

조직 \ SiO_2 함량(%)	적음 ← 52	— 63 —	→ 많음
세립질	현무암	안산암	유문암
조립질	반려암	섬록암	화강암

다음은 어떤 암석의 특징이다.

- 어두운 색 광물이 많은 편이다.
- 지하 깊은 곳에서 형성된 암석이다.
- 암석의 SiO_2 함량은 약 50 %이다.

표를 참고하여 이 암석의 이름을 쓰시오.

C 우리나라의 화성암 지형

10 그림은 화강암으로 이루어진 설악산 울산바위의 모습이다. 이 암석에 대한 설명으로 옳은 것은?

① 염기성암이다.
② 세립질 암석이다.
③ 암석의 색은 현무암보다 어둡다.
④ SiO_2의 함량이 반려암보다 많다.
⑤ 지표 부근에서 빠르게 식어 형성되었다.

11 그림은 용암 대지로 이루어진 철원 평야의 모습이다. 용암 대지를 형성한 암석에 대한 설명으로 옳은 것만을 〈보기〉에서 있는 대로 고른 것은?

보기
ㄱ. 주요 구성 암석은 화강암이다.
ㄴ. 조립질 암석으로 이루어져 있다.
ㄷ. 유동성이 큰 용암이 굳어져 형성되었다.

① ㄱ ② ㄷ ③ ㄱ, ㄴ
④ ㄱ, ㄷ ⑤ ㄴ, ㄷ

12 그림 (가)는 울릉도, (나)는 북한산의 모습이다.

(가) 울릉도

(나) 북한산

이에 대한 설명으로 옳은 것만을 〈보기〉에서 있는 대로 고른 것은?

보기
ㄱ. (가)는 화산 활동에 의해 형성되었다.
ㄴ. (나)에서는 주상 절리가 잘 나타난다.
ㄷ. 주요 구성 암석의 SiO_2의 함량은 (가)가 (나)보다 적다.

① ㄱ ② ㄴ ③ ㄱ, ㄴ
④ ㄱ, ㄷ ⑤ ㄴ, ㄷ

도전! 실력 올리기

01 그림은 화학 조성이 다른 세 종류의 마그마 (가), (나), (다)를 나타낸 것이다.

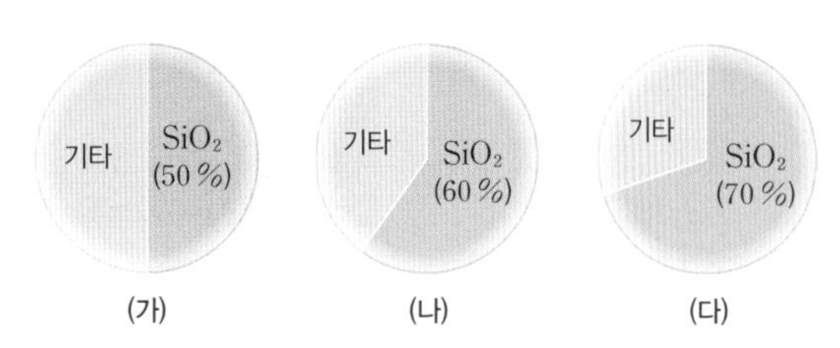

이에 대한 설명으로 옳은 것만을 〈보기〉에서 있는 대로 고른 것은?

보기
ㄱ. 점성이 가장 큰 마그마는 (가)이다.
ㄴ. 마그마의 온도는 (가)가 (다)보다 높다.
ㄷ. 발산형 경계에서 생성되는 마그마의 화학 조성은 (나)에 가깝다.

① ㄱ ② ㄴ ③ ㄱ, ㄴ
④ ㄱ, ㄷ ⑤ ㄴ, ㄷ

02 그림은 암석의 용융 곡선을 나타낸 것이다.

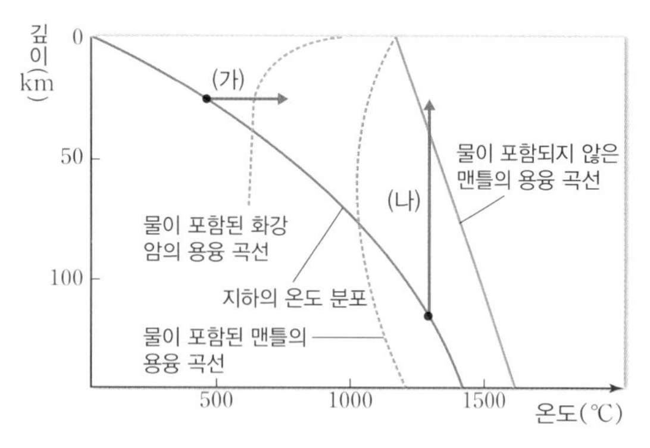

마그마의 생성 과정에 대한 설명으로 옳은 것만을 〈보기〉에서 있는 대로 고른 것은?

보기
ㄱ. 대륙 하부에서는 (가) 과정에 의해 마그마가 생성된다.
ㄴ. (나) 과정에서 암석의 용융점이 증가한다.
ㄷ. 물은 암석의 용융점을 증가시키는 역할을 한다.

① ㄱ ② ㄴ ③ ㄱ, ㄴ
④ ㄱ, ㄷ ⑤ ㄴ, ㄷ

출제예감

03 그림은 해령과 해구 주변에서 마그마가 생성되는 장소 A, B, C를 나타낸 것이다.

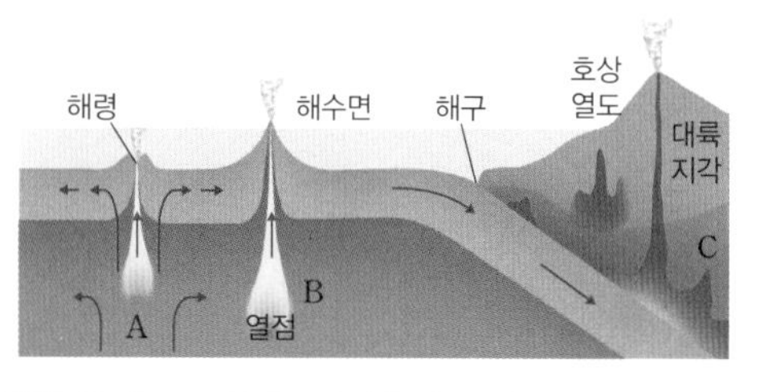

이에 대한 설명으로 옳은 것만을 〈보기〉에서 있는 대로 고른 것은?

보기
ㄱ. A에서 압력 감소에 의해 마그마가 생성된다.
ㄴ. B에서 생성된 마그마의 SiO_2 함량은 63 % 이상이다.
ㄷ. C에서 온도 상승에 의해 마그마가 생성된다.

① ㄱ ② ㄴ ③ ㄱ, ㄴ
④ ㄱ, ㄷ ⑤ ㄴ, ㄷ

출제예감

04 그림은 화성암을 마그마의 냉각 속도와 SiO_2 함량에 따라 분류한 것이다.

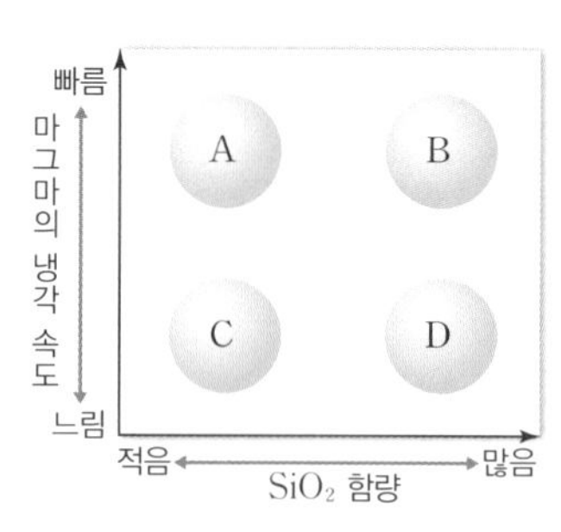

이에 대한 설명으로 옳은 것만을 〈보기〉에서 있는 대로 고른 것은?

보기
ㄱ. A는 B보다 어두운 색깔을 띤다.
ㄴ. A는 C보다 구성 광물의 크기가 크다.
ㄷ. 암석의 생성 깊이는 A가 D보다 깊다.

① ㄱ ② ㄴ ③ ㄱ, ㄴ
④ ㄱ, ㄷ ⑤ ㄴ, ㄷ

출제예감

05 그림은 화산암이 분포하는 두 지역 (가)와 (나)에서 관찰한 내용이다.

(가) 제주도 해안　　(나) 전라북도 변산반도

(가)
- 암석의 색이 어둡다.
- 주상 절리가 나타난다.

(나)
- 암석의 색이 밝다.
- 주상 절리가 나타난다.

이에 대한 설명으로 옳은 것만을 〈보기〉에서 있는 대로 고른 것은?

보기
ㄱ. SiO_2의 함량은 (가)보다 (나)의 암석에 많다.
ㄴ. 암석을 생성한 용암의 점성은 (가)보다 (나)가 크다.
ㄷ. (가)와 (나)는 모두 지표 부근에서 급격하게 냉각되어 형성되었다.

① ㄱ　② ㄴ　③ ㄱ, ㄴ　④ ㄱ, ㄷ　⑤ ㄱ, ㄴ, ㄷ

06 그림 (가), (나), (다)는 한반도의 지질 명소를 나타낸 것이다.

(가) 울릉도

(나) 한라산

(다) 설악산

이에 대한 설명으로 옳은 것만을 〈보기〉에서 있는 대로 고른 것은?

보기
ㄱ. 화산체의 경사는 (가)가 (나)보다 완만하다.
ㄴ. 암석의 생성 깊이는 (다)가 가장 깊다.
ㄷ. (가), (나), (다)를 형성한 주요 구성 암석은 모두 화성암이다.

① ㄱ　② ㄴ　③ ㄱ, ㄷ　④ ㄴ, ㄷ　⑤ ㄱ, ㄴ, ㄷ

정답과 해설 13쪽

서술형

07 그림은 판 경계 부근의 단면을 나타낸 것이다.

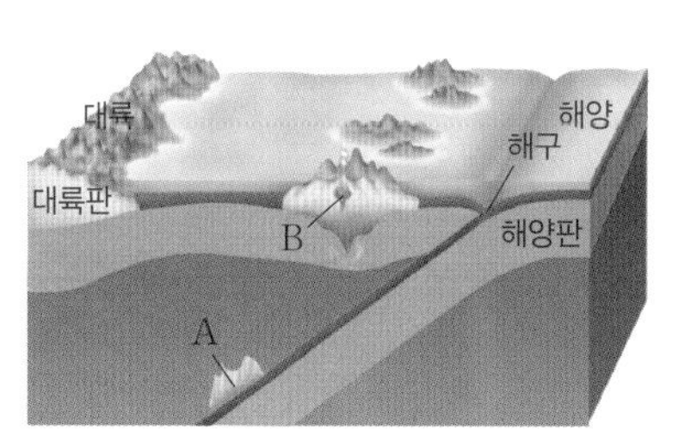

(1) A에서 마그마가 생성된 과정을 서술하시오.

(2) A와 B에서 생성된 마그마의 종류를 쓰고, SiO_2 함량을 비교하여 서술하시오.

단답형

08 반려암과 화강암의 차이점을 2가지 쓰시오.

서술형

09 그림은 한탄강의 재인폭포 모습을 나타낸 것이다. 암석에서 관찰되는 기둥 모양의 구조는 무엇이고, 어떻게 형성된 것인지 서술하시오.

하와이 열도의 생성과 판의 이동

대표 유형

출제 의도

열점에 의한 화산 활동의 특성과 판의 이동을 화산섬 배열과 관련지어 추론하는 문제이다.

이것이 함정

엠퍼러 해산군과 하와이 열도의 배열 방향이 다른 까닭은 판의 이동 방향이 바뀌었기 때문이다.

다음은 하와이 열도와 엠퍼러 해산군의 분포 및 이와 관련한 자료이다.

열점에 의한 화산 활동으로 생성되었으며, 생성된 화산섬은 판이 이동할 때 함께 이동하였다.

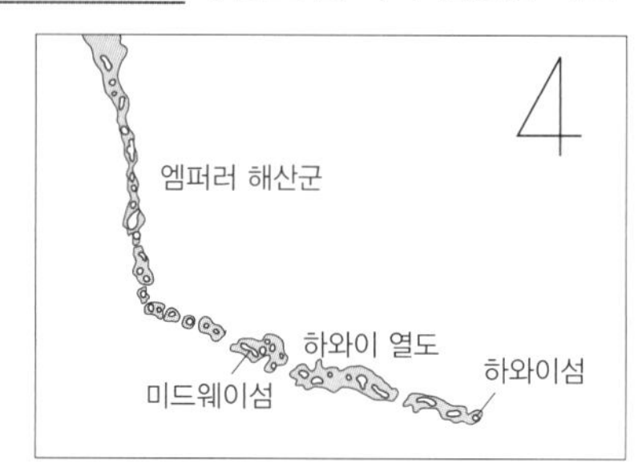

- 현재 화산 활동은 주로 하와이섬에서 일어난다. → 열점의 현재 위치
- 하와이섬으로부터 멀어질수록 화산섬의 나이는 증가한다.
- 미드웨이섬은 약 2700만 년 전에 형성되었다. → 화산섬의 나이(시간)
- 하와이섬에서 미드웨이섬까지 거리는 약 2700 km이다. → 화산섬이 이동한 거리

이에 대한 설명으로 옳은 것만을 〈보기〉에서 있는 대로 고른 것은?

〈보기〉

ㄱ. 열점은 하와이섬의 하부에 존재한다.
→ 열점은 지구 내부에 고정되어 있으므로 현재 화산 활동이 일어나는 지점의 하부에 열점이 존재한다.

ㄴ. 미드웨이섬이 형성된 이후 태평양판의 평균 이동 속도는 약 10 cm/년이다.
→ 2700만 년 동안 2700 km를 이동하였으므로 이동 속도는 약 10 cm/년이다.

ㄷ. 엠퍼러 해산군이 형성되는 동안 태평양 판의 이동 방향은 현재와 같았다.
→ 엠퍼러 해산군은 북쪽 방향으로, 하와이 열도는 북서쪽 방향으로 배열해 있으므로 판의 이동 방향이 바뀌었다.

① ㄱ ② ㄷ ③ ㄱ, ㄴ ④ ㄴ, ㄷ ⑤ ㄱ, ㄴ, ㄷ

자료에서 화산섬의 특성 파악하기

현재 화산 활동이 일어나는 위치로부터 열점의 위치를 파악한다. >>> 화산섬들의 배열 방향으로부터 판의 이동 방향을 추론한다. >>> 화산섬의 배열 방향이 다른 까닭을 판의 이동 방향과 관련지어 파악한다. >>> 화산섬의 나이와 열점으로부터의 거리를 비교하여 판의 평균 이동 속도를 계산한다.

추가 선택지

- 엠퍼러 해산군은 현재 북쪽으로 이동하고 있다. (×)
  → 엠퍼러 해산군과 하와이 열도는 모두 태평양판에 위치해 있으며, 현재 북서쪽으로 이동하고 있다.
- 새로운 화산섬은 하와이섬의 남서쪽에서 생성될 것이다. (×)
  → 열점의 위치는 고정되어 있으므로 새로운 화산섬은 현재 하와이섬 위치에서 생성된다.

실전! 수능 도전하기

정답과 해설 14쪽

01 그림은 지각과 상부 맨틀의 구조와 지진파의 속도 변화를 나타낸 것이다.

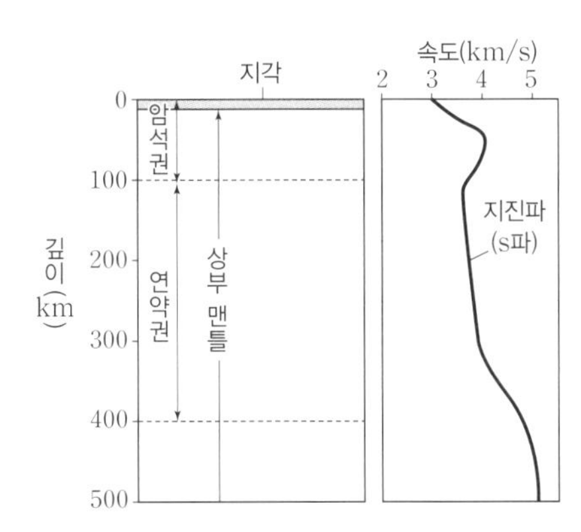

이에 대한 설명으로 옳은 것만을 〈보기〉에서 있는 대로 고른 것은?

보기
ㄱ. 연약권은 고체 상태이다.
ㄴ. 지하 100 km~400 km 구간에서 지진파의 속도가 느려지는 저속도층이 존재한다.
ㄷ. 맨틀 대류는 지각 하부의 상부 맨틀에서 일어난다.

① ㄱ ② ㄴ ③ ㄷ
④ ㄱ, ㄴ ⑤ ㄴ, ㄷ

02 그림 (가)와 (나)는 A판과 B판 부근의 판의 단면을 나타낸 것이다.

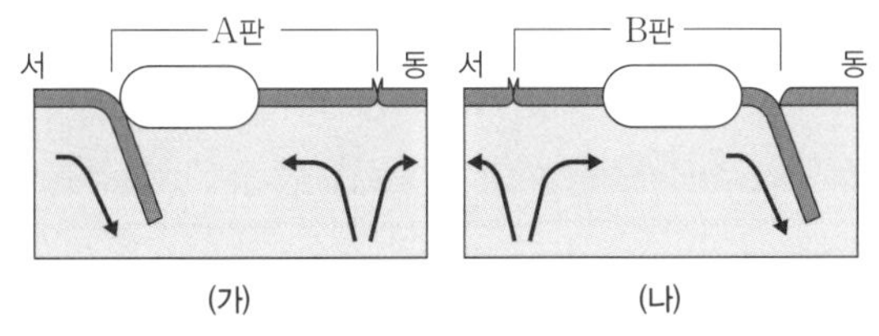

(가) (나)

이에 대한 설명으로 옳은 것만을 〈보기〉에서 있는 대로 고른 것은?

보기
ㄱ. (가)에서 해령은 A판을 서쪽으로 밀어낸다.
ㄴ. (나)에서 섭입대는 B판을 동쪽으로 잡아당긴다.
ㄷ. 판의 이동 속력은 A판이 B판보다 빠르다.

① ㄱ ② ㄴ ③ ㄱ, ㄴ
④ ㄱ, ㄷ ⑤ ㄴ, ㄷ

03 그림은 플룸 구조론의 모식도이다.

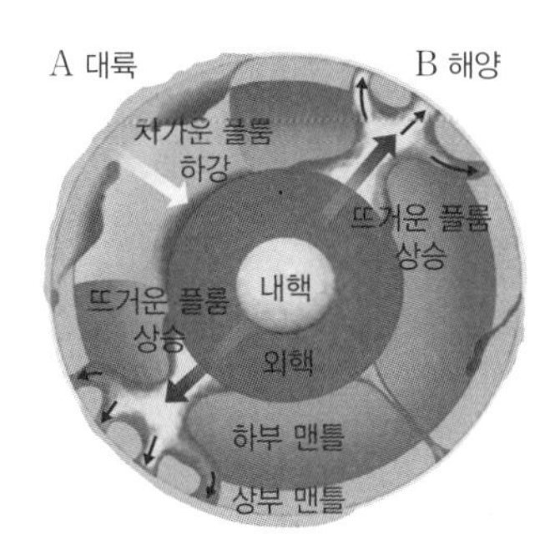

이에 대한 설명으로 옳은 것만을 〈보기〉에서 있는 대로 고른 것은?

보기
ㄱ. A 대륙에서 열곡대가 발달한다.
ㄴ. B 해양의 가장자리에는 섭입대가 발달한다.
ㄷ. 차가운 플룸은 뜨거운 플룸보다 밀도가 크다.

① ㄱ ② ㄴ ③ ㄱ, ㄷ
④ ㄴ, ㄷ ⑤ ㄱ, ㄴ, ㄷ

04 그림은 해구 주변 지하의 연직 온도 분포를 나타낸 것이다.

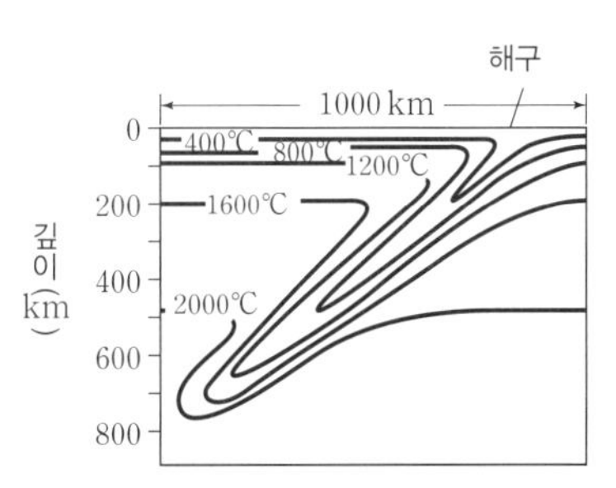

이에 대한 설명으로 옳은 것만을 〈보기〉에서 있는 대로 고른 것은?

보기
ㄱ. 해구에서 냉각된 판이 섭입하고 있다.
ㄴ. 섭입대를 따라 지진의 발생 깊이가 점점 깊어진다.
ㄷ. 섭입대에서 온도 상승에 의해 마그마가 생성될 수 있다.

① ㄱ ② ㄷ ③ ㄱ, ㄴ
④ ㄴ, ㄷ ⑤ ㄱ, ㄴ, ㄷ

실전! 수능 도전하기

정답과 해설 14쪽

05 그림 (가)는 지하의 온도 분포와 암석의 용융 곡선을, (나)는 마그마의 생성 장소 X와 Y를 나타낸 것이다.

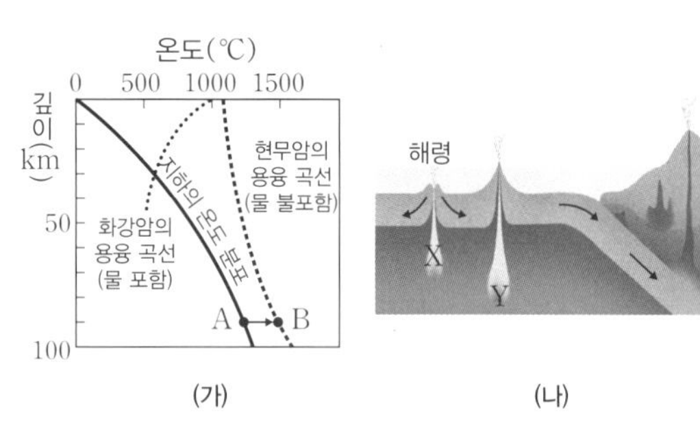

(가) (나)

이에 대한 설명으로 옳은 것만을 〈보기〉에서 있는 대로 고른 것은?

〈보기〉
ㄱ. 20 km 깊이에서 암석의 용융 온도는 물을 포함하지 않은 현무암이 물을 포함한 화강암보다 높다.
ㄴ. X에서는 A → B와 같은 과정으로 마그마가 생성된다.
ㄷ. Y에서는 화강암질 마그마가 생성된다.

① ㄱ ② ㄴ ③ ㄱ, ㄷ
④ ㄴ, ㄷ ⑤ ㄱ, ㄴ, ㄷ

06 그림 (가)와 (나)는 현미경을 이용하여 관찰한 현무암과 화강암의 모습을 순서 없이 나타낸 것이다.

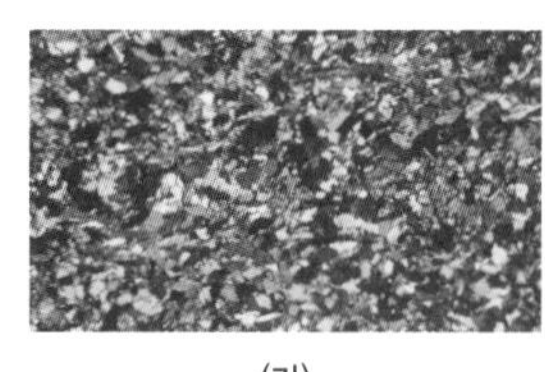
(가)

(나)

이에 대한 설명으로 옳은 것만을 〈보기〉에서 있는 대로 고른 것은? (단, (가)와 (나)의 배율은 같다.)

〈보기〉
ㄱ. (가)는 현무암이다.
ㄴ. SiO_2 함량은 (가)가 (나)보다 많다.
ㄷ. (가)의 조직은 조립질, (나)의 조직은 세립질이다.

① ㄱ ② ㄷ ③ ㄱ, ㄴ
④ ㄴ, ㄷ ⑤ ㄱ, ㄴ, ㄷ

수능 기출

07 그림은 화성암의 분류 기준에 암석 A와 B의 상대적인 위치를 나타낸 것이다.

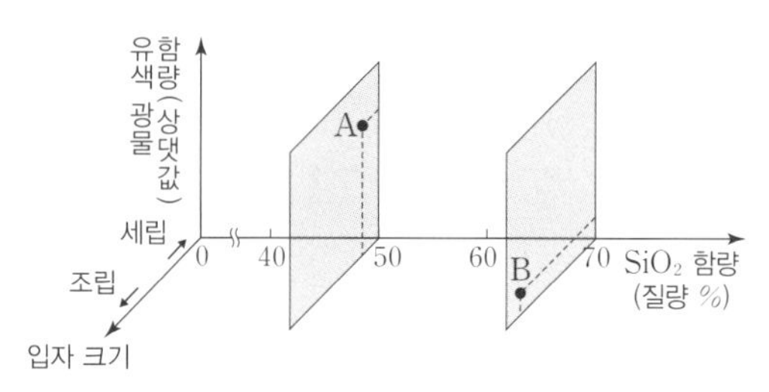

A와 B에 해당하는 화성암으로 가장 적절한 것은?

	A	B
①	현무암	반려암
②	현무암	화강암
③	화강암	반려암
④	화강암	유문암
⑤	화강암	현무암

08 그림 (가)와 (나)는 독도와 북한산의 모습을 나타낸 것이다.

(가)

(나)

(가)와 (나)의 주요 구성 암석에 대한 설명으로 옳은 것만을 〈보기〉에서 있는 대로 고른 것은?

〈보기〉
ㄱ. 구성 광물의 크기는 (가)가 (나)보다 크다.
ㄴ. 암석을 형성한 마그마의 냉각 속도는 (가)가 (나)보다 빠르다.
ㄷ. (가)와 (나)에는 모두 주상 절리가 발달한다.

① ㄱ ② ㄴ ③ ㄱ, ㄷ
④ ㄴ, ㄷ ⑤ ㄱ, ㄴ, ㄷ

2 지구의 역사

배울 내용 살펴보기

01 퇴적 구조와 퇴적 환경

- A 퇴적암의 형성과 종류
- B 퇴적 구조
- C 퇴적 환경

퇴적물이 쌓이면서 퇴적암이 형성되고, 이 과정에서 퇴적 환경에 따라 특징적인 퇴적 구조가 나타나.

02 지질 구조와 지층의 나이

- A 지질 구조
- B 지층의 상대 연령
- C 지층의 절대 연령

지층의 나이를 나타내는 방법은 지층의 선후 관계로 지층의 형성 순서를 상대적으로 나타내는 상대 연령과 지층의 형성 시기를 수치로 나타내는 절대 연령이 있어.

03 지질 시대의 환경과 생물

- A 화석의 형성 조건과 종류
- B 고기후 연구 방법
- C 지질 시대의 환경과 생물 변화

지질 시대의 환경과 생물 변화는 화석과 고기후 연구를 통해서 알 수 있어. 고기후 연구는 나무 나이테 조사, 빙하 코어 분석 등 다양한 방법이 있어.

01 퇴적 구조와 퇴적 환경

핵심 키워드로 흐름잡기

A 속성 작용(다짐 작용, 교결 작용), 쇄설성 퇴적암, 화학적 퇴적암, 유기적 퇴적암

B 점이 층리, 사층리, 연흔, 건열

C 육상 환경, 연안 환경, 해양 환경

A 퇴적암의 형성과 종류

|출·제·단·서| 시험에는 퇴적암의 형성 과정과 퇴적암의 종류와 특징을 묻는 문제가 나와.

1. 퇴적암 퇴적물❶이 쌓여 굳어진 암석이다. ⇨ 많은 화석이 산출되어 생물계의 변천 과정이나 지구의 역사를 해석하는 데 큰 도움을 준다. (화석: 지질 시대 생물의 유해나 활동 흔적이 보존된 것)

2. 퇴적암의 형성 과정 지표의 암석이 풍화 작용 등에 의해 잘게 부서져 쌓이면 퇴적물이 된다. 생성된 퇴적물은 침식, 운반 작용, 퇴적 작용 및 속성 작용을 거쳐 퇴적암이 된다.

3. 속성 작용 퇴적물이 물리적, 화학적, 생물학적 작용에 의해 다져지고 굳어져 퇴적암이 되는 과정이다. ⇨ 속성 작용이 진행될수록 공극❷이 줄어들고 밀도가 증가한다.

(1) 다짐 작용(압축 작용) 퇴적물이 오랫동안 계속 쌓여 아래에 있는 퇴적물이 위에 있는 퇴적물의 무게에 의해 눌리면서 공극이 좁아져 치밀하게 다져지는 작용이다.

⇨ 공극 감소, 밀도 증가 (다짐 작용이 진행되는 동안 퇴적물의 질량은 거의 변하지 않고 부피는 감소한다. 밀도는 단위 부피당 질량이므로 퇴적물 공극의 부피가 줄어들어 퇴적물 전체의 부피가 감소하면 퇴적물의 밀도가 증가한다.)

(2) 교결 작용(시멘트화 작용) 지하수에 녹아있던 석회질이나 규질 물질, 산화 철 등이 퇴적물 사이에 •침전되면서 공극을 채워 입자를 서로 결합하여 굳어지는 작용이다. (교결 물질이라고도 한다.)

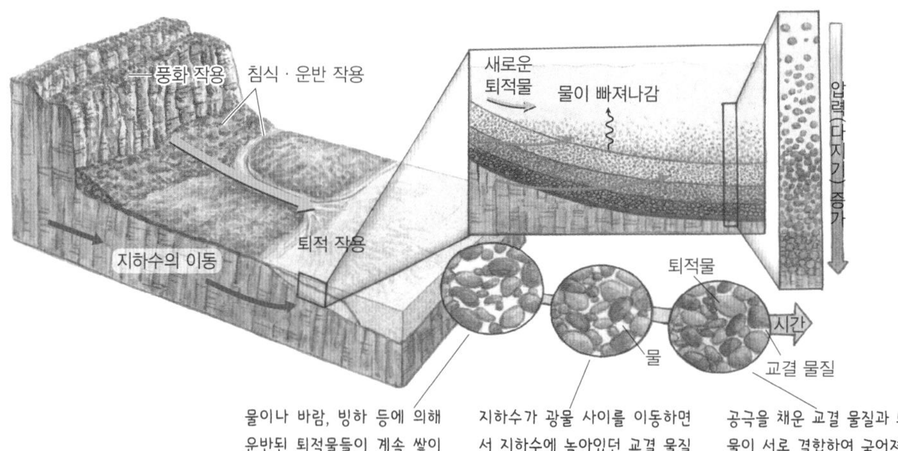

물이나 바람, 빙하 등에 의해 운반된 퇴적물들이 계속 쌓이면서 퇴적물이 다져진다. | 지하수가 광물 사이를 이동하면서 지하수에 녹아있던 교결 물질이 퇴적물 사이의 공극을 채운다. | 공극을 채운 교결 물질과 퇴적물이 서로 결합하여 굳어져 퇴적암이 형성된다.

4. 퇴적암의 종류 퇴적암은 퇴적물의 기원에 따라 쇄설성 퇴적암, 화학적 퇴적암, 유기적 퇴적암으로 구분할 수 있다.

(1) 쇄설성 퇴적암 지표의 암석이 풍화·침식되어 생긴 암석 부스러기나, 화산 쇄설물❸이 쌓여서 형성된 퇴적암이다. (쇄설성 퇴적암은 퇴적물 입자의 크기에 따라 셰일, 사암, 역암 등으로 구분한다. 퇴적물 입자의 평균 크기는 역암 > 사암 > 셰일 순으로 크다.)

	셰일	사암	역암	응회암
쇄설성 퇴적암				
퇴적물	점토	모래, 점토	자갈, 모래, 점토	화산재

❶ **퇴적물**
지표의 암석이 풍화나 침식 작용에 의해 부서진 암석 부스러기, 물속에 녹아 있는 물질, 생물체의 유해 등이 쌓이면 퇴적물이 된다.

❷ **공극**
퇴적물 입자 사이의 빈 공간으로 퇴적암이 형성되는 과정에서 공극은 감소한다.

❸ **화산 쇄설물**
화산 폭발의 충격이나 화산 가스에 의해 부서진 고체 물질이다. 화산진, 화산재, 화산력, 화산암괴 등으로 구분한다.

? 화산 분출물로 형성된 암석은 모두 퇴적암일까?
화산 분출물 중 화산 쇄설물(고체 물질)이 쌓여서 형성된 암석은 퇴적암이지만, 용암(액체 물질)이 굳어져 형성된 암석은 화성암이다.

용어 알기
•침전(잠기다 沈, 앙금 澱)
작은 고체가 액체 속에 가라앉아 쌓임

(2) 화학적 퇴적암 하천수나 지하수에 용해된 석회질이나 규질 등의 화학적 침전물이 굳어지거나, 건조한 기후에서 호수나 바닷물이 증발하고 남은 물질이 굳어져 형성된 퇴적암이다.

건조한 기후에서 바닷물이 증발하여 형성된 증발암이다.

	석회암	처트	암염
화학적 퇴적암			
퇴적물	탄산 칼슘	규질	염화 나트륨

(3) 유기적 퇴적암 생물체의 유해나 골격의 일부가 쌓여서 형성된 퇴적암이다.

	석회암	처트	석탄
유기적 퇴적암			
퇴적물	석회질 생물체	규질 생물체	식물체

- 화학적 석회암: 탄소가 해수에 용해 → 탄산 이온이 된 후 칼슘 이온과 결합 → 탄산 칼슘으로 침전 → 석회암 형성
- 유기적 석회암: 탄소가 해수에 용해 → 해양 생물체에 흡수 → 생물체가 죽어 탄산 칼슘이 생성 → 침전 → 석회암 형성

B 퇴적 구조

|출·제·단·서| 시험에는 퇴적 구조를 구분하고 퇴적 구조가 형성되는 환경에 대해 묻는 문제가 나와.

1. 퇴적 구조 자연 환경에 따라 나타나는 퇴적암의 특징적인 구조이다. ⇨ 화석 등과 함께 퇴적 당시의 자연 환경을 연구하는 데 중요한 단서를 제공한다.

2. 퇴적 구조의 종류 개념 POOL

퇴적 구조를 이용하여 지각 변동을 받은 지층의 역전 여부를 판단하며, 이는 지층의 생성 순서를 해석하는 데 도움을 준다.

종류	형태	내용
점이 층리	상 / 하	• 한 지층 내에서 위로 갈수록 입자의 크기가 점점 작아지는 구조이다. • 주로 깊은 호수나 바다에서 저탁류[4]에 의해 형성된다.
사층리	물·바람의 방향 / 상 / 하	• 일반적으로 수평하게 형성되는 층리[5]와는 달리 기울어진 층리이다. • 주로 물이 흐르거나 바람이 부는 환경인 하천이나 사막에서 형성된다. 일반적으로 퇴적물은 중력에 의해 물속에서 가라앉으면서 수평하게 쌓인다.
연흔	상 / 하	• 퇴적물의 표면에 생긴 물결 자국이다. • 주로 수심이 얕은 물밑이나 사막에서 파도, 흐르는 물, 바람 등에 의해 형성된다. 일반적으로 파도에 의해 형성된 연흔은 대칭 형태이며, 흐르는 물이나 바람에 의해 형성된 연흔에서는 비대칭 형태가 보이기도 한다.
건열	상 / 하	• 퇴적암 표면에 쐐기 모양의 틈이 생긴 구조이다. • 주로 건조한 기후에서 퇴적층 표면이 노출되어 갈라져서 형성된다.

석회암과 처트

석회암과 처트는 물에 용해된 화학적 침전물이 굳어지거나(수권 → 지권), 유기물의 퇴적(생물권 → 지권)으로 만들어질 수 있다.

- 수권: 바다, 강, 빙하 등 지구에 있는 물
- 지권: 지구의 표면과 지구 내부
- 생물권: 지구에 살고 있는 모든 생물

석회암과 처트는 2가지 과정으로 생성될 수 있다는 것을 꼭 알아둬!

❹ 저탁류

육상과 가까운 곳에서 퇴적된 물질이 해저 지진 등에 의해 해저 깊은 곳으로 빠르게 이동하는 퇴적물의 흐름이다. 저탁류에 의해 해저로 공급된 퇴적물이 굳어서 저탁암이 된다.

❺ 층리

퇴적 환경과 퇴적물의 종류에 따라 입자의 크기, 색깔 등이 다른 퇴적물이 쌓여 형성된 수평한 줄무늬 구조이다.

용어 알기

- 암염(**바위 岩, 소금 鹽**) 소금 성분으로 이루어진 바위
- 점이(**점점, 차츰 漸, 옮기다, 변하다 移**) 차츰 옮아감, 차츰 변함
- 연흔(**잔물결 漣, 흔적, 자국 痕**) 물결 자국
- 건열(**마르다 乾, 찢어지다, 깨지다 裂**) 말라서 갈라짐

C 퇴적 환경

|출·제·단·서| 시험에는 퇴적암이 생성되는 환경과 각 환경을 이루는 주요 퇴적암과 퇴적 구조에 대한 문제가 나와.

1. 퇴적 환경 퇴적물이 쌓이는 곳으로 육상 환경, •연안 환경, 해양 환경으로 구분할 수 있다.

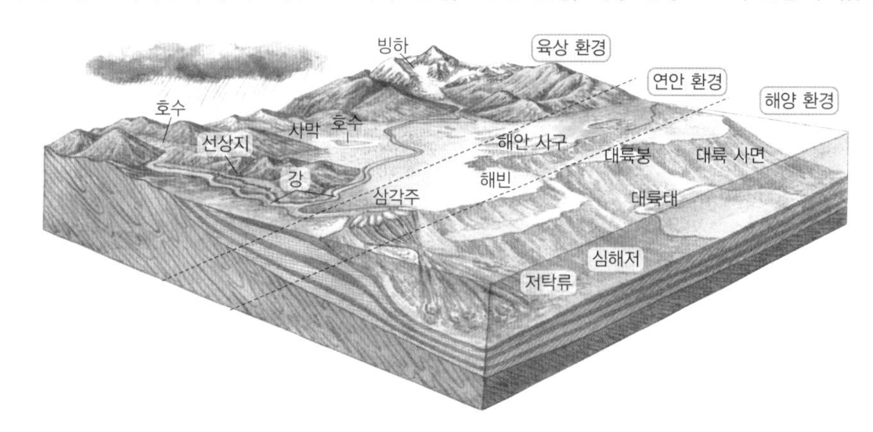

(1) **육상 환경** 육지에서는 주로 침식이 일어나지만, 일부 지대가 낮은 곳에서는 쇄설성 퇴적물이 퇴적된다. ⇨ 선상지❻, 강, 호수, 사막, 빙하 지대 등

(2) **연안 환경** 육상 환경과 해양 환경이 만나는 곳으로 주로 육지에서 공급된 퇴적물이 퇴적된다. ⇨ 삼각주❼, 석호❽, 해빈, 해안 사구 등 해빈은 해안선을 따라 모래나 자갈이 쌓여 있는 지형이고, 해안 사구는 해안의 모래가 바람에 의해 운반되어 만들어진 언덕이다.

(3) **해양 환경** 가장 넓은 퇴적 환경으로 육지에서 공급된 물질, 해양 생물의 사체, 화학적 침전물 등이 퇴적된다. ⇨ 대륙붕❾, 대륙 사면, 대륙대, 심해저 등

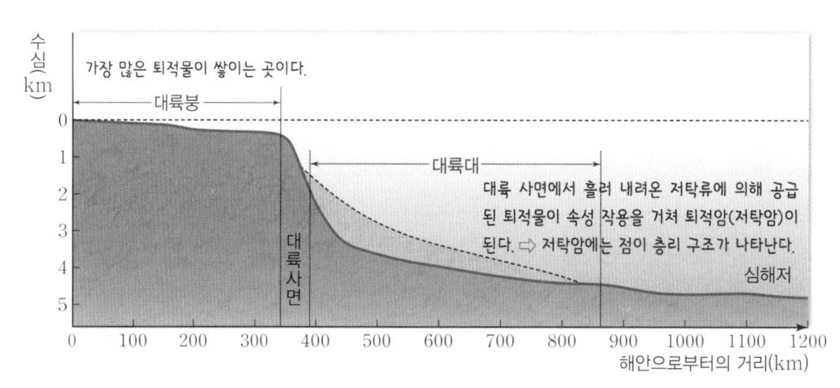

▲ 수심에 따른 해양 환경

2. 퇴적 환경과 퇴적 구조 각 퇴적 환경에 따라 다양한 종류의 퇴적물이 퇴적되며, 다양한 퇴적 구조가 나타난다.

3. 퇴적 환경에 영향을 미치는 요인 퇴적물의 종류와 크기, 수심과 유속, 해안으로부터의 거리 등에 의해 다양한 퇴적 환경이 조성된다.

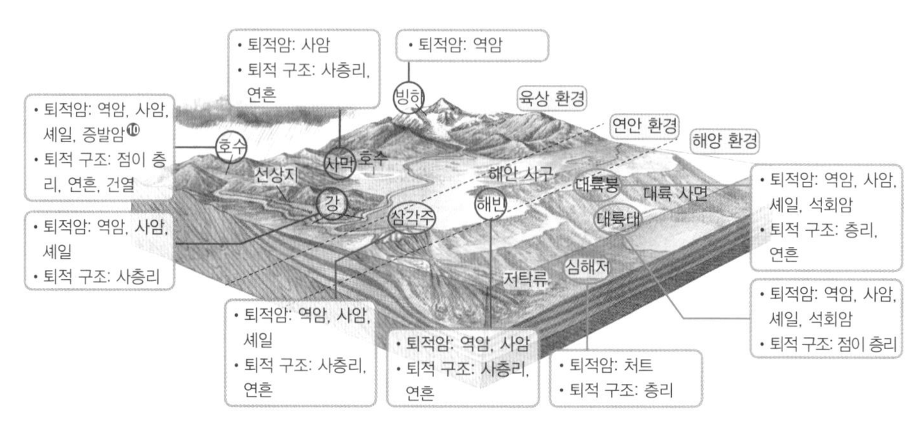

❻ **선상지**
산지와 평지 사이의 경사가 급변하는 곳에서 유속의 감소로 모래와 자갈 등의 퇴적물이 쌓여 형성된 부채꼴 모양의 퇴적 지형이다.

❼ **삼각주**
강에서 바다로 들어가는 곳에 퇴적물이 쌓여 이루어진 삼각형 모양의 지형이다.

? 선상지와 삼각주의 퇴적물은 특징이 비슷할까?
삼각주 퇴적물은 선상지 퇴적물에 비해 상대적으로 입자 크기가 작고, 비교적 구성 입자들의 크기가 고른 편이다.

❽ **석호**
바닷물의 흐름으로 형성되는 사주(모래로 이루어진 퇴적 지형) 등이 만의 입구를 막아 바다와 분리되어 형성된 호수이다.

❾ **대륙붕**
대륙 주변부의 수심 200 m 이내의 얕고 경사가 완만한 해저 지형으로 퇴적암의 약 60 %가 형성되는 곳이다.

❿ **증발암**
건조 기후에서 물이 증발하여 그 속에 녹아있던 광물 성분이 침전, 퇴적하여 형성된 암석이다. 주로 물의 이동이나 순환이 이루어지지 않는 호수나 석호와 같이 갇혀 있는 형태의 바다에서 형성된다.

용어 알기

• 연안(물 따라가다 沿, 언덕, 절벽 岸)(coast) 바다, 호수, 하천 등과 붙어 있는 육지 영역

4. 우리나라의 주요 퇴적 지형 우리나라에는 다양한 퇴적 지형이 나타난다.

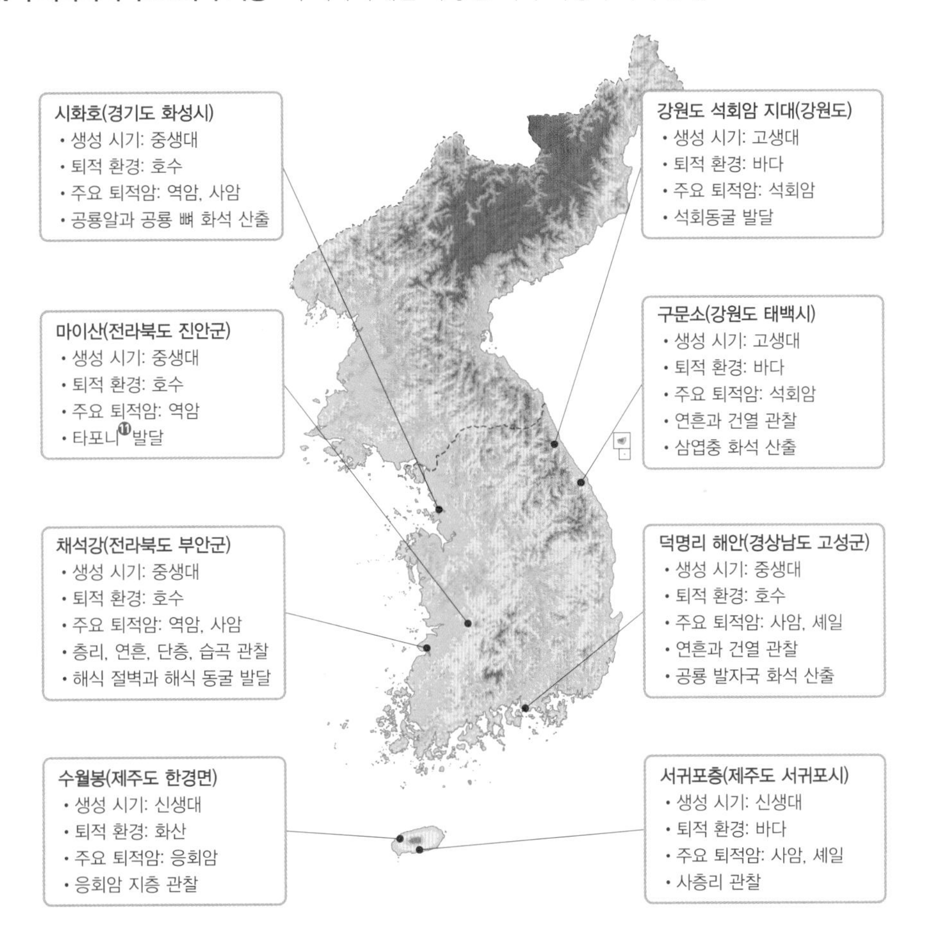

퇴적암은 우리나라 암석의 약 25 %를 차지하고, 주로 고생대 이후의 퇴적암으로 구성되어 있어!

⓫ 타포니
암벽에 벌집처럼 생긴 구멍 형태의 지형으로, 자갈 등이 떨어져 나가 구멍이 생긴 것이다.

빈출 탐구 우리나라의 퇴적 지형

우리나라 지질 명소의 퇴적 지형 자료를 보고 퇴적 환경을 해석할 수 있다.

자료
• 탐사 지역: 전라북도 부안군 변산면 격포리 해안
• 주요 구성 암석: 자갈, 모래, 진흙이 두껍게 쌓여서 생성된 퇴적암 등
• 주요 구성 암석의 생성 시기: 중생대⓬

(가) 해안 지형

(나) 퇴적 구조

출처: 국가문화유산포털

정리 및 해석
(점이 층리는 깊은 바다나 호수에서 잘 형성된다.)
❶ 이 지역은 주로 역암, 사암, 셰일 등의 퇴적암으로 이루어져 있으며, 점이 층리가 발달해 있다.
⇨ 위로 갈수록 입자의 크기가 점점 작아지는 퇴적 구조로 보아 이 지역에는 지층의 역전이 없었다.
❷ 오랜 시간 동안 파도에 의한 침식과 융기로 형성된 •해식 절벽과 해식 동굴이 발달해 있다.
❸ 이 지역은 퇴적 당시 육상 환경이었으며, 점이 층리가 나타나므로 깊은 호수에서 퇴적되었다고 판단할 수 있다.

⓬ 중생대
고생대와 신생대 사이에 해당하는 지질 시대(약 2억 5천만 년 전부터 6천 5백만 년 전까지 기간)로 트라이아스기, 쥐라기 및 백악기로 나누어진다. 육지에서는 공룡이, 바다에서는 암모나이트가 번성하였다.

용어 알기
•해식(바다, 바닷물 海, 좀먹다 蝕) 바닷물의 움직임에 의해 지표가 침식되는 현상

퇴적 구조를 이용한 퇴적 환경 해석

목표 퇴적 구조를 바탕으로 퇴적 환경을 해석할 수 있다.

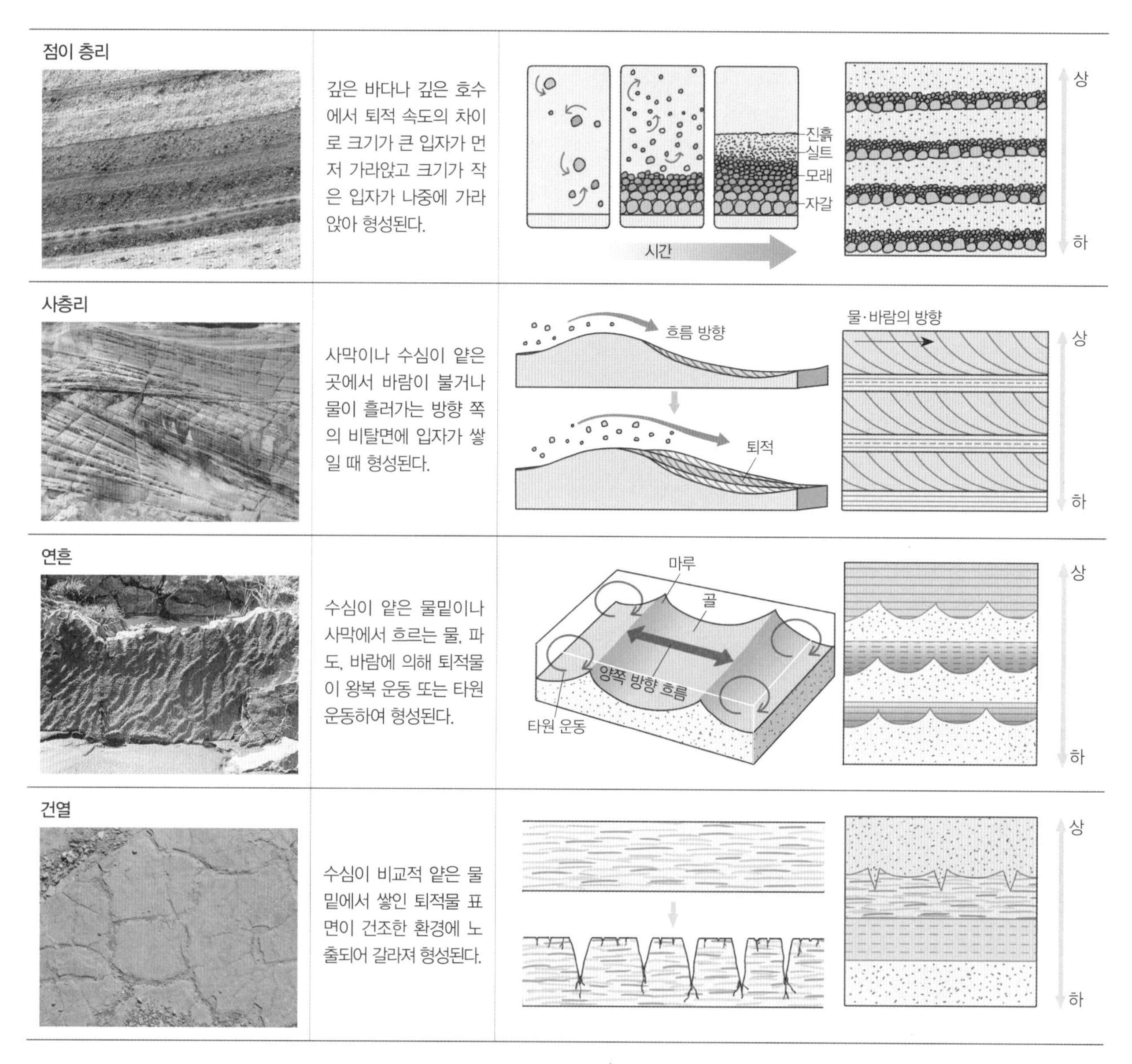

한·줄·핵심 퇴적 구조를 보고 퇴적 환경과 지층의 역전 여부를 판단할 수 있다.

확인 문제

정답과 해설 16쪽

01 (　　) 안에 알맞은 말을 쓰시오.

(1) (　　　　)는 주로 저탁류 등에 의해 운반된 퇴적물이 해저에 쌓일 때 잘 나타나는 퇴적 구조이다.

(2) (　　　　)는 얕은 물밑이나 사막에서 지층이 경사진 상태로 쌓인 퇴적 구조이다.

(3) (　　　　)은 고체화되지 않은 퇴적물이 건조한 환경에 노출될 때 나타나는 퇴적 구조이다.

02 다음 설명 중 옳은 것은 ○, 옳지 않은 것은 ×로 표시하시오.

(1) 퇴적 구조를 이용하여 퇴적층이 퇴적된 시기를 알아낼 수 있다. (　　)

(2) 사층리를 이용하여 퇴적물이 퇴적될 당시에 이동했던 방향을 알아낼 수 있다. (　　)

(3) 건열은 증발암과 함께 발견될 수 있다. (　　)

콕콕!
개념 확인하기

정답과 해설 16쪽

✔ 잠깐 확인!

1. □□ □□
퇴적물이 물리적, 화학적, 생물학적 작용에 의해 퇴적암이 되는 과정

2. 퇴적물은 속성 작용이 진행되는 동안 □□은 감소하고 □□는 증가한다.

3. 교결 작용으로 퇴적물 입자를 서로 결합시켜주는 물질은 석회질이나 □□ 물질, 산화 철 등이다.

4. □□□ □□□
생물의 껍데기나 골격이 쌓여 형성된 암석

5. □□□
기울어지거나 엇갈린 모양의 층리

6. □□
주로 건조한 시기에 공기 중으로 노출된 표면이 갈라져 생긴 퇴적 구조

7. □□□
산지와 평지 사이에 형성된 부채꼴 모양의 퇴적 지형

8. □□□
해양 환경에서 퇴적암이 가장 많이 쌓이는 곳

A 퇴적암의 형성과 종류

01 각 퇴적물이 속성 작용을 거쳐 형성되는 퇴적암을 옳게 연결하시오.

(1) 모래 • • ㉠ 암염
(2) 조개 껍데기 • • ㉡ 석회암
(3) 소금 • • ㉢ 사암

02 퇴적암 및 퇴적암이 형성되는 과정에 대한 설명으로 옳은 것은 ○, 옳지 않은 것은 ×로 표시하시오.

(1) 퇴적물은 다짐 작용을 거치는 동안 공극의 부피가 감소한다. ( )
(2) 석회암은 물속에서 화학적 침전에 의해서만 생성된다. ( )
(3) 퇴적암을 이루는 입자의 평균 크기는 사암이 셰일보다 크다. ( )
(4) 석탄은 화학적 퇴적암에 해당한다. ( )

B 퇴적 구조

03 물이 흐르거나 바람이 부는 환경에서 형성될 수 있는 퇴적 구조를 2개 쓰시오.

04 다음은 어느 퇴적 구조에 대한 설명이다. ㉠, ㉡에 들어갈 알맞은 말을 쓰시오.

> (㉠)는 한 지층 내에서 위로 올라갈수록 입자의 크기가 점점 작아지는 퇴적 구조로, 주로 (㉡)에 의해 깊은 호수나 바다에서 형성된다.

C 퇴적 환경

05 퇴적 지형과 각 퇴적 지형이 형성되는 퇴적 환경을 옳게 연결하시오.

(1) 선상지 • • ㉠ 해양 환경
(2) 해빈 • • ㉡ 육상 환경
(3) 대륙대 • • ㉢ 연안 환경

06 그림은 전라북도 부안군 격포리 해안에 발달되어 있는 퇴적 구조의 모습이다.
이 그림에서 나타나는 퇴적 구조를 쓰시오.

탄탄! 내신 다지기

A 퇴적암의 형성과 종류

01 퇴적물이 속성 작용을 거치는 동안 감소하는 물리량으로 옳은 것만을 〈보기〉에서 있는 대로 고른 것은?

〈보기〉
ㄱ. 공극의 크기
ㄴ. 퇴적물의 부피
ㄷ. 퇴적물의 밀도

① ㄱ ② ㄷ ③ ㄱ, ㄴ
④ ㄴ, ㄷ ⑤ ㄱ, ㄴ, ㄷ

02 퇴적암에 대한 설명으로 옳은 것은?

① 퇴적암은 육지보다 바다에서 더 많이 형성된다.
② 화석은 퇴적암보다 화성암에서 더 많이 산출된다.
③ 퇴적물이 다짐 작용을 받으면 단단한 암석이 된다.
④ 화산 활동 시 분출된 용암이 굳으면 퇴적암이 된다.
⑤ 퇴적암은 모두 풍화·침식에 의해 잘게 부서진 입자가 쌓여서 형성된다.

03 다음은 어느 퇴적암에 대한 설명이다.

> 규질 생물체가 퇴적되어 형성되거나 물속에서 규질 물질이 침전되어 형성된다.

이 퇴적암의 종류로 옳은 것은?

① 사암 ② 석탄 ③ 셰일
④ 처트 ⑤ 석회암

단답형

04 셰일, 사암, 역암을 구분하는 기준을 쓰시오.

B 퇴적 구조

단답형

05 (가) 표면에 물결 자국이 보이는 퇴적 구조와 (나) 퇴적물이 공급되는 방향을 알려주는 퇴적 구조를 각각 쓰시오.

06 다음은 어느 퇴적 구조에 대한 설명이다.

> 퇴적암 표면에 쐐기 모양의 틈이 생긴 구조로, 주로 건조한 기후에서 퇴적층의 표면이 갈라져서 형성된다.

이 퇴적 구조로 옳은 것은?

① 건열 ② 연흔 ③ 층리
④ 사층리 ⑤ 점이 층리

07 그림 (가)와 (나)는 서로 다른 암석에 나타난 퇴적 구조를 나타낸 것이다.

(가)

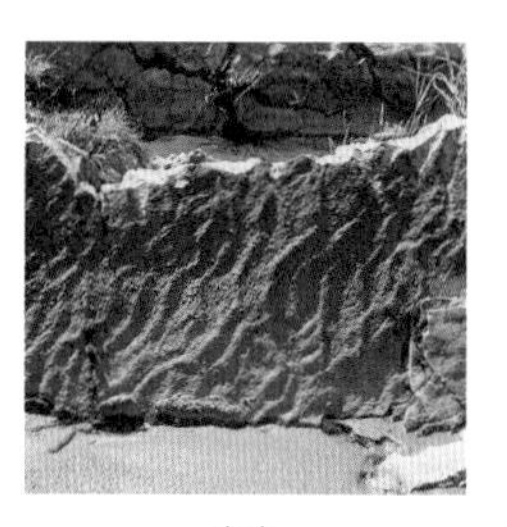
(나)

(가)와 (나)에 해당하는 퇴적 구조를 옳게 짝지은 것은?

	(가)	(나)
①	사층리	건열
②	사층리	연흔
③	사층리	점이 층리
④	점이 층리	연흔
⑤	점이 층리	사층리

08 그림은 서로 다른 세 지역 (가), (나), (다)의 지층 단면을 나타낸 것이다.

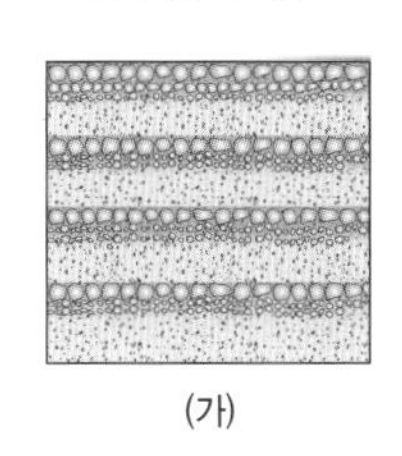
(가)

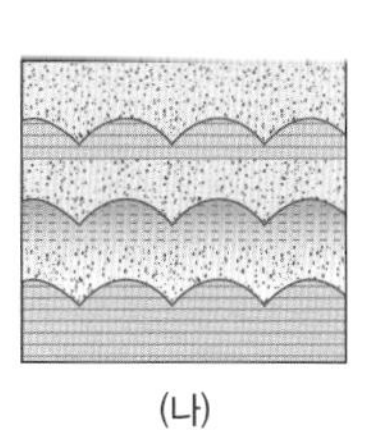
(나)

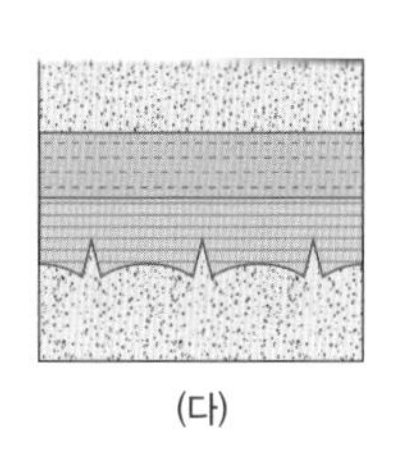
(다)

(가), (나), (다) 중에서 지층이 역전된 지역만을 있는 대로 고른 것은?

① (가) ② (나) ③ (가), (다)
④ (나), (다) ⑤ (가), (나), (다)

C 퇴적 환경

단답형

09 그림은 퇴적암이 형성되는 환경 중 일부를 나타낸 것이다.

이 그림에서 연안 환경을 찾아 모두 쓰시오.

10 퇴적 지형에 대한 설명으로 옳은 것만을 〈보기〉에서 있는 대로 고른 것은?

보기
ㄱ. 퇴적물은 해양 환경보다 육상 환경에서 더 많이 쌓인다.
ㄴ. 빙하 지대에서 퇴적되는 주요 퇴적물은 얼음이다.
ㄷ. 선상지는 삼각주보다 지형의 경사가 급변하는 곳에 형성된다.

① ㄱ ② ㄷ ③ ㄱ, ㄴ
④ ㄴ, ㄷ ⑤ ㄱ, ㄴ, ㄷ

11 퇴적 구조와 퇴적 환경에 대한 설명으로 옳은 것만을 〈보기〉에서 있는 대로 고른 것은?

보기
ㄱ. 연흔은 주로 심해저에서 형성된다.
ㄴ. 건열은 주로 고온 다습한 환경에서 형성된다.
ㄷ. 사층리는 주로 물이 흐르거나 바람이 부는 환경에서 형성된다.

① ㄱ ② ㄷ ③ ㄱ, ㄴ
④ ㄴ, ㄷ ⑤ ㄱ, ㄴ, ㄷ

단답형

12 다음은 퇴적 환경에 대한 설명이다. ㉠, ㉡에 들어갈 알맞은 말을 쓰시오.

(㉠) 환경은 육상 환경과 해양 환경이 만나는 곳에서 주로 (㉡)에서 공급된 퇴적물이 퇴적되는 곳이다.

13 그림은 우리나라의 퇴적 지형을 나타낸 것이다.

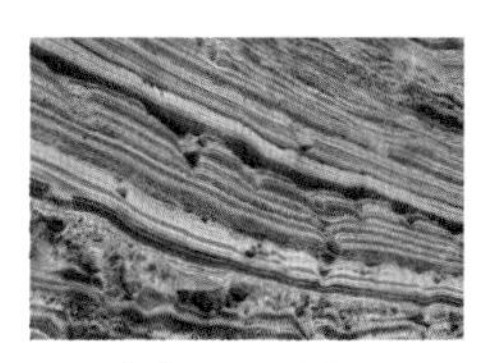
(가) 제주도 수월봉

(나) 진안 마이산

(가)와 (나)를 이루고 있는 주요 퇴적암을 옳게 짝지은 것은?

	(가)	(나)
①	응회암	역암
②	역암	응회암
③	셰일	응회암
④	셰일	역암
⑤	역암	셰일

도전! 실력 올리기

출제예감

01 그림은 퇴적암이 형성되는 주요 과정을 나타낸 것이다.

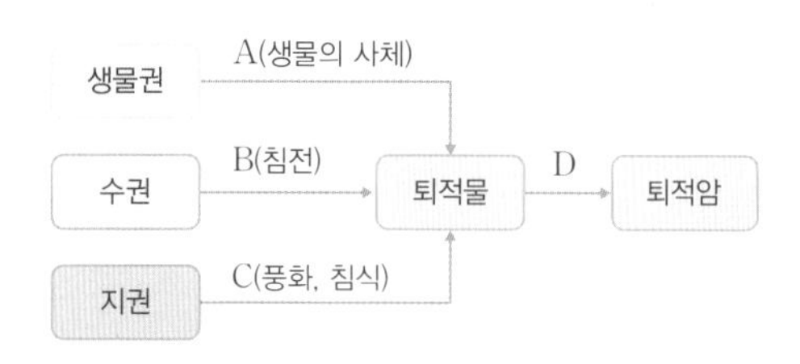

이에 대한 설명으로 옳은 것만을 〈보기〉에서 있는 대로 고른 것은?

보기
ㄱ. 석회암은 대부분 A와 B 과정으로 형성된다.
ㄴ. 사암은 C 과정으로 형성된다.
ㄷ. D 과정에서 속성 작용이 일어난다.

① ㄱ ② ㄷ ③ ㄱ, ㄴ
④ ㄴ, ㄷ ⑤ ㄱ, ㄴ, ㄷ

02 그림은 주성분이 소금인 퇴적암을 나타낸 것이다.

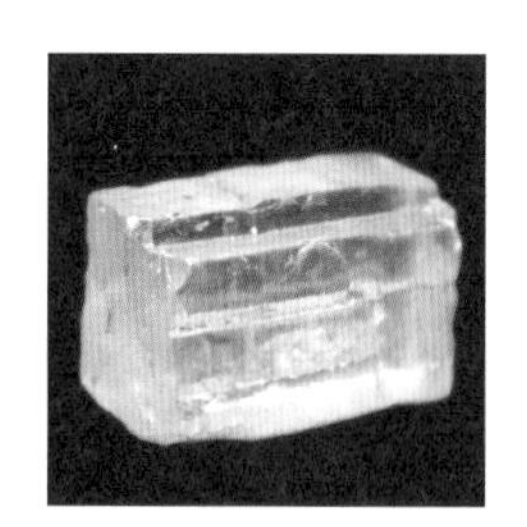

이에 대한 설명으로 옳은 것만을 〈보기〉에서 있는 대로 고른 것은?

보기
ㄱ. 화학적 퇴적암에 해당한다.
ㄴ. 주로 점이 층리와 함께 발견된다.
ㄷ. 수권과 지권의 상호 작용으로 형성된다.

① ㄱ ② ㄴ ③ ㄱ, ㄷ
④ ㄴ, ㄷ ⑤ ㄱ, ㄴ, ㄷ

03 그림은 어느 지층의 퇴적 구조를 나타낸 것이다.

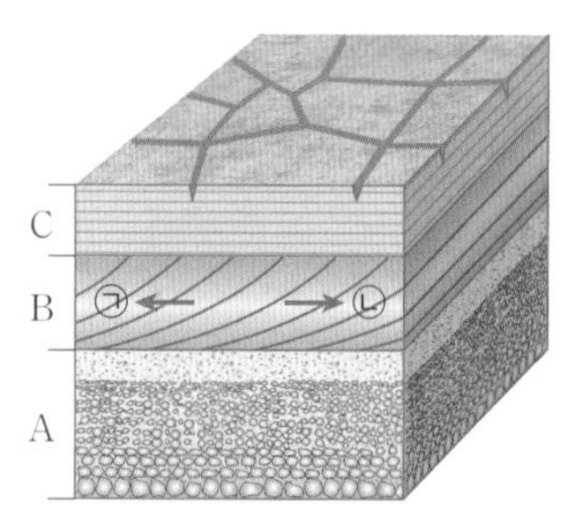

지층 A, B, C에 대한 설명으로 옳은 것만을 〈보기〉에서 있는 대로 고른 것은?

보기
ㄱ. A는 기반암이 풍화·침식 작용을 받아 형성되었다.
ㄴ. B가 퇴적될 당시 물은 ㉠ 방향으로 흘렀다.
ㄷ. C는 과거에 건조한 환경에 노출된 적이 있었다.

① ㄱ ② ㄷ ③ ㄱ, ㄴ
④ ㄴ, ㄷ ⑤ ㄱ, ㄴ, ㄷ

04 그림은 어느 퇴적 구조를 나타낸 것이다.

이에 대한 설명으로 옳은 것만을 〈보기〉에서 있는 대로 고른 것은?

보기
ㄱ. 심한 압력을 받아 형성되었다.
ㄴ. 지층의 상하 판단을 하는 데 이용할 수 있다.
ㄷ. 수권과 지권의 상호 작용 또는 기권과 지권의 상호 작용으로 형성된다.

① ㄱ ② ㄷ ③ ㄱ, ㄴ
④ ㄴ, ㄷ ⑤ ㄱ, ㄴ, ㄷ

정답과 해설 18쪽

05 그림은 세 가지 퇴적 지형을 특징에 따라 구분하는 과정을 나타낸 것이다.

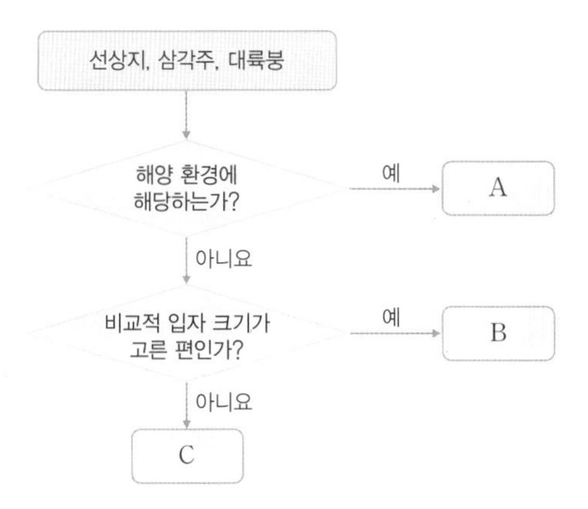

A, B, C에 해당하는 퇴적 지형을 옳게 짝지은 것은?

	A	B	C
①	대륙붕	삼각주	선상지
②	대륙붕	선상지	삼각주
③	삼각주	대륙붕	선상지
④	삼각주	선상지	대륙붕
⑤	선상지	삼각주	대륙붕

출제예감

06 그림은 전북 부안군 격포 해안에서 관찰되는 퇴적 구조를 나타낸 것이다.

이에 대한 설명으로 옳은 것만을 〈보기〉에서 있는 대로 고른 것은?

보기
ㄱ. 점이 층리이다.
ㄴ. 해양 환경보다 연안 환경에서 잘 형성된다.
ㄷ. 퇴적물의 입자 크기에 따른 퇴적 속도 차이로 형성된다.

① ㄱ ② ㄴ ③ ㄱ, ㄷ
④ ㄴ, ㄷ ⑤ ㄱ, ㄴ, ㄷ

단답형

07 다음은 어느 퇴적암에 대한 설명이다. 이 퇴적암은 무엇인지 쓰시오.

> 주로 모래로 이루어진 퇴적물이 퇴적된 후 다짐 작용 및 교결 작용을 거쳐 형성된다.

서술형

08 점이 층리는 한 지층 내에서 위로 갈수록 입자 크기가 점점 작아지는데 그 까닭을 저탁류와 관련지어 서술하시오.

서술형

09 퇴적 환경에 따라 다양한 퇴적암과 퇴적 구조가 형성되는데, 퇴적 환경에 영향을 미치는 요인을 2가지만 서술하시오.

02 지질 구조와 지층의 나이

핵심 키워드로 흐름잡기
- A 습곡, 단층, 부정합, 절리, 관입, 포획
- B 수평 퇴적, 지층 누중, 관입, 부정합, 동물군 천이, 지층 대비, 상대 연령
- C 절대 연령, 방사성 동위 원소, 반감기

❶ 지질 구조
지층이나 암석이 지각 변동을 받아 다양한 모양으로 변형된 상태이다.
⇨ 과거에 일어났던 지각 변동을 알 수 있다.

암기TiP 단층과 힘의 방향
- 정단층 – 장력: ㉣
- 역단층 – 횡압력: ◎
- 주향 이동 단층 – 수평 방향: ㉠

❷ 조륙 운동과 조산 운동
- 조륙 운동: 지각이 서서히 융기하거나 침강하는 운동이다.
- 조산 운동: 판과 판의 수렴형 경계에서 거대한 습곡 산맥을 형성하는 운동이다.

정합
호수나 바다에서 연속적으로 쌓인 두 지층이 큰 시간 간격 없이 나란히 쌓여 있는 관계이다.

용어 알기
- 횡압력(가로 橫, 누르다 壓, 힘 力) 양쪽에서 누르는 힘
- 장력(당기다, 벌리다 張, 힘 力) 양쪽에서 당기는 힘

A 지질 구조❶

|출·제·단·서| 시험에는 지질 구조를 구분하고 각 지질 구조의 형성 원인 및 과정을 묻는 문제가 나와.

1. 습곡 지층이 지하 깊은 곳에서 지각 변동에 의해 높은 온도 하에 •횡압력을 받아 휘어진 지질 구조이다.

습곡축면 / 배사 / 향사 / 습곡축

(1) 습곡의 구조 가장 많이 휘어 있는 부분을 습곡축, 위로 볼록한 부분을 배사, 아래로 볼록한 부분을 향사라고 한다.
(볼록한: 아래로 오목한 부분이라고 표현하기도 한다.)

(2) 습곡의 종류 습곡축면의 기울기에 따라 구분한다.
(습곡축면: 습곡축을 포함하는 면)

구분	정습곡	경사 습곡	횡와 습곡
모습	습곡축	습곡축	습곡축
특징	습곡축면이 수평면에 거의 수직하다.	습곡축면이 수평면에 대해 기울어져 있다.	습곡축면이 수평면과 거의 나란하다.

2. 단층 지층이 지각 변동에 의한 힘을 받아 끊어지면서 양쪽 지층이 상대적으로 이동하여 형성된 지질 구조이다.

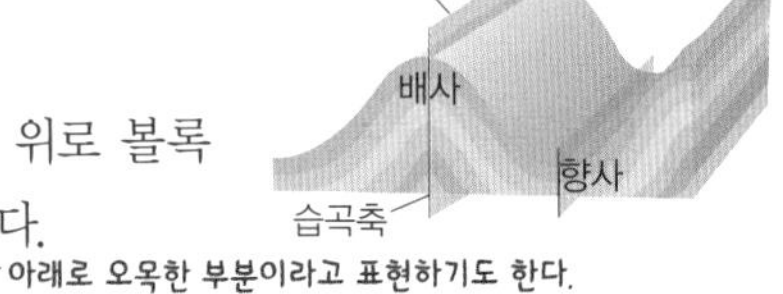

(1) 단층의 구조 지층이 끊어진 면을 단층면, 단층면이 경사져 있을 때 단층면 위쪽을 상반, 아래쪽을 하반이라고 한다.

(2) 단층의 종류 단층면 양쪽에 있는 두 지층의 상대적 이동 형태에 따라 구분한다.

구분	정단층	역단층	주향 이동 단층
모습	단층면, 상반, 하반, 힘의 방향	상반, 하반, 힘의 방향	
특징	•장력을 받아 상반이 하반에 대해 아래로 이동했다.	횡압력을 받아 상반이 하반에 대해 위로 이동했다.	두 지층이 수평 방향으로 이동했다.

3. 부정합 상하 지층이 지각 변동에 의해 시간적으로 불연속한 지질 구조이다.

(1) 부정합의 형성 과정 퇴적(바다) → 융기(육지) → 풍화·침식 → 침강(바다) → 퇴적
(융기: 어떤 지역의 지층이 주변에 대하여 상대적으로 상승하는 운동 / 침강: 어떤 지역의 지층이 주변에 대하여 상대적으로 하강하는 운동)

과정	퇴적	풍화·침식	침강과 퇴적
모습	해수면 (융기 →) 물밑에서 퇴적물이 평행하게 쌓인다.	(침강 →) 지각 변동에 의해 퇴적물이 위로 융기되어 풍화·침식된다.	부정합면 풍화·침식된 퇴적물이 다시 침강하고 새로운 퇴적물이 퇴적된다.
특징	① 조륙 운동❷이나 조산 운동❷에 의해 오랫동안 퇴적이 중단된 후 다시 퇴적이 일어나면 상하 지층 사이에 오랜 시간 간격이 생긴다. ② 부정합면을 경계로 상하 두 지층 사이의 화석의 종류가 크게 다르고, 부정합면 위에는 기저 역암이 분포하는 경우가 많다. (기저 역암: 부정합면 바로 위에 놓인 역암으로 침식에 의해 형성된다.)		

(2) **부정합의 종류** 부정합면 아래의 암석의 종류와 상태에 따라 구분한다.

구분	평행 부정합 (주로 조륙 운동만을 받은 지형이다.)	경사 부정합 (주로 조산 운동을 받은 지형이다.)	난정합❸
모습	부정합면	기저 역암	화성암 또는 변성암
특징	부정합면을 경계로 상하 지층의 층리가 나란하다.	부정합면을 경계로 상하 지층의 층리가 경사져 있다.	부정합면 하부층에 화성암이나 변성암이 분포한다.

4. 절리 암석에 생긴 틈이나 균열로, 단층과는 달리 틈을 따라 양쪽 암석의 상대적인 이동이 없는 지질 구조이다. 형성 과정과 형태에 따라 구분한다.

구분	주상 절리	판상 절리
모습	냉각 수축	압력 감소, 서서히 팽창
특징	•용암이 급격히 냉각, 수축하여 기둥 모양의 절리가 형성된다. ⇨ 주로 화산암❹에 발달한다.	지하 깊은 곳에 있던 암석이 지표로 노출되면서 압력이 감소하여 판 모양의 절리가 형성된다. ⇨ 주로 심성암❺에 발달한다.

5. •관입과 •포획

(1) **관입암** 마그마가 지층이나 암석의 틈을 따라 들어가 굳은 암석이다.

(2) **포획암** 마그마가 관입할 때 주변에 존재하던 암석에서 떨어져 나와 마그마 속으로 들어가 있는 암석이다.

(3) **관입암과 포획암으로 알 수 있는 사실** 지구 내부 물질을 연구하거나 지층과 암석이 생성된 순서를 결정할 수 있다.

구분	관입암	포획암
모습	A, B	C, D
특징	관입암(A)이 관입당한 암석(B)보다 나중에 생성되었다.	포획암(C)이 주변 암석(D)보다 먼저 생성되었다.

B 지층의 상대 연령

|출·제·단·서| 시험에는 지사학 법칙과 지층 단면도를 해석하여 지층의 생성 순서를 묻는 문제가 나와.

1. 상대 연령 탐구 POOL 지층이나 암석의 상대적인 생성 시기와 지질학적 사건의 선후 관계를 나타낸 것으로, 지사학 법칙과 지층 대비 등을 이용하여 결정한다.

2. 지사학 법칙 (지각 형성 이후 지구의 지질학적 역사와 발달의 법칙을 연구·규명하는 학문이다.) 지층의 생성 순서를 결정하고 지구의 역사를 추론하는 데 필요한 법칙이다.

(1) **수평 퇴적의 법칙** 일반적으로 퇴적물은 중력의 영향으로 수평하게 쌓인다. ⇨ 지층이 기울어져 있거나 휘어져 있으면 퇴적물이 쌓인 후 지각 변동을 받은 것이다.

❸ 난정합
난정합의 경우 부정합면을 경계로 상하 지층의 평행 여부를 판단하기 어렵다.

❹ 화산암
마그마가 지표로 분출되어 급격히 냉각되어 굳어진 암석으로 주로 주상 절리가 발달한다.

❺ 심성암
마그마가 지하 깊은 곳에서 천천히 냉각되어 만들어진 암석으로 주로 판상 절리가 발달한다.

동일 과정설
현재 일어나고 있는 지질학적 현상은 과거에도 같은 과정과 속도로 일어났다고 주장하는 학설이다.

? 퇴적물은 항상 수평하게 퇴적될까?
일반적으로 퇴적물은 중력의 영향으로 수평하게 쌓이지만, 물이 흐르거나 바람이 부는 환경에서는 퇴적물이 기울어져 쌓여 사층리가 형성될 수 있다.

용어 알기
•용암(녹이다 熔, 바위 岩) 암석이 녹은 액체 물질
•관입(꿰다 貫, 들다 入) 틈 사이로 꿰뚫어 들어감
•포획(사로잡다 捕, 얻어지다 獲) 사로잡혀 얻어짐

(2) **지층 누중의 법칙** 지층 역전이 없다면 아래 놓인 지층이 위에 놓인 지층보다 먼저 형성되었다.
⇨ 지층의 역전 여부는 퇴적 구조, 지질 구조, 표준 화석 등을 이용하여 판단할 수 있다.

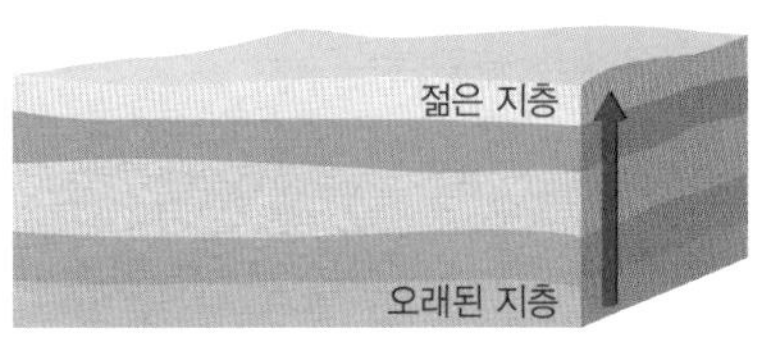

(3) **동물군 천이의 법칙** 오래된 지층에서 새로운 지층으로 갈수록 더 진화된 동물의 화석이 발견된다.
⇨ 표준 화석[6]을 이용하여 지층의 선후 관계를 판단할 수 있다.

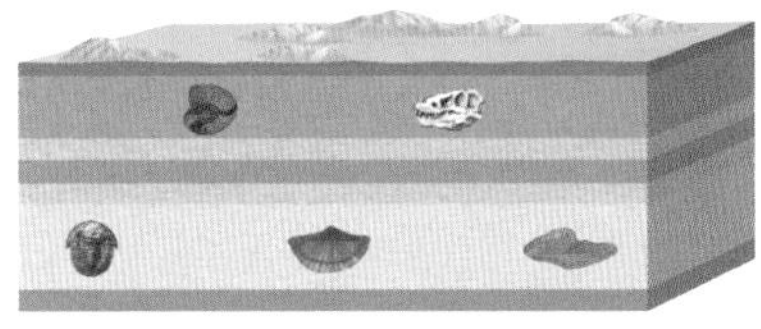

(4) **관입의 법칙** 관입한 암석은 관입당한 암석보다 나중에 형성되었다. ⇨ 화성암체 접촉부의 변성을 관찰하거나 포획암을 조사하면 관입 여부를 판단할 수 있다.

(5) **부정합의 법칙** 부정합면을 경계로 상하 지층 사이에는 오랜 시간 간격이 존재한다. ⇨ 부정합면을 경계로 암석의 종류, 지질 구조, 발견되는 화석 등이 크게 달라진다.

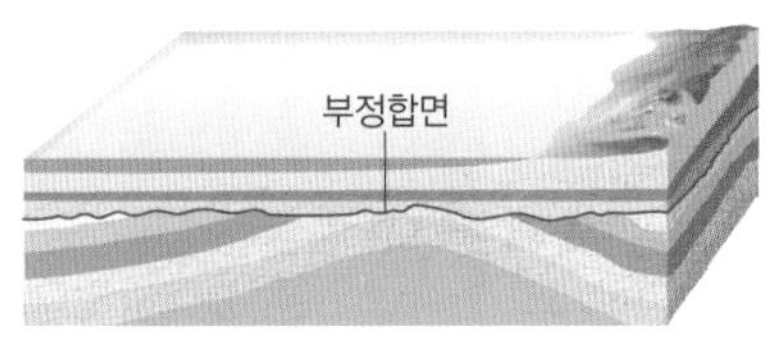

❻ 표준 화석
지질 시대를 결정하는 기준이 되는 화석으로 생존 기간이 짧고, 분포 면적이 넓어야 한다.

3. 지층 대비

3. 지층 대비 여러 지역에 분포하는 지층들을 서로 비교하여 상대적인 선후 관계를 밝히는 것으로 암상[7]이나 화석을 이용한다. ⇨ 지층 대비를 통해 결층[8]을 찾아 지질 시대를 구분할 수 있다.

(1) **암상에 의한 대비** 비교적 가까운 거리에 있는 지역들의 지층을 구성하는 암석의 종류나 특징을 대비하여 지층의 선후 관계를 판단할 수 있다. ⇨ 응회암[9]층이나 석탄층과 같이 비교적 짧은 시간에 넓은 지역에 퇴적되어 형성된 지층인 건층(열쇠층)을 이용한다.

(2) **화석에 의한 대비** 특정한 시기의 지층에서만 나타나는 화석을 대비하여 멀리 떨어져 있는 지층의 선후 관계를 판단할 수 있다. ⇨ 특정 시기에만 번성했던 표준 화석을 이용한다.

❼ 암상
일반적으로 암석에 나타나는 색, 조직 등의 특징을 종합적으로 일컫는 말로, 암석의 생성 조건에 따라 바뀌어 특정한 분포를 보인다.

❽ 결층
퇴적이 중단되거나 침식에 의해 일부 빠져있는 퇴적층이다.

❾ 응회암
화산재가 쌓인 후 속성 작용을 받아 굳어진 퇴적암으로, 특정한 환경에서 일시적으로 광범위하게 형성되는 특징 때문에 건층으로 이용된다.

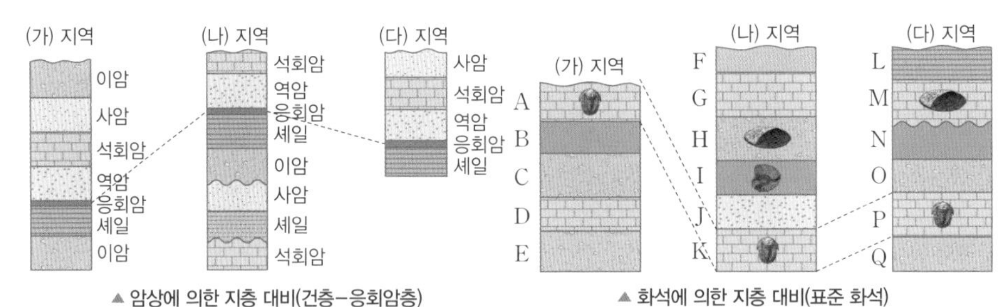

▲ 암상에 의한 지층 대비(건층-응회암층)
건층인 응회암은 같은 시기에 형성 ⇨ (나) 지역이 가장 오래된 지역

▲ 화석에 의한 지층 대비(표준 화석)
A, K, P층에서 같은 화석 발견 ⇨ (가) 지역이 가장 오래된 지역

빈출 자료 건층과 표준 화석을 이용하여 지층 대비하기

- 건층을 이용하여 (가) 지역과 (나) 지역 지층의 생성 순서를 판단한다. ⇨ (가) 지역의 응회암층과 (나) 지역의 응회암층은 같은 시기에 형성되었다.
- 지층을 대비하여 결층을 찾는다. ⇨ 결층이 존재하는 경계면((나) 지역의 F와 G의 경계면)은 부정합면이자 지질 시대 경계면이다.
- 공통적으로 발견되는 화석을 통해서 결층된 시기를 찾을 수 있다. ⇨ A와 F층에서 고생대 화석인 삼엽충, C와 G층에서 신생대 화석인 화폐석이 발견되었으므로 결층이 일어난 시기를 추정할 수 있다.

(가): E, D, 건층, C, B, A
(나): J, I, H, 건층, G, F
사암 / 셰일 / 석회암 / 응회암

용어 알기
- 천이(옮기다 遷, 옮기다, 변하다 移) 옮기어 바뀜
- 대비(대하다, 상대하다 對, 견주다, 비교하다 比) 서로 맞대어 비교함

C 지층의 절대 연령

|출·제·단·서| 시험에는 방사성 동위 원소를 이용하여 암석의 절대 연령을 구하는 문제가 나와.

1. 절대 연령 지층이나 암석의 생성 시기를 구체적인 수치로 나타낸 것이다.

(1) **방사성 동위 원소**[⑩] 자연 상태에서 불안정하기 때문에 스스로 붕괴하여 방사선을 방출하면서 안정한 원소로 변해가는 동위 원소이다.

⇨ 시간이 지날수록 방사성 동위 원소(모원소)의 양은 감소하고 안정한 원소(자원소)의 양은 증가한다. 임의의 시점에서 방사성 동위 원소의 감소량과 안정한 원소의 증가량은 같다.

(2) **반감기** 방사성 동위 원소가 붕괴하여 처음 양의 절반으로 감소하는 데 걸리는 시간으로, 온도나 압력 등의 외부 환경에 관계없이 항상 일정하다.

모원소	우라늄(^{238}U)	우라늄(^{235}U)	칼륨(^{40}K)	루비듐(^{87}Rb)	탄소(^{14}C)⑪
자원소	납(^{206}Pb)	납(^{207}Pb)	아르곤(^{40}Ar)	스트론튬(^{87}Sr)	질소(^{14}N)
반감기	약 45억 년	약 7억 년	약 13억 년	약 492억 년	약 5700년

2. 절대 연령 측정 모원소의 반감기 및 현재 암석 속에 들어있는 모원소의 양과 자원소의 양을 알면 암석의 절대 연령을 계산할 수 있다.

❶ 생성 당시 모원소의 양(M_0)=현재 모원소의 양+현재 자원소의 양

❷ $\frac{M}{M_0}=\left(\frac{1}{2}\right)^n$, 여기서 $n=\frac{t}{T}$ (M: 현재 모원소의 양, M_0 : 생성 당시 모원소의 양, n : 반감기 횟수, T : 반감기, t : 절대 연령)

❸ n은 반감기 횟수이므로, 절대 연령(t)은 $n \times T$가 된다.

빈출 탐구 암석의 절대 연령 구하기

방사성 동위 원소의 반감기를 이용하여 암석의 절대 연령을 구할 수 있다.

자료

표는 어느 지역의 화성암에 들어있는 방사성 동위 원소 X와 자원소 Y의 양을, 그림은 방사성 동위 원소 X의 붕괴 곡선을 나타낸 것이다.

구분	원소의 양(상대값, X=1)
X	1
Y	7

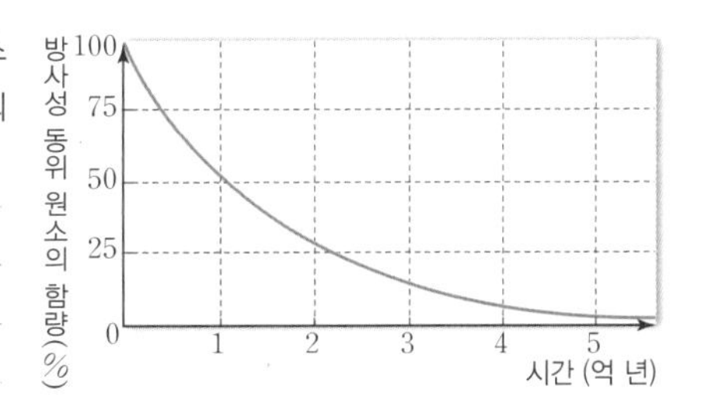

해석 및 정리

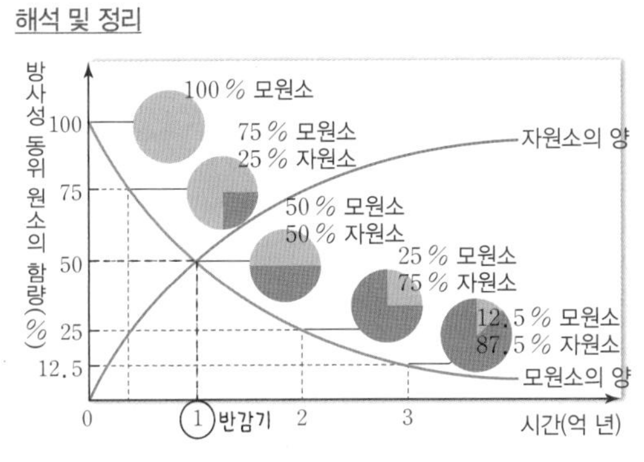

시간(억 년)	0	1 (반감기)	2	3
모원소의 양(%)	100	50	25	12.5
자원소의 양(%)	0	50	75	87.5
모원소의 양+자원소의 양(%)	100	100	100	100

❶ 남아 있는 모원소의 양은 1이고, 자원소의 양은 7이므로 생성 당시 모원소의 양은 8이다.

❷ 방사성 동위 원소의 반감기는 1억 년이며, 방사성 동위 원소의 양은 암석이 생성될 당시 처음 양의 $\frac{1}{8}$(12.5 %)로 감소하였다. ⇨ 반감기 횟수 3번

❸ 반감기(1억 년)×반감기 횟수(3번)=3억 년 ⇨ 암석의 절대 연령은 3억 년이다.

⑩ 동위 원소

양성자수가 같아서 원자 번호는 같지만 중성자수가 달라서 질량수가 다른 원소이다. ⇨ 원자 번호가 같으면 화학적 성질이 같고, 질량수가 다르면 물리적 성질이 다르다.

⑪ 탄소(^{14}C)

^{14}C는 반감기가 약 5700년인 방사성 동위 원소로 반감기가 짧아 비교적 젊은 지층이나 고고학 연구에 이용된다.

반감기에 따른 모원소와 자원소의 변화

반감기를 1번 지나면 모원소의 절반이 자원소로 변한다.

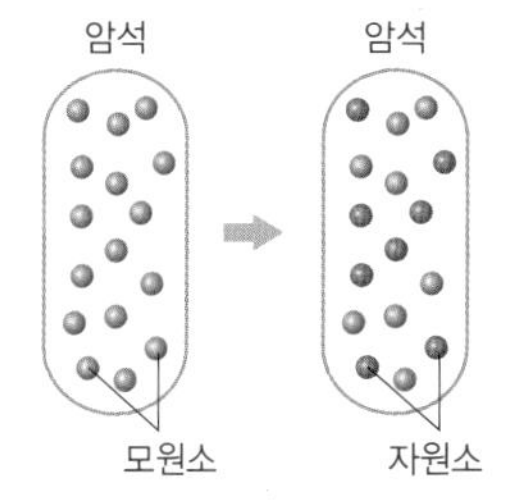

상대 연령과 절대 연령

상대 연령을 측정하면 지층이 생성된 상대적 선후 관계는 알 수 있지만 지층이 언제 생성되었는지는 정확하게 알 수 없다. 반면 암석에 존재하는 방사성 동위 원소를 분석하여 절대 연령을 측정하면 암석이 생성된 시기를 알 수 있다.

용어 알기

●방사성(**놓다 放, 쏘다 射, 성질 性**) 입자를 방출하거나 전자파를 내서 자연스럽게 붕괴하는 성질

●반감기(**반 半, 줄다 減, 기한 期**) 어떤 물질의 양이 반으로 감소하는 데 걸리는 기간

지층의 생성 순서 결정

목표 지층 단면도를 보고 지층 및 암석의 생성 순서를 결정할 수 있다.

❶ **습곡**
지층이 횡압력을 받아 휘어진(경사진) 구조이다.

❷ **부정합면**
상하 두 지층이 불연속적인 관계인 층리면이다.

기저 역암
부정합면 바로 위에 놓인 역암으로 침식에 의해 형성된다.

❸ **정단층**
지층이 장력을 받아 상반이 하반에 대해 아래쪽으로 이동한 단층이다.

❹ **관입암**
마그마가 지층이나 암석의 틈을 따라 들어가서 굳어진 암석이다.

❺ **포획암**
마그마가 관입할 때 주변에 존재하던 암석 조각이 마그마 속으로 들어간 암석이다.

자료

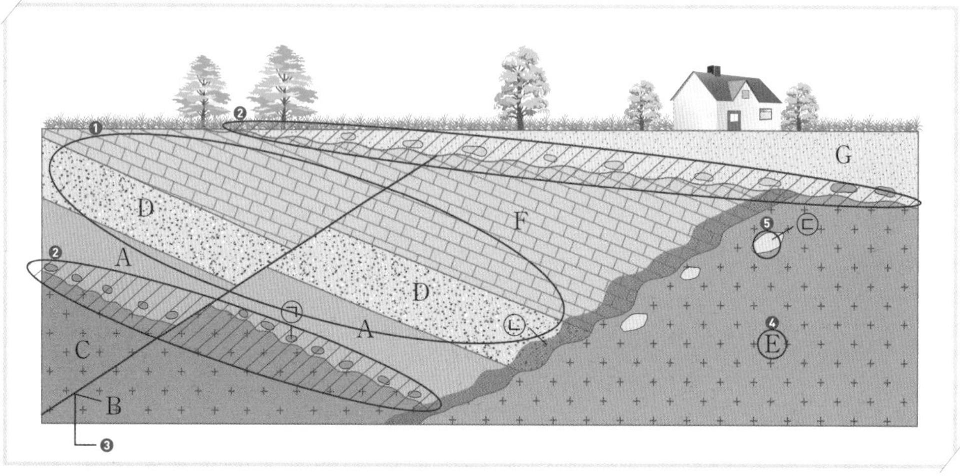

해석

- A, D, F: 지층이 기울어져 있으므로 횡압력을 받아 습곡이 일어난 지층이다.
- B: 상반이 하반에 대해 아래쪽으로 이동하였으므로 정단층이다.
- C: 마그마가 식어서 만들어진 화성암으로 위에 기저 역암(㉠)이 존재하므로 생성 후에 침식을 받았다.
  ⇨ 이 자료만으로는 C가 관입암인지 분출암인지 판단할 수 없다.
- E: 마그마가 식어서 만들어진 화성암으로 주변 암석의 접촉부에 변성 영역이 존재하므로 주변 암석을 관입하였다.
- G: 아래에 있는 E, F와 부정합 관계이다.
- ㉠: 주로 C가 침식을 받아 형성된 기저 역암이다. ⇨ 기저 역암 아래 층리면은 부정합면이다.
- ㉡: 마그마의 관입으로 열을 받아 접촉 변성을 받은 영역이다. ⇨ 화성암과의 접촉부에 변성 영역이 있으면 그 화성암은 관입암이다.
- ㉢: E가 관입할 때 주변에 이미 존재하던 암석(A, C, D, F)의 일부가 마그마 속으로 들어가 형성된 포획암이다.
  ⇨ 화성암 속에 포획암이 들어있으면 그 화성암은 관입암이다.

정리

❶ 지층의 생성 순서: C → A → D → F → E → G
❷ 지사 해석: 화성암 C 형성 → 융기·침식·침강(부정합) → A, D, F 퇴적 → 습곡 → 정단층 형성(장력이 작용했다.)/화성암 E 관입(이 자료만으로는 정단층과 관입의 생성 순서를 결정할 수 없다.) → 융기·침식·침강(부정합) → G 퇴적
❸ 이 지역의 지사를 해석하는 데 이용한 지사학 법칙: 수평 퇴적의 법칙, 지층 누중의 법칙, 관입의 법칙, 부정합의 법칙

무조건 아래쪽에 위치한다고 해서 오래된 지층이 아니고 여러 가지 방법을 통해 지층을 대비하여 구분해야 해!

한·줄·핵심 지사학 법칙을 이용하여 지층의 선후 관계를 파악할 수 있다.

확인 문제

정답과 해설 19쪽

01 암석의 관입 여부를 판단할 수 있는 조건을 쓰시오.

02 부정합 관계임을 판단할 수 있는 조건을 쓰시오.

콕콕! 개념 확인하기

정답과 해설 19쪽

✔ 잠깐 확인!

1. 습곡은 지층이 횡압력을 받아 휘어진 구조로 습곡축면이 거의 누운 습곡을 ☐☐ 습곡이라고 한다.

2. ☐☐☐
장력을 받아 상반이 하반에 대해 아래쪽으로 이동한 단층

3. 부정합은 '퇴적 → ☐☐ → 풍화 · 침식 → 침강 → 퇴적' 순으로 진행된다.

4. ☐☐☐
하부층에 화성암이나 변성암이 분포하는 부정합

5. ☐☐한 암석은 ☐☐당한 암석보다 나중에 형성되었다.

6. 지층을 대비할 때 이용할 수 있는 화석은 ☐☐ 화석이다.

7. ☐☐☐
방사성 동위 원소가 붕괴하여 처음 양의 절반으로 감소하는 데 걸리는 시간

A 지질 구조

01 그림은 여러 지질 구조를 나타낸 것이다. ( ) 안에 들어갈 알맞은 말을 쓰시오.

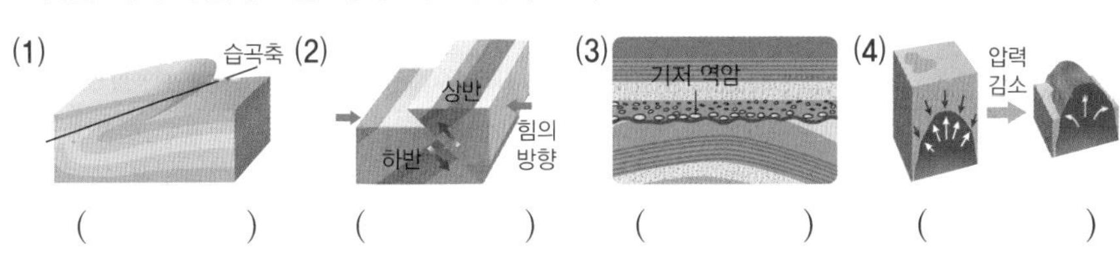

(1) (   ) (2) (   ) (3) (   ) (4) (   )

02 지질 구조에 대한 설명으로 옳은 것은 ○, 옳지 않은 것은 ×로 표시하시오.

(1) 습곡은 횡압력을 받아서 형성된다. ( )

(2) 정단층은 주로 수렴형 경계부에서 형성된다. ( )

(3) 부정합면을 경계로 상하 두 지층 사이에서 산출되는 화석의 종류는 크게 다르다. ( )

(4) 주상 절리는 주로 심성암에서 잘 발달한다. ( )

(5) 관입암 속에는 포획암이 존재할 수 있다. ( )

B 지층의 상대 연령

03 다음은 지사학 법칙에 대한 설명이다. 각 설명에 해당하는 지사학 법칙을 ( ) 안에 쓰시오.

(1) 지층의 역전이 없다면 아래 놓인 지층이 위에 놓인 지층보다 먼저 형성되었다. (   )

(2) 오래된 지층에서 새로운 지층으로 갈수록 더 진화된 동물의 화석이 산출된다. (   )

(3) 일반적으로 퇴적물은 중력의 영향으로 수평하게 쌓인다. (   )

04 지층 대비에 이용할 수 있는 지층(암상)을 2개 쓰시오.

C 지층의 절대 연령

05 다음 설명 중 옳은 것은 ○, 옳지 않은 것은 ×로 표시하시오.

(1) 암석의 절대 연령은 표준 화석을 이용하여 측정할 수 있다. ( )

(2) 방사성 동위 원소는 시간이 지날수록 같은 시간 동안 감소하는 양이 항상 일정하다. ( )

(3) 반감기가 짧아서 젊은 지층이나 고고학에 이용하는 방사성 동위 원소는 ^{14}C이다. ( )

(4) 생성된 지 오래된 암석일수록 $\frac{\text{자원소의 양}}{\text{모원소의 양}}$의 값은 크다. ( )

(5) 화성암은 퇴적암에 비해 방사성 동위 원소를 이용하여 절대 연령을 측정하는 데 적합하다. ( )

탄탄! 내신 다지기

A 지질 구조

01 횡압력을 받아서 형성된 지질 구조만을 〈보기〉에서 있는 대로 고른 것은?

보기
ㄱ. 습곡　　ㄴ. 역단층
ㄷ. 정단층　　ㄹ. 주상 절리

① ㄱ, ㄴ　② ㄱ, ㄷ　③ ㄴ, ㄹ
④ ㄱ, ㄴ, ㄷ　⑤ ㄴ, ㄷ, ㄹ

단답형

02 그림은 습곡의 구조를 나타낸 것이다.

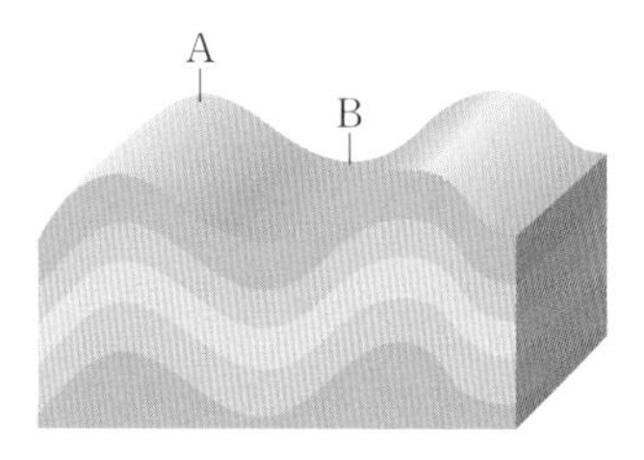

이 그림에서 위로 볼록한 지역(A)과 아래로 볼록한 지역(B)의 이름을 쓰시오.

03 그림은 어느 단층의 모습을 나타낸 것이다.

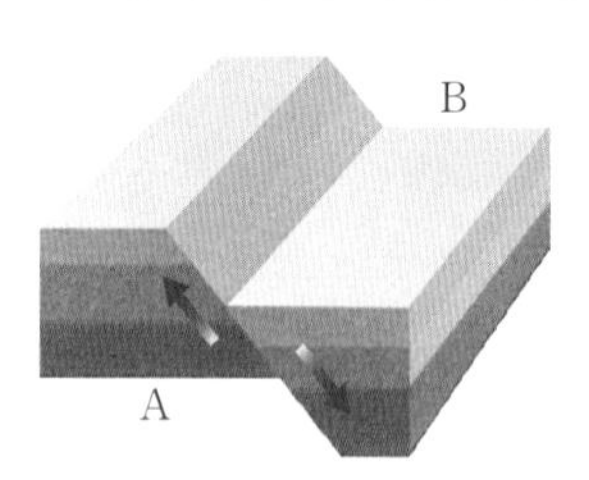

이에 대한 설명으로 옳은 것만을 〈보기〉에서 있는 대로 고른 것은?

보기
ㄱ. 역단층이다.
ㄴ. 장력에 의해 생성된다.
ㄷ. A는 하반, B는 상반이다.

① ㄱ　② ㄷ　③ ㄱ, ㄴ
④ ㄴ, ㄷ　⑤ ㄱ, ㄴ, ㄷ

04 그림 (가)와 (나)는 서로 다른 지질 구조를 나타낸 것이다.

(가)

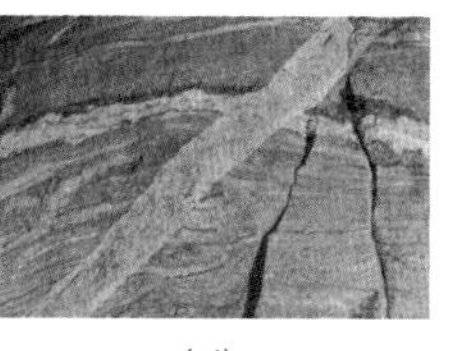
(나)

(가)와 (나)에 해당하는 지질 구조를 옳게 짝지은 것은?

	(가)	(나)
①	주상 절리	관입
②	주상 절리	단층
③	관입	단층
④	관입	주상 절리
⑤	단층	관입

B 지층의 상대 연령

[05~06] 그림은 화성암(B)과 퇴적암(A와 C)이 분포하는 어느 지역의 지질 단면을 나타낸 것이다. (단, 이 지역에 지층의 역전은 없었다.)

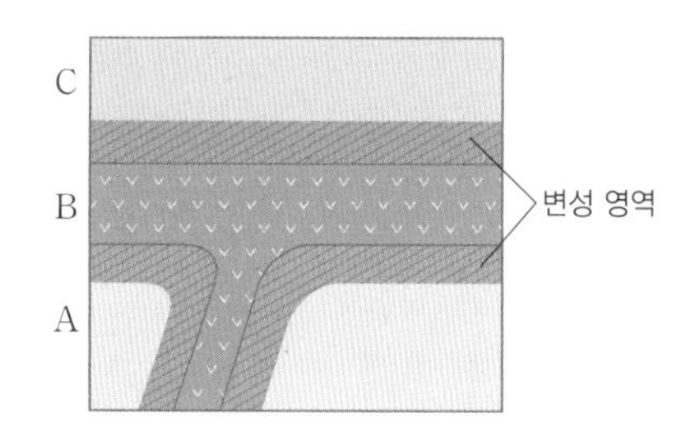

05 지층의 연령이 오래된 것부터 순서대로 옳게 나타낸 것은?

① A → B → C　② A → C → B
③ B → A → C　④ B → C → A
⑤ C → B → A

06 A와 C의 생성 순서를 결정하는 데 이용한 지사학 법칙으로 옳은 것은?

① 관입의 법칙　② 부정합의 법칙
③ 수평 퇴적의 법칙　④ 지층 누중의 법칙
⑤ 동물군 천이의 법칙

[07~08] 그림은 어느 지역의 지질 단면도를 나타낸 것이며, A와 C는 퇴적암, B는 화성암이다.

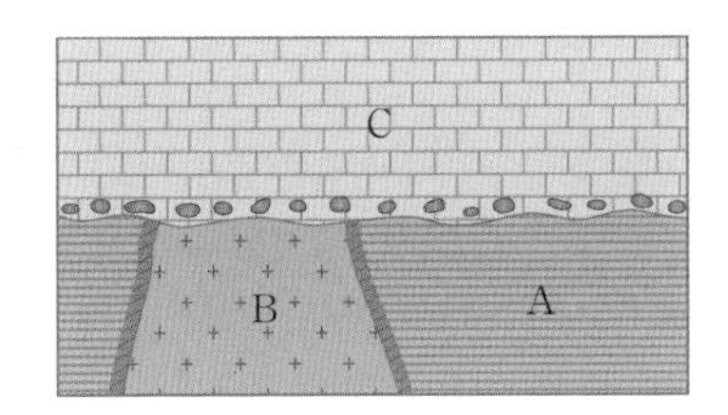

07 지층의 연령이 오래된 것부터 순서대로 옳게 나타낸 것은?

① A → B → C ② A → C → B
③ B → A → C ④ B → C → A
⑤ C → B → A

단답형

08 A, B, C의 생성 순서를 결정할 때 이용한 지사학 법칙을 모두 쓰시오.

단답형

09 지층 대비 및 동물군 천이의 법칙을 이용하여 지층의 선후를 판단할 때 공통으로 이용할 수 있는 것은 무엇인지 쓰시오.

C 지층의 절대 연령

10 절대 연령 측정에 대한 설명으로 옳은 것만을 〈보기〉에서 있는 대로 고른 것은?

보기
ㄱ. 퇴적 구조 등을 이용하여 지층의 생성 순서를 결정하는 방법이다.
ㄴ. 시간이 지날수록 암석 속에 포함된 방사성 동위 원소의 양은 감소한다.
ㄷ. 방사성 동위 원소의 반감기는 주변 온도나 압력에 따라 달라진다.

① ㄱ ② ㄴ ③ ㄱ, ㄷ
④ ㄴ, ㄷ ⑤ ㄱ, ㄴ, ㄷ

11 표는 화성암 A와 B에 포함된 방사성 동위 원소 X와 자원소의 함량을 나타낸 것이다.

구분	방사성 동위 원소 X(%)	자원소(%)
A	25	75
B	75	(㉠)

이에 대한 설명으로 옳은 것만을 〈보기〉에서 있는 대로 고른 것은? (단, X의 반감기는 1억 년이다.)

보기
ㄱ. ㉠은 25이다.
ㄴ. A의 절대 연령은 2억 년이다.
ㄷ. A가 B보다 먼저 형성되었다.

① ㄱ ② ㄷ ③ ㄱ, ㄴ
④ ㄴ, ㄷ ⑤ ㄱ, ㄴ, ㄷ

[12~13] 그림은 어떤 화성암 속에 포함된 방사성 동위 원소와 방사성 동위 원소가 붕괴되어 생성된 안정한 원소의 양 변화를 순서 없이 나타낸 것이다.

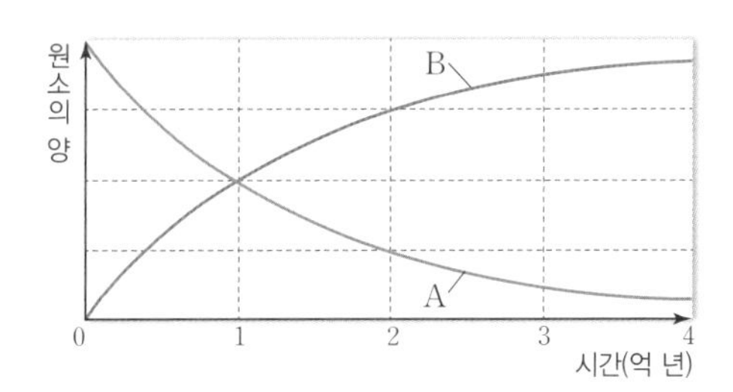

12 이 그림에 대한 설명으로 옳은 것만을 〈보기〉에서 있는 대로 고른 것은?

보기
ㄱ. 방사성 동위 원소는 A이다.
ㄴ. 암석이 생성될 당시 B는 없었다.
ㄷ. 시간이 지날수록 A가 처음 양의 절반으로 감소하는 데 걸리는 시간은 짧아진다.

① ㄱ ② ㄷ ③ ㄱ, ㄴ
④ ㄴ, ㄷ ⑤ ㄱ, ㄴ, ㄷ

단답형

13 방사성 동위 원소의 반감기를 구하시오.

도전! 실력 올리기

출제예감

01 그림은 어떤 판의 경계와 이동 방향을 나타낸 것이다.

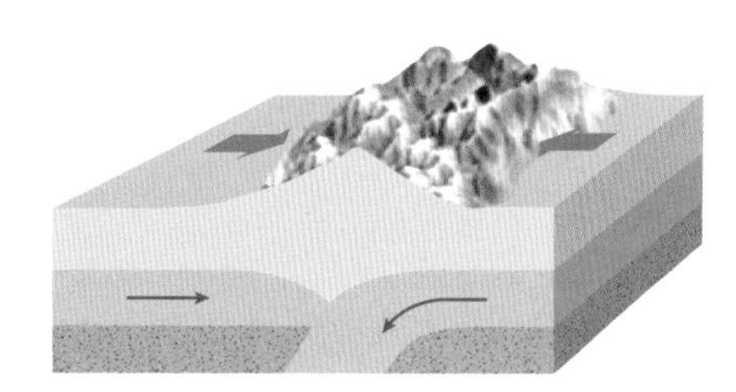

이 판의 경계에서 잘 형성될 수 있는 지질 구조만을 〈보기〉에서 있는 대로 고른 것은?

보기
ㄱ. 습곡　　ㄴ. 역단층
ㄷ. 정단층　　ㄹ. 주상 절리

① ㄱ, ㄴ　② ㄱ, ㄷ　③ ㄴ, ㄹ
④ ㄱ, ㄴ, ㄷ　⑤ ㄴ, ㄷ, ㄹ

02 그림 (가)와 (나)는 서로 다른 지질 구조를 나타낸 것이다.

(가)

(나)

(가)와 (나)가 주로 발달할 수 있는 판 경계 유형을 옳게 짝지은 것은?

	(가)	(나)
①	발산형 경계	보존형 경계
②	발산형 경계	수렴형 경계
③	보존형 경계	발산형 경계
④	수렴형 경계	발산형 경계
⑤	수렴형 경계	보존형 경계

03 그림은 어느 지역의 지질 단면을 나타낸 것이다. A와 C는 퇴적암이다.

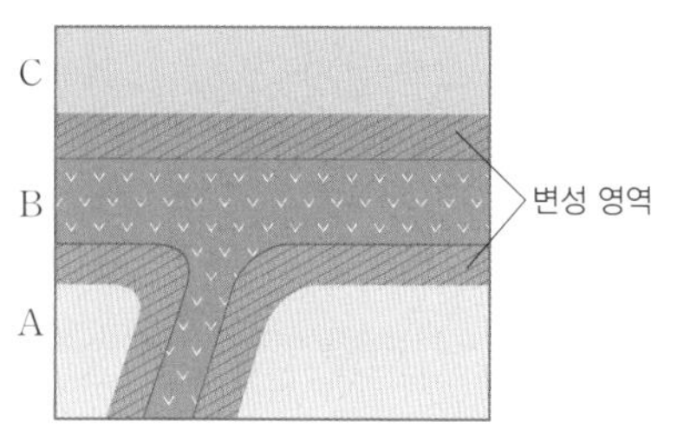

이에 대한 설명으로 옳은 것만을 〈보기〉에서 있는 대로 고른 것은? (단, 이 지역에 지층의 역전은 없었다.)

보기
ㄱ. B는 화성암이다.
ㄴ. C 하부에서 B 성분의 침식물이 발견될 수 있다.
ㄷ. A와 C의 생성 순서를 결정할 때 지층 누중의 법칙을 이용한다.

① ㄱ　② ㄴ　③ ㄱ, ㄷ
④ ㄴ, ㄷ　⑤ ㄱ, ㄴ, ㄷ

04 그림은 어느 지역의 지층 A～E에서 발견되는 서로 다른 종류의 화석 ㉠～㉢의 산출 범위를 나타낸 것이다.

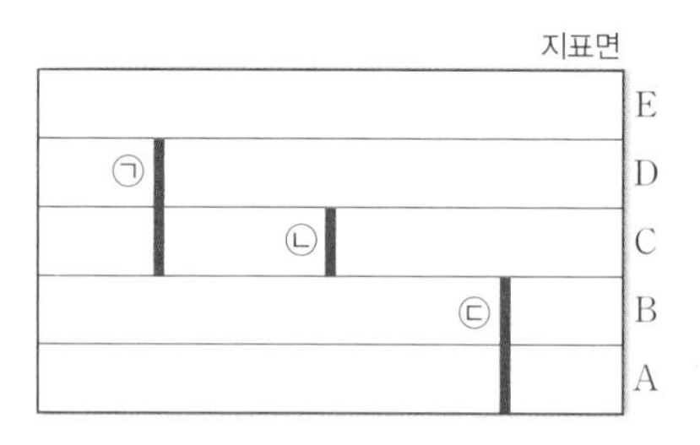

화석 ㉠～㉢에 대한 설명으로 옳은 것만을 〈보기〉에서 있는 대로 고른 것은? (단, 이 지역에 지층의 역전은 없었다.)

보기
ㄱ. ㉠은 가장 최근까지 번성했던 생물의 화석이다.
ㄴ. ㉢은 가장 진화된 생물의 화석이다.
ㄷ. ㉡은 ㉢보다 지층 대비에 유용하다.

① ㄱ　② ㄴ　③ ㄱ, ㄷ
④ ㄴ, ㄷ　⑤ ㄱ, ㄴ, ㄷ

정답과 해설 21쪽

05 표는 절대 연령이 4억 년인 화성암이 생성될 당시 암석 속에 포함된 방사성 동위 원소 A와 B의 양과 각 원소의 반감기를 나타낸 것이다.

구분	원소의 양(mg)	반감기(억 년)
A	1	2
B	4	1

이에 대한 설명으로 옳은 것만을 〈보기〉에서 있는 대로 고른 것은?

보기
ㄱ. 현재 화성암 속에 포함된 A의 양은 $\frac{1}{4}$ mg이다.
ㄴ. 방사성 동위 원소의 붕괴 속도는 A가 B보다 느리다.
ㄷ. 암석이 생성된 후 6억 년이 지났을 때 원소의 양은 A가 B보다 많다.

① ㄱ ② ㄴ ③ ㄱ, ㄷ
④ ㄴ, ㄷ ⑤ ㄱ, ㄴ, ㄷ

출제예감

06 그림은 어떤 화성암 속에 포함된 방사성 동위 원소(A)와 방사성 동위 원소가 붕괴되어 생성된 안정한 원소(B)의 양 변화를 나타낸 것이다.

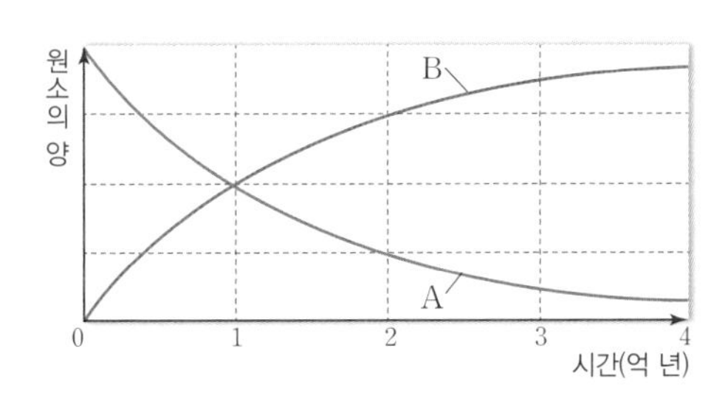

이에 대한 설명으로 옳은 것만을 〈보기〉에서 있는 대로 고른 것은?

보기
ㄱ. 암석이 생성된 후 2억 년이 지났을 때 A의 양은 B의 $\frac{1}{3}$배이다.
ㄴ. 암석이 생성된 후 약 4억 년 이상이 되면 방사성 동위 원소는 모두 없어진다.
ㄷ. B가 처음 양의 2배로 증가하는 데 걸리는 시간은 A의 반감기와 같다.

① ㄱ ② ㄴ ③ ㄱ, ㄷ
④ ㄴ, ㄷ ⑤ ㄱ, ㄴ, ㄷ

서술형

07 그림은 어느 지역의 지질 단면을 나타낸 것이다.

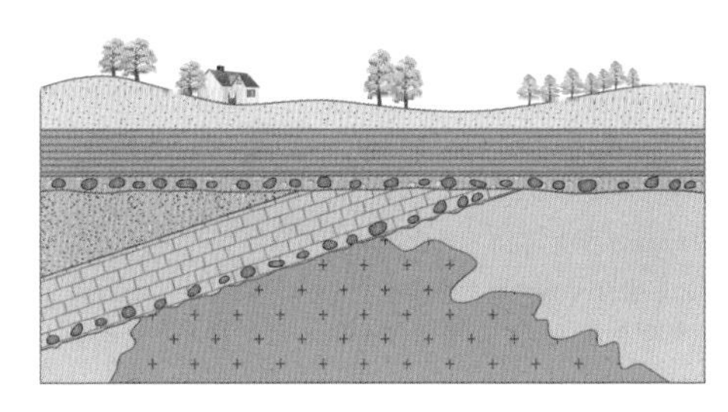

이 지역에서 과거에 융기가 몇 번 일어났는지 쓰고, 그렇게 생각한 까닭을 서술하시오.

서술형

08 표준 화석으로 이용되는 고생물의 생존 기간은 상대적으로 어떤지 쓰고, 그렇게 생각한 까닭을 서술하시오.

단답형

09 표는 화강암 A 속에 포함된 방사성 동위 원소 X와 방사성 동위 원소가 붕괴되어 생성된 원소 Y의 양을 나타낸 것이다. X의 반감기는 1억 년이다.

구분	원소의 양
X	1.0×10^{-6} g
Y	1.5×10^{-5} g

화강암 A의 절대 연령을 쓰시오.

03 지질 시대의 환경과 생물

핵심 키워드로 흐름잡기

A 표준 화석, 시상 화석

B 고기후, 나무의 나이테, 빙하 코어, 산소 동위 원소비($^{18}O/^{16}O$)

C 선캄브리아 시대, 고생대, 중생대, 신생대

A 화석의 형성 조건과 종류

|출·제·단·서| 시험에는 표준 화석과 시상 화석의 개념 및 종류, 조건 등 다양한 특징을 묻는 문제가 나와.

1. 화석 지질 시대에 살았던 생물의 유해나 흔적 등이 보존된 것으로 주로 퇴적암에서 발견된다.

2. 화석의 형성 조건

(1) 생물이 화석으로 남기 위해서는 죽은 후 빨리 매몰되어야 한다.

(2) 단단한 껍데기나 골격이 있는 경우가 더 유리하다.

(3) 퇴적암이 생성된 이후 심한 지각 변동이나 변성 작용을 받지 않아야 한다.

3. 화석의 종류

(1) **표준 화석** 지질 시대를 구분하고 지층을 대비하는 데 유용한 화석이다.

① **조건:** 일반적으로 특정 지질 시대에만 번성하여 생존 기간이 짧고, 지리적으로 널리 분포했던 생물의 화석이 이용된다.

② **대표적인 예:** 삼엽충, 필석(고생대), 공룡, 암모나이트(중생대), 화폐석, 매머드(신생대)

(2) •**시상 화석** 지층이 퇴적될 당시의 자연 환경을 알아내는 데 유용한 화석이다.

① **조건:** 일반적으로 생존 기간이 길고, 환경 변화에 민감하여 특정 환경에 제한적으로 분포했던 생물의 화석이 이용된다.

② **대표적인 예:** 산호(따뜻하고 얕은 바다), 고사리(온난하고 습윤한 육지)

빈출 자료 표준 화석과 시상 화석의 조건

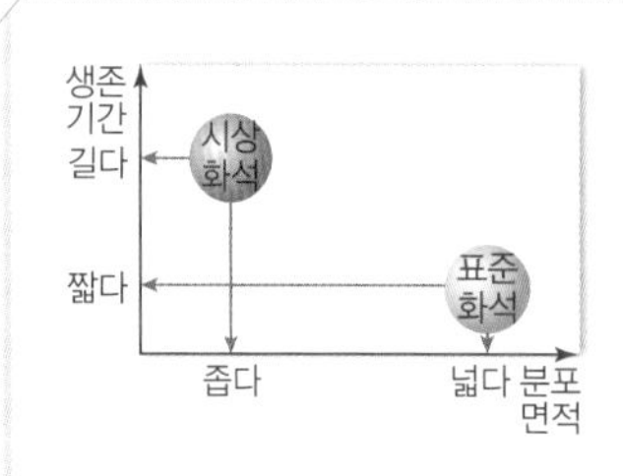

- 표준 화석: 지질 시대를 구분하는 데 이용된다.
  ⇨ 분포 면적이 넓고 생존 기간이 짧아야 한다.
  특정 지질 시대에만 번성하여야 한다.
- 시상 화석: 퇴적 당시 자연 환경을 알아내는 데 이용된다.
  ⇨ 분포 면적이 좁고 생존 기간이 길어야 한다.
  특정 환경에만 분포하여야 한다.

❓ **삼엽충은 표준 화석으로만 이용될까?**

삼엽충은 보통 고생대의 표준 화석으로 이용하지만 주로 온난한 바다에서 번성하였기 때문에 과거 지층이 형성된 시기의 환경을 알아내는데도 이용할 수 있다.

B 고기후 연구 방법

|출·제·단·서| 고기후 연구 방법의 종류 및 특징을 묻거나, 고기후를 추정하는 자료 해석 문제가 시험에 나와.

1. 고기후 기상 관측망 확립 이전의 역사 시대 및 지질 시대의 기후로, 나무의 나이테, 빙하 코어❶, 동굴 생성물❷, 퇴적물과 화석 등을 이용하여 연구한다.

2. 고기후 연구 방법 개념 POOL

(1) 나무의 나이테

- 나무 나이테의 색과 폭을 이용하여 과거의 기온과 강수량 변화를 추정할 수 있다.
- 기온이 높고 강수량이 많은 시기에는 나무의 성장이 빨라서 나이테의 폭이 넓다.
- 수천 년 전 정도의 비교적 가까운 과거의 기후를 알아낼 수 있다.

❶ **빙하 코어**

빙하에 구멍을 뚫어 채취한 원기둥 모양의 얼음 시추물이다. 계절에 따라 빙하의 생성 조건이 달라서 1년에 밝은 줄무늬와 어두운 줄무늬가 각각 1개씩 나타난다. ⇨ 빙하가 생성된 시기를 알 수 있다.

❷ **동굴 생성물**

동굴 내로 지하수가 들어가거나 빠져나가는 과정에서 탄산염 광물이 침전되어 생성되는 구조물로 생성 당시 기후에 따라 성장 속도가 다르다. ⇨ 과거의 기후 변화를 추정할 수 있다.

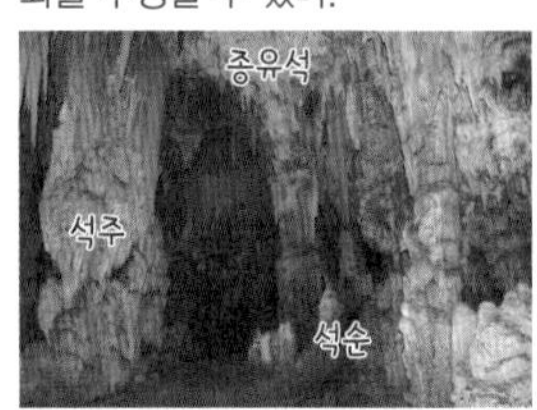

용어 알기

•시상 화석(보이다, 알리다 示, 모양, 형상 相, 되다 化, 돌 石) 모양(형상, 환경)을 알려주는 화석

(2) 빙하 코어

- 빙하에는 빙하가 생성될 당시의 공기 방울, 꽃가루 등이 포함되어 있어 이들을 이용하면 과거의 기후를 추정할 수 있다.
- 빙하 속에 포함된 공기를 이용하여 과거 대기 조성을 알 수 있다.
- 빙하 속에 포함된 꽃가루 화석을 이용하여 당시 기후 환경을 추정할 수 있다.

빙하 코어의 줄무늬 수를 세어 빙하의 생성 시기를 알 수 있다.

(3) 퇴적물과 화석

- **퇴적물:** 과거 퇴적물 속에는 다양한 화석이 포함되어 있으므로 퇴적물 속의 생태 환경을 통해 과거의 기후 변화를 추정할 수 있다.
- **화석:** 화석의 종류와 분포를 통해 과거의 기후를 추정할 수 있으며 주로 시상 화석을 이용한다.
  ㉮ 산호: 얇고 따뜻한 바다, 고사리: 온난 다습한 기후

(4) 산소 동위 원소비$\left(\frac{^{18}O}{^{16}O}\right)$❸

- 빙하나 해양 생물의 화석 속에 들어있는 산소 동위 원소비$\left(\frac{^{18}O}{^{16}O}\right)$를 이용하여 기온의 변화를 추정할 수 있다.
- 온도 변화로 물이 액체, 고체, 기체로 상태 변화를 일으킬 때 물속의 산소 동위 원소비가 달라진다.

C 지질 시대의 환경과 생물 변화

|출·제·단·서| 시험에는 각 지질 시대별 환경과 번성했던 생물들을 구분하고 특징을 묻는 문제가 나와.

1. 지질 시대 지구가 탄생한 약 46억 년 전부터 지금까지의 기간이다.

(1) 지질 시대의 구분 기준 생물계의 큰 변화나 대규모 지각 변동 등을 기준으로 지질 시대를 구분한다.

(2) 지질 시대의 구분 누대 → 대 → 기 등으로 구분한다.
(누대: 지질 시대를 구분하는 가장 큰 단위이다.)

① **선캄브리아 시대❹(시생 누대와 원생 누대):** 화석이 거의 산출되지 않는 시기이다.

② **현생 누대:** 화석이 많이 산출되는 시기로 고생대, 중생대, 신생대로 구분한다.

	지질 시대		시기 (백만 년 전)
	누대	대	
	현생 누대	신생대	66.0
		중생대	252.2
		고생대	541.0
선캄브리아 시대	원생 누대	신원생대	1000
		중원생대	1600
		고원생대	2500
	시생 누대	신시생대	2800
		중시생대	3200
		고시생대	3600
		초시생대	

지질 시대		시기 (백만 년 전)
대	기	
신생대	제4기	2.58
	네오기	23.0
	팔레오기	66.0
중생대	백악기	145.0
	쥐라기	201.3
	트라이아스기	252.2
고생대	페름기	298.9
	석탄기	358.9
	데본기	419.2
	실루리아기	443.8
	오르도비스기	485.4
	캄브리아기	541.0

2. 지질 시대의 환경과 생물

(1) 선캄브리아 시대(시생 누대와 원생 누대)의 환경과 생물

기후	대체로 온난하였으며, 말기에 빙하기가 있었던 것으로 추정된다.
수륙 분포	지각 변동이 많았으며, 발견되는 화석이 적어 수륙 분포를 정확히 알기 어렵다.
생물	• 대기 중에 산소가 거의 없었으며, 원핵생물인 남세균이 출현하였다. ⇨ 초기에는 강한 자외선 때문에 생물이 바다에서 살았을 것으로 추정된다. • 남세균의 광합성에 의해 대기 중 산소의 양이 증가하였으며, 말기에는 최초의 다세포 생물이 출현하였다. • 화석: 스트로마톨라이트❺, 에디아카라 동물군❻ 등

(남세균: 현미경으로 관찰할 수 있을 정도의 크기로, 광합성을 통해 원시 지구 대기에 산소를 공급하였을 것으로 추정된다.)

❸ 산소 동위 원소비$\left(\frac{^{18}O}{^{16}O}\right)$

어떤 물질 속에 포함된 ^{16}O에 대한 ^{18}O의 상대적인 비율이다.

지질 시대의 기온 변화

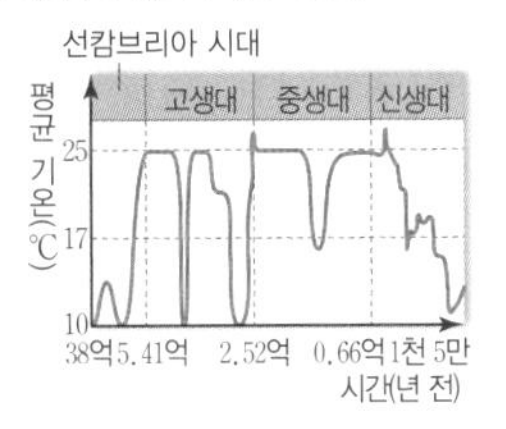

❹ 선캄브리아 시대

현생 누대의 첫 번째 기가 고생대의 캄브리아기이므로 이보다 앞선 시기를 선캄브리아 시대라고 부른다.

❺ 스트로마톨라이트

얕은 바다에서 남세균에 의해 형성된 생물로, 층상 구조이다.

❻ 에디아카라 동물 화석

원생 누대 말기에 최초로 출현한 다세포 동물들의 화석이다.

용어 알기

• 현생(나타나다 顯, 생물, 생명 生) 생명체가 나타남

(2) 고생대의 환경과 생물 개념 POOL

고생대는 캄브리아기, 오르도비스기, 실루리아기, 데본기, 석탄기, 페름기로 구분된다.

구분	내용
기후	대체로 온난하였으며, 말기에 빙하기가 있었다.
수륙 분포	초기에는 대륙들이 흩어져 있었으나 점차 모여들어 말기에는 하나의 대륙인 판게아를 형성하였다. ⇨ 판게아의 형성으로 생물의 서식지(대륙 주변의 얕은 바다)가 좁아졌다.
생물	• 삼엽충, 어류 등 다양한 해양 생물이 급격히 증가하였다. • 초기에 오존층이 형성되어 생물에 유해한 자외선이 차단됨에 따라 육지에 생물이 출현하였다. ⇨ •양서류, 양치식물❼ 등의 출현으로 생물종이 매우 다양해졌다. • 말기에 판게아가 형성되어 해양 생물 서식지가 줄어들고 기후가 급격히 변화하여 삼엽충과 방추충 등이 멸종하였고, 생물종 수가 크게 감소하였다. • 화석: 삼엽충, 완족류, 필석, 갑주어, 방추충(푸줄리나) 등

(3) 중생대의 환경과 생물 개념 POOL

중생대는 트라이아스기, 쥐라기, 백악기로 구분된다.

구분	내용
기후	온난한 기후가 지속되었으며, 빙하기가 없었다. ⇨ 화산 활동이 활발하게 일어나 대기 중 이산화 탄소 농도가 높아져(온실 효과 증대) 전반적으로 기후가 온난하였다.
수륙 분포	판게아가 갈라져 분리되면서 대서양과 인도양이 형성되기 시작하였다. ⇨ 해양 생물의 서식지가 증가하였다.
생물	• 해양에서는 암모나이트가 번성하였고, 육지에서는 공룡과 겉씨식물❽이 번성하였다. ⇨ 일부 파충류는 공룡으로 진화하였으며, 일부 공룡은 조류로 진화하였다. • 말기에 지구 환경이 급격히 변하면서 암모나이트와 공룡이 멸종하였고, 생물종 수가 크게 감소하였다. ⇨ 운석의 충돌 등으로 지구 환경이 급변하였을 것으로 추정된다. • 화석: 공룡, 시조새, 암모나이트 등

(4) 신생대의 환경과 생물 개념 POOL

신생대는 팔레오기, 네오기, 제4기로 구분된다.

구분	내용
기후	초기에는 대체로 온난하였으며, 점차 한랭해져 말기에는 빙하기와 간빙기❾가 반복되었다.
수륙 분포	대서양과 인도양이 점점 넓어졌으며, 대륙판과 대륙판이 충돌하여 알프스산맥과 히말라야산맥이 형성되었다. ⇨ 현재와 비슷한 수륙 분포를 이루게 되었다.
생물	• 해양에서는 대형 유공충인 화폐석이 번성하였고, 육지에서는 포유류와 속씨식물❿이 번성하였다. (유공충은 석회질의 껍데기가 있는 단세포 원생생물이다.) • 초기에는 화폐석이 번성하였으며, 말기에는 매머드가 번성하였고, 최초의 인류가 출현하였다. • 화석: 화폐석, 매머드 등

(5) 현생 누대 생물 수의 변화 지질 시대 기간 중 전 지구적인 환경 변화와 대륙의 이동, 급격한 지질학적 변화 때문에 생물의 대량 멸종이 일어났다.

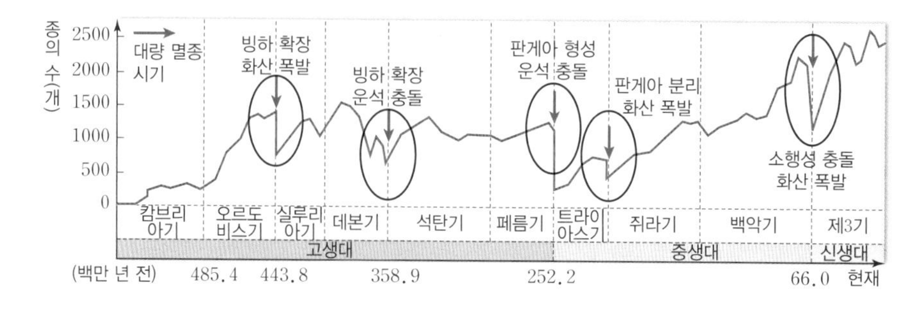

현생 누대에 번성했던 생물

구분	동물	식물
고생대	무척추동물	양치식물
중생대	파충류	겉씨식물
신생대	포유류	속씨식물

❼ 양치식물
꽃이 피지 않고 포자로 번식하는 식물로, 고생대 실루리아기에 출현하여 크게 번성하였으며, 석탄기에 매몰된 양치식물이 석탄층을 형성하였다.

❽ 겉씨식물
밑씨가 씨방에 싸여있지 않고 밖으로 드러나 있는 식물로, 고생대 페름기에 출현하여 중생대에 번성하였다.

❾ 빙하기와 간빙기
• 빙하기: 기후가 한랭하여 고위도 지역이나 산악 지대에 빙하가 발달하는 시기이다.
• 간빙기: 두 빙하기 사이에 기후가 온난한 시기이다.

❿ 속씨식물
밑씨가 씨방 안에 들어있는 식물로, 중생대 백악기에 출현하여 신생대에 번성하였다.

용어 알기
•양서류(둘, 짝 兩, 살다 棲, 무리 類) 양쪽 모두에서 사는 무리(물과 육지 환경 모두에서 서식하는 생물 무리)

현생 누대의 생물을 찾아서

목표 현생 누대의 각 지질 시대별로 번성했던 생물들을 구분할 수 있다.

고생대

|삼엽충| 고생대 캄브리아기에 출현하여 전기에 크게 번성하다가 후기에 들어 서서히 줄어 페름기 말에 멸종된 해양 동물이다.

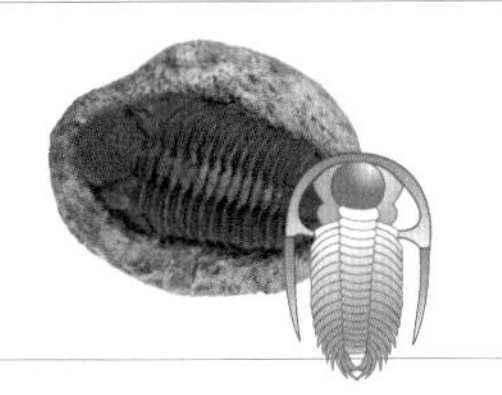

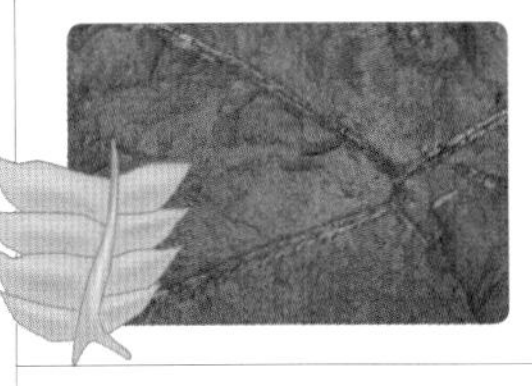

|필석| 고생대 캄브리아기 중기에 출현하여 군체를 이루어 살며 번성하다가 석탄기에 멸종한 해양 동물이다.

|방추충| 고생대 석탄기 중기에서부터 페름기 말기까지 번성하다가 멸종한 해양 원생동물이다.

|완족류| 고생대 캄브리아기에 출현하여 중기까지 크게 번성하다가 후기에 들어 서서히 줄어 중생대 이후에는 일부 종만 살아남은 해양 동물이다. 고생대에 멸종된 일부 종의 화석은 고생대의 표준 화석으로 이용된다.

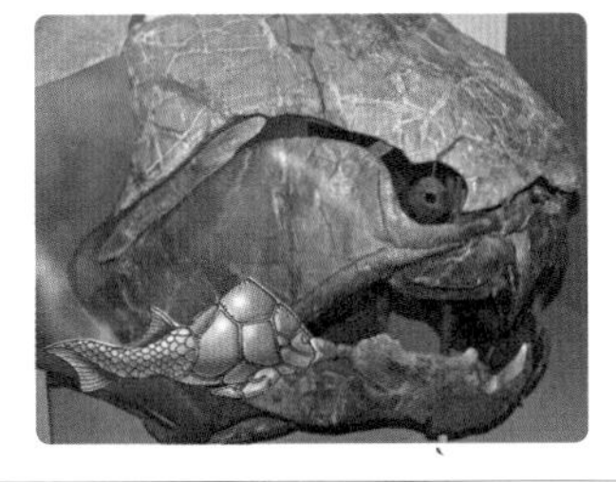

|갑주어| 오늘날 어류의 조상이며, 척추동물로 고생대 캄브리아기 말기에 출현하여 데본기에 번성하였다가 데본기 말에 멸종한 해양 동물이다.

중생대

|공룡| 중생대 트라이아스기 후기에 출현하여 번성하다가 백악기 말기에 멸종된 파충류의 한 집단으로 육상 동물이다.

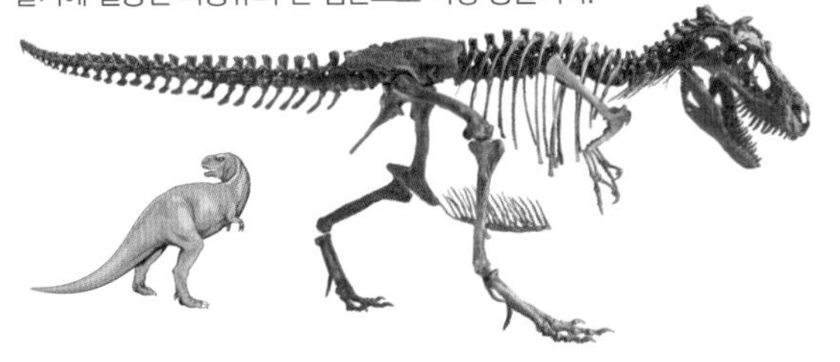

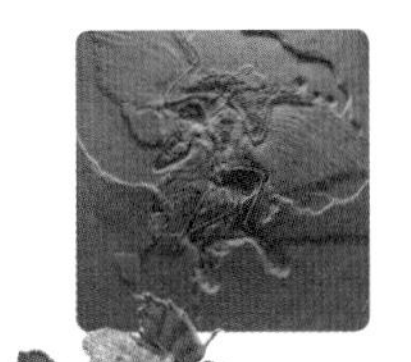

|시조새| 중생대 쥐라기에 생존한 조류의 선조로 조상새라고도 한다. 가장 오래된 조류의 화석이다.

|암모나이트| 고생대 중기에 출현하여 중생대 백악기 말에 멸종한 해양 동물이다. 일부 종은 중생대의 표준 화석으로 이용된다.

신생대

|화폐석| 신생대 팔레오기와 네오기에 따뜻한 바다에서 번성했던 유공충의 한 속이며, 크기가 지름 수 mm에서 최대는 10여 cm에 이르는 원반형의 석회질 껍질을 갖는 해양 동물이다.

|매머드| 약 480만 년 전부터 4천 년 전까지 신생대 제4기에 존재했던 포유류로, 혹심한 추위에도 견딜 수 있게 온몸이 털로 뒤덮여 있었지만, 마지막 빙하기 때 멸종한 것으로 추정된다.

한·줄·핵심 고생대는 무척추 동물(삼엽충)의 시대, 중생대는 파충류의 시대, 신생대는 포유류의 시대이다.

확인 문제

정답과 해설 22쪽

01 다음은 특정 지질 시대에 번성했던 생물이다.

> 필석, 매머드, 방추충, 화폐석, 암모나이트

번성했던 시기가 빠른 것부터 순서대로 쓰시오.

02 다음에서 설명하는 생물을 쓰시오.

> 크기가 지름 수 mm에서 최대는 10여 cm에 이르는 원반형의 석회질 껍질을 갖는 해양 동물이다.

고기후 연구 방법

목표 고기후 연구 방법과 그 특징을 설명할 수 있다.

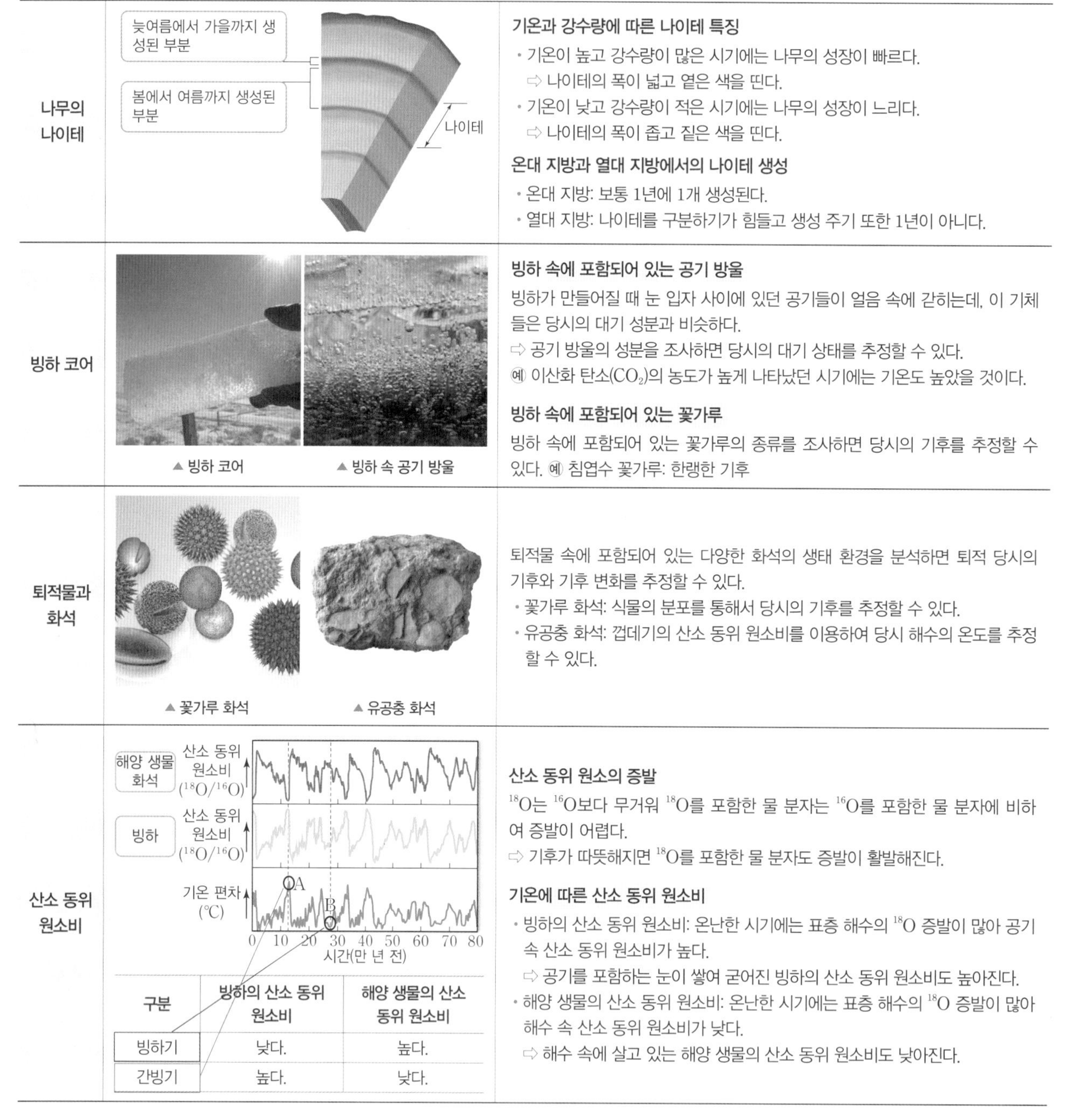

나무의 나이테

기온과 강수량에 따른 나이테 특징

- 기온이 높고 강수량이 많은 시기에는 나무의 성장이 빠르다.
  ⇨ 나이테의 폭이 넓고 옅은 색을 띤다.
- 기온이 낮고 강수량이 적은 시기에는 나무의 성장이 느리다.
  ⇨ 나이테의 폭이 좁고 짙은 색을 띤다.

온대 지방과 열대 지방에서의 나이테 생성

- 온대 지방: 보통 1년에 1개 생성된다.
- 열대 지방: 나이테를 구분하기가 힘들고 생성 주기 또한 1년이 아니다.

빙하 코어

▲ 빙하 코어 ▲ 빙하 속 공기 방울

빙하 속에 포함되어 있는 공기 방울

빙하가 만들어질 때 눈 입자 사이에 있던 공기들이 얼음 속에 갇히는데, 이 기체들은 당시의 대기 성분과 비슷하다.
⇨ 공기 방울의 성분을 조사하면 당시의 대기 상태를 추정할 수 있다.
예 이산화 탄소(CO_2)의 농도가 높게 나타났던 시기에는 기온도 높았을 것이다.

빙하 속에 포함되어 있는 꽃가루

빙하 속에 포함되어 있는 꽃가루의 종류를 조사하면 당시의 기후를 추정할 수 있다. 예 침엽수 꽃가루: 한랭한 기후

퇴적물과 화석

▲ 꽃가루 화석 ▲ 유공충 화석

퇴적물 속에 포함되어 있는 다양한 화석의 생태 환경을 분석하면 퇴적 당시의 기후와 기후 변화를 추정할 수 있다.

- 꽃가루 화석: 식물의 분포를 통해서 당시의 기후를 추정할 수 있다.
- 유공충 화석: 껍데기의 산소 동위 원소비를 이용하여 당시 해수의 온도를 추정할 수 있다.

산소 동위 원소비

구분	빙하의 산소 동위 원소비	해양 생물의 산소 동위 원소비
빙하기	낮다.	높다.
간빙기	높다.	낮다.

산소 동위 원소의 증발

^{18}O는 ^{16}O보다 무거워 ^{18}O를 포함한 물 분자는 ^{16}O를 포함한 물 분자에 비하여 증발이 어렵다.
⇨ 기후가 따뜻해지면 ^{18}O를 포함한 물 분자도 증발이 활발해진다.

기온에 따른 산소 동위 원소비

- 빙하의 산소 동위 원소비: 온난한 시기에는 표층 해수의 ^{18}O 증발이 많아 공기 속 산소 동위 원소비가 높다.
  ⇨ 공기를 포함하는 눈이 쌓여 굳어진 빙하의 산소 동위 원소비도 높아진다.
- 해양 생물의 산소 동위 원소비: 온난한 시기에는 표층 해수의 ^{18}O 증발이 많아 해수 속 산소 동위 원소비가 낮다.
  ⇨ 해수 속에 살고 있는 해양 생물의 산소 동위 원소비도 낮아진다.

한·줄·핵심 나무 나이테 폭이 넓을수록 기온이 높고 강수량이 많았으며, 빙하 속의 산소 동위 원소비가 높을수록 기온이 높았다.

확인 문제

정답과 해설 22쪽

01 나무의 나이테 폭이 넓게 형성된 시기의 기후 조건을 쓰시오.

02 기온이 높아지면 빙하 속의 산소 동위 원소비$\left(\frac{^{18}O}{^{16}O}\right)$가 어떻게 변하는지 쓰시오.

콕콕! 개념 확인하기

정답과 해설 22쪽

✔ 잠깐 확인!

1. ☐☐
지질 시대 생물의 유해나 활동 흔적이 보존된 것

2. ☐☐☐☐
지질 시대의 구분과 지층 대비에 유용한 화석

3. ☐☐☐☐
지층이 퇴적될 당시의 자연환경을 알아내는 데 유용한 화석

4. 빙하나 해양 생물의 화석 속에 들어있는 ☐☐ 동위원소비를 이용하여 기온의 변화를 추정할 수 있다.

5. ☐☐에 포함된 공기 방울을 분석하여 당시의 대기 조성을 알 수 있다.

6. 지질 시대를 구분하는 단위 중 가장 큰 것은 ☐☐이다.

7. 현생 누대는 ☐☐대, ☐☐대, ☐☐대로 구분된다.

8. 삼엽충은 ☐☐대에, 암모나이트는 ☐☐대에 번성하였다.

A 화석의 형성 조건과 종류

01 화석에 대한 설명으로 옳은 것은 ○, 옳지 않은 것은 ×로 표시하시오.

(1) 생물의 유해가 화석으로 남기 위해서는 빨리 매몰되어야 한다. (　　)

(2) 퇴적암이 생성된 이후 심한 지각 변동이나 변성 작용을 받지 않아야 한다. (　　)

(3) 화석은 변성암보다 퇴적암에서 잘 산출된다. (　　)

(4) 시상 화석은 특정 지질 시대에만 살았던 생물의 화석이다. (　　)

02 지질 시대를 구분하는 데 이용할 수 있는 화석만을 〈보기〉에서 있는 대로 고르시오.

보기		
ㄱ. 산호	ㄴ. 갑주어	ㄷ. 고사리
ㄹ. 시조새	ㅁ. 완족류	ㅂ. 화폐석

B 고기후 연구 방법

03 다음은 빙하를 이용하여 고기후를 연구하는 방법을 나타낸 것이다. ㉠, ㉡에 들어갈 알맞은 말을 쓰시오.

> 빙하에 나타난 (㉠)를 이용하여 빙하의 생성 시기를 알 수 있고, 빙하 속의 (㉡)를 이용하여 당시의 기온을 추정할 수 있다.

04 빙하기 때 생성된 빙하 속의 산소 동위 원소비$\left(\frac{^{18}O}{^{16}O}\right)$는 현재와 비교했을 때 어떤지 쓰시오.

C 지질 시대의 환경과 생물 변화

05 지질 시대와 각 지질 시대에 번성했던 생물의 화석을 옳게 연결하시오.

(1) 고생대 전기 •	• ㉠ 필석
(2) 고생대 후기 •	• ㉡ 화폐석
(3) 중생대 •	• ㉢ 방추충
(4) 신생대 전기 •	• ㉣ 매머드
(5) 신생대 후기 •	• ㉤ 암모나이트

탄탄! 내신 다지기

A 화석의 형성 조건과 종류

01 화석을 이용하여 알아낼 수 있는 것만을 〈보기〉에서 있는 대로 고른 것은?

> 보기
> ㄱ. 암석의 절대 연령
> ㄴ. 지층의 생성 순서
> ㄷ. 지층이 퇴적될 당시의 환경

① ㄱ ② ㄴ ③ ㄱ, ㄷ
④ ㄴ, ㄷ ⑤ ㄱ, ㄴ, ㄷ

02 표준 화석으로 적합한 고생물의 조건만을 〈보기〉에서 있는 대로 고른 것은?

> 보기
> ㄱ. 생존 기간이 길었다.
> ㄴ. 분포 면적이 넓었다.
> ㄷ. 특정 환경에만 분포하였다.
> ㄹ. 특정 지질 시대에만 번성하였다.

① ㄱ, ㄴ ② ㄱ, ㄷ ③ ㄴ, ㄹ
④ ㄱ, ㄷ, ㄹ ⑤ ㄴ, ㄷ, ㄹ

단답형

03 그림은 고생물 A와 B의 특징을 나타낸 것이다.
A와 B의 화석 중 지층 대비를 할 때 유용한 것을 쓰시오.

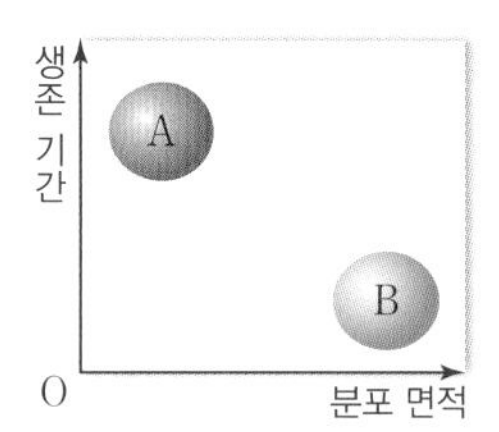

04 시상 화석과 표준 화석을 옳게 짝지은 것은?

	시상 화석	표준 화석
①	삼엽충	산호
②	삼엽충	고사리
③	화폐석	삼엽충
④	산호	고사리
⑤	산호	화폐석

05 산호 화석과 매머드 화석에 대한 설명으로 옳은 것만을 〈보기〉에서 있는 대로 고른 것은?

> 보기
> ㄱ. 매머드 화석은 표준 화석으로 이용된다.
> ㄴ. 산호 화석이 산출되는 지층은 따뜻하고 얕은 바다에서 형성되었다.
> ㄷ. 산호의 생존 기간은 매머드의 생존 기간보다 길다.

① ㄱ ② ㄴ ③ ㄱ, ㄷ
④ ㄴ, ㄷ ⑤ ㄱ, ㄴ, ㄷ

B 고기후 연구 방법

06 과거 기후를 추정할 수 있는 방법으로 옳지 않은 것은?

① 변성암 연구
② 시상 화석 연구
③ 나무의 나이테 조사
④ 빙하 코어 속 공기 방울과 꽃가루 연구
⑤ 해양 생물 화석 속의 산소 동위 원소비$\left(\frac{^{18}O}{^{16}O}\right)$ 측정

07 그림은 온대 지방 나무의 나이테를 나타낸 것이다.

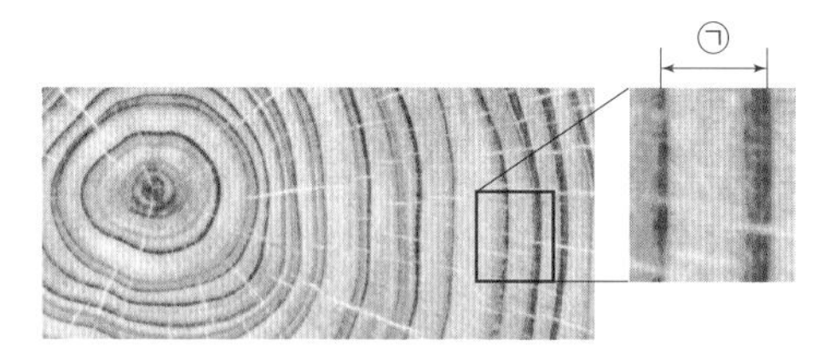

이에 대한 설명으로 옳은 것만을 〈보기〉에서 있는 대로 고른 것은?

> 보기
> ㄱ. 온대 지방에서 나무는 가을보다 여름에 더 잘 자란다.
> ㄴ. ㉠의 두께는 기온이 높을수록 좁다.
> ㄷ. ㉠이 생성되는 데 걸리는 시간은 약 1년이다.

① ㄱ ② ㄴ ③ ㄱ, ㄷ
④ ㄴ, ㄷ ⑤ ㄱ, ㄴ, ㄷ

단답형

08 다음은 서로 다른 두 지역 A와 B에서 과거 기후를 연구하기 위해 나무 화석의 나이테를 조사한 결과이다.

> A 지역에서 발견된 나무 화석의 나이테는 B 지역에서 발견된 나무 화석의 나이테보다 두껍다.

A 지역과 B 지역 중에서 각 나무가 성장했던 시기의 기온이 높았던 지역을 쓰시오.

09 과거 기후 연구에 이용되는 산소 동위 원소비$\left(\frac{^{18}O}{^{16}O}\right)$에 대한 설명으로 옳은 것만을 〈보기〉에서 있는 대로 고른 것은?

보기
ㄱ. ^{18}O의 질량은 ^{16}O와 같다.
ㄴ. 평상시보다 기온이 높아지면 ^{18}O의 증발 비율은 감소한다.
ㄷ. 빙하 속의 산소 동위 원소비$\left(\frac{^{18}O}{^{16}O}\right)$는 빙하기보다 간빙기에 더 높다.

① ㄱ ② ㄷ ③ ㄱ, ㄴ
④ ㄴ, ㄷ ⑤ ㄱ, ㄴ, ㄷ

C 지질 시대의 환경과 생물 변화

10 선캄브리아 시대와 중생대에 번성했던 생물의 화석을 〈보기〉에서 골라 옳게 짝지은 것은?

보기
ㄱ. 갑주어 ㄴ. 암모나이트 ㄷ. 스트로마톨라이트

	선캄브리아 시대	중생대
①	ㄱ	ㄴ
②	ㄱ	ㄷ
③	ㄴ	ㄱ
④	ㄷ	ㄱ
⑤	ㄷ	ㄴ

[11~12] 그림 (가)와 (나)는 지질 시대에 번성했던 생물의 화석을 나타낸 것이다.

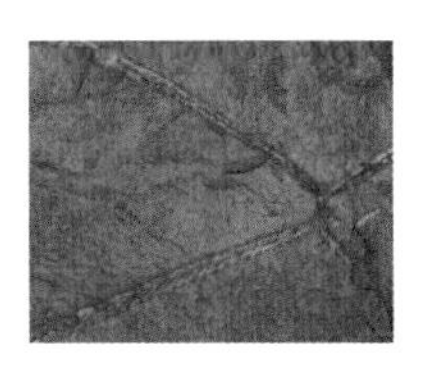

(가) 필석

(나) 매머드

11 그림 (가)에 대한 설명으로 옳은 것만을 〈보기〉에서 있는 대로 고른 것은?

보기
ㄱ. 식물 화석이다.
ㄴ. 고생대에 번성한 생물의 화석이다.
ㄷ. 육지에서 번성한 생물의 화석이다.

① ㄱ ② ㄴ ③ ㄱ, ㄷ
④ ㄴ, ㄷ ⑤ ㄱ, ㄴ, ㄷ

단답형

12 그림 (나)의 생물이 번성했던 시기를 쓰시오.

13 그림 (가), (나), (다)는 서로 다른 지질 시대에 번성했던 생물의 화석을 나타낸 것이다.

(가) 삼엽충

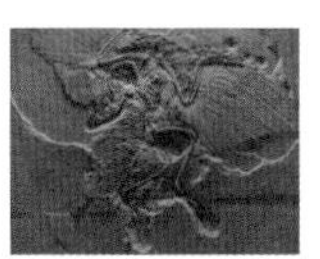

(나) 시조새

(다) 화폐석

각 생물이 번성했던 시기가 빠른 것부터 순서대로 옳게 나열한 것은?

① (가) → (나) → (다)
② (가) → (다) → (나)
③ (나) → (가) → (다)
④ (다) → (가) → (나)
⑤ (다) → (나) → (가)

도전! 실력 올리기

출제예감

01 그림 (가)~(다)는 서로 다른 세 지역의 지층에서 발견되는 화석 A와 B의 분포를 나타낸 것이다. A와 B는 각각 표준 화석과 시상 화석 중 하나이다.

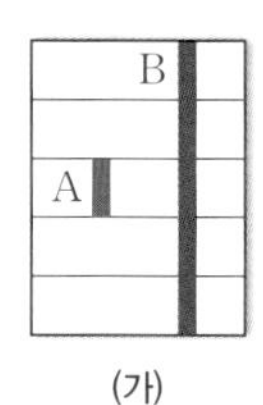

(가)

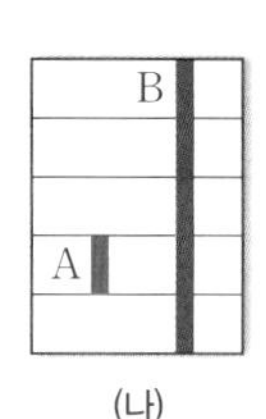

(나)

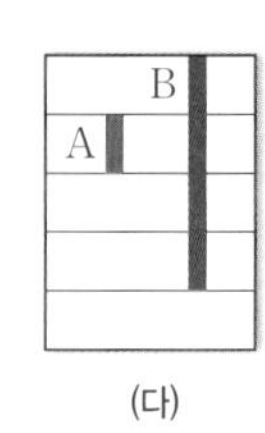

(다)

이에 대한 설명으로 옳은 것만을 <보기>에서 있는 대로 고른 것은?

보기
ㄱ. A는 표준 화석이다.
ㄴ. 고사리 화석은 B에 해당한다.
ㄷ. 지층 대비에는 B보다 A가 적합하다.

① ㄱ ② ㄷ ③ ㄱ, ㄴ
④ ㄴ, ㄷ ⑤ ㄱ, ㄴ, ㄷ

02 그림 (가)와 (나)는 지질 시대의 화석을 나타낸 것이다.

(가) 고사리

(나) 암모나이트

이에 대한 설명으로 옳은 것만을 <보기>에서 있는 대로 고른 것은?

보기
ㄱ. (가)는 시상 화석으로 적합하다.
ㄴ. (나)는 지층을 대비할 때 유용하다.
ㄷ. (나)는 암석의 절대 연령을 측정할 때 이용된다.

① ㄱ ② ㄷ ③ ㄱ, ㄴ
④ ㄴ, ㄷ ⑤ ㄱ, ㄴ, ㄷ

03 그림 (가)와 (나)는 과거 기후를 추정하는 자료를 나타낸 것이다.

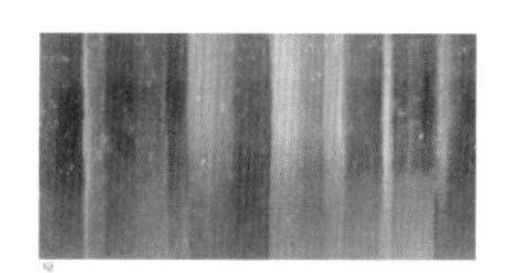
(가) 빙하 코어

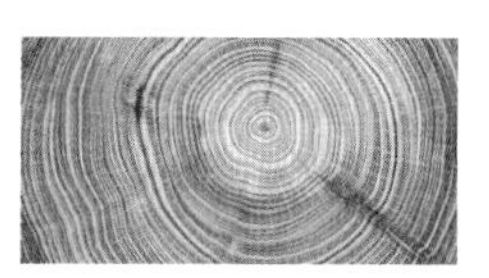
(나) 나무 나이테

이에 대한 설명으로 옳은 것만을 <보기>에서 있는 대로 고른 것은?

보기
ㄱ. (가)와 (나) 모두 줄무늬가 나타난다.
ㄴ. (가)에 포함된 기포를 이용하여 과거 대기 조성을 알아낼 수 있다.
ㄷ. (나)에서 밝은 줄무늬가 형성된 시기가 어두운 줄무늬가 형성된 시기보다 따뜻했다.

① ㄱ ② ㄴ ③ ㄱ, ㄷ
④ ㄴ, ㄷ ⑤ ㄱ, ㄴ, ㄷ

04 다음은 해양 생물 화석 속의 산소 동위 원소비$\left(\frac{^{18}O}{^{16}O}\right)$를 이용하여 과거의 기후를 추정하는 원리를 나타낸 것이다.

온난한 기후일 때는 바다에서 ^{18}O와 ^{16}O 모두 증발이 잘 일어난다. 한편 기온이 낮아지면 ^{18}O와 ^{16}O의 증발량이 모두 감소하지만, ^{18}O의 증발량이 ^{16}O의 증발량보다 더 (㉠) 감소한다. 따라서 해수 속에는 ^{16}O에 비해 ^{18}O가 더 (㉡) 감소하게 되어, 해양 생물의 체내에 $\frac{^{18}O}{^{16}O}$의 값이 (㉢)한다.

㉠~㉢에 들어갈 알맞은 말을 옳게 짝지은 것은?

	㉠	㉡	㉢
①	많이	많이	감소
②	많이	적게	감소
③	많이	적게	증가
④	적게	많이	감소
⑤	적게	많이	증가

05 다음은 어느 지질 시대에 번성했던 생물에 대한 설명이다.

> 고생대 캄브리아기에 출현하여 전기에 크게 번성하다가 후기에 들어 서서히 줄어 페름기 말에 멸종된 해양 동물이다.

이 생물의 모습으로 옳은 것은?

① 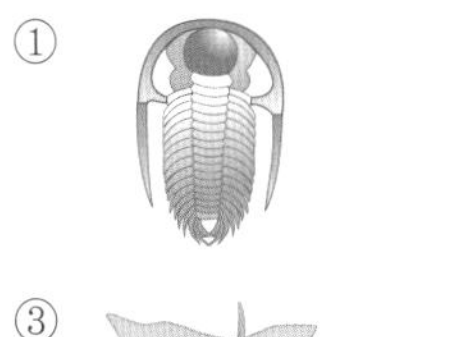
② 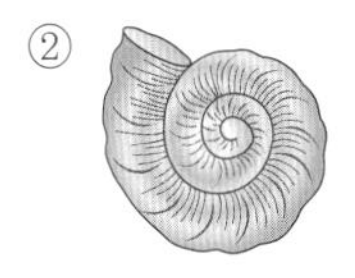
③ 
④ 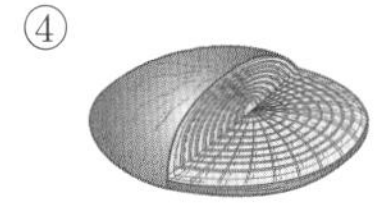
⑤ 

출제예감

06 그림 (가), (나), (다)는 지질 시대에 번성했던 생물의 화석을 나타낸 것이다.

(가)

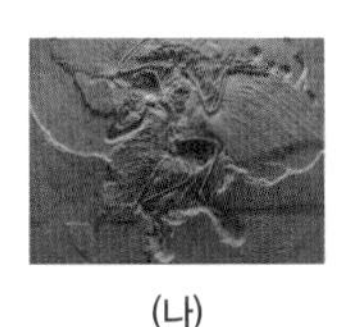
(나)

(다)

이에 대한 설명으로 옳은 것만을 <보기>에서 있는 대로 고른 것은?

보기
ㄱ. (가), (나), (다) 모두 해양 생물의 화석이다.
ㄴ. (가)는 (나)보다 생존 기간이 길다.
ㄷ. 가장 나중에 출현한 생물의 화석은 (다)이다.

① ㄱ ② ㄴ ③ ㄱ, ㄷ
④ ㄴ, ㄷ ⑤ ㄱ, ㄴ, ㄷ

단답형

07 그림은 여러 화석을 특징에 따라 구분하는 과정을 나타낸 것이다.

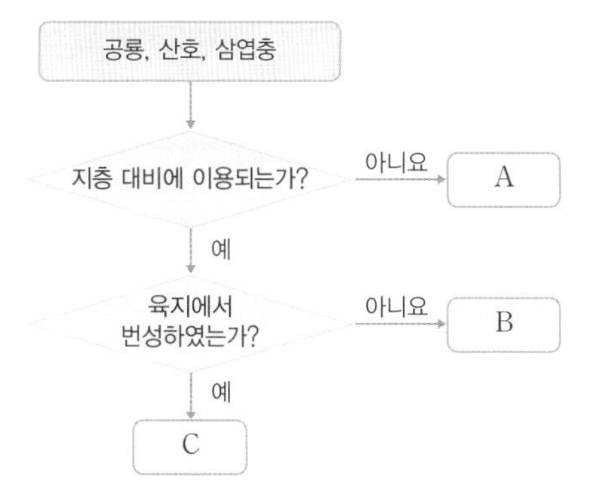

A, B, C에 해당하는 화석 이름을 쓰시오.

서술형

08 우리나라 어느 해안가의 지층에서 공룡 발자국 화석이 발견되었다. 이 지역 지층이 형성된 지질 시대와 퇴적 환경에 대해 서술하시오.

서술형

09 그림은 과거 현생 누대 동안 생물종 수의 변화를 나타낸 것이다.

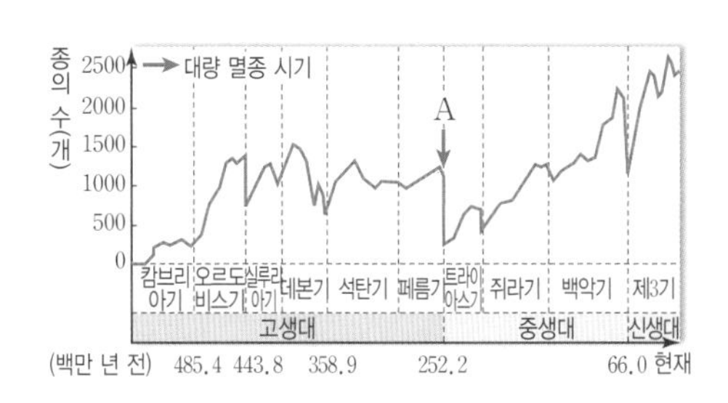

A 시기에 많은 생물이 멸종한 까닭을 서술하시오.

지층의 연대 측정

대표 유형

출제 의도

지사학 법칙을 이용하여 지층의 생성 순서를 결정하고, 방사성 동위 원소의 반감기를 이용하여 절대 연령을 측정하는 문제이다.

이것이 함정

D는 화성암이며 C와 E의 접촉부에 변성 영역이 있으므로, D는 C와 E를 관입한 것이다. 따라서 D가 E 아래 있다고 D가 먼저 생성되었다고 판단하면 안 된다.

그림은 어느 지역의 지질 단면도를, 표는 화성암 D와 F에 포함된 방사성 원소 X와 이 원소가 붕괴되어 생성된 자원소의 함량비를 나타낸 것이다.

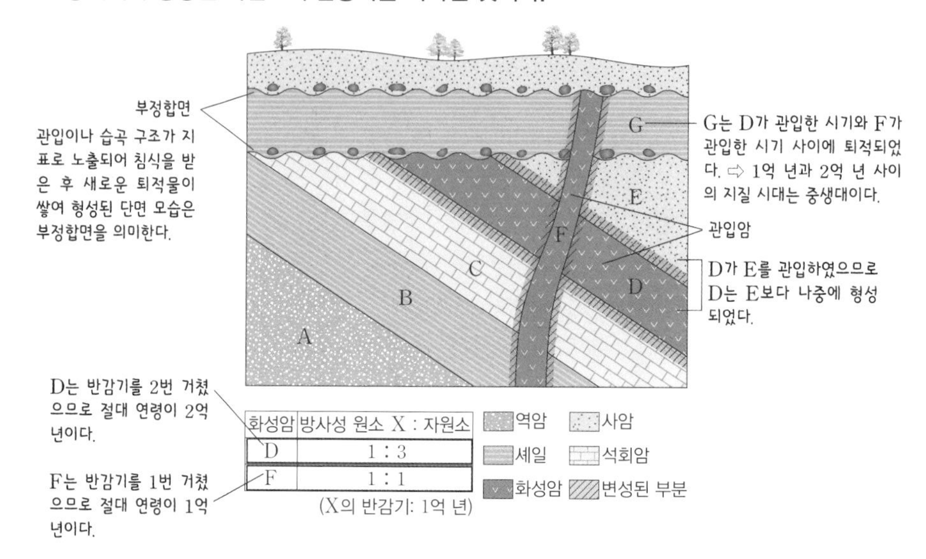

화성암	방사성 원소 X : 자원소
D	1 : 3
F	1 : 1

(X의 반감기: 1억 년)

이 지역에 대한 설명으로 옳은 것만을 〈보기〉에서 있는 대로 고른 것은?

보기

ㄱ. D는 E보다 먼저 생성되었다.
→ D가 E를 관입하였으므로 D는 E보다 나중에 생성되었다.

ㄴ. D의 절대 연령은 2억 년이다.
→ D 속에 포함된 방사성 원소 X의 반감기는 1억 년이며, D는 반감기를 2번 거쳤으므로 절대 연령이 2억 년이다.

ㄷ. G는 속씨식물이 번성한 시대에 생성되었다.
→ 속씨 식물은 신생대에 번성한 식물이다.

① ㄱ ② ㄴ ③ ㄷ ④ ㄱ, ㄴ ⑤ ㄴ, ㄷ

지질 단면도에서 퇴적 순서 파악하기

지사학 법칙을 이용하여 지층 A～G의 생성 순서를 결정한다. >>> 방사성 동위 원소의 반감기를 이용하여 관입암 D와 F의 절대 연령을 측정한다. >>> 관입암 D와 F의 절대 연령을 이용하여 지층 G가 어느 시대에 퇴적되었는지 판단한다.

추가 선택지

- 지층 E와 G 사이에 퇴적이 중단된 적이 있었다. (○)
  → 지층 E와 G 사이에 부정합면이 나타나므로 E와 G는 부정합 관계이고 두 지층 사이에 큰 시간적 간격이 존재한다.
- 이 지역은 과거에 횡압력을 받은 적이 있었다. (○)
  → 일반적으로 퇴적물은 중력의 영향으로 수평하게 쌓인다. 따라서 지층이 기울어져 있거나 휘어져 있으면 퇴적물이 쌓인 후 횡압력을 받았다고 판단할 수 있다.

실전! 수능 도전하기

정답과 해설 25쪽

01 그림은 퇴적물이 굳어져 퇴적암으로 되는 과정을 나타낸 것이다.

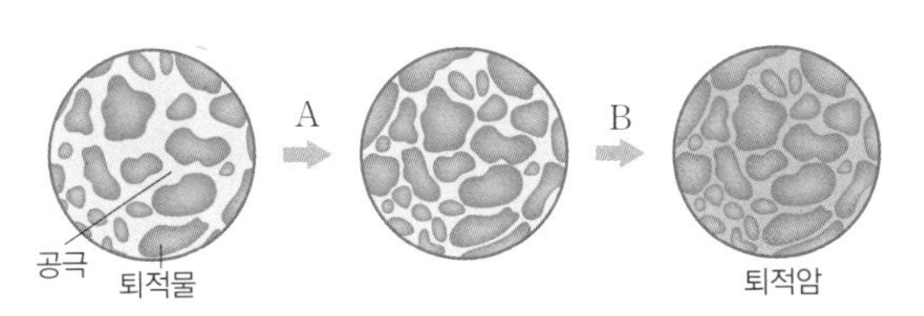

이에 대한 설명으로 옳은 것만을 〈보기〉에서 있는 대로 고른 것은?

보기
ㄱ. A 과정에서 퇴적물의 밀도가 증가한다.
ㄴ. B 과정에서 공극의 부피가 감소한다.
ㄷ. A와 B 과정을 거쳐 형성된 퇴적암은 모두 쇄설성 퇴적암이다.

① ㄱ ② ㄷ ③ ㄱ, ㄴ
④ ㄴ, ㄷ ⑤ ㄱ, ㄴ, ㄷ

02 그림은 어느 석회암(A)이 형성되는 과정을 나타낸 것이다.

이에 대한 설명으로 옳은 것만을 〈보기〉에서 있는 대로 고른 것은?

보기
ㄱ. A의 형성은 수권과 지권의 상호 작용 또는 생물권과 지권의 상호 작용에 해당한다.
ㄴ. ㉠은 주로 풍화·침식 작용에 의해 퇴적되는 과정이다.
ㄷ. ㉡ 과정에서 퇴적물 사이의 간격은 감소한다.

① ㄱ ② ㄷ ③ ㄱ, ㄷ
④ ㄴ, ㄷ ⑤ ㄱ, ㄴ, ㄷ

수능 기출

03 그림은 세 가지 퇴적암을 특징에 따라 구분하는 과정을 나타낸 것이다.

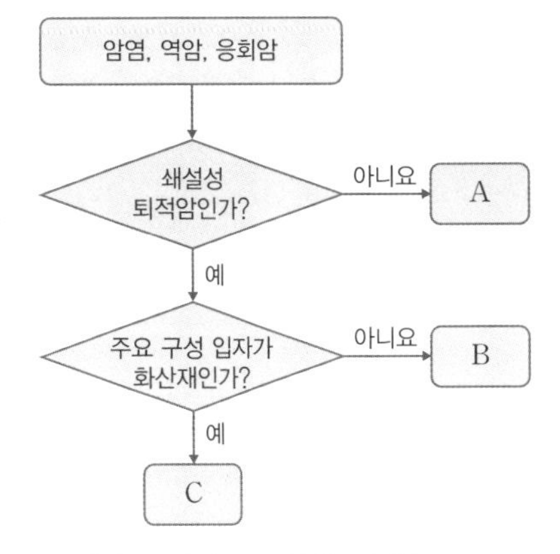

A, B, C에 해당하는 암석으로 옳은 것은?

	A	B	C
①	암염	역암	응회암
②	암염	응회암	역암
③	역암	암염	응회암
④	역암	응회암	암염
⑤	응회암	역암	암염

04 그림 (가), (나), (다)는 여러 가지 퇴적 구조를 나타낸 것이다.

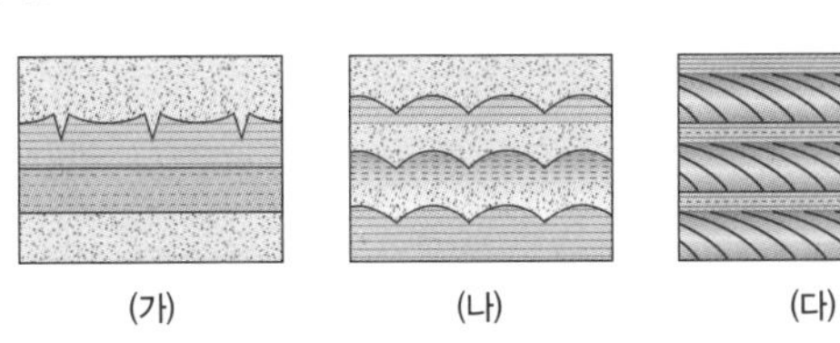

(가) (나) (다)

(가), (나), (다)에 대한 설명으로 옳은 것만을 〈보기〉에서 있는 대로 고른 것은?

보기
ㄱ. (가)는 점토질 토양에서 잘 형성된다.
ㄴ. 역전된 퇴적 구조는 (나)와 (다)이다.
ㄷ. (나)와 (다)는 모두 사막에서 형성될 수 있다.

① ㄱ ② ㄷ ③ ㄱ, ㄴ
④ ㄴ, ㄷ ⑤ ㄱ, ㄴ, ㄷ

05 그림 (가)와 (나)는 퇴적암에서 관찰되는 퇴적 구조의 사진이다.

(가)

(나)

이에 대한 설명으로 옳은 것만을 〈보기〉에서 있는 대로 고른 것은?

보기
ㄱ. (가)는 수권과 지권의 상호 작용에 의해서만 형성된다.
ㄴ. (나)는 해양 환경보다 연안 환경에서 잘 형성된다.
ㄷ. (가)는 층리면에서 관찰할 수 있지만, (나)는 층리면에서 관찰할 수 없다.

① ㄱ ② ㄷ ③ ㄱ, ㄴ
④ ㄴ, ㄷ ⑤ ㄱ, ㄴ, ㄷ

06 그림은 퇴적 구조 A, B, C가 나타나는 지층의 단면을 나타낸 것이다.

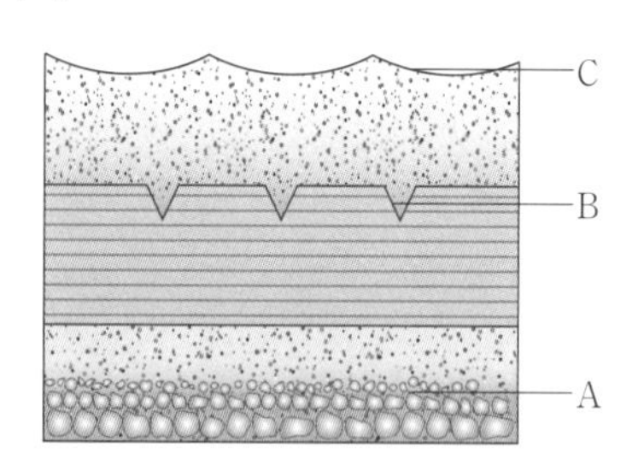

A, B, C에 대한 설명으로 옳은 것만을 〈보기〉에서 있는 대로 고른 것은?

보기
ㄱ. 수심이 가장 깊은 환경에서 형성될 수 있는 구조는 A이다.
ㄴ. B는 모든 쇄설성 퇴적암에서 잘 형성된다.
ㄷ. C는 육상 환경에서는 형성되지 않는다.

① ㄱ ② ㄷ ③ ㄱ, ㄴ
④ ㄴ, ㄷ ⑤ ㄱ, ㄴ, ㄷ

07 그림은 퇴적 환경이 다른 두 퇴적 지형을 나타낸 것이다.

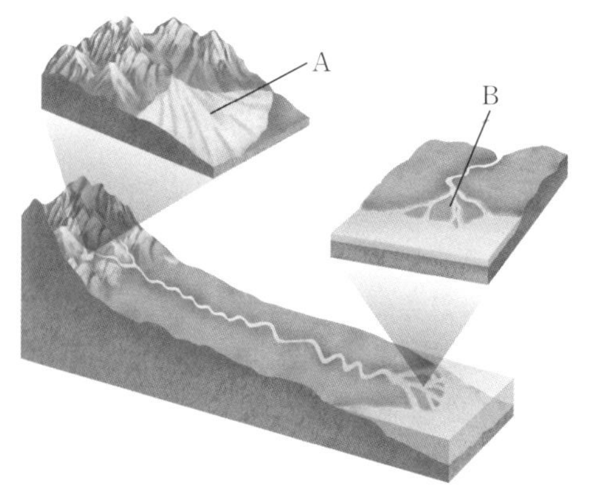

퇴적 지형 A와 B에 대한 설명으로 옳은 것만을 〈보기〉에서 있는 대로 고른 것은?

보기
ㄱ. A는 삼각주, B는 선상지이다.
ㄴ. A는 육상 환경, B는 연안 환경에 해당한다.
ㄷ. 퇴적물 입자의 평균 크기는 A가 B보다 크다.

① ㄱ ② ㄷ ③ ㄱ, ㄴ
④ ㄴ, ㄷ ⑤ ㄱ, ㄴ, ㄷ

수능 기출

08 그림 (가)~(다)는 서로 다른 지질 구조를 나타낸 것이다.

(가)

(나)

(다)

이에 대한 설명으로 옳은 것만을 〈보기〉에서 있는 대로 고른 것은?

보기
ㄱ. (가)는 단층 구조가 발달되어 있다.
ㄴ. (나)는 횡압력에 의해 형성되었다.
ㄷ. (다)는 퇴적이 중단된 시기가 있었다.

① ㄱ ② ㄴ ③ ㄱ, ㄷ
④ ㄴ, ㄷ ⑤ ㄱ, ㄴ, ㄷ

09 그림은 건열이 나타나는 어느 지역의 지질 단면도이다.

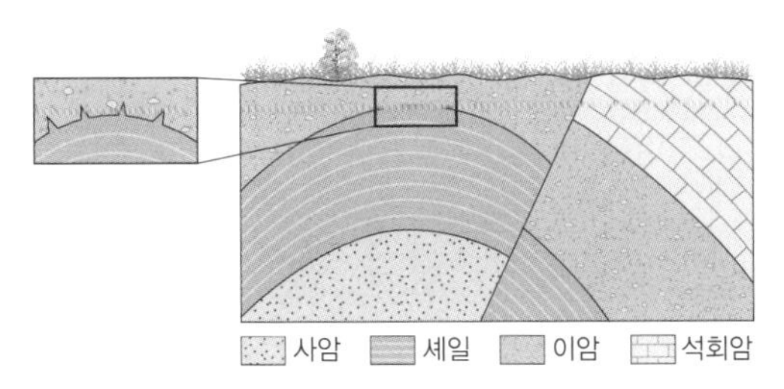

이에 대한 설명으로 옳은 것만을 〈보기〉에서 있는 대로 고른 것은?

보기
ㄱ. 단층이 관찰된다.
ㄴ. 습곡 구조가 관찰된다.
ㄷ. 사암층이 셰일층보다 먼저 형성되었다.

① ㄱ ② ㄷ ③ ㄱ, ㄴ
④ ㄴ, ㄷ ⑤ ㄱ, ㄴ, ㄷ

10 그림은 습곡 구조가 나타나는 어느 지역의 지질 단면도이다.

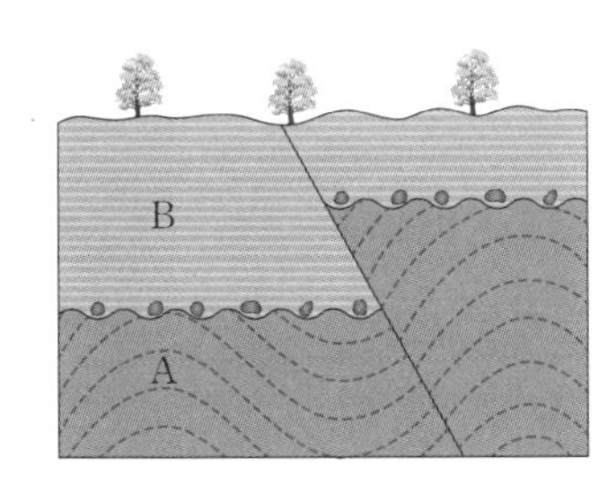

이 지역에 대한 설명으로 옳은 것만을 〈보기〉에서 있는 대로 고른 것은?

보기
ㄱ. A와 B층 모두 횡압력을 받은 적이 있었다.
ㄴ. 습곡 작용을 받은 후 단층이 생겼다.
ㄷ. 적어도 2번의 융기가 있었다.

① ㄱ ② ㄷ ③ ㄱ, ㄴ
④ ㄴ, ㄷ ⑤ ㄱ, ㄴ, ㄷ

수능 기출

11 그림 (가)와 (나)는 두 지역의 지질 단면도이다. (가)와 (나)에서 화강암의 관입 시기는 같다.

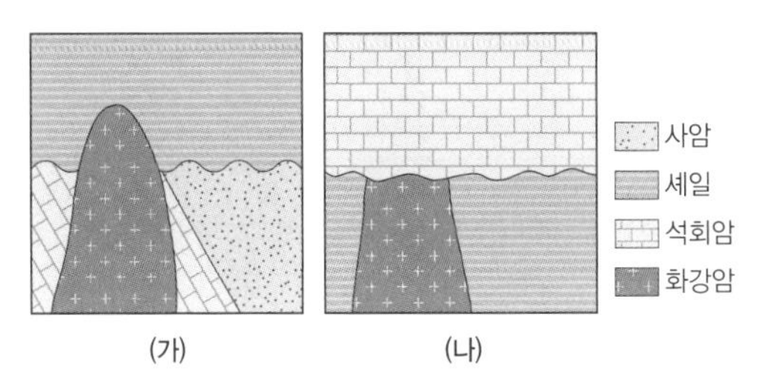

이에 대한 설명으로 옳은 것만을 〈보기〉에서 있는 대로 고른 것은?

보기
ㄱ. (가)에는 경사 부정합이 나타난다.
ㄴ. (나)의 셰일은 화강암의 관입에 의해 접촉 변성 작용을 받았다.
ㄷ. (가)의 석회암은 (나)의 석회암보다 나중에 생성되었다.

① ㄱ ② ㄷ ③ ㄱ, ㄴ
④ ㄴ, ㄷ ⑤ ㄱ, ㄴ, ㄷ

12 그림 (가)와 (나)는 두 지역의 지질 단면도이다. A, C, D, F는 퇴적암이며, 화성암 B와 E의 생성 시기는 같다.

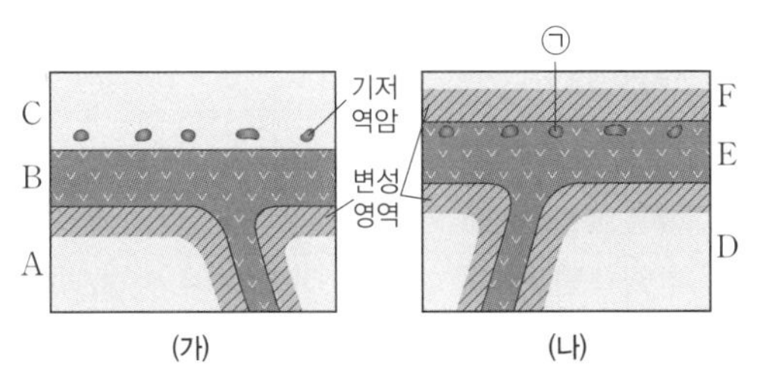

이에 대한 설명으로 옳은 것만을 〈보기〉에서 있는 대로 고른 것은?

보기
ㄱ. ㉠은 기저 역암이다.
ㄴ. C는 F보다 나중에 형성되었다.
ㄷ. B와 C의 선후 판단을 할 때 관입의 법칙을 이용한다.

① ㄱ ② ㄴ ③ ㄱ, ㄷ
④ ㄴ, ㄷ ⑤ ㄱ, ㄴ, ㄷ

13 그림은 어느 지역의 지질 단면과 산출되는 화석을 나타낸 것이다. 화석 ㉠과 ㉡은 각각 지층 B와 C 중 한 지층에서 산출된다.

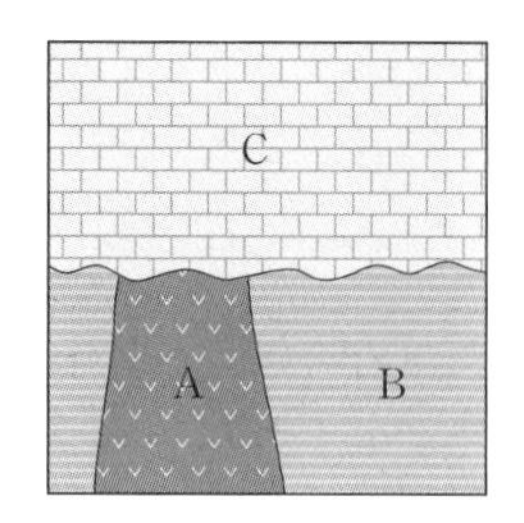

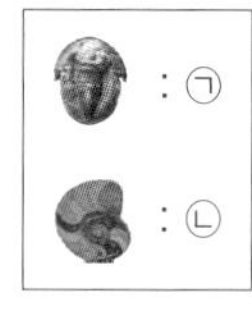

이에 대한 설명으로 옳은 것만을 〈보기〉에서 있는 대로 고른 것은?

보기
ㄱ. 이 지역에는 육지에서 퇴적된 지층이 분포한다.
ㄴ. A가 형성된 시기는 원생 누대이다.
ㄷ. ㉠은 B에서, ㉡은 C에서 산출된다.

① ㄱ ② ㄷ ③ ㄱ, ㄴ
④ ㄱ, ㄷ ⑤ ㄱ, ㄴ, ㄷ

14 표는 동일한 화성암 속에 포함된 방사성 동위 원소 A와 B에 대한 자료이다.

구분	A	B
모원소의 함량비(%)	25	12.5
자원소의 함량비(%)	75	87.5
반감기(억 년)	(㉠)	2

이에 대한 설명으로 옳은 것만을 〈보기〉에서 있는 대로 고른 것은? (단, 현재 화성암 속에 포함된 A와 B의 자원소의 양은 같다.)

보기
ㄱ. 이 암석의 절대 연령은 6억 년이다.
ㄴ. ㉠은 3이다.
ㄷ. 생성될 당시 이 암석에는 A보다 B가 더 많았다.

① ㄱ ② ㄴ ③ ㄱ, ㄴ
④ ㄴ, ㄷ ⑤ ㄱ, ㄴ, ㄷ

수능 기출

15 그림 (가)는 어느 지역의 지질 단면도를, (나)는 방사성 원소 X의 붕괴 곡선을 나타낸 것이다. (가)의 화성암 P와 Q에 포함된 방사성 원소 X의 양은 각각 암석이 생성될 당시의 $\frac{1}{2}$과 $\frac{1}{4}$이다.

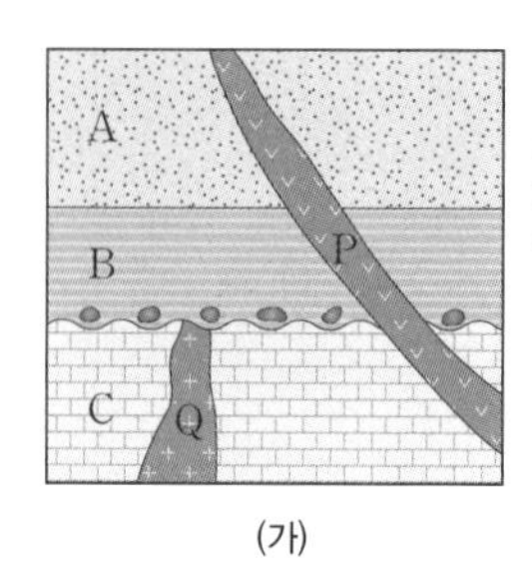

(가)

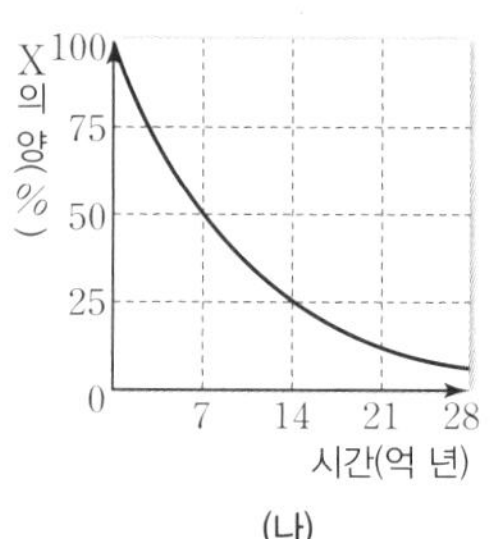

(나)

이에 대한 설명으로 옳은 것만을 〈보기〉에서 있는 대로 고른 것은?

보기
ㄱ. 가장 오래된 지층은 C이다.
ㄴ. 지층 A는 중생대 지층이다.
ㄷ. 지층 B와 C 사이에 퇴적이 중단된 시기가 있었다.

① ㄱ ② ㄴ ③ ㄱ, ㄷ
④ ㄴ, ㄷ ⑤ ㄱ, ㄴ, ㄷ

16 다음은 최초의 육상 식물로 알려져 있는 쿡소니아 화석에 대한 설명이다.

(㉠) 지층에서 화석으로 발견된 원시적인 물관을 가진 최초의 식물로 데본기 초반까지 번성하였으며 이후의 화석은 보고된 바 없다.

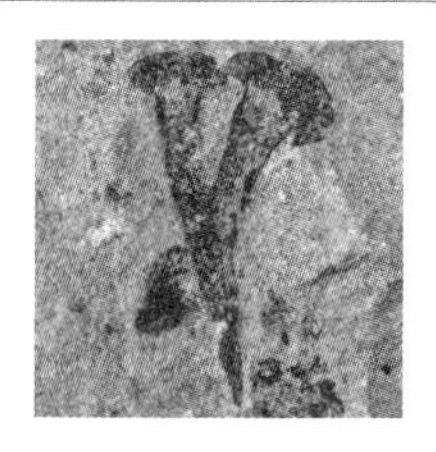

이에 대한 설명으로 옳은 것만을 〈보기〉에서 있는 대로 고른 것은?

보기
ㄱ. ㉠은 선캄브리아 시대이다.
ㄴ. 이 화석이 발견되는 지층은 마그마가 굳어져 형성되었다.
ㄷ. 표준 화석으로 이용할 수 있다.

① ㄱ ② ㄷ ③ ㄱ, ㄴ
④ ㄴ, ㄷ ⑤ ㄱ, ㄴ, ㄷ

정답과 해설 25쪽

17 그림 (가)와 (나)는 지질 시대에 번성했던 생물의 화석을 나타낸 것이다. 산호 화석은 삼엽충 화석과 같은 지층에서 산출되었다.

(가) 산호

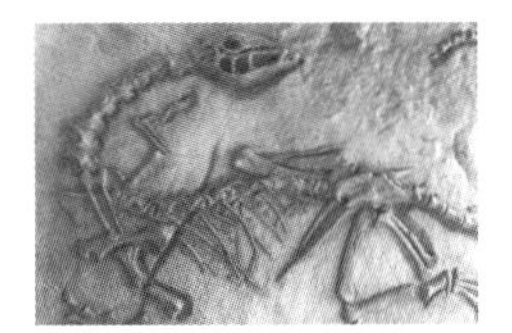
(나) 육상 공룡 뼈

이에 대한 설명으로 옳은 것만을 〈보기〉에서 있는 대로 고른 것은?

보기
ㄱ. (가)가 산출되는 지층은 (나)가 산출되는 지층보다 나중에 퇴적되었다.
ㄴ. (가)가 퇴적물에 의해 매몰될 당시 이 지역은 바다였다.
ㄷ. (나)는 암모나이트 화석과 같은 지층에서 산출될 수 있다.

① ㄱ　② ㄴ　③ ㄱ, ㄷ　④ ㄴ, ㄷ　⑤ ㄱ, ㄴ, ㄷ

수능 기출

18 그림은 어느 지역의 지질 단면과 지층 A, B, C에서 발견되는 화석을 나타낸 것이다.

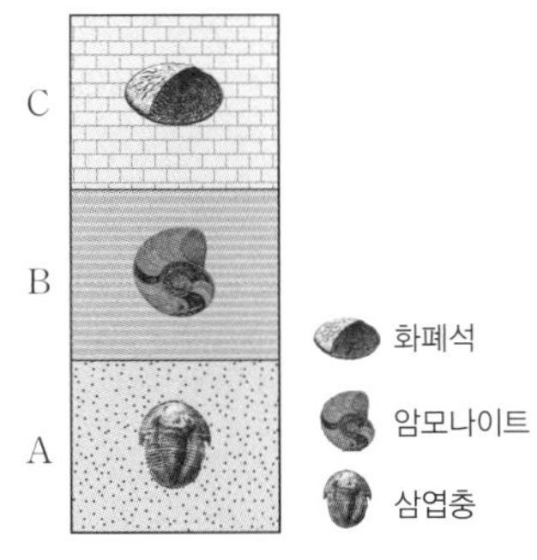

이에 대한 설명으로 옳은 것만을 〈보기〉에서 있는 대로 고른 것은?

보기
ㄱ. A의 지질 시대 초기에 판게아가 분리되었다.
ㄴ. B의 지질 시대에는 공룡이 번성하였다.
ㄷ. C의 지질 시대에는 포유류가 번성하였다.
ㄹ. A, B, C는 모두 육지에서 형성되었다.

① ㄱ, ㄷ　② ㄱ, ㄹ　③ ㄴ, ㄷ　④ ㄴ, ㄹ　⑤ ㄷ, ㄹ

수능 기출

19 다음은 빙하 코어를 이용한 고기후 연구 방법을, 그림은 그린란드 빙하 코어를 분석하여 알아낸 산소 동위 원소비를 나타낸 것이다.

- ㉠ 빙하 코어에 포함된 공기 방울의 이산화 탄소 농도와 얼음의 ㉡ 산소 동위 원소비를 측정한다.
- ㉠의 농도와 얼음의 ㉡이 높을 때 기온이 높다고 추정한다.

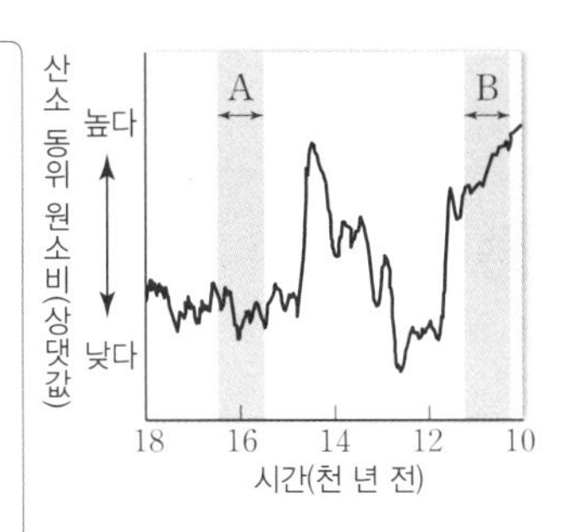

이에 대한 설명으로 옳은 것만을 〈보기〉에서 있는 대로 고른 것은?

보기
ㄱ. ㉠은 빙하가 형성되는 과정에서 포함된다.
ㄴ. 해수에서 증발하는 수증기의 ㉡은 A 시기가 B 시기보다 높다.
ㄷ. 대륙 빙하의 면적은 A 시기가 B 시기보다 좁다.

① ㄱ　② ㄷ　③ ㄱ, ㄴ　④ ㄴ, ㄷ　⑤ ㄱ, ㄴ, ㄷ

20 그림은 현생 누대의 생물 수 변화를 나타낸 것이다.

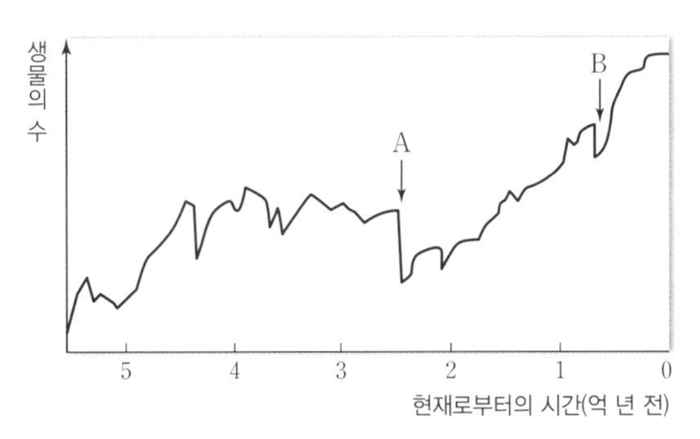

이에 대한 설명으로 옳은 것만을 〈보기〉에서 있는 대로 고른 것은?

보기
ㄱ. 삼엽충은 A 시기에 멸종되었다.
ㄴ. 화폐석은 B 시기 이후에 번성하였다.
ㄷ. A 시기와 B 시기 사이에 겉씨식물이 번성하였다.

① ㄱ　② ㄷ　③ ㄱ, ㄴ　④ ㄱ, ㄷ　⑤ ㄱ, ㄴ, ㄷ

한눈에 보는 대단원 정리

1 지권의 변동

01 판 구조론의 정립 과정

대륙 이동설	• 20세기 초 베게너가 주장 • 증거: 해안선 모양 유사, 빙하의 흔적과 화석 분포 유사, 지질 구조의 연속성 • 한계: 대륙 이동의 원동력을 설명하지 못함
맨틀 대류설	• 1928년 홈스가 주장 • 맨틀 내부의 열대류에 의해 대륙이 이동한다고 주장 • 한계: 당시 맨틀 대류를 확인할 수 있는 탐사 기술이 없어 인정받지 못함
해저 확장설	• 1950년대 기술의 발달로 해저 지형의 광범위한 탐사가 가능해지면서 등장 • 1960년대 초 디츠와 헤스가 주장 • 해령에서 새로운 해양 지각이 생성되고, 양쪽으로 확장되어 멀어져 간다고 주장 • 증거: 고지자기 줄무늬의 대칭, 해령 중심부의 열곡과 변환 단층, 해양 지각의 나이와 퇴적물의 두께, 섭입대에서의 진원 분포
판 구조론	• 1970년대 초 판의 운동에 의해 다양한 지질 현상이 일어난다는 판 구조론 정립 • 영향: 판 구조론을 통해 여러 가지 지각 변동(화산 활동, 지진, 조산 운동 등)을 통합적으로 해석

02 고지자기와 대륙 분포의 변화

1. 고지자기 변화와 대륙 이동

고지자기	암석에 기록된 복각을 측정하여 과거 암석이 생성될 당시의 위도를 알아낼 수 있다.
자북극 이동 경로	유럽 대륙에서 측정한 자북극의 이동 / 북아메리카 대륙에서 측정한 자북극의 이동 (단위: 억 년 전) ▲ 현재 대륙 분포와 자북극의 이동 경로 / ▲ 대륙을 붙여 보았을 때 자북극의 이동 경로

2. 지질 시대의 대륙과 해양 분포 변화

과거 (2억 4천만 년 전)	현재	미래 (2억 5천만 년 후)

03 맨틀 대류와 플룸 구조론

1. **맨틀 대류:** 방사성 원소의 붕괴열과 깊이에 따른 온도 차이로 맨틀의 상부(연약권)에서 매우 느린 속도로 대류가 일어난다는 이론
2. **플룸 구조론:** 플룸의 상승이나 하강으로 지구 내부의 변동이 일어난다는 이론

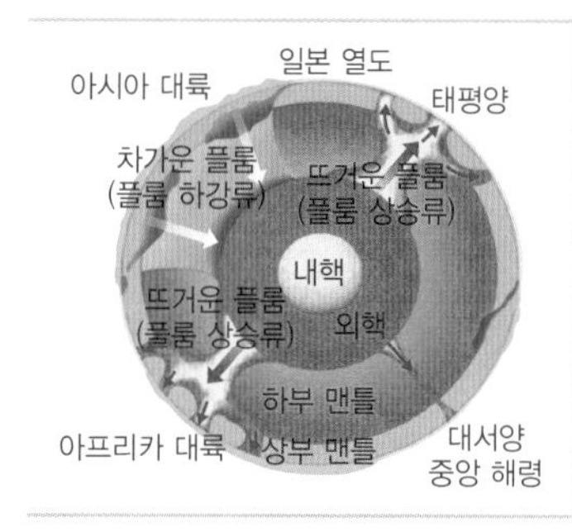

• 차가운 플룸은 수렴형 경계에서 섭입된 물질이 쌓여 형성
• 외핵 부근의 맨틀 물질이 상승하여 뜨거운 플룸을 형성
• 판의 내부에서 일어나는 화산 활동을 잘 설명함

04 마그마의 생성과 화성암

1. 마그마의 생성

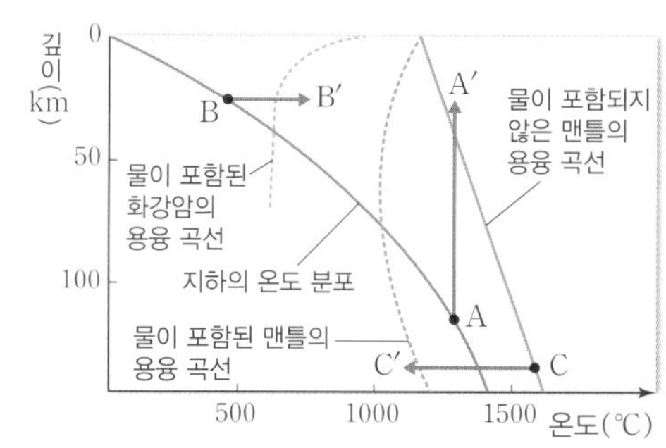

구분	생성 과정	장소	생성 마그마
A → A′	압력 감소	해령, 열점	현무암질 마그마
B → B′	온도 상승	대륙 하부	안산암질 마그마
C → C′	물 공급	섭입대	현무암질 마그마

2. 화성암

화학 조성에 따른 분류 / 조직에 따른 분류			염기성암	중성암	산성암
성질	SiO₂ 함량		적음 ← 52 %	— 63 % →	많음
	색		어두운 색 ←	중간	→ 밝은 색
	많은 원소		Ca, Fe, Mg		Na, K, Si
조직	냉각 속도	밀도	큼 ←		→ 작음
화산암	세립질 조직	빠름	현무암	안산암	유문암
심성암	조립질 조직	느림	반려암	섬록암	화강암

3. 우리나라의 화성암 지형

① **심성암 지형:** 설악산, 북한산, 불암산, 오대산 등
② **화산암 지형:** 제주도, 울릉도와 독도, 철원군 일대 등

2 지구의 역사

01 퇴적 구조와 퇴적 환경

1. 퇴적암의 형성과 분류

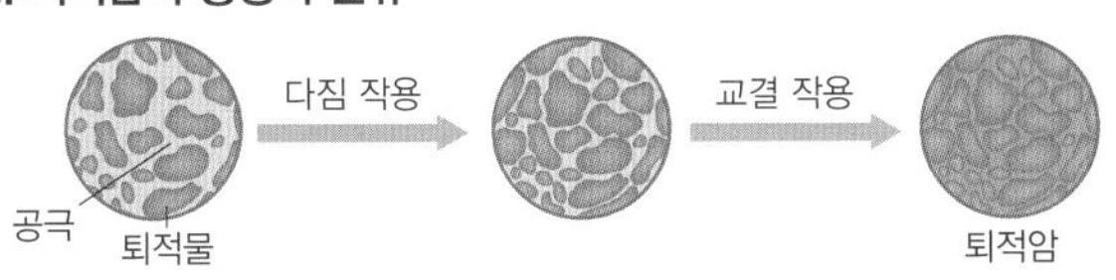

쇄설성 퇴적암	셰일(점토), 사암(모래, 점토), 역암(자갈, 모래, 점토), 응회암(화산재)
화학적 퇴적암	석회암(탄산 칼슘), 처트(규질), 암염(염화 나트륨)
유기적 퇴적암	석회암(석회질 생물체), 처트(규질 생물체), 석탄(식물체)

2. 퇴적 구조

점이 층리		깊은 호수나 바다에서 퇴적 속도 차이로 형성
사층리		하천이나 사막에서 바람 또는 흐르는 물에 의해 형성
연흔		수심이 얕은 물밑이나 사막에서 흐르는 물, 파도, 바람에 의해 형성
건열		건조한 환경에 노출되어 형성

3. 퇴적 환경

육상 환경	선상지, 강, 호수, 사막, 빙하 지대
연안 환경	삼각주, 해빈, 해안 사구, 석호
해양 환경	대륙붕, 대륙 사면, 대륙대, 심해저

02 지질 구조와 지층의 나이

1. 지질 구조

구분	습곡	단층	부정합
모습		단층면 상반 하반	부정합면
구분	절리	관입암	포획암
모습			

2. 지층의 상대 연령

① 지사학 법칙

수평 퇴적의 법칙	일반적으로 퇴적물은 수평하게 쌓임
지층 누중의 법칙	역전이 없다면 아래쪽 지층이 먼저 생성
동물군 천이의 법칙	새로운 지층으로 갈수록 더 진화된 동물 화석이 발견
관입의 법칙	관입한 암석이 관입당한 암석보다 더 나중에 형성
부정합의 법칙	부정합면을 경계로 상하 지층 사이에는 오랜 시간 간격 존재

② 지층 대비

암상에 의한 대비	건층(응회암층, 석탄층)을 이용
화석에 의한 대비	표준 화석을 이용

3. 지층의 절대 연령

절대 연령 = 반감기 × 반감기 횟수

03 지질 시대의 환경과 생물

1. 화석의 형성 조건과 종류

표준 화석	• 분포 면적이 넓고, 생존 기간이 짧다. • 지질 시대를 구분하거나 지층을 대비할 때 유용하다.
시상 화석	• 분포 면적이 좁고, 생존 기간이 길다. • 퇴적될 당시의 자연 환경을 알아내는 데 유용하다.

2. 고기후 연구

나무 나이테	기온이 높고 강수량이 많은 시기에는 나이테가 밝고 폭이 넓다.
빙하 코어	기온이 높은 시기에 형성된 빙하 코어 속 공기 방울은 산소 동위 원소비가 높다.
퇴적물과 화석	시상 화석을 이용하여 과거 지층이 형성될 당시의 환경을 추정할 수 있다.

3. 지질 시대의 환경과 생물 변화

누대		대	화석
현생 누대		신생대	화폐석, 매머드
		중생대	암모나이트, 공룡, 시조새
		고생대	삼엽충, 완족류, 필석, 갑주어, 방추충
선캄브리아 시대	원생 누대	–	에디아카라 동물군, 스트로마톨라이트
	시생 누대	–	

한번에 끝내는
대단원 문제

정답과 해설 28쪽

01 베게너가 제시한 대륙 이동의 증거에 해당하지 않는 것은?

① 멀리 떨어진 두 대륙의 해안선 모양이 비슷하다.
② 멀리 떨어진 두 대륙에서 지질 구조가 연속적이다.
③ 여러 대륙에서 동일한 고생물 화석이 발견된다.
④ 여러 대륙에 남아 있는 빙하 흔적이 하나로 모아진다.
⑤ 고지자기의 줄무늬가 해령을 중심으로 대칭적으로 나타난다.

02 다음은 판 구조론이 정립되는 과정에서 제기되었던 주장이나 관측 결과를 순서 없이 나열한 것이다.

(가) 현재의 대륙은 초대륙이 분리되어 형성되었다.
(나) 맨틀 내부의 온도 차에 의해 대류가 일어난다.
(다) GPS를 이용하여 판의 이동 속도를 측정하였다.
(라) 음향 측심법을 이용하여 해저 지형을 확인하였다.

(가)~(라)를 등장한 순서대로 옳게 나열한 것은?

① (가)→(나)→(다)→(라) ② (가)→(나)→(라)→(다)
③ (가)→(다)→(라)→(나) ④ (나)→(가)→(다)→(라)
⑤ (나)→(다)→(라)→(가)

03 그림은 대서양 중앙 해령 부근에서 측정된 해양 지각의 고지자기를 나타낸 것이다.

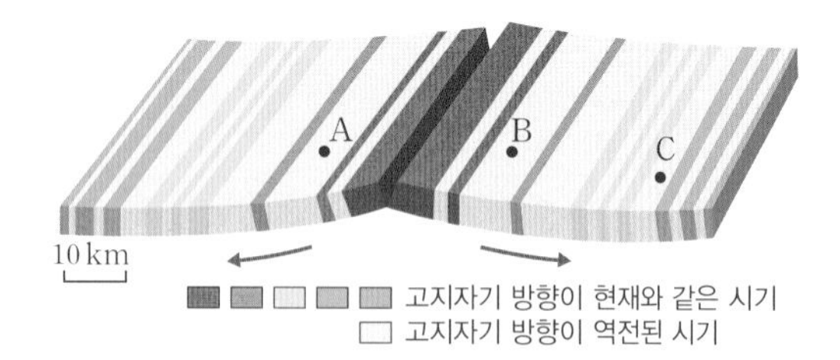

이에 대한 설명으로 옳은 것만을 〈보기〉에서 있는 대로 고른 것은? (단, 판의 확장 속도는 일정하다.)

보기
ㄱ. 고지자기의 역전 현상은 일정한 주기로 반복되었다.
ㄴ. A, B, C의 해양 지각은 모두 해령에서 생성되었다.
ㄷ. 퇴적물의 두께는 B보다 C에서 두껍다.

① ㄱ ② ㄷ ③ ㄱ, ㄴ
④ ㄴ, ㄷ ⑤ ㄱ, ㄴ, ㄷ

04 판게아에 대한 설명으로 옳은 것만을 〈보기〉에서 있는 대로 고른 것은?

보기
ㄱ. 고생대 초기부터 존재했던 초대륙이다.
ㄴ. 중생대에 여러 대륙으로 분리되었다.
ㄷ. 분리 과정에서 많은 습곡 산맥이 형성되었다.

① ㄱ ② ㄴ ③ ㄱ, ㄴ
④ ㄱ, ㄷ ⑤ ㄴ, ㄷ

05 그림은 GPS 위성을 이용하여 관측한 전 세계 판의 운동 방향과 속력을 나타낸 것이다.

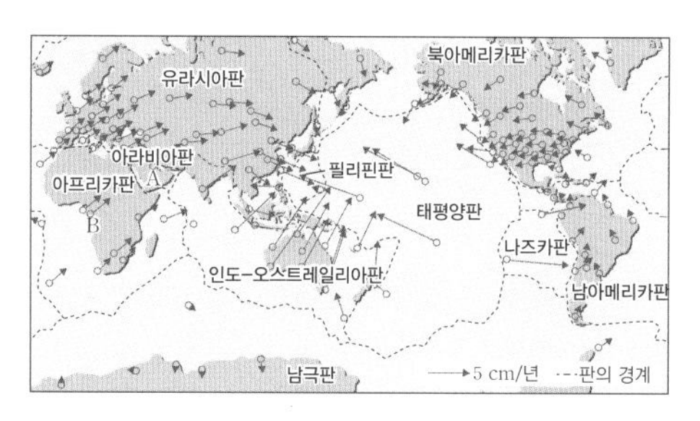

미래의 수륙 분포에 대한 설명으로 옳은 것만을 〈보기〉에서 있는 대로 고른 것은?

보기
ㄱ. 오스트레일리아 대륙은 남극에서 멀어질 것이다.
ㄴ. 유라시아 대륙과 북아메리카 대륙은 점점 가까워질 것이다.
ㄷ. 아프리카 대륙과 남아메리카 대륙 사이의 거리는 점점 멀어질 것이다.

① ㄱ ② ㄷ ③ ㄱ, ㄴ
④ ㄴ, ㄷ ⑤ ㄱ, ㄴ, ㄷ

06 맨틀 대류와 플룸 구조론에 대한 설명으로 옳은 것만을 〈보기〉에서 있는 대로 고른 것은?

보기
ㄱ. 맨틀 대류의 에너지원은 지구 내부 에너지이다.
ㄴ. 플룸의 상승 또는 하강이 일어나는 주요 원인은 밀도 차이다.
ㄷ. 플룸 구조론은 판의 내부에서 일어나는 지각 변동을 잘 설명할 수 있다.

① ㄱ ② ㄷ ③ ㄱ, ㄴ
④ ㄴ, ㄷ ⑤ ㄱ, ㄴ, ㄷ

고난도

07 그림은 지구 내부에서 마그마가 생성되는 과정을 나타낸 것이다.

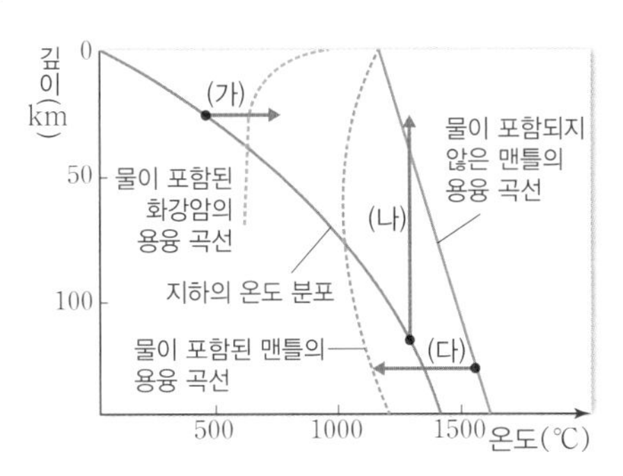

이에 대한 설명으로 옳은 것만을 〈보기〉에서 있는 대로 고른 것은?

보기
ㄱ. (가) 과정에 의해 유문암질 마그마가 생성될 수 있다.
ㄴ. (나) 과정은 주로 맨틀 대류의 하강부에서 일어난다.
ㄷ. (다) 과정에 의해 섭입대에서 해양 지각이 녹아 현무암질 마그마가 생성된다.

① ㄱ ② ㄷ ③ ㄱ, ㄴ
④ ㄴ, ㄷ ⑤ ㄱ, ㄴ, ㄷ

08 그림은 안산암질 마그마로부터 생성된 화성암 A, B, C의 산출 상태를 나타낸 것이다. 화성암 A, B, C에 대한 설명으로 옳은 것만을 〈보기〉에서 있는 대로 고른 것은?

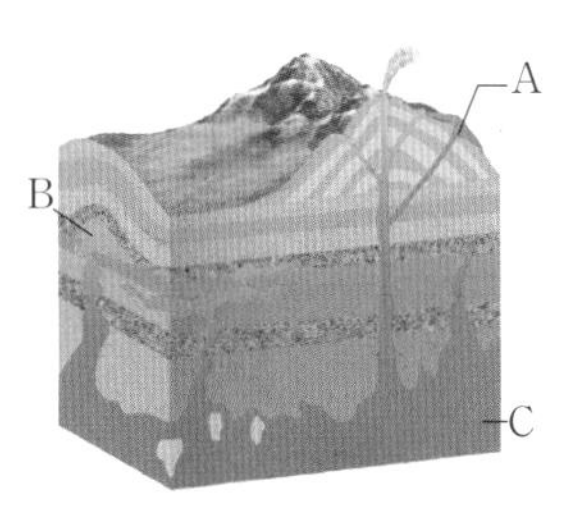

보기
ㄱ. A의 분출로 순상 화산체가 형성된다.
ㄴ. A는 C보다 어두운 색을 띤다.
ㄷ. C는 B보다 구성 광물의 크기가 크다.

① ㄱ ② ㄷ ③ ㄱ, ㄴ
④ ㄴ, ㄷ ⑤ ㄱ, ㄴ, ㄷ

09 심성암 지형에 해당하는 곳만을 〈보기〉에서 있는 대로 고른 것은?

보기
ㄱ. 북한산 ㄴ. 설악산 ㄷ. 한라산

① ㄱ ② ㄷ ③ ㄱ, ㄴ ④ ㄱ, ㄷ ⑤ ㄴ, ㄷ

10 그림은 퇴적물이 굳어져 퇴적암이 되는 과정을 나타낸 것이다.

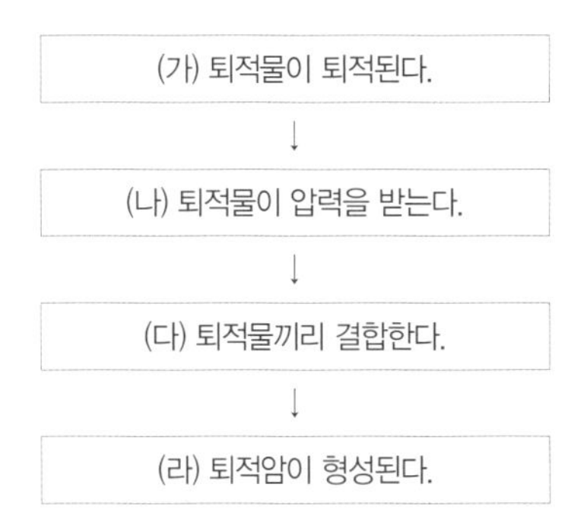

이에 대한 설명으로 옳은 것만을 〈보기〉에서 있는 대로 고른 것은?

보기
ㄱ. (가)에서 퇴적물은 모두 무기물이다.
ㄴ. (나)와 (다)에서 공극의 부피는 감소한다.
ㄷ. (라)의 퇴적암이 응회암이면, (가)의 퇴적물은 화산재이다.

① ㄱ ② ㄷ ③ ㄱ, ㄴ
④ ㄴ, ㄷ ⑤ ㄱ, ㄴ, ㄷ

고난도

11 그림은 퇴적 구조가 나타나는 어느 지역의 지층 단면을 나타낸 것이다.

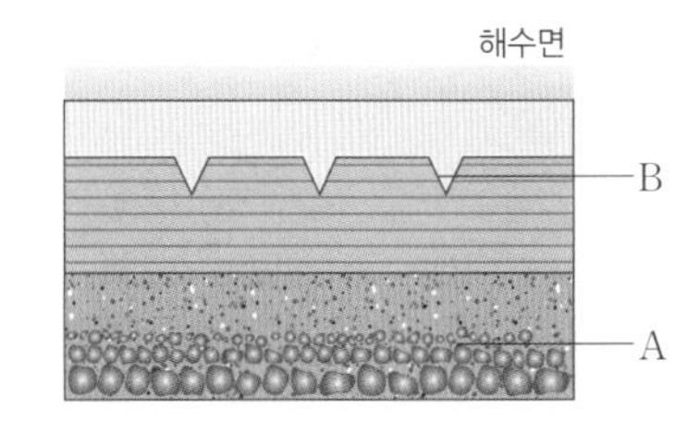

이에 대한 설명으로 옳은 것만을 〈보기〉에서 있는 대로 고른 것은?

보기
ㄱ. A층을 형성한 퇴적물은 저탁류에 의해 공급되었다.
ㄴ. 입자의 평균 크기는 A층 하부가 B층 상부보다 크다.
ㄷ. 이 지역의 수심은 과거에 한동안 얕아졌다가 다시 깊어졌다.

① ㄱ ② ㄷ ③ ㄱ, ㄴ
④ ㄴ, ㄷ ⑤ ㄱ, ㄴ, ㄷ

12 그림은 여러 지질 구조를 특징에 따라 구분하는 과정을 나타낸 것이다.

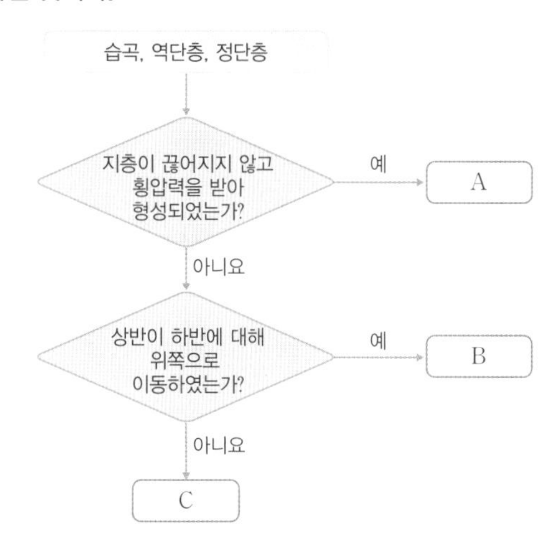

A, B, C에 해당하는 지질 구조를 옳게 짝지은 것은?

	A	B	C
①	습곡	역단층	정단층
②	습곡	정단층	역단층
③	역단층	정단층	습곡
④	역단층	습곡	정단층
⑤	정단층	역단층	습곡

고난도

13 그림 (가)는 어느 지역의 지질 단면도를, (나)는 방사성 원소 X의 붕괴 곡선을 나타낸 것이다. (가)의 화성암 E와 F에 포함된 방사성 원소 X의 양은 각각 암석이 생성될 당시의 $\frac{1}{4}$과 $\frac{1}{2}$이다.

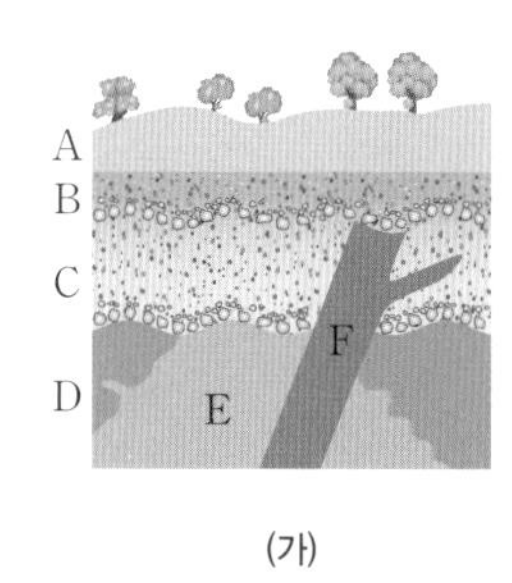

(가)

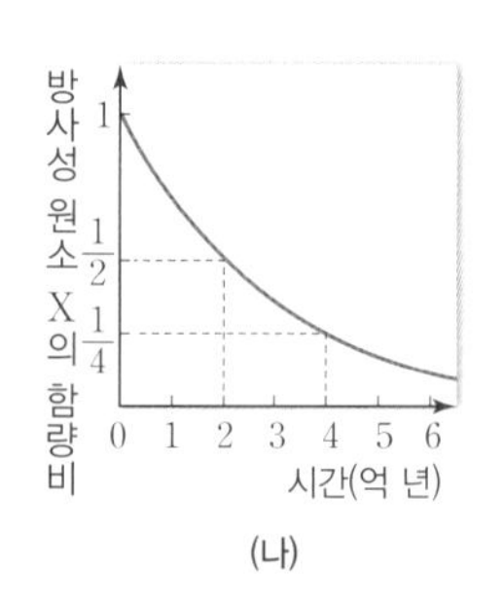

(나)

이에 대한 설명으로 옳은 것만을 〈보기〉에서 있는 대로 고른 것은?

보기
ㄱ. D는 2억 년 전~4억 년 전 사이에 형성되었다.
ㄴ. B의 절대 연령은 C보다 A와 비슷하다.
ㄷ. B와 F의 경계부에서는 변성암이 분포한다.

① ㄱ ② ㄴ ③ ㄱ, ㄷ ④ ㄴ, ㄷ ⑤ ㄱ, ㄴ, ㄷ

14 그림 (가)와 (나)는 과거의 기후를 연구하는 방법을 나타낸 것이다.

(가) 나무 나이테 조사

(나) 빙하 코어 연구

이에 대한 설명으로 옳은 것만을 〈보기〉에서 있는 대로 고른 것은?

보기
ㄱ. (가)로부터 과거의 기온과 강수량 변화를 추정할 수 있다.
ㄴ. (나)로부터 과거의 대기 조성을 추정할 수 있다.
ㄷ. (가)와 (나) 모두 고생대 이전의 기후를 연구하는 데 이용할 수 있다.

① ㄱ ② ㄷ ③ ㄱ, ㄴ ④ ㄴ, ㄷ ⑤ ㄱ, ㄴ, ㄷ

고난도

15 그림은 각 지질 시대를 상대적인 길이에 따라 순서 없이 나타낸 것이다. B, C, D는 현생 누대에 해당한다.

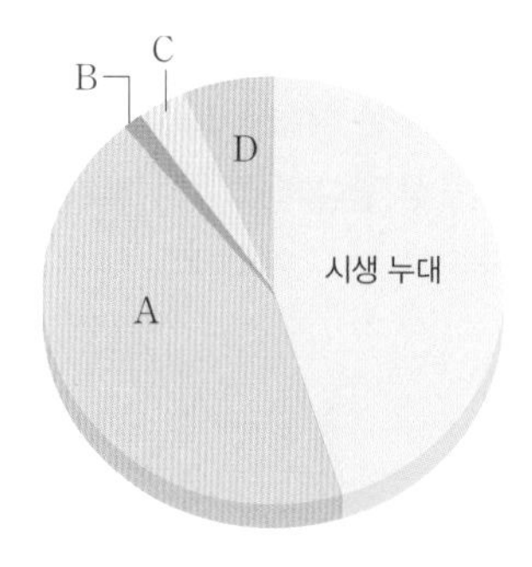

이에 대한 설명으로 옳은 것만을 〈보기〉에서 있는 대로 고른 것은?

보기
ㄱ. A 시대의 지층에서는 에디아카라 동물군 화석이 산출될 수 있다.
ㄴ. 매머드는 B 시대에 번성하였다.
ㄷ. 판게아는 C 시대에 형성되었다가 D 시대에 분리되었다.

① ㄱ ② ㄷ ③ ㄱ, ㄴ ④ ㄴ, ㄷ ⑤ ㄱ, ㄴ, ㄷ

서술형

16 그림은 해양 지각의 나이 분포를 나타낸 것이다.

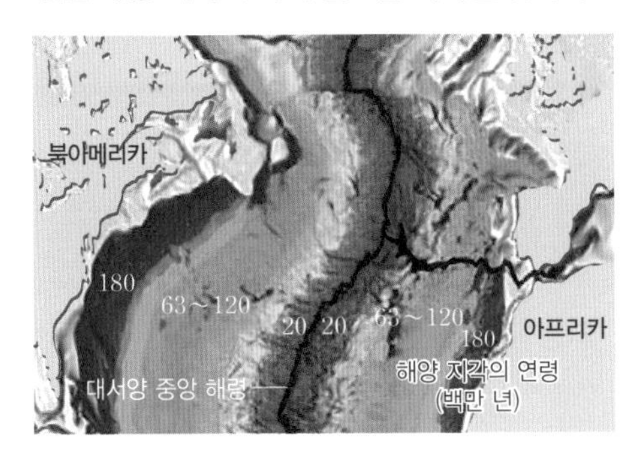

해양 지각의 나이가 약 2억 년보다 많은 암석은 존재하지 않는 까닭을 서술하시오.

단답형

17 그림은 판을 움직이는 힘을 나타낸 것이다. 세 가지 힘 A, B, C는 각각 무엇인지 쓰시오.

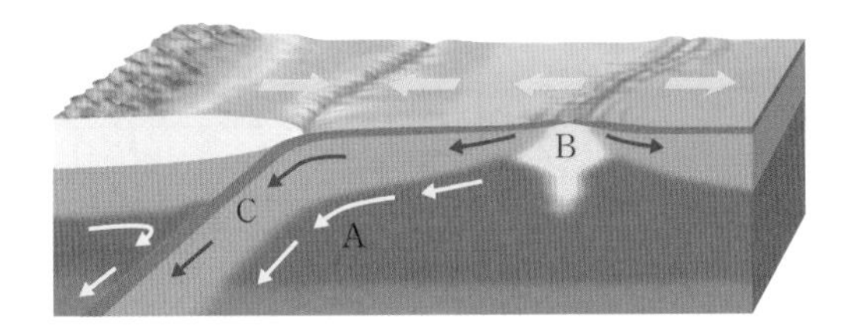

서술형

18 그림은 태평양판 내부에 있는 하와이 열도의 위치와 암석의 나이를 나타낸 것이다.

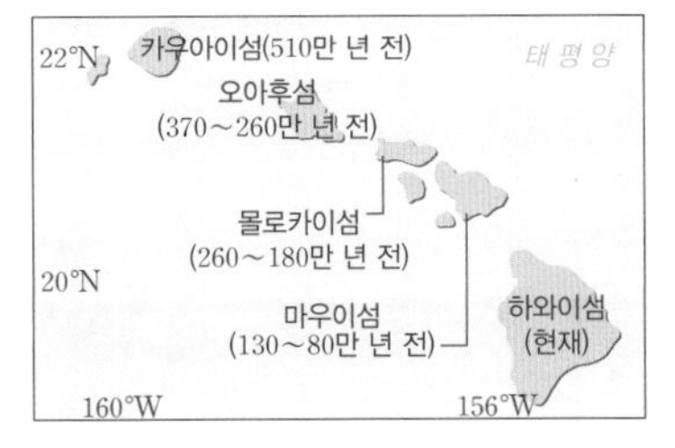

현재 열점의 위치는 어디인지 제시하고, 태평양판의 이동 속도를 구하시오.(단, 하와이섬에서 카우아이섬까지의 거리는 약 510 km이다.)

서술형

19 그림은 어느 퇴적 구조를 나타낸 것이다.

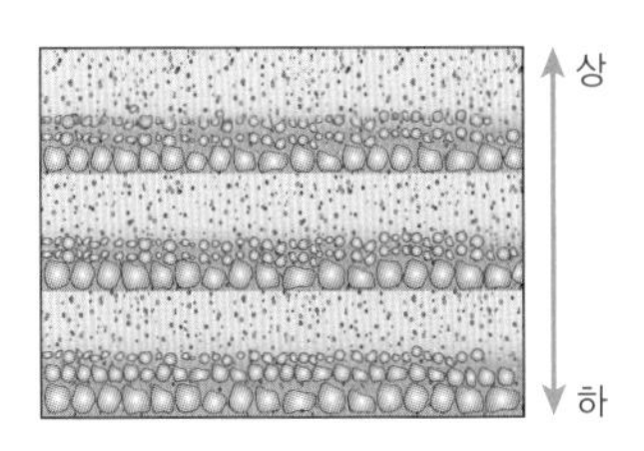

과거 이 지역에 저탁류가 몇 번 유입되었는지 쓰고, 그렇게 생각한 근거를 서술하시오.

단답형

20 그림은 어느 지역의 지질 단면을 나타낸 것이다.

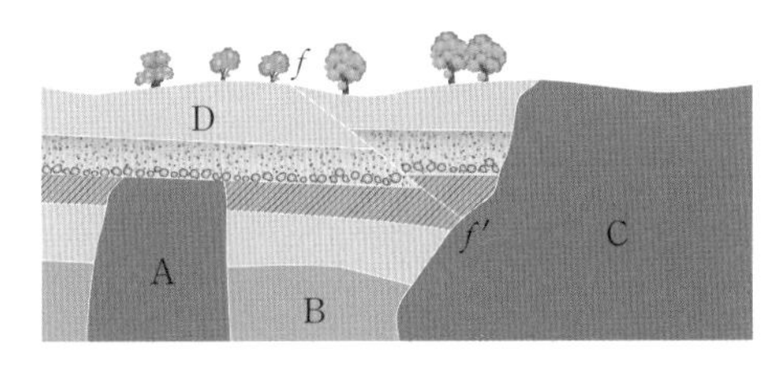

이 지역의 지층과 지질 구조가 형성된 과정을 쓰시오.

서술형

21 그림 (가)는 지구 형성 초기부터 현재까지 주요 대기의 성분 변화를, (나)는 현생 누대의 생물의 수 변화를 나타낸 것이다.

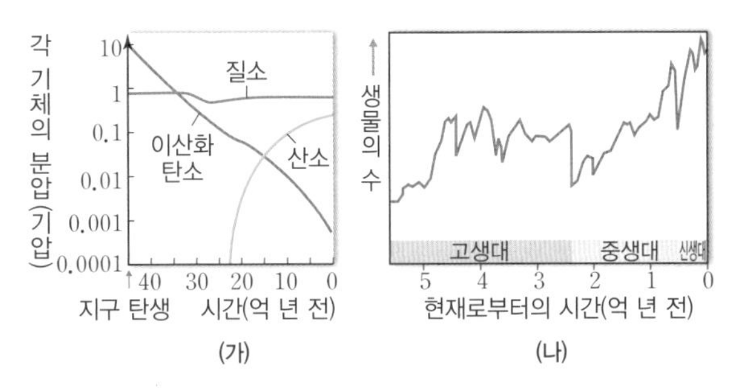

그림 (나)에서 고생대 초기에 생물의 수가 크게 증가한 원인을 그림 (가)의 대기 성분 변화와 관련지어 서술하시오.

Ⅱ

대기와 해양

나의 학습 계획표

중단원	소단원	계획일	실천일	성취도
1 대기와 해양의 변화	01. 기압과 날씨 변화	/	/	○△×
	02. 태풍과 우리나라의 악기상	/	/	○△×
	03. 해수의 성질	/	/	○△×
	수능 POOL + 실전! 수능 도전하기	/	/	○△×
2 대기와 해양의 상호 작용	01. 해수의 표층 순환	/	/	○△×
	02. 해수의 심층 순환	/	/	○△×
	수능 POOL + 실전! 수능 도전하기	/	/	○△×
	03. 대기와 해양의 상호 작용	/	/	○△×
	04. 지구의 기후 변화	/	/	○△×
	수능 POOL + 실전! 수능 도전하기	/	/	○△×
	대단원 정리 + 문제	/	/	○△×

1 대기와 해양의 변화

배울 내용 살펴보기

01 기압과 날씨 변화

- A 고기압과 저기압
- B 고기압과 날씨
- C 온대 저기압과 날씨
- D 일기 예보

고기압과 저기압에 의해 날씨 변화가 일어나고, 이러한 날씨 변화는 기상 자료를 해석하면 알 수 있어.

02 태풍과 우리나라의 악기상

- A 태풍
- B 우리나라의 악기상

태풍이 발생하면 무역풍과 편서풍을 통해 우리나라로 이동하여 많은 피해를 줘. 태풍 이외에도 뇌우, 국지성 호우, 우박, 강풍, 폭설, 황사 등의 악기상들이 피해를 주기도 해.

03 해수의 성질

- A 해수의 염분
- B 해수의 온도
- C 해수의 밀도
- D 해수의 용존 기체

해수의 염분과 수온은 다양한 요인에 의해서 변화하며, 주로 염분과 수온에 의해서 해수의 밀도가 정해져. 그리고 깊이에 따라 해수의 용존 산소와 이산화 탄소의 양이 달라져.

01 기압과 날씨 변화

핵심 키워드로 흐름잡기

- A 고기압, 저기압
- B 기단, 기단의 변질, 계절별 일기도
- C 전선, 온대 저기압
- D 일기 기호, 일기도 해석, 위성 영상

A 고기압과 저기압

|출·제·단·서| 시험에는 고기압과 저기압의 일반적인 특징에 대해서 묻는 문제가 나와.

구분	고기압	저기압
정의	주위보다 기압이 높은 곳	주위보다 기압이 낮은 곳
풍향(북반구)	공기가 시계 방향으로 불어 나간다.	공기가 반시계 방향으로 불어 들어온다.
날씨	하강 기류의 발달로 단열 압축❶이 일어나 구름이 소멸되므로 맑은 날씨가 나타난다.	상승 기류의 발달로 단열 팽창❷이 일어나 구름이 형성되므로 흐린 날씨가 나타난다.
모식도	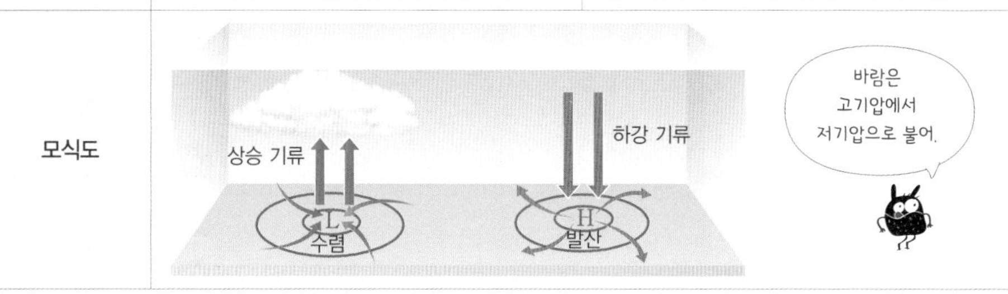	

남반구의 경우 고기압에서는 바람이 반시계 방향으로 불어 나가고, 저기압에서는 바람이 시계 방향으로 불어 들어와!

❶ 단열 압축
하강하는 공기 덩어리는 주변 기압의 증가로 부피가 압축되면서 온도가 높아진다.

❷ 단열 팽창
상승하는 공기 덩어리는 주변 기압의 감소로 부피가 팽창하면서 온도가 낮아진다.

B 고기압과 날씨

|출·제·단·서| 시험에는 기단의 변질과 계절별 일기도의 특징에 대해서 묻는 문제가 나와.

1. 기단 넓은 대양이나 대륙 위에 오랫동안 머무르는 공기 덩어리가 지표면의 성질을 닮아 온도와 습도 등의 성질이 비슷해진 것을 기단이라고 한다. 암기TiP 대륙에서 발생: 건조, 해양에서 발생: 다습, 고위도에서 발생: 한랭, 저위도에서 발생: 고온(온난)

(1) 우리나라에 영향을 미치는 기단

우리나라의 장마철에 영향을 주는 두 기단: 오호츠크해 기단, 북태평양 기단

기단	성질	시기	날씨 특징
시베리아 기단	한랭 건조	겨울	한파, 북서풍
오호츠크해 기단	한랭 다습	초여름, 장마	장마, 높새바람
양쯔강 기단	온난 건조	봄, 가을	황사, 건조
북태평양 기단	고온 다습	여름	무더위, 장마

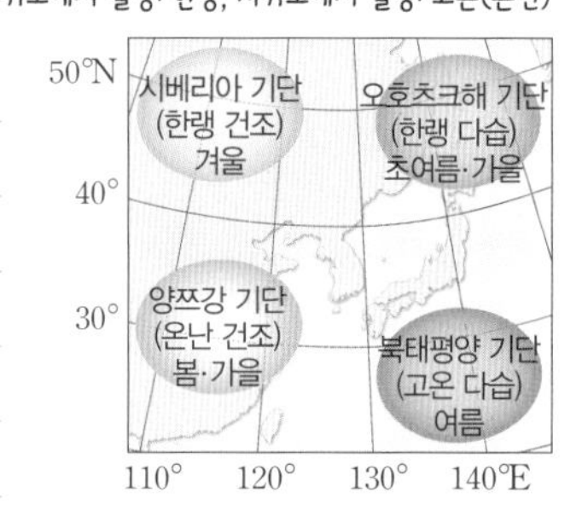

(2) 기단의 변질 기단이 발원지❸에서 벗어나 이동하면 통과하는 지역의 지표면 영향으로 성질이 변하는데, 특히 따뜻한 수면을 만나면 열과 수증기를 공급받아 대기가 불안정해진다.

한랭한 기단이 따뜻한 지역으로 이동할 때	온난한 기단이 찬 지역으로 이동할 때
차고 건조한 기단 → → 적란운 / 한랭한 육지, 따뜻한 바다, 따뜻한 육지	따뜻한 기단 → → 층운 또는 안개 / 따뜻한 육지, 한랭한 바다, 한랭한 육지
기단의 하층이 가열되어 불안정해지며, •적란운이 발달하여 비나 눈이 내린다.	기단의 하층이 냉각되어 안정해지며, 안개나 •층운이 발생한다.

❸ 기단의 발원지
기단이 형성되려면 한 지역에 공기가 오랫동안 정체하면서 일정한 성질을 지니기 위해 바람이 약해야 한다. 주로 정체성 고기압이 지배하고 있는 지역이 이러한 조건을 만족한다.

기단의 변질의 예
시베리아 기단이 황해를 건너면서 하층부가 가열되고 수증기가 공급되어 두꺼운 구름을 형성한다. 겨울철 우리나라 서해안 지방의 폭설은 이러한 기단의 변질 때문이다.

용어 알기

- 적란운(쌓다 積, 어지럽다 亂, 구름 雲) 수직으로 두껍게 발달한 구름
- 층운(층 層, 구름 雲) 수평으로 넓게 퍼진 구름

2. 고기압과 날씨

(1) 고기압의 종류 이동 유무에 따라 정체성 고기압과 이동성 고기압으로 나눈다.

① **정체성 고기압:** 한 곳에 오래 머무르며 이동이 거의 없는 고기압

㉥ 시베리아 고기압(우리나라의 겨울철에 영향), 북태평양 고기압(여름철에 영향)

② **이동성 고기압:** 편서풍❹의 영향으로 서쪽에서 동쪽으로 이동하는 규모가 작은 고기압

⇨ 우리나라는 봄과 가을에 이동성 고기압이 자주 통과하여 날씨가 자주 바뀐다.

└ 주로 시베리아 고기압, 양쯔강 고기압에서 떨어져 나와 이동한다.

(2) 고기압과 우리나라의 날씨

계절	특징
봄·가을	이동성 고기압이 자주 통과하므로 날씨 변화가 심하다.
초여름(장마철)	오호츠크해 기단과 북태평양 기단 사이에 동서로 길게 장마 전선❺이 형성되어 많은 비가 내린다.
여름	• 북태평양 기단이 강한 고기압으로 영향을 미치기 때문에 남고 북저형의 기압 배치가 자주 나타나며, 고온 다습하고 남동풍이 비교적 약하게 분다. 남쪽 해양에 고기압, 북쪽 대륙에 저기압이 분포한다. • 이 기간에 태풍이 통과하기도 한다.
겨울	• 시베리아 고기압의 영향으로 서고 동저형의 기압 배치가 자주 나타나며 북서풍이 강하게 분다. 서쪽 대륙에 고기압, 동쪽 해양에 저기압이 분포한다. • 시베리아 고기압의 확장 정도에 따라 삼한 사온 현상이 나타나기도 한다. • 대륙성 기단의 영향으로 인해 대체로 건조하다. ─ 3일은 춥고, 4일은 온난하다는 의미이다.

빈출 자료 우리나라의 계절에 따른 전형적인 일기도

봄, 가을철	여름철	겨울철
• 이동성 고기압 통과 • 날씨 변화가 큼, 건조	• 북태평양 고기압의 영향 • 남동풍 우세, 고온 다습	• 시베리아 고기압의 영향 • 북서풍 우세, 한랭 건조

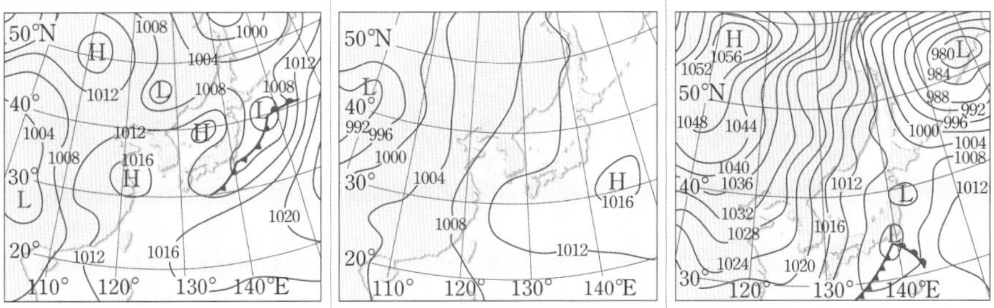

C 온대 저기압과 날씨

|출·제·단·서| 시험에는 온대 저기압이 이동함에 따라 날씨가 어떻게 변하는지 묻는 문제가 나와.

1. •전선

(1) 전선과 전선면❻ 성질이 서로 다른 기단이 접해 있는 경계면을 전선면이라 하고, 전선면이 지표면과 만나 이루는 선을 전선이라고 한다.

(2) 전선의 종류

전선	특징
한랭 전선	찬 공기가 따뜻한 공기 쪽으로 이동하여 따뜻한 공기 밑으로 파고들 때 형성되는 전선
온난 전선	따뜻한 공기가 찬 공기 쪽으로 이동하여 찬 공기 위로 올라갈 때 형성되는 전선
폐색 전선	• 이동 속도가 빠른 한랭 전선이 온난 전선을 따라가 겹쳐지면서 형성되는 전선 • 전선의 앞뒤로 넓게 구름이 생기며 넓은 지역에 비가 내림
정체 전선	• 전선을 경계로 찬 기단과 따뜻한 기단의 세력이 비슷하여 이동이 거의 없이 한곳에 오래 머무르는 전선 대표적인 예가 우리나라 초여름의 장마 전선이다. • 전선을 따라 길게 구름 띠를 형성하여 많은 양의 비를 내림

❹ 편서풍
위도 30°~60° 사이의 중위도 지역 상공에서 서쪽에서 동쪽으로 부는 바람

❺ 장마 전선
초여름에 북태평양 기단과 오호츠크해 기단이 우리나라 상공에서 만나 이루어진 정체 전선이다. 장마 전선은 북태평양 기단의 세력이 강해지면 북상하고, 오호츠크해 기단의 세력이 강해지면 남하한다.

❻ 전선과 전선면

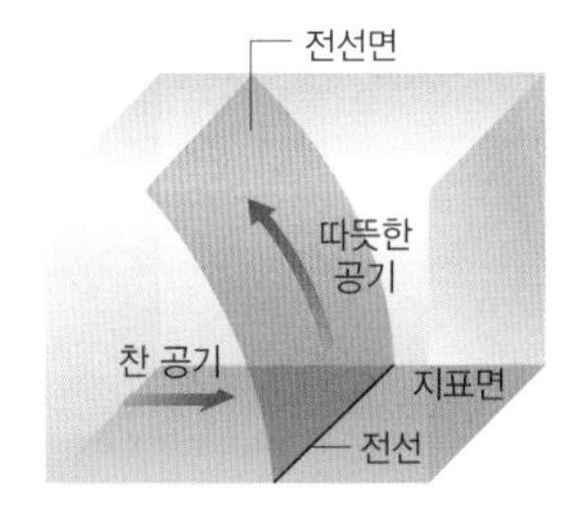

전선을 나타내는 기호

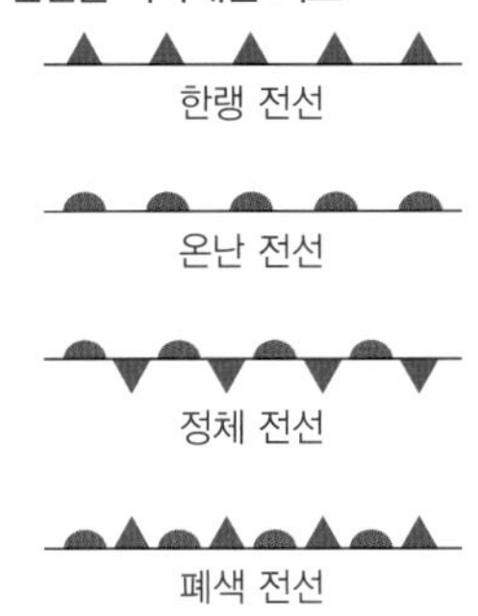

용어 알기

•전선(앞 前, 줄 線) 성질이 다른 공기의 경계선

> 전선면을 따라 따뜻한 공기가 찬 공기 위로 상승하므로, 전선을 경계로 찬 공기 쪽에서 강수 구역이 나타나!

❓ 한랭 전선은 왜 온난 전선보다 이동 속도가 빠를까?

한랭 전선은 밀도가 큰 찬 공기가 밀도가 작은 따뜻한 공기를 밀면서 이동하고, 온난 전선은 그 반대이므로 한랭 전선의 이동 속도가 온난 전선보다 빠르다.

온대 저기압의 중심이 관측 지역의 북쪽을 통과할 때 나타나는 날씨 변화

- 기온 변화: 상승 후 하강
- 기압 변화: 하강 후 상승
- 풍향 변화: 남동풍 → 남서풍 → 북서풍
- 강수 변화: 지속적인 비 → 갬 → 소나기

용어 알기

●보슬비 조용히 가늘고 성기게 내리는 비

빈출 자료 한랭 전선과 온난 전선

구분		한랭 전선	온난 전선
모식도		적란운, 따뜻한 공기, 찬 공기, 서, 동	층운형 구름, 따뜻한 공기, 찬 공기, 서, 동
전선면의 기울기		급하다	완만하다
구름과 강수 형태		적운형, 소나기	층운형, ●보슬비 지속적 강우
구름과 강수 구역		전선 뒤쪽의 좁은 구역	전선 앞쪽의 넓은 구역
전선의 이동 속도		빠르다	느리다
통과 후의 변화	기온	하강	상승
	기압	상승	하강
	바람	남서풍 → 북서풍	남동풍 → 남서풍

2. 온대 저기압과 날씨 탐구 POOL

(1) 온대 저기압 중위도 지역에서 발생하는 전선을 동반한 저기압

(2) 온대 저기압의 발생과 소멸 온대 저기압은 발생에서 소멸까지 대체로 5일~7일이 걸린다.

① 정체 전선 형성	② 파동 형성	③ 온대 저기압 발달
찬 공기, 따뜻한 공기	찬 공기, 찬 공기, 따뜻한 공기	찬 공기, 찬 공기, 저, 따뜻한 공기
중위도에서 고위도의 찬 공기와 저위도의 따뜻한 공기가 만나 정체 전선이 형성된다.	남북 간의 기온 차로 파동이 발생하고, 저기압성 회전이 발생한다.	저기압 중심의 남서쪽에 한랭 전선, 남동쪽에 온난 전선이 형성된다.
④ 폐색 시작	**⑤ 폐색 전선 발달**	**⑥ 온대 저기압 소멸**
찬 공기, 찬 공기, 저, 따뜻한 공기	찬 공기, 찬 공기, 저, 따뜻한 공기	따뜻한 공기, 찬 공기
한랭 전선이 온난 전선보다 이동 속도가 빠르므로 폐색 전선이 만들어지기 시작한다.	한랭 전선과 온난 전선이 겹쳐지는 폐색 전선이 뚜렷하게 나타난다.	성질이 다른 공기가 뒤섞여 점차 안정한 상태가 되어 온대 저기압이 소멸한다.

(3) 온대 저기압과 날씨 변화 온대 저기압은 편서풍의 영향으로 서쪽에서 동쪽으로 이동하므로 온난 전선이 먼저 통과하고, 이후에 한랭 전선이 통과한다.

암기TiP 온대 저기압의 중심이 관측 지역의 북쪽을 지나면 풍향은 시계 방향(남동풍 → 남서풍 → 북서풍)으로 변한다.

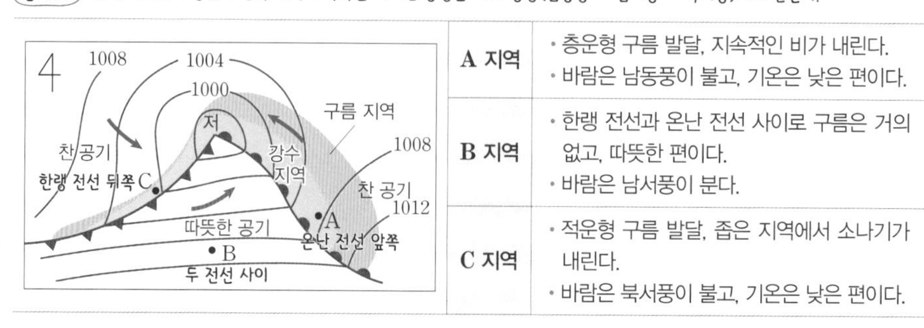

A 지역	• 층운형 구름 발달, 지속적인 비가 내린다. • 바람은 남동풍이 불고, 기온은 낮은 편이다.
B 지역	• 한랭 전선과 온난 전선 사이로 구름은 거의 없고, 따뜻한 편이다. • 바람은 남서풍이 분다.
C 지역	• 적운형 구름 발달, 좁은 지역에서 소나기가 내린다. • 바람은 북서풍이 불고, 기온은 낮은 편이다.

D 일기 예보

|출·제·단·서| 시험에는 일기 기호와 위성 영상을 해석하는 문제가 나와.

1. 일기 예보 과정 기상 관측 및 기상 자료 수집 → 일기도 작성 → 일기도 분석 및 수치 예보❼ → 예상 일기도 작성 → 일기 예보 및 통보

관측 자료를 바탕으로 슈퍼 컴퓨터가 수치 예보를 한다.

2. 일기도 해석

(1) 일기 기호 일기도에서는 일기 현상, 구름의 양, 풍향과 풍속, 전선과 기압 등을 일기 기호로 나타낸다.

구분				
일기 현상	● 비	진눈깨비	☰ 안개	소나기
	눈	뇌우	가랑비	소낙눈
운량	○ 맑음	◐ 갬	● 흐림	
풍속	◎ 0	2	5, 7, 12	25 (m/s)
전선과 기압	온난 전선, 한랭 전선	폐색 전선, 정체 전선	고기압 Ⓗ 고, 저기압 Ⓛ 저	태풍

풍속, 풍향, 기압, 기온, 18, 280, 현재 일기, 10, 이슬점, 운량

▲ 일기 기호

(2) 일기도 분석

① 저기압이나 전선 부근에서는 날씨가 흐리고, 고기압에서는 날씨가 맑다. 특히 전선 부근에서는 풍향, 풍속, 기온, 기압 등의 일기 요소가 급변한다.

② 바람은 기압이 높은 곳에서 낮은 곳으로 불며, 등압선의 간격이 좁을수록 강하게 분다.
우리나라로 불어오는 바람의 근원이 되는 고기압을 파악하면 날씨의 특징을 알 수 있다.

3. 기상 자료 해석 암기TiP 가시 영상에서는 구름의 두께를, 적외 영상에서는 구름의 높이를 파악할 수 있다.

(1) 위성 영상 가시 영상, 적외 영상 등이 있으며, 영상에서 구름이 있는 부분은 하얗게 나타난다.

① **가시 영상:** 구름과 지표면에서 반사되는 태양 빛의 세기를 감지하여 나타낸다. ⇨ 구름이 두꺼울수록 밝게 나타난다. 햇빛이 없는 야간에는 관측할 수 없다.

② **적외 영상❽:** 구름이나 지표면에서 방출하는 •적외선량을 감지하여 나타낸다. ⇨ 구름의 높이가 높을수록 밝은 흰색으로 나타난다. 낮과 밤에 관계없이 24시간 관측이 가능하다.

(2) 기상 레이더 영상 전파를 발사한 후 강수 입자에 부딪혀 되돌아오는 반사파를 분석하여 영상으로 나타낸다. 레이더 영상을 분석하면 강수량, 강수대의 위치와 이동 경향을 파악하는 데 효과적이다.

빈출 자료 위성 영상과 기상 레이더 영상

가시 영상	적외 영상	기상 레이더 영상
두꺼운 구름은 흰색으로, 얇은 구름은 회색이나 검은색으로 보인다.	고도가 높은 구름은 흰색으로, 고도가 낮은 구름은 회색으로 보인다.	비가 오는 구역과 강수량을 실시간으로 확인할 수 있다.

❼ 수치 예보
수치 예보는 대기의 운동을 나타내는 방정식에 초기 조건, 즉 관측 자료를 대입하여 계산을 통해 미래의 날씨를 예측하는 방법이다. 계산에 사용되는 자료의 양과 연산 횟수가 방대하여 슈퍼 컴퓨터를 이용한다.

일기 예보의 종류
일일 예보 외에 1주일 동안의 일기를 예상하는 주간 예보, 한 달 동안의 일기를 예상하는 장기 예보, 태풍과 대설 등의 기상 재해가 예상될 때 발표하는 기상 특보(주의보, 경보) 등이 있다.

❽ 적외 영상
적외선을 강하게 방출할수록 온도가 높고, 지표면에 가깝다. 적외 영상에서 밝은 곳은 적외선 방출량이 적은 곳이다. 따라서 구름이 없을 경우 지표면에서 많은 적외선이 방출되므로 어둡게 나타나고, 상층 구름에서는 온도가 낮아 적외선 방출량이 적어 밝게 나타난다. 구름이 존재할 경우 지표면에서 오는 적외선을 구름의 바닥에서 흡수하며, 위성에 도달하는 적외선은 구름 상층부에서 방출된 적외선이다.

용어 알기
• 적외선(붉다 赤, 바깥 外, 줄 線) 파장이 적색의 가시광선보다 긴 전자기파

온대 저기압과 날씨 변화

목표 온대 저기압이 통과할 때 일기도와 위성 영상을 이용하여 날씨 변화를 설명할 수 있다.

과정

유의점
적외 영상에서는 구름의 높이가 높을수록 밝게 나타난다.

그림 (가)~(다)는 어느 날 12시간 간격으로 작성된 일기도와 같은 날, 같은 시각에 촬영한 적외 영상이다.

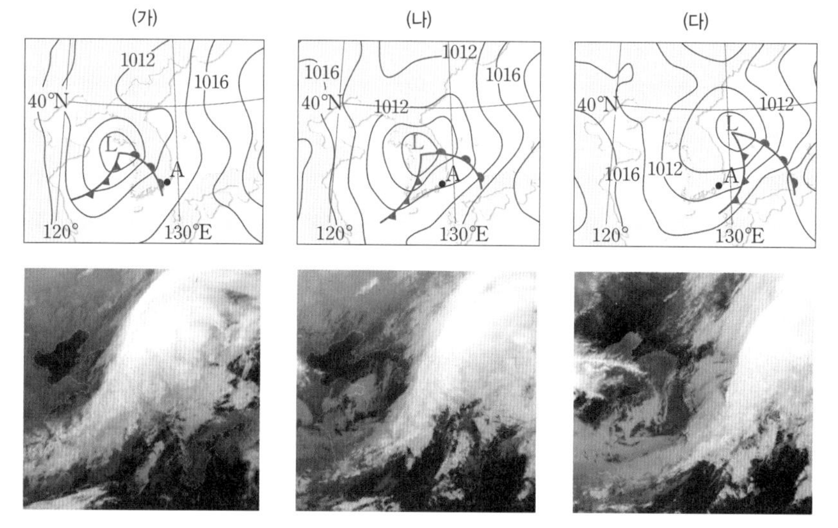

우리나라는 편서풍대에 속하여 고기압이나 저기압이 서에서 동으로 이동해. 즉 서쪽의 날씨가 곧 우리나라의 날씨가 될 것으로 예상할 수 있어.

❶ 투명 필름에 지도를 그리고, (가)~(다)의 일기도에 나타난 온대 저기압의 위치를 표시한다.

❷ 과정 ❶의 투명 필름에 A 지역을 표시하고 위성 영상과 비교하여 이 날 A 지역에 나타나는 날씨 변화를 해석한다.

결과

❶ 온대 저기압의 위치는 편서풍의 영향으로 서쪽에서 동쪽으로 이동한다.

❷ 온대 저기압이 통과함에 따라 A 지역의 날씨는 다음과 같이 변한다.

구분	(가)	(나)	(다)
위성 영상 (구름 높이)	층운 (높이가 낮음)	없음	적란운 (높이가 높음)
일기 현상	지속적인 비	맑음	소나기
풍향	남동풍	남서풍	북서풍
기단(기온)	찬 기단(낮음)	따뜻한 기단(높음)	찬 기단(낮음)

한·줄·핵심 온대 저기압이 동쪽으로 이동함에 따라 온난 전선 통과 후 한랭 전선이 통과한다.

확인 문제

정답과 해설 31쪽

01 A 지역의 날씨에 대한 설명으로 옳은 것은 ○, 옳지 않은 것은 ×로 표시하시오.

(1) 구름의 두께는 (가)보다 (다)일 때 두꺼웠다. (   )

(2) (나)일 때 찬 기단의 영향을 받았다. (   )

(3) (가), (나), (다) 중에서 시간 당 강수량은 (가)일 때 가장 많았다. (   )

02 온대 저기압이 통과하는 동안 A 지역의 풍향은 어떻게 바뀌었는지 쓰시오.

콕콕! 개념 확인하기

정답과 해설 31쪽

✔ 잠깐 확인!

1. 주위보다 기압이 높은 곳을 □□□, 기압이 낮은 곳을 □□□이라고 한다.

2. □□□□ 기단
우리나라의 겨울철 날씨에 영향을 미치는 기단

3. 기단의 하층이 냉각되어 안정해지면 안개나 □□이 발생한다.

4. □□□
위도 30°~60° 사이의 중위도 지역 상공에서 서쪽에서 동쪽으로 부는 바람

5. □□ 전선
찬 공기가 따뜻한 공기 쪽으로 이동하여 따뜻한 공기 밑으로 파고들 때 형성된 전선

6. 한랭 전선과 온난 전선이 겹쳐지면 □□ 전선이 형성된다.

7. 일기도에서는 구름의 양, 풍향과 풍속, 전선과 기압 등을 □□ □□로 나타낸다.

A 고기압과 저기압

01 고기압과 저기압에 대한 설명으로 옳은 것은 ○, 옳지 않은 것은 ×로 표시하시오.

(1) 북반구의 지상 고기압에서는 공기가 시계 방향으로 불어 나간다. ( )

(2) 저기압 지역에서는 하강 기류가 발달하여 날씨가 흐리다. ( )

(3) 공기가 상승할 때 단열 팽창에 의해 구름이 형성될 수 있다. ( )

B 고기압과 날씨

02 기단과 날씨에 대한 설명이다. ( ) 안에 들어갈 알맞은 말을 쓰시오.

(1) 공기 덩어리가 지표면의 성질을 닮아 온도와 습도 등의 성질이 비슷해진 것을 ( )이라고 한다.

(2) 우리나라의 여름철에 영향을 미치는 기단은 ( ) 기단이다.

(3) 찬 기단이 따뜻한 수면을 지날 때 불안정해지면서 ( )이 발달한다.

03 계절과 계절에 따른 날씨를 옳게 연결하시오.

(1) 봄, 가을 • • ㉠ 남고 북저형의 기압 배치, 남동풍이 우세하다.

(2) 여름 • • ㉡ 해양성 기단의 영향으로 많은 비가 내린다.

(3) 장마철 • • ㉢ 이동성 고기압이 자주 통과한다.

(4) 겨울 • • ㉣ 서고 동저형의 기압 배치, 북서풍이 강하다.

C 온대 저기압과 날씨

04 온대 저기압에 대한 설명으로 옳은 것은 ○, 옳지 않은 것은 ×로 표시하시오.

(1) 중위도 지역에서 발생한 저기압으로 전선을 동반한다. ( )

(2) 편서풍의 영향으로 서쪽에서 동쪽으로 이동한다. ( )

(3) 한랭 전선 뒤쪽에 지속적인 비, 온난 전선 앞쪽에 소나기가 내린다. ( )

D 일기 예보

05 일기도 해석에 대한 설명이다. ( ) 안에 들어갈 알맞은 말을 쓰시오.

(1) 일기도에서 ( )의 간격이 좁을수록 바람이 강하다.

(2) ( ) 영상에서는 구름의 높이가 높을수록 밝은 흰색으로 나타난다.

(3) ( ) 영상은 구름과 지표면에서 반사되는 빛의 세기를 감지하여 나타내므로 구름이 두꺼울수록 밝게 나타난다.

(4) 기상 ( ) 영상은 전파가 강수 입자에 부딪혀 되돌아오는 신호를 나타낸 영상이다.

탄탄! 내신 다지기

A 고기압과 저기압

01 그림은 어느 지역에서 기압 분포와 바람의 방향(화살표)을 나타낸 것이다.
이에 대한 설명으로 옳은 것만을 <보기>에서 있는 대로 고른 것은?

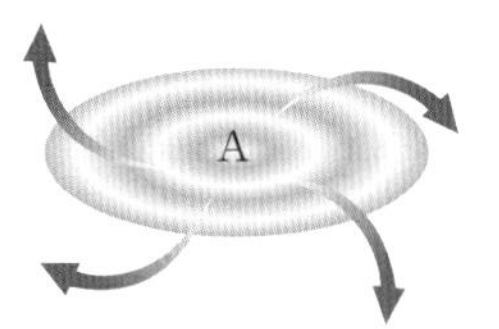

보기
ㄱ. 이 지역은 북반구에 위치한다.
ㄴ. A는 주변보다 기압이 낮다.
ㄷ. A에서 상승 기류가 나타난다.

① ㄱ ② ㄴ ③ ㄷ
④ ㄱ, ㄴ ⑤ ㄱ, ㄷ

단답형

02 다음 글의 ㉠, ㉡에 들어갈 알맞은 말을 쓰시오.

(㉠) 중심에서는 주변에서 불어 들어온 공기가 상승한다. 상승하는 공기는 단열 (㉡)하여 구름이 생긴다. 따라서 (㉠) 중심에서는 날씨가 흐리거나 비가 오는 경우가 많다.

B 고기압과 날씨

03 다음 중 기단에 대한 설명으로 옳지 않은 것은?

① 해양성 기단은 대륙성 기단보다 습하다.
② 기단은 한 번 형성되면 성질이 변하지 않는다.
③ 기단은 온도와 습도가 비슷한 거대한 공기 덩어리이다.
④ 기단은 넓은 범위의 지표면과 오랫동안 접촉하여 생성된다.
⑤ 고위도에서 형성된 기단은 저위도에서 형성된 기단보다 기온이 낮다.

04 그림은 우리나라 날씨에 영향을 주는 기단을 나타낸 것이다. 기단 A~D에 대한 설명으로 옳은 것은?

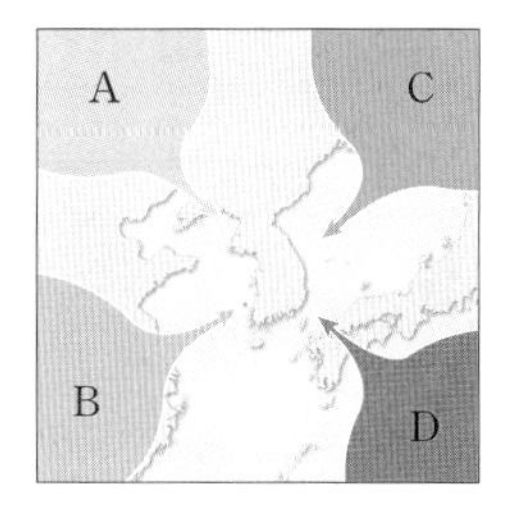

① A 기단은 온난 다습하다.
② 겨울철에는 B 기단의 영향을 받는다.
③ 꽃샘 추위는 C 기단의 영향으로 나타난다.
④ D 기단의 영향으로 무더운 날씨가 된다.
⑤ A와 C 기단은 장마철에 많은 비가 내리게 한다.

05 그림은 어느 날 우리나라 주변의 일기도를 나타낸 것이다.

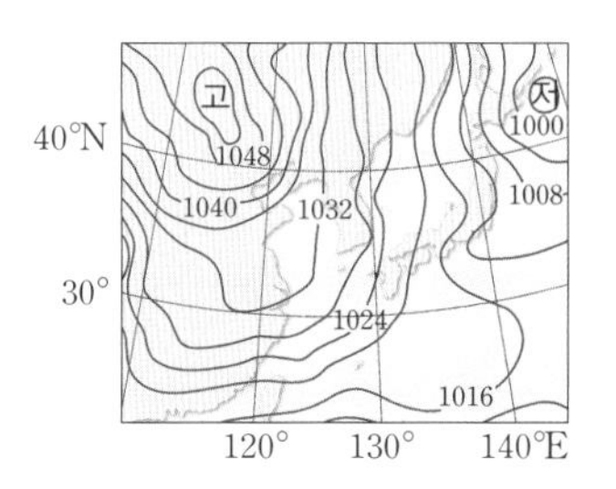

이날 우리나라의 날씨에 대한 설명으로 옳은 것만을 <보기>에서 있는 대로 고른 것은?

보기
ㄱ. 북서풍이 우세하다.
ㄴ. 오호츠크해 기단의 영향을 받는다.
ㄷ. 기단의 변질로 서해안에 많은 눈이 내릴 수 있다.

① ㄱ ② ㄴ ③ ㄱ, ㄴ
④ ㄱ, ㄷ ⑤ ㄴ, ㄷ

단답형

06 그림 (가), (나), (다)는 우리나라의 봄철, 여름철, 겨울철에 나타나는 전형적인 일기도를 순서 없이 나타낸 것이다.

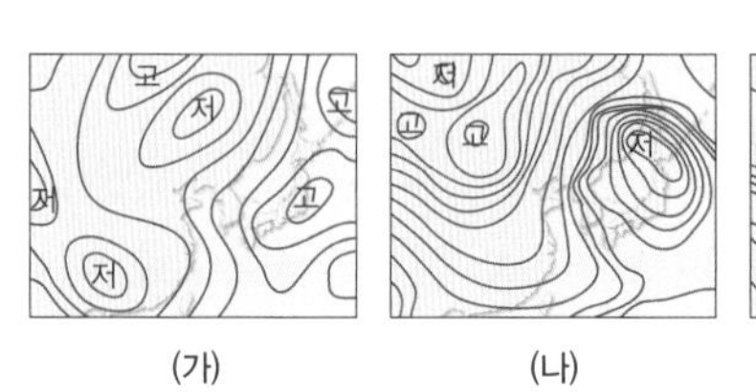

(가) (나) (다)

(가), (나), (다)에 해당하는 계절을 각각 쓰시오.

C 온대 저기압과 날씨

07 그림은 성질이 다른 두 공기가 만나 형성된 전선면 부근의 모습을 나타낸 것이다. 이에 대한 설명으로 옳은 것은?

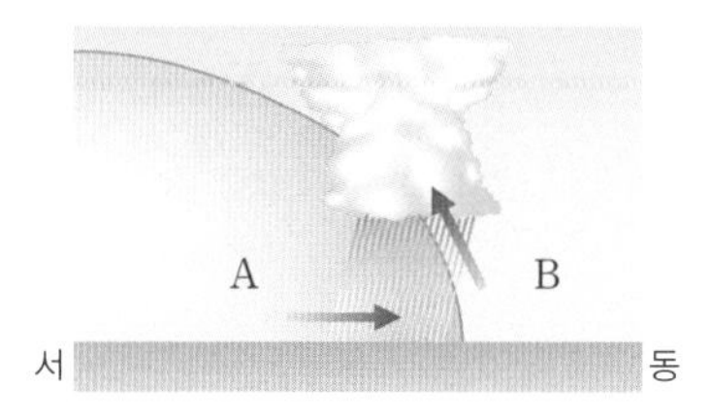

① 온난 전선이 발달한다.
② 공기의 온도는 A가 B보다 높다.
③ 전선은 서쪽으로 이동하고 있다.
④ 강수 구역은 주로 전선의 뒤쪽에 나타난다.
⑤ 전선은 거의 이동하지 않고 오랫동안 머문다.

08 그림은 온대 저기압의 모습을 나타낸 것이다.

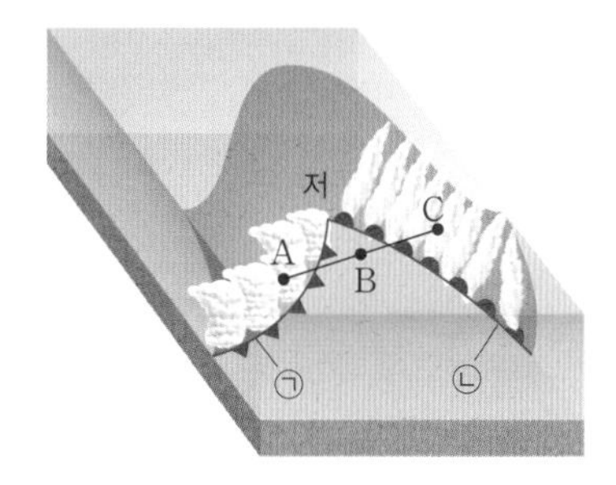

A, B, C 지역의 날씨에 대한 설명으로 옳은 것은?

① A 지역은 넓은 지역에 이슬비가 내린다.
② 현재 B 지역의 기온이 가장 낮다.
③ C 지역에서는 북서풍이 분다.
④ B 지역은 ㉠ 전선 통과 후 기압이 높아질 것이다.
⑤ C 지역은 ㉡ 전선 통과 후 기온이 낮아질 것이다.

단답형

09 다음은 어느 날 온난 전선과 한랭 전선이 통과한 서울 지역의 날씨 변화를 순서 없이 나열한 것이다.

> (가) 이슬비가 한동안 내렸다.
> (나) 기온이 낮아지면서 소나기가 내렸다.
> (다) 풍향이 남동풍에서 남서풍으로 바뀌었다.

(가), (나), (다)의 날씨 변화를 먼저 나타난 것부터 순서대로 나열하시오.

D 일기 예보

10 다음은 서로 다른 두 전선 (가)와 (나)의 특징이다.

> (가) 따뜻한 공기가 찬 공기 쪽으로 이동할 때 찬 공기의 위쪽으로 비스듬히 올라가면서 만들어진 전선이다.
> (나) 성질이 다른 두 기단의 세력이 비슷하여 한곳에 오래 머무는 전선이다.

(가)와 (나)의 전선 기호를 옳게 짝 지은 것은?

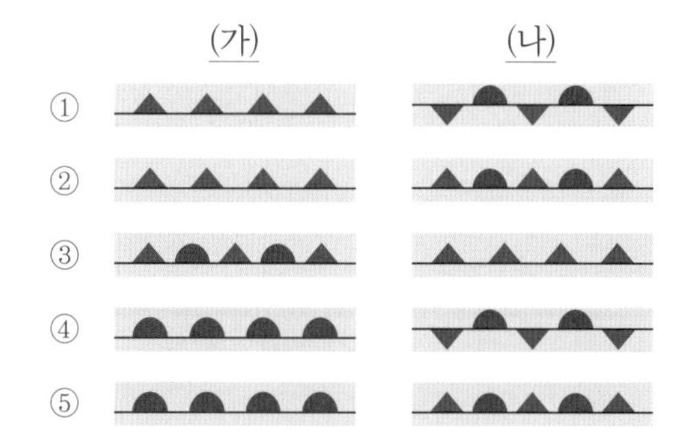

11 그림은 어느 지역의 기상 요소를 관측하여 일기 기호로 나타낸 것이다. 이 일기 기호에 대한 해석으로 옳지 않은 것은?

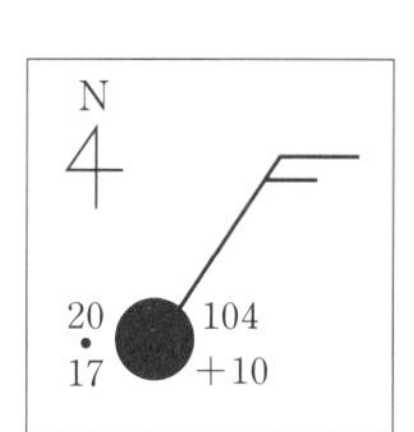

① 남서풍이 불고 있다.
② 풍속은 약 7 m/s이다.
③ 현재 기온은 20 ℃이다.
④ 기압은 1010.4 hPa이다.
⑤ 현재 구름이 많고 비가 내린다.

단답형

12 그림 (가)는 가시 영상을, (나)는 기상 레이더 영상을 나타낸 것이다.

(가)

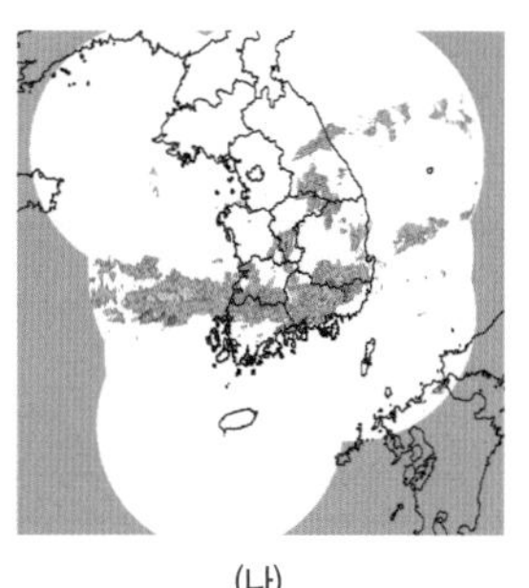
(나)

(가)와 (나)에서 파악할 수 있는 기상 정보는 무엇인지 한 가지씩 쓰시오.

도전! 실력 올리기

01 그림은 북반구의 고기압과 저기압을 나타낸 것이다.

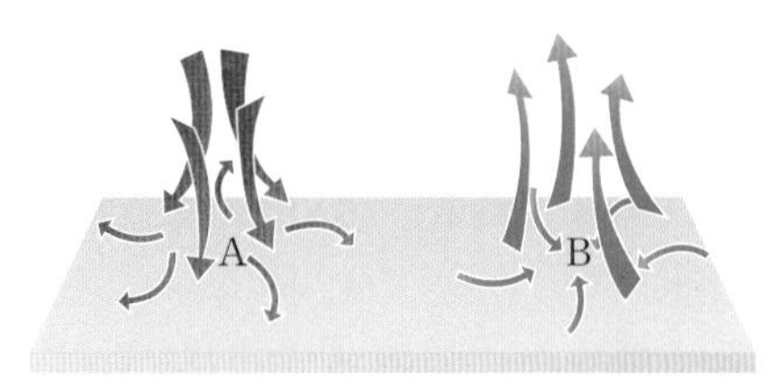

이에 대한 설명으로 옳은 것만을 〈보기〉에서 있는 대로 고른 것은?

〈보기〉
ㄱ. A는 주변 지역보다 기압이 낮다.
ㄴ. B에서 상승하는 공기는 단열 팽창한다.
ㄷ. 비가 내릴 가능성은 A가 B보다 크다.

① ㄱ ② ㄴ ③ ㄱ, ㄴ
④ ㄴ, ㄷ ⑤ ㄱ, ㄴ, ㄷ

02 그림 (가)는 우리나라 날씨에 영향을 주는 기단의 위치를, (나)는 이 기단들의 온도와 습도를 비교하여 나타낸 것이다.

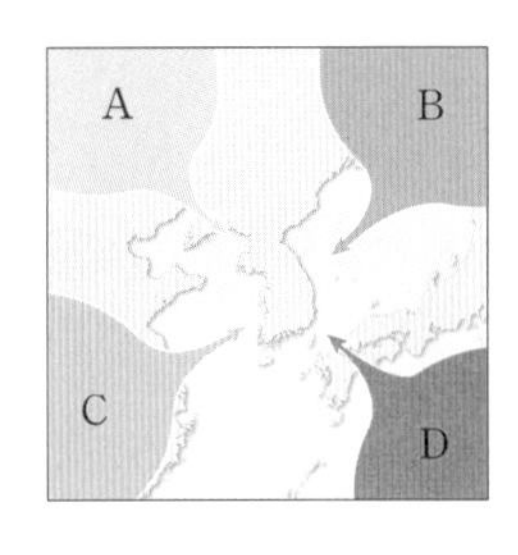

(가)

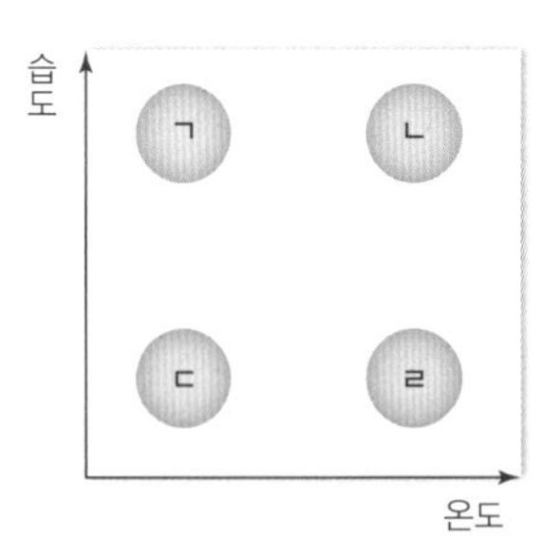

(나)

그림 (가)의 기단 A~D에 해당하는 성질을 (나)에서 골라 옳게 짝 지은 것은?

	A	B	C	D
①	ㄱ	ㄴ	ㄷ	ㄹ
②	ㄱ	ㄴ	ㄹ	ㄷ
③	ㄷ	ㄱ	ㄴ	ㄹ
④	ㄷ	ㄱ	ㄹ	ㄴ
⑤	ㄷ	ㄹ	ㄱ	ㄴ

출제예감

03 그림은 시베리아 기단의 변질을 나타낸 것이다.

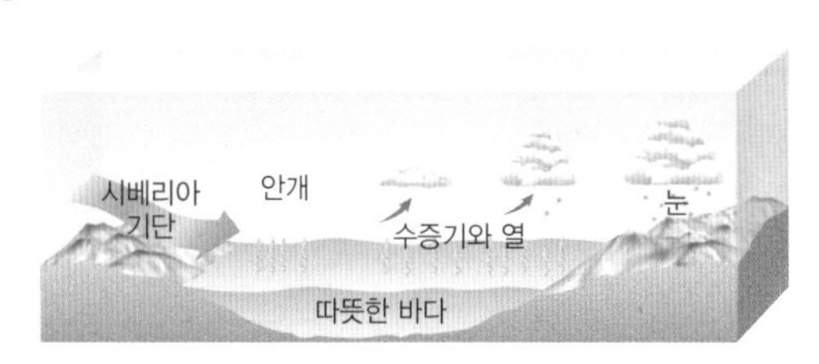

이에 대한 설명으로 옳은 것만을 〈보기〉에서 있는 대로 고른 것은?

〈보기〉
ㄱ. 시베리아 기단의 하층부는 점점 안정해진다.
ㄴ. 시베리아 기단은 따뜻한 바다를 지나는 동안 열과 수증기를 공급받는다.
ㄷ. 겨울철 우리나라 서해안 지방에 폭설이 내리는 현상을 이 과정으로 설명할 수 있다.

① ㄱ ② ㄴ ③ ㄱ, ㄷ
④ ㄴ, ㄷ ⑤ ㄱ, ㄴ, ㄷ

출제예감

04 그림은 북반구 어느 지역에서 관측한 기압과 기온을 시간에 따라 나타낸 것이다. 관측하는 동안 전선이 통과하였다.

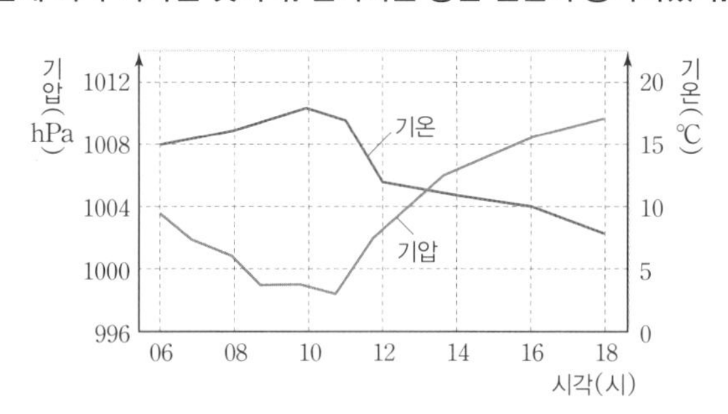

이에 대한 설명으로 옳은 것만을 〈보기〉에서 있는 대로 고른 것은?

〈보기〉
ㄱ. 08시경에 남동풍이 불었다.
ㄴ. 10시~12시 사이에 한랭 전선이 통과하였다.
ㄷ. 12시 이후에 지속적으로 비가 내렸다.

① ㄴ ② ㄷ ③ ㄱ, ㄴ
④ ㄱ, ㄷ ⑤ ㄴ, ㄷ

정답과 해설 32쪽

출제예감

05 그림 (가)와 (나)는 하루 간격으로 작성된 우리나라 주변의 지상 일기도를 순서 없이 나타낸 것이다.

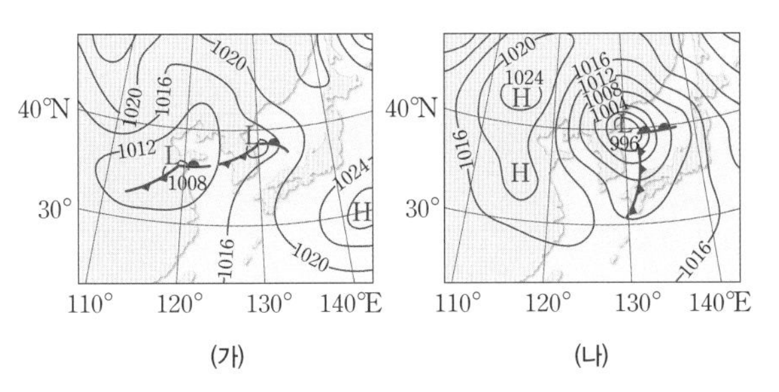

이 일기도에 대한 해석으로 옳은 것만을 〈보기〉에서 있는 대로 고른 것은?

〈보기〉
ㄱ. (가)는 (나)보다 먼저 작성되었다.
ㄴ. 이 기간 동안 온대 저기압의 세력은 강화되었다.
ㄷ. 온대 저기압이 우리나라를 지나는 동안 제주도의 풍향은 시계 방향으로 변했다.

① ㄱ ② ㄴ ③ ㄱ, ㄷ
④ ㄴ, ㄷ ⑤ ㄱ, ㄴ, ㄷ

06 그림은 어느 날 우리나라 주변의 지상 일기도와 서울의 날씨를 일기 기호로 나타낸 것이다.

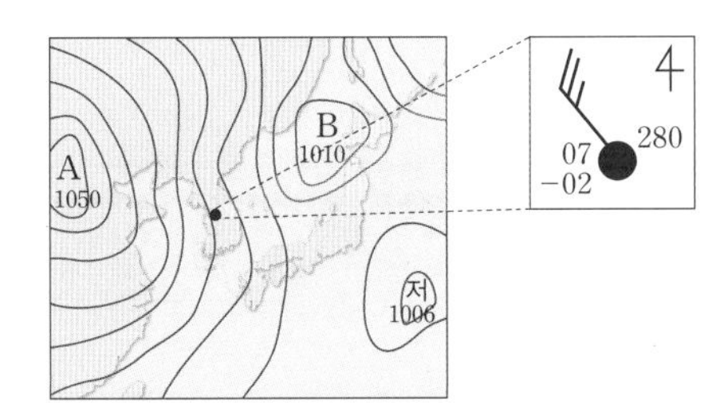

이에 대한 설명으로 옳지 않은 것은?

① 구름의 양은 A보다 B에서 많다.
② A에서는 하강 기류가 우세하다.
③ 서울에서는 북서풍이 강하게 분다.
④ 이날 우리나라는 한랭 건조한 날씨가 나타난다.
⑤ 다음날 우리나라는 B의 영향을 받을 것이다.

서술형

07 그림 (가)와 (나)는 북반구 지상에 형성된 고기압과 저기압을 순서 없이 나타낸 것이다.

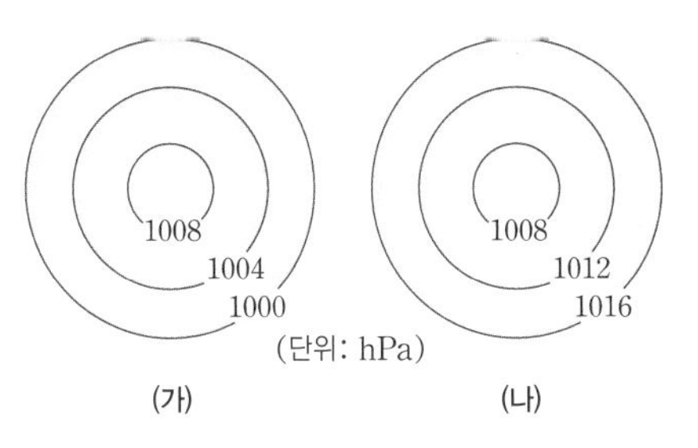

(가)와 (나)에서 각각 바람은 어떻게 부는지 서술하시오.

단답형

08 그림 (가)와 (나)는 성질이 다른 두 기단에 의해 만들어진 전선을 각각 나타낸 것이다.

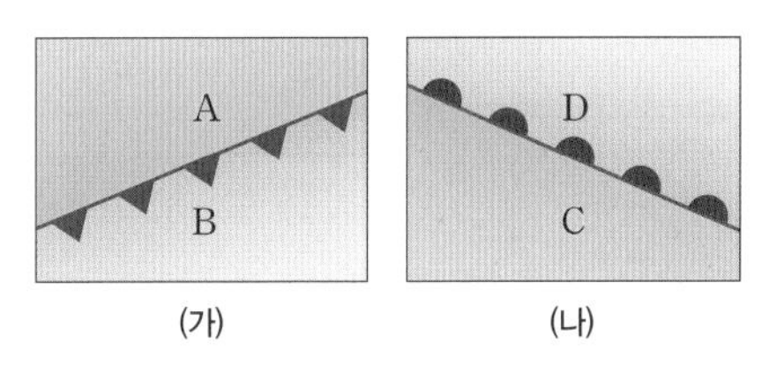

A~D 중 현재 비가 오는 구역을 찾고, 그 구역에서의 강수 형태를 쓰시오.

서술형

09 그림은 어느 날 작성된 기상 일기도를 나타낸 것이다. 우리나라에 위치한 전선의 명칭을 쓰고, 위치 변화를 북태평양 고기압의 발달과 관련지어 서술하시오.

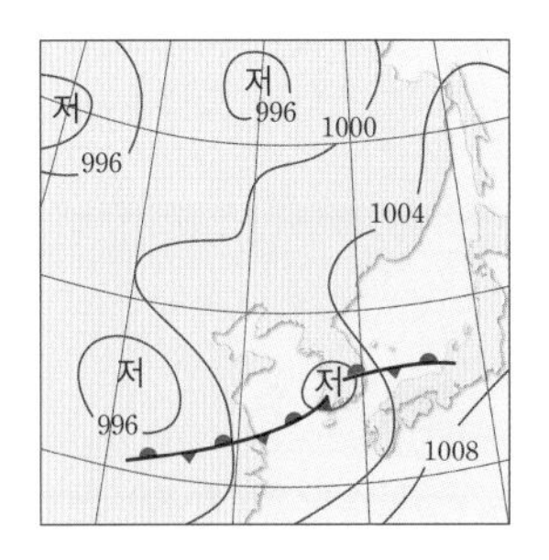

02 태풍과 우리나라의 악기상

핵심 키워드로 흐름잡기

[A] 태풍, 열대 저기압, 태풍의 눈, 위험 반원, 안전 반원

[B] 뇌우, 국지성 호우, 우박, 강풍, 폭설과 한파, 황사

A 태풍

|출·제·단·서| 시험에는 태풍의 발생, 이동 경로, 태풍의 피해 등 태풍의 전반적인 특징을 묻는 문제가 나와.

1. 태풍의 발생

발생	• 열대 저기압: 위도 5°~25°, 수온 약 27 ℃ 이상인 열대 해상에서 발생하는 저기압이다. • 태풍: 우리나라에서는 열대 저기압 중심 부근의 순간 최대 풍속이 17 m/s 이상인 것을 태풍이라고 한다.
발생 지역과 이름	• 태풍은 발생하는 지역에 따라 그 이름이 다르다. 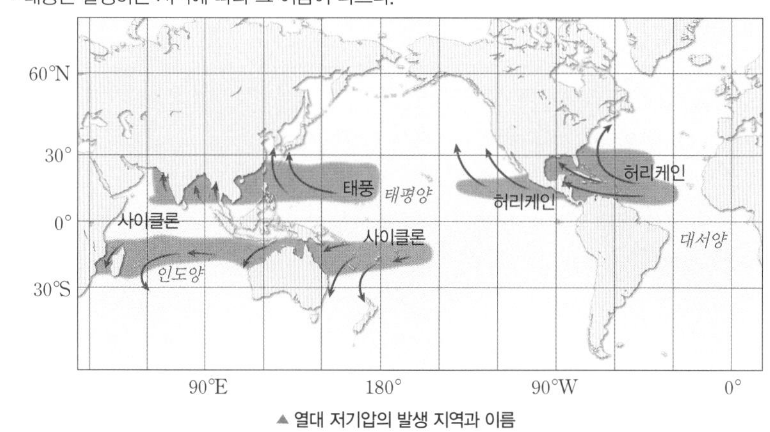 ▲ 열대 저기압의 발생 지역과 이름
에너지원	• 태풍의 에너지원: 수증기가 응결하면서 방출하는 응결열(숨은열❶ 또는 •잠열) • 태풍의 발달: 고온 다습한 열대 해상에서 표층 수온이 상승하면 대기가 불안정해져서 빠르게 상승하여 적란운이 두껍게 발달 ⇨ 적란운에서 수증기가 응결하면서 많은 양의 응결열 방출 ⇨ 공기에 에너지를 공급 ⇨ 상승 기류가 더욱 강해지면서 태풍으로 발달한다. • 태풍은 수권과 기권❷의 상호 작용으로 발생하는 기상 현상이다.

2. 태풍의 구조와 기압 및 풍속

태풍의 눈이 발생하는 주된 이유는 바람이 강하기 때문이다. → 바람이 강할수록 지구 자전 효과가 커서 바람은 오른쪽(북반구)으로 많이 휘어 불기 때문에 중심부로 수렴하지 못하고 주변에서 상승한 공기가 상층부에서 중심부로 이동하여 하강 기류가 발생한다.

(1) 태풍의 구조

① 태풍은 시계 반대 방향으로 회전하는 대기의 거대한 소용돌이로, 지름은 수백 km 정도이며 평균 높이는 약 15 km이다.

② 태풍은 전체적으로 상승 기류가 발달하여 중심부로 갈수록 두꺼운 •적운형 구름이 발달해 있다.

③ **태풍의 눈:** 태풍 중심으로부터 반지름이 약 50 km에 이르는 지역으로, 하강 기류가 나타나 날씨가 맑고 바람이 약하며, 주변보다 기압이 낮다.

태풍의 눈에서는 하강 기류가 나타나서 기압이 높을 것 같지만, 하강 기류가 발생하기 전 기압이 매우 낮았기 때문에 기압은 여전히 주변보다 낮다.

(2) 태풍의 기압과 풍속 태풍의 중심부로 갈수록 바람은 강해지다가 태풍의 눈 부근에서 가장 강하고, 기압은 계속 낮아진다.

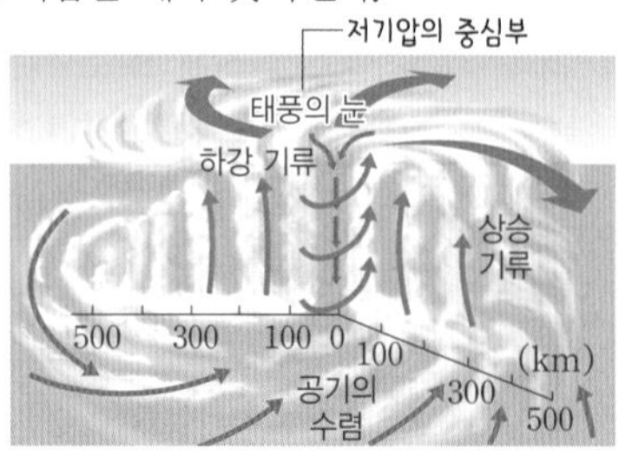

▲ 태풍의 구조

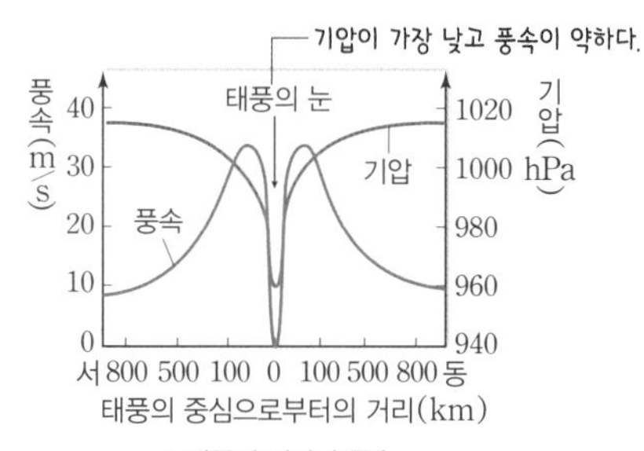

▲ 태풍의 기압과 풍속

? 태풍은 주로 적도 해상에서 발생할까?

태풍이 발생하기 위해서는 지구 자전 효과(전향력)가 필수적인데 적도에서는 지구 자전 효과가 없기 때문에 태풍이 발생하기 어렵다.

❶ 숨은열(잠열)

물질이 기체, 액체, 고체 사이에서 상태 변화를 일으킬 때 흡수하거나 방출하는 열로, 응결열, 증발열, 응고열, 융해열, 승화열 등이 있다.

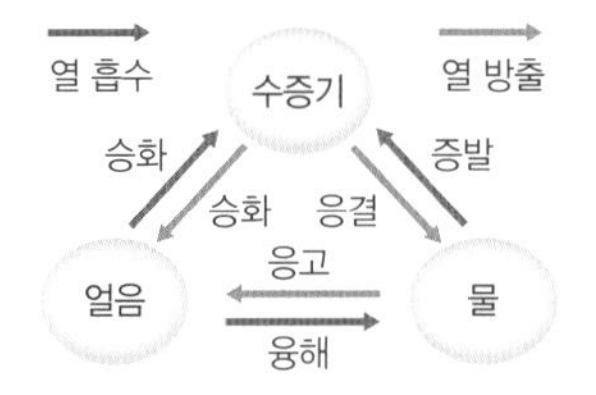

❷ 수권과 기권

• 수권: 물이 분포하는 영역으로 해수와 육수(빙하, 지하수, 호수, 하천수 등)로 구분한다.

• 기권: 지표면을 둘러싸고 있는 대기층으로 높이에 따른 기온 분포에 따라 대류권, 성층권, 중간권, 열권으로 구분한다.

용어 알기

• 잠열(숨다 潛, 열 熱) 숨어 있는 열(숨은열)

• 적운(쌓다 積, 구름 雲) 쌓여져 있는 구름(두꺼운 구름)

3. 태풍의 이동 탐구 POOL 포물선 궤도를 그리며 북상한다.

(1) 무역풍대에서의 이동 발생 초기에는 무역풍의 영향으로 북서쪽으로 진행한다.

(2) 편서풍대에서의 이동 위도 25°~30°N 부근에서 편서풍의 영향으로 진로를 바꾸어 북동쪽으로 진행한다.

(3) 전향점 태풍이 진로를 바꾸는 위치

① 태풍이 전향점을 지난 후에는 태풍의 진행 방향과 편서풍의 방향이 비슷하므로 이동 속력이 대체로 빨라진다.

② 태풍의 이동 경로와 전향점의 위치는 북태평양 고기압❸ 등 주변 기압 배치의 영향을 받는다.

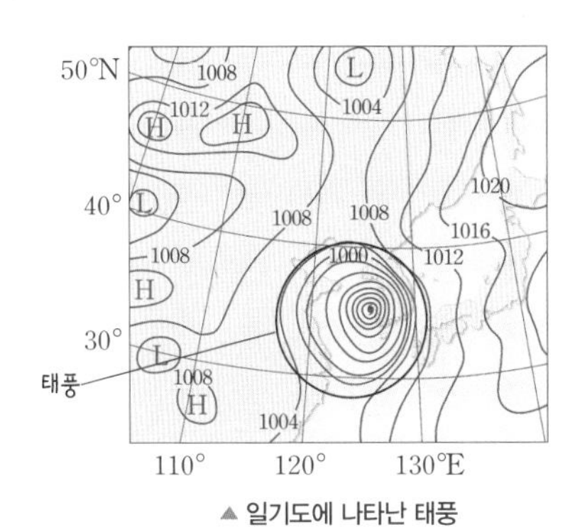

▲ 일기도에 나타난 태풍

50°N
7월
8월
편서풍
40°
9월
10월
30°
6월
20°
무역풍
120°
130°
140°E

▲ 태풍의 이동 경로

4. 태풍의 피해

암기TiP
• 위험 반원: 태풍 진행 방향의 오른쪽 반원 → 큰 피해
• 안전 반원: 태풍 진행 방향의 왼쪽 반원 → 작은 피해

구분	내용
위험 반원❹	• 태풍 진행 방향의 오른쪽 반원에 해당한다. • 태풍의 풍향과 이동 방향 및 대기 대순환의 바람 방향이 비슷 ⇨ 풍속이 상대적으로 강해진다.
안전 반원❹ (●가항 반원)	• 태풍 진행 방향의 왼쪽 반원에 해당한다. • 태풍의 풍향과 이동 방향 및 대기 대순환의 바람 방향이 반대 ⇨ 풍속이 상대적으로 약해진다.
태풍의 피해	• 태풍이 통과하면 강풍, ●호우, 홍수, 해일❺ 등에 의한 피해가 발생할 수 있다. • 태풍에 의해 발생한 폭풍 해일이 해안가의 만조❻와 겹치면 해수면이 더 높아져서 해안 지역의 침수 피해가 커진다.

5. 태풍의 소멸 태풍이 북상하여 찬 바다로 이동하면 수증기의 공급이 줄어들어 태풍의 세력이 약해진다. 또한 태풍이 육지에 상륙하면 수증기가 거의 공급되지 않고, 지표면과의 마찰력이 크게 작용하므로 태풍의 세력이 급격히 약해진다. ⇨ 태풍은 수권과 기권의 상호 작용 또는 지권❼과 기권의 상호 작용으로 소멸한다.

해수로부터 수증기 공급이 줄어들어 태풍의 세력이 약해지는 경우는 수권과 기권의 상호 작용에 해당한다.

육지에서 지표면과의 마찰로 태풍의 세력이 약해지는 경우는 지권과 기권의 상호 작용에 해당한다.

빈출 자료 **태풍의 일기도와 위성 영상**

그림은 2016년 10월 태풍 차바의 영향을 받았던 우리나라 부근의 일기도와 위성 사진이다.

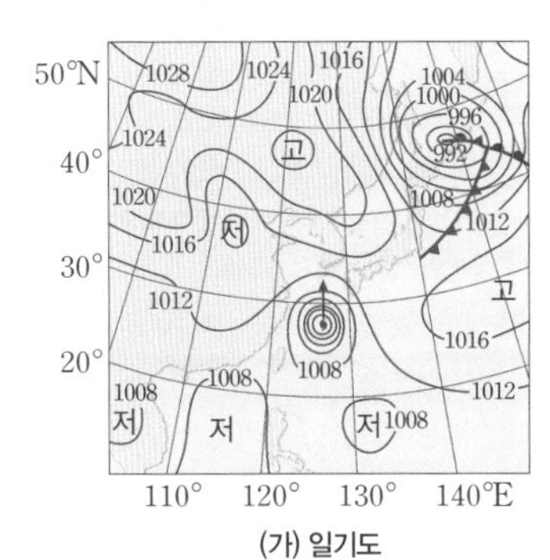

(가) 일기도

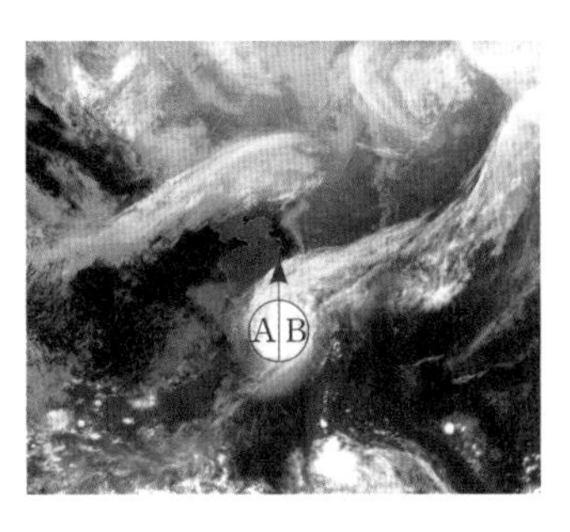

(나) 위성 영상

❶ A는 안전 반원, B는 위험 반원으로 태풍에 의한 피해는 A보다 B에서 클 것이다.

❷ 태풍은 30°N 부근을 지나면서 편서풍의 영향으로 북동쪽으로 이동할 것이다.

❸ 태풍이 육지에 상륙하면 중심 기압이 높아지면서 세력이 급격하게 약해질 것이다.

태풍은 전선을 동반하지 않고, 등압선이 조밀한 원형으로 나타나!

❸ 북태평양 고기압
북태평양에 중심을 둔 온난 고기압으로, 북반구 대기 순환에서 중요한 역할을 하며 여름철에 발달하지만 겨울철에는 남쪽으로 편중해 분포한다. 우리나라의 여름철 날씨에 영향을 미친다.

❹ 위험 반원과 안전 반원

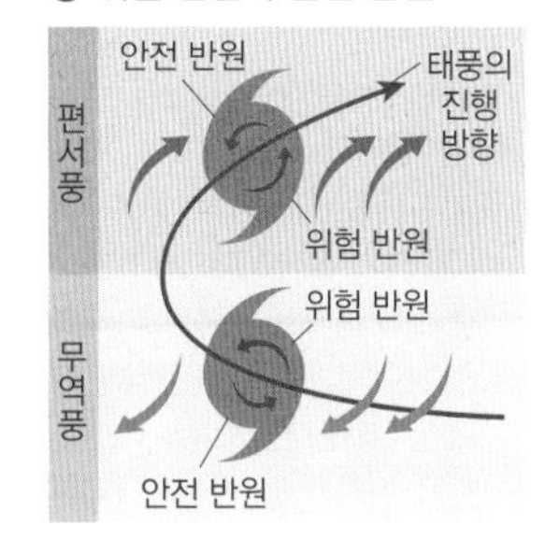

❺ 해일
폭풍이나 해저 지진, 해저 화산 폭발 등에 의하여 바닷물이 비정상적으로 높아져 육지로 넘쳐 들어오는 현상이다. 태풍에 의해 발생하면 폭풍 해일, 지진에 의해 발생하면 지진 해일(쓰나미)이라고 한다.

❻ 만조
조석 현상에 의한 밀물로 해수면이 하루 중에서 가장 높아진 상태이다.

❼ 지권
지권은 지각과 지구 내부를 포함하는 영역으로 지각, 맨틀, 외핵, 내핵으로 구분한다.

용어 알기

●가항(괜찮다 可, 배로 물을 건너다 航) 배로 항해가 가능함
●호우(세력이 왕성하다 豪, 비 雨) 세력이 왕성하게 내리는 비

B 우리나라의 악기상
악기상은 우리의 일상생활에 큰 불편함과 위험을 동반하는 궂은 날씨이다.

|출·제·단·서| 시험에는 우리나라에서 자주 발생하는 주요 악기상의 특징을 묻는 문제가 나와. 특히 뇌우, 집중 호우, 우박 등 대기가 불안정할 때 함께 발생할 수 있는 악기상에 대해 묻는 문제가 잘 나와.

1. 뇌우
적란운❽이 발달하면서 천둥, 번개와 함께 소나기가 내리는 현상이다.

(1) 뇌우가 발생하는 경우 대기가 불안정할 때 강한 상승 기류에 의해 발생한다.

(2) 발달 과정 적운 단계 → 성숙 단계 → 소멸 단계를 거쳐 발달한다.

적운 단계	강한 상승 기류에 의해 적운이 발달하고, 강수 현상은 거의 나타나지 않는다.
성숙 단계	상승 기류와 하강 기류가 함께 나타나며 강한 돌풍과 함께 천둥, 번개, 소나기, 우박 등의 현상이 나타난다. (하강 기류가 발달한 곳에서 강한 비가 내린다.)
소멸 단계	전체적으로 약한 하강 기류만 남게 되어 약한 비가 내리다가 구름이 사라지면서 뇌우가 소멸된다.

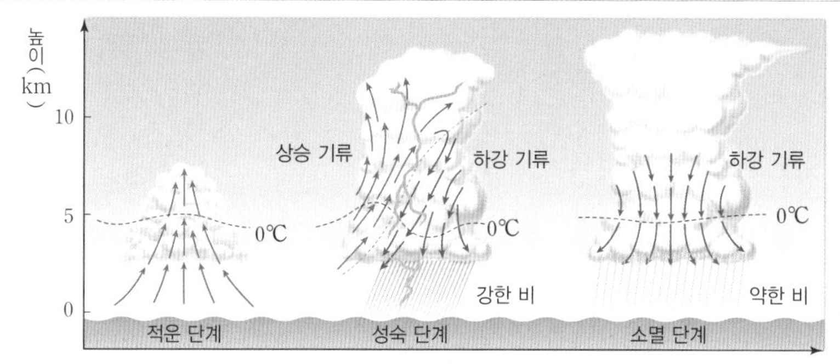

▲ 뇌우의 발달 과정

(3) 피해 및 대책

① **피해:** 뇌우는 집중 호우, 우박, 돌풍, 천둥과 번개 등을 동반하며 짧은 시간 동안 인명 피해나 농작물 파손, 시설물 파괴 등과 같은 재산 피해를 준다. (천둥과 번개를 벼락 또는 낙뢰라고 한다.)

② **대책:** 뇌우가 발생하면 실내나 낮은 장소로 대피한다.

암기TiP 뇌우, 국지성 호우, 우박 모두 적란운이 발달할 때 잘 발생한다.

2. 국지성 호우(집중 호우)
•국지적으로 짧은 시간 동안 많은 양의 비가 집중적으로 내리는 현상이다. 특히 한 시간에 30 mm 이상, 하루에 80 mm 이상의 비가 내리거나 또는 하루에 연 강수량의 10 % 정도의 비가 내리는 경우이다. 많은 비가 연속적으로 내리는 것을 호우라고 한다.

발생	주로 대기가 불안정할 때 강한 상승 기류에 의해 형성된 적란운에서 발생하는데, 이 적란운이 어느 좁은 지역에 머물러 계속 비가 내릴 때 국지성 호우가 된다.
피해	짧은 시간 동안 한꺼번에 많은 양의 비가 내려 홍수나 산사태 등을 일으켜 많은 인명과 재산 피해를 준다.
대책	국지성 호우가 내리면 저지대나 상습 침수 지역에서는 신속히 대피해야 하며, 사전에 배수로나 하수구, 축대 등을 정비하고 위험 시설물을 제거해야 한다.

여름철에는 얼음 덩어리가 떨어지는 동안 대부분 녹기 때문에 우박이 거의 내리지 않는다. 겨울철에는 상승 기류가 강한 적란운이 잘 형성되지 않을 뿐만 아니라 구름 아래 부분이 눈이 녹을 정도로 따뜻하지 않기 때문에 눈 결정이 상승과 하강을 반복하면서 큰 얼음 덩어리로 성장할 수 없으므로 우박이 거의 내리지 않는다.

3. 우박
눈 결정에 차가운 물방울이 얼어붙어 지상으로 떨어지는 지름 5 mm 이상의 얼음 덩어리이다.

발생❾	상승 기류가 강한 적란운 내에서는 눈 결정이 상승과 하강을 반복한다. ⇨ 이 과정에서 눈 결정은 녹았다 얼었다를 반복하면서 차가운 물방울과 합쳐져 크기가 큰 얼음 덩어리로 성장한다. ⇨ 이렇게 성장한 얼음 덩어리는 떨어지면서 녹는데 일부는 녹지 않고 지표에 도달한다.
피해	가축이나 사람이 생명을 잃기도 하며, 항공기 동체가 파괴되거나 농작물 등에 큰 피해를 준다.
대책	보통 좁은 지역에 수 분 정도의 짧은 시간에 내리지만 예보가 어려워 사전 대비가 어렵다.

❽ 적란운
대기가 불안정할 때 수직 방향으로 크게 발달한 높은 구름으로 집중 호우, 돌풍, 뇌우와 같은 기상 현상을 유발한다.

❓ 비는 상승 기류가 있는 곳에서만 내릴까?
일반적으로 상승 기류가 발달한 곳에서 구름이 형성되고 비가 온다. 하지만 뇌우와 같이 기층이 매우 불안정한 경우에는 상승 기류와 하강 기류가 함께 발달하며, 하강 기류에서 강한 비가 내린다.

벼락(낙뢰)
번개와 천둥을 동반하는 급격한 방전 현상이다.
- 번개: 적란운 속에서 양전하와 음전하가 분리되어 쌓이면 구름과 구름 사이, 구름과 지표면 사이의 전압이 높아짐에 따라 방전되는 현상이다.
- 천둥: 번개가 형성될 때 급격한 온도 상승으로 주위 공기가 팽창하면서 발생하는 소리이다.

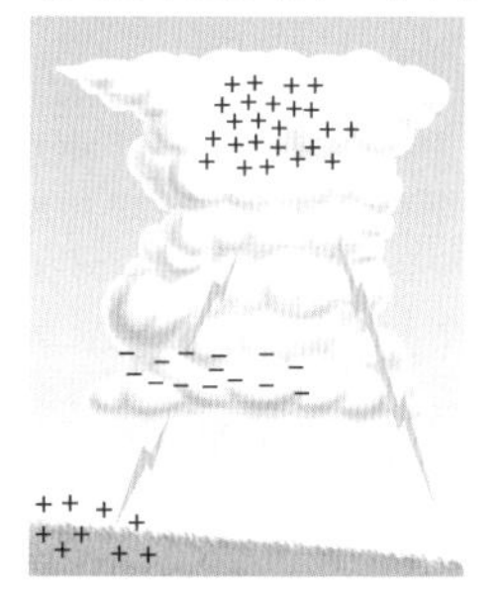

▲ 적란운에서의 전하 분포

❾ 우박의 발생

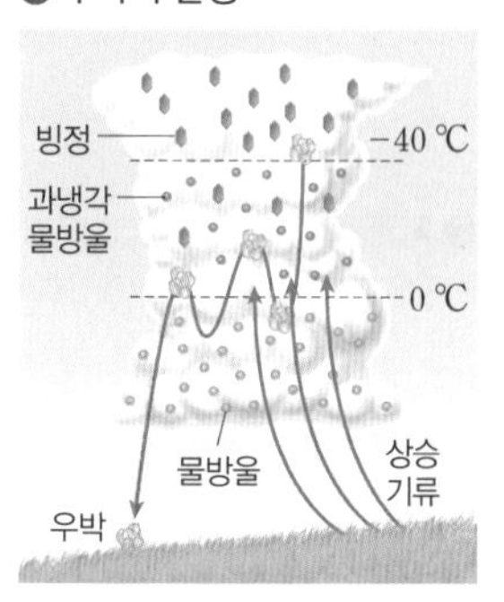

용어 알기
•국지(좁게 나눈 구획 局, 땅 地) 좁은 땅, 좁은 장소

4. 강풍 평균 풍속이 14 m/s 이상인 바람이 10분 이상 지속되는 경우 강풍이라고 한다.

우리나라에서는 강풍을 폭풍 주의보를 발령하기 위한 최저 기준으로 10 m/s 이상인 바람으로 정의하고 있다.

발생	• 겨울철에 강하게 발달한 시베리아 고기압[10]의 영향을 받을 때 • 여름철에 태풍의 영향을 받을 때 • 대기가 불안정할 때
피해	• 간판과 같은 구조물이 떨어지거나 가로수와 표지판 등 도로 시설을 파괴한다. • 농작물과 비닐하우스를 무너뜨린다. • 높은 파도를 일으켜 선박을 파괴하거나 좌초시키기도 하여 인명과 재산 피해를 준다.
대책	• 가급적 외출을 삼가고 건물의 유리창이 파손되지 않도록 주의한다. • 해안에서는 파도에 휩쓸릴 위험이 있으니 해안으로 나가지 않도록 한다.

5. 폭설 짧은 시간에 많은 양의 눈이 내리는 현상으로, 한 시간에 1 cm~3 cm 이상 또는 하루에 5 cm~20 cm 이상의 눈이 내릴 때 폭설이라고 한다.

발생	겨울철에 발달한 저기압의 영향을 받아 발생하거나 시베리아 기단의 찬 공기가 상대적으로 따뜻한 황해를 지나면서 열과 수증기를 공급받아 발생한다.
피해	도로 교통의 마비와 교통사고, 비닐하우스 등의 시설물 붕괴 등 인명 및 재산 피해를 준다.
대책	• 도로와 시설물에 대한 신속한 제설 작업이 필요하다. • 눈이 많이 오는 지역에서는 눈의 무게를 충분히 버틸 수 있는 튼튼한 구조물을 설치해야 한다.

6. •황사 중국 북부나 몽골 사막 또는 황토 지대에서 발생하여 하늘 높이 올라간 다량의 모래 먼지가 상층의 편서풍을 타고 우리나라까지 이동한 후 서서히 하강하는 현상이다.

가을철과는 달리 봄철에는 황사 발원지가 건조한 겨울철 기후로 인해 메마른 상태이다.

발생	• 겨울 동안 건조해진 •발원지에 강한 바람과 함께 상승 기류가 나타날 때 잘 발생한다. • 주로 봄철에 발생하며, 중국 내륙 지역의 삼림 파괴와 사막화[11]가 가속화되고 있어 우리나라의 연간 황사 발생량과 발생 빈도는 증가하는 추세이다.
피해	• 호흡기 질환 및 눈병 유발 등 사람의 건강을 위협하고, 농작물의 생장을 방해한다. • 항공, 운수, 정밀 산업 등에 피해를 준다.
대책	황사를 줄이기 위해서는 발원지에서의 모래 먼지 발생을 최소화해야 한다.

빈출 탐구 황사 발생 변화 추이 분석하기

황사 관측 일수를 조사하여 황사 발생 변화 추이를 분석하고 그 원인을 설명할 수 있다.

자료 그림 (가)는 1960년부터 2015년까지 서울 지역의 연도별 황사 관측 일수를, (나)는 같은 기간의 월별 황사 관측 일수를 나타낸 것이다.

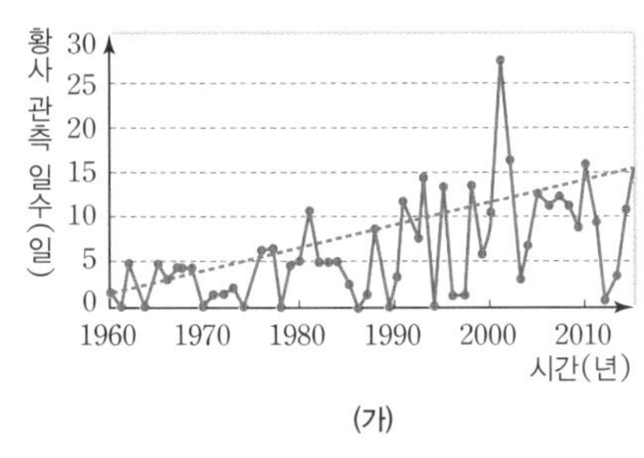

(가)

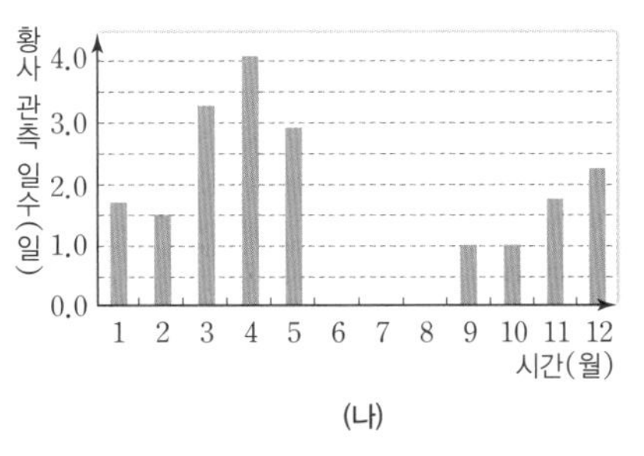

(나)

해석 ❶ 1960년 이후 황사 관측 일수는 증가하는 추세이다.
❷ 황사는 주로 봄철에 발생하며 여름철에는 발생하지 않았다.

정리 ❶ 1960년 이후 중국 내륙 지역의 삼림이 파괴되고, 황사 발원지 주변의 사막화가 가속화되고 있어 우리나라에서 황사 발생 일수는 증가 추세이다.
❷ 여름에는 황사 발원지에 강수량이 증가하고 우리나라는 고온 다습한 남동풍의 영향을 받으므로 황사가 거의 발생하지 않는다.

⑩ 시베리아 고기압
시베리아와 몽골 지역에서 발생하는 한랭 고기압으로, 우리나라의 겨울철 날씨에 영향을 미친다.

한파
겨울철에 나타나는 이례적인 저온 현상으로 시베리아 기단의 영향으로 발생한다.

황사 발원지와 이동 경로

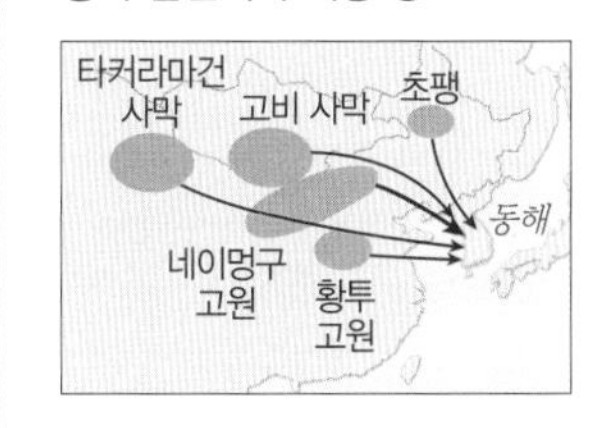

⑪ 사막화
강수량이 감소하거나 지나친 삼림 벌채 등에 의해 사막이 아니었던 지역이 사막으로 변해가는 현상으로, 아프리카의 사헬 지방 등, 사막 인근 지역과 반건조 지역에서 주로 나타난다.

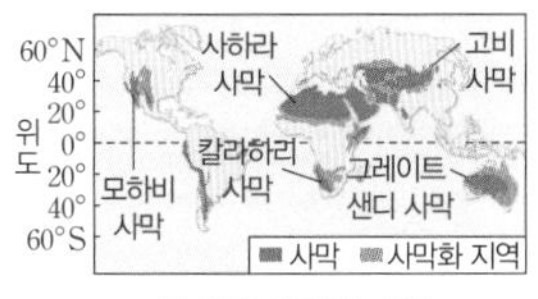

▲ 사막 및 사막화 지역

용어 알기
•황사(누른 빛 黃, 모래 砂) 누른(황)색의 모래
•발원지(일어나다 發, 근원 源, 땅 地) (무엇인가) 일어나는 근원 장소

태풍의 이동과 날씨 변화

목표 연속된 일기도를 해석하여 태풍의 이동 경로 및 날씨 변화를 설명할 수 있다.

탐구 자료

유의점

태풍의 중심 위치는 태풍의 눈을 기준으로 하고, 날짜별 태풍의 중심을 잇는 선은 곡선으로 자연스럽게 표현한다.

그림은 2015년 7월 우리나라에 영향을 준 9호 태풍 찬홈(CHAN-HOM)의 일기도를 나타낸 것이다.

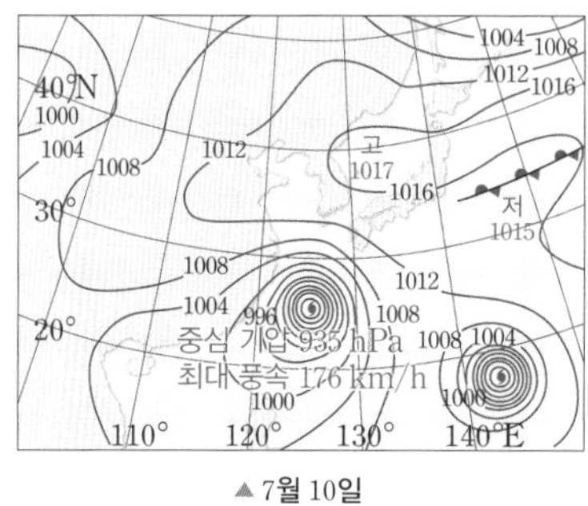

▲ 7월 10일

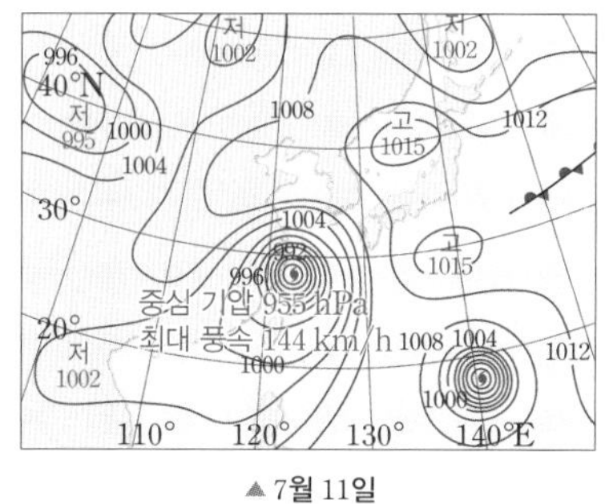

▲ 7월 11일

▲ 7월 12일

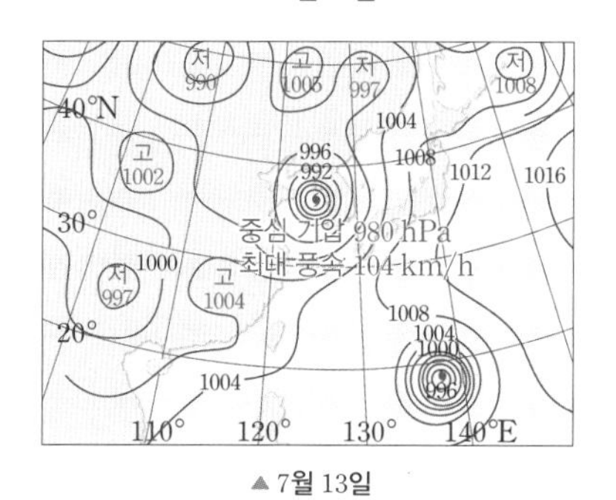

▲ 7월 13일

자료 해석 및 정리

❶ 태풍은 북상하는 동안 중심 기압이 점차 증가하였고 최대 풍속이 점차 감소하였다.

구분	중심 기압(hPa)	최대 풍속(km/h)
7월 10일	935	176
7월 11일	955	144
7월 12일	975	115
7월 13일	980	104

태풍이 고위도로 이동하면서 수온이 낮은 해역을 지나면 중심 기압이 높아지면서 세력이 약해져.

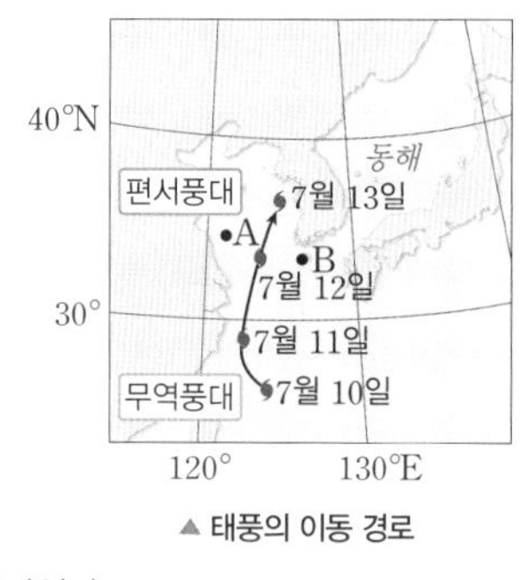

▲ 태풍의 이동 경로

❷ 태풍은 무역풍대에서 북서쪽으로 이동하다가 편서풍대에서 북동쪽으로 이동하였다.

❸ 태풍의 평균 이동 속력은 7월 10일~11일보다 11일~12일이 더 빨랐다. → 태풍이 전향점(위도 30°N 부근)을 지난 후에는 태풍의 진행 방향과 편서풍의 방향이 비슷하므로 이동 속력이 대체로 빨라진다.

❹ A 지점과 B 지점의 날씨 변화

구분	7월 12일 풍속	풍향 변화
A	작다(안전 반원)	반시계 방향(12일 : 북서풍 → 13일 : 남서풍)
B	크다(위험 반원)	시계 방향(12일 : 동풍 → 13일 : 남동풍)

암기TiP 태풍 통과시 풍향 변화
- 안전 반원: 반시계 방향
- 위험 반원: 시계 방향

한·줄·핵심 우리나라로 접근하는 태풍은 무역풍대에서는 북서쪽으로 진행하다가 편서풍대에서는 진로를 바꾸어 북동쪽으로 진행하는 포물선 궤도를 그리며 이동한다.

확인 문제

정답과 해설 34쪽

01 태풍이 고위도로 북상하면서 세력이 약해지면 중심 기압은 어떻게 변하는지 쓰시오.

02 태풍 진행 방향의 오른쪽과 왼쪽 중 강수량이 많은 쪽은 어디인지 쓰시오.

콕콕! 개념 확인하기

정답과 해설 34쪽

✔ 잠깐 확인!

1. ☐☐
열대 해상에서 발생하며 중심 부근 순간 최대 풍속이 17 m/s 이상인 저기압

2. 태풍의 눈에서는 약한 ☐☐ 기류가 나타나 날씨가 맑고 바람이 ☐하다.

3. 태풍은 중심으로 갈수록 기압이 계속 ☐☐진다.

4. 태풍 진행 방향의 오른쪽을 ☐☐ 반원, 왼쪽을 ☐☐ 반원이라고 한다.

5. ☐☐
강한 상승 기류에 의해 적란운이 발달하면서 천둥, 번개와 함께 소나기가 내리는 현상

6. ☐☐은 눈의 결정에 차가운 물방울이 얼어붙어 형성된 얼음 덩어리이다.

7. 강풍은 주로 겨울철에 강하게 발달한 ☐☐☐☐ 고기압의 영향을 받을 때 발생한다.

8. ☐☐
작은 모래 먼지가 하늘에 떠다니다가 상층 바람을 타고 멀리까지 날아가 떨어지는 현상

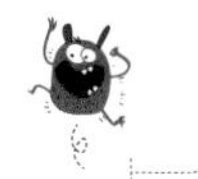

A 태풍

01 우리나라에 영향을 주는 태풍에 대한 설명으로 옳은 것은 ○, 옳지 않은 것은 ×로 표시하시오.

(1) 태풍은 주로 적도 해상에서 발생한다. ( )

(2) 태풍은 편서풍대에서 북동쪽으로 진행한다. ( )

(3) 태풍은 여름철에만 발생한다. ( )

(4) 북태평양 기단의 세력이 강할수록 전향점은 서쪽에 위치한다. ( )

02 태풍의 에너지원을 쓰시오.

03 다음은 태풍의 피해에 대한 설명이다. ㉠, ㉡에 들어갈 알맞은 말을 쓰시오.

> 태풍의 피해로는 강풍, 홍수 및 침수에 의한 피해가 있다. 또한 태풍에 의해 발생한 (㉠)이 해안가의 (㉡)와 겹치면 해안 지역의 침수 피해가 커진다.

B 우리나라의 악기상

04 다음은 어느 악기상에 대한 설명이다. ㉠, ㉡에 들어갈 알맞은 말을 쓰시오.

> (㉠)은 짧은 시간에 많은 양의 눈이 오는 현상으로, 겨울철에 저기압이 통과할 때 또는 (㉡) 기단이 남하하면서 변질되어 상승 기류가 발달할 때 잘 발생한다.

[05~06] 다음은 우리나라에서 발생할 수 있는 여러 악기상을 나타낸 것이다.

> 뇌우, 국지성 호우, 우박, 강풍, 폭설과 한파, 황사

05 여름철에 잘 발생하지 않는 악기상을 있는 대로 고르시오.

06 우리나라가 시베리아 고기압의 영향을 받는 시기에 잘 발생하는 악기상을 있는 대로 고르시오.

탄탄! 내신 다지기

A 태풍

01 태풍에 대한 설명으로 옳지 않은 것은?

① 에너지원은 수증기의 응결열이다.
② 수온이 27 ℃ 이상인 열대 해상에서 발생한다.
③ 중심 부근 순간 최대 풍속이 17 m/s 이상이다.
④ 중심(태풍의 눈)에서 강한 상승 기류가 발달한다.
⑤ 위도 30°N~60°N에서는 편서풍의 영향으로 대체로 북동쪽으로 이동한다.

02 그림은 어느 지역에서 태풍이 이동한 경로를 나타낸 것이다.

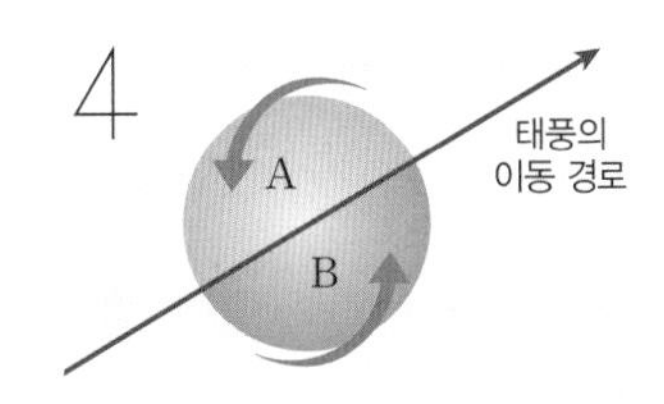

이에 대한 설명으로 옳은 것은?

① 이 지역은 남반구이다.
② 이 지역은 무역풍대에 위치한다.
③ A는 위험 반원이다.
④ B에서는 풍향이 태풍의 진행 방향과 대체로 비슷하다.
⑤ A에서는 하강 기류가, B에서는 상승 기류가 발달한다.

단답형

03 그림은 어느 태풍의 기압과 풍속 분포를 나타낸 것이다.

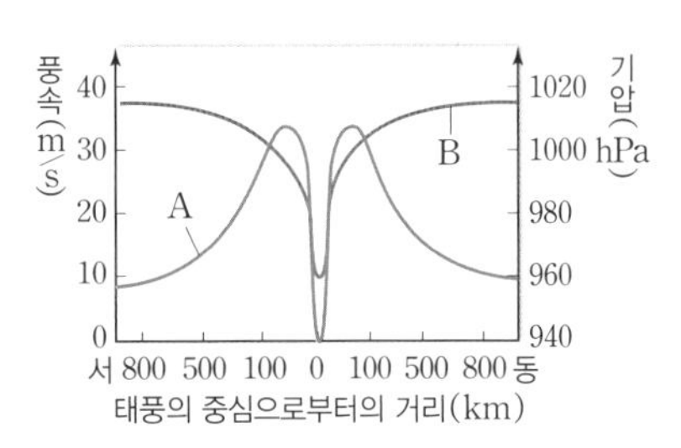

A와 B에 해당하는 물리량을 각각 쓰시오.

단답형

04 태풍이 발생할 때 형성되는 구름의 형태를 쓰시오.

05 그림은 어느 태풍의 위성 영상을 나타낸 것이다.

A에 대한 설명으로 옳지 않은 것은?

① 태풍의 눈이다.
② 하강 기류가 나타난다.
③ 주변보다 기압이 높다.
④ 주변보다 날씨가 맑다.
⑤ 주변보다 바람이 약하게 분다.

06 그림은 6월부터 10월까지 월별 태풍의 평균 이동 경로를 나타낸 것이다.

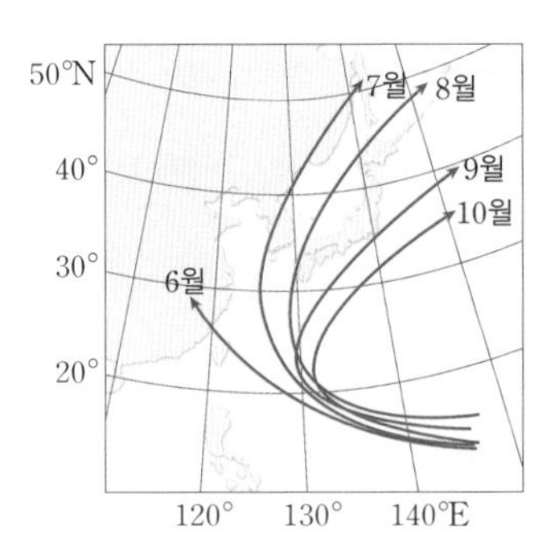

6월~10월 중에서 전향점의 위치가 가장 고위도에 위치한 달은?

① 6월 ② 7월 ③ 8월
④ 9월 ⑤ 10월

단답형

07 태풍이 육지에 상륙하면 중심 기압이 어떻게 변하는지 쓰시오.

B 우리나라의 악기상

08 뇌우에 대한 설명으로 옳지 않은 것은?

① 여름철에 잘 발생한다.
② 적란운에서 잘 나타난다.
③ 대기가 안정할 때 잘 발생한다.
④ 천둥, 번개 및 우박을 동반한다.
⑤ 강수 구역의 구름에서는 하강 기류가 우세하다.

[09~10] 그림 (가), (나), (다)는 뇌우의 발달 과정을 순서 없이 나타낸 것이다.

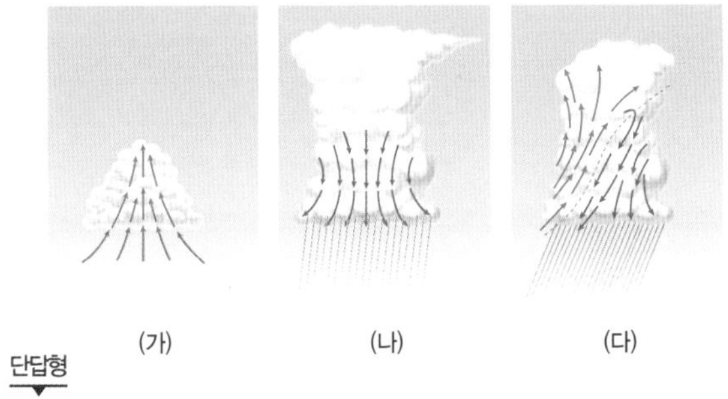

단답형

09 뇌우의 발달 과정을 순서대로 쓰시오.

10 ㉠ 천둥과 번개가 발생하는 단계와 ㉡ 우박이 내릴 수 있는 단계를 옳게 짝 지은 것은?

	㉠	㉡
①	(가)	(나)
②	(나)	(나)
③	(나)	(다)
④	(다)	(나)
⑤	(다)	(다)

11 국지성 호우에 대한 설명으로 옳은 것은?

① 주로 층운형 구름에서 발생한다.
② 태풍에 비해 일기 예보가 어렵다.
③ 매우 더울 때는 잘 발생하지 않는다.
④ 하루에 30 mm 이상 내리는 비이다.
⑤ 비교적 넓은 지역에 지속적으로 내린다.

12 그림은 어느 날 우리나라에 영향을 미치고 있는 황사가 나타난 위성 영상이다.

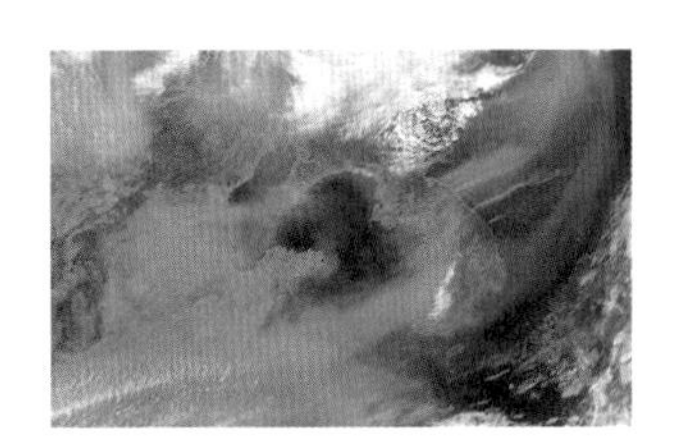

이에 대한 설명으로 옳지 않은 것은?

① 황사는 주로 봄철에 발생한다.
② 황사의 이동은 편서풍의 영향을 받는다.
③ 발원지에 강수량이 많을 때 황사는 자주 발생한다.
④ 중국 북부 지역의 사막화가 진행될수록 황사는 자주 발생한다.
⑤ 황사는 호흡기 질환 및 눈병 유발 등 사람의 건강을 위협하고, 농작물의 생장을 방해한다.

13 태풍과 함께 발생할 수 있는 악기상만을 <보기>에서 있는 대로 고른 것은?

보기
ㄱ. 강풍　ㄴ. 뇌우
ㄷ. 황사　ㄹ. 국지성 호우

① ㄱ, ㄷ　② ㄱ, ㄹ　③ ㄴ, ㄷ
④ ㄱ, ㄴ, ㄹ　⑤ ㄴ, ㄷ, ㄹ

도전! 실력 올리기

01 그림은 어느 태풍의 위성 영상을 나타낸 것이다.

이에 대한 설명으로 옳은 것만을 〈보기〉에서 있는 대로 고른 것은?

보기
ㄱ. 적란운이 발달해 있다.
ㄴ. 풍속은 중심에서 가장 빠르다.
ㄷ. 중심 기압은 주변 기압보다 낮다.

① ㄱ ② ㄴ ③ ㄱ, ㄷ
④ ㄴ, ㄷ ⑤ ㄱ, ㄴ, ㄷ

출제예감

02 그림은 어느 태풍의 이동 경로와 중심 기압을 나타낸 것이다.

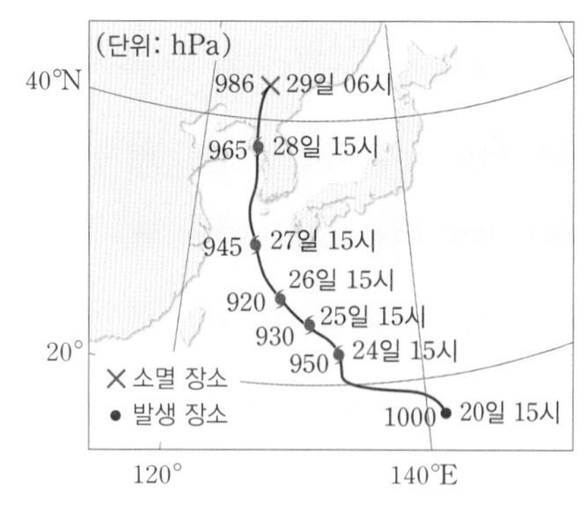

이에 대한 설명으로 옳은 것만을 〈보기〉에서 있는 대로 고른 것은?

보기
ㄱ. 우리나라는 안전 반원에 있었다.
ㄴ. 25일 태풍의 세력은 점점 약해졌다.
ㄷ. 태풍의 평균 이동 속력은 무역풍대보다 편서풍대에서 더 빨랐다.

① ㄱ ② ㄷ ③ ㄱ, ㄴ
④ ㄴ, ㄷ ⑤ ㄱ, ㄴ, ㄷ

출제예감

03 그림 (가)와 (나)는 기상 현상을 나타낸 것이다.

(가) 뇌우

(나) 태풍

이에 대한 설명으로 옳은 것만을 〈보기〉에서 있는 대로 고른 것은?

보기
ㄱ. (가)는 (나)에 동반되어 나타날 수 있다.
ㄴ. (가)와 (나)는 모두 육지에서 발생할 수 있다.
ㄷ. (가)와 (나)에서 모두 집중 호우가 나타날 수 있다.

① ㄱ ② ㄴ ③ ㄱ, ㄷ
④ ㄴ, ㄷ ⑤ ㄱ, ㄴ, ㄷ

04 그림은 우리나라에서 발생할 수 있는 여러 악기상을 특징에 따라 구분하는 과정을 나타낸 것이다.

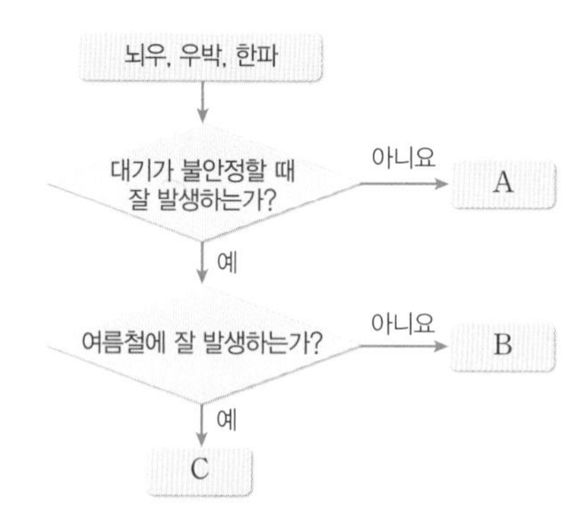

A, B, C에 해당하는 악기상을 옳게 짝 지은 것은?

	A	B	C
①	뇌우	우박	한파
②	우박	뇌우	한파
③	우박	한파	뇌우
④	한파	뇌우	우박
⑤	한파	우박	뇌우

05 그림은 시베리아 기단이 황해를 건너 우리나라로 이동하는 모습을 나타낸 것이다.

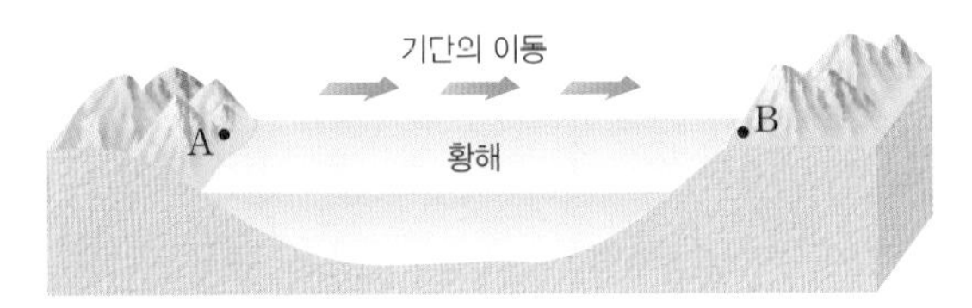

이에 대한 설명으로 옳은 것만을 〈보기〉에서 있는 대로 고른 것은?

보기
ㄱ. 이 시기는 겨울철이다.
ㄴ. B 지역에서는 폭설이 나타날 수 있다.
ㄷ. 기단이 A→B로 이동하는 동안 기온과 습도가 높아졌다.

① ㄱ ② ㄷ ③ ㄱ, ㄴ
④ ㄴ, ㄷ ⑤ ㄱ, ㄴ, ㄷ

출제예감

06 그림 (가), (나), (다)는 어느 해 발생한 황사의 이동 과정을 순서 없이 나타낸 것이다.

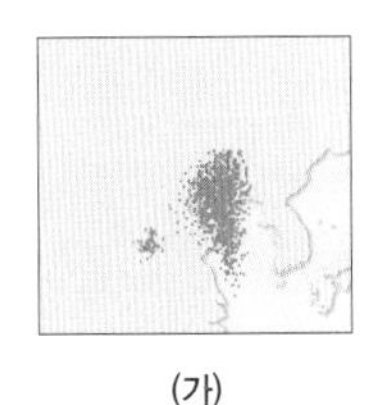
(가)

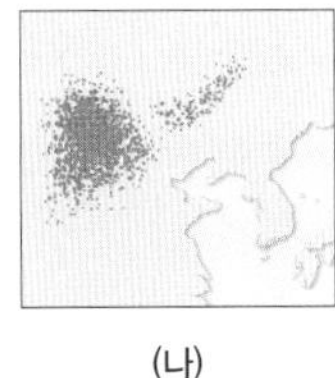
(나)

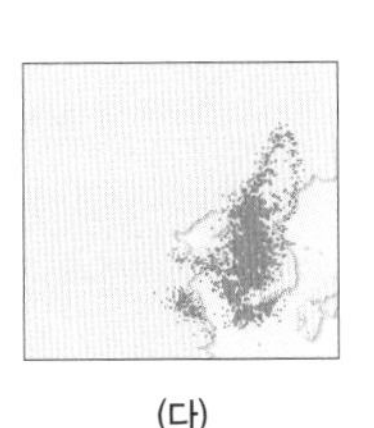
(다)

이에 대한 설명으로 옳은 것만을 〈보기〉에서 있는 대로 고른 것은?

보기
ㄱ. 황사는 극동풍에 의해 이동한다.
ㄴ. 황사는 (나) → (가) → (다) 순으로 이동하였다.
ㄷ. 우리나라에서 황사는 주로 북서 계절풍의 영향을 받는 겨울철에 나타난다.

① ㄱ ② ㄴ ③ ㄱ, ㄷ
④ ㄴ, ㄷ ⑤ ㄱ, ㄴ, ㄷ

정답과 해설 35쪽

서술형

07 태풍 진행 방향의 오른쪽에 위치한 지역이 왼쪽에 위치한 지역보다 더 큰 피해를 받는 까닭을 서술하시오.

서술형

08 그림은 태풍의 눈이 잘 발달한 어느 태풍의 위성 영상을 나타낸 것이다.

태풍의 눈이 발생하는 까닭을 태풍의 풍속 및 지구 자전 효과와 연관지어 서술하시오.

단답형

09 우리나라에서 발생하는 악기상 중 황사는 지구계의 어느 권역 간의 상호 작용으로 발생하는지 쓰시오.

03 해수의 성질

핵심 키워드로 흐름잡기
- A 염분, 염분비 일정 법칙
- B 혼합층, 수온 약층, 심해층
- C 수온 염분도, 밀도 약층
- D 용존 산소, 용존 이산화 탄소

A 해수의 염분

|출·제·단·서| 시험에는 표층 염분을 결정하는 다양한 요인을 바탕으로 자료를 해석하는 문제가 나와.

1. 염분 해수 1 kg 속에 녹아 있는 염류❶의 총량을 g수로 나타낸 값으로, 단위는 •psu를 쓴다. ⇨ 전 세계 해수의 평균 염분은 약 35 psu이다.

(1) 표층 염분의 변화 표층 염분은 강수량과 증발량, 결빙과 해빙, •담수(육수)의 유입 등에 의해 변한다. (표층 염분에 가장 큰 영향을 주는 요인이다.)

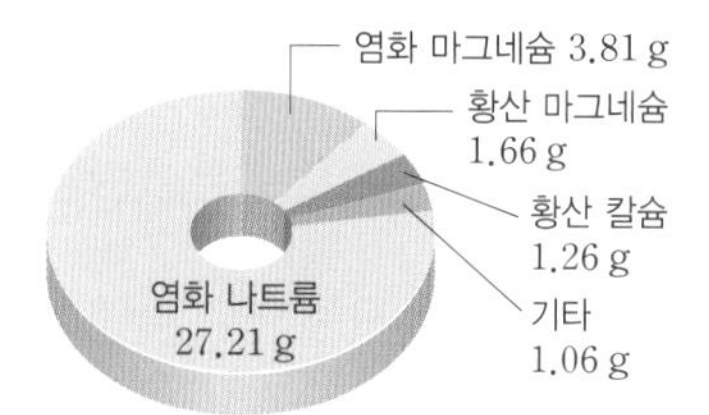

▲ 염분이 35 psu일 때 염류의 구성

표층 염분 증가 요인	• (증발량－강수량)❷이 증가하는 경우 증발량이 많을수록, 강수량이 적을수록 염분이 높게 나타난다. • 육지로부터 유입되는 담수의 양이 감소하는 경우 • 극지방에서 결빙이 일어나는 경우
표층 염분 감소 요인	• (증발량－강수량)이 감소하는 경우 • 육지로부터 유입되는 담수의 양이 증가하는 경우 • 극지방에서 해빙이 일어나는 경우

(2) 표층 염분의 분포 개념 POOL 표층 염분은 (증발량－강수량)에 비례하는 경향을 보인다.

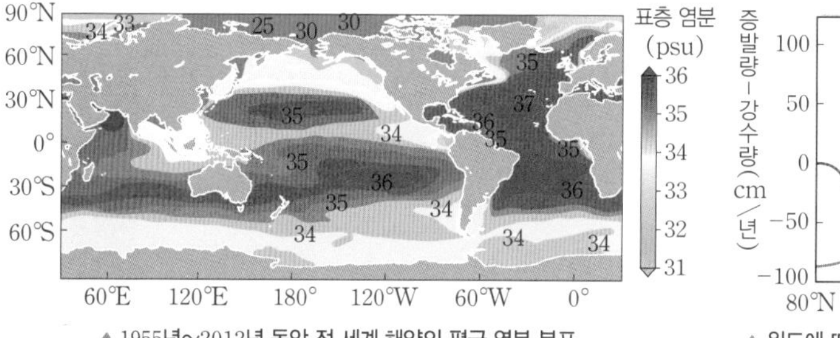

▲ 1955년~2012년 동안 전 세계 해양의 평균 염분 분포

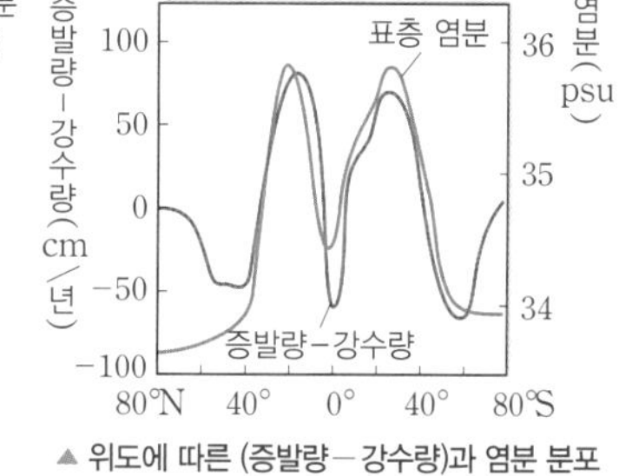

▲ 위도에 따른 (증발량－강수량)과 염분 분포

적도 및 위도 60° 부근 해역	대기 대순환에서 저압대가 분포하므로 강수량이 많아 표층 염분이 위도 30° 부근 해역보다 낮다. 저압대에서는 상승 기류가 잘 발달하므로 흐리고 비가 오는 경우가 많다.
위도 30° 부근 해역	증발량이 많고 강수량이 적어 표층 염분이 높게 나타난다.
극 해역	일반적으로 기온이 낮아 증발량이 적고 빙하가 융해되어 표층 염분이 낮지만, 결빙이 일어나는 지역에서는 표층 염분이 높게 나타난다.
연안	육지로부터 담수가 유입되는 연안보다 해양의 중앙부에서 표층 염분이 높다. 담수는 해수에 비해 염분이 매우 낮기 때문에 담수가 유입되는 해역은 염분이 낮아진다.

2. 염분비 일정 법칙 염분은 때와 장소에 따라 다르지만 각 염류들 사이의 비율은 항상 일정하다. ⇨ 염분비 일정 법칙으로 모든 해양에서 해수가 고루 혼합되고 있음을 알 수 있다.

빈출 계산연습 염분비 일정 법칙을 이용하여 염류의 양 구하기

염분이 35 psu인 해수 1 kg 속에 염화 마그네슘이 약 3.8 g 들어 있다고 할 때, 염분이 32 psu인 해수 2 kg 속에 들어 있는 염화 마그네슘의 양을 구하시오.

1단계 염분비 일정 법칙에 의해 염분이 32 psu인 해수 1 kg 속에 들어 있는 염화 마그네슘의 양(x)을 구한다.
$35:3.8=32:x$, $x \fallingdotseq 3.5$(g)

2단계 염분이 32 psu인 해수 2 kg 속에 들어 있는 염화 마그네슘의 양을 구한다.
$3.5\times2=7$(g)

---

❶ 염류
해수 중에 녹아 있는 여러 가지 무기물로 육지로부터 강물에 녹아 흘러들어오거나 해저 화산 활동으로 공급된다.

❷ 위도에 따른 강수량과 증발량

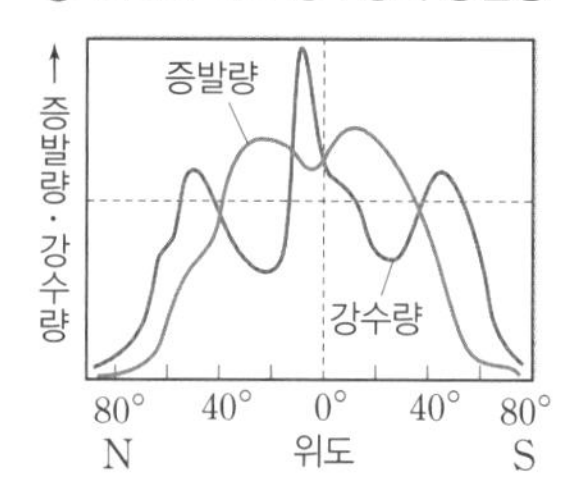

해수가 결빙될 때 염분 변화
바닷물이 얼면 염류는 빠져나가고 순수한 물만 얼기 때문에 결빙이 일어나는 해역의 표층 염분은 높아진다.

? 등염분선은 항상 위도와 나란하게 나타날까?
표층 염분은 위도에 따른 (증발량－강수량)의 영향을 크게 받기 때문에 등염분선은 대체로 위도와 나란하게 나타난다. 하지만 대륙 주변부에서는 육지로부터 유입되는 담수의 영향으로 등염분선이 대체로 해안선과 나란하게 나타난다.

용어 알기
• psu(실용 염분 단위)(실용 practical, 염분 salinity, 단위 unit) 해수 1 kg 속에 들어 있는 총 염류의 양을 g수로 나타낸 것으로, 전기 전도도로 측정하여 사용함
• 담수(싱겁다 淡, 물 水) 싱거운 물(짜지 않은 물), 민물

B 해수의 온도

|출·제·단·서| 시험에는 표층 해수의 수온 분포 특징이나 해수의 층상 구조의 특징을 묻는 문제가 나와.

1. 표층 해수의 수온

(1) 표층 해수의 수온에 영향을 주는 요인

태양 복사 에너지	표층 해수의 수온 분포에 가장 큰 영향을 미치는 요인 ⇨ 표층 수온은 위도와 계절에 따라 달라진다.
대륙의 분포	해양은 대륙에 비해 열용량[3]이 훨씬 크므로 수온 변화의 폭이 매우 작다.
해류[4]의 영향	난류가 흐르는 해역의 수온은 높고, 한류가 흐르는 해역의 수온은 낮다.

(2) 표층 해수의 수온 분포 전 세계 해수의 표층 수온은 약 0 ℃~30 ℃의 분포를 나타낸다.

① 등온선은 대체로 위도와 나란하게 나타난다. 표층 수온은 저위도에서 고위도로 갈수록 대체로 낮아진다.

② 대륙 주변부에서 해류나 용승[5]의 영향을 받는 해역은 등온선이 대체로 해안선과 나란하게 나타난다.

③ 계절에 따른 수온 변화의 폭은 해양의 중심부보다 대륙의 주변부에서 대체로 크다.

④ 표층 수온 분포는 인근 지역의 기후에 영향을 미친다.

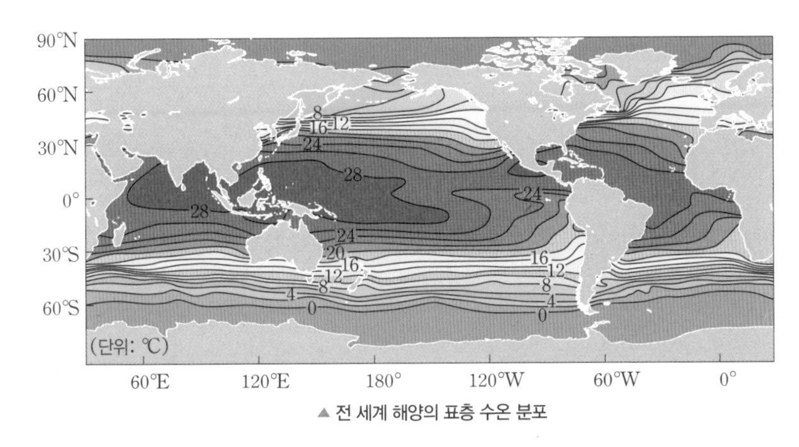

▲ 전 세계 해양의 표층 수온 분포

2. 해수의 연직 수온 분포

해수는 수온의 연직 분포에 따라 혼합층, *수온 약층, 심해층으로 구분한다.

혼합층	• 태양 복사 에너지에 의한 가열과 바람의 혼합 작용으로 인해 수온이 높고 깊이에 따른 수온 변화가 거의 없는 층 계절에 따른 수온 변화가 가장 크다. • 혼합층은 바람이 강할수록 두껍게 형성된다.
수온 약층	• 혼합층 아래에서 깊어질수록 수온이 급격히 낮아지는 층 • 매우 안정하여 대류가 일어나지 않는다. ⇨ 혼합층과 심해층 사이의 물질 및 에너지 전달을 차단하는 역할을 한다. • 수온 약층이 형성되는 수심은 저위도로 갈수록 대체로 얕아진다.
심해층	• 수온 약층 아래의 계절이나 깊이에 따른 수온 변화가 거의 없는 층 • 태양 복사 에너지가 도달하지 않으므로 수온이 낮다.

N 60° 30° 위도 0° 30° S 60°
깊이(m) 0 500 1000 1500
혼합층
수온 약층
심해층
수온(℃) 0 5 10 15 20 25
저위도
중위도
고위도

저위도 해역은 표층과 심층의 온도 차이가 커서 수온 약층이 잘 발달한다.

고위도 해역은 표층과 심층의 온도 차이가 거의 없어서 수온에 따른 층상 구조가 발달하지 않는다.

▲ 위도와 깊이에 따른 해수의 층상 구조

---

③ 열용량(단위: cal/℃)
어떤 물질의 온도를 1 ℃ 또는 1 K 높이는 데 필요한 열량으로, 열용량이 작을수록 열을 가하거나 빼앗을 때 물체의 온도가 쉽게 변한다.

④ 해류
바다에서 지속적으로 일정한 방향으로 이동하는 해수의 흐름이다.

⑤ 용승
심층의 찬 해수가 표층으로 상승하는 현상으로, 용승이 일어나는 해역은 표층 수온이 낮아지고 심층의 영양 염류가 공급되어 좋은 어장이 형성된다.

해수의 표층 수온이 낮은 경우
태양 복사 에너지가 약하거나 바람이 강하면 표층 수온은 대체로 낮다. 바람이 강할수록(혼합층이 두꺼울수록) 보다 깊은 찬 해수까지 혼합되므로 태양 복사 에너지의 양이 같아도 표층 수온이 낮아진다.

암기TiP
• 혼합층 두께: 바람의 세기와 비례
• 수온 약층: 표층 수온이 높은 해역에서 발달
• 저위도 해역: 수온 약층 발달
• 중위도 해역: 혼합층 두께가 두꺼움

용어 알기
*수온 약층(물 水, 따뜻하다 溫, 뛰다 躍, 층 層) 수온이 뛰는(크게 변하는) 층

C 해수의 밀도

|출·제·단·서| 시험에는 해수의 밀도에 영향을 주는 요인을 바탕으로 수온 염분도를 해석하는 문제가 나와.

1. 해수의 밀도 해수의 밀도는 약 1.022 g/cm^3~1.027 g/cm^3로 순수한 물보다 크다.

2. 해수의 밀도에 영향을 주는 요인 해수의 밀도는 주로 수온과 염분에 의해 결정된다. ⇨ 해수의 밀도는 수온이 낮을수록, 염분과 •수압이 높을수록 커진다.

해양에서 염분은 상대적으로 큰 차이가 나지 않지만, 수온은 적도와 양극지방 사이에 큰 차이가 나타나. 따라서 해수의 밀도는 염분보다는 수온의 영향을 더 크게 받아!

3. 해수의 밀도 분포 수온에 의한 해수의 밀도 변화가 염분에 의한 해수의 밀도 변화보다 크므로 해수의 밀도 분포는 수온 분포와 반비례하는 경향을 보인다.

해수 밀도의 위도별 분포	해수 밀도의 연직 분포
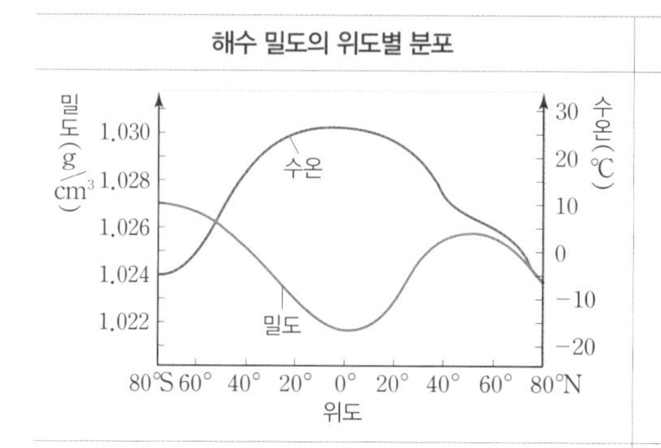	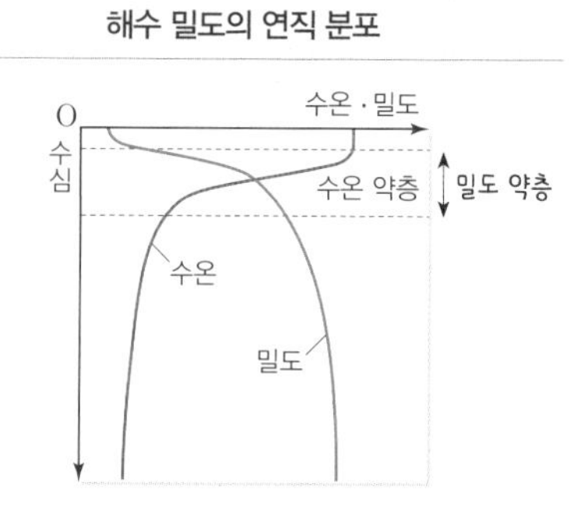
• 적도 해역: 밀도가 가장 작다. 수온이 높고, 염분이 낮아서 • 위도 50°~60° 해역: 밀도가 크다. 수온이 낮기 때문 • 북위 60° 이상: 밀도 감소 빙하가 녹아 염분이 낮아져서	• 수심이 깊어질수록 밀도 증가 수온이 낮아지므로 • 밀도 약층❻ 존재: 수심이 깊어질수록 밀도가 급격히 증가 수온이 급격히 낮아지기 때문, 밀도 약층과 수온 약층은 거의 일치 • 심해층에서는 밀도 거의 일정

❻ 밀도 약층
수심이 깊어질수록 밀도가 급격히 커지는 층으로 밀도가 작은 표층의 물과 밀도가 큰 심층의 물을 분리하는 역할을 한다.

• **우리나라의 수온과 밀도 분포** 군산 근해에서는 깊이에 따른 수온 분포와 밀도 분포가 반비례하는 경향을 보인다. 깊어질수록 수온이 내려가고, 해수의 밀도가 증가한다.

북극 부근 해수의 밀도 분포
북극 부근 해역에서는 육지로부터 담수가 많이 유입되므로 같은 위도의 남극에 비해 염분이 낮아 밀도가 작다.

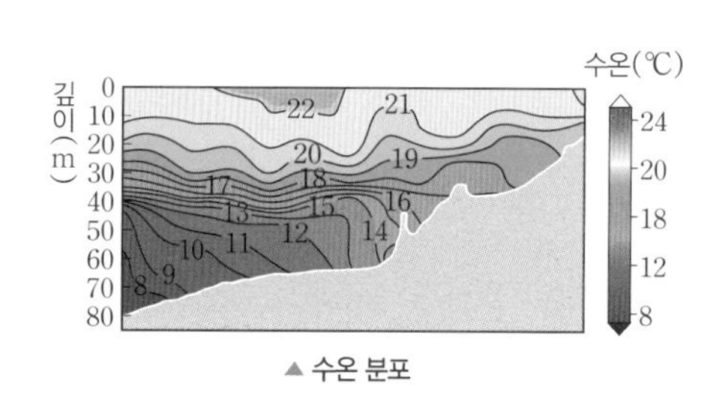

▲ 수온 분포

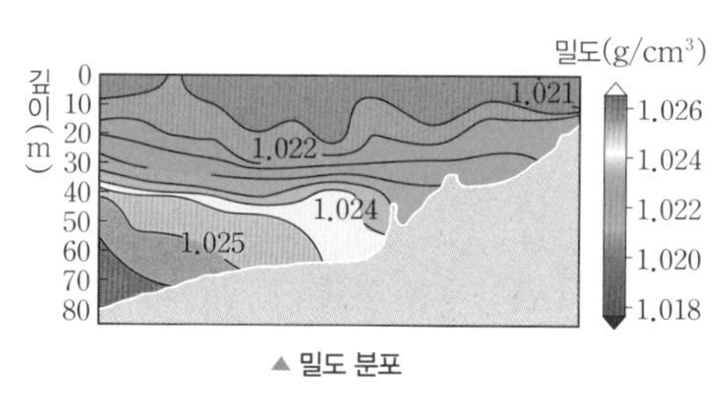

▲ 밀도 분포

❼ 수온 염분도(T−S도)
해수의 특성을 나타내는 그래프로, 수온(Temperature)과 염분(Salinity)의 첫 글자를 따서 T−S도라고도 하며, 이를 이용하면 해수의 밀도를 알아낼 수 있다.

4. 수온 염분도❼ 해수의 밀도는 수온과 염분의 관계로 나타낼 수 있는데, 이를 수온 염분도(T−S도)라고 한다.

빈출 자료 수온 염분도

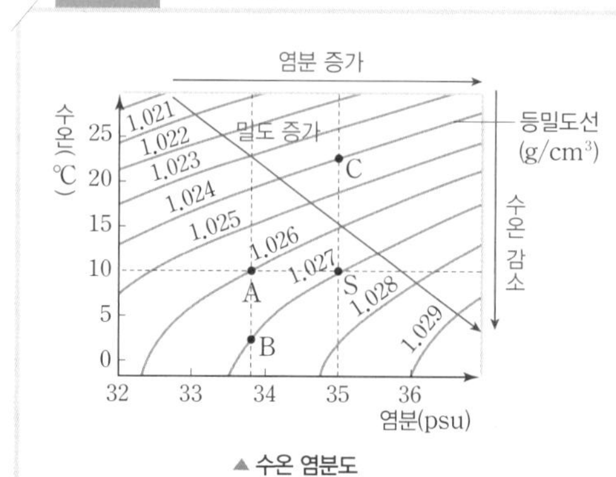

▲ 수온 염분도

❶ 수온 염분도에서 밀도를 찾는 방법: 주어진 수온과 염분이 교차하는 점을 지나는 등밀도선의 밀도값을 읽는다.

❷ 해수 S, A, B, C의 수온, 염분, 밀도

구분	수온(℃)	염분(psu)	밀도(g/cm^3)
S	10	35.0	1.027
A	10	33.8	1.026
B	2	33.8	1.027
C	22	35.0	1.024

❸ S와 수온이 같은 해수는 A, 염분이 같은 해수는 C, 밀도가 같은 해수는 B이다.

❹ B와 S는 수온과 염분이 각각 다르더라도 해수의 밀도가 1.027 g/cm^3로 같다.

용어 알기

•수압(물 水, 누르다 壓) 물이 누르는 힘(물의 무게에 의한 압력)

D 해수의 용존 기체

|출·제·단·서| 시험에는 수온과 염분 자료를 제시하고 용존 기체의 양이 어떻게 변하는지 해석하는 문제가 나와.

1. •용존 기체 해수에는 대기의 주 구성 원소인 질소, 산소, 이산화 탄소 등의 기체가 녹아 있는데, 이를 용존 기체라고 한다. ⇨ 용존 기체의 양은 기체 용해도[8]에 비례하며, 수압이 높을수록, 수온과 염분이 낮을수록 많아진다.

2. 용존 산소량과 용존 이산화 탄소량

- 용존 산소는 해양 생물의 호흡 등 생명 활동에 필요하며, 해수의 특성을 결정하는 요인으로 작용한다.
- 용존 이산화 탄소는 해양 생물의 광합성 등 생명 활동에 필요하며, 해수의 산성도를 결정하는 요인으로 작용한다.

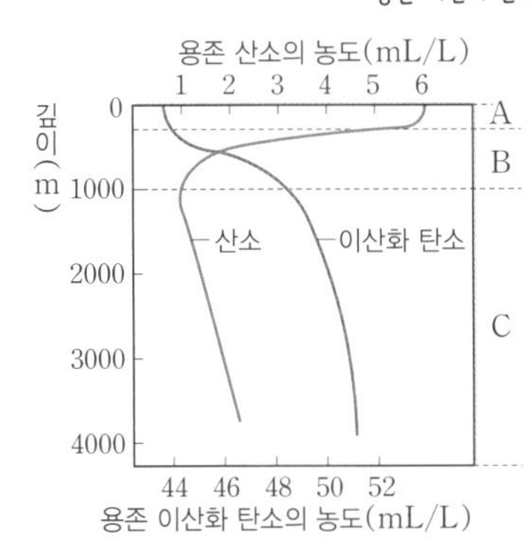

구분	특징	용존 기체의 양 변화
A	대기와 접해 있으며, 해양 생물의 광합성[9]이 활발하다.	용존 산소량은 많고, 용존 이산화 탄소량은 적다.
B	해양 생물의 광합성이 거의 일어나지 않는다. 해양 생물이 호흡하면서 산소 소비	수심이 깊어질수록 용존 산소량은 감소하고, 용존 이산화 탄소량은 증가한다.
C	용존 기체의 양이 많은 극지방의 찬 해수가 침강하여 유입된다.	수심이 깊어질수록 용존 산소량과 용존 이산화 탄소량이 대체로 증가한다.

빈출 탐구 우리나라 주변 해역의 해수 성질 분석

인공위성 자료를 이용하여 우리나라 주변 해역의 해수의 성질을 분석할 수 있다.

자료 그림은 2월과 8월에 우리나라 주변 해역의 표층 염분과 수온 분포를 나타낸 것이다.

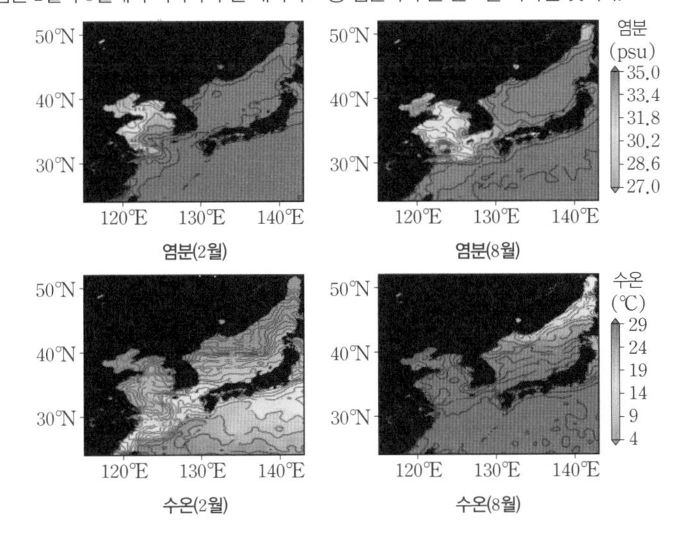

해석

❶ 황해에서 표층 염분은 2월보다 8월에 낮다.

❷ 8월에 표층 염분은 황해보다 동해에서 높다.

❸ 2월과 8월의 표층 수온 편차는 남해에서 가장 작다.

❹ 2월에 표층 수온은 황해보다 동해에서 높다.

정리

❶ 황해에서 표층 염분은 강수량과 육지에서 유입되는 담수의 양이 많은 8월이 2월보다 낮다.

❷ 8월에 표층 염분은 육지로부터 유입되는 담수의 양이 많은 황해가 동해보다 낮다.

❸ 남해는 연중 난류의 영향을 크게 받으므로 표층 수온의 연변화가 황해나 동해에 비해 작다.

❹ 황해는 동해보다 수심이 얕고 대륙의 영향을 많이 받아 표층 수온의 연변화가 크다.

---

❽ 용해도
일정한 온도에서 용매 100 g에 녹을 수 있는 용질의 최대량으로 용질의 g수로 나타낸다. 이산화 탄소는 산소보다 물에 대한 용해도가 크다.

해수의 용존 기체량
해수 중 용존 산소량은 담수에 비해 적고, 대기의 약 $\frac{1}{100}$이며, 해수 중 용존 이산화 탄소량은 대기의 약 60배이다.

❾ 광합성
녹색 식물이나 그 밖의 생물이 빛에너지를 이용하여 이산화 탄소와 물로부터 유기물을 합성하는 작용으로, 해양 생물의 광합성에 의해 용존 이산화 탄소량은 감소하고 용존 산소량은 증가한다.

호흡
산소를 들이마시고 이산화 탄소를 내보내는 가스 교환을 통하여 생물들이 유기물을 분해하여 생명 활동에 필요한 에너지를 만드는 작용으로, 해양 생물의 호흡에 의해 용존 산소량은 감소하고 용존 이산화 탄소량은 증가한다.

암기TiP
우리나라 주변 해역의 해수 성질
- 표층 수온: 여름 > 겨울
- 표층 염분: 여름 < 겨울
- 표층 밀도: 여름 < 겨울
- 혼합층 두께: 여름 < 겨울
- 수온 약층 발달: 여름 > 겨울

용어 알기
•용존(녹다 溶, 있다 存) 해수에 녹아 있음

표층 염분 분포

목표 (증발량－강수량)의 분포를 통해 표층 염분 분포의 특징을 설명할 수 있다.

그림 (가)는 전 세계 해양의 표층 염분 분포를, (나)는 강수량과 증발량 분포를 나타낸 것이다.

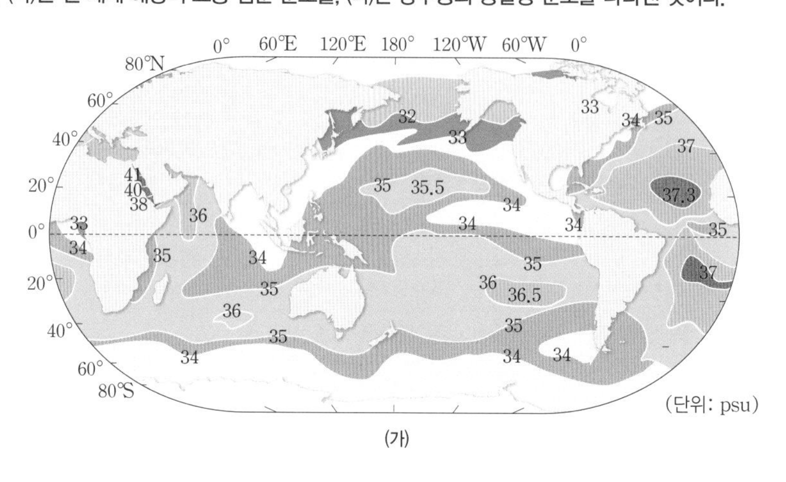

(가)

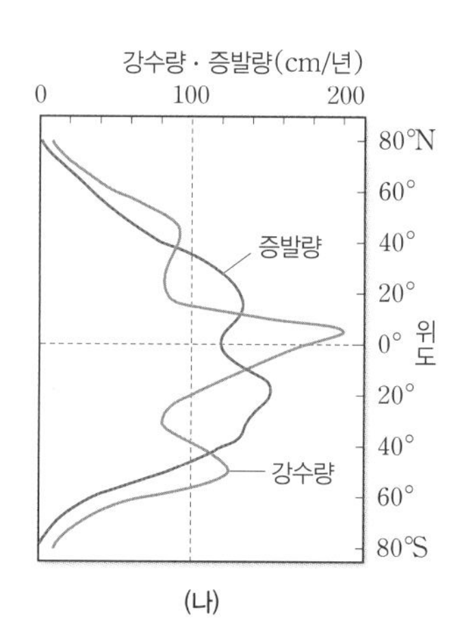

(나)

표층 염분이 가장 높게 나타나는 해역	위도 20°～30° 부근의 아열대 해역에서는 대기 대순환에 의해 하강 기류가 발달하는 고압대가 형성된다. ⇨ 위도 20°～30° 부근의 해역에서는 상대적으로 연중 맑은 날이 많기 때문에 강수량이 적고 증발량이 많아 표층 염분이 높게 나타난다.
표층 염분이 가장 낮게 나타나는 해역	• 위도 60° 부근의 아한대 해역에서는 대기 대순환에 의해 상승 기류가 발달하는 저압대(한대 전선대)가 형성된다. ⇨ 위도 60° 부근의 해역에서는 상대적으로 흐리고 비가 오는 날이 많기 때문에 강수량이 많고 증발량이 적을 뿐만 아니라 그린란드와 남극 대륙의 빙하가 녹아 유입되므로 표층 염분이 낮게 나타난다. • 오른쪽 그림을 보면 적도 부근 해역과 위도 60° 부근 해역의 (증발량－강수량)은 비슷하지만 표층 염분은 적도 부근 해역보다 위도 60° 부근 해역이 더 낮게 나타난다. ⇨ 위도 60° 부근 해역의 경우 대륙의 빙하가 녹아 유입되기 때문이다.
해양의 중앙부와 대륙 주변부에서의 표층 염분	대륙 주변부에는 육지로부터 염분이 매우 낮은 담수(하천수 등)가 유입되므로 해양 중앙부에 비해 표층 염분이 낮게 나타난다.

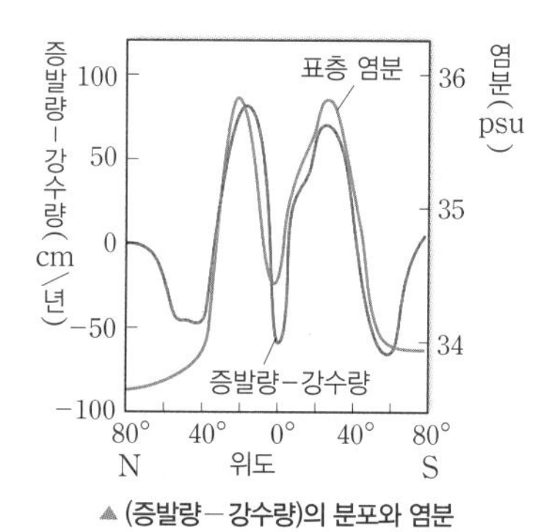

▲ (증발량－강수량)의 분포와 염분

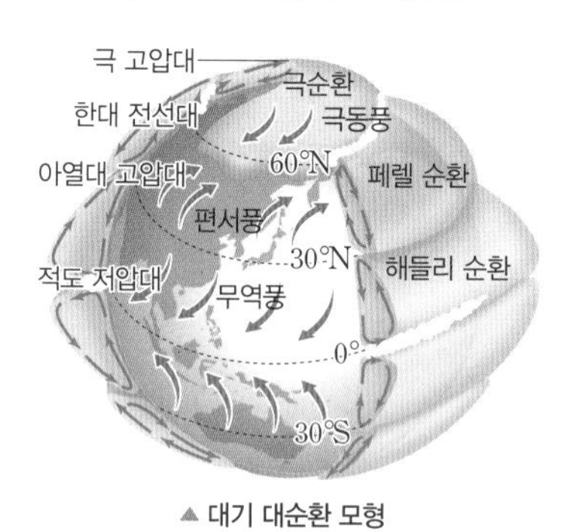

▲ 대기 대순환 모형

표층 염분 분포는 대체로 (증발량-강수량) 분포와 일치하지만 극 해역에서는 빙하의 영향이 더 크게 작용하여 (증발량-강수량)과 일치하지 않아.

한·줄·핵·심 표층 염분에 가장 큰 영향을 주는 요인은 강수량과 증발량이며, 그 외에 강물의 유입, 해수의 결빙, 빙하의 융해 등이 있다.

확인 문제

정답과 해설 37쪽

01 표층 염분에 가장 큰 영향을 주는 요인을 쓰시오.

02 해양의 중앙부와 대륙 주변부 중에서 표층 염분이 낮게 나타나는 곳을 쓰시오.

콕콕! 개념 확인하기

정답과 해설 37쪽

✔ 잠깐 확인!

1. ☐☐ 해수 1 kg 속에 녹아 있는 염류의 총량을 g수로 나타낸 것

2. 중위도 해역은 ☐☐량이 많고 ☐☐량이 적어서 표층 염분이 높게 나타난다.

3. 표층 해수의 온도를 결정하는 가장 중요한 요인은 ☐☐☐☐ 에너지이다.

4. ☐☐ ☐☐ 해수에서 수심이 깊어질수록 수온이 급격히 낮아지는 층

5. 해수의 밀도는 수온이 ☐☐수록, 염분이 ☐☐수록 커진다.

6. 해수의 밀도는 수심이 ☐☐질수록 커진다.

7. 용존 기체의 양은 해수의 ☐☐에 반비례한다.

8. 심층에서는 극지방에서 침강한 찬 해수로 인해 용존 산소량이 ☐게 나타난다.

A 해수의 염분

01 해수의 염분에 대한 설명으로 옳은 것은 ○, 옳지 않은 것은 ×로 표시하시오.

(1) 염분은 때와 장소에 따라 다르지만 염류들 상호 간의 비율은 항상 일정하다. ( )

(2) 표층 해수의 염분은 (강수량－증발량) 값에 비례한다. ( )

(3) 적도 해역은 위도 30° 부근 해역보다 표층 염분이 낮다. ( )

(4) 극지방은 대기 대순환에 의해 고압대가 형성되므로 다른 해역보다 표층 염분이 상대적으로 높다. ( )

B 해수의 온도

02 표층 해수의 수온 분포에 대한 설명으로 옳은 것은 ○, 옳지 않은 것은 ×로 표시하시오.

(1) 표층 수온은 저위도에서 고위도로 갈수록 대체로 낮아진다. ( )

(2) 등온선은 항상 위도와 나란하게 나타난다. ( )

(3) 표층 해수의 온도 분포는 인근 지역의 기후에 영향을 미친다. ( )

03 수온의 연직 분포를 기준으로 해수를 3개의 층으로 구분하시오.

C 해수의 밀도

04 그림은 해수 A~D의 수온과 염분을 수온 염분도에 나타낸 것이다.

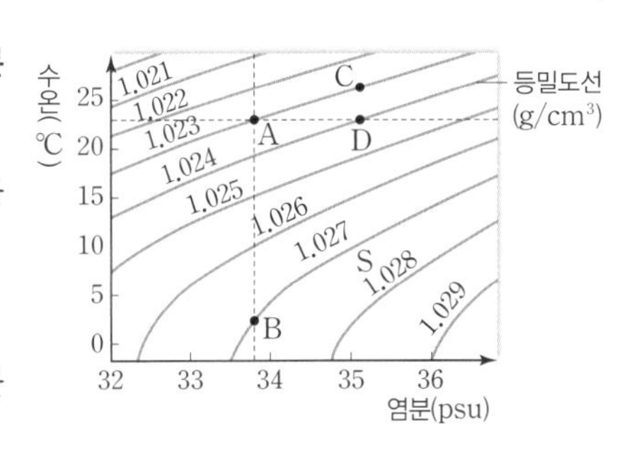

(1) A와 염분이 같은 해수와 밀도가 같은 해수를 각각 쓰시오.

(2) 수온 염분도를 보고 해수의 밀도가 큰 경우를 쓰시오.

D 해수의 용존 기체

05 다음은 해수의 용존 기체에 대한 설명이다. ㉠, ㉡에 들어갈 알맞은 말을 쓰시오.

> 용존 산소량은 해양 생물의 (㉠)과 대기로부터의 공급으로 인하여 표층 해수에서 가장 많고, 이후 수심 약 1000 m까지는 해양 생물의 (㉡)으로 급격히 감소한다.

탄탄! 내신 다지기

A 해수의 염분

[01~02] 그림은 위도에 따른 강수량과 증발량의 분포를 A와 B로 순서 없이 나타낸 것이다.

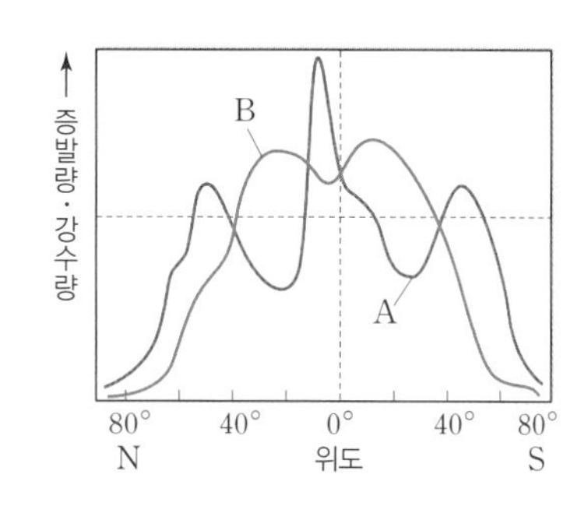

단답형

01 A와 B에 해당하는 물리량을 각각 쓰시오.

02 표층 염분이 가장 높은 곳으로 적절한 지역은?

① 0°　② 30°N　③ 40°N　④ 60°N　⑤ 80°N

03 해수의 염분을 증가시키는 요인으로 옳은 것은?

① 강수량 증가　② 빙하의 융해　③ 육수의 유입　④ 증발량 감소　⑤ 해수의 결빙

04 다음은 염분에 대한 설명이다.

> 염분은 해수 1 (㉠) 속에 녹아 있는 염류의 총량을 g수로 나타낸 값으로 단위는 psu를 쓰며, 1 psu는 1 (㉡)과 같다.

㉠, ㉡에 해당하는 단위를 옳게 짝 지은 것은?

	㉠	㉡
①	g	%
②	g	‰
③	kg	%
④	kg	‰
⑤	kg	ppm

B 해수의 온도

05 해수의 표층 수온에 영향을 주는 요인으로 옳은 것만을 〈보기〉에서 있는 대로 고른 것은?

> 보기
> ㄱ. 해수의 염분
> ㄴ. 위도에 따른 태양 복사 에너지의 양
> ㄷ. 수륙 분포에 따른 해양과 대륙의 열용량 차이

① ㄱ　② ㄷ　③ ㄱ, ㄴ　④ ㄴ, ㄷ　⑤ ㄱ, ㄴ, ㄷ

[06~07] 그림은 수온의 연직 분포를 기준으로 구분한 해양의 층상 구조를 나타낸 것이다.

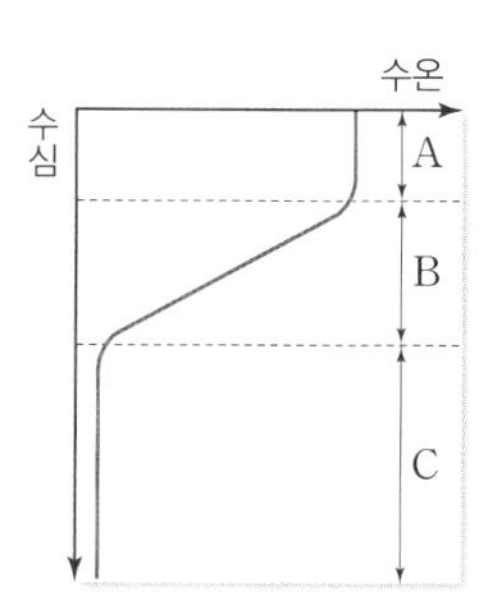

단답형

06 A, B, C에 해당하는 층의 이름을 쓰시오.

07 A, B, C층에 대한 설명으로 옳은 것만을 〈보기〉에서 있는 대로 고른 것은?

> 보기
> ㄱ. A층은 바람이 강할수록 두껍게 형성된다.
> ㄴ. B층은 햇빛이 강할수록 뚜렷하게 형성된다.
> ㄷ. C층의 수온은 고위도와 저위도에서 거의 비슷하다.

① ㄱ　② ㄴ　③ ㄱ, ㄷ　④ ㄴ, ㄷ　⑤ ㄱ, ㄴ, ㄷ

C 해수의 밀도

08 해수의 밀도에 대한 설명으로 옳은 것만을 〈보기〉에서 있는 대로 고른 것은?

보기
ㄱ. 온실 효과로 지구의 평균 기온이 상승하면 극지방 해수의 밀도는 증가한다.
ㄴ. 어느 해역의 표층 해수가 고위도에서 저위도로 이동하면 해수의 밀도는 증가한다.
ㄷ. 대륙 주변부 해역에서 육지로부터 유입되는 담수의 양이 감소하면 해수의 밀도는 증가한다.

① ㄱ ② ㄷ ③ ㄱ, ㄴ
④ ㄴ, ㄷ ⑤ ㄱ, ㄴ, ㄷ

[09~10] 그림은 수온 염분도에 해수 ㉠과 ㉡을 나타낸 것이다.

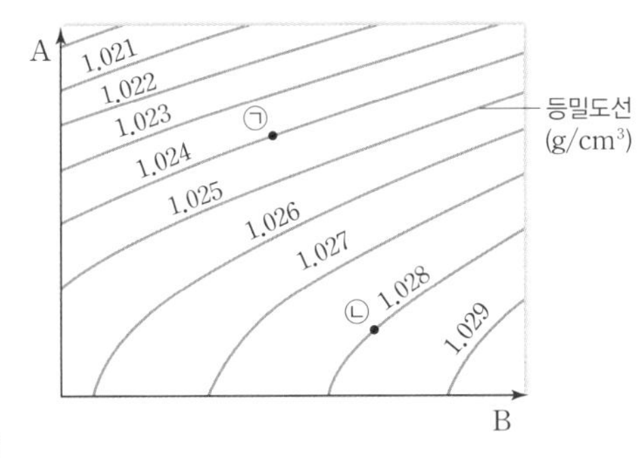

단답형
09 A와 B에 해당하는 물리량을 쓰시오.

10 해수 ㉠과 비교했을 때 해수 ㉡에서 더 큰 값을 가지는 물리량만을 〈보기〉에서 있는 대로 고른 것은?

보기
ㄱ. 수온 ㄴ. 염분 ㄷ. 밀도

① ㄱ ② ㄷ ③ ㄱ, ㄴ
④ ㄴ, ㄷ ⑤ ㄱ, ㄴ, ㄷ

D 해수의 용존 기체

11 용존 기체의 양이 증가할 수 있는 경우만을 〈보기〉에서 있는 대로 고른 것은?

보기
ㄱ. 수온이 높은 경우
ㄴ. 염분이 높은 경우
ㄷ. 수압이 높은 경우

① ㄱ ② ㄷ ③ ㄱ, ㄴ
④ ㄴ, ㄷ ⑤ ㄱ, ㄴ, ㄷ

[12~13] 그림은 깊이에 따른 용존 산소량과 용존 이산화 탄소량을 순서 없이 나타낸 것이다.

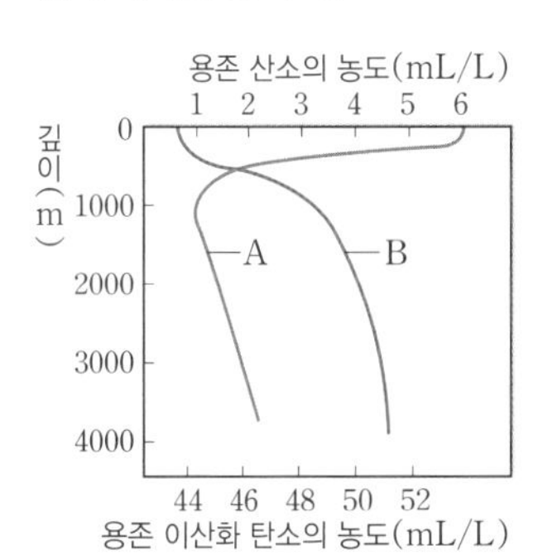

단답형
12 A와 B에 해당하는 기체의 이름을 쓰시오.

13 심층에서 수심이 깊어질수록 A가 증가하는 까닭으로 가장 적절한 것은?

① 해양 생물의 호흡이 활발해지기 때문이다.
② 해양 생물의 광합성이 활발해지기 때문이다.
③ 해저 화산 활동으로 A가 공급되기 때문이다.
④ 해양 지각 속의 A가 해수에 용해되기 때문이다.
⑤ 극지방에서 침강한 찬 해수가 유입되기 때문이다.

도전! 실력 올리기

출제예감

01 그림 (가)는 위도에 따른 증발량과 강수량을, (나)는 표층 염분의 분포를 나타낸 것이다.

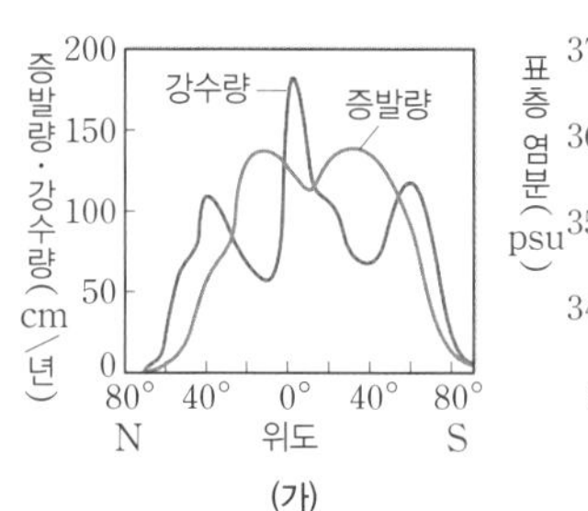

(가)

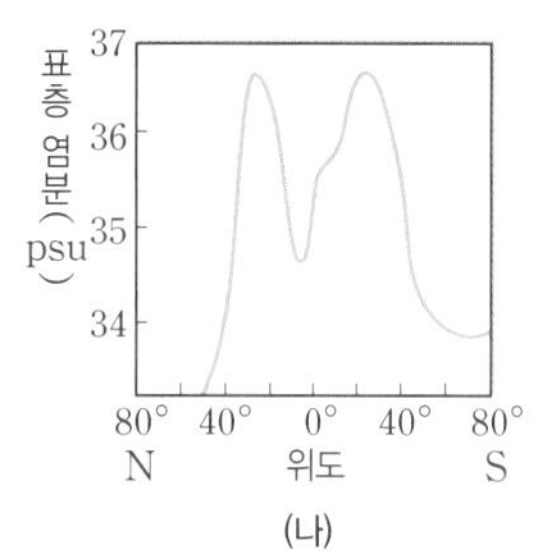

(나)

이에 대한 설명으로 옳은 것만을 〈보기〉에서 있는 대로 고른 것은?

〈보기〉
ㄱ. 표층 염분은 적도보다 위도 30°에서 높다.
ㄴ. 중위도에서 강수량보다 증발량이 많은 까닭은 고압대가 형성되기 때문이다.
ㄷ. 극지방에서 빙하의 융해량은 북반구가 남반구보다 많다.

① ㄱ ② ㄷ ③ ㄱ, ㄴ
④ ㄴ, ㄷ ⑤ ㄱ, ㄴ, ㄷ

02 그림 (가)와 (나)는 2월과 8월에 측정한 우리나라 주변 해역의 표층 염분 분포를 순서 없이 나타낸 것이다.

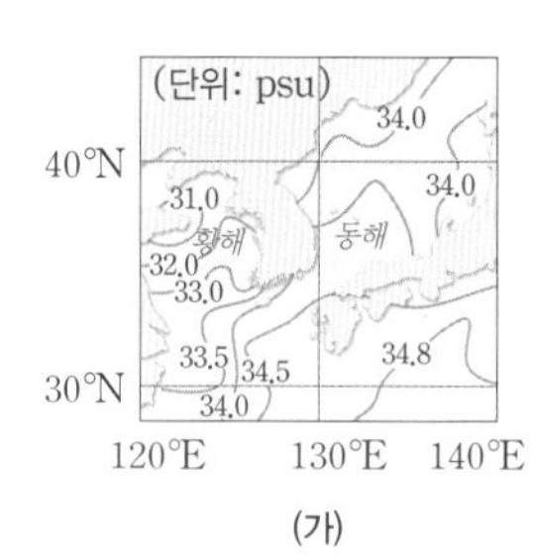

(가)

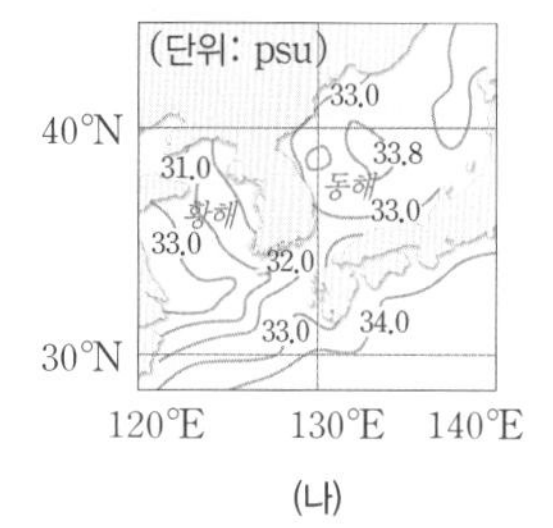

(나)

이에 대한 설명으로 옳은 것만을 〈보기〉에서 있는 대로 고른 것은?

〈보기〉
ㄱ. (가)는 2월, (나)는 8월에 측정한 것이다.
ㄴ. 같은 위도에서 표층 염분은 동해보다 황해에서 높다.
ㄷ. 표층 염분이 (나)보다 (가)에서 대체로 높게 나타나는 주된 요인은 해수의 결빙이다.

① ㄱ ② ㄷ ③ ㄱ, ㄴ
④ ㄴ, ㄷ ⑤ ㄱ, ㄴ, ㄷ

03 그림은 전 세계 해양의 표층 수온을 나타낸 것이다.

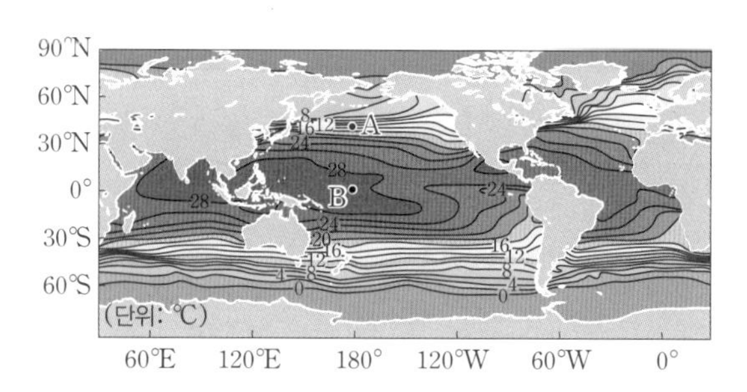

이에 대한 설명으로 옳은 것만을 〈보기〉에서 있는 대로 고른 것은?

〈보기〉
ㄱ. 표층 수온은 고위도로 갈수록 대체로 낮아진다.
ㄴ. 수온 약층은 A보다 B 해역에서 뚜렷하게 발달한다.
ㄷ. 태평양의 중위도에서 동쪽 해역은 서쪽 해역보다 대체로 표층 수온이 낮다.

① ㄱ ② ㄷ ③ ㄱ, ㄴ
④ ㄴ, ㄷ ⑤ ㄱ, ㄴ, ㄷ

출제예감

04 그림은 위도가 서로 다른 세 해역 A, B, C에서 측정한 수온의 연직 분포를 순서 없이 나타낸 것이다.

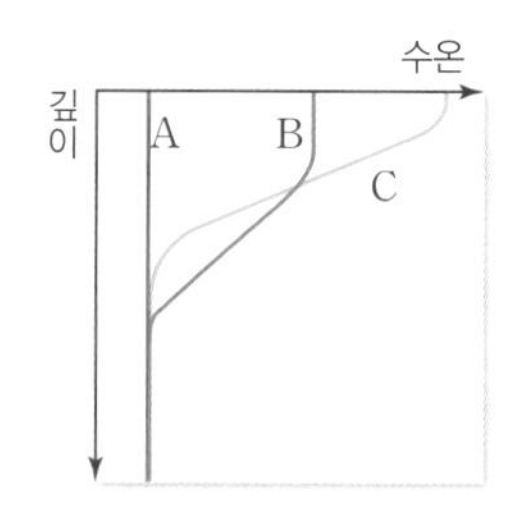

이에 대한 설명으로 옳은 것만을 〈보기〉에서 있는 대로 고른 것은?

〈보기〉
ㄱ. A에서는 혼합층만 나타난다.
ㄴ. 바람은 B보다 C에서 강하게 분다.
ㄷ. 수온 약층은 B보다 C에서 더 안정하다.

① ㄱ ② ㄷ ③ ㄱ, ㄴ
④ ㄴ, ㄷ ⑤ ㄱ, ㄴ, ㄷ

정답과 해설 38쪽

출제예감

05 그림은 위도가 서로 다른 세 해역 A, B, C에서 채취한 해수를 수온 염분도에 나타낸 것이다.

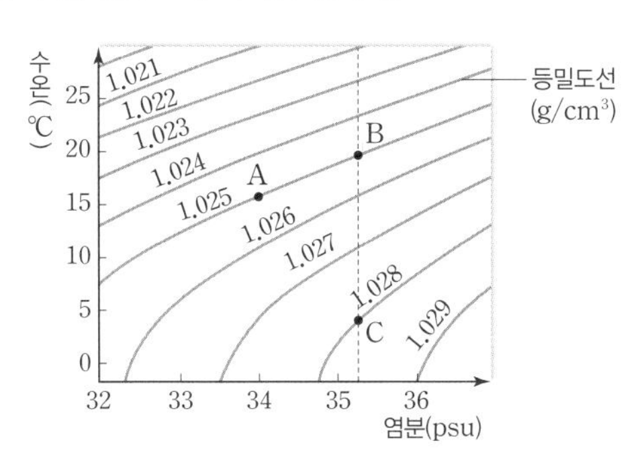

이에 대한 설명으로 옳은 것만을 〈보기〉에서 있는 대로 고른 것은?

〈보기〉
ㄱ. 밀도는 A보다 B에서 크다.
ㄴ. A는 C보다 저위도에 위치한다.
ㄷ. 수온 변화에 따른 밀도 변화는 B보다 C에서 작게 나타난다.

① ㄱ ② ㄴ ③ ㄱ, ㄷ
④ ㄴ, ㄷ ⑤ ㄱ, ㄴ, ㄷ

06 그림은 우리나라 어느 해역에서 깊이에 따른 용존 기체의 양을 나타낸 것이다.

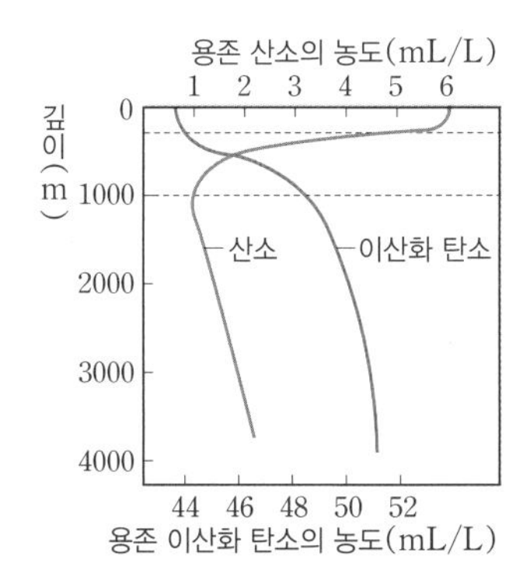

이에 대한 설명으로 옳은 것만을 〈보기〉에서 있는 대로 고른 것은?

〈보기〉
ㄱ. 표층에는 이산화 탄소보다 산소가 더 많이 녹아 있다.
ㄴ. 표층에서 용존 기체의 양은 해양 생물의 호흡보다 광합성의 영향을 더 많이 받는다.
ㄷ. 심층에서 용존 산소량과 용존 이산화 탄소량은 반비례하는 경향을 보인다.

① ㄱ ② ㄴ ③ ㄱ, ㄷ
④ ㄴ, ㄷ ⑤ ㄱ, ㄴ, ㄷ

서술형

07 그림은 북태평양 어느 해역에서 계절별 수온의 연직 분포를 나타낸 것이다. 월 평균 풍속이 가장 큰 달은 언제이며, 그렇게 판단한 까닭을 서술하시오.

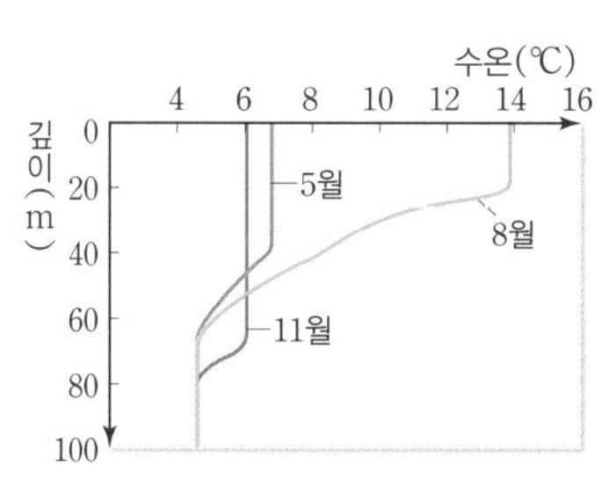

단답형

08 그림은 수온 염분도이고, 표는 서로 다른 두 해수 A와 B의 수온과 염분을 나타낸 것이다.

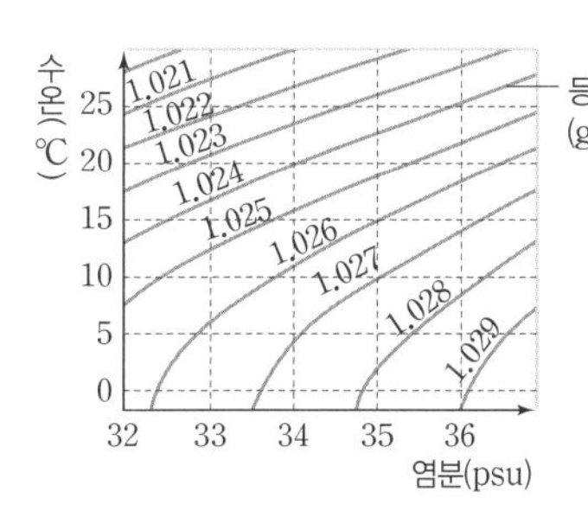

구분	A	B
수온(℃)	15	20
염분(psu)	35	34

해수 A와 B의 밀도를 각각 구하시오.

서술형

09 그림은 위도에 따른 해수의 온도와 밀도를 나타낸 것이다.

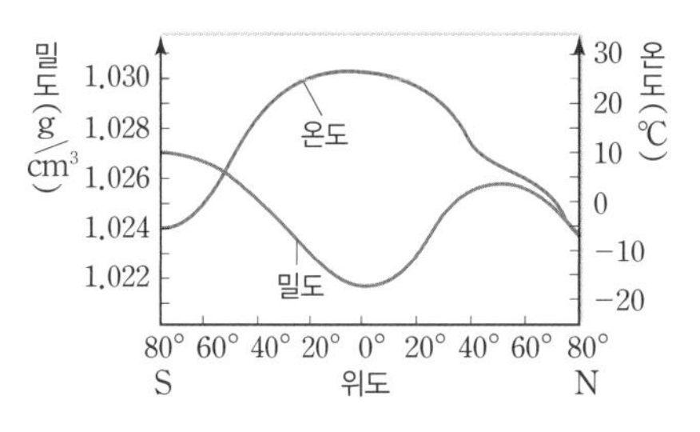

위도 60°N 이상의 북반구 고위도 해역에서는 수온이 낮은데도 불구하고 밀도가 작게 나타나는데, 그 까닭을 서술하시오.

수능을 알기 쉽게 풀어주는 수능 POOL

해수의 층상 구조

대표 유형

출제 의도

계절별 일기도를 구분한 후 계절에 따른 해수의 층상 구조 특징을 해석하는 문제이다.

수온 약층은 수심에 따라 수온이 급격하게 감소하는 층이므로, 표층과 심층의 수온차가 클수록 수온 약층이 뚜렷하게 나타나. 즉, 표층 수온이 높을수록 수온 약층이 잘 발달해!

이것이 함정

심해층은 계절이나 깊이에 관계없이 수온이 거의 일정하다.

오른쪽 그림은 해양의 층상 구조를 나타낸 모식도이고, 그림 (가)와 (나)는 어느 계절의 전형적인 지상 일기도이다.
(가)와 (나)의 기압 배치를 비교할 때, 대기가 우리나라 주변 해양의 층상 구조에 주는 영향으로 옳은 것만을 〈보기〉에서 있는 대로 고른 것은?

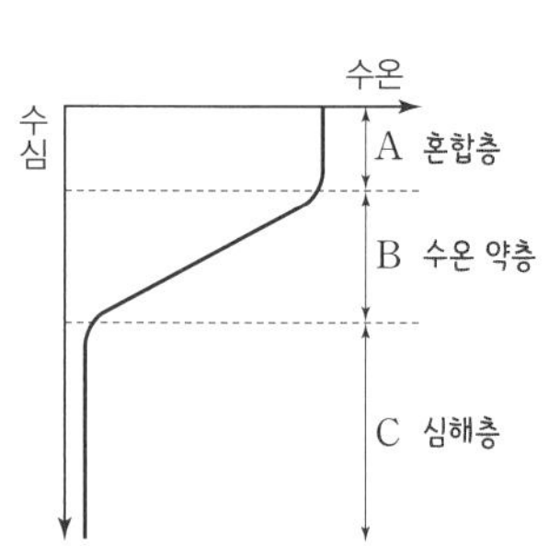

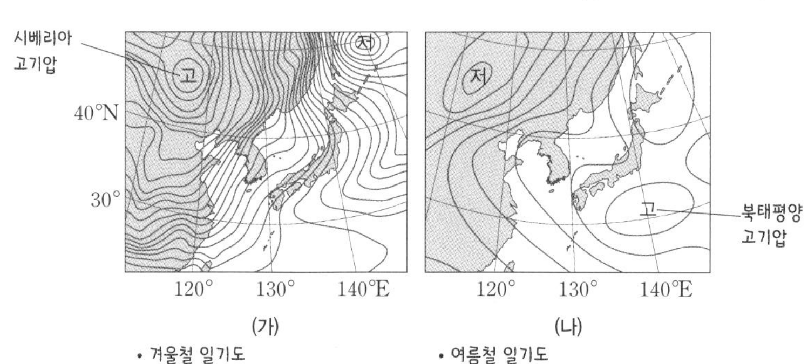

(가)
- 겨울철 일기도
- 기압 배치: 서고 동저
- 등압선 간격: 좁다 → 바람이 강함

(나)
- 여름철 일기도
- 기압 배치: 남고 북저
- 등압선 간격: 넓다 → 바람이 약함

보기

ㄱ. A층은 (가)의 고기압 세력이 강해질 때 두꺼워진다.
  - 혼합층은 바람이 강할수록 두껍게 발달한다.
  - 겨울철: 바람이 강하게 분다.

ㄴ. B층은 (나)의 고기압의 영향이 큰 시기에 잘 발달한다.
  - 수온 약층은 바람이 약하고 표층 수온이 높은 여름철에 잘 발달한다.
  - 여름철: 바람이 약하고 표층 수온이 높다.

ㄷ. C층은 (가)와 (나)의 기압 배치의 영향을 거의 받지 않는다.
  - 심해층은 계절이나 깊이에 관계없이 수온이 거의 일정하다.

① ㄱ ② ㄴ ③ ㄱ, ㄷ ④ ㄴ, ㄷ ⑤ ㄱ, ㄴ, ㄷ

혼합층이 두껍게 발달하는 시기 결정하기

해양의 층상 구조 그래프에서 A층이 혼합층임과, 혼합층은 바람이 강하게 불수록 두꺼워진다는 것을 확인한다. >>> 일기도 (가)와 (나)에서 기압 배치를 보고 어느 계절 일기도인지 확인한다. >>> (가)와 (나)에서 고기압의 위치를 확인하고, 등압선 간격을 비교하여 어느 계절에 바람이 강하게 부는지 확인한다.

추가 선택지

- B층은 A층과 C층 사이의 물질과 에너지를 교환시켜 주는 역할을 한다. (×)
  ⋯ B층(수온 약층)은 안정하여 대류가 없어 혼합층과 심해층 사이의 물질과 에너지의 교환을 차단한다.
- C층은 다른 층에 비해 수온의 연교차가 작다. (○)
  ⋯ C층(심해층)은 태양 에너지를 거의 흡수하지 못하므로 연중 수온 변화가 거의 없다. 따라서 수온의 연교차가 다른 층에 비해 가장 작게 나타난다.

실전! 수능 도전하기

정답과 해설 40쪽

01 그림은 우리나라에 영향을 주는 기단의 분포를 나타낸 것이다.

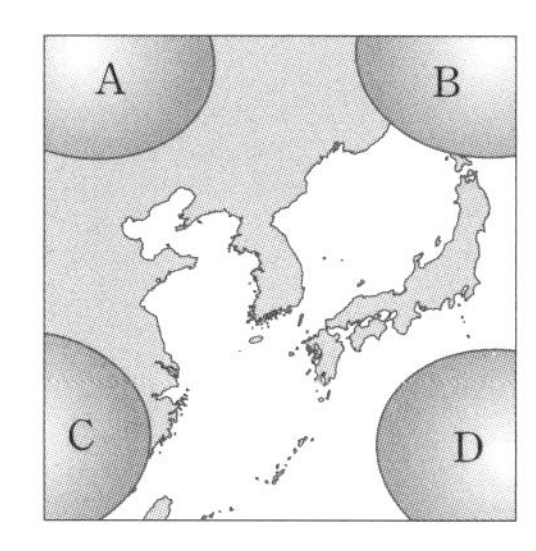

이에 대한 설명으로 옳은 것만을 〈보기〉에서 있는 대로 고른 것은?

보기
ㄱ. A는 B보다 건조하다.
ㄴ. C에서는 주로 이동성 고기압이 발달한다.
ㄷ. D는 태풍을 형성하는 기단이다.

① ㄱ ② ㄷ ③ ㄱ, ㄴ
④ ㄴ, ㄷ ⑤ ㄱ, ㄴ, ㄷ

02 그림 (가)와 (나)는 우리나라를 통과하는 온대 저기압에 동반된 두 종류의 전선을 나타낸 것이다.

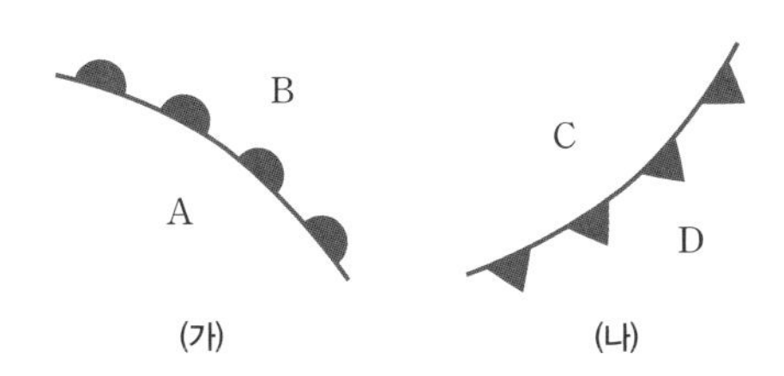

(가) (나)

이에 대한 설명으로 옳은 것만을 〈보기〉에서 있는 대로 고른 것은?

보기
ㄱ. A 지역은 B 지역보다 기온이 높다.
ㄴ. B 지역과 D 지역에는 강수 현상이 있다.
ㄷ. 온대 저기압이 지나갈 때 (나)가 (가)보다 먼저 통과한다.

① ㄱ ② ㄷ ③ ㄱ, ㄴ
④ ㄴ, ㄷ ⑤ ㄱ, ㄴ, ㄷ

수능 기출

03 그림 (가)는 어느 날 우리나라 주변의 지상 일기도이고, (나)는 이때 A, B, C 지점의 풍향과 풍속을 점(•)으로 나타낸 것이다.

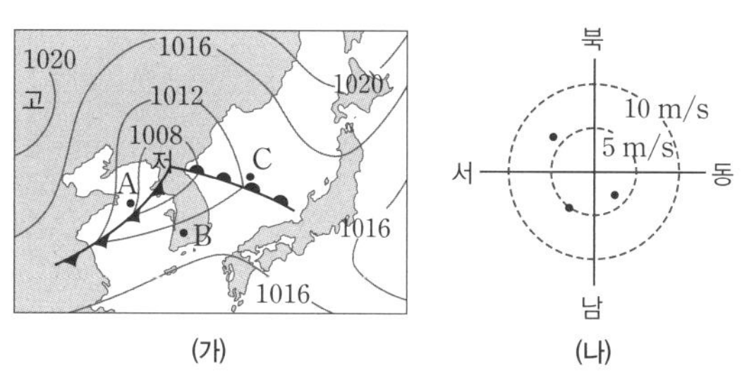

(가) (나)

이에 대한 설명으로 옳은 것만을 〈보기〉에서 있는 대로 고른 것은?

보기
ㄱ. 기압은 B가 A보다 높다.
ㄴ. C의 풍속은 5 m/s보다 크다.
ㄷ. 온난 전선이 C를 통과하는 동안 이 지점의 풍향은 반시계 방향으로 바뀐다.

① ㄱ ② ㄴ ③ ㄱ, ㄷ
④ ㄴ, ㄷ ⑤ ㄱ, ㄴ, ㄷ

04 그림 (가)와 (나)는 12시간 간격으로 작성된 우리나라 주변 일기도를 순서 없이 나타낸 것이다.

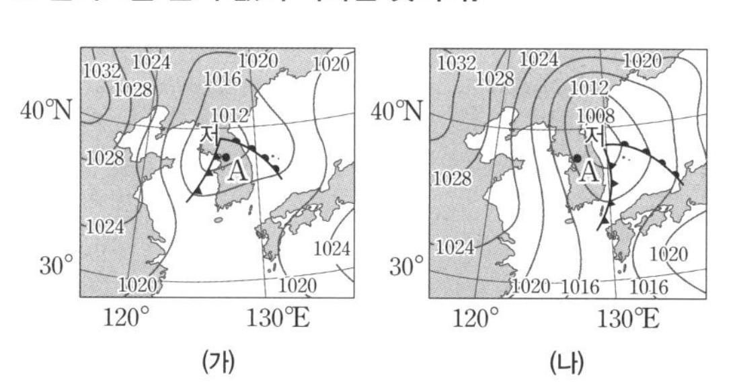

(가) (나)

이에 대한 설명으로 옳은 것만을 〈보기〉에서 있는 대로 고른 것은?

보기
ㄱ. (가)가 (나)보다 먼저 작성되었다.
ㄴ. 이 기간 동안 A 지역의 풍향은 시계 방향으로 변하였다.
ㄷ. 이 기간 동안 우리나라를 통과한 저기압은 열대 저기압이다.

① ㄱ ② ㄴ ③ ㄱ, ㄴ
④ ㄱ, ㄷ ⑤ ㄴ, ㄷ

05 그림 (가), (나), (다)는 북반구에서 온대 저기압의 발달 과정을 순서 없이 나타낸 것이다.

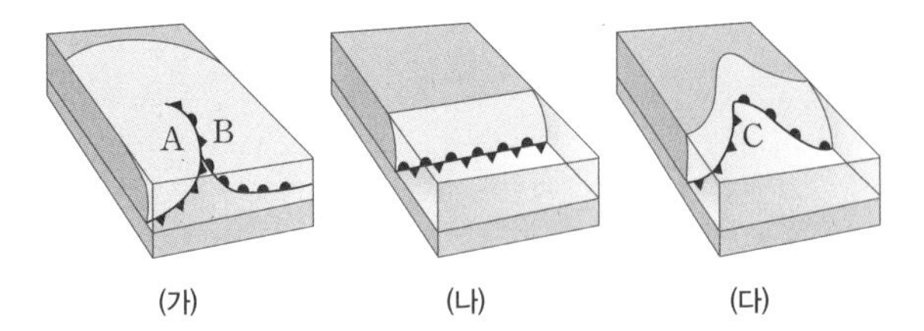

(가) (나) (다)

이에 대한 설명으로 옳은 것만을 〈보기〉에서 있는 대로 고른 것은?

보기
ㄱ. 발달 과정은 (나) → (다) → (가)이다.
ㄴ. A 지역과 B 지역 사이에는 정체 전선이 존재한다.
ㄷ. C 지역에서는 남동풍이 분다.

① ㄱ ② ㄷ ③ ㄱ, ㄴ
④ ㄴ, ㄷ ⑤ ㄱ, ㄴ, ㄷ

06 그림은 정체 전선과 태풍이 발달한 우리나라와 주변 지역의 적외 영상이다.

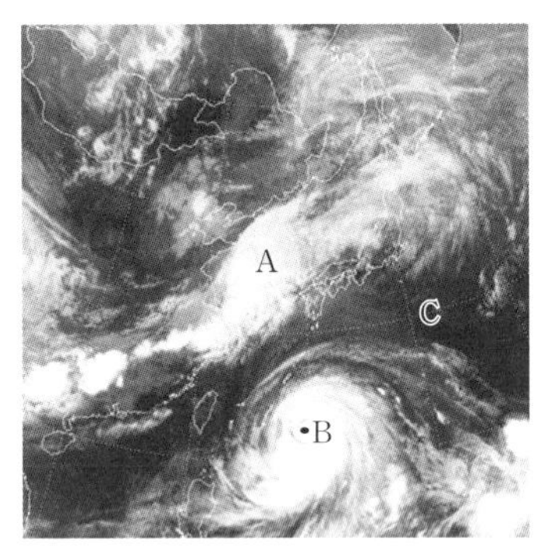

이에 대한 설명으로 옳은 것만을 〈보기〉에서 있는 대로 고른 것은?

보기
ㄱ. C 지역에는 북태평양 기단이 발달되어 있다.
ㄴ. 정체 전선은 A 지역 구름의 북쪽 경계선에 위치한다.
ㄷ. A 지역의 저기압 중심과 B 지역의 태풍의 눈에는 모두 상승 기류가 발달한다.

① ㄱ ② ㄴ ③ ㄷ
④ ㄱ, ㄷ ⑤ ㄴ, ㄷ

07 그림은 어느 기간 동안 태풍이 발생한 해역과 월별 이동 경로를 나타낸 것이다.
이에 대한 설명으로 옳은 것만을 〈보기〉에서 있는 대로 고른 것은?

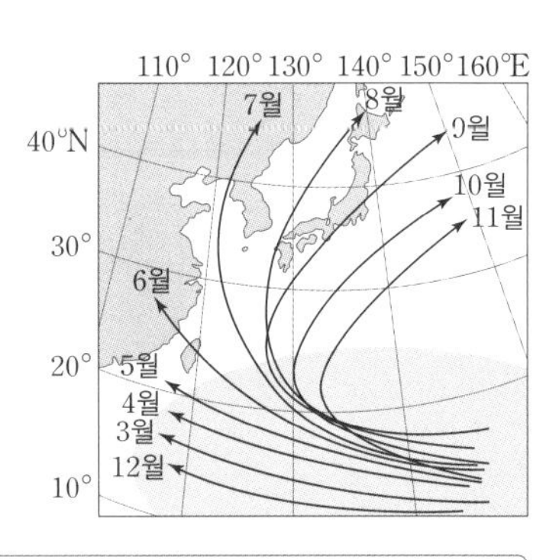

보기
ㄱ. 전향점은 9월보다 7월에 고위도에 위치한다.
ㄴ. 태풍은 주로 가을철에 우리나라에 영향을 준다.
ㄷ. 봄철에 발생한 태풍은 주로 편서풍의 영향을 받아 이동한다.

① ㄱ ② ㄷ ③ ㄱ, ㄴ
④ ㄴ, ㄷ ⑤ ㄱ, ㄴ, ㄷ

수능 기출

08 그림 (가)는 어느 해 9월 9일부터 18일까지 태풍 중심의 위치와 기압을 1일 간격으로 나타낸 것이고, (나)는 12일, 14일, 16일에 관측한 이 태풍 중심의 이동 방향과 이동 속도를 ㉠, ㉡, ㉢으로 순서 없이 나타낸 것이다. 화살표의 방향과 길이는 각각 이동 방향과 속도를 나타낸다.

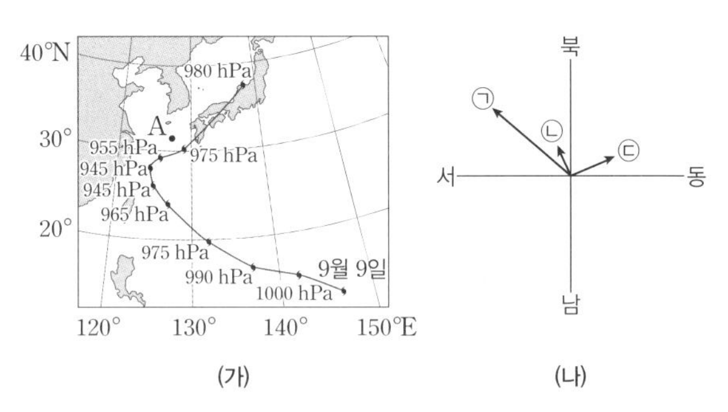

(가) (나)

이에 대한 설명으로 옳은 것만을 〈보기〉에서 있는 대로 고른 것은?

보기
ㄱ. 태풍의 세력은 10일이 16일보다 약하다.
ㄴ. 14일 태풍 중심의 이동 방향과 이동 속도는 ㉡에 해당한다.
ㄷ. 16일과 17일 사이에는 A 지점의 풍향이 반시계 방향으로 변한다.

① ㄱ ② ㄴ ③ ㄱ, ㄷ
④ ㄴ, ㄷ ⑤ ㄱ, ㄴ, ㄷ

09 표는 2018년에 발생한 제 7호 태풍 쁘라삐룬의 진행 방향과 중심부 최대 풍속을 12시간 간격으로 예상하여 나타낸 것이고, 그림은 이 태풍의 영향을 받는 A 지역에서 같은 기간 동안의 풍향 변화를 예상하여 나타낸 것이다.

일시 (7월)	진행 방향	최대 풍속(km/h)
2일 15시	북	97
3일 03시	북	86
3일 15시	북북동	83
4일 03시	북동	72
4일 15시	북동	68

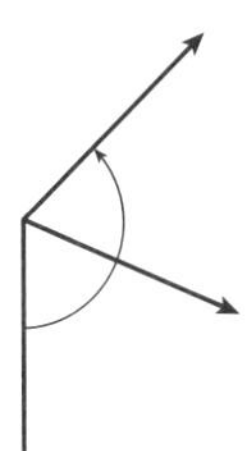

이에 대한 설명으로 옳은 것만을 <보기>에서 있는 대로 고른 것은?

보기
ㄱ. 이 기간 동안 태풍의 중심 기압은 낮아질 것이다.
ㄴ. 7월 3일 15시에 태풍은 편서풍대에 위치할 것이다.
ㄷ. 태풍이 지나가는 동안 A 지역은 위험 반원에 위치할 것이다.

① ㄱ ② ㄴ ③ ㄱ, ㄷ
④ ㄴ, ㄷ ⑤ ㄱ, ㄴ, ㄷ

10 그림 (가)와 (나)는 뇌우 발달 과정의 일부를 순서 없이 나타낸 것이다.

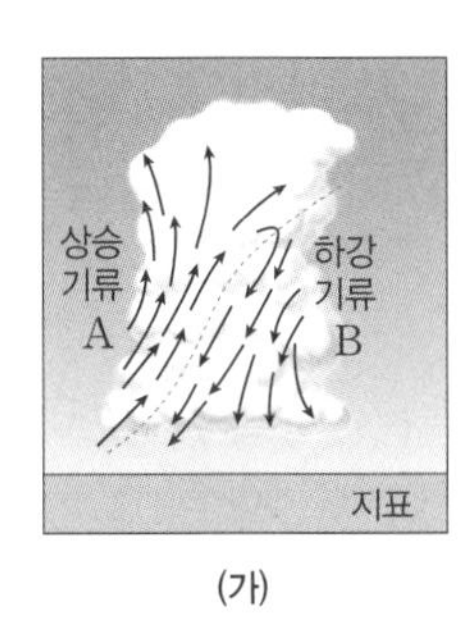

(가)

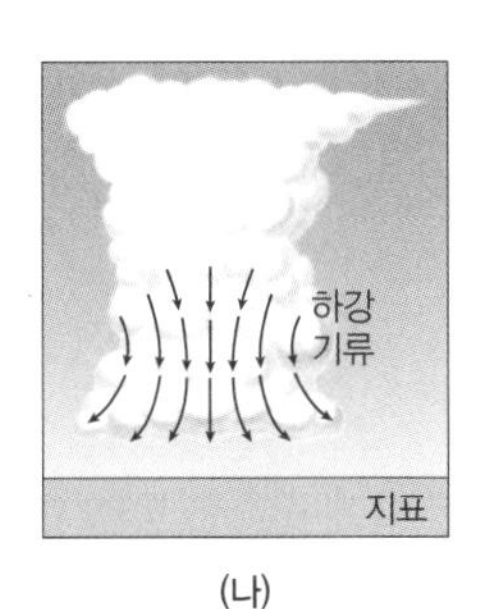

(나)

이에 대한 설명으로 옳은 것만을 <보기>에서 있는 대로 고른 것은?

보기
ㄱ. (가)가 (나)보다 먼저 나타난다.
ㄴ. 우박은 (나)보다 (가)에서 잘 나타난다.
ㄷ. (가)에서 비는 A보다 B에서 많이 내린다.

① ㄱ ② ㄷ ③ ㄱ, ㄴ
④ ㄴ, ㄷ ⑤ ㄱ, ㄴ, ㄷ

11 표는 우리나라에서 발생할 수 있는 악기상 A, B, C의 특징을 나타낸 것이다.

구분	특징
A	좁은 지역에 짧은 시간 동안 많은 양의 비가 집중적으로 내리는 현상이다.
B	높게 발달한 적란운에서 천둥, 번개와 함께 소나기가 내리는 현상이다.
C	중국과 몽골에서 발생한 모래 먼지가 상층 편서풍을 타고 이동하다가 우리나라에서 서서히 하강하는 현상이다.

이에 대한 설명으로 옳은 것만을 <보기>에서 있는 대로 고른 것은?

보기
ㄱ. A는 주로 층운형 구름에서 잘 나타난다.
ㄴ. B는 수권과 기권의 상호 작용에 의해서만 발생한다.
ㄷ. 중국에서 사막화가 가속화되면 C에 의한 피해는 커진다.

① ㄱ ② ㄷ ③ ㄱ, ㄴ
④ ㄴ, ㄷ ⑤ ㄱ, ㄴ, ㄷ

수능 기출

12 그림 (가)와 (나)는 우리나라 동해의 어느 해역에서 서로 다른 계절에 측정한 수온과 염분을 깊이에 따라 나타낸 것이다.

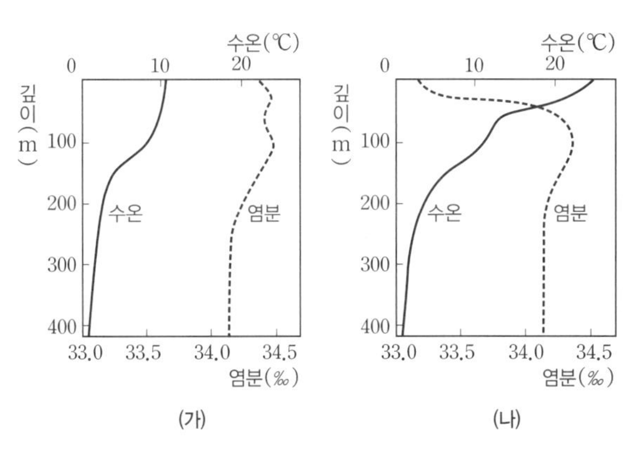

(가) (나)

이에 대한 설명으로 옳은 것만을 <보기>에서 있는 대로 고른 것은?

보기
ㄱ. 혼합층은 (가)가 (나)보다 두껍다.
ㄴ. (증발량−강수량) 값은 (가)가 (나)보다 크다.
ㄷ. 표층 해수의 밀도는 (가)가 (나)보다 크다.

① ㄱ ② ㄴ ③ ㄱ, ㄷ
④ ㄴ, ㄷ ⑤ ㄱ, ㄴ, ㄷ

실전! 수능 도전하기

정답과 해설 40쪽

13 그림은 우리나라 동해의 어느 해역에서 여름철과 겨울철에 관측한 수온의 연직 분포를 순서 없이 나타낸 것이다.

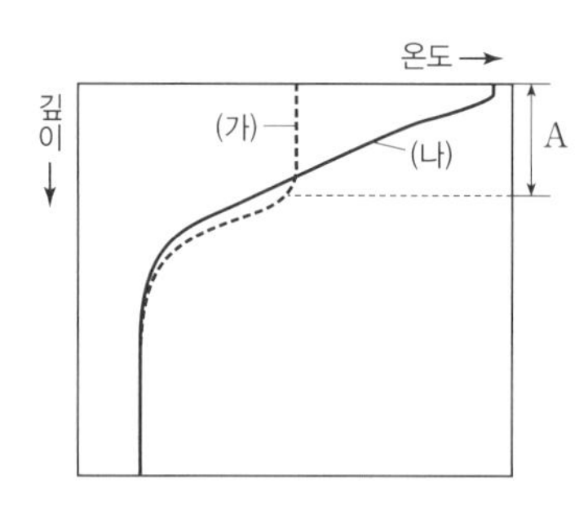

이에 대한 설명으로 옳은 것만을 〈보기〉에서 있는 대로 고른 것은?

〈보기〉
ㄱ. (가)는 여름철에 관측한 것이다.
ㄴ. 수온 약층은 (가)보다 (나)일 때 두껍다.
ㄷ. A층은 기권과 수권의 상호 작용으로 형성된다.

① ㄱ ② ㄷ ③ ㄱ, ㄴ
④ ㄴ, ㄷ ⑤ ㄱ, ㄴ, ㄷ

수능 기출

14 다음은 어떤 해수의 특징을 설명한 것이고, 그림은 수온 염분도이다.

> 이 해수는 극지방에 위치하고 수온은 −0.5 ℃, 염분은 34.5 ‰이다.

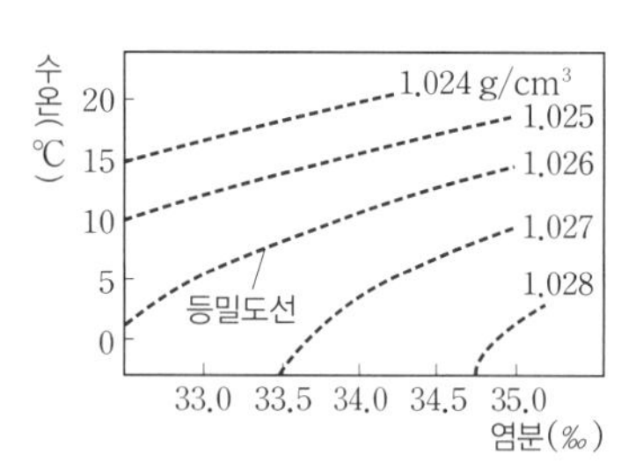

이에 대한 설명으로 옳은 것만을 〈보기〉에서 있는 대로 고른 것은?

〈보기〉
ㄱ. 이 해수의 밀도는 1.027 g/cm^{3}보다 크다.
ㄴ. 결빙이 일어나면 얼음 주변의 해수 밀도는 작아진다.
ㄷ. 이 해수와 밀도는 같으나 수온이 높은 해수의 염분은 34.5 ‰보다 크다.

① ㄴ ② ㄷ ③ ㄱ, ㄴ
④ ㄱ, ㄷ ⑤ ㄱ, ㄴ, ㄷ

15 그림은 북반구 중위도 해역에서 깊이에 따른 수온 및 용존 산소의 농도를 나타낸 것이다.

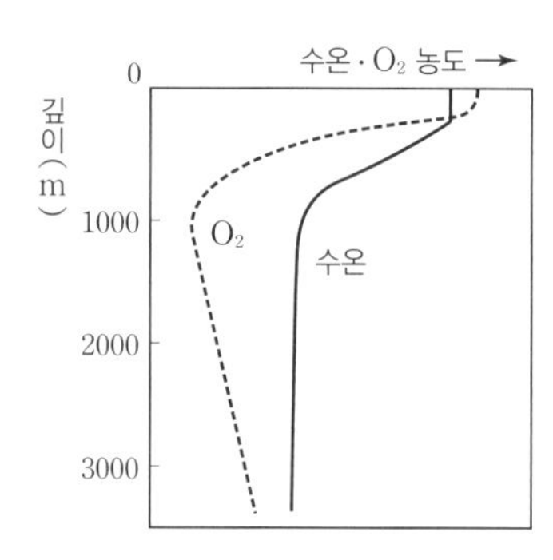

이에 대한 설명으로 옳은 것만을 〈보기〉에서 있는 대로 고른 것은?

〈보기〉
ㄱ. 용존 산소량은 수온 약층보다 혼합층에서 많다.
ㄴ. 수온 약층에서 용존 산소의 농도는 주로 수권과 생물권의 상호 작용으로 감소한다.
ㄷ. 심해층에서 용존 산소의 농도가 증가하는 것은 심해 생물의 광합성 때문이다.

① ㄱ ② ㄷ ③ ㄱ, ㄴ
④ ㄴ, ㄷ ⑤ ㄱ, ㄴ, ㄷ

16 그림 (가)와 (나)는 여름철과 겨울철에 우리나라 주변을 흐르는 해류를 순서 없이 나타낸 것이다.

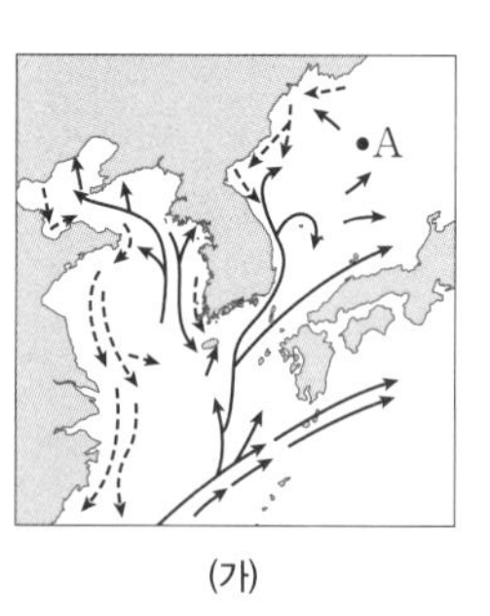

(가)

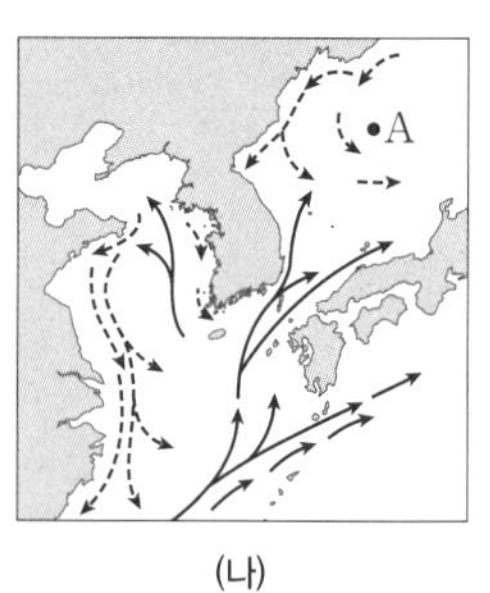

(나)

이에 대한 설명으로 옳은 것만을 〈보기〉에서 있는 대로 고른 것은?

〈보기〉
ㄱ. (가)는 여름철, (나)는 겨울철이다.
ㄴ. A 해역 표층 해수의 밀도는 (가)보다 (나)에서 크다.
ㄷ. 표층 해수의 염분은 대체로 동해보다 남해가 높다.

① ㄱ ② ㄷ ③ ㄱ, ㄴ
④ ㄴ, ㄷ ⑤ ㄱ, ㄴ, ㄷ

2 대기와 해양의 상호 작용

배울 내용 살펴보기

01 해수의 표층 순환

- A 위도별 복사 에너지와 대기 대순환
- B 해수의 표층 순환
- C 우리나라 주변 해류

위도별 복사 에너지의 불균형을 해소하기 위해 대기 대순환과 해수의 표층 순환이 일어나. 표층 순환은 주변 지역 기후에 영향을 주고 있어.

02 해수의 심층 순환

- A 심층 순환의 발생과 관측
- B 대서양의 심층 순환
- C 전 세계 해수의 순환과 심층 순환의 역할

해양의 심층에서는 수온과 염분 변화에 따른 밀도 차이로 심층 순환이 일어나고 있어. 이 순환으로 산소나 영양 염류, 에너지 등이 운반돼.

03 대기와 해양의 상호 작용

- A 용승과 침강
- B 엘니뇨와 라니냐

바람에 의한 표층 해수의 이동으로 용승과 침강이 일어나. 하지만 이상 현상에 의해서 엘니뇨와 라니냐 현상이 발생하면 평상시와 달라져.

04 지구의 기후 변화

- A 기후 변화의 요인
- B 인간 활동에 의한 기후 변화

자연적으로 다양한 요인들에 의해 지구의 기후가 변해. 하지만 최근에는 인간 활동에 의한 지구 온난화로 인해 이상 기후가 나타나고 있어.

01 해수의 표층 순환

핵심 키워드로 흐름잡기

- A 위도별 에너지 불균형, 대기 대순환
- B 아열대 순환, 서안 경계류, 해류의 영향
- C 동한 난류, 조경 수역, 쿠로시오 해류

A 위도별 복사 에너지와 대기 대순환

|출·제·단·서| 시험에는 위도별 복사 에너지의 과잉과 부족 및 대기 대순환 세포의 특징을 묻는 문제가 나와.

1. 위도별 복사 에너지

(1) 위도별 복사 에너지 분포❶ 고위도로 갈수록 태양의 남중 고도가 낮아지므로 태양 복사량이 적어지고 지표면의 온도가 낮아지므로 지구 복사량도 적어진다.

(2) 위도별 에너지 불균형

① **적도~38°:** 태양 복사 에너지양>지구 복사 에너지양 ⇨ 에너지 과잉

② **위도 38°~극지방:** 태양 복사 에너지양<지구 복사 에너지양 ⇨ 에너지 부족

(3) 위도별 에너지 불균형의 해소 대기와 해수의 순환에 의해 저위도의 과잉 에너지가 고위도로 이동하여 지구는 위도별로 일정한 온도를 유지한다.

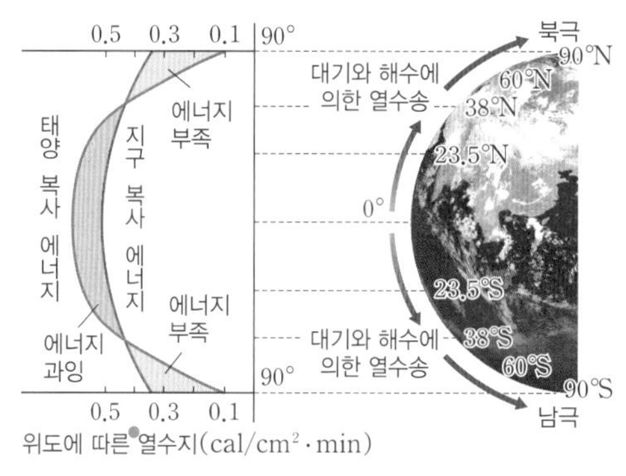

▲ 지구가 흡수하고 방출하는 에너지와 에너지 이동

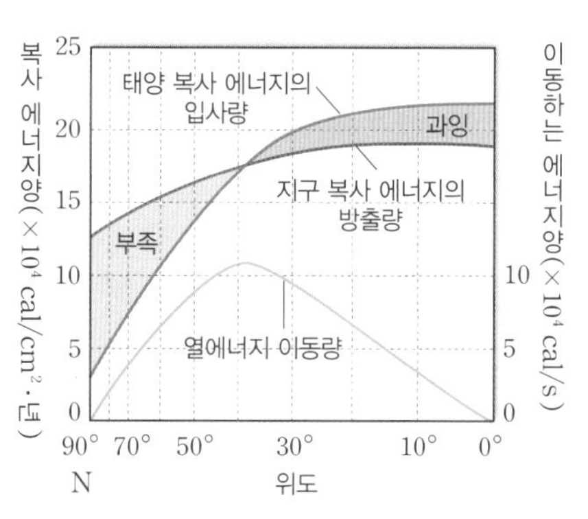

▲ 위도별 흡수, 방출하는 에너지양

❶ 위도에 따라 태양 복사 에너지가 차이가 나는 까닭

지구는 둥글기 때문에 고위도 지방보다는 저위도 지방일수록 태양의 남중 고도가 높다. 태양의 고도가 낮아지면 단위 지표면이 받는 태양 복사 에너지가 적어지므로 고위도(A→C)로 갈수록 지표면이 받는 태양 복사 에너지양은 적어진다.

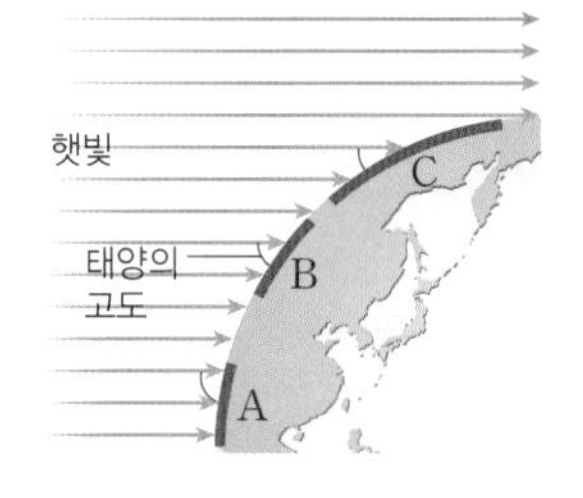

2. 대기 대순환

(1) 단일 순환 세포 모형(자전하지 않는 지구)

① 적도에서 가열된 공기는 상승하여 극 쪽으로 이동하고, 극지방에서 냉각되어 무거워진 공기는 하강하여 적도 쪽으로 이동하면서 1개의 순환을 형성한다.

② 북반구 지상에서는 북풍만, 남반구 지상에서는 남풍만 분다.

(2) 3개 순환 세포 모형(자전하는 지구) 위도에 따른 에너지 불균형과 지구 자전의 영향으로 실제 대기 대순환은 3개의 순환으로 이루어져 있다. ⇨ 대기의 대순환에 의해 저위도의 열에너지가 고위도로 수송된다.

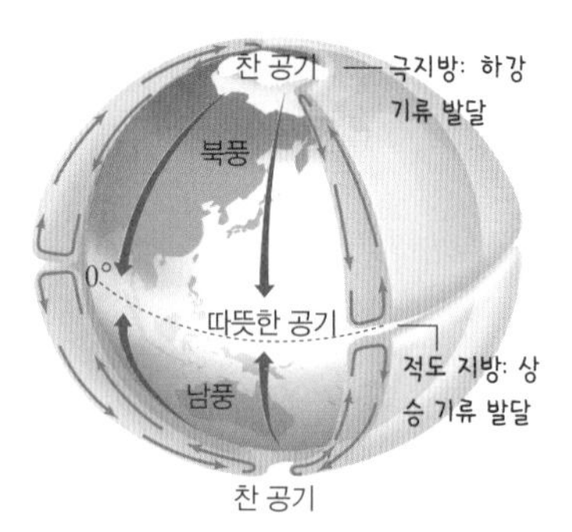

▲ 지구가 자전하지 않을 때 대기 대순환 모형
열대류 세포가 남반구와 북반구에 각각 하나씩 형성된다.

해들리 순환	· 적도에서 상승하고, 위도 30°에서 하강하여 다시 적도로 되돌아오는 순환 ⇨ 직접 순환❷ · 지표 부근에서는 위도 30°에서 적도로 무역풍이 분다. 북반구-북동 무역풍, 남반구-남동 무역풍
페렐 순환	· 위도 30°에서 하강하여 고위도로 이동한 다음 위도 60°에서 상승하는 순환 ⇨ 간접 순환❷ · 지표 부근에서는 위도 30°에서 위도 60°로 편서풍이 분다. 순환이 가장 약하다.
극순환	· 극에서 하강하여 저위도로 이동한 다음 위도 60°에서 상승하여 극으로 이동하는 순환 · 지표 부근에서는 극에서 위도 60°로 극동풍이 분다. ⇨ 직접 순환

❷ 직접 순환과 간접 순환

직접 순환은 지표면의 가열과 냉각에 따른 공기의 열적 대류에 의해 형성되고, 간접 순환은 직접 순환 세포 사이에서 공기의 상승과 하강에 의해 형성된다.

암기TiP

- 해들리 순환(적도~위도 30°): 무역풍
- 페렐 순환(위도 30°~60°): 편서풍
- 극순환(위도 60°~극): 극동풍

용어 알기

- 열수지(덥다 熱, 거두다 收, 지탱하다 支) 열의 유입과 유출의 균형 상태

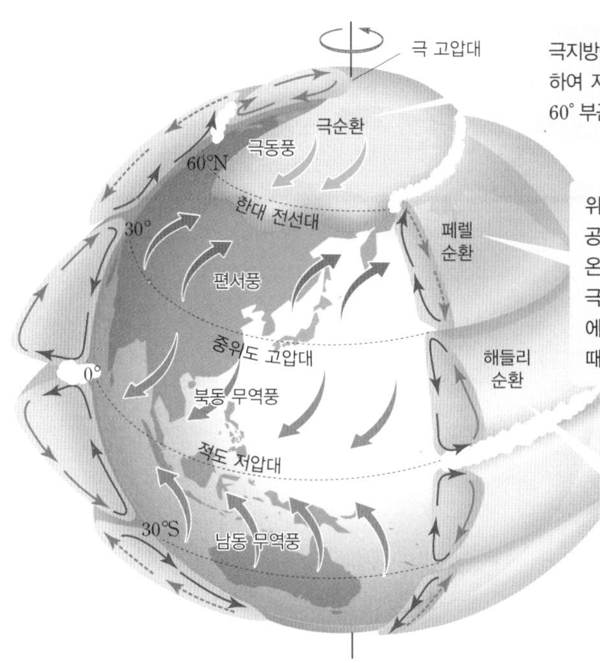

◀ 대기 대순환 모형(자전하는 지구)

지구의 실제 대기 대순환은 대륙과 해양의 분포 등으로 인해 이론적인 대기 대순환보다 훨씬 복잡하게 나타나.

(3) 대기 대순환과 기압대

① **적도 부근:** 상승 기류가 발달하여 적도 저압대가 형성된다. (저압대: 주위에 비해 기압이 낮은 지역)

② **위도 30° 부근:** 하강 기류가 발달하여 아열대 고압대가 형성된다. (고압대: 주위에 비해 기압이 높은 지역)

③ **위도 60° 부근:** 극동풍과 편서풍이 만나 한대 전선대(저압대)가 형성된다.

④ **극지방 부근:** 하강 기류가 발달하여 극 고압대가 형성된다.

B 해수의 표층 순환

|출·제·단·서| 시험에는 대기 대순환에 따른 표층 순환의 특징과 이를 이루고 있는 각 해류의 특성에 대한 문제가 나와.

1. 표층 해류의 형성 탐구 POOL

(1) 표층 해류[3] 바람과 해수의 마찰에 의해 생기는 해류이다.

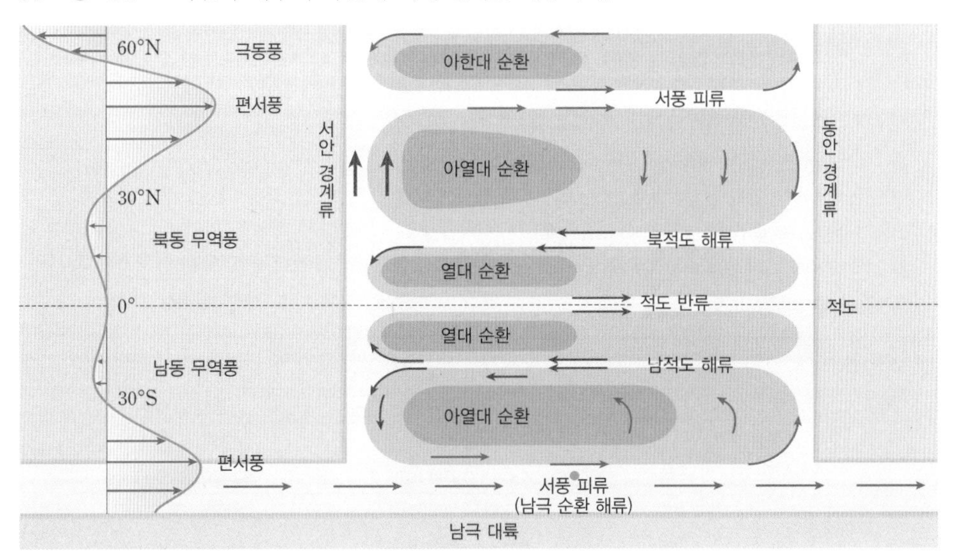

▲ 대기 대순환과 해류의 순환

(2) 표층 해류의 형성 원인 표층 해류는 바람에 의해 발생하므로 해류의 방향은 각 위도에서 부는 바람의 방향과 유사하다.

① **무역풍에 의한 해류:** 북적도 해류, 남적도 해류 (북동 무역풍에 의해 북적도 해류, 남동 무역풍에 의해 남적도 해류가 흐른다.)

② **편서풍에 의한 해류:** 북태평양 해류, 북대서양 해류, 남극 순환 해류

❸ 표층 해류의 발생
해수면 위로 바람이 지속적으로 불면 바람에 의한 마찰에 의해 해수의 이동이 일어나면서 해류가 형성되고 순환을 이루는데, 이를 표층 순환 또는 풍성 순환이라고도 한다.

용어 알기 

● 피류(표면 皮, 흐르다 流) 표층에 형성된 해류

2. 표층 순환의 분포와 특징

(1) 표층 순환 수온 약층 위에서 일어나는 해수의 순환 바람의 영향으로 동서 방향으로 흐르는 해류와 대륙의 영향으로 남북 방향으로 흐르는 해류가 순환을 이룬다.

(2) 표층 순환의 분포와 특징 수륙 분포의 영향으로 여러 개의 순환으로 나누어진다.
북반구와 남반구에서 각 해류의 순환 방향은 적도를 기준으로 서로 대칭을 이룬다.

열대 순환	• 무역풍에 의한 적도 해류와 적도 반류❹로 이어지는 순환이다. • 북반구에서는 반시계 방향, 남반구에서는 시계 방향으로 일어난다.
아열대 순환	• 중위도에서 무역풍과 편서풍의 영향을 받아 북반구에서는 시계 방향, 남반구에서는 반시계 방향으로 흐르는 해수의 순환이다. • 표층 해류의 순환 중 가장 크고 뚜렷하게 발달한 순환이다.
아한대 순환	• 편서풍에 의한 서풍 피류와 극동풍에 의한 극류로 이어지는 반시계 방향의 순환이다. • 북반구에서는 나타나나 남반구에서는 나타나지 않는다.

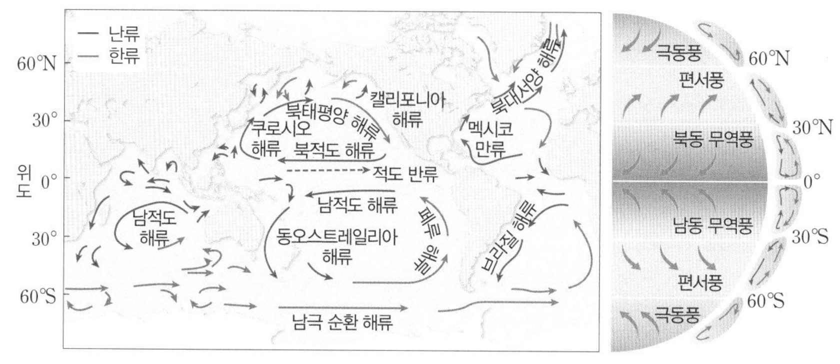

▲ 세계의 표층 해류와 대기 대순환

(3) 북태평양에서 표층 순환의 특징

구분	영향을 주는 바람	해류 순환
열대 순환	무역풍	북적도 해류와 적도 반류가 반시계 방향으로 순환
아열대 순환	무역풍과 편서풍	북적도 해류, 쿠로시오 해류, 북태평양 해류, 캘리포니아 해류가 시계 방향으로 순환
아한대 순환	편서풍과 극동풍	북태평양 해류, 알래스카 해류, 오야시오 해류가 반시계 방향으로 순환

빈출 자료 **서안 강화 현상** 자전하는 지구의 저위도에서 서쪽으로 흐르는 해류는 대양의 서안까지 도달하고, 고위도에서 동쪽으로 흐르는 해류는 동안에 도달하기 전에 대부분 남쪽으로 흐르게 된다. 따라서 순환의 중심은 서쪽으로 치우친다.

지구 자전에 의한 •전향력의 크기가 고위도로 갈수록 커지므로 아열대 순환에서는 해양의 서쪽에서 해수의 순환이 강화되는데, 이러한 현상을 서안 강화 현상이라고 한다. 서안 강화 현상에 의해 아열대 순환의 중심이 서쪽으로 치우쳐 나타난다.

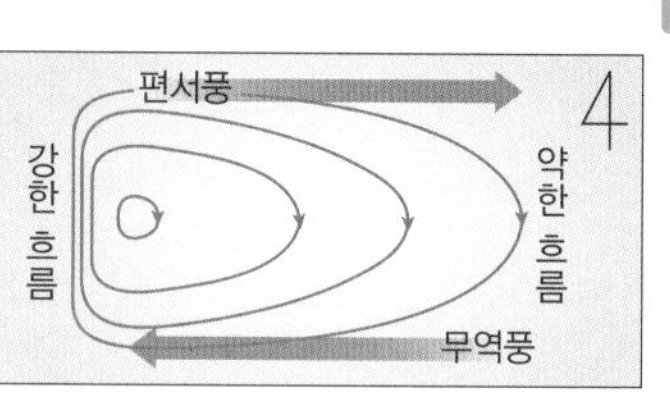

서안 강화 현상

❶ 서안 경계류: 서안 강화 현상으로 아열대 순환의 서쪽에서 해양의 서안을 따라 북쪽으로 흐르는 해류

❷ 동안 경계류: 아열대 순환의 동쪽에서 해양의 동안을 따라 남쪽으로 흐르는 해류

특성 \ 종류		서안 경계류	동안 경계류
형성 해역		해양의 서쪽	해양의 동쪽
흐름의 특징	폭	좁다(약 100 km)	넓다(약 1000 km)
	깊이	깊다(약 2000 m)	얕다(약 500 m)
	유속	빠르다(수백 km/일)	느리다(수십 km/일)
	유량	많다	적다
해류의 성질	수온	높다(난류: 저위도 → 고위도)	낮다(한류: 고위도 → 저위도)
	염분	높다	낮다
	•영양 염류	적다	많다
해류의 예		쿠로시오 해류, 멕시코 만류	캘리포니아 해류, 카나리아 해류

❹ 적도 반류
적도 수렴대인 북위 5°~10° 해역에서 서에서 동으로 흐르는 해류로, 바람과 관계없이 해수면의 경사에 의해 발생하는 경사류이다.

난류와 한류의 특징
동서 방향으로 흐르던 해류가 대륙에 막히면 남북 방향으로 해류의 흐름이 바뀐다.
• 대양의 서안: 저위도 → 고위도 (난류)
• 대양의 동안: 고위도 → 저위도 (한류)

구분	난류	한류
수온	높음	낮음
이동 방향	저위도 → 고위도	고위도 → 저위도
염분	높음	낮음
밀도	작음	큼
영양 염류	적음	많음
용존 산소량	적음	많음
예	쿠로시오 해류	캘리포니아 해류

남극 순환 해류
편서풍에 의해 형성된 해류(서풍 피류)로, 대륙에 의해 흐름이 방해를 받지 않아 남극 대륙 주변을 순환하는 가장 긴 해류이다.

남태평양의 아열대 순환
남적도 해류, 동오스트레일리아 해류, 남극 순환 해류, 페루 해류가 반시계 방향으로 순환하고 있다.

용어 알기

•전향력(회전하다 轉, 나아가다 向, 힘 力, Coriolis force) 지구의 회전(자전)에 의해 형성되는 힘

•영양 염류(경영하다 營, 기르다 養, 소금 鹽, 무리 類) 생물이 정상적인 생활을 하는 데 필요한 여러 가지 물질의 종류

3. 표층 순환의 역할

(1) 위도별 에너지 불균형 해소 해류의 순환은 저위도에서 고위도로 열에너지를 수송하므로 위도에 따른 열에너지 불균형 해소에 기여하면서 지구 전체적으로 열을 분배하는 역할을 한다.

(2) 주변 지역 기후에 영향 난류는 열에너지를 방출하고, 한류는 열에너지를 흡수하면서 주변 지역의 기후에 영향을 준다.

예 고위도에 위치한 영국과 레이캬비크가 저위도에 있는 뉴욕보다 평균 기온이 높다. ⇨ 난류인 멕시코 만류가 북상하여 북대서양 해류로 연결되면서 열을 공급하여 유럽의 서쪽 지역을 온난하게 하기 때문이다. 멕시코 만류는 뉴욕에서 비교적 멀리 떨어져서 이동한다.

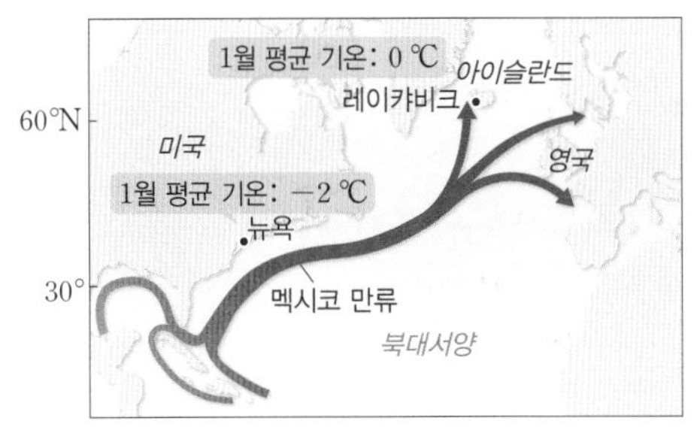

C 우리나라 주변 해류

|출·제·단·서| 시험에는 우리나라 주변 해류의 특징과 근원 해류, 조경 수역을 물어보는 문제가 나와.

1. 난류

동중국해에서 분리된 쿠로시오 해류[5]의 지류가 황해 난류, 쓰시마 난류, 동한 난류를 형성한다.

(1) 동한 난류 대한 해협을 통과하여 동해로 진입한 쓰시마 난류의 일부가 동해 연안을 따라 북상하는 흐름으로 수온과 염분이 높다.

(2) 황해 난류 제주도 부근 해역에서 쿠로시오 해류의 지류가 갈라지면서 황해의 중앙부 쪽으로 북상하는 난류로, 그 흐름이 약하다.

▲ 우리나라 주변 해류

2. 한류

(1) 연해주 한류 오호츠크해에서 연해주를 따라서 남하하는 한류이다.

(2) 북한 한류 연해주 한류의 한 지류로 동해안을 따라 남하하는 한류이다.

3. •조경 수역

(1) 조경 수역 난류와 한류가 만나는 경계 지역으로, 우리나라는 동해에 형성된다.

(2) 조경 수역의 위치 겨울에는 한류가 강해지고 여름에는 난류가 강해지므로, 조경 수역의 위치도 겨울에는 남하하고 여름에는 북상한다. 최근 지구 온난화의 영향으로 난류의 영향이 점점 커지면서 조경 수역의 위치도 점차 북상하고 있다.

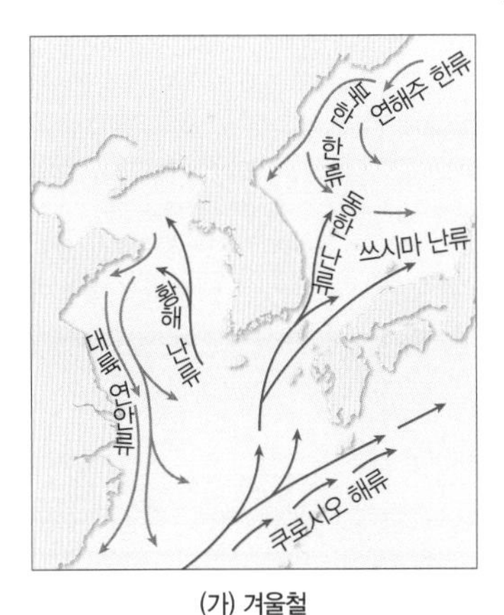

(가) 겨울철

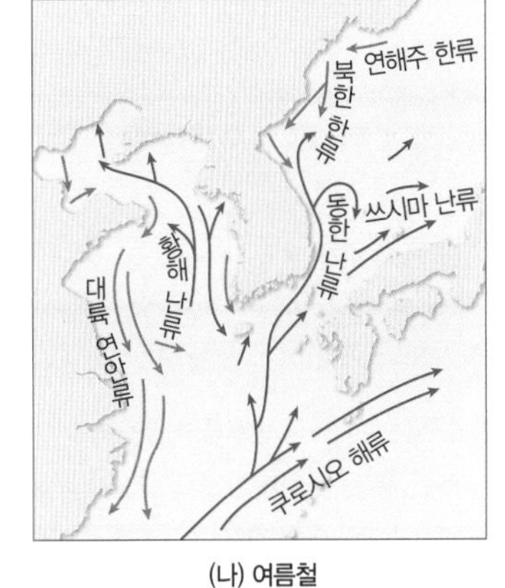

(나) 여름철

▲ 계절별 우리나라 주변 해류의 분포

(3) 조경 수역의 특징[6] 물고기의 먹이가 되는 플랑크톤이 풍부해 좋은 어장이 형성된다.

5 쿠로시오 해류
우리나라 난류의 근원으로 수온이 15 ℃ 이상이고, 염분이 34.5 psu~35.1 psu인 난류이다. 북태평양의 서안을 따라 흐르는 해류로, 폭이 좁고 유속이 빠르며 투명하고 짙은 청남색을 띤다.

6 조경 수역에 좋은 어장이 생기는 까닭
한류와 난류가 만나면 혼합 작용이 일어나면서 영양 염류가 표층에 공급되어 플랑크톤이 많아진다. 또한, 식물성 플랑크톤의 광합성 작용으로 용존 산소량이 많아지면서 많은 어종이 모이게 되어 좋은 어장이 형성된다.

용어 알기
•조경(조수 潮, 경계 境) 성질이 다른 두 해류가 만나서 이루는 경계로, 대기에서 전선과 같은 개념

대기 대순환에 따른 표층 순환의 형성

목표 대기 대순환과 해수의 표층 순환과의 관련성을 설명할 수 있다.

과정

유의점
표층 해류의 흐름은 바람의 영향이 가장 크나, 이외에도 대륙의 분포 등에 따라 방향이 달라짐을 이해하도록 한다.

그림 (가)는 태평양에 분포하는 표층 해류이고, (나)는 대기 대순환의 영향으로 지표 부근에서 부는 바람을 나타낸 것이다.

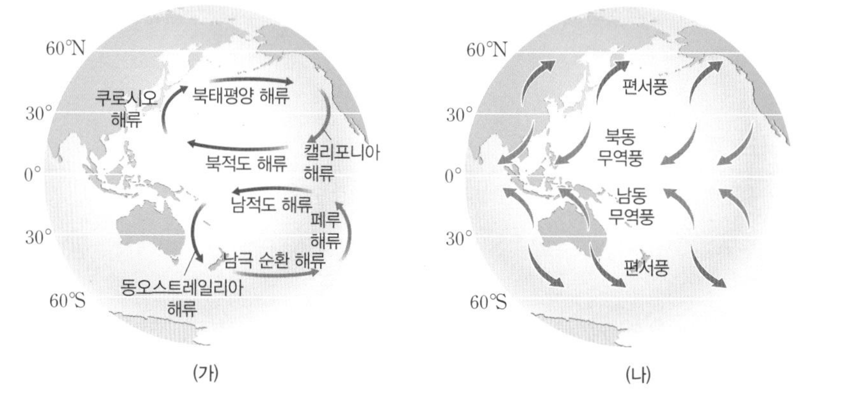

무역풍과 편서풍은 전 지구적인 규모에서 일정한 방향으로 지속적으로 불기 때문에 표층 해류를 발생시켜!

❶ (가)와 (나)에서 북태평양 해역을 비교하여 동서 방향으로 흐르는 해류와 바람의 관계를 설명해 본다.
❷ 남북 방향으로 흐르는 해류가 형성되는 까닭을 설명해 본다.
❸ 북반구와 남반구의 해양에서 표층 순환의 모습에 어떤 차이가 있는지 설명해 본다.

결과

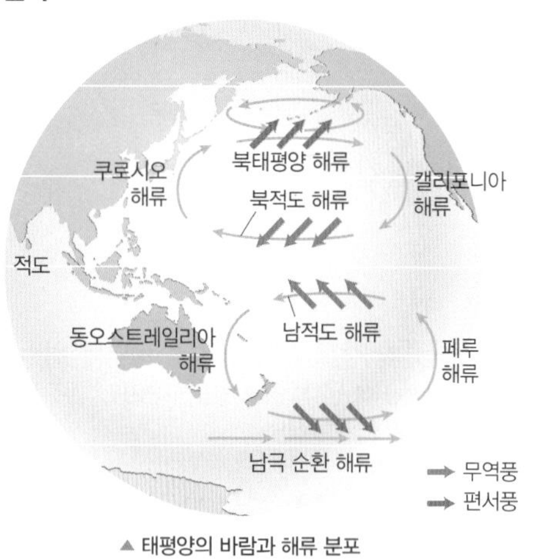

▲ 태평양의 바람과 해류 분포

❶ 동서 방향으로 흐르는 해류는 바람의 영향을 받아 발생한다. 위도 0°~30° 해역에서는 무역풍의 영향으로 서쪽으로 해류가 흐르고, 위도 30°~60° 해역에서는 편서풍의 영향으로 동쪽으로 해류가 흐른다.
❷ 동서 방향으로 흐르던 해류가 대륙에 부딪혀 남북 방향으로 흐름이 갈라지면서 남북 방향으로 흐르는 해류가 형성된다.
❸ 아열대 순환의 방향은 적도를 중심으로 북반구와 남반구에서 대칭적으로 분포한다. 북반구에서는 시계 방향으로, 남반구에서는 반시계 방향으로 일어난다.

정리 및 해석
아열대 순환은 무역풍과 편서풍의 영향으로 가장 뚜렷하게 발달한 해수 순환이다. 태평양의 경우 표층 순환은 북반구와 남반구에서 대칭적으로 분포하고 있으며, 지구 자전의 영향으로 서안에서 고위도로 흐르는 해류가 동안에서 저위도로 흐르는 해류보다 더 강하게 형성되어 있다.

한·줄·핵심 아열대 순환은 무역풍과 편서풍의 영향으로 형성된 것이다.

확인 문제

정답과 해설 43쪽

01 북태평양에서 무역풍과 편서풍의 영향으로 형성된 해류를 각각 쓰시오.

02 북태평양과 남태평양에서 아열대 순환 방향의 차이점을 쓰시오.

콕콕!
개념 확인하기

정답과 해설 43쪽

✓ 잠깐 확인!

1. □□ □□ 에너지
지구가 적외선 형태로 방출하는 복사 에너지

2. □□ □□
대기 대순환에서 간접 순환에 해당하는 순환

3. □□ □□
편서풍에 의해 표층에 형성되는 해류

4. □□□ 해류
북태평양에서 무역풍에 의해 형성되는 해류

5. □□□□ 해류
북태평양에 흐르는 해류 중에서 우리나라에 큰 영향을 주는 난류

6. □□ □□
동한 난류와 함께 우리나라 동해에서 조경 수역을 이루는 해류

A 위도별 복사 에너지와 대기 대순환

01 대기 대순환에 대한 설명으로 옳은 것은 ○, 옳지 않은 것은 ×로 표시하시오.

(1) 적도에서 상승한 공기가 중위도 지역에서 하강하여 생기는 순환은 해들리 순환이다. ( )

(2) 대기 대순환 과정에서 저위도의 에너지가 고위도로 이동하면서 위도별 열에너지 불균형이 해소된다. ( )

(3) 해들리 순환과 페렐 순환의 경계에는 하강 기류가 형성되므로 저압대가 형성된다. ( )

(4) 대기 대순환 세포 중 페렐 순환은 직접 순환에 해당한다. ( )

02 다음은 위도에 따른 복사 에너지 분포에 대한 설명이다. ㉠~㉢에 들어갈 알맞은 말을 쓰시오.

> 위도에 따른 복사 에너지 분포를 보면 저위도 지역은 (㉠) 복사 에너지양이 (㉡) 복사 에너지양보다 많다. 따라서 에너지의 (㉢)이 일어나고, 이 에너지는 대기와 해수의 순환에 의해 고위도로 수송된다.

B 해수의 표층 순환

03 해류의 순환에 대한 설명으로 옳은 것은 ○, 옳지 않은 것은 ×로 표시하시오.

(1) 표층 해류의 방향은 해수면 위를 부는 바람의 방향과 유사하다. ( )

(2) 적도 해류는 무역풍의 영향으로 형성된 해류이다. ( )

(3) 아열대 순환은 편서풍과 극동풍의 영향으로 형성된다. ( )

(4) 해류의 순환은 위도에 따른 열에너지 불균형을 해소한다. ( )

04 다음은 해류의 순환에 대한 설명이다. ( ) 안에 들어갈 알맞은 말을 쓰시오.

(1) 북반구와 남반구에서 해류의 순환 방향은 적도를 중심으로 ( )적이다.

(2) 난류는 한류에 비해 수온과 염분이 ( )다.

(3) 우리나라 주변 난류의 근원은 ( ) 해류이다.

C 우리나라 주변 해류

05 우리나라 부근 해류의 특징과 해류의 명칭을 옳게 연결하시오.

(1) 난류이면서 조경 수역을 이룬다. • • ㉠ 쿠로시오 해류

(2) 우리나라 난류의 근원이 되는 해류이다. • • ㉡ 동한 난류

(3) 연해주 한류의 지류로 용존 산소량과 영양 염류가 풍부하다. • • ㉢ 북한 한류

탄탄! 내신 다지기

A 위도별 복사 에너지와 대기 대순환

01 그림은 위도에 따른 태양 복사 에너지와 지구 복사 에너지의 크기를 나타낸 것이다.
이에 대한 설명으로 옳은 것만을 〈보기〉에서 있는 대로 고른 것은?

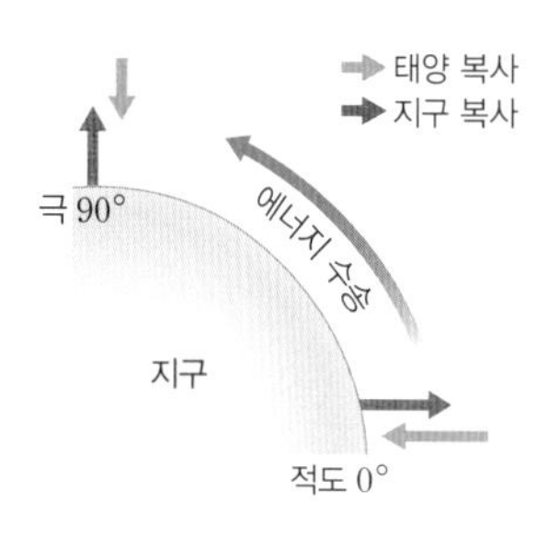

보기
ㄱ. 적도 지역은 기온이 계속 상승한다.
ㄴ. 에너지 수송량은 적도에서 가장 많다.
ㄷ. 지표가 받는 태양 복사 에너지양은 고위도로 갈수록 적어진다.

① ㄱ ② ㄷ ③ ㄱ, ㄴ
④ ㄴ, ㄷ ⑤ ㄱ, ㄴ, ㄷ

02 그림은 대기의 대순환에서 지상의 바람을 간략히 나타낸 것이다.
A~C에 해당하는 바람과 각 바람을 일으킨 순환의 이름을 옳게 짝 지은 것은?

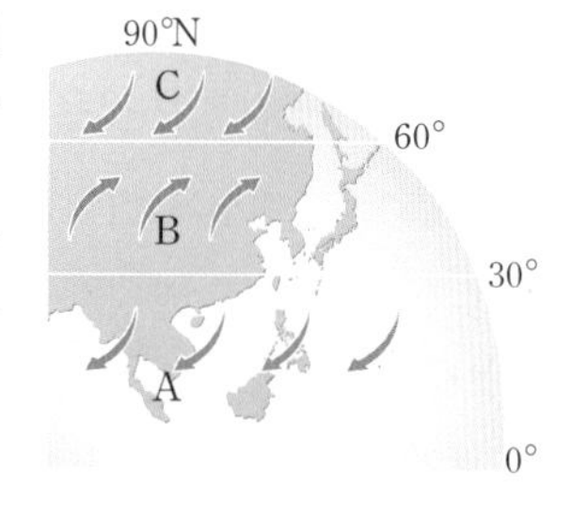

① A－북동 무역풍, 페렐 순환
② B－편서풍, 해들리 순환
③ C－극동풍, 해들리 순환
④ A－북동 무역풍, 해들리 순환
⑤ B－편서풍, 극순환

03 대기 대순환에 대한 설명으로 옳지 않은 것은?

① 지구 자전의 영향을 받는다.
② 열에너지를 고위도로 수송한다.
③ 3개의 순환으로 이루어져 있다.
④ 적도 부근에 고압대를 형성한다.
⑤ 순환 과정 중 표층 해류를 발생시킨다.

04 그림은 지구가 자전하지 않는다고 가정할 때의 대기 대순환을 나타낸 것이다.

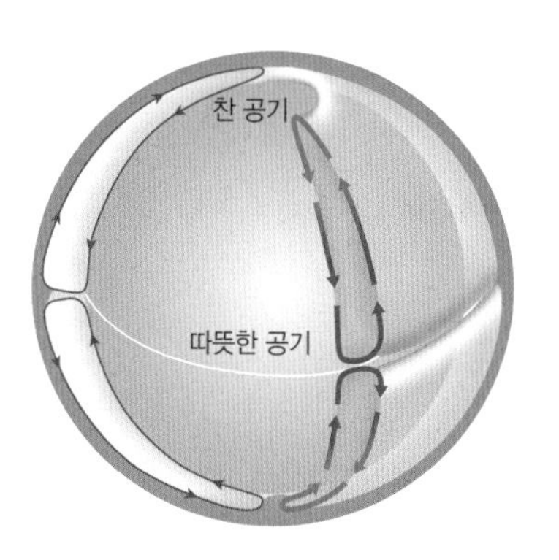

이에 대한 설명으로 옳은 것만을 〈보기〉에서 있는 대로 고른 것은?

보기
ㄱ. 남반구 지상에서는 북풍이 분다.
ㄴ. 적도 지역은 저기압이 발달한다.
ㄷ. 저위도의 에너지가 고위도로 수송되지 못한다.

① ㄱ ② ㄴ ③ ㄱ, ㄷ
④ ㄴ, ㄷ ⑤ ㄱ, ㄴ, ㄷ

B 해수의 표층 순환

05 표층 해류를 발생시키는 주 원인으로 옳은 것은?

① 달의 인력
② 수온의 변화
③ 해수 밀도의 변화
④ 해저 화산의 폭발
⑤ 해수면 위를 지속적으로 부는 바람

06 해수의 표층 순환에 대한 설명으로 옳지 않은 것은?

① 대기 대순환의 영향을 받는다.
② 지구 자전에 따른 영향을 받는다.
③ 순환의 방향이 주기적으로 바뀐다.
④ 저위도→고위도로 열에너지를 수송한다.
⑤ 아열대 순환이 규모가 가장 크고 뚜렷하게 발달되어 있다.

07 그림은 태평양에서 해류의 표층 순환과 바람의 방향을 간략하게 나타낸 것이다.

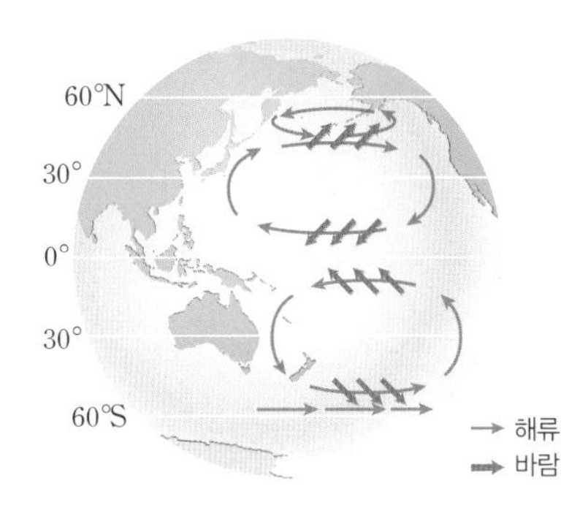

이에 대한 설명으로 옳은 것만을 〈보기〉에서 있는 대로 고른 것은?

보기
ㄱ. 편서풍대에서 형성된 해류는 서쪽으로 흐른다.
ㄴ. 해수의 표층 순환을 일으키는 직접적인 원인은 바람이다.
ㄷ. 아열대 순환의 서안에 남북 방향으로 흐르는 해류는 난류이다.

① ㄱ ② ㄴ ③ ㄱ, ㄷ
④ ㄴ, ㄷ ⑤ ㄱ, ㄴ, ㄷ

08 그림은 전 세계 주요 표층 해류의 순환을 나타낸 것이다.

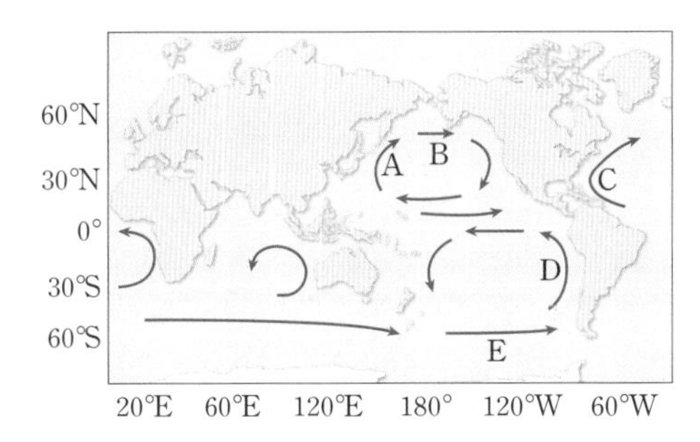

A~E 중 다음 설명에 해당하는 해류는?

• 편서풍에 의해 형성된 해류이다.
• 지구를 한 바퀴 도는 해류이다.
• 아열대 순환을 이루고 있는 해류이다.

① A ② B ③ C
④ D ⑤ E

단답형

09 다음은 바람에 의해 형성된 해류를 나타낸 것이다.

북적도 해류	북태평양 해류
북대서양 해류	남극 순환 해류

각 바람에 의해 형성된 해류를 모두 고르시오.

(1) 북동 무역풍 : (   )
(2) 편서풍 : (   )

C 우리나라 주변 해류

10 그림은 우리나라 근해의 해류 분포를 나타낸 것이다.

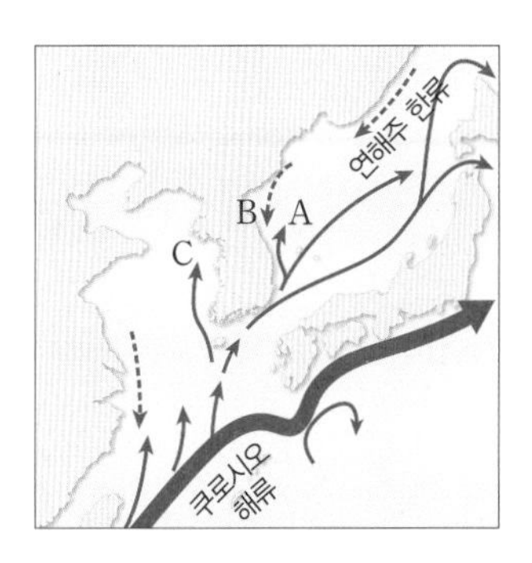

A, B, C 해류에 대한 설명으로 옳지 않은 것은?

① A는 동한 난류이다.
② B는 북한 한류이다.
③ A가 B보다 수온이 높고 영양 염류가 많다.
④ A, B 해류가 만나는 곳에 조경 수역이 형성된다.
⑤ A, C의 근원이 되는 해류는 쿠로시오 해류이다.

11 우리나라 주변 해류의 특징에 대한 설명으로 옳은 것만을 〈보기〉에서 있는 대로 고른 것은?

보기
ㄱ. 황해는 동해보다 해류의 속력이 빠르다.
ㄴ. 동한 난류는 겨울보다 여름에 강해진다.
ㄷ. 북한 한류는 동한 난류보다 용존 산소량이 많다.
ㄹ. 조경 수역이 형성되는 해역의 수온은 연중 일정하다.

① ㄱ, ㄴ ② ㄱ, ㄷ ③ ㄴ, ㄷ
④ ㄴ, ㄹ ⑤ ㄷ, ㄹ

도전! 실력 올리기

01 그림은 북반구에서의 대기 대순환의 단면을 대략적으로 나타낸 것이다.

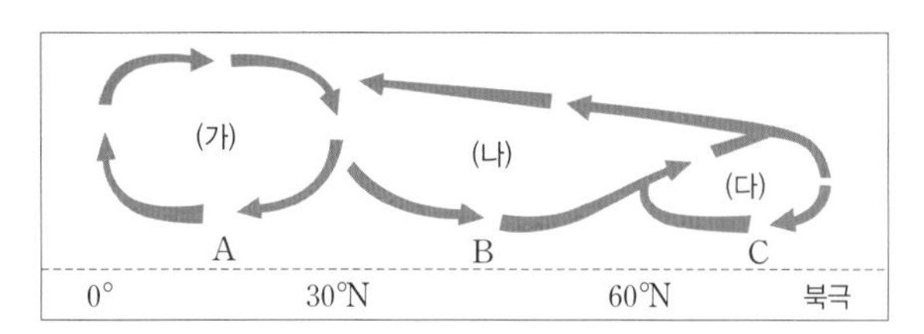

이에 대한 설명으로 옳은 것만을 〈보기〉에서 있는 대로 고른 것은?

보기
ㄱ. B는 편서풍에 해당한다.
ㄴ. (가)~(다)는 모두 직접 순환에 해당한다.
ㄷ. 고위도로 에너지 수송이 가장 활발한 것은 (나)이다.

① ㄱ　② ㄴ　③ ㄱ, ㄷ
④ ㄴ, ㄷ　⑤ ㄱ, ㄴ, ㄷ

출제예감

02 그림 (가)와 (나)는 지구가 자전하지 않는 경우와 자전하는 경우에 대기 대순환에 의한 북반구의 지상풍 모습을 순서 없이 나타낸 것이다.

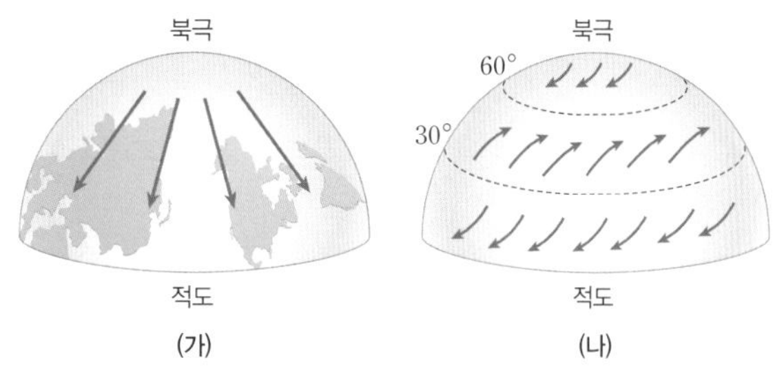

(가)　(나)

이에 대한 설명으로 옳은 것만을 〈보기〉에서 있는 대로 고른 것은?

보기
ㄱ. 대기 대순환의 세포 수는 자전하는 경우가 더 많다.
ㄴ. (나)에서 지표면 평균 기압은 적도가 위도 30°보다 높다.
ㄷ. (가)와 (나)는 위도에 따른 에너지 불균형에 의해 일어난다.

① ㄱ　② ㄴ　③ ㄱ, ㄷ
④ ㄴ, ㄷ　⑤ ㄱ, ㄴ, ㄷ

03 그림은 태평양의 표층 해류 분포를 나타낸 것이다.

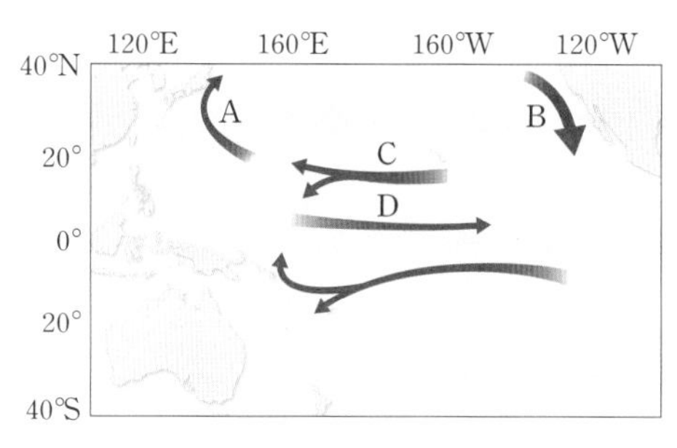

해류 A~D에 대한 설명으로 옳지 않은 것은?

① 수온은 A가 B보다 높다.
② 용존 산소량은 A가 B보다 적다.
③ A는 저위도의 열을 고위도로 운반한다.
④ C는 북동 무역풍의 영향으로 형성된 북적도 해류이다.
⑤ D는 남동 무역풍에 의한 남적도 해류이다.

04 그림은 세계 주요 표층 해류의 분포를 나타낸 것이다.

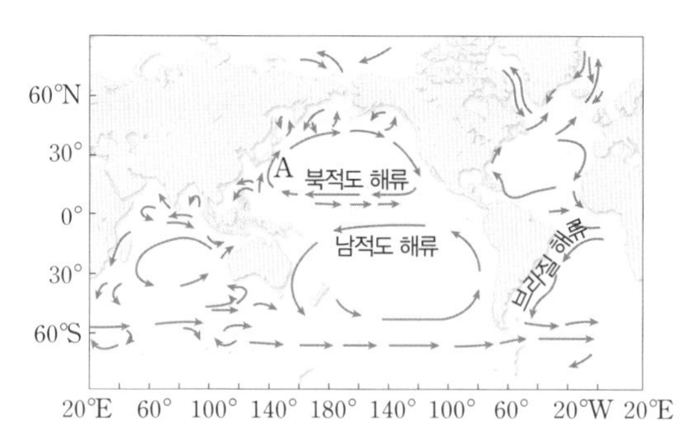

이에 대한 설명으로 옳은 것만을 〈보기〉에서 있는 대로 고른 것은?

보기
ㄱ. 적도 해류는 무역풍에 의해 형성된 해류이다.
ㄴ. 남반구와 북반구에서 아열대 순환의 방향은 같다.
ㄷ. 우리나라 주변의 난류는 A 해류에서 갈라져 나온 해류이다.

① ㄱ　② ㄴ　③ ㄱ, ㄷ
④ ㄴ, ㄷ　⑤ ㄱ, ㄴ, ㄷ

05 그림은 태평양의 주요 표층 해류와 위도에 따른 바람을 나타낸 것이다.

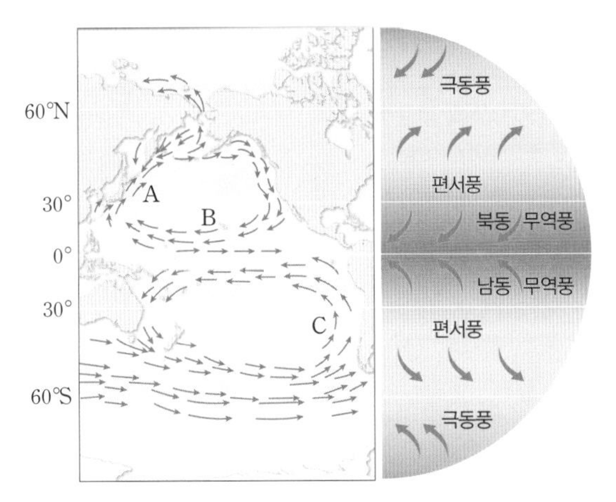

이에 대한 설명으로 옳은 것만을 〈보기〉에서 있는 대로 고른 것은?

보기
ㄱ. 유속은 C보다 A가 느리다.
ㄴ. B는 북동 무역풍이 강해지면 유속이 빨라진다.
ㄷ. C의 영향을 받는 지역의 기후는 매우 따뜻하다.

① ㄱ ② ㄴ ③ ㄱ, ㄷ
④ ㄴ, ㄷ ⑤ ㄱ, ㄴ, ㄷ

출제예감

06 그림은 북반구에 발달한 해류의 순환을 모식적으로 나타낸 것이다.

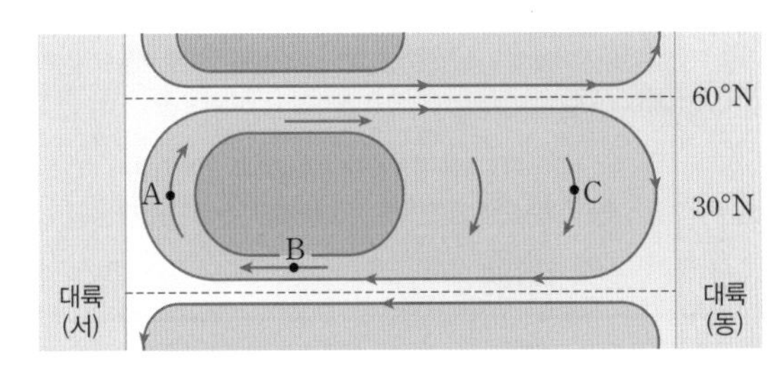

이에 대한 설명으로 옳은 것만을 〈보기〉에서 있는 대로 고른 것은?

보기
ㄱ. A~C는 아열대 순환을 이루는 해류이다.
ㄴ. B 해류는 서풍 계열의 바람의 영향으로 형성되었다.
ㄷ. 북태평양의 캘리포니아 해류는 C에 해당하는 해류이다.

① ㄱ ② ㄴ ③ ㄱ, ㄷ
④ ㄴ, ㄷ ⑤ ㄱ, ㄴ, ㄷ

07 그림은 우리나라 부근에 흐르는 해류를 나타낸 것이다.
A~D 해류에 대한 설명으로 옳은 것만을 〈보기〉에서 있는 대로 고른 것은?

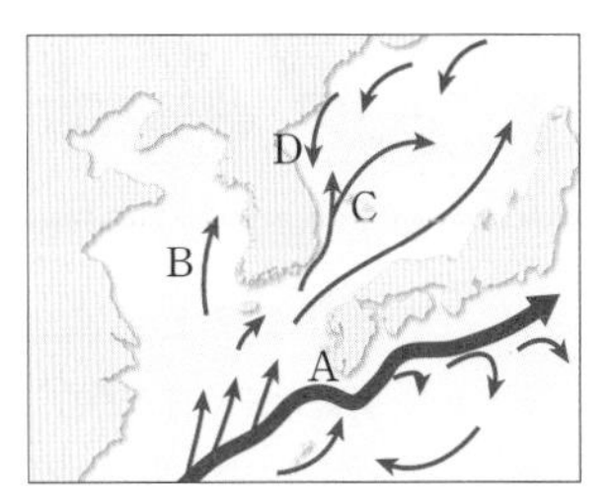

보기
ㄱ. B와 C는 A에서 갈라져 나온 해류이다.
ㄴ. C는 D보다 용존 산소량이 많다.
ㄷ. D는 겨울철에 더 남쪽까지 내려온다.

① ㄱ ② ㄴ ③ ㄱ, ㄷ
④ ㄴ, ㄷ ⑤ ㄱ, ㄴ, ㄷ

서답형 문제

단답형

08 그림은 태평양에 형성된 표층 해류의 순환을 나타낸 것이다.
해류 A~C를 난류와 한류로 구분하고, 고위도로 에너지를 수송하는 역할을 하는 해류의 기호를 쓰시오.

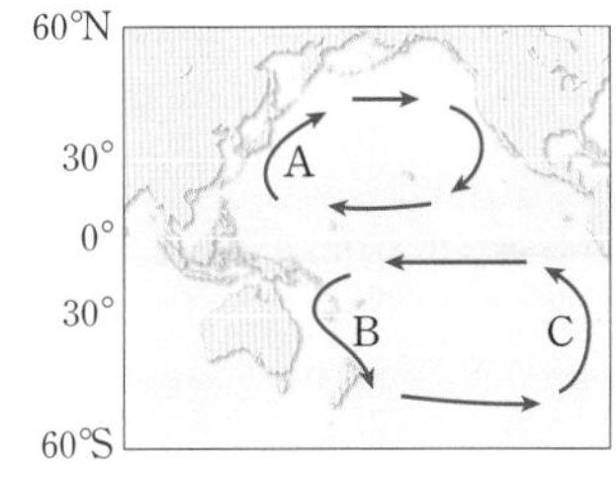

서술형

09 그림은 위도에 따른 에너지의 과잉과 부족 및 열에너지 이동량을 나타낸 것이다.

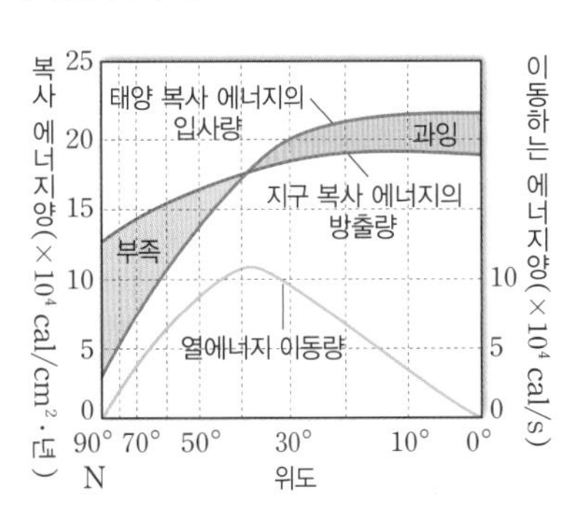

열에너지 이동량이 최대인 위도대와 그 까닭을 서술하시오.

02 해수의 심층 순환

핵심 키워드로 흐름잡기

- A 심층 순환, 밀도 변화, 수온 염분도
- B 남극 저층수, 남극 중층수, 북대서양 심층수
- C 심층 순환과 표층 순환의 연결, 심층 순환의 영향, 영거 드라이아스기

A 심층 순환의 발생과 관측

|출·제·단·서| 시험에는 심층 순환의 발생 원리와 수온 염분도를 해석하는 문제가 나와.

1. 심층 순환의 발생 해양의 심층(수온 약층 아래의 심해층)에서 일어나는 전 지구적인 규모의 해수 흐름

(1) 심층 순환의 발생 원인 수온과 염분 변화에 따른 해수의 밀도 차이에 의해 일어나는 순환으로, 열염 순환이라고도 한다.

(2) 심층 순환의 발생 원리 탐구 POOL

극 해역의 좁은 면적에서 차갑게 냉각된 해수는 밀도가 높아져 상대적으로 빨리 가라앉는다.

⇩

가라앉은 해수는 저위도로 이동하여 온대나 열대 해역에서 매우 천천히 상승한다.

⇩

상승한 해수는 표층 순환을 따라 극 쪽으로 이동하여 냉각되면 다시 가라앉는다.

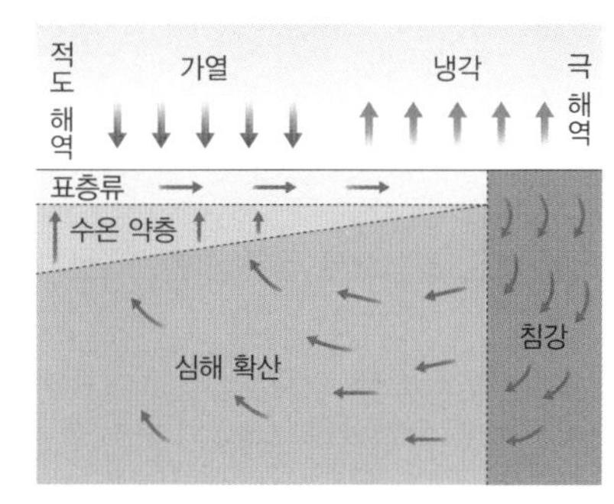

▲ 심층 순환 모형

밀도는 수온의 영향을 크게 받으므로 심층 순환은 저위도의 해수가 가열되고, 고위도의 해수가 냉각되면서 일어난다.

밀도류
심층 순환은 밀도 차에 의해 발생하고, 밀도는 수온과 염분으로 결정되기 때문에 심층 순환을 밀도류라고도 한다.

2. 심층 순환의 관측

(1) 심층 순환의 관측 방법

① 심층 순환은 수온 약층 아래에서 일어나고 속도가 매우 느리므로 직접 관측하기 어렵다.

② •수괴 분석 등을 이용해 수온과 염분 및 밀도의 변화를 추적하여 간접적으로 알아낸다.

(2) 수괴 분석

① 성질이 서로 다른 수괴는 만나더라도 잘 섞이지 않아 수온과 염분이 거의 변하지 않는다.

② 수괴의 성질을 수온 염분도에 나타내면 해수가 침강한 곳이나 이동 경로를 추정할 수 있다.

(3) 수온 염분도 해수의 수온, 염분, 밀도를 함께 나타낸 도표로 T－S 다이어그램이라고 한다.

심층수의 보존성
표층 해수가 침강하면 다른 해수와 섞이지 않고 대기와도 상호 작용하지 않기 때문에 해수의 특성을 그대로 유지한다. 따라서 심층 순환을 이루는 해수의 수온과 염분을 수온 염분도에 기입하여 해석하면 해수의 이동 경로를 알아낼 수 있다.

빈출 자료 수온 염분도를 이용한 해수의 성질과 이동 파악하기 (하나의 수괴는 특정한 밀도를 가지며, 이웃한 서로 다른 수괴들 사이에 밀도의 차이가 있으면, 이로 인한 수괴의 이동이 발생한다.)

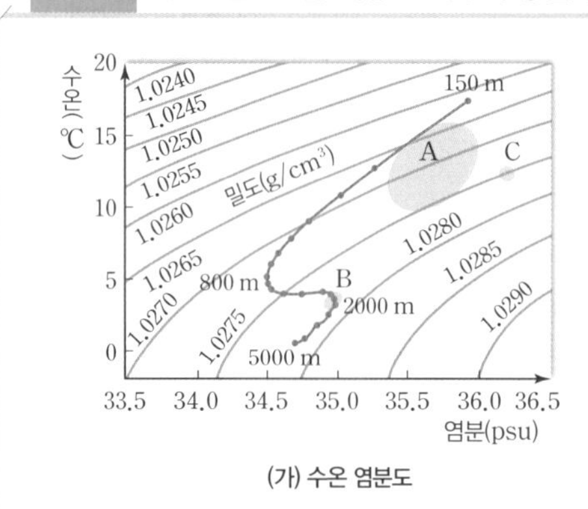

(가) 수온 염분도

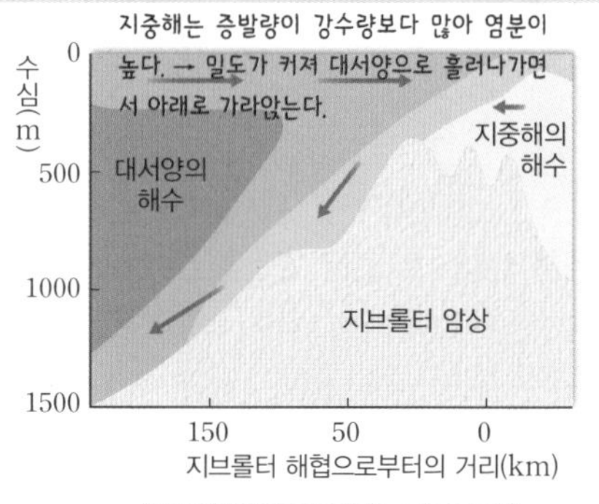

(나) 대서양으로 들어가는 지중해 해수

❶ A와 B는 각각 지중해와 만나는 대서양에서 수심 200 m～600 m와 2000 m에 있는 해수이고, C는 지중해의 해수이다.

❷ (가)에서 해수 C의 밀도는 A보다 크고 B보다 작다. ⇨ (나)에서 지중해의 해수가 대서양으로 유입되면 대서양에서 600 m～2000 m 사이에 위치하게 된다. 밀도가 큰 수괴는 아래로, 밀도가 작은 수괴는 위로 움직인다.

심층 순환을 일으키는 밀도 변화
해수 밀도는 약 1.020～1.030 g/cm³ 사이에서 변하므로 그 변화 폭이 매우 작다. 그러나 이 작은 밀도 변화가 대규모 해수의 이동을 일으킨다.

용어 알기
•수괴(물 水, 덩어리 塊) 수온, 염분, 밀도가 비슷한 해수 덩어리

B 대서양의 심층 순환

|출·제·단·서| 시험에는 대서양의 심층 순환을 이루는 해수의 가라앉는 장소, 밀도 차이 등의 특성을 묻는 문제가 나와.

1. 해수의 침강 해역

(1) **침강 해역의 특성** 표층수가 가라앉는 해역은 수온이 낮고 염분이 높다.

(2) **침강 해역** 남극 대륙 주변 해역인 웨델해와 북대서양에서는 그린란드 남쪽의 래브라도해와 그린란드 동쪽의 노르웨이해에서 일어난다.

해수의 밀도가 커지는 경우
- 저위도 → 고위도로 이동하는 표층 해류가 주위로부터 열을 빼앗겨 수온이 낮아졌을 때
- 극지방의 표층 해수가 얼면서 염분이 높아질 때

▲ 해수 침강 해역

2. 대서양 심층 순환의 형성과 흐름

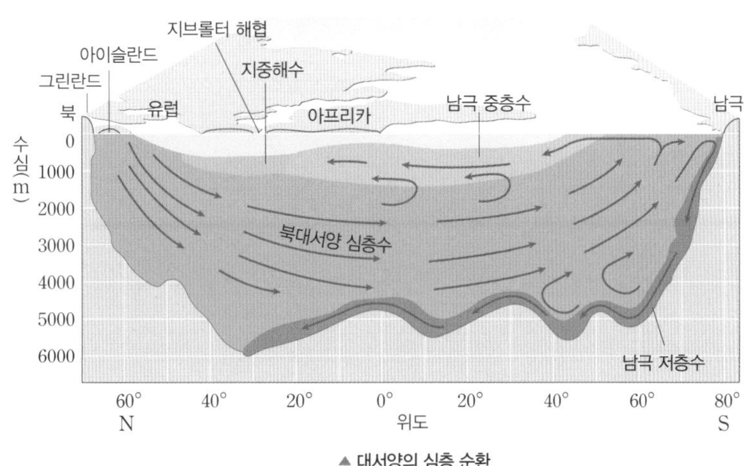

▲ 대서양의 심층 순환

남극 저층수❶	• 형성: 해수가 결빙하는 남극 대륙 주변의 웨델해에서 수온이 낮고 염분이 높아져서 밀도가 커진 표층 해수가 밑으로 가라앉아 형성된다. • 흐름: 남극 저층수는 가장 밀도가 큰 심해수로 대서양과 태평양의 해저를 따라 북위 37°까지 북상한다.
북대서양 심층수❷	• 형성: 북대서양의 그린란드 주변 해역의 상대적으로 따뜻하고 염분이 높은 해수가 캐나다 북부로부터 온 차가운 바람에 의해 냉각되면서 가라앉아 형성된다. • 흐름: 남극 저층수보다 밀도가 작아 남극 저층수 위를 흐른다.
남극 중층수	• 형성: 남위 60° 부근에서 해수가 냉각되어 가라앉아 형성된다. • 흐름: 북대서양 심층수보다 밀도가 작아 수심 약 1000 m 깊이를 따라 북쪽으로 흐른다.

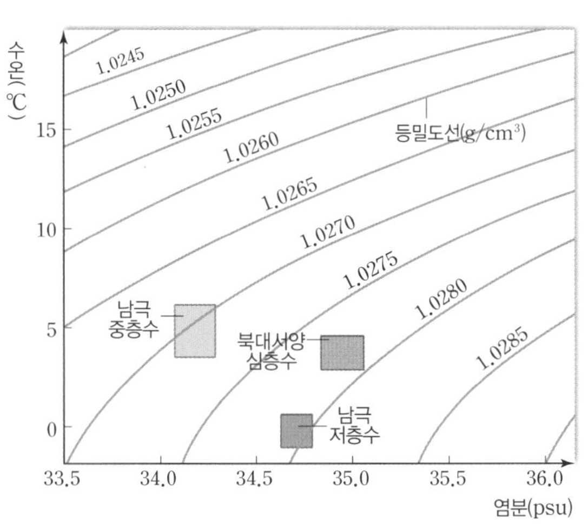

▲ 수온 염분도에 나타낸 대서양의 수괴

암기TiP 밀도: 중층수 < 심층수 < 저층수
⇨ 가라앉는 깊이: 중층수 < 심층수 < 저층수

해수의 표층 밀도는 1.022 g/cm³~1.027 g/cm³ 정도야. 심층 순환과 관련된 수괴의 밀도는 해수의 표층 밀도보다 높아야겠지?

❶ 남극 저층수
남극 저층수는 염분 34.7 psu, 수온 −0.5 ℃, 밀도 1.0279 g/cm³로 세계의 해수 중에서 가장 밀도가 높다.

❷ 북대서양 심층수
북대서양 심층수는 염분 34.9 psu, 수온 3 ℃로, 남극 저층수보다 밀도가 작아 30°N보다 남쪽에서는 남극 저층수보다 위쪽에 분포한다.

용어 알기
• 결빙(맺다 結, 얼음 氷) 물이 얼다.

북대서양 심층수와 남극 저층수의 수온과 염분 비교

수괴	북대서양 심층수	남극 저층수
평균 수온	3 ℃	−0.5 ℃
평균 염분	34.9 psu	34.7 psu

심층 순환의 속도

심층 순환은 표층 순환에 비해 매우 느려서 10000 km를 흐르는 데 수백 년 혹은 수천 년이 걸린다.

용어 알기

●단면도(나누다 斷, 모습 面, 그림 圖) 물체를 평면으로 잘라 그 내부를 나타낸 그림

빈출 탐구 대서양의 심층 순환

대서양에서 해류의 심층 순환이 어떻게 일어나는지 알 수 있다.

과정 그림은 대서양에서 깊이에 따른 수온과 염분의 분포를 나타낸 것이다.

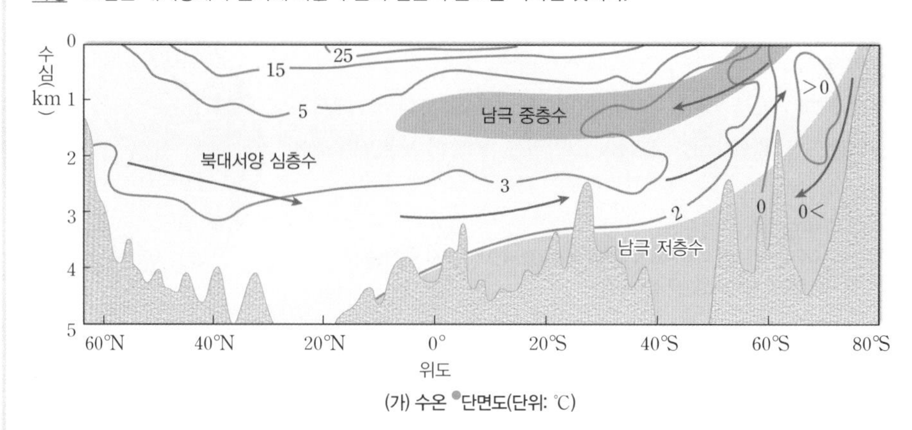

(가) 수온 ●단면도(단위: ℃)

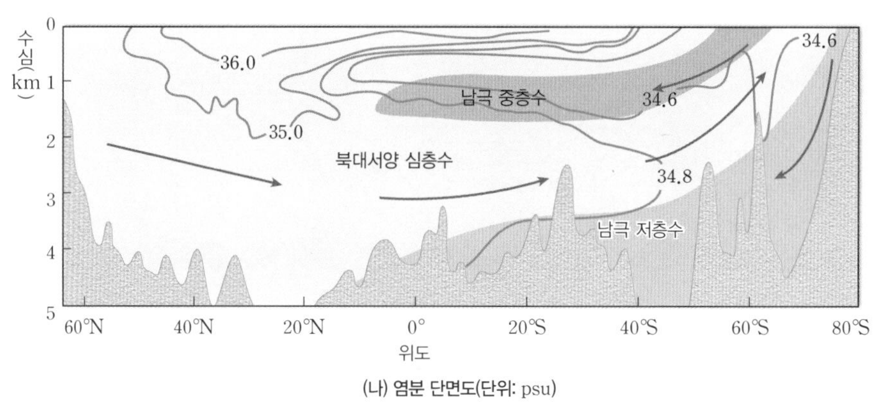

(나) 염분 단면도(단위: psu)

결과

❶ 대서양에 분포하는 심해수 중에서 가장 밀도가 큰 것은 무엇인가?

⇨ 밀도가 큰 해수일수록 밀도가 작은 해수보다 무겁기 때문에 밑에 분포한다. 따라서 대서양에 분포하는 심해수 중에서 가장 밀도가 큰 것은 가장 밑에 분포하는 남극 저층수이다.

❷ 2 ℃ 등온선과 34.6 psu보다 높은 등염분선이 남극 대륙 주변의 해수 표면으로부터 적도 부근의 해저까지 이어져 분포하는 까닭은 무엇인가?

⇨ 수온이 2 ℃로 낮고 염분이 34.8 psu로 높은 남극 대륙 주변의 표층 해수가 밀도가 커서 밑으로 가라앉아 해저를 따라 적도 쪽으로 흐르고 있기 때문이다.

❸ 남극 저층수와 북대서양 심층수는 각각 어디에서 만들어져 가라앉은 것인가?

⇨ 남극 저층수는 남극 대륙 주변의 표층수와 연결되어 있으므로 남극 주변의 해역(웨델해)에서 형성되어 가라앉은 것이다. 북대서양 심층수는 북반구의 고위도 해역의 표층수와 연결되어 있으므로 북대서양의 고위도 해역(그린란드 해역)에서 형성되어 가라앉은 것이다.

정리 및 해석

심층 순환의 특징

❶ 심층 순환은 해수의 밀도 차에 의해 매우 천천히 일어나는 해수의 순환이다.

⇨ 밀도가 다른 해수가 만나면 잘 섞이지 않고 위나 아래로 흐른다.

❷ 심층 순환의 흐름 방향은 수온과 염분 분포를 이용하여 흐름을 추정하며, 밀도 값에 따라 흐르는 깊이가 달라진다.

⇨ 대서양의 연직 단면을 보면 남극 저층수, 북대서양 심층수, 남극 중층수로 구분된다.

C 전 세계 해수의 순환과 심층 순환의 역할

|출·제·단·서| 시험에는 표층 순환과 심층 순환이 서로 연결되어 흐르는 것과 심층 순환의 역할에 대한 문제가 나와.

1. 전 세계 해수의 순환 표층 순환과 심층 순환이 연결되어 흐르면서 거대한 컨베이어 벨트와 같이 순환하고 있으며, 한 번 순환하는 데에 약 1000년이 걸린다.

북대서양 그린란드 주변 해역에서 냉각되어 침강한 물은 대서양의 서안을 따라 남쪽으로 흐르다가 남극 주변의 웨델해에서 결빙에 의해 침강한 물과 함께 인도양과 태평양으로 퍼져 나간다.

⇩

인도양과 태평양으로 이동한 물은 점차 수온이 높아지면서 아주 느린 속도로 상승하게 된다.

⇩

상승한 물은 표층 해수와 연결되어 흐르다가 다시 웨델해나 그린란드 주변 해역으로 유입된다.

표층 순환과 심층 순환이 연결되어 있으므로 하나의 순환에 변화가 생기면 전체 해수 순환에 변화가 일어나.

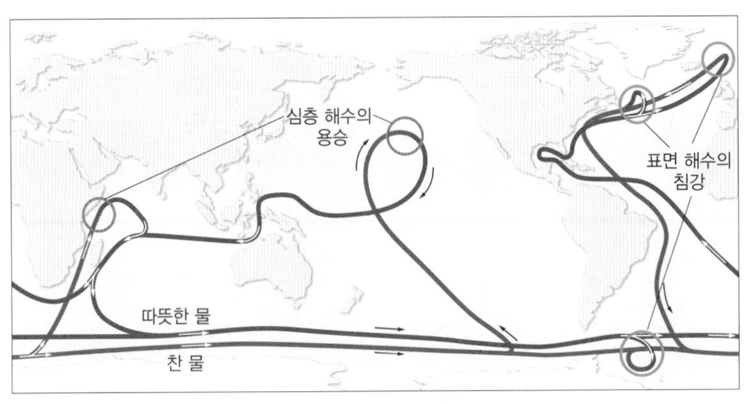

▲ 전 세계 해수의 순환

암기TiP
- 침강 해역: 남극 대륙 주변 웨델해, 북대서양 그린란드 해역
- 용승 해역: 인도양, 북태평양 해역

2. 심층 순환의 역할

(1) 해수 순환 거의 전 수심에 걸쳐서 일어나면서 해수를 전체적으로 순환시킨다.

(2) 산소와 영양 염류 공급 용존 산소가 풍부한 표층 해수를 심해로 운반하여 생물이 살 수 있도록 해 주거나, 심해수에 많이 포함되어 있는 영양 염류를 표층으로 운반한다.

(3) 위도별 에너지 불균형 해소❸ 표층 순환과 연결되어 흐르면서 저위도 → 고위도로 열에너지를 수송하여 남북 간의 열수지 불균형을 해소시킨다.

(4) 기후 변화 심층 순환이 약해지면 표층 순환도 약해지면서 고위도로 열에너지 수송이 제대로 일어나지 않아 지구의 전체적인 기후에 영향을 준다.

❸ 심층 순환의 위도별 에너지 불균형 해소
북대서양의 표층에서 가라앉은 해수를 보충해 주기 위해 표층 해류인 북대서양 해류와 같이 저위도로부터 따뜻한 해수가 흘러들어오게 되며, 이 과정에서 많은 양의 열이 대서양 북부로 수송된다.

빈출 자료 심층 순환 변동에 의한 기후 변화의 예

❶ 영거 드라이아스기❹: 12800년 전에 지구의 기온이 급격히 낮아지고 적설량이 감소하면서 일반적으로 알려진 이론으로 설명할 수 없는 •빙하기가 나타났는데, 이를 영거 드라이아스기라고 한다.

❷ 영거 드라이아스기의 원인: 영거 드라이아스기 이전에 기온이 상승하면서 빙하가 녹아 캐나다 서부에 큰 호수가 형성됐다. ⇨ 빙하가 녹은 물이 계속 유입되어 호수가 넘쳐흘러 대량의 담수가 북대서양으로 유입됐다. ⇨ 민물의 유입으로 북대서양 해수의 염분이 감소해 해수 침강이 정지됐다. ⇨ 표층 해류인 난류에 의한 열 수송이 멈추자 북대서양은 얼어붙었고, 유럽의 겨울철 평균 기온이 −25 ℃에 달하는 빙하기에 돌입한 것이다.

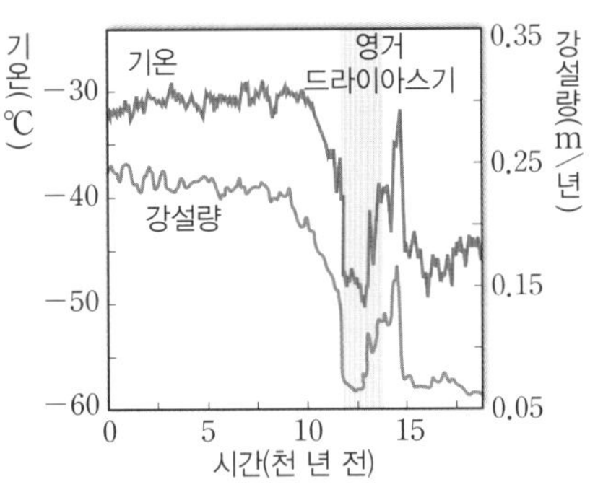

❹ 영거 드라이아스기
드라이아스(dryas)는 고위도의 고산 지역에서 번성하는 꽃의 이름이다. 영거 드라이아스 빙하기에 지구의 기온이 낮아지면서 이 꽃이 갑자기 번성하였기 때문에 이름이 붙여졌다.

용어 알기
•빙하기(얼다 氷, 물 河, 기간 期) 세계적으로 기후가 한랭하여 고위도 지방이나 산악 지역에 현재보다도 훨씬 넓게 빙하가 발달하고, 세계적으로 해수면이 낮아졌던 시기

심층 순환의 형성 원리 알아보기

목표 심층 해수가 순환하는 원인을 설명할 수 있다.

유의점
종이컵을 수조의 안쪽에 고정시킬 때에는 종이컵의 아랫부분 $\frac{1}{4}$ 정도가 수조의 물에 잠기게 한다.

과정

❶ 물이 담긴 비커에 파란색 물감을 섞어 파란색 물을 만든다.
❷ 바닥에 작은 구멍을 뚫은 종이컵에 얼음을 가득 채우고 상온의 물이 들어 있는 수조의 안쪽 끝에 고정시킨다.
❸ 비커의 물을 종이컵에 천천히 부으면서 파란색 물이 어떻게 이동하는지 관찰한다.
❹ 물 300 mL가 담긴 비커에 소금 20 g을 넣어 녹인 후 붉은색 물을 만든다.
❺ 바닥에 작은 구멍을 뚫은 종이컵을 상온의 물이 들어 있는 수조의 안쪽 끝에 고정시킨다.
❻ 붉은색 소금물을 종이컵에 천천히 부으면서 소금물이 어떻게 이동하는지 관찰한다.

과정 ❸

과정 ❻

결과

❶ 착색된 물은 수조 바닥으로 가라앉아 수조 바닥을 따라 흘러간다.
❷ 파란색 물은 얼음에 의해 냉각되어 무거워지고, 붉은색 소금물은 물보다 염분이 높아 무거우므로 수조 바닥으로 가라앉아 바닥을 따라 흘러간다.
❸ 심층 순환은 해수의 온도와 염분의 변화에 따른 해수의 밀도 차 때문에 형성됨을 알 수 있다.

표층 해수의 수온이 낮아지거나 염분이 높아지면 밀도가 커져 침강할 수 있어.

정리 및 해석

표층 해수가 가라앉는 해역은 극이나 고위도에 위치한다. 이 해역에 있는 해수는 수온이 낮고 결빙이 일어나 염분이 높아지므로 주변 해수보다 밀도가 커져 가라앉아 해저를 따라 이동하면서 심층 순환을 형성한다.

한·줄·핵심 심층 순환은 수온이 낮고 염분이 높아 밀도가 커진 해수가 가라앉아 발생한다.

확인 문제

정답과 해설 46쪽

01 심층 순환을 일으키는 해역의 해수의 온도와 염분의 조건을 쓰시오.

02 밀도가 큰 해수가 만들어져 침강하는 해역의 위도를 쓰시오.

콕콕! 개념 확인하기

정답과 해설 46쪽

✔ 잠깐 확인!

1. □□ □□
해양의 심층에서 일어나는 전 지구적인 규모의 해수의 흐름

2. □□
수온, 염분, 밀도 등의 성질이 비슷한 해수 덩어리

3. □□ □□□
해수의 수온, 염분, 밀도를 함께 나타낸 도표

4. □□ □□
수온과 염분 변화 때문에 일어나는 심층 순환의 또 다른 이름

5. □□ □□□
대서양에서 가장 밀도가 큰 심해수

6. □□□
대부분의 심층 순환을 발생시키는 표층 해수가 침강하는 바다

A 심층 순환의 발생과 관측

01 해수의 심층 순환에 대한 설명으로 옳은 것은 ○, 옳지 않은 것은 ×로 표시하시오.

(1) 주로 해수의 밀도 변화로 일어난다. ( )

(2) 표층 순환보다 속도가 빠르고 직접 관측이 가능하다. ( )

(3) 주로 극 해역에서 표층 해수가 침강하면서 발생한다. ( )

(4) 수온과 염분을 측정하면 심층 해수의 이동 방향을 추적할 수 있다. ( )

(5) 해수의 밀도 차이에 의해 일어나는 순환으로 열염 순환이라고도 한다. ( )

B 대서양의 심층 순환

02 다음 설명에 해당하는 대서양 심층 순환의 이름을 쓰시오.

(1) 남극 대륙의 웨델해에서 침강하여 해저를 따라 북쪽으로 이동하여 약 37°N까지 흐른다.

(2) 그린란드 해역에서 침강하여 수심 약 600 m~2000 m 사이에서 60°S까지 이동한다.

(3) 북대서양 심층수보다 밀도가 작아 수심 약 1000 m 깊이를 따라 북쪽으로 흐른다.

03 다음은 심층 순환에 대한 설명이다. 틀린 곳을 찾아 옳게 고치시오.

(1) 심층 순환은 주로 수온 약층 위의 혼합층에서 일어난다.

(2) 표층수가 가라앉는 해역은 수온이 높고 염분이 낮은 해수가 형성되는 곳이다.

(3) 세계 해양에 분포하는 대부분의 심층수는 태평양에서 침강한 해수가 이동한 것이다.

C 전 세계 해수의 순환과 심층 순환의 역할

04 다음은 심층 순환과 표층 순환의 관계를 설명한 것이다. ( ) 안에 알맞은 말을 쓰시오.

(1) 해수의 심층 순환은 ( )과 연결되어 저위도에서 고위도로 열에너지를 수송한다.

(2) 심층 순환은 심해에 ( )를 공급하고, 깊은 바다에 많이 포함되어 있는 ( )를 표층으로 운반하는 역할을 한다.

(3) 심층 순환이 약해지면 표층 순환도 ( )진다.

(4) 영거 드라이아스기는 표층 해수의 염분이 ( )져 심층 순환이 ( )지면서 일어난 빙하기이다.

(5) 지구 온난화가 진행되면 심층 순환의 세기는 현재보다 ( )질 것이다.

탄탄! 내신 다지기

A 심층 순환의 발생과 관측

01 심층 순환을 일으키는 주 원인으로 옳은 것은?

① 수압의 변화 ② 해저 화산의 폭발
③ 해저 지형의 변화 ④ 해수 밀도의 변화
⑤ 해수면 위를 부는 바람

02 심층 순환에 대한 설명으로 옳은 것만을 〈보기〉에서 있는 대로 고른 것은?

보기
ㄱ. 표층 순환에 비하여 유속이 더 빠르다.
ㄴ. 수온과 염분의 변화에 의하여 발생한다.
ㄷ. 심층 순환은 주로 적도 지방에서 발생한다.

① ㄱ ② ㄴ ③ ㄱ, ㄷ
④ ㄴ, ㄷ ⑤ ㄱ, ㄴ, ㄷ

03 다음 중 표층 해수가 가라앉으면서 심층 순환이 형성되기 가장 좋은 해역은?

① 수온과 염분이 낮은 해역
② 수온과 염분이 높은 해역
③ 수온이 낮고 염분이 높은 해역
④ 수온이 높고 염분이 낮은 해역
⑤ 바람이 강하고 염분이 낮은 해역

04 그림은 해양의 심층 순환을 나타낸 모식도이다.

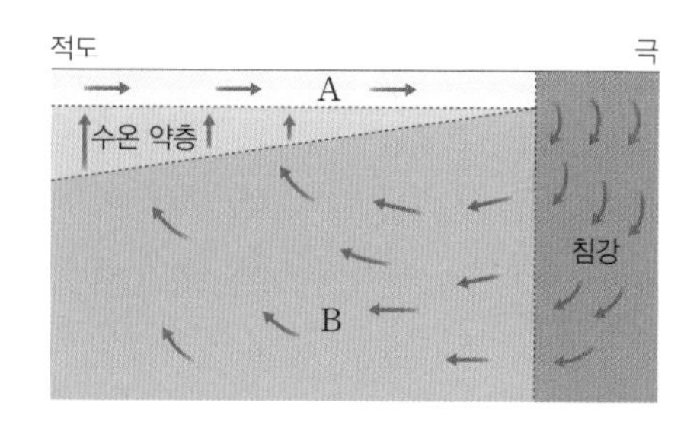

이에 대한 설명으로 옳은 것만을 〈보기〉에서 있는 대로 고른 것은?

보기
ㄱ. 유속은 B보다 A가 빠르다.
ㄴ. 극지방에서 수온이 높아진 해수가 침강한다.
ㄷ. 표층에서는 고위도에서 저위도로 에너지가 이동한다.

① ㄱ ② ㄴ ③ ㄱ, ㄷ
④ ㄴ, ㄷ ⑤ ㄱ, ㄴ, ㄷ

05 그림은 어느 해역에서 수심에 따른 수온과 염분을 조사하여 나타낸 것이다.

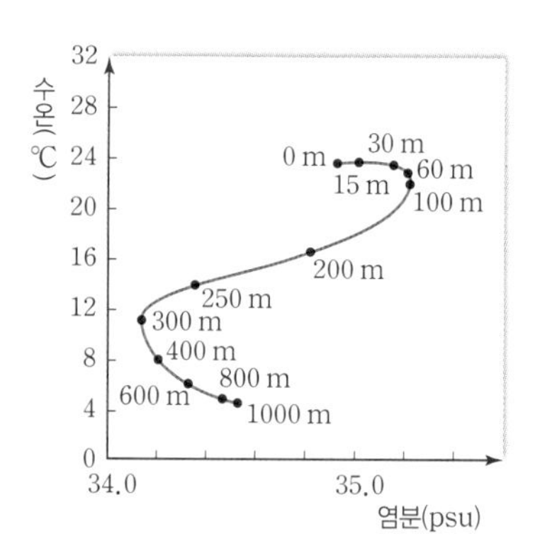

이에 대한 설명으로 옳은 것만을 〈보기〉에서 있는 대로 고른 것은?

보기
ㄱ. 수심에 따라 수온이 낮아지는 층에서는 염분이 감소한다.
ㄴ. 수심이 깊어짐에 따라 염분이 계속 감소하는 경향이 있다.
ㄷ. 수심 300 m 아래에서는 수심이 깊어짐에 따라 해수의 밀도가 증가한다.

① ㄱ ② ㄴ ③ ㄷ
④ ㄱ, ㄴ ⑤ ㄴ, ㄷ

B 대서양의 심층 순환

06 그림은 대서양의 심층 순환을 나타낸 것이다.
심층 순환 A, B, C의 이름을 순서대로 옳게 나타낸 것은?

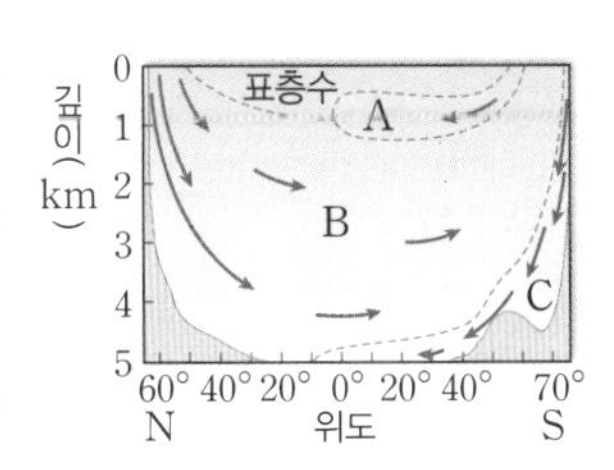

① 남극 중층수, 북대서양 심층수, 남극 저층수
② 남극 중층수, 남극 저층수, 북대서양 심층수
③ 북대서양 심층수, 남극 중층수, 남극 저층수
④ 북대서양 심층수, 남극 저층수, 남극 중층수
⑤ 남극 저층수, 북대서양 심층수, 남극 중층수

07 그림은 해양의 심층 순환을 나타낸 것이다.

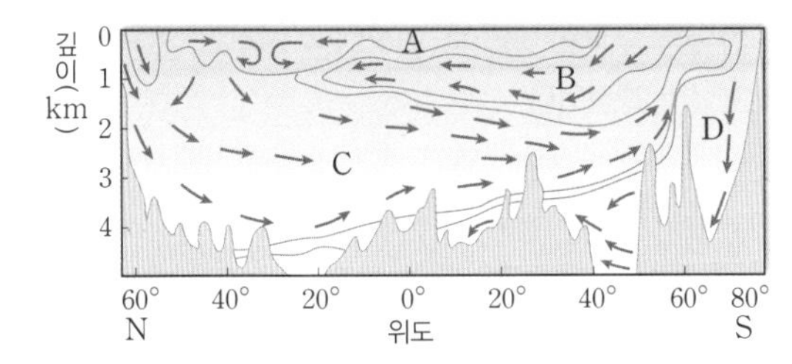

이에 대한 설명으로 옳은 것만을 〈보기〉에서 있는 대로 고른 것은?

보기
ㄱ. A에서 흐르는 해류는 주로 바람에 의해 형성된 것이다.
ㄴ. C 해수가 B 해수보다 수온이 높다.
ㄷ. D에 분포하는 해수의 밀도가 가장 크다.

① ㄱ ② ㄴ ③ ㄷ
④ ㄱ, ㄴ ⑤ ㄱ, ㄷ

C 전 세계 해수의 순환과 심층 순환의 역할

08 심층 순환에 대한 설명으로 옳지 않은 것은?

① 깊은 바다까지 산소를 운반하는 역할을 한다.
② 거의 전 수심에 걸쳐서 일어나면서 해수를 순환시킨다.
③ 유속계 등을 이용하여 직접 흐름을 관측하여 알아낸다.
④ 수온과 염분 변화에 따라 일어나므로 열염 순환이라고도 한다.
⑤ 심층수에 많이 포함된 영양 염류를 표층으로 운반하는 역할을 한다.

09 다음은 지구 온난화가 해수의 순환에 미치는 영향을 설명한 것이다.

> 고위도 해역에서 일어나는 해수의 침강은 저위도의 따뜻한 해수를 고위도로 이동시켜 고위도 지방을 따뜻하게 한다. 그런데 지구 온난화에 의해 해수의 침강이 약화된다면, 해수 순환이 방해받아 심각한 기후 변화가 일어날 수 있다는 견해가 최근에 제기되고 있다.

지구 온난화에 의해 고위도에서 해수의 침강이 약화될 수 있다면, 그 원인으로 가능한 것만을 〈보기〉에서 있는 대로 고른 것은?

보기
ㄱ. 고위도에서 표층 해수의 수온이 높아져서
ㄴ. 빙하가 녹아 고위도에서 표층 해수의 염분이 낮아져서
ㄷ. 증발에 의해 고위도에서 표층 해수의 밀도가 높아져서

① ㄱ ② ㄷ ③ ㄱ, ㄴ
④ ㄴ, ㄷ ⑤ ㄱ, ㄴ, ㄷ

10 그림은 세계 해양에서 일어나는 해수의 표층 순환과 심층 순환을 나타낸 것이다.

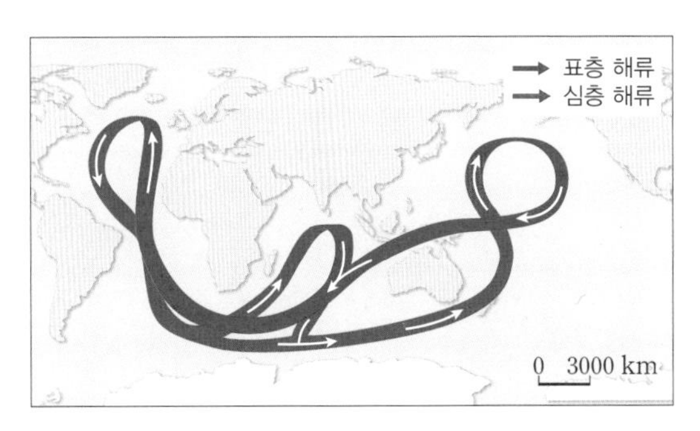

이에 대한 설명으로 옳은 것만을 〈보기〉에서 있는 대로 고른 것은?

보기
ㄱ. 표층 순환과 심층 순환은 서로 연결되어 있다.
ㄴ. 태평양과 인도양의 심층수는 용승하여 표층수로 변한다.
ㄷ. 대양의 심층수는 대부분 각 대양의 고위도에서 공급된 것이다.

① ㄱ ② ㄷ ③ ㄱ, ㄴ
④ ㄴ, ㄷ ⑤ ㄱ, ㄴ, ㄷ

도전! 실력 올리기

출제예감

01 그림은 어느 해역 한 지점의 서로 다른 깊이에서 채취한 A~D 해수의 물리량을 수온 염분도에 나타낸 것이다.

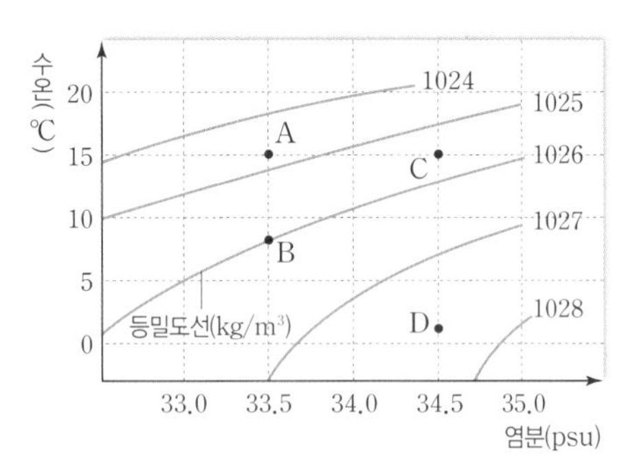

이에 대한 설명으로 옳은 것만을 〈보기〉에서 있는 대로 고른 것은?

보기
ㄱ. 표층에 가장 가까이 있는 해수는 A이다.
ㄴ. 가장 깊은 곳의 해수는 D이다.
ㄷ. A의 수온만 1 ℃ 낮아지면 C보다 밀도가 커진다.

① ㄱ ② ㄷ ③ ㄱ, ㄴ
④ ㄴ, ㄷ ⑤ ㄱ, ㄴ, ㄷ

출제예감

02 그림은 지중해와 대서양의 경계인 지브롤터 해협 부근의 염분 분포와 해수의 이동을 나타낸 것이다.

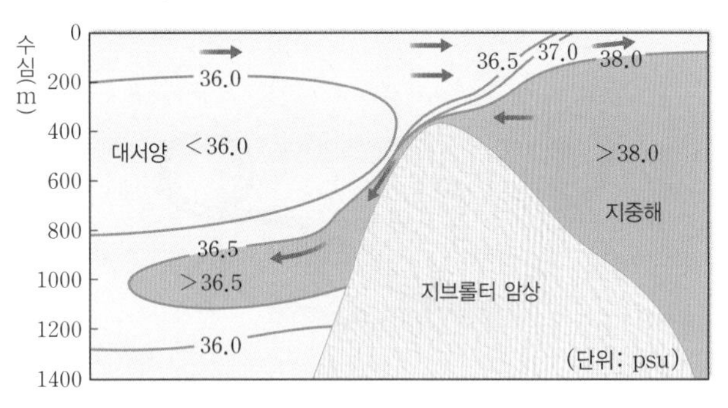

이에 대한 설명으로 옳은 것만을 〈보기〉에서 있는 대로 고른 것은?

보기
ㄱ. 지중해 해수가 대서양 해수보다 평균 염분이 높다.
ㄴ. 지브롤터 해협의 표층에서는 대서양 해수가 지중해로 흘러든다.
ㄷ. 대서양의 수심 1200 m 이하의 해수는 지중해에서 유입된 해수보다 밀도가 크다.

① ㄱ ② ㄴ ③ ㄱ, ㄷ
④ ㄴ, ㄷ ⑤ ㄱ, ㄴ, ㄷ

03 표는 서로 인접하고 있는 A~E 해역의 수온과 염분 분포를 나타낸 것이다.

구분	A	B	C	D	E
수온(℃)	2	2	0	3	3
염분(psu)	33	34	35	33	34

A~E 중 표층 해수가 침강하여 심층 순환이 발생할 가능성이 가장 큰 해역은?

① A ② B ③ C
④ D ⑤ E

04 다음은 수온의 차이로 일어나는 해수의 운동을 알아보기 위한 실험 과정이다.

(가) 그림과 같은 실험 장치를 한다.
(나) 종이컵에 얼음을 넣고 파란색 잉크를 떨어뜨려 착색시킨 후, 착색된 물의 이동 방향을 살펴본다.
(다) 2분 간격으로 온도계의 눈금을 읽는다.

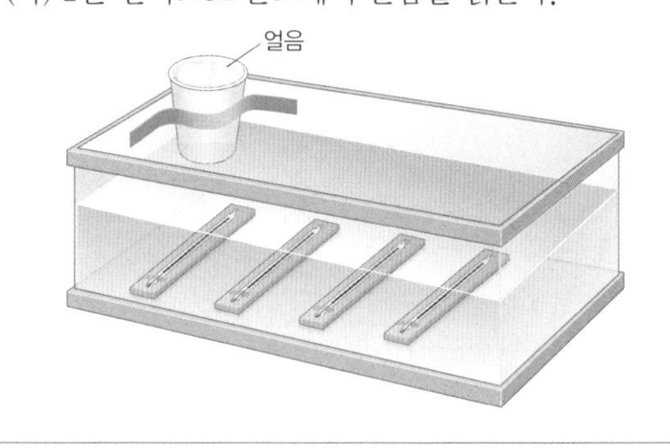

이에 대한 설명으로 옳은 것만을 〈보기〉에서 있는 대로 고른 것은?

보기
ㄱ. 표면에 있는 물은 종이컵 쪽으로 이동할 것이다.
ㄴ. 종이컵에서 멀리 떨어진 온도계의 눈금이 먼저 내려간다.
ㄷ. 얼음을 넣은 종이컵은 수온이 낮은 극지방의 해수에 해당한다.
ㄹ. 파란색 잉크로 착색한 물의 이동은 해양의 표층 순환에 해당한다.

① ㄱ, ㄴ ② ㄱ, ㄷ ③ ㄴ, ㄷ
④ ㄴ, ㄹ ⑤ ㄷ, ㄹ

출제예감

05 그림은 북대서양의 남북 단면으로 작성한 해수의 연직 순환을 나타낸 것이다.

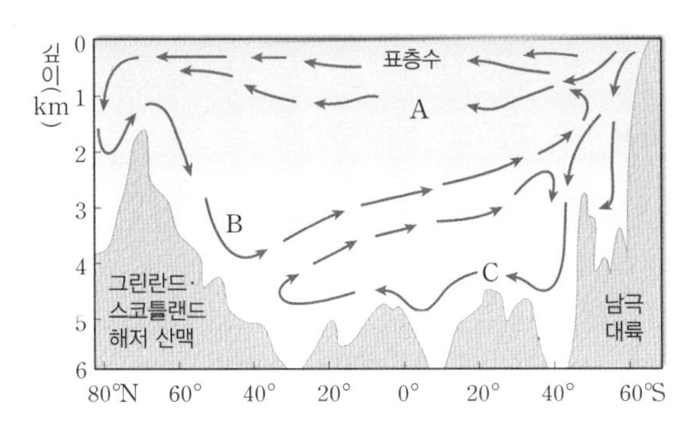

이에 대한 설명으로 옳은 것만을 〈보기〉에서 있는 대로 고른 것은?

보기
ㄱ. C는 심해에 산소를 공급하는 역할을 한다.
ㄴ. 심층 순환은 주로 바람의 영향으로 일어난다.
ㄷ. A~C는 무거워진 표층수가 가라앉아 생성된다.

① ㄱ ② ㄴ ③ ㄱ, ㄷ
④ ㄴ, ㄷ ⑤ ㄱ, ㄴ, ㄷ

06 그림은 전 지구적으로 나타나는 해수의 순환을 나타낸 것이다.

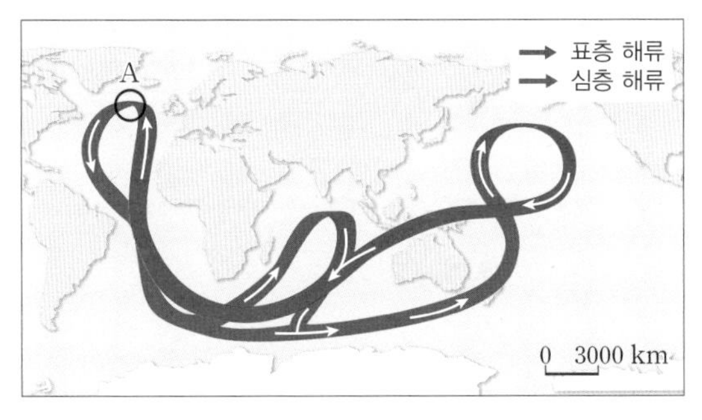

이에 대한 설명으로 옳은 것만을 〈보기〉에서 있는 대로 고른 것은?

보기
ㄱ. 심층 순환이 강해지면 고위도로 열에너지 수송이 약화된다.
ㄴ. A 해역에서는 북대서양 심층수가 형성되어 남쪽으로 흘러간다.
ㄷ. A 해역에 그린란드의 해빙수가 유입되면 해수의 침강이 활발해진다.

① ㄱ ② ㄴ ③ ㄱ, ㄴ
④ ㄱ, ㄷ ⑤ ㄱ, ㄴ, ㄷ

07 그림은 그린란드 지역의 기온과 강설량 변화를 나타낸 것이다.
A 시기에 대한 설명으로 옳은 것만을 〈보기〉에서 있는 대로 고른 것은?

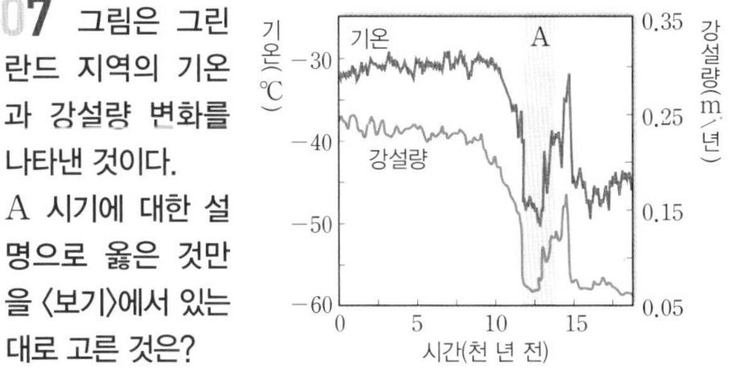

보기
ㄱ. 현재보다 빙하 면적이 넓었을 것이다.
ㄴ. 현재보다 평균 해수면이 낮았을 것이다.
ㄷ. A 시기는 대량의 담수가 북대서양에 유입되어 나타났다.

① ㄱ ② ㄴ ③ ㄱ, ㄷ
④ ㄴ, ㄷ ⑤ ㄱ, ㄴ, ㄷ

서답형 문제

단답형

08 다음은 A~D 네 학생이 표층 해류와 심층 순환의 특징을 비교하여 설명한 것이다. 옳게 설명한 학생을 모두 고르시오.

- A: 표층 해류는 주로 바람에 의해서 발생하나 심층 순환은 밀도 변화에 의해 일어나는 점이 달라.
- B: 표층 해류는 주로 수온 약층 위의 해수층에서 흐르나 심층 순환은 해저를 따라 흐르기도 해.
- C: 심층 순환은 이동을 직접 측정할 수 없고 수괴 분석을 하여 추정할 수 있어.
- D: 표층 해류는 적도 부근에서 발생하나 심층 순환은 극지방의 해역에서 발생하는 점이 달라.

서술형

09 그림은 대서양의 심층 해수를 수온 염분도에 나타낸 것이다.
A와 B의 밀도 차이를 일으키는 원인은 무엇인지 서술하시오.

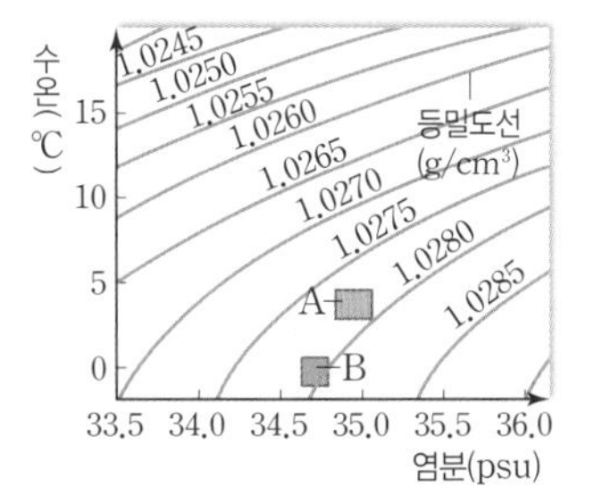

수능을 알기 쉽게 풀어주는 수능 POOL

아열대 순환의 특징

대표 유형

출제 의도

태평양에서 아열대 순환의 방향과 순환을 이루는 해류의 특성을 묻는 문제이다.

그림은 태평양의 주요 표층 해류가 흐르는 해역 A, B, C를 나타낸 것이다.

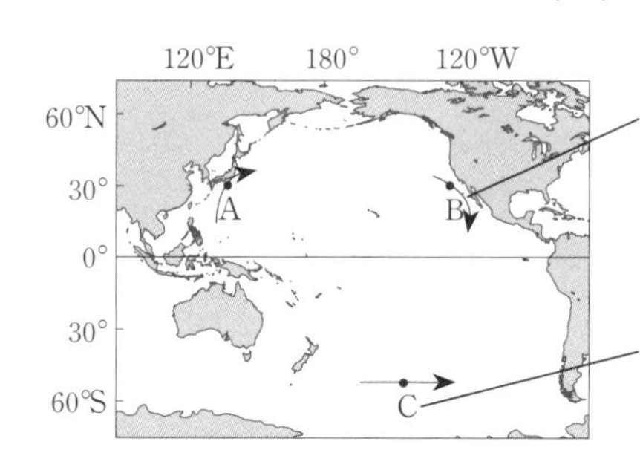

북태평양에서 아열대 순환은 시계 방향으로 일어나고 A, B는 경계류가 흐르는 해역이다. 따라서 A에서는 저위도에서 고위도로 난류가, B에서는 고위도에서 저위도로 한류가 흐른다.

위도 30°~60° 사이의 편서풍대에서 해류는 편서풍의 영향으로 동쪽으로 흐른다.

이것이 함정

극동풍은 위도 60°~90° 사이에서 부는 바람이고, 남반구에서는 이 위도대에 바다가 없고 남극 대륙이 위치하고 있기 때문에 해류가 형성되어 있지 않다.

이에 대한 설명으로 옳은 것만을 〈보기〉에서 있는 대로 고른 것은?

〈보기〉

ㄱ. C의 표층 해류는 극동풍에 의해 형성된다.
→ 위도 30°~60° 사이의 편서풍대에서 흐르는 C는 편서풍에 의해 형성된 남극 순환 해류이다.

ㄴ. 표층 해류의 용존 산소량은 B보다 A에 많다.
→ A는 난류인 쿠로시오 해류이고, B는 한류인 캘리포니아 해류이다. 따라서 해수 중의 용존 산소량은 A보다 수온이 낮은 B에 많다.

ㄷ. 남반구 아열대 표층 순환의 방향은 시계 반대 방향이다.
→ 서풍 피류인 C가 동쪽으로 흐르므로 남반구 아열대 표층 순환 방향은 남동 무역풍과 편서풍의 영향으로 시계 반대 방향이다.

① ㄱ ② ㄴ ③ ㄷ ④ ㄱ, ㄴ ⑤ ㄴ, ㄷ

표층 해류는 무역풍, 편서풍처럼 일정한 방향으로 계속 부는 바람에 의해 형성돼. 그 결과 적도를 경계로 표층 순환의 방향은 북반구와 남반구가 대칭을 이뤄!!

각 해역을 흐르는 해류의 방향 알아내기

그림에서 A, B, C 해역을 통과하는 아열대 순환을 이루는 해류의 흐름을 파악한다. ››› A, B를 한류와 난류로 구분하고 수온 차이로 용존 산소량을 비교해 본다. ››› C 해역에 부는 대기 대순환의 바람과 흐르는 해류의 방향을 파악한다. ››› 남반구와 북반구의 아열대 순환 방향이 적도를 중심으로 대칭적임을 생각한다.

추가 선택지

• B는 A보다 해류의 폭이 좁고 유속이 빠르다. (×)
··· B는 캘리포니아 해류로 폭이 상대적으로 넓으며 유속이 느리다.

• C는 지구를 한 바퀴 도는 해류이다. (○)
··· C는 남극 순환 해류로 대륙에 의해 가로막히지 않으므로 남극 대륙 주변을 순환하며 지구를 한 바퀴 도는 해류이다.

실전! 수능 도전하기

정답과 해설 48쪽

01 그림은 위도에 따른 태양 복사 에너지와 지구 복사 에너지의 양을 나타낸 것이다.

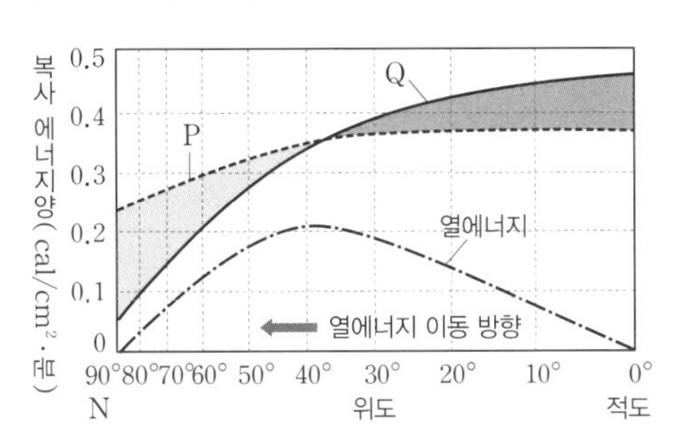

이에 대한 설명으로 옳은 것만을 〈보기〉에서 있는 대로 고른 것은?

> 보기
> ㄱ. P와 Q의 총 에너지양은 서로 같다.
> ㄴ. Q의 위도에 따른 차이는 태양의 고도차 때문이다.
> ㄷ. 열에너지 이동은 위도에 따른 에너지 불균형 때문에 일어난다.

① ㄱ　② ㄷ　③ ㄱ, ㄴ　④ ㄴ, ㄷ　⑤ ㄱ, ㄴ, ㄷ

02 그림은 북반구의 대기 대순환을 나타낸 것이다.

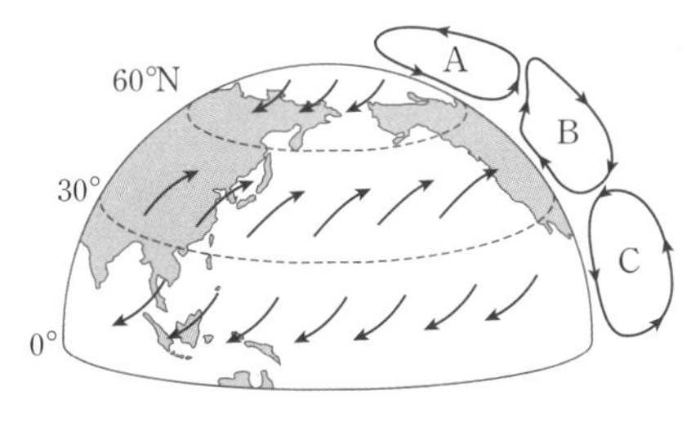

이에 대한 설명으로 옳은 것만을 〈보기〉에서 있는 대로 고른 것은?

> 보기
> ㄱ. B는 A와 C에 의해 형성된 간접 순환이다.
> ㄴ. B와 C의 경계 부근의 지상에는 사막이 발달한다.
> ㄷ. A, B, C의 순환이 일어나지 않는다면 적도와 극지방의 기온 차이는 점점 작아질 것이다.

① ㄱ　② ㄷ　③ ㄱ, ㄴ　④ ㄴ, ㄷ　⑤ ㄱ, ㄴ, ㄷ

03 그림은 태평양에서 지표 부근의 대기 대순환을 나타낸 것이다.

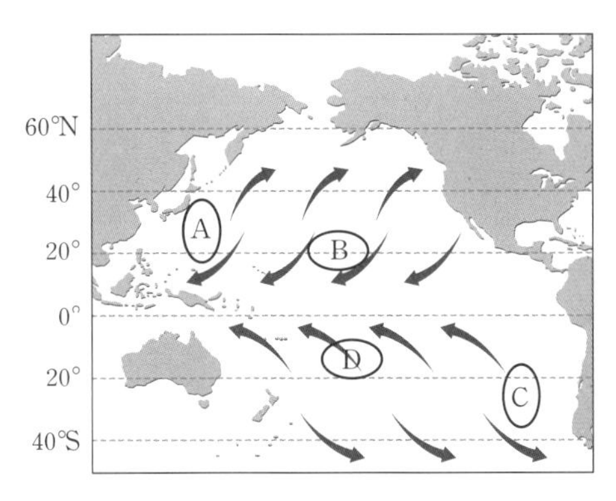

A~D 해역의 해류에 대한 설명으로 옳은 것만을 〈보기〉에서 있는 대로 고른 것은?

> 보기
> ㄱ. A와 C의 해류의 특성은 거의 같다.
> ㄴ. B와 D에서 해류는 모두 서쪽으로 흐른다.
> ㄷ. C에서 해류는 저위도에서 고위도로 흐른다.

① ㄱ　② ㄴ　③ ㄱ, ㄷ　④ ㄴ, ㄷ　⑤ ㄱ, ㄴ, ㄷ

04 그림은 태평양에서 해수의 표층 순환과 대기 대순환의 바람을 나타낸 것이다.

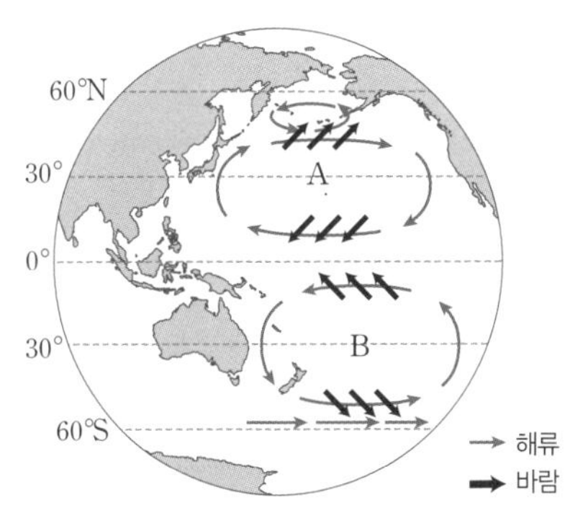

이에 대한 설명으로 옳은 것만을 〈보기〉에서 있는 대로 고른 것은?

> 보기
> ㄱ. A와 B 해수 순환은 아열대 순환이다.
> ㄴ. 아열대 순환의 서안에는 난류가 흐른다.
> ㄷ. 육지가 없다면 A와 B 해수 순환은 형성되지 않는다.

① ㄱ　② ㄷ　③ ㄱ, ㄴ　④ ㄴ, ㄷ　⑤ ㄱ, ㄴ, ㄷ

실전! 수능 도전하기

수능 기출

05 그림은 1492~1493년에 콜럼버스가 바람과 해류를 이용하여 북대서양을 왕복 항해한 경로와 지점 A, B, C를 나타낸 것이다.

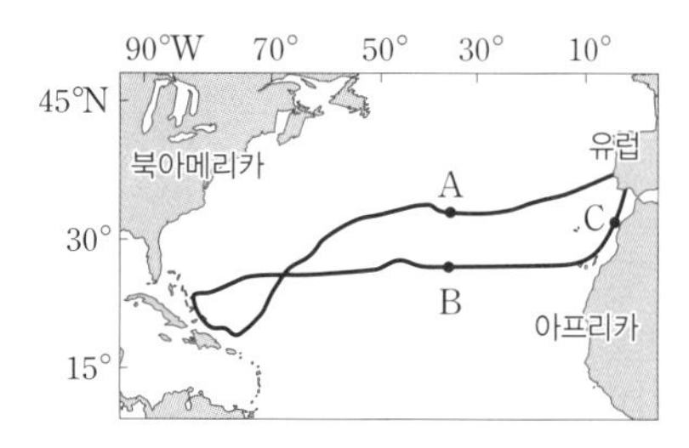

이에 대한 설명으로 옳은 것만을 〈보기〉에서 있는 대로 고른 것은?

보기
ㄱ. A를 항해할 때는 무역풍을 이용하였다.
ㄴ. B를 통과할 때는 동쪽에서 서쪽으로 항해하였다.
ㄷ. C에 흐르는 해류는 난류이다.

① ㄱ ② ㄴ ③ ㄷ
④ ㄱ, ㄷ ⑤ ㄴ, ㄷ

06 그림은 여름철 우리나라 주변 표층 해수의 이동 모습을 나타낸 것이다. (단, 화살표는 각 지점에서 해수의 이동 속력과 방향을 나타낸다.)

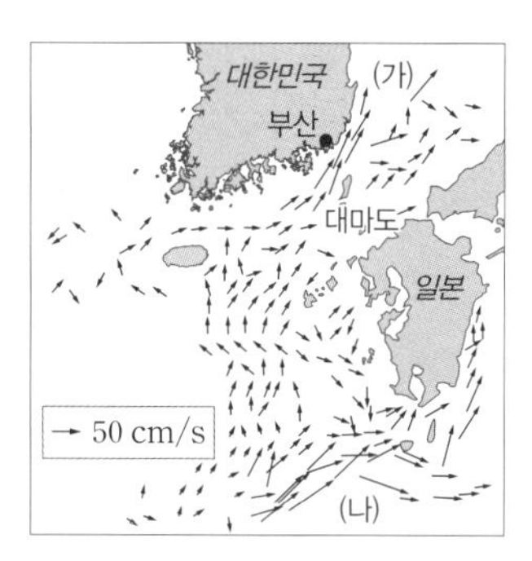

이에 대한 설명으로 옳은 것만을 〈보기〉에서 있는 대로 고른 것은?

보기
ㄱ. 부산과 대마도 사이에서 유속이 빨라진다.
ㄴ. (가)의 해류는 북쪽으로 이동하여 북한 한류가 된다.
ㄷ. (나)의 해류는 (가) 해류의 근원 해류이다.

① ㄱ ② ㄴ ③ ㄱ, ㄷ
④ ㄴ, ㄷ ⑤ ㄱ, ㄴ, ㄷ

수능 기출

07 그림은 우리나라 동해와 그 주변의 표층 해류 분포를 나타낸 것이다. 해류 A, B, C에 대한 설명으로 옳은 것만을 〈보기〉에서 있는 대로 고른 것은?

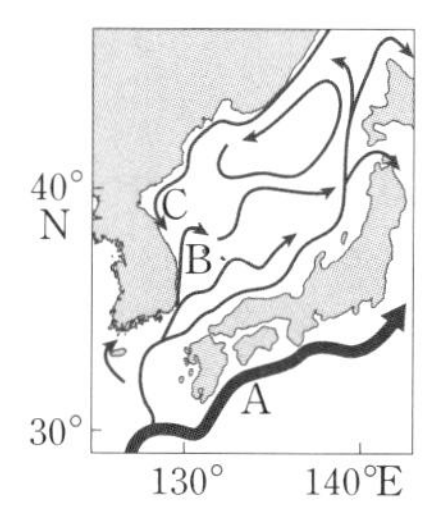

보기
ㄱ. A는 북태평양 아열대 표층 순환의 일부이다.
ㄴ. B는 겨울에 주변 대기로 열을 공급한다.
ㄷ. 용존 산소량은 C가 B보다 적다.

① ㄱ ② ㄷ ③ ㄱ, ㄴ ④ ㄴ, ㄷ ⑤ ㄱ, ㄴ, ㄷ

수능 기출

08 다음은 심층 순환에서 염분이 해수의 침강 속도에 미치는 영향을 알아보기 위한 실험이다.

[실험 Ⅰ]
(가) 수조 바닥의 중앙에 P점을 표시하고, 밑면에 구멍이 뚫린 종이컵을 수조 가장자리에 부착한다.
(나) 수조에 상온의 물을 종이컵의 아랫면이 잠길 때까지 채운다.
(다) 4 ℃의 물 100 mL에 소금 3.0 g을 완전히 녹인 후 붉은색 잉크를 몇 방울 떨어뜨린다.
(라) (다)의 소금물을 수조의 종이컵에 천천히 부으면서 소금물이 P점에 도달하는 시간을 측정한다.

[실험 Ⅱ]
실험 Ⅰ의 (다) 과정에서 소금의 양을 1.0 g으로 바꾸어 (가)~(라) 과정을 반복한다.

[실험 결과]

실험	P점에 소금물이 도달하는 시간(초)
Ⅰ	8
Ⅱ	(㉠)

이에 대한 설명으로 옳은 것만을 〈보기〉에서 있는 대로 고른 것은?

보기
ㄱ. 실험 결과에서 ㉠은 8보다 크다.
ㄴ. 소금물은 극지방의 침강하는 표층 해수에 해당한다.
ㄷ. 실험 Ⅱ에서 소금물의 농도를 낮춘 것은 극지방 표층 해수가 결빙되는 경우에 해당한다.

① ㄱ ② ㄷ ③ ㄱ, ㄴ ④ ㄴ, ㄷ ⑤ ㄱ, ㄴ, ㄷ

09 그림은 북대서양 해역에서의 표층 수온과 염분을 나타낸 것이다.
이에 대한 설명으로 옳은 것만을 〈보기〉에서 있는 대로 고른 것은?

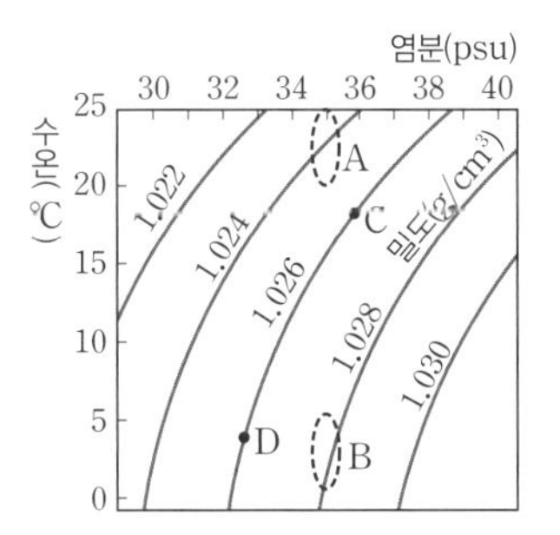

보기
ㄱ. A 해수가 냉각되면 밀도는 작아진다.
ㄴ. 밀도가 가장 높은 해수는 B이다.
ㄷ. 해수 C와 D가 혼합된다면 해수의 밀도는 커진다.

① ㄱ ② ㄷ ③ ㄱ, ㄴ
④ ㄴ, ㄷ ⑤ ㄱ, ㄴ, ㄷ

수능 기출

10 다음은 북대서양 심층수와 남극 저층수의 발생 원리를 알아보기 위한 모형실험이다.

[실험 과정]
(가) 수조에 20 ℃의 수돗물을 넣는다.
(나) 농도가 15 %인 4 ℃와 15 ℃의 소금물을 만든다.
(다) 소금물 중 하나는 용기 A에, 나머지 하나는 용기 B에 넣는다.
(라) 서로 다른 색깔의 잉크를 A와 B에 소량으로 각각 넣는다.
(마) 두 개의 콕을 동시에 열고 소금물의 이동을 관찰한다.

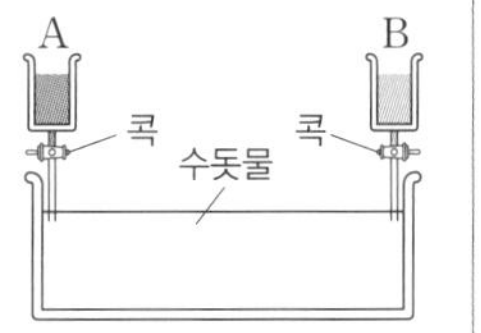

[실험 결과]
○ 소금물이 그림과 같이 이동한다.

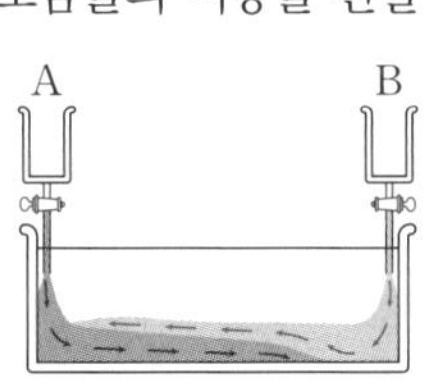

이 실험에 대한 설명으로 옳은 것만을 〈보기〉에서 있는 대로 고른 것은?

보기
ㄱ. 소금물이 가라앉는 이유는 소금물의 밀도가 수돗물보다 크기 때문이다.
ㄴ. A에 넣은 소금물의 온도는 4 ℃이다.
ㄷ. B에서 나온 소금물은 남극 저층수에 해당한다.

① ㄱ ② ㄷ ③ ㄱ, ㄴ
④ ㄴ, ㄷ ⑤ ㄱ, ㄴ, ㄷ

11 그림은 대서양에서 염분의 연직 분포와 심층 순환을 나타낸 것이다.

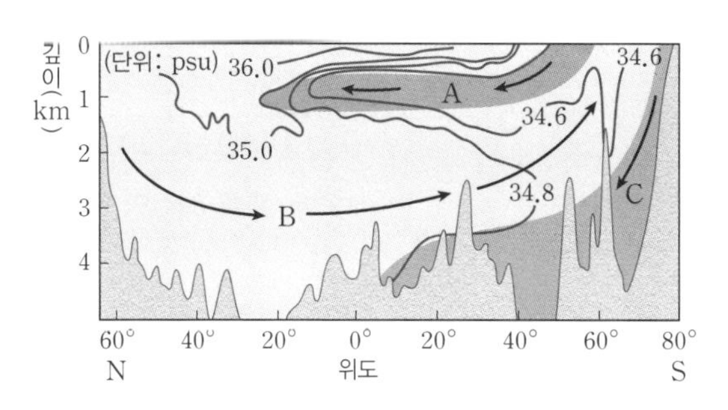

이에 대한 설명으로 옳은 것만을 〈보기〉에서 있는 대로 고른 것은?

보기
ㄱ. A는 남극 중층수이다.
ㄴ. B는 그린란드 부근 해역에서 표층 해수가 침강하여 생성된다.
ㄷ. C는 B보다 염분이 높으므로 밀도가 크다.

① ㄱ ② ㄷ ③ ㄱ, ㄴ
④ ㄴ, ㄷ ⑤ ㄱ, ㄴ, ㄷ

12 그림은 지구 규모의 해수 순환을 나타낸 것이다.

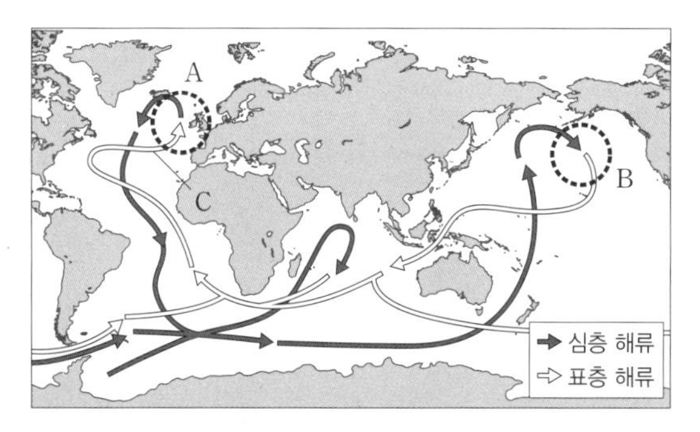

이에 대한 설명으로 옳은 것만을 〈보기〉에서 있는 대로 고른 것은?

보기
ㄱ. A는 용승 해역, B는 침강 해역이다.
ㄴ. 심층 순환을 일으키는 주된 원인은 대기 대순환이다.
ㄷ. A에서 표층 염분이 감소하면 C 해류의 속력은 감소한다.

① ㄱ ② ㄷ ③ ㄱ, ㄴ
④ ㄴ, ㄷ ⑤ ㄱ, ㄴ, ㄷ

03 대기와 해양의 상호 작용

핵심 키워드로 흐름잡기

A 용승, 침강, 연안 용승, 적도 용승, 용존 산소량

B 엘니뇨, 라니냐, 워커 순환, 남방 진동

A 용승과 침강

|출·제·단·서| 시험에는 용승을 일으키는 바람의 방향 및 용승에 따른 해양 환경 변화 등을 묻는 문제가 나와.

1. 표층 해수의 이동 해수면 위에서 바람이 한 방향으로 지속적으로 불면, 바람에 의해 해수가 이동한다. ⇨ 표층 해수는 평균적으로 바람 방향의 90° 방향으로 이동한다.

빈출 자료 바람에 의한 해수의 이동(에크만 수송)

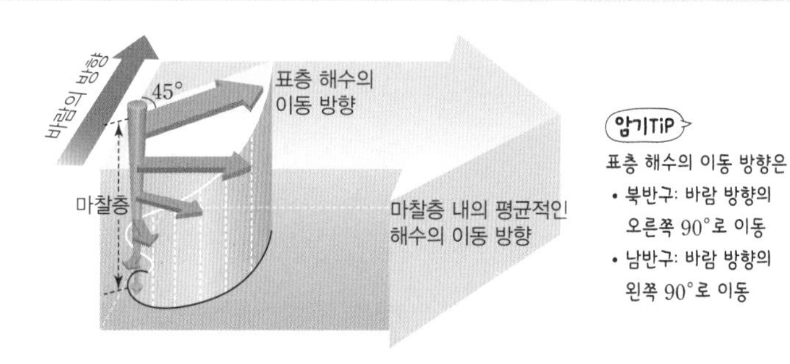

암기TiP
표층 해수의 이동 방향은
• 북반구: 바람 방향의 오른쪽 90°로 이동
• 남반구: 바람 방향의 왼쪽 90°로 이동

❶ 북반구에서 바람이 일정한 방향으로 불면 바람과 해수의 마찰과 지구 자전의 영향으로 표층 해수는 바람 방향의 45° 오른쪽으로 이동한다.

❷ 표층 바로 아래층은 표층 해수와의 마찰력과 지구 자전의 영향으로 표층 해수에 대해 약간 오른쪽으로 편향되어 흐른다. 이 과정이 다음 아래층에서도 계속 일어나면서 점점 더 오른쪽으로 편향되며 해수의 유속은 감소한다.

❸ 표층 해수의 방향과 정반대가 되는 곳까지의 해수층을 마찰층이라고 한다. 결과적으로 바람의 영향을 받는 해수층 전체(마찰층)의 이동은 북반구에서 바람 방향의 오른쪽 90° 방향으로 일어난다.

전향력의 작용 방향
지구 자전의 영향으로 작용하는 전향력은 북반구에서는 물체의 운동 방향의 오른쪽 90° 방향으로 작용하고, 남반구에서는 물체의 운동 방향의 왼쪽 90° 방향으로 작용한다.

2. 용승과 침강

•용승	해수면 위에서 부는 바람에 의해 해수가 발산하면 이를 보충하기 위해서 심해의 찬 해수가 표층으로 올라오는 현상
•침강	해수면 위에서 부는 바람에 의해 해수가 수렴하면 표층의 따뜻한 해수가 심해로 내려가는 현상

연안 용승 해역의 특징
용승이 일어나는 해역은 표층에서 따뜻한 해수는 외해 쪽으로 이동하고 용승한 차가운 해수가 해안에 분포하므로 해안에서 멀어지면서 해수의 온도가 높아지는 수온 분포를 나타낸다.

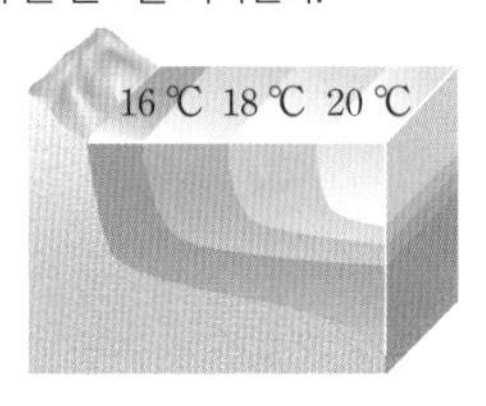

3. 용승과 침강의 종류

(1) 연안 용승과 연안 침강 대륙의 동해안에서는 남풍이 불 때 연안 용승이, 북풍이 불 때 연안 침강이 나타난다.

연안 용승(북반구 대륙의 서해안)	연안 침강(북반구 대륙의 서해안)
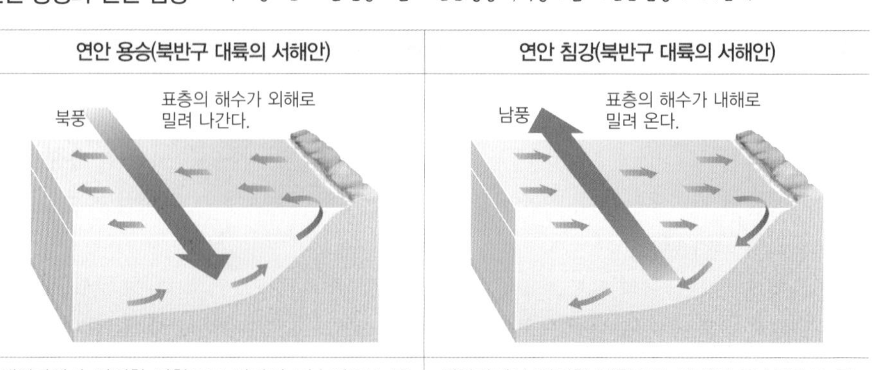	
해안가에서 일정한 방향으로 바람이 지속적으로 불 때 표층 해수의 이동이 먼 바다 쪽으로 일어나면서 이를 보충하기 위해 심층의 찬 해수가 올라오는 현상	해안가에서 일정한 방향으로 바람이 지속적으로 불 때 표층 해수의 이동이 연안 쪽으로 일어나면서 모인 표층 해수가 아래로 내려가는 현상

용어 알기
•용승(샘솟다 湧, 오르다 昇) 심해의 해수가 표면으로 솟아 오르는 현상
•침강(가라앉다 沈, 내리다 降) 표층의 물이 아래로 가라앉는 현상

(2) 적도 용승

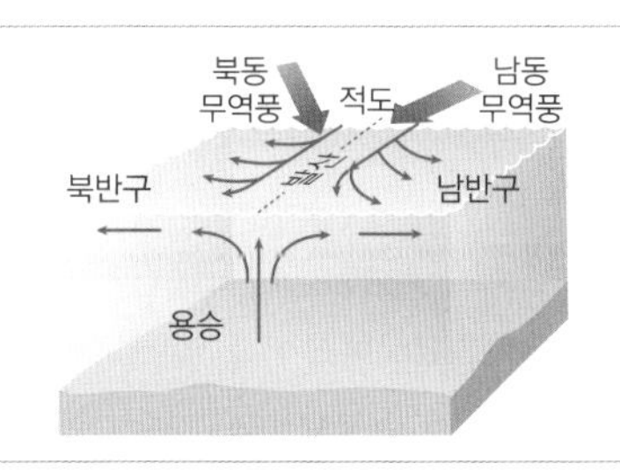	적도 해역에서 무역풍에 의해 적도를 경계로 양극 쪽으로 해수의 이동이 일어나고 이를 보충하기 위해 심층의 찬 해수가 올라오는 현상

(3) 저기압과 고기압에서의 용승과 침강

저기압에서 용승	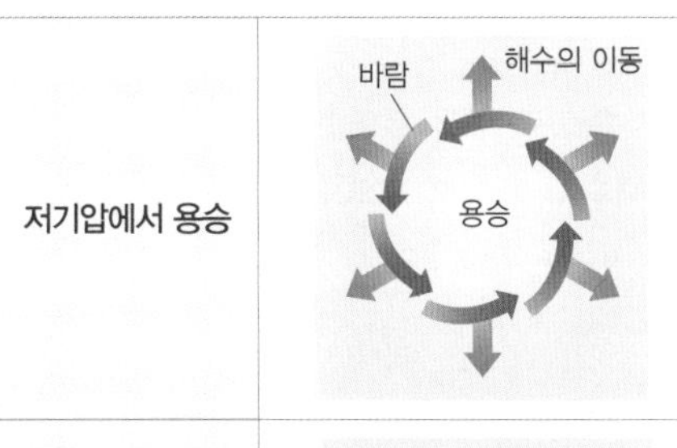	북반구의 저기압에서 반시계 방향으로 부는 바람에 의해 해수의 이동이 일어나 표층에서는 해수가 •발산하면서 용승이 일어난다. 남반구 저기압에서는 시계 방향으로 바람이 불지만, 해수가 바람 방향의 왼쪽으로 이동하기 때문에 북반구와 같이 용승이 일어난다.
고기압에서 침강		북반구의 고기압에서 시계 방향으로 부는 바람에 의해 해수의 이동이 일어나 표층에서는 해수가 •수렴하면서 침강이 일어난다. 남반구 고기압에서는 반시계 방향으로 바람이 불지만, 해수가 바람 방향의 왼쪽으로 이동하기 때문에 북반구와 같이 침강이 일어난다.

우역풍에 의해 적도의 북쪽 해역에서는 표층 해수가 북쪽으로, 적도의 남쪽 해역에서는 표층 해수가 남쪽으로 이동하므로 적도 부근의 해역에서 표층 해수의 발산이 일어나.

우리나라의 연안 용승

우리나라도 남풍 계열의 계절풍이 우세한 6월~8월에는 동해 연안에서 용승이 일어난다. 용승이 일어나면 연안 해수의 수온이 주변 해수보다 5 ℃ 정도 낮아져 연안 난류성 어류 양식업이 피해를 입기도 하고 찬 해수의 영향으로 짙은 안개가 발생하기도 한다.

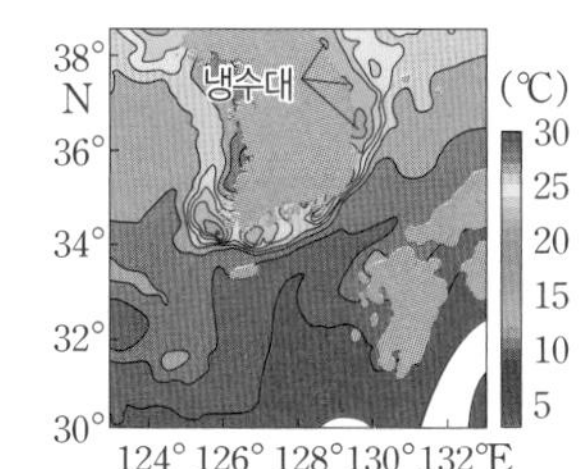

4. 용승 해역과 용승과 침강의 영향

(1) 용승 해역

① **연안 용승이 잘 나타나는 해역:** 태평양과 대서양 적도 부근의 동쪽 해역에서 무역풍과 해류가 해안 가까이에 있는 표층 해수를 외해 쪽으로 이동시키면서 연안 용승이 잘 나타난다.

② **전 세계 주요 용승 해역:** 세계적으로 널리 알려진 용승 해역은 북아메리카의 캘리포니아 연안, 남아메리카의 페루 연안, 아프리카의 서해안 등 주로 대륙의 서안에 발달하고 있다.

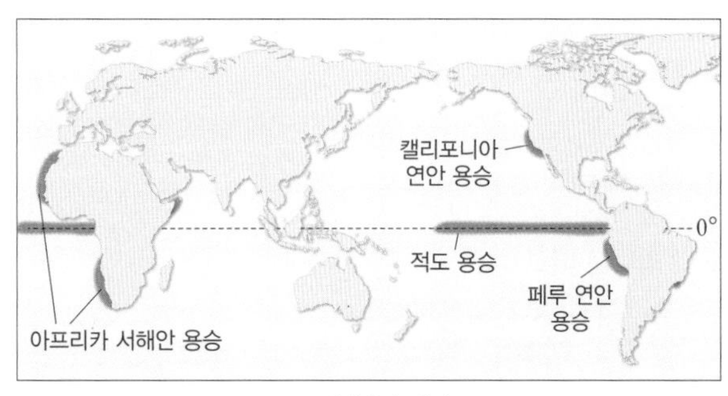

▲ 세계 용승 해역

(2) 용승의 영향

① **기후:** 찬 해수에 의해 대기가 냉각되므로 서늘한 기후가 나타나고, 안개가 자주 발생한다.

② **어장 형성:** 용승 현상으로 심층수가 올라오면 심층수에 녹아 있던 질산염, 인산염 등의 영양 염류❶가 표층으로 운반되므로, 이들 영양 물질로 인해 플랑크톤의 성장이 활발해져 어류 등 해양 생물들이 풍부해지고 좋은 어장이 형성된다.

(3) 침강의 영향

① **산소 공급:** 심해의 해양 생물에게 필요한 산소를 공급한다.

② **수온 변화:** 표층 수온이 상승하고, 수온 약층의 깊이가 깊어진다.

❶ 영양 염류

생물이 생활을 하는 데에 필요한 염류로, 해수에 녹아 있는 규소, 인, 질소 등을 말한다. 질산염은 생물의 조직을 만드는 데에 사용되며, 규산염은 생물의 골격을 만드는 데에 사용된다. 영양 염류가 풍부한 해역에서는 해양 생물의 개체 수가 증가한다.

용어 알기 

•발산(피다 發, 흩어지다 散) 밖으로 퍼져 흩어짐

•수렴(거두다 收, 거두다 斂) 한 점으로 모임

B 엘니뇨와 라니냐

|출·제·단·서| 시험에는 엘니뇨와 라니냐의 발생 차이점, 동태평양과 서태평양의 수온, 기압 등의 차이, 남방 진동을 해석하는 것 등을 묻는 문제가 나와.

엘니뇨와 라니냐의 판단 기준
적도 부근의 남아메리카 연안으로부터 열대 태평양 중앙에 이르는 넓은 해역에 걸쳐 해수면의 온도가 평상시보다 0.5 ℃ 이상 높아지고 5개월 이상 계속되면 엘니뇨, 반대로 평상시보다 0.5 ℃ 이상 낮아지고 5개월 이상 계속되면 라니냐로 판단한다.

1. 엘니뇨와 라니냐

(1) 엘니뇨 무역풍이 평상시보다 약해지면 태평양의 적도 부근을 따라 남아메리카 해안에서 태평양 중앙부에 이르는 넓은 범위에서 해수면 온도가 높아지는 현상이다.

(2) 라니냐 무역풍이 평상시보다 강해지면 열대 동태평양의 용승 현상은 더욱 강해진다. 이로 인해 동태평양의 한랭 수역이 확대되어 표층 수온이 낮아지는 현상이다.

2. 엘니뇨와 라니냐의 발생과 비교 개념 POOL

(1) 평상시 태평양의 적도 부근 해역은 동쪽에서 서쪽으로 부는 무역풍에 의해 따뜻한 해수가 서쪽으로 이동하므로 페루 연안 해역에서는 찬 해수가 용승하여 표층 수온이 낮다.

(2) 엘니뇨와 라니냐의 발생 암기TiP 엘니뇨는 무역풍 약화, 라니냐는 무역풍 강화

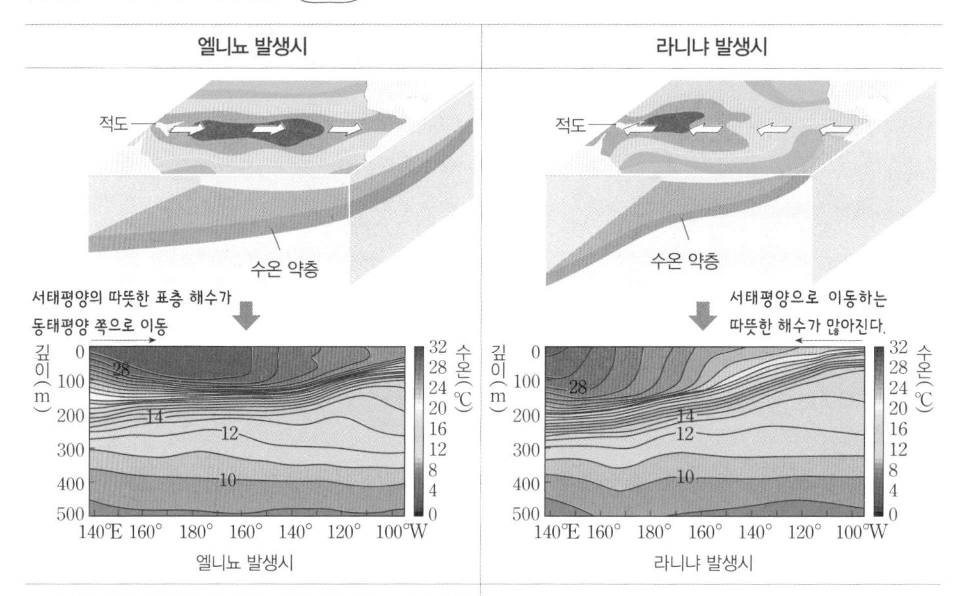

엘니뇨 발생시 / 라니냐 발생시

엘니뇨 발생시	라니냐 발생시
• 발생 과정: 태평양의 적도 부근에서 부는 무역풍이 약해져 페루 연안 해역에서의 용승 현상이 약해진다. ⇨ 서쪽에서 동쪽으로 따뜻한 해수가 이동하여 태평양 중앙부에서 페루 연안에 이르는 해역의 표층 수온이 상승한다. • 해양 변화: 등온선의 기울기가 완만하고, 동·서 태평양에서 수온 약층의 깊이 차이가 작다.	• 발생 과정: 무역풍이 평상시보다 강해지면 열대 동태평양의 용승 현상은 더욱 강해진다. ⇨ 동태평양의 한랭 수역이 확대되어 표층 수온이 낮아진다. • 해양 변화: 동·서 태평양의 수온 차이가 커지고, 수온 약층의 깊이는 동태평양에서 얕고 서태평양에서 깊게 나타난다.

태평양의 수온
평상시 동태평양의 수온은 약 24 ℃~25 ℃이고, 서태평양의 수온은 약 29 ℃~30 ℃이다.

(3) 평상시와 엘니뇨와 라니냐 비교

구분			수온 분포	해수면 높이	기압 분포	기상 현상
평상시	20°N 10°N 0° 10°S 20°S (℃) 30 26 22 18	동태평양	저온	낮다	고기압	건조
		서태평양	고온	높다	저기압	다습
엘니뇨	20°N 10°N 0° 10°S 20°S (℃) 30 26 22 18	동태평양	높아짐	높아짐	저기압	폭우, 홍수
		서태평양	낮아짐	낮아짐	고기압	가뭄
라니냐	20°N 10°N 0° 10°S 20°S (℃) 30 26 22 18	동태평양	낮아짐	낮아짐	고기압	가뭄
		서태평양	높아짐	높아짐	저기압	폭우, 홍수

용어 알기

● 엘니뇨(El Nino) 스페인어로 남자 아이라는 뜻으로 엘니뇨가 크리스마스를 전후해 나타나므로 현지인들은 이를 '아기 예수'를 일컫는 엘니뇨라 이름을 붙임

● 라니냐(La Nina) 스페인어로 여자 아이라는 뜻으로 엘니뇨와 반대 현상이기 때문에 붙여진 이름

3. 남방 진동 엘니뇨와 라니냐 현상의 발생으로 인한 열대 태평양의 기압 분포 변화를 남방 진동이라고 한다.

(1) 평상시 태평양의 서쪽 해역에는 표층 수온이 높아 상승 기류가 발달하고, 동쪽 해역에는 표층 수온이 낮아 하강 기류가 발달하는 대기 순환이 일어나는데, 이를 •워커 순환이라고 한다.

(2) 엘니뇨 발생시 엘니뇨 발생시에는 순환의 상승 기류가 발달한 지역이 동쪽으로 이동하여 태평양 중앙부와 동쪽 해역(페루 연안)에는 상승 기류가 발달하고, 태평양의 서쪽 연안(인도네시아 연안)에는 하강 기류가 발달하여 서태평양(다윈)은 기압이 상승하고 동태평양(타이티섬)은 기압이 하강한다. 엘니뇨와 라니냐 시기에 기압 분포는 반대로 나타난다.

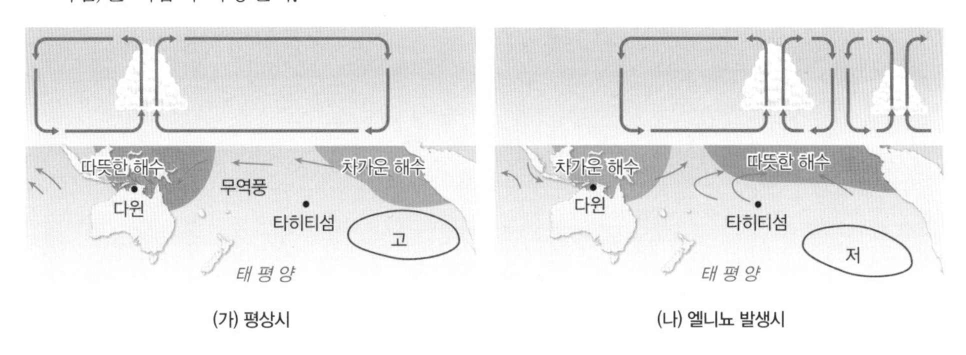

(가) 평상시 (나) 엘니뇨 발생시

빈출 자료 남방 진동

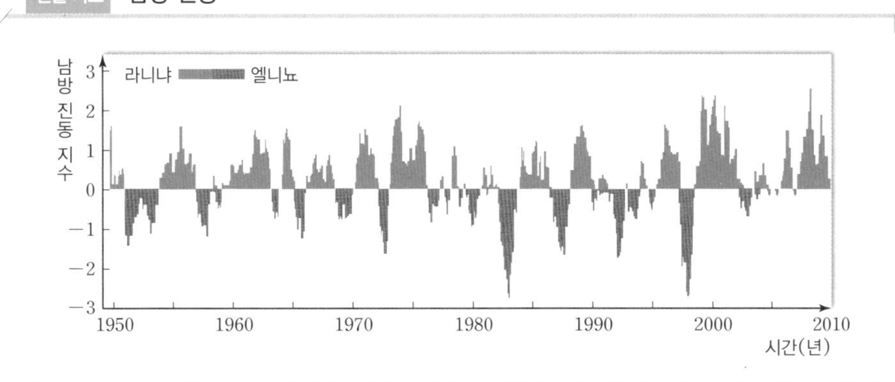

❶ 엘니뇨와 라니냐 현상으로 인한 열대 태평양의 기압 분포 변화를 남방 진동(Southern Oscillation)이라고 부른다.

❷ 일반적으로 남태평양의 타히티섬과 오스트레일리아의 다윈 지방의 급격한 기압 변화를 기준으로 하는데, 타히티섬의 해면 기압에서 다윈 지역의 해면 기압을 뺀 값을 남방 진동 지수❷로 사용한다.

❸ 남방 진동 지수가 양의 값이면 태평양의 무역풍이 강해지고 오스트레일리아 북부의 수온이 높아지는 라니냐에 해당하며, 남방 진동 지수가 음의 값이면 엘니뇨에 해당한다.

❹ 엘니뇨와 라니냐 현상은 해양에서 발생하고 남방 진동은 대기에서 발생하는 현상이지만 사실은 대기와 해양이 서로 영향을 주고 받아 생성되는 하나의 현상이므로, 지금은 엔소(ENSO: El Nino and Southern Oscillation, 엘니뇨 남방 진동)라고 부른다.

4. 엘니뇨의 영향

(1) 기후 변화

① 엘니뇨가 발생하면 넓은 열대 해역에서 더 많은 양의 에너지와 수증기가 대기로 방출되어 평년과 다른 이상 기후가 발생한다. ⇨ 서태평양은 강수량이 감소하여 가뭄의 피해가 생기고, 동태평양은 강수량이 증가하여 홍수가 발생한다.

② 수온이 높아진 동태평양에서는 허리케인이 많이 발생하기도 한다.

(2) 경제 사회적 영향 엘니뇨 시기에 인도네시아, 인도, 오스트레일리아 등의 나라에서는 농작물 생산량이 급감하여 곡물 가격이 급등하며, 페루 앞바다에서는 용승이 잘 일어나지 않아서 수산업이 저조해진다.

암기TiP
- 엘니뇨: 서태평양(강수량 감소 → 가뭄), 동태평양(강수량 증가 → 홍수)
- 라니냐: 서태평양(강수량 증가 → 홍수), 동태평양(강수량 감소 → 가뭄)

❷ 남방 진동 지수

적도 태평양 동쪽과 서쪽의 월 평균 기압 차이를 나타내는 지수이다.
- 남방 진동 지수＝타히티섬의 해면 기압－다윈의 해면 기압
- 엘니뇨 시기: 남방 진동 지수 (−)
- 라니냐 시기: 남방 진동 지수 (+)

엘니뇨와 어장 형성

평상시 페루 해류(한류)가 북쪽으로 흐르는 남아메리카 서해안을 따라 부는 남풍은 연안 용승을 일으켜 영양 염류가 풍부한 심해의 물을 상승시켜 좋은 어장이 형성된다. 한편 영양 염류가 부족한 적도 반류가 강해져 한류를 대신하면, 페루 연안의 수온이 상승하며 어장이 황폐해진다.

용어 알기

•워커 순환(Walker ciculation) 열대 태평양에서 형성되는 동서 방향의 거대한 대기 순환으로, 이 순환을 발견한 학자의 이름을 따서 붙임

엘니뇨와 라니냐

목표 평상시와 엘니뇨와 라니냐 발생시의 차이점을 설명할 수 있다.

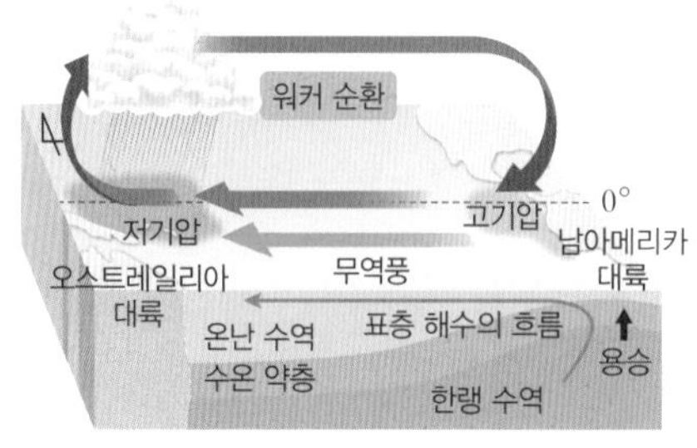

▲ 평상시

| 평상시 |

- 서태평양에서는 저기압이 형성되어 비가 내리고, 동태평양에서는 고기압이 형성되어 날씨가 맑다.
- 동태평양은 용승으로 수온이 낮고, 서태평양은 수온이 높다.

| 평상시 → 엘니뇨 |

- 서태평양에 고기압, 열대 태평양의 중앙 또는 동쪽으로 치우친 지역에 저기압 발달 → 남방 진동 지수가 (−)가 됨
- 무역풍이 약화되고 동태평양의 수온이 평소보다 높아짐 → 동태평양과 서태평양의 수온차가 작아짐(동서 방향의 등수온선 기울기가 작아짐) → 동태평양의 수온 편차(관측값 − 평년값)가 (+)로 크게 나타남
- 동태평양의 용승이 약화되고 따뜻한 해수층이 두꺼워지고 수온 약층의 깊이가 깊어짐
- 서태평양 지역에는 가뭄이, 동태평양 지역에 홍수가 일어남

| 평상시 → 라니냐 |

- 서태평양에 저기압, 동태평양에 고기압이 강화됨 → 남방 진동 지수가 (+)가 됨
- 무역풍이 강화되고 동태평양의 수온이 평소보다 낮아짐 → 동태평양과 서태평양의 수온차가 커짐(동서 방향의 등수온선 기울기가 커짐) → 동태평양의 수온 편차(관측값 − 평년값)가 (−)로 크게 나타남
- 동태평양의 용승이 강화되고 수온 약층의 깊이가 얕아짐
- 평소보다 서태평양 지역에는 강수량이 증가하고, 동태평양 지역에는 강수량 감소로 가뭄이 나타남

▲ 엘니뇨 시기

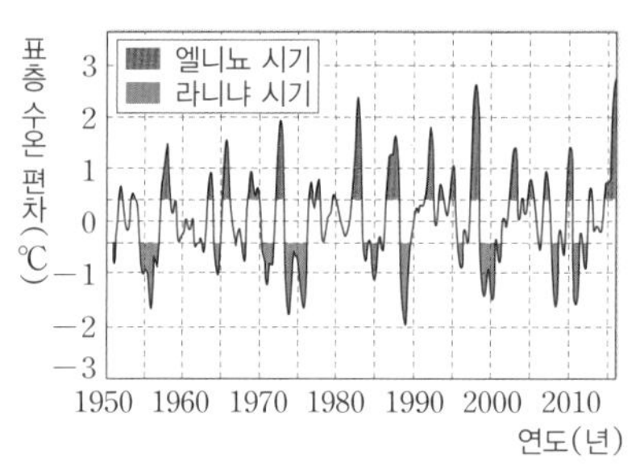

▲ 열대 태평양에서의 표층 수온 편차

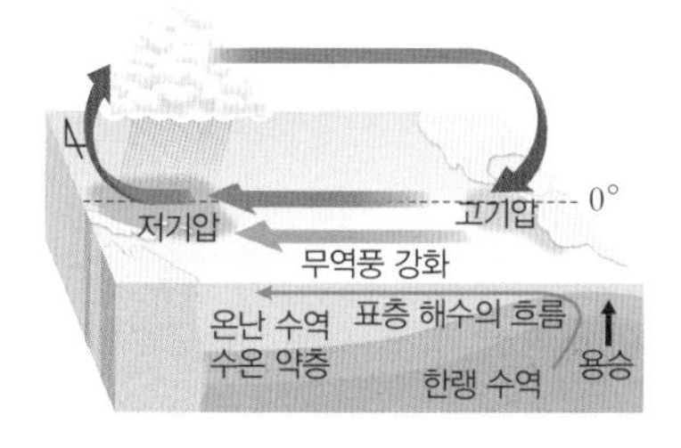

▲ 라니냐 시기

한·줄·핵심 동태평양의 수온 편차는 엘니뇨 시기에는 (+), 라니냐 시기에는 (−)이다.

확인 문제

정답과 해설 50쪽

01 그림 (가)와 (나)는 열대 태평양에서 엘니뇨와 라니냐 시기에 평상시와 표층 수온 차이를 나타낸 것이다. 각각의 시기를 쓰시오.

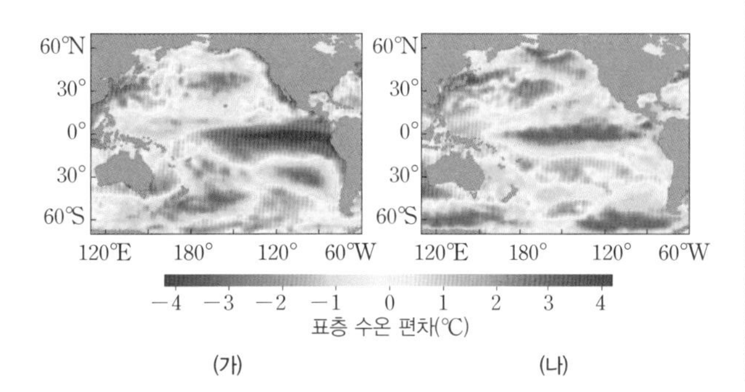

(가) (나)

02 엘니뇨에 대한 설명으로 옳은 것은 ○, 옳지 않은 것은 ×로 표시하시오.

(1) 동태평양의 수온 편차는 엘니뇨 시기가 라니냐 시기보다 크다. ( )

(2) 동태평양과 서태평양의 표층 수온 차이는 엘니뇨 시기가 라니냐 시기보다 크다. ( )

(3) 동태평양 해수면상의 기압은 평상시보다 엘니뇨 시기가 높다. ( )

콕콕!
개념 확인하기

정답과 해설 50쪽

✔ 잠깐 확인!

1. ☐☐ ☐☐
해안에서 해수가 먼 바다 쪽으로 이동하여 심층의 찬 해수가 올라오는 현상

2. ☐☐ ☐☐
적도 해역에서 무역풍에 의한 해수의 이동으로 심층의 찬 해수가 올라오는 현상

3. ☐☐ ☐☐
해수의 이동이 육지 쪽으로 일어나 해수가 수렴하면서 표층의 따뜻한 해수가 심해로 내려가는 현상

4. ☐☐☐
동태평양 적도 부근의 해수면 온도가 평상시보다 높아지는 현상

5. ☐☐☐
무역풍이 평상시보다 강해져서 열대 동태평양의 한랭 수역이 확대되어 표층 수온이 낮아지는 현상

6. ☐☐ ☐☐
엘니뇨와 라니냐 현상으로 인한 열대 태평양의 기압 분포 변화

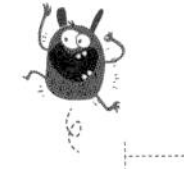

A 용승과 침강

01 용승과 침강에 대한 설명으로 옳은 것은 ○, 옳지 않은 것은 ×로 표시하시오.

(1) 북반구에서 대륙의 서해안에 남풍이 계속 불면 용승이 일어난다. ( )

(2) 적도 용승은 무역풍에 의해 해수의 이동이 고위도 쪽으로 일어나면서 발생한다. ( )

(3) 연안 용승이 일어나는 해역은 해안에서 멀어지면서 해수의 온도가 낮아진다. ( )

(4) 강한 저기압의 중심에서는 해수의 발산이 일어나면서 용승이 일어날 수 있다. ( )

(5) 용승이 활발한 해역에는 좋은 어장이 형성된다. ( )

(6) 용승이 일어나는 해역의 해수는 주변 해수보다 용존 산소량과 영양 염류가 많다. ( )

B 엘니뇨와 라니냐

02 엘니뇨와 라니냐에 대한 설명으로 옳은 것은 ○, 옳지 않은 것은 ×로 표시하시오.

(1) 엘니뇨는 무역풍이 평상시보다 강하게 불 때 발생한다. ( )

(2) 엘니뇨가 발생하면 동태평양 적도 부근의 표층 수온은 평상시보다 높아진다. ( )

(3) 라니냐가 발생하면 서태평양 해역에는 강한 하강 기류가 발달하므로 가뭄이 나타난다. ( )

(4) 엘니뇨와 라니냐는 일정한 주기로 반복되어 나타난다. ( )

03 그림은 엘니뇨 시기와 라니냐 시기에 열대 태평양의 연직 수온 분포를 순서 없이 나타낸 것이다. 각각은 어느 시기에 해당하는지 쓰시오.

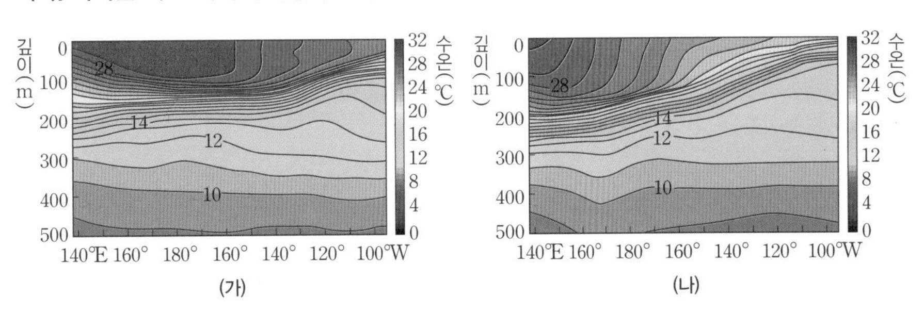

04 다음은 남방 진동에 대한 설명이다. ( ) 안에 들어갈 알맞은 말을 쓰시오.

(1) 엘니뇨와 라니냐 현상으로 인한 열대 태평양의 ( ) 분포 변화를 남방 진동이라고 한다.

(2) 남방 진동 지수가 (+)일 때는 ( )가 발생한 시기이다.

(3) 엘니뇨와 ( )을 한 현상으로 묶어서 엔소(ENSO)라고 한다.

(4) 워커 순환에서 평상시 태평양의 서쪽 해역에는 ( ) 기류가, 동쪽 해역에는 ( ) 기류가 발달한다.

(5) 서태평양 해역의 기압은 라니냐 발생시가 평상시보다 ( )다.

탄탄! 내신 다지기

A 용승과 침강

01 그림과 같이 북반구 어느 해안 지방에 남풍이 지속적으로 불 때 A-B를 따라 자른 단면의 수온 분포로 옳은 것은?

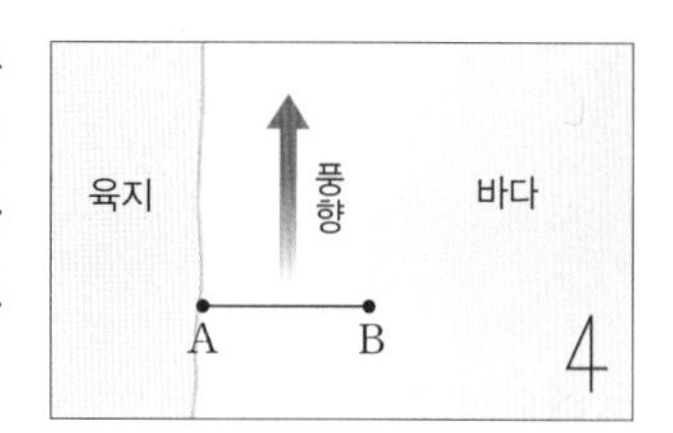

① A B 16 ℃ 18 ℃ 20 ℃ 육지

②

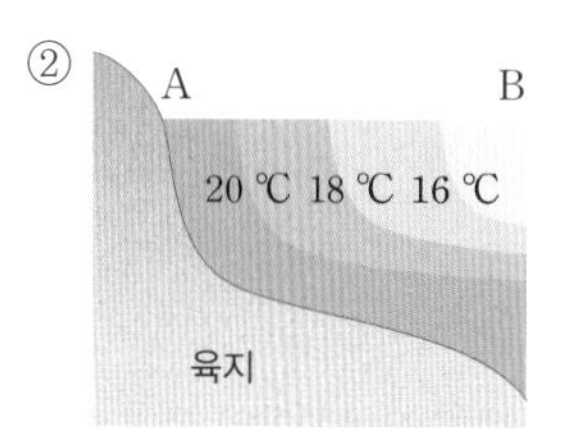

③

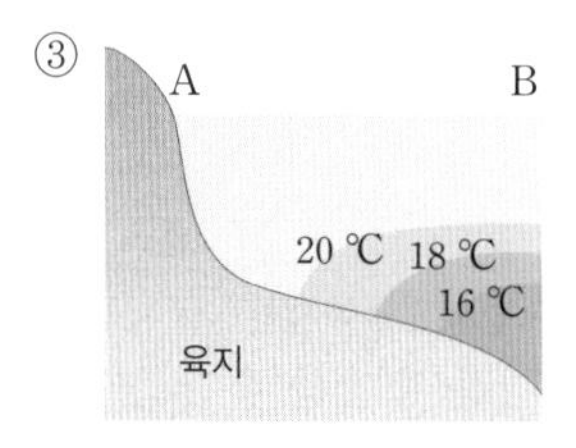

④

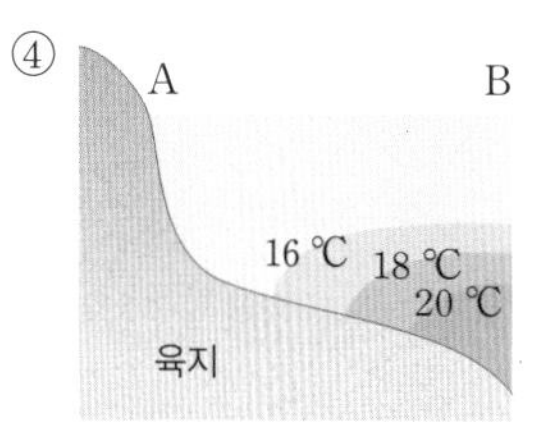

⑤

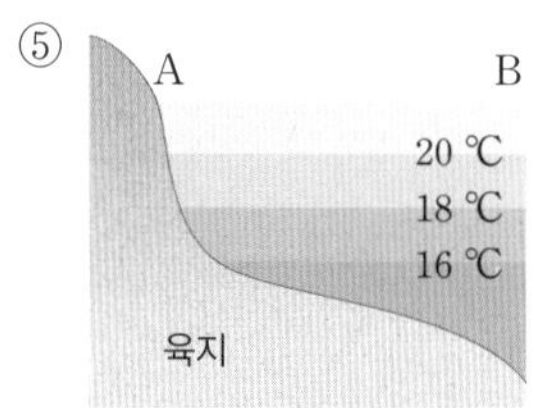

02 그림은 적도 해역에서 대기 대순환에 의한 바람의 방향을 나타낸 것이다.

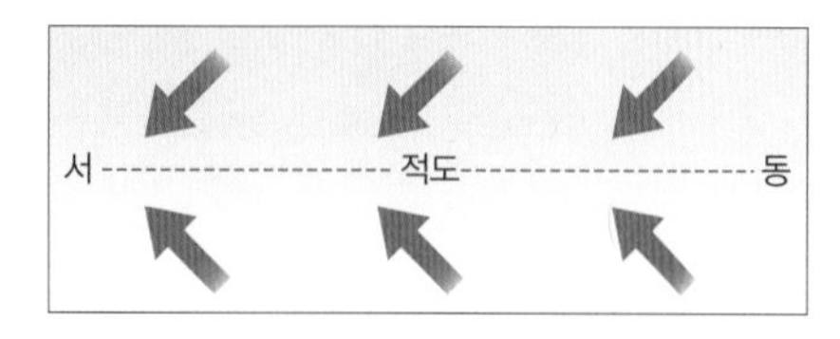

이에 대한 설명으로 옳은 것만을 〈보기〉에서 있는 대로 고른 것은?

보기
ㄱ. 적도를 따라 용승이 일어난다.
ㄴ. 표층 해수는 적도 쪽으로 수렴한다.
ㄷ. 적도 해역은 주변 해수보다 영양 염류가 많아진다.

① ㄱ ② ㄴ ③ ㄱ, ㄷ
④ ㄴ, ㄷ ⑤ ㄱ, ㄴ, ㄷ

03 다음은 북반구 해양에서 강한 저기압에 의해 나타나는 연직 방향의 해수의 이동을 설명한 것이다.

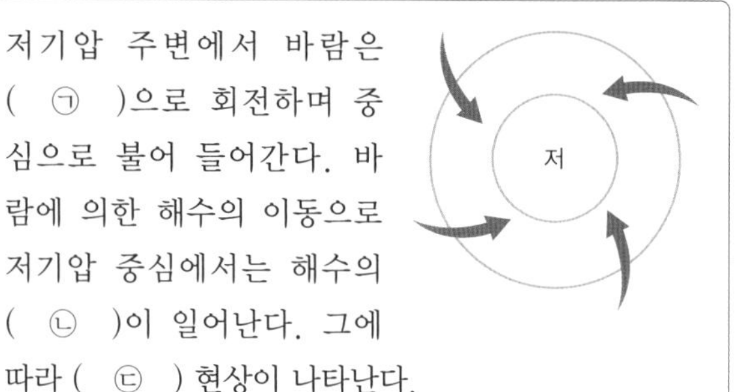

㉠~㉢에 들어갈 내용을 옳게 짝 지은 것은?

	㉠	㉡	㉢
①	시계 방향	수렴	침강
②	시계 방향	발산	용승
③	반시계 방향	수렴	침강
④	반시계 방향	발산	용승
⑤	반시계 방향	수렴	용승

단답형

04 그림은 적도 해역에서 무역풍이 평소보다 강하게 불 때를 나타낸 것이다.
평상시와 비교하여 적도 해역의 수온, 용존 산소량의 변화를 쓰시오.

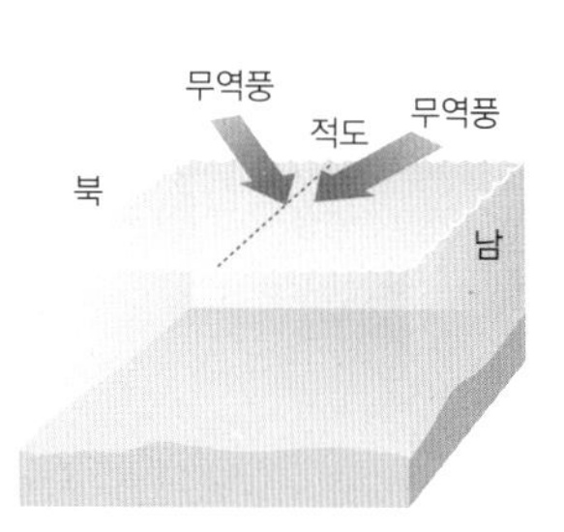

단답형

05 그림 (가)와 (나)는 북반구의 두 해안에서 바람이 지속적으로 부는 모습을 나타낸 것이다.

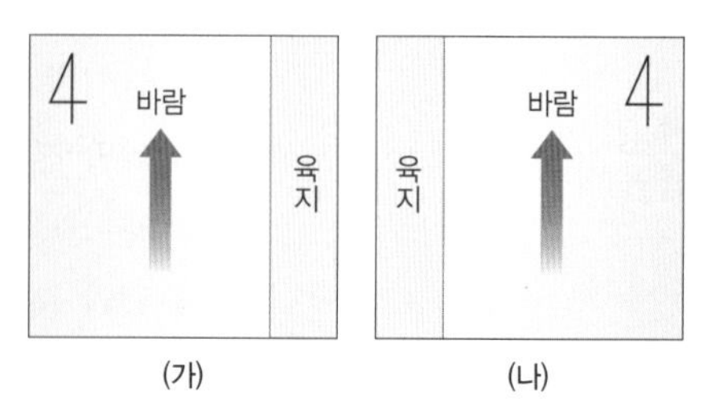

두 경우 연안에서 일어나는 해수의 침강이나 용승을 쓰시오.

B 엘니뇨와 라니냐

단답형

06 그림 (가), (나), (다)는 평상시, 엘니뇨 시기, 라니냐 시기에 열대 태평양의 표층 수온 분포를 순서 없이 나타낸 것이다. (가), (나), (다)에 해당하는 현상을 쓰시오.

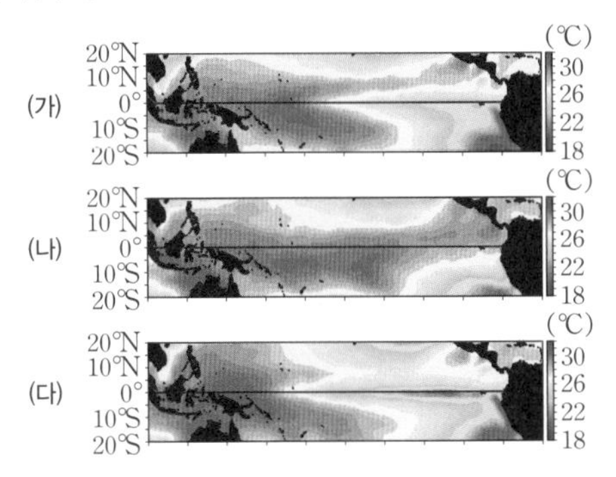

07 엘니뇨와 라니냐에 대한 설명으로 옳은 것은?

① 엘니뇨가 발생하면 무역풍이 강해진다.
② 라니냐가 발생하면 동태평양 적도 해역의 수온이 상승한다.
③ 남적도 해류가 강해지면 서태평양 적도 해역은 홍수가 예상된다.
④ 엘니뇨가 발생하면 적도 부근 동태평양 지역은 강수량이 감소하여 가뭄이 예상된다.
⑤ 엘니뇨나 라니냐가 발생하면 적도 부근에 위치한 나라에서만 기상 이변 현상이 나타난다.

08 표는 태평양 적도 해역에서 엘니뇨나 라니냐 중 한 현상이 발생하였을 때, 대기와 해수의 변화를 평상시와 비교하여 나타낸 것이다.

구분	(㉠) 발생시
무역풍의 세기	약함
동태평양 적도 부근의 표층 수온	㉡
서태평양 적도 부근의 강수량	㉢

㉠~㉢에 들어갈 말을 옳게 짝 지은 것은?

	㉠	㉡	㉢
①	엘니뇨	높아짐	적어짐
②	엘니뇨	낮아짐	많아짐
③	엘니뇨	낮아짐	적어짐
④	라니냐	높아짐	적어짐
⑤	라니냐	낮아짐	적어짐

09 그림은 평상시에 태평양 적도 부근 해역의 동서 방향 연직 단면을 나타낸 것이다.

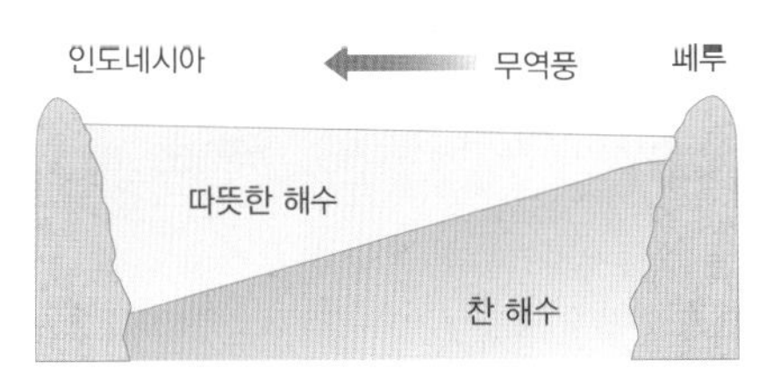

무역풍이 평상시보다 강해질 때 동태평양 적도 해역에서 나타나는 변화로 옳은 것만을 〈보기〉에서 있는 대로 고른 것은?

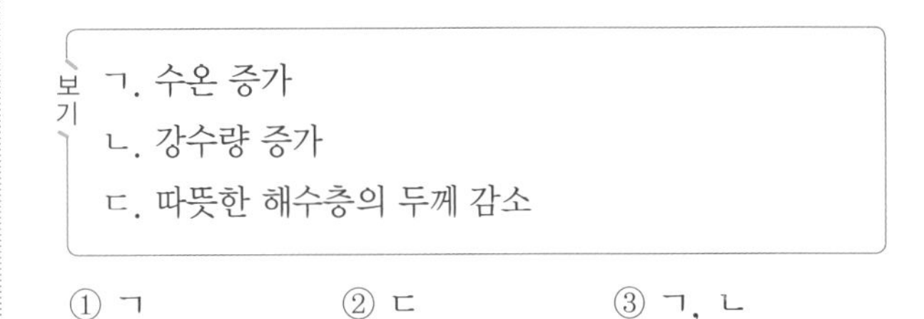

보기
ㄱ. 수온 증가
ㄴ. 강수량 증가
ㄷ. 따뜻한 해수층의 두께 감소

① ㄱ ② ㄷ ③ ㄱ, ㄴ
④ ㄴ, ㄷ ⑤ ㄱ, ㄴ, ㄷ

10 그림은 동태평양 적도 부근 페루 앞바다의 해수면 온도 편차(관측값−평년값)를 나타낸 것이다.

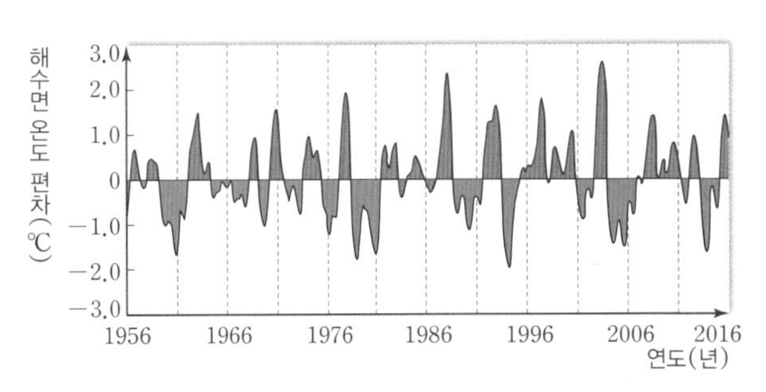

온도 편차가 (−)일 때와 비교하여 (+)일 때에 대한 설명으로 옳지 않은 것은?

① 무역풍의 세기가 감소한다.
② 동태평양의 수온이 높아진다.
③ 서태평양 지역의 기압이 낮아진다.
④ 동태평양 해역의 해수면 높이가 높아진다.
⑤ 동태평양 지역에 폭우와 홍수 피해가 발생한다.

도전! 실력 올리기

01 그림과 같이 북반구의 어느 해안 지역에 남풍이 지속적으로 불 때 나타나는 현상에 대한 설명으로 옳지 않은 것은?

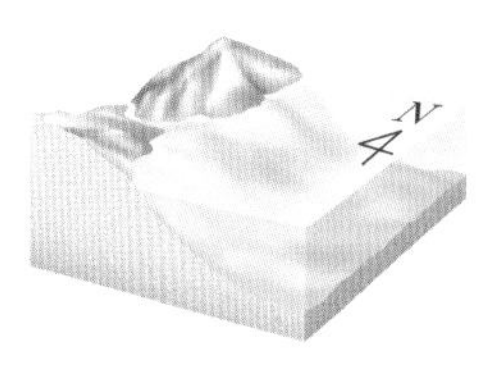

① 연안 용승이 일어난다.
② 해수 중의 영양 염류가 증가한다.
③ 에크만 수송은 해안 쪽으로 일어난다.
④ 심해의 찬 해수가 표층으로 올라온다.
⑤ 해안 지방은 서늘한 날씨가 될 수 있다.

출제예감

02 그림은 어느 지역의 연안을 따라 남풍이 불 때 나타난 표층 수온 분포이다.
이 지역에 대한 설명으로 옳은 것만을 〈보기〉에서 있는 대로 고른 것은?

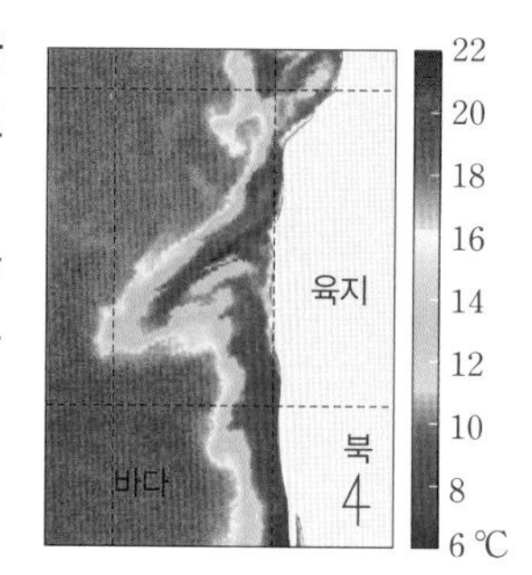

보기
ㄱ. 서늘한 날씨가 나타난다.
ㄴ. 이 지역은 남반구에 위치한다.
ㄷ. 표층 해수는 동쪽으로 이동했다.

① ㄱ ② ㄷ ③ ㄱ, ㄴ
④ ㄴ, ㄷ ⑤ ㄱ, ㄴ, ㄷ

03 그림은 태평양에서 용승이 활발하게 일어나는 해역을 나타낸 것이다.
A, B, C 해역에서 일어나는 현상에 대한 설명으로 옳은 것만을 〈보기〉에서 있는 대로 고른 것은?

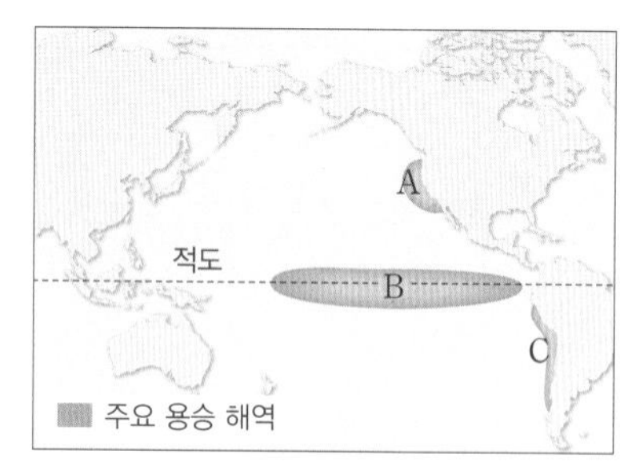

보기
ㄱ. A 해역은 좋은 어장이 형성될 수 있다.
ㄴ. B 해역은 무역풍에 의해 용승이 발생하였다.
ㄷ. C 해역은 남풍이 우세하게 불 때 용승이 일어난다.

① ㄱ ② ㄷ ③ ㄱ, ㄴ
④ ㄴ, ㄷ ⑤ ㄱ, ㄴ, ㄷ

04 그림은 어느 시기에 북아메리카 태평양 연안의 표층 수온 분포와 식물성 플랑크톤의 농도 분포를 나타낸 것이다.

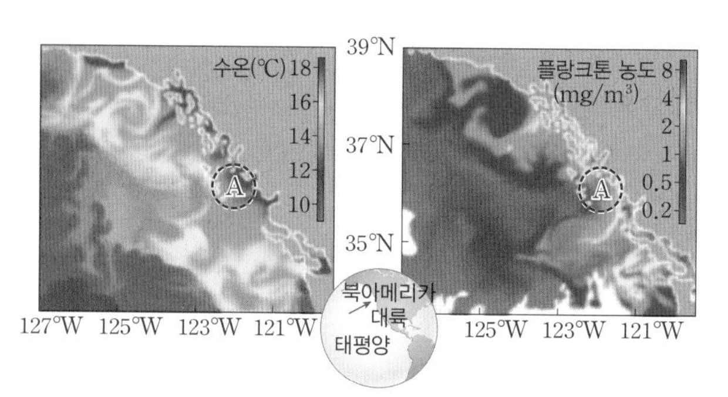

A 해역에 대한 설명으로 옳은 것만을 〈보기〉에서 있는 대로 고른 것은?

보기
ㄱ. 연안에서 해수의 침강이 일어난다.
ㄴ. 해상과 연안에 안개가 잘 발생한다.
ㄷ. 북풍 계열의 바람이 불면서 서쪽으로 해수의 이동이 일어났다.

① ㄱ ② ㄷ ③ ㄱ, ㄴ
④ ㄴ, ㄷ ⑤ ㄱ, ㄴ, ㄷ

출제예감

05 그림은 어느 해에 태평양 적도 부근 해역에서 평상시 표층 수온 분포에 대한 수온 편차(관측값−평년값)를 나타낸 것이다.

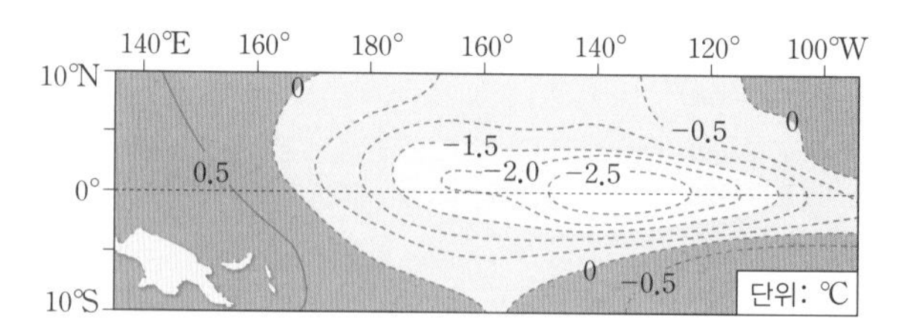

이 시기에 일어나는 현상에 대한 설명으로 옳은 것만을 〈보기〉에서 있는 대로 고른 것은?

보기
ㄱ. 적도 용승이 약해진다.
ㄴ. 동태평양에 허리케인의 발생이 줄어든다.
ㄷ. 동태평양에 평년보다 강수량이 많아진다.

① ㄱ ② ㄴ ③ ㄱ, ㄷ
④ ㄴ, ㄷ ⑤ ㄱ, ㄴ, ㄷ

정답과 해설 52쪽

06 그림 (가)와 (나)는 엘니뇨와 라니냐 발생 시 적도 부근 태평양에서 수온의 연직 분포를 순서 없이 나타낸 것이다.

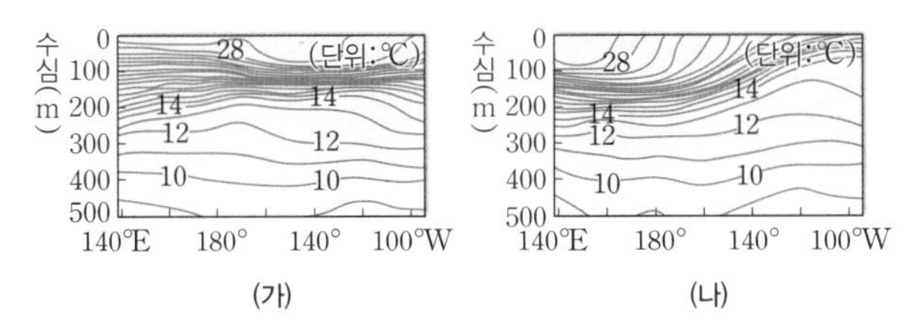

이에 대한 설명으로 옳은 것만을 <보기>에서 있는 대로 고른 것은?

보기
ㄱ. (가)는 라니냐 시기에 해당한다.
ㄴ. 서태평양에서 평균 해수면 높이는 (가)보다 (나) 시기에 높다.
ㄷ. 동태평양에서 수온 약층이 시작되는 깊이는 (가)보다 (나) 시기에 얕다.

① ㄱ ② ㄷ ③ ㄱ, ㄴ
④ ㄴ, ㄷ ⑤ ㄱ, ㄴ, ㄷ

07 그림은 최근 7년간 남방 진동 지수(SOI)의 변화를 나타낸 것이다.

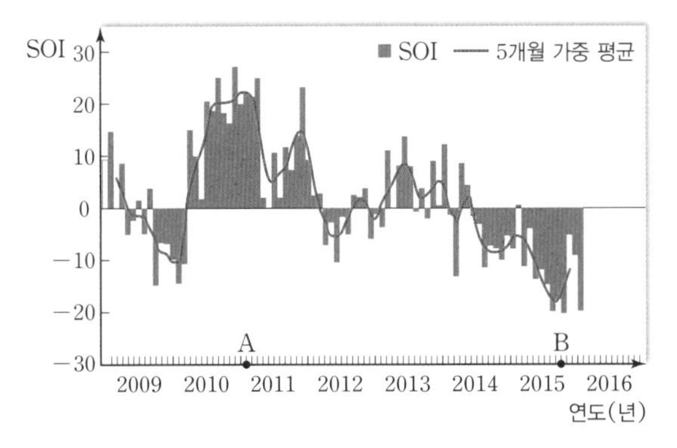

이에 대한 설명으로 옳은 것만을 <보기>에서 있는 대로 고른 것은?

보기
ㄱ. A 시기에 엘니뇨가 발생하였다.
ㄴ. B 시기에 서태평양 해역에는 상승 기류가 발달한다.
ㄷ. 동태평양 해수면의 높이는 A보다 B 시기에 높다.

① ㄱ ② ㄷ ③ ㄱ, ㄴ
④ ㄴ, ㄷ ⑤ ㄱ, ㄴ, ㄷ

단답형

08 그림은 북반구 어느 지역의 동쪽 해안에서 일정한 방향으로 바람이 지속적으로 불 때 표층 수온의 분포를 나타낸 것이다.

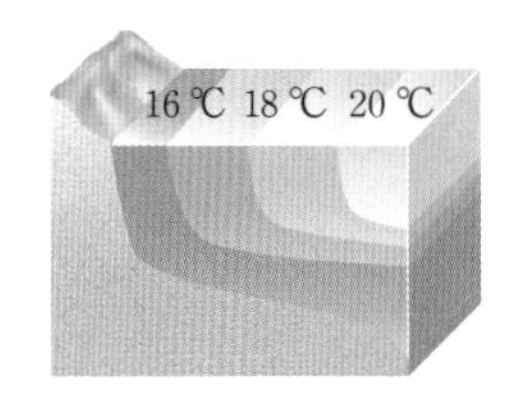

이 지역에 부는 바람의 방향과 연직 방향의 해수의 이동을 쓰시오.

서술형

09 그림은 엘니뇨나 라니냐 중 어느 한 시기의 기압 분포와 대기의 흐름을 나타낸 것이다.

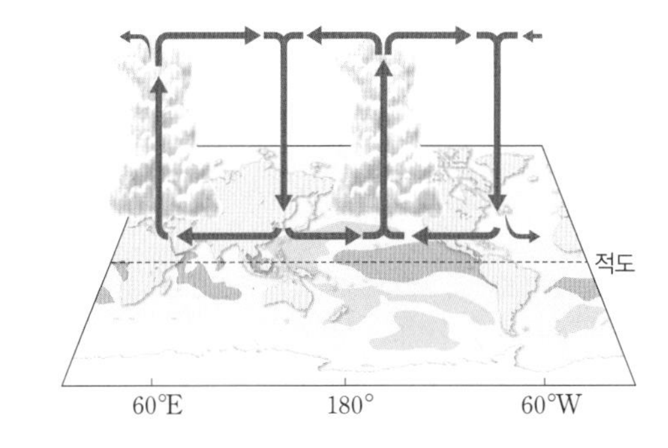

평상시와 비교하여 이 시기에 나타나는 동태평양의 수온 약층이 시작되는 깊이와 동태평양의 평균 기압 변화에 대해 서술하시오.

서술형

10 그림 (가)와 (나)는 엘니뇨나 라니냐 시기의 열대 태평양 표층 수온 분포를 순서 없이 나타낸 것이다.

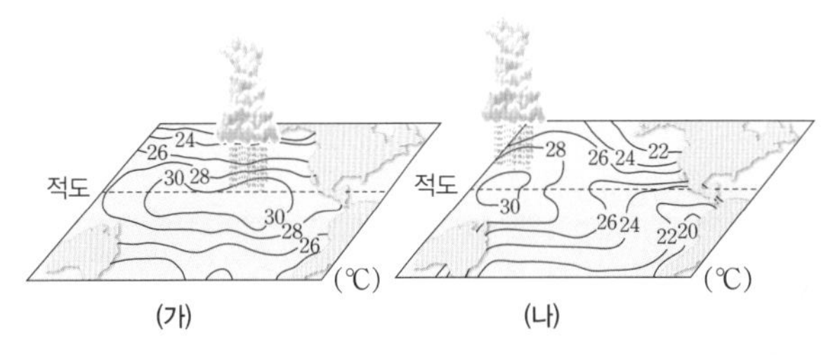

(가)와 (나) 시기를 쓰고, 서태평양과 동태평양의 수온 차이의 크기를 비교하여 서술하시오.

04 지구의 기후 변화

핵심 키워드로 흐름잡기

- A 태양 활동, 세차 운동, 자전축 경사, 공전 궤도 이심률, 대기 투명도
- B 온실 효과, 지구 온난화, 해수면 상승, 아열대 기후 확대

A 기후 변화의 요인

|출·제·단·서| 시험에는 기후 변화의 요인에 따른 기후 변화 양상을 묻는 문제가 나와.

1. 기후 변화의 요인 여러 요인들이 복합적으로 작용하여 실제적인 기후 변화가 나타난다.

(1) 크게 자연적인 요인과 인위적인 요인으로 구분한다.

(2) 자연적인 요인은 지구 외적 요인과 지구 내적 요인으로 나누어 볼 수 있다.

2. 지구 외적(천문학적) 요인

(1) **태양 활동의 변화** 태양 흑점 수의 변화에 따른 태양 복사 에너지양의 변화로 인해 기후가 변할 수 있으며, 역사적으로 소빙하기❶로 알려진 시기는 태양 흑점 수가 적었던 시기와 일치한다.

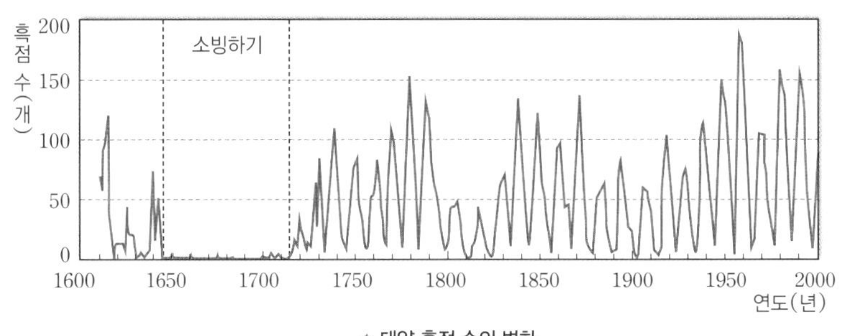

▲ 태양 흑점 수의 변화

(2) **세차 운동** 지구의 자전축이 약 26000년을 주기로 회전하면서 경사 방향이 변하는 운동

① **계절 변화:** 자전축 방향이 현재와 반대가 되면 •근일점과 •원일점에서 계절이 바뀐다.

② **연교차 변화:** 현재 지구는 1월 초에 근일점에 있지만 약 13000년 후에는 7월 초가 근일점이 된다. ⇨ 북반구에서는 현재보다 여름은 더욱 더워지고 겨울은 더욱 추워지므로 연교차와 계절의 변화가 커진다.

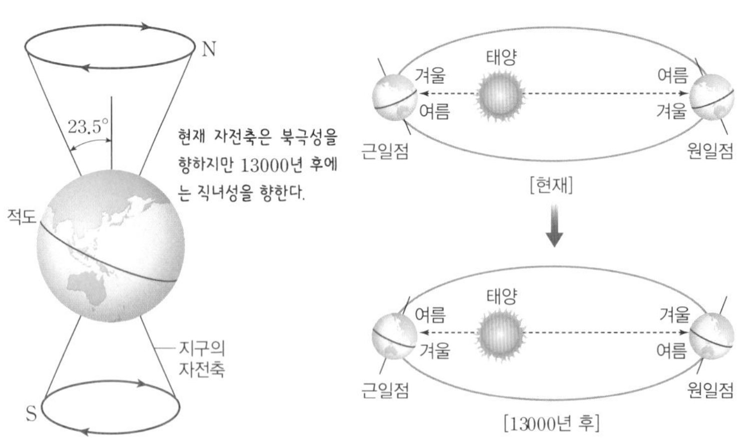

여름이 나타나는 위치가 원일점에서 근일점으로 바뀌었기 때문이다.

지구의 위치		현재	13000년 후	13000년 후 기온 변화
북반구	근일점	겨울	여름	현재보다 태양에 더 가까워져 더 더워진다.
	원일점	여름	겨울	현재보다 태양에서 더 멀어져 더 추워진다.
남반구	근일점	여름	겨울	현재보다 태양에 더 가까워져 더 포근해진다.
	원일점	겨울	여름	현재보다 태양에서 더 멀어져 더 서늘해진다.

❶ **소빙하기**
1645년~1715년은 유럽과 북아메리카 일부 지역의 기온이 매우 낮았던 시기로, 흑점이 거의 관찰되지 않았다.

고기후의 연구 방법
지질 시대의 기후는 빙하의 흔적, 화석, 퇴적물의 성분과 층상 구조 등을 통하여 추정하며 역사 시대의 기후 변화는 고문서, 빙하 퇴적물, 나무의 나이테, 화분 등의 분석을 통하여 추정한다.

암기TiP
세차 운동으로 자전축의 경사 방향이 반대가 되면
① 근일점과 원일점에서 계절이 바뀌고
② 연교차가 커진다(북반구).

용어 알기
• 근일점(가깝다 近, 날 日, 점 點) 지구의 공전 궤도 상에서 태양과 지구 사이의 거리가 가장 가까운 지점
• 원일점(멀다 遠, 날 日, 점 點) 지구의 공전 궤도 상에서 태양과 지구 사이의 거리가 가장 먼 지점

(3) 자전축의 기울기 변화 지구 자전축의 기울기가 약 41000년을 주기로 21.5°와 24.5° 사이에서 변한다. ⇨ 기울기가 변하면 각 위도에서 받는 ●일사량이 변하므로 기후 변화가 생긴다.

- 자전축의 기울기가 클수록 여름철에 받는 일사량이 많아지고(태양의 남중 고도 높아짐), 겨울철에 받는 일사량이 적어지므로(태양의 남중 고도 낮아짐) 계절 변화의 폭이 커지고 연교차도 커진다.

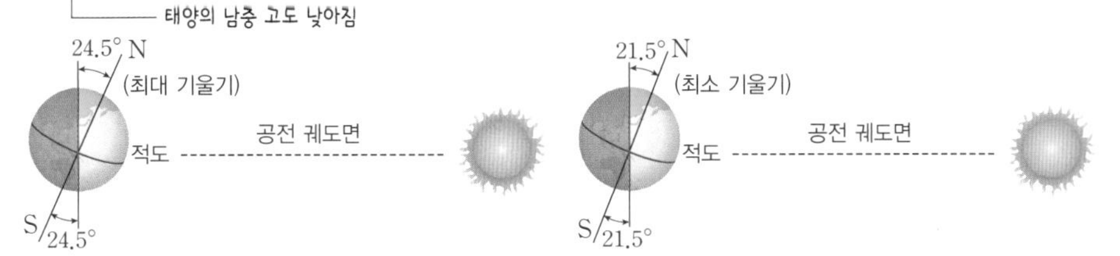

구분	계절	태양의 남중 고도	기온 변화	연교차
지구의 자전축 기울기 증가	여름	증가	상승	증가
	겨울	감소	하강	
지구의 자전축 기울기 감소	여름	감소	하강	감소
	겨울	증가	상승	

자전축의 방향이나 기울기가 변하면 계절에 따른 태양 복사 에너지양은 변하지만, 지구와 태양 사이의 평균 거리는 달라지지 않았으므로 일 년 동안 받는 총 태양 복사 에너지양은 일정해.

(4) 공전 궤도 이심률❷의 변화 지구가 태양을 도는 타원 궤도의 ●이심률이 약 10만 년을 주기로 변한다. ⇨ 계절에 따라 지구가 받는 태양 복사 에너지양도 변한다(지구와 태양 사이의 거리가 변하기 때문에).

① 현재 1월과 7월의 일사량의 차이는 약 7 %이나, 이심률이 최대로 커지면 약 20~30 %로 커진다.

② 이심률이 작아져서 공전 궤도가 원에 가까워질수록 근일점의 거리는 더 멀어지고, 원일점의 거리는 더 가까워진다.

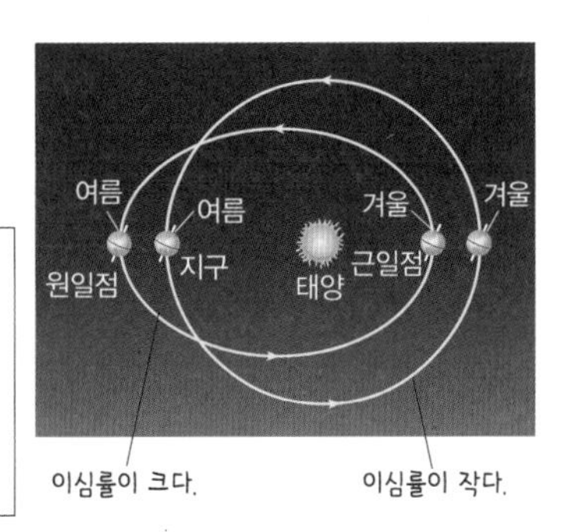

❷ **공전 궤도 이심률**
타원의 긴 반지름의 길이를 a, 짧은 반지름의 길이를 b라고 하면, 타원의 이심률은 $\frac{\sqrt{a^2-b^2}}{a}$이다. 이심률이 0이면 원이고, 1에 가까울수록 직선(평면)이 된다.

구분	계절		기온 변화	연교차
이심률 감소 (타원형 → 원형)	북반구	여름	원일점 거리 감소 → 기온 상승	증가
		겨울	근일점 거리 증가 → 기온 하강	
	남반구	여름	근일점 거리 증가 → 기온 하강	감소
		겨울	원일점 거리 감소 → 기온 상승	
이심률 증가 (원형 → 타원형)	북반구	여름	원일점 거리 증가 → 기온 하강	감소
		겨울	근일점 거리 감소 → 기온 상승	
	남반구	여름	근일점 거리 감소 → 기온 상승	증가
		겨울	원일점 거리 증가 → 기온 하강	

암기TiP
북반구에서 연교차가 커질 때
- 자전축 방향이 현재와 반대로 바뀔 때
- 자전축의 경사각이 지금보다 커질 때
- 공전 궤도의 이심률이 작아질 때

빈출 자료 밀란코비치 이론(빙하기 도래 주기)

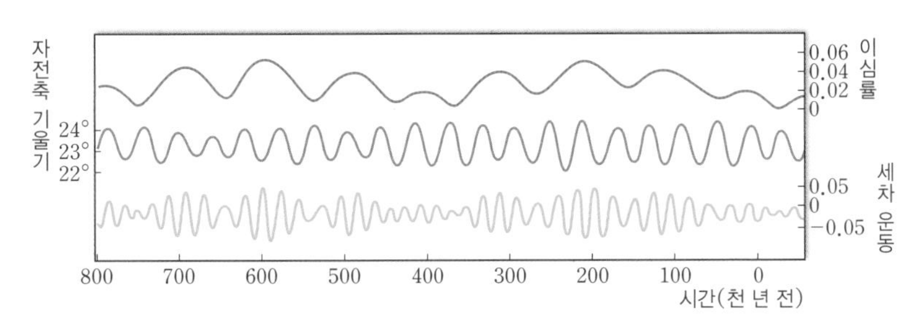

밀란코비치는 지구 공전 궤도 이심률 변화, 자전축 기울기 변화, 세차 운동 등이 복합적으로 작용하여 빙하기와 간빙기가 주기적으로 일어난다고 설명하였는데, 이를 밀란코비치 주기라고 한다.

용어 알기
●일사량(날 日, 쏘다 射, 헤아리다 量) 땅의 표면에 도달한 태양 복사 에너지의 양
●이심률(떠나다 離, 중심 心, 비율 率) 공전 궤도 모양의 납작한 정도

3. 지구 내적 요인

요인	특징
대기의 투명도 변화	• 화산 폭발로 화산재가 성층권에 퍼지면 태양 빛의 산란이 많이 일어나 지구의 반사율이 커진다. • 화석 연료의 연소와 산업화로 대기 중에 에어로졸이 많아지면 태양 복사 에너지를 산란시키고, 응결핵으로 작용하여 구름의 양을 늘려 지구의 반사율이 커진다. ⇨ 지표면에 도달하는 태양 복사 에너지양이 줄어들어 기온이 하강한다. ▲ 피나투보 화산 분출 후 지표와 대류권의 기온 변화
지표면 상태의 변화	• 해수면의 온도가 변화되면 대기에 공급되는 열에너지양이 변화되어 기후가 변한다. • 극지방의 설빙 면적의 변화, 인간 활동에 의한 산림 파괴와 댐 건설 등에 의한 지표면의 변화는 지표면의 반사율을 변화시켜 기후를 변하게 한다.
수륙 분포의 변화	• 육지와 해양은 비열과 반사율이 다르므로 같은 태양 복사 에너지를 받아도 기온 변화에 차이가 있다. • 판의 이동 및 조산 운동에 의한 수륙 분포의 변화가 일어나면 에너지 출입량이 달라지고 해류 분포의 변화 등 대기와 해양에 영향을 미쳐 전 지구적인 기후 변화가 일어날 수 있다.

기후 변화의 인위적 요인
- 온실 기체의 배출
- ●에어로졸 배출
- 사막화
- 산림 훼손과 도시화

B 인간 활동에 의한 기후 변화

|출·제·단·서| 시험에는 온실 효과의 원리, 지구 온난화의 영향 및 대책 그리고 한반도에 미치는 영향을 묻는 문제가 나와.

1. 지구의 복사 평형과 온실 효과

(1) 지구의 복사 평형

① **지구의 열수지:** 지구에 입사된 태양 복사 에너지는 일부가 반사되고, 나머지는 대기와 지표면에 흡수되었다가 지구 복사 에너지로 다시 우주로 나간다.

② **복사 평형:** 지표와 대기의 흡수량과 우주로 방출하는 복사 에너지양이 같아서 지구의 온도가 일정하게 유지되는 상태이다.

(2) 온실 효과 대기가 태양 복사 에너지는 잘 통과시키나 지표로부터 방출되는 지구 복사 에너지는 흡수하였다가 지표로 재복사하면서 지구의 평균 기온이 높게 유지되는 것이다.

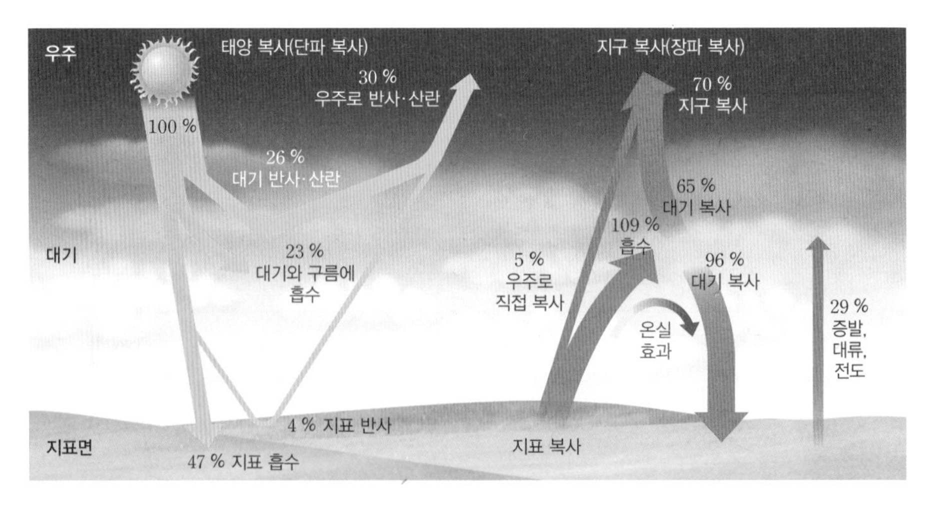

태양 복사와 지구 복사
태양 복사는 파장이 짧은 가시광선 영역에 집중되어 있고, 지구 복사는 파장이 긴 적외선 영역에 집중되어 있다.

❸ 온실 기체
온실 효과를 일으키는 기체로 수증기, 이산화 탄소, 메테인, 오존 등이 있다.

주요 온실 기체의 온실 효과 기여도(%)

온실 기체	기여도(%)
수증기	36~70
이산화 탄소	9~26
메테인	4~9
오존	3~7

2. 지구 온난화 온실 기체❸의 증가로 온실 효과가 증대되어 지구의 평균 기온이 상승하는 현상이다.

(1) 원인 화석 연료의 사용량 증가, 숲의 파괴 등으로 대기 중의 이산화 탄소량이 증가하였고, 목축업 등의 증가로 인해 대기 중의 메테인량이 많아졌다.

용어 알기
●에어로졸(Aerosol) 대기에 퍼져 있는 1 nm~100 μm의 작은 액체나 고체 입자

(2) 지구 온난화의 영향 탐구 POOL

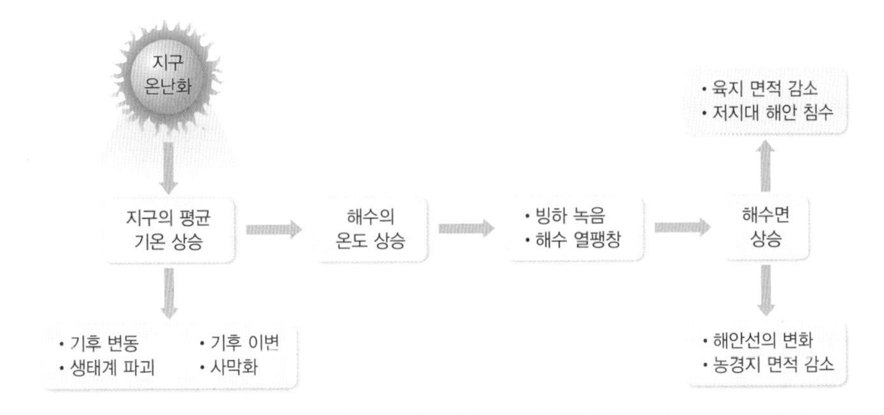

해수면 상승	수온 상승에 따른 해수의 열팽창과 대륙 빙하가 녹은 물이 바다로 유입되면서 해수면이 상승하고 있다. ⇨ 저지대나 경작지 침수, 생태계 혼란을 가져온다.
기상 이변과 기후대 변화	• 지구 온난화에 따른 대기와 해수 순환의 변화 및 해수면의 온도 변화로 인한 기상 이변(폭우, 폭설, 홍수, 가뭄, 한파)이 일어난다. • 기후대의 급격한 변화로 인한 식생대의 고위도 이동 및 그에 따른 생물 멸종 및 생태계의 파괴가 일어난다.
강수량과 증발량의 변화	홍수와 가뭄 피해 증가, 열대성 질병이 고위도로 확산, 곡물 수확량 감소 등의 영향이 나타난다.

이상 기상과 이상 기후
이상 기상은 과거 30년 동안 나타나지 않았던 기상 현상으로, 이상 기상 현상이 나타나는 대기 상태를 이상 기후라고 한다.

(3) 지구 온난화가 한반도에 미치는 영향

① 아열대 기후의 확산으로 지역에 따라 재배 가능한 농작물이 달라지고 있다.

② 여름이 길어지고 •열대야 일수가 증가하며, 겨울이 짧아지면서 봄꽃의 개화 시기가 빨라지고 있다.

③ 집중 호우 발생 증가로 인한 강수량 증가, 태풍 피해, 폭설과 한파 등이 빈번하게 발생하고 있다.

④ 해수에 녹은 이산화 탄소 농도 증가로 해수의 pH가 감소하는 해양 산성화가 일어나고 있으며, 수온의 상승으로 서식 어종이 변하고 있다.

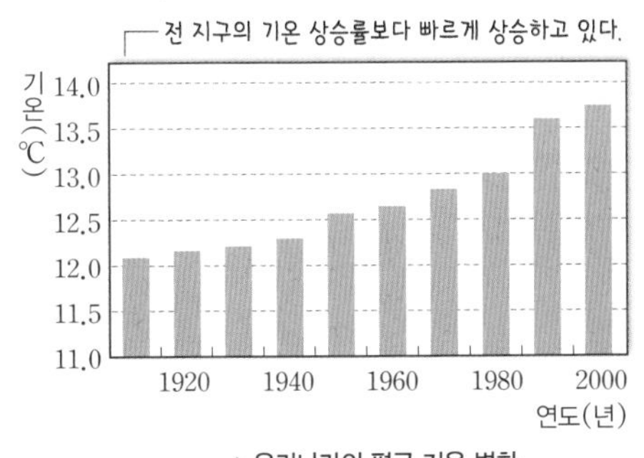

▲ 우리나라의 평균 기온 변화

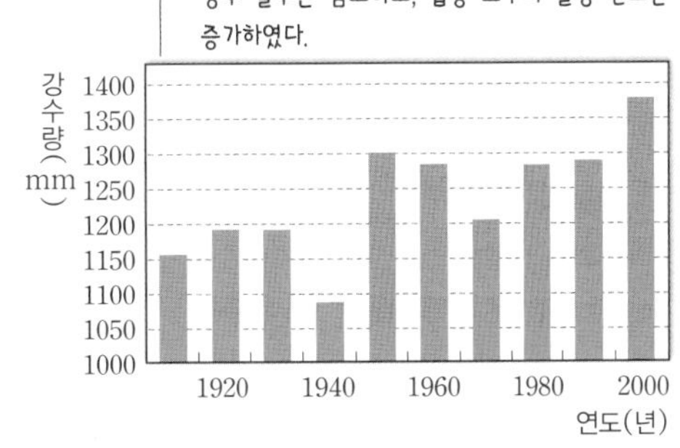

▲ 우리나라의 평균 강수량 변화

❹ 기후 변화 협약

1988년	정부 간 기후 변화 협의체(IPCC) 발족
1992년	유엔 기후 변화 협약(UNFCCC)
1997년	온실 기체 감축을 위한 교토 의정서 채택
2005년	교토 의정서 발효
2015년	프랑스 파리에서 열린 21차 유엔 기후 변화 협약 당사국 총회(COP 21)에서 2100년까지 지구 온도 상승 폭을 2 ℃ 이하로 제한하자는 데 합의

(4) 지구 온난화 방지 대책

① 화석 연료 사용을 억제하고 신재생 에너지 사용 확대를 위한 국제적인 협력이 필요하다. ⇨ 기후 변화에 관한 협약❹의 준수가 필요하다.

② 산림 면적 확대와 해양 비옥화❺를 통하여 생물에 의한 대기 중의 CO_2 흡수량을 증대시켜야 한다.

③ CO_2 포집 및 저장 기술을 개발하여 대기로 유입되는 CO_2량을 줄여야 한다.

④ 성층권에 에어로졸을 살포하거나 우주에 반사막을 설치하여 태양 복사 에너지 흡수율을 낮춘다.

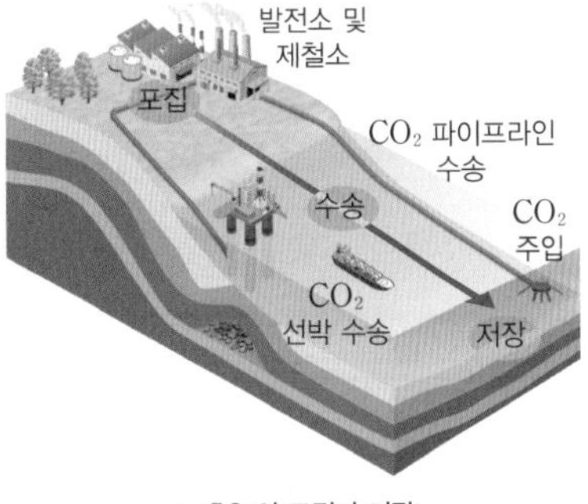

▲ CO_2의 포집과 저장

❺ 해양 비옥화
해양에 식물의 영양분(질소, 철분 등)을 인위적으로 공급하여 광합성이 활발히 일어나게 하는 방법이다. 광합성이 활발해지면 대기 중 이산화 탄소의 양이 감소한다.

용어 알기
• 열대야(덥다 熱, 띠 帶, 밤 夜) 최저 기온이 25 ℃ 이하로 내려가지 않는 더운 밤

지구 온난화 경향 조사하기

목표 지구의 기온 변화 자료를 분석하여 지구 온난화의 경향성을 설명할 수 있다.

정부 간 기후 변화 협의체 (IPCC Intergovernmental Panel on Climate Change)
기후 변화에 관련한 과학적·기술적 사실에 대한 평가를 제공하고, 국제적인 대책 마련을 위해 유엔 환경 계획과 세계 기상 기구가 공동으로 설립한 협의체이다.

과정

그림 (가)~(라)는 정부 간 기후 변화 협의체(IPCC)에서 2014년 발표한 지구의 기후 시스템 변화 지표이다.

온도 편차(℃) / 10년 평균 / 0.2, 0, −0.2, −0.4, −0.6, −0.8, −1.0 / 1850, 1900, 1950, 2000 / 연도(년)

(가) 1986년~2005년 평균 대비 지구 평균 온도 변화

CO_2 (ppm) 400, 340, 280 / N_2O (ppb) 320, 280 / 빙하 시추 자료 / 대기 관측 자료 / CO_2 / CH_4 / N_2O / 1900, 1300, 700 CH_4 (ppb) / 1750, 1800, 1850, 1900, 1950, 2000 / 연도(년)

(나) 온실 기체 농도 변화

평균 해수면 편차(m) / 0.1, 0, −0.1, −0.2 / 1900, 1920, 1940, 1960, 1980, 2000 / 연도(년)

(다) 1986년~2005년 대비 평균 해수면 변화

10^9 t CO_2 배출량(/년) / 35, 30, 25, 20, 15, 10, 5, 0 / 화석 연료, 시멘트, 플레어링(원유나 천연가스 연소) / 산림 및 기타 토지 이용 / 1850, 1900, 1950, 2000 / 연도(년)

10^9 t CO_2 누적 배출량 / 2000, 1500, 1000, 500, 0 / 1750~1970, 1750~2011

(라) 전 지구의 인위적 이산화 탄소 배출량

❶ 지구의 평균 기온 변화와 온실 기체 농도 변화는 어떤 경향을 보이는지 설명해 본다.
❷ 지구의 평균 기온 변화의 주 원인은 무엇인지 설명해 본다.
❸ 이 기간에 온실 기체의 농도가 증가한 원인은 무엇인지 설명해 본다.
❹ 평균 해수면 변화 양상과 그 원인은 무엇인지 설명해 본다.
❺ 최근으로 오면서 지구의 기온이 상승하는 정도는 어떻게 변하였으며, 이와 같은 경향이 계속된다면 지구 환경은 어떻게 변할지 설명해 본다.

결과

지구 온난화의 영향으로는 해수면 상승, 기후대 변화, 강수량과 증발량 변화, 열대성 질병의 확산, 엘니뇨와 라니냐의 변화, 해수 순환의 변화, 용존 기체 감소 등을 들 수 있어.

❶ 평균 기온과 온실 기체 농도는 꾸준히 증가해 왔으며 특히 증가율은 1950년대 이후가 이전보다 더 크다.
❷ 온실 기체 농도의 꾸준한 증가로 인해 온실 효과가 증대되고 그 결과 평균 기온도 상승해 왔다.
❸ 산업 혁명 이후 화석 연료의 사용 증가와 목축업 등의 증가로 인해 대기 중의 이산화 탄소량, 메테인량 등이 증가하였다.
❹ 평균 기온 상승으로 해수의 열팽창, 빙하 녹은 물의 유입 등으로 해수면이 상승하였다.
❺ (라)에서와 같이 1950년 이후 인위적 온실 기체의 양은 급증하고 있으며 최근에는 관측 이래 최고 수준이다. 이와 같은 경향이 계속된다면 지구 온난화는 가속화되어 전 세계에 걸쳐 지구 환경과 사회적, 경제적으로 큰 변화를 가져올 것이다.

정리

인위적으로 배출하는 이산화 탄소 배출량 증가와 비슷한 경향으로 지구의 평균 기온이 상승하는 것으로 미루어 지구 온난화는 인간 활동이 주 원인임을 알 수 있다.

한·줄·핵심 인간 활동에 의한 온실 기체 농도 증가가 지구 온난화의 주 원인이며, 최근으로 오면서 증가율이 커지고 있다.

확인 문제

정답과 해설 53쪽

01 지구 온난화는 최근으로 오면서 어떤 경향성을 보이는지 쓰시오.

02 지구 온난화를 일으키는 주 요인은 무엇인지 쓰시오.

콕콕! 개념 확인하기

정답과 해설 53쪽

✔ 잠깐 확인!

1. □□ □□
지구의 자전축이 약 26000년을 주기로 한 바퀴씩 도는 운동

2. □□□
타원의 납작한 정도를 수치로 표시한 것

3. □□□
지구 공전 궤도 상에서 태양과의 거리가 가장 가까운 지점

4. □□□
지구 공전 궤도 상에서 태양과의 거리가 가장 먼 지점

5. □□ □□
지표와 대기의 흡수량과 우주로 방출하는 복사 에너지 양이 같게 유지되는 것

6. □□ □□
온실 효과를 일으키는 수증기, 이산화 탄소, 메테인 등의 기체

7. □□□□□□□□
2015년에 파리에서 협정된 기후 변화 협약

A 기후 변화의 요인

01 기후 변화의 지구 외적 요인에 대한 설명으로 옳은 것은 ○, 옳지 않은 것은 ×로 표시하시오.

(1) 태양 활동의 변화에 따른 기후 변화는 흑점 수의 변화와 관련이 있다. (　　)

(2) 지구 자전축 기울기가 커지면 우리나라에서 기온의 연교차는 작아진다. (　　)

(3) 공전 궤도 이심률이 현재보다 커지면 우리나라 겨울철 기온은 낮아진다. (　　)

(4) 세차 운동에 의해 약 13000년 후 근일점에서 북반구는 여름이 된다. (　　)

02 다음은 기후 변화에 영향을 미치는 여러 가지 현상들이다.

ㄱ. 엘니뇨	ㄴ. 산림의 파괴
ㄷ. 세차 운동	ㄹ. 화석 연료 사용량 증가
ㅁ. 화산 활동에 의한 대기 투명도 변화	

(1) 자연적인 요인 중 지구 내적인 요인을 모두 쓰시오.

(2) 인위적인 요인을 모두 쓰시오.

B 인간 활동에 의한 기후 변화

03 다음은 지구 온난화에 대한 설명이다. (　　) 안에 들어갈 알맞은 말을 쓰시오.

(1) 온실 효과는 대기가 (　　) 복사 에너지는 잘 통과시키나 (　　) 복사 에너지는 흡수하였다가 지표로 재복사하면서 일어나는 현상이다.

(2) 지구 온난화로 해수면 상승을 일으키는 주 원인은 (　　)과 빙하 녹은 물의 유입이다.

(3) 지구 온난화로 우리나라의 기후는 (　　) 기후로 점점 변하고 있다.

(4) 지구 온난화로 우리나라에서 여름철의 길이는 (　　)지고, 겨울철의 길이는 (　　)지고 있다.

04 다음은 지구 온난화 과정을 나타낸 것이다. A(지구 온난화 유발 요인), B(지구 온난화에 의한 영향)에 해당하는 현상들을 쓰시오.

인간 활동 강화 → (A) → 온실 효과 증가 → 지구 온난화 → (B)

05 지구 온난화 방지 대책에 대한 설명으로 옳은 것은 ○, 옳지 않은 것은 ×로 표시하시오.

(1) 신재생 에너지 사용량을 늘려야 한다. (　　)

(2) 숲을 개발하여 목초지의 면적을 넓혀야 한다. (　　)

(3) 성층권에 에어로졸을 살포하여 태양 복사 에너지 흡수율을 낮춘다. (　　)

(4) 산업 시설에서 배출되는 CO_2를 포집하여 심해저에 저장한다. (　　)

탄탄! 내신 다지기

A 기후 변화의 요인

01 지구 기후 변화 원인 중 지구 외적인 요인만을 〈보기〉에서 있는 대로 고른 것은?

보기
ㄱ. 세차 운동
ㄴ. 수륙 분포 변화
ㄷ. 화석 연료 사용 증가
ㄹ. 지구 자전축 경사 변화
ㅁ. 화산 폭발 시 방출되는 화산재
ㅂ. 지구 공전 궤도의 이심률 변화

① ㄱ, ㄴ ② ㄷ, ㄹ
③ ㄱ, ㄴ, ㄷ ④ ㄱ, ㄹ, ㅂ
⑤ ㄷ, ㅁ, ㅂ

02 열대 우림의 파괴가 지구 환경에 미치는 영향에 대한 설명으로 옳은 것만을 〈보기〉에서 있는 대로 고른 것은?

보기
ㄱ. 온실 효과를 억제하는 효과가 있다.
ㄴ. 대기 중 이산화 탄소의 농도가 증가한다.
ㄷ. 열대 우림이 경작지로 바뀌면 반사율이 감소한다.

① ㄴ ② ㄷ ③ ㄱ, ㄴ
④ ㄴ, ㄷ ⑤ ㄱ, ㄴ, ㄷ

03 지구 자전축 기울기가 현재(23.5°)보다 더 커질 때 나타나는 현상으로 옳은 것만을 〈보기〉에서 있는 대로 고른 것은? (단, 자전축 기울기 외에 다른 요인은 일정하게 유지된다.)

보기
ㄱ. 우리나라는 여름은 더 덥고, 겨울은 더 추워진다.
ㄴ. 북반구와 남반구의 계절이 지금과는 반대로 바뀐다.
ㄷ. 지구 전체가 태양으로부터 받는 복사 에너지양에는 변화가 없다.

① ㄱ ② ㄷ ③ ㄱ, ㄴ
④ ㄱ, ㄷ ⑤ ㄴ, ㄷ

04 지구 기후 변화의 요인 중 지구 내적 요인만을 〈보기〉에서 있는 대로 고른 것은?

보기
ㄱ. 지표면의 상태 변화 ㄴ. 수륙 분포의 변화
ㄷ. 화산 폭발로 인한 화산재 분출

① ㄱ ② ㄴ ③ ㄷ
④ ㄱ, ㄴ ⑤ ㄱ, ㄴ, ㄷ

05 그림은 과거 30년 동안 북극 지역의 겨울철에 빙하 면적의 변화를 나타낸 것이다.

30년 전

현재

이 기간 동안 감소한 물리량만을 〈보기〉에서 있는 대로 고른 것은?

보기
ㄱ. 해수면의 높이 ㄴ. 평균 기온
ㄷ. 북극 지역 지표면의 반사율

① ㄱ ② ㄷ ③ ㄱ, ㄴ
④ ㄴ, ㄷ ⑤ ㄱ, ㄴ, ㄷ

06 그림은 지구의 세차 운동을 나타낸 것이다.

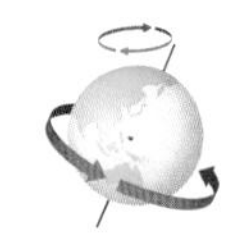
약 26000년 전

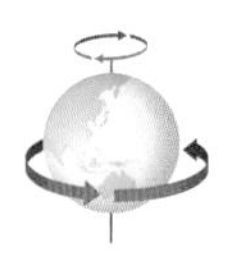
약 19500년 전

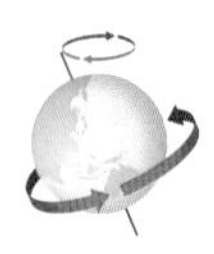
약 13000년 전

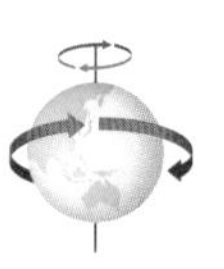
약 6500년 전

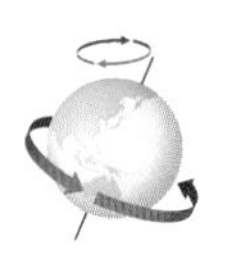
현재

이에 대한 설명으로 옳은 것만을 〈보기〉에서 있는 대로 고른 것은?

보기
ㄱ. 자전축 방향 변화는 기후 변화의 원인이 된다.
ㄴ. 지구 자전축 방향은 약 26000년을 주기로 변한다.
ㄷ. 약 13000년 후에는 우리나라에 계절 변화가 일어나지 않는다.

① ㄱ ② ㄷ ③ ㄱ, ㄴ
④ ㄴ, ㄷ ⑤ ㄱ, ㄴ, ㄷ

B 인간 활동에 의한 기후 변화

07 그림은 온실 효과가 일어나는 원리를 나타낸 것이다.

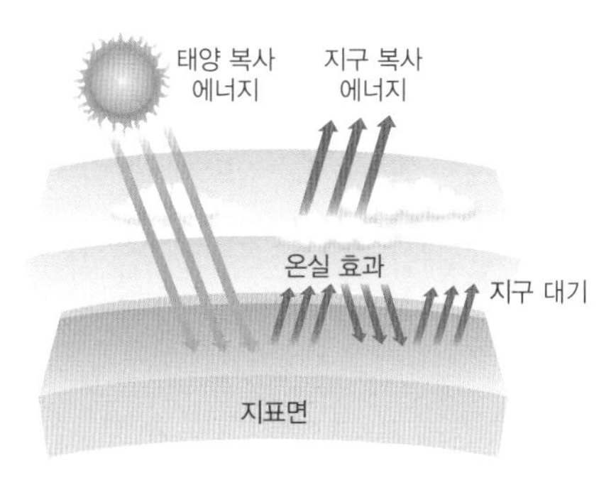

온실 효과가 일어나는 주 원인에 대한 설명으로 옳은 것은?

① 태양 복사는 대부분 가시광선 영역으로 대기에 흡수되기 때문
② 태양 복사는 대부분 적외선 영역으로 대기에 흡수되기 때문
③ 지구 복사는 대부분 가시광선 영역으로 대기에 흡수되기 때문
④ 지구 복사는 대부분 적외선 영역으로 대기에 흡수되기 때문
⑤ 지구 복사는 대부분 자외선 영역으로 대기에 흡수되기 때문

08 그림은 지구 평균 기온 변화와 대기 중 이산화 탄소의 농도 변화를 나타낸 것이다.

이러한 변화가 나타나는 가장 큰 원인으로 옳은 것은?

① 산소 호흡을 하는 동물의 수가 급격히 늘었다.
② 최근 지진과 화산 활동이 평소보다 활발해졌다.
③ 우주 공간의 이산화 탄소가 대기로 유입되었다.
④ 인간의 활동에 따른 화석 연료의 사용량이 급증하였다.
⑤ 바닷물 속의 이산화 탄소가 모두 대기 중으로 빠져나왔다.

09 다음 중 해수면을 상승시키는 요인으로 가장 크게 작용하는 것은?

① 사막화의 진행
② 바다의 수온 상승
③ 대륙 빙하의 증가
④ 성층권의 오존층 파괴
⑤ 대기 중 화산재의 증가

10 다음 중 지구 온난화의 영향으로 볼 수 없는 것은?

① 빙하 감소
② 해수면 상승
③ 오존층 파괴
④ 기상 재해의 증가
⑤ 사막 지역의 확대

11 그림은 우리나라의 연평균 기온 변화를 나타낸 것이다.

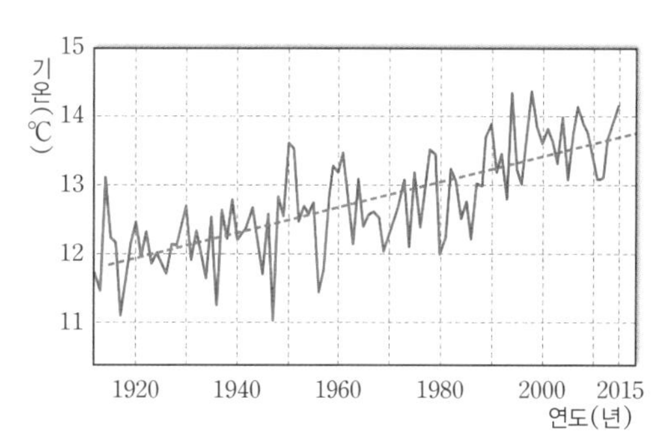

이와 관련하여 우리나라에 나타나는 현상으로 옳은 것만을 〈보기〉에서 있는 대로 고른 것은?

보기
ㄱ. 여름이 짧아지고 있다.
ㄴ. 아열대 기후 지역이 확산되고 있다.
ㄷ. 봄철의 개화 시기가 빨라지고 있다.

① ㄱ
② ㄴ
③ ㄱ, ㄷ
④ ㄴ, ㄷ
⑤ ㄱ, ㄴ, ㄷ

12 다음 중 지구 환경 변화에 대한 국제적인 노력의 결과와 거리가 먼 것은?

① 남극 조약
② 교토 의정서
③ 몬트리올 의정서
④ 파리 기후 변화 협약
⑤ 유엔 기후 변화 협약

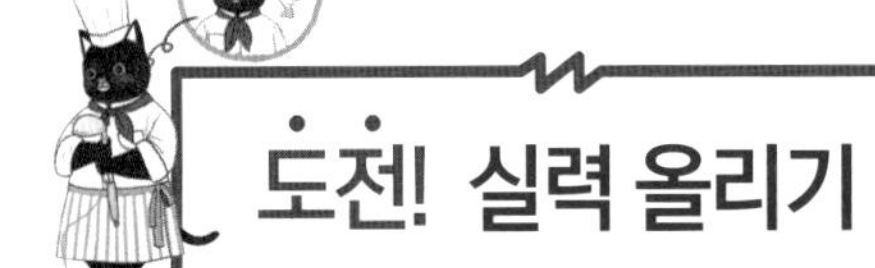

도전! 실력 올리기

출제예감

01 그림은 현재의 지구 공전 궤도와 자전축의 경사각을 나타낸 것이다.

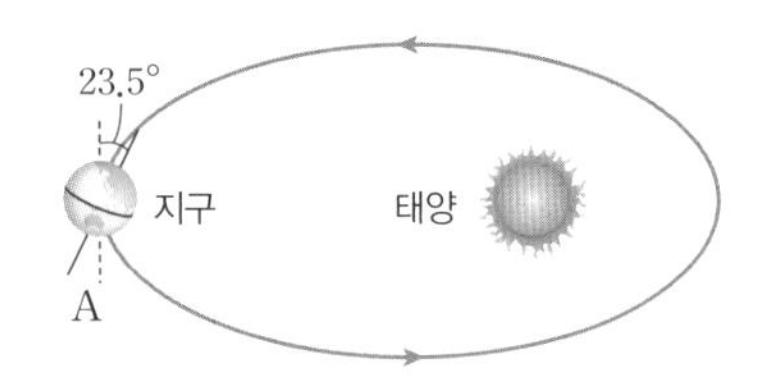

자전축의 경사각만 현재보다 커진다고 할 때 우리나라에서 나타나는 현상에 대한 설명으로 옳은 것만을 〈보기〉에서 있는 대로 고른 것은?

보기
ㄱ. 연교차는 현재보다 작아진다.
ㄴ. A 위치에서 우리나라는 겨울철이 된다.
ㄷ. 여름철 평균 기온은 현재보다 높아진다.

① ㄱ ② ㄷ ③ ㄱ, ㄴ
④ ㄴ, ㄷ ⑤ ㄱ, ㄴ, ㄷ

02 그림은 필리핀 피나투보 화산 분출 전후의 지구 평균 기온 변화를 나타낸 것이다.

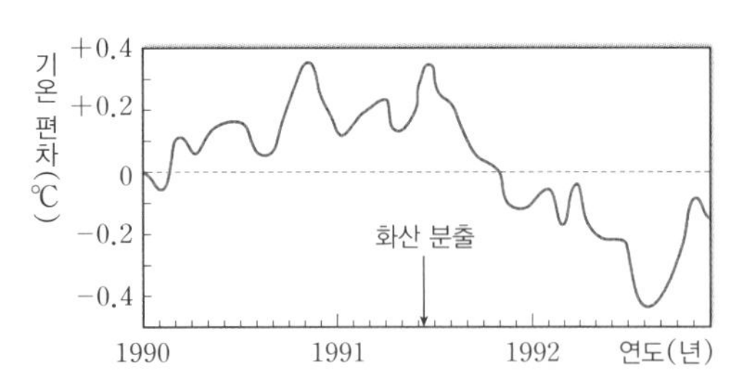

화산 분출 후에 일어난 변화에 대한 설명으로 옳은 것만을 〈보기〉에서 있는 대로 고른 것은?

보기
ㄱ. 지구의 반사율은 증가한다.
ㄴ. 지구의 평균 기온은 내려간다.
ㄷ. 지표에 도달하는 태양 복사 에너지양은 감소한다.

① ㄱ ② ㄴ ③ ㄷ
④ ㄱ, ㄷ ⑤ ㄱ, ㄴ, ㄷ

출제예감

03 지구 환경의 변화 중 지구 내적 요인이면서 인간 활동에 의해 일어난 것만을 〈보기〉에서 있는 대로 고른 것은?

보기
ㄱ. 화석 연료의 사용 증가로 지구의 기온이 상승하고 있다.
ㄴ. 태양의 활동이 활발해지면서 지구의 기온이 상승하였다.
ㄷ. 화산 활동으로 분출된 화산재로 인해 지구의 기온이 하강하였다.

① ㄱ ② ㄴ ③ ㄱ, ㄷ
④ ㄴ, ㄷ ⑤ ㄱ, ㄴ, ㄷ

04 기온 하강을 유발하는 요인으로 옳은 것만을 〈보기〉에서 있는 대로 고른 것은?

보기
ㄱ. 지표면의 반사율 감소
ㄴ. 대기 중의 에어로졸 증가
ㄷ. 대기 중 이산화 탄소 농도 증가

① ㄱ ② ㄴ ③ ㄱ, ㄷ
④ ㄴ, ㄷ ⑤ ㄱ, ㄴ, ㄷ

05 기후 변동의 원인 중 우리나라에서 계절 변화가 현재보다 더 뚜렷하게 나타나는 경우를 〈보기〉에서 있는 대로 고른 것은?

보기
ㄱ. 태양의 흑점 수가 증가하는 경우
ㄴ. 지구 자전축의 기울기만 현재보다 큰 경우
ㄷ. 지구 공전 궤도 이심률만 현재보다 큰 경우

① ㄴ ② ㄷ ③ ㄱ, ㄴ
④ ㄴ, ㄷ ⑤ ㄱ, ㄴ, ㄷ

06 그림은 최근의 기후 변화에 의해 우리나라에서 일어난 현상을 나타낸 것이다.

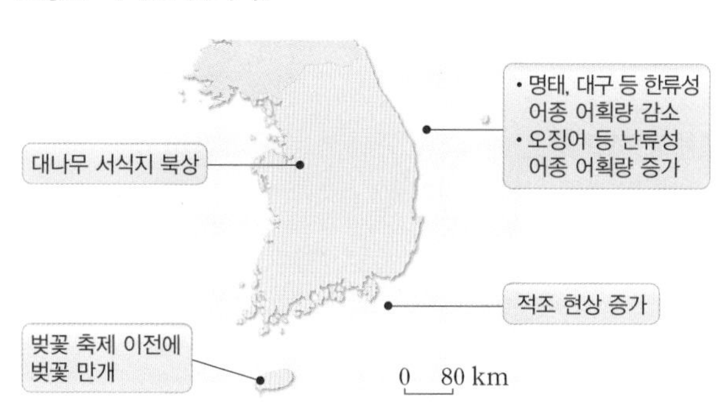

이로부터 추정할 수 있는 우리나라에서 일어나는 변화로 옳은 것만을 〈보기〉에서 있는 대로 고른 것은?

〈보기〉
ㄱ. 연안 수온이 상승한다.
ㄴ. 연평균 기온이 상승한다.
ㄷ. 겨울의 길이가 길어진다.

① ㄱ ② ㄷ ③ ㄱ, ㄴ
④ ㄴ, ㄷ ⑤ ㄱ, ㄴ, ㄷ

07 그림은 1900년~2005년의 평균 해수면의 높이 편차를 나타낸 것이다.

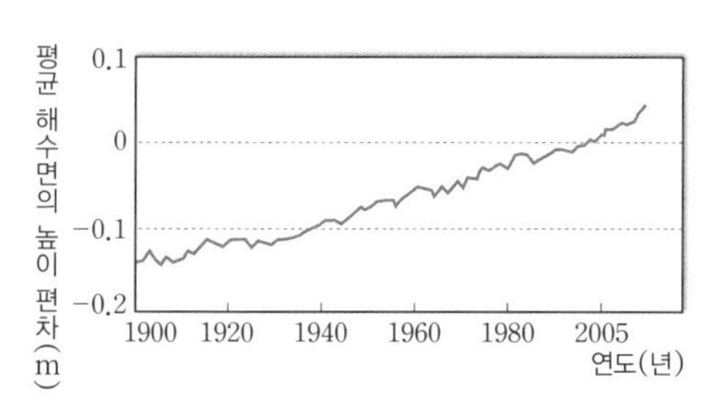

이에 대한 설명으로 옳은 것만을 〈보기〉에서 있는 대로 고른 것은?

〈보기〉
ㄱ. 해수면은 상승하였다.
ㄴ. 국지적인 홍수와 가뭄 피해가 증가한다.
ㄷ. 해수 온도 상승으로 해수의 부피가 팽창하였다.

① ㄱ ② ㄴ ③ ㄱ, ㄷ
④ ㄴ, ㄷ ⑤ ㄱ, ㄴ, ㄷ

서술형

08 그림은 지구의 공전 궤도를 나타낸 것이다.

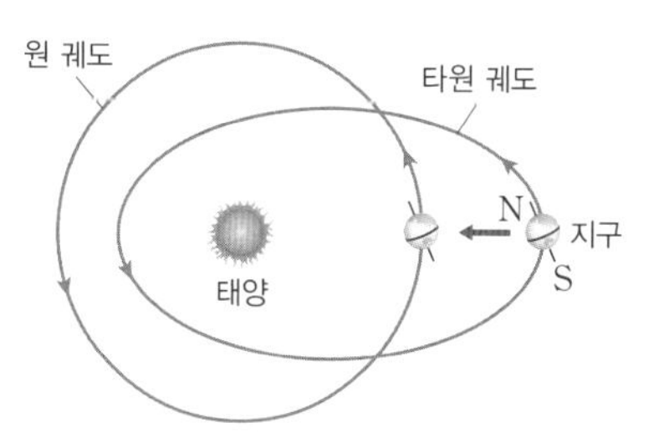

다른 요인은 변함이 없고 지구의 공전 궤도 이심률만 작아진다면 계절 변화의 폭과 우리나라의 연교차는 어떻게 변하는지 서술하시오.

서술형

09 다음은 지구 기후 변화에 대한 어느 신문 기사의 일부를 나타낸 것이다.

> 메테인 수화물은 수심 1000 m 이상의 해저에 매장되어 있는 고체 광물로 '불타는 얼음'이라고도 불리운다. 최근에는 수온 상승으로 인해 해저에 위치한 수십 억 톤의 메테인 수화물이 기체로 방출되고 있다. 올 여름 탐사팀이 측정한 결과 시베리아 인근 해역에서 메테인 방출량은 정상 수준의 100~200배에 달하는 것으로 나타났다.

수온 상승은 메테인의 대기 중 농도에 어떤 영향을 주며, 그 결과 지구 평균 기온은 어떻게 변하는지 서술하시오.

단답형

10 그림은 지구 온난화와 관련된 현상들의 순환 과정을 모식적으로 나타낸 것이다.

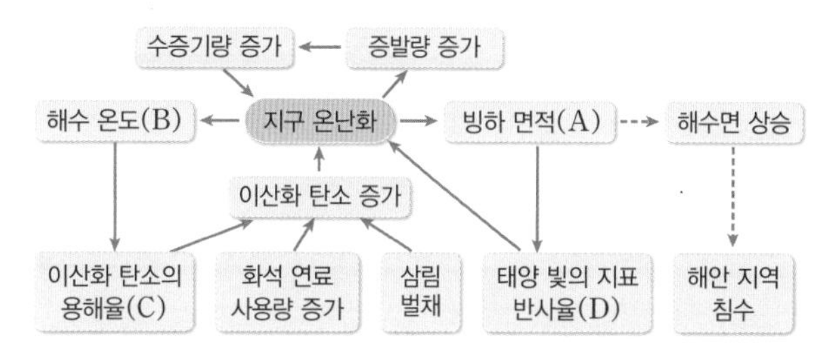

A~D 현상 중 지구 온난화가 진행됨에 따라 감소하는 것을 모두 쓰시오.

엘니뇨 시기의 해수 특성 변화 알기

대표 유형

출제 의도

엘니뇨 시기에 동태평양 적도 부근의 해수의 물리적 특성 변화를 묻는 문제이다.

그림은 엘니뇨 또는 라니냐 시기에 태평양 적도 부근 해역에서 관측된, 수온 약층이 나타나기 시작하는 깊이의 편차(관측 깊이 − 평년 깊이)를 나타낸 것이다.

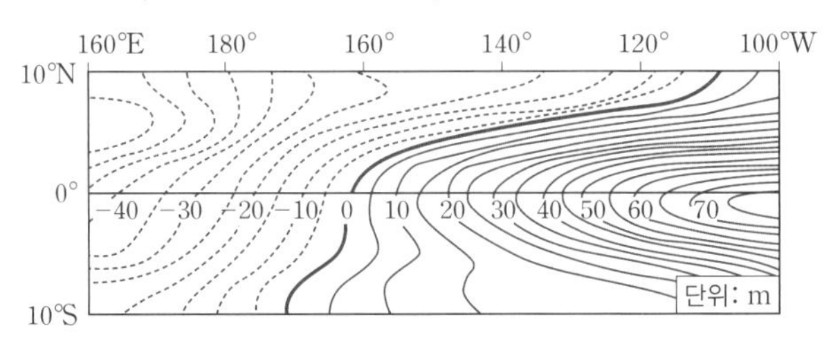

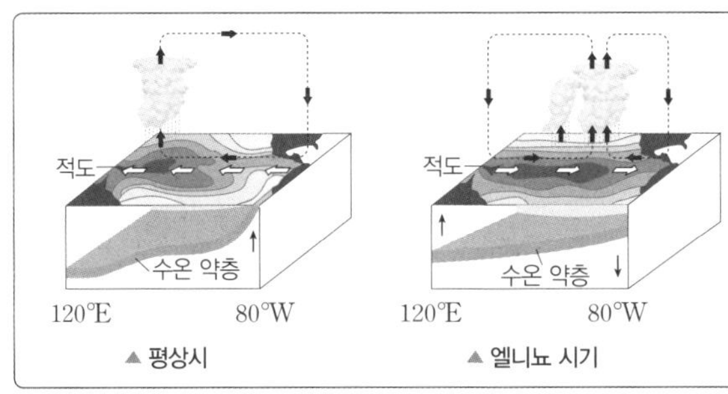

▲ 평상시 ▲ 엘니뇨 시기

→ 엘니뇨 시기에는 동태평양 적도 부근의 따뜻한 표층 해수의 서쪽 이동이 약해지므로 용승이 약해진다. 따라서 따뜻한 해수층의 두께가 두꺼워지고 그에 따라 수온 약층이 나타나기 시작하는 깊이는 깊어진다.

이것이 함정

동태평양 해역에서 따뜻한 표층 해수의 서쪽으로의 이동이 강하게 일어나서 해수의 발산이 일어나면 발산된 해수를 보충해 주기 위해 용승이 강하게 일어남을 기억해야 한다.

이 시기에 대한 설명으로 옳은 것만을 〈보기〉에서 있는 대로 고른 것은?

보기

ㄱ. 엘니뇨 시기이다.
→ 동태평양에서 수온 약층이 나타나기 시작하는 깊이 편차가 크므로 동태평양 쪽의 수온 약층의 깊이가 평년에 비해 깊다. 따라서 따뜻한 해수층의 두께가 두꺼운 엘니뇨 시기이다.

ㄴ. 평년에 비해 동태평양 적도 해역에서 혼합층의 두께는 증가한다.
→ 평년에 비해 동태평양 적도 해역에서 수온 약층이 나타나는 깊이가 깊으므로 수온 약층 위의 따뜻한 해수층인 혼합층의 두께는 두껍다.

ㄷ. 평년에 비해 동태평양 적도 해역에서 표층 수온은 낮아진다.
→ 엘니뇨 시기로 동태평양 적도 해역에서 용승이 약해지므로 표층 수온은 높아진다.

엘니뇨 발생시에는 동태평양 적도 해역에서 수온 약층이 나타나는 깊이가 평상시보다 깊어짐을 꼭 기억해 둬!

① ㄱ ② ㄴ ③ ㄷ ④ ㄱ, ㄴ ⑤ ㄴ, ㄷ

그림에서 엘니뇨 시기 추정하기

수온 약층이 나타나기 시작하는 깊이의 편차 분포로부터 엘니뇨 시기임을 파악한다. >>> 수온 약층의 깊이가 깊어짐으로부터 수온 약층 위의 혼합층의 두께는 두꺼워짐을 파악한다. >>> 혼합층의 두께가 두꺼워지는 것으로부터 용승이 약하게 일어남을 파악한다. >>> 용승이 약하게 일어나므로 동태평양의 표층 수온은 평상시보다 높음을 파악한다.

추가 선택지

- 평년에 비해 태평양 적도 해역에서 동서 방향의 해수면의 높이 차는 작아진다. (○)
  ⋯› 엘니뇨 시기에 동태평양은 적도 부근의 해수면이 평년보다 높아지고 서태평양은 반대로 낮아지므로 동서 방향의 해수면의 높이 차는 작아진다.
- 남적도 해류의 세기는 강해진다. (×)
  ⋯› 엘니뇨 시기에는 무역풍이 약해지고 그에 따라 서쪽으로 흐르는 남적도 해류의 세기도 약해진다.

실전! 수능 도전하기

정답과 해설 55쪽

01 그림은 북반구 어느 해안에서 해수의 이동 방향을 나타낸 것이다.

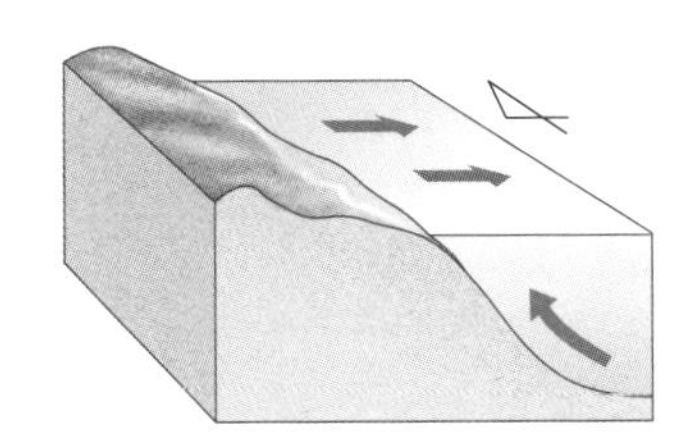

이에 대한 설명으로 옳은 것만을 〈보기〉에서 있는 대로 고른 것은?

보기
ㄱ. 북풍이 지속적으로 분다.
ㄴ. 바람의 방향과 해수의 이동 방향은 같다.
ㄷ. 연안 표층 해수 중의 영양 염류량은 이전보다 많아진다.

① ㄱ ② ㄷ ③ ㄱ, ㄴ
④ ㄴ, ㄷ ⑤ ㄱ, ㄴ, ㄷ

02 그림은 북반구 중위도의 고기압과 저기압 중심에서 일어나는 해수의 이동을 순서 없이 나타낸 것이다.

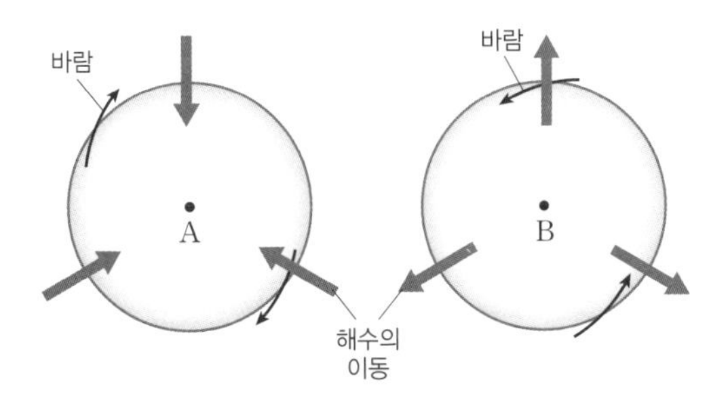

이에 대한 설명으로 옳은 것만을 〈보기〉에서 있는 대로 고른 것은?

보기
ㄱ. A 지점은 주위보다 해수면의 높이가 높다.
ㄴ. B 지점은 주위보다 표층 수온이 높다.
ㄷ. A에서는 침강이, B에서는 용승이 일어난다.

① ㄱ ② ㄴ ③ ㄱ, ㄷ
④ ㄴ, ㄷ ⑤ ㄱ, ㄴ, ㄷ

수능 기출

03 그림 (가)와 (나)는 북반구 해양에서 고기압성 바람과 저기압성 바람에 의해 일어나는 에크만 수송을 순서 없이 모식적으로 나타낸 것이다.

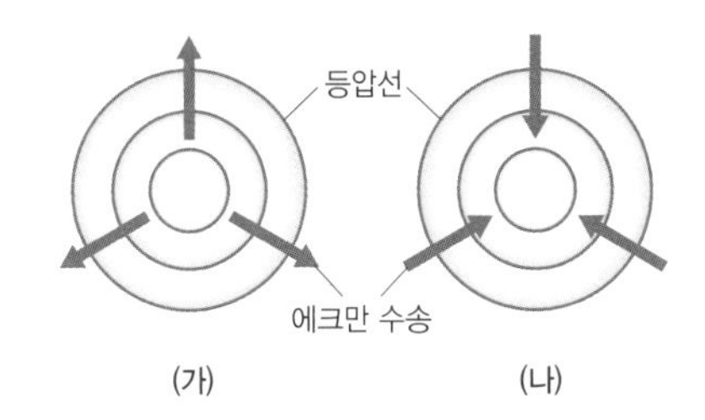

이에 대한 설명으로 옳은 것만을 〈보기〉에서 있는 대로 고른 것은? (단, 기압 배치 이외의 조건은 고려하지 않는다.)

보기
ㄱ. (가)의 중심부는 저기압이다.
ㄴ. 중심부에서 수온 약층이 나타나는 깊이는 (가)가 (나)보다 깊다.
ㄷ. 남반구에서는 (가)와 같은 기압 배치에서 에크만 수송에 의해 해수가 중심으로 수렴한다.

① ㄱ ② ㄴ ③ ㄱ, ㄷ ④ ㄴ, ㄷ ⑤ ㄱ, ㄴ, ㄷ

04 그림 (가)와 (나)는 평상시와 엘니뇨 발생 시 태평양 적도 부근 해역에서 대기 순환을 순서 없이 나타낸 것이다.

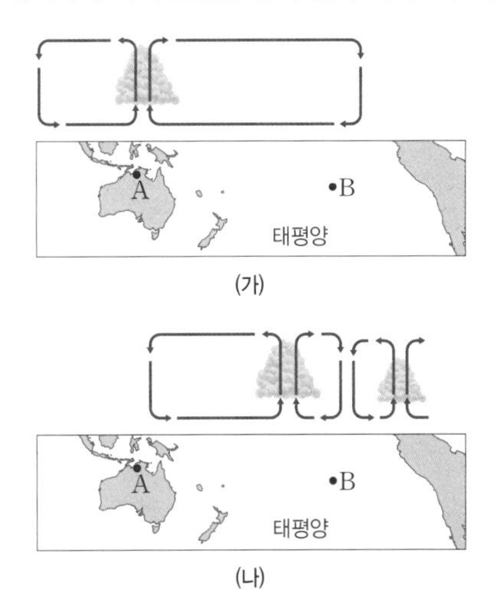

이에 대한 설명으로 옳은 것만을 〈보기〉에서 있는 대로 고른 것은?

보기
ㄱ. 엘니뇨 발생시 대기 순환은 (가)이다.
ㄴ. B에서 표층 수온은 (가)가 (나)보다 높다.
ㄷ. A, B의 기압차인 남방 진동 지수는 (나)가 (가)보다 낮다.

① ㄱ ② ㄷ ③ ㄱ, ㄴ ④ ㄴ, ㄷ ⑤ ㄱ, ㄴ, ㄷ

실전! 수능 도전하기

05 그림 (가)와 (나)는 평상시와 엘니뇨 발생시 태평양 적도 부근 해수의 동서 방향 연직 단면과 이동 방향을 순서 없이 나타낸 것이다.

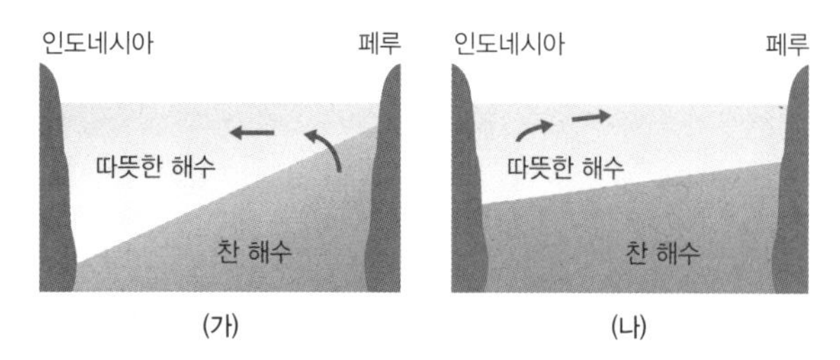

이에 대한 설명으로 옳은 것만을 〈보기〉에서 있는 대로 고른 것은?

〈보기〉
ㄱ. 무역풍은 (나)보다 (가)에서 강하게 분다.
ㄴ. 인도네시아에서 강수량은 (나)보다 (가)에서 많다.
ㄷ. 페루 연안 해수의 용존 산소량은 (가)보다 (나)에서 적다.

① ㄱ ② ㄴ ③ ㄱ, ㄷ
④ ㄴ, ㄷ ⑤ ㄱ, ㄴ, ㄷ

수능 기출

06 그림은 엘니뇨 또는 라니냐 중 어느 한 시기의 강수량 편차(관측값−평년값)를 나타낸 것이다.

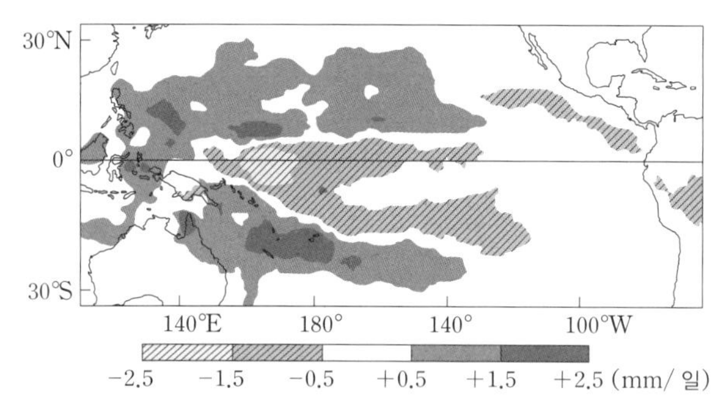

이 자료에 근거해서 평년과 비교할 때, 이 시기에 대한 설명으로 옳은 것만을 〈보기〉에서 있는 대로 고른 것은?

〈보기〉
ㄱ. 강수량 편차가 +0.5 mm/일 이상인 해역은 주로 동태평양 적도 부근에 위치한다.
ㄴ. 서태평양 적도 해역과 동태평양 적도 해역 사이의 해수면 높이 차가 크다.
ㄷ. 남적도 해류가 강하다.

① ㄱ ② ㄴ ③ ㄷ
④ ㄱ, ㄴ ⑤ ㄴ, ㄷ

07 그림 (가)는 현재의 지구 공전 궤도와 지구 자전축 경사를, (나)는 현재 이후 기후 변화를 일으키는 두 가지 현상을 나타낸 것이다.

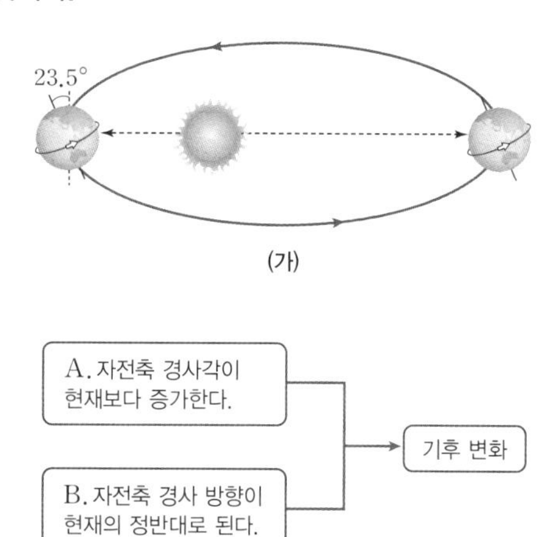

A. 자전축 경사각이 현재보다 증가한다.
B. 자전축 경사 방향이 현재의 정반대로 된다.
→ 기후 변화

(나)

이에 대한 설명으로 옳은 것만을 〈보기〉에서 있는 대로 고른 것은?

〈보기〉
ㄱ. (가)에서 북반구는 근일점에서 여름이다.
ㄴ. A는 북반구의 여름 기온을 상승시키는 요인이다.
ㄷ. B로 인해 북반구의 계절은 현재와 정반대로 된다.

① ㄱ ② ㄷ ③ ㄱ, ㄴ
④ ㄴ, ㄷ ⑤ ㄱ, ㄴ, ㄷ

08 지구 대기가 〈보기〉와 같은 상태일 경우, 지표의 평균 온도가 가장 높은 것부터 순서대로 나열한 것은?

〈보기〉
ㄱ. 현재의 지구
ㄴ. 대기가 없는 경우
ㄷ. 대기 중의 이산화 탄소 양이 2배 증가한 경우
ㄹ. 최근 10년 간 분출된 양 만큼의 화산재가 성층권에 퍼져 있을 경우

① ㄷ－ㄱ－ㄴ－ㄹ ② ㄷ－ㄱ－ㄹ－ㄴ
③ ㄷ－ㄹ－ㄱ－ㄴ ④ ㄹ－ㄷ－ㄱ－ㄴ
⑤ ㄹ－ㄷ－ㄴ－ㄱ

수능 기출

09 그림은 현재와 미래 어느 시점의 지구 공전 궤도, 자전축의 경사 방향과 경사각을 각각 나타낸 것이다.

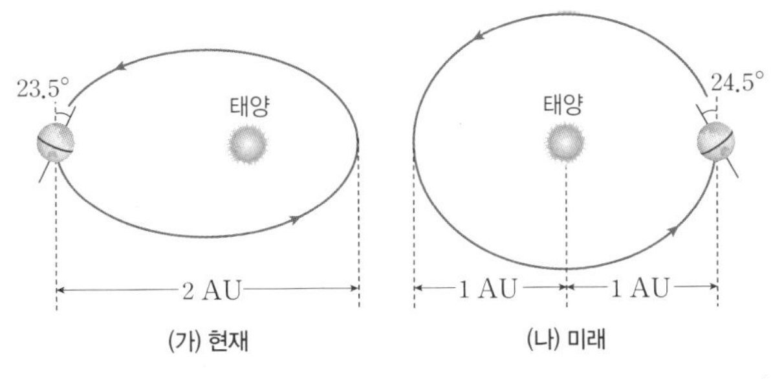

(가) 현재 (나) 미래

(나) 시기에 나타날 수 있는 현상에 대한 설명으로 옳은 것만을 〈보기〉에서 있는 대로 고른 것은? (단, 공전 궤도 이심률, 자전축의 경사 방향과 경사각의 변화 이외의 요인은 변하지 않는다고 가정한다.)

보기
ㄱ. 우리나라 기온의 연교차는 (가)보다 작아진다.
ㄴ. 북반구 여름 동안 대륙 빙하의 면적은 (가)보다 좁아진다.
ㄷ. 지구에 입사하는 태양 복사 에너지양은 7월이 1월보다 많다.

① ㄱ ② ㄴ ③ ㄷ
④ ㄱ, ㄴ ⑤ ㄴ, ㄷ

10 그림은 2002년부터 2016년까지 남극 대륙과 그린란드에서 관측한 빙하의 변화량을 나타낸 것이다.

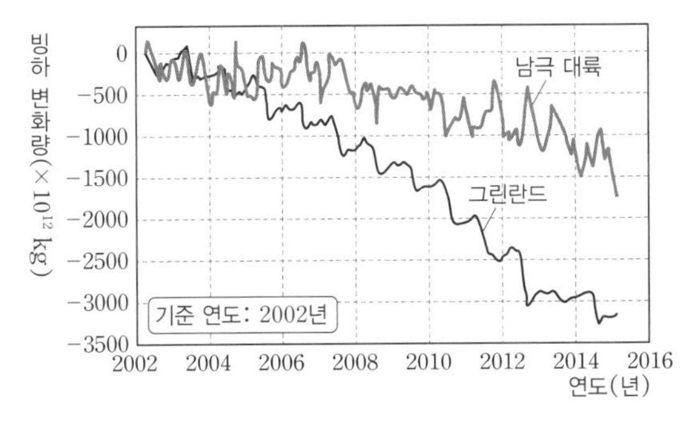

이에 대한 설명으로 옳은 것만을 〈보기〉에서 있는 대로 고른 것은?

보기
ㄱ. 오존홀의 면적 증가에 의한 현상이다.
ㄴ. 두 지역의 지표면 반사율은 감소하였을 것이다.
ㄷ. 평균 해수면 상승에 준 영향은 남극 대륙이 그린란드보다 컸을 것이다.

① ㄱ ② ㄴ ③ ㄱ, ㄷ
④ ㄴ, ㄷ ⑤ ㄱ, ㄴ, ㄷ

11 그림은 IPCC(정부 간 기후 변화 협의체)의 기후 예측 시나리오를 적용하여 우리나라 주변의 2011년과 2100년 1월의 예상 평균 기온(℃)을 나타낸 것이다.

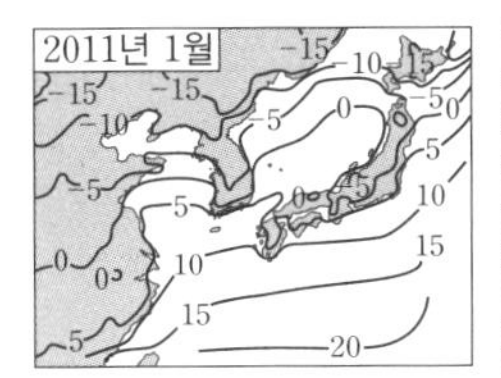

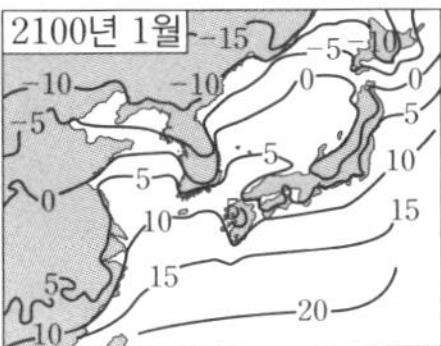

이 자료를 이용하여 예측한 2100년 경 우리나라 주변 환경의 변화로 타당한 것만을 〈보기〉에서 있는 대로 고른 것은?

보기
ㄱ. 벚꽃의 개화 시기가 빨라질 것이다.
ㄴ. 동해의 표층 수온이 상승할 것이다.
ㄷ. 1월의 0 ℃ 기온선은 북쪽으로 이동할 것이다.

① ㄱ ② ㄷ ③ ㄱ, ㄴ ④ ㄴ, ㄷ ⑤ ㄱ, ㄴ, ㄷ

수능 기출

12 다음은 온실 기체의 특성을 알아보기 위한 실험이다.

[실험 과정]
(가) 아랫면을 랩으로 막은 상자, 온도계, 적외선등을 그림과 같이 설치한다.

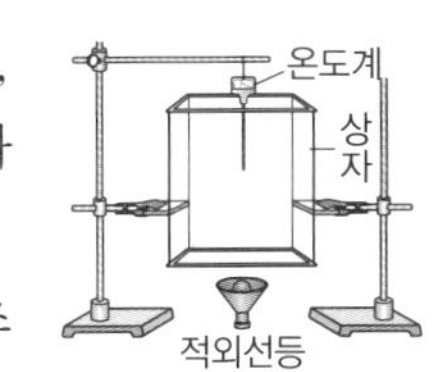

(나) 상자 윗면을 랩으로 막고 초기 온도를 측정한 후, 적외선등을 켜고 상자 안의 온도 변화를 5분간 측정한다.
(다) 상자에 이산화 탄소를 넣은 후 (나) 과정을 수행한다.
(라) 상자에 (다)에서 넣은 이산화 탄소량의 2배를 넣은 후 (나) 과정을 수행한다.

[실험 결과]

실험 과정	(나)	(다)	(라)
초기 온도(℃)	14.0	14.0	14.0
5분 후 온도(℃)	14.7	15.1	(㉠)

이에 대한 설명으로 옳은 것만을 〈보기〉에서 있는 대로 고른 것은?

보기
ㄱ. 적외선등을 상자 아래에서 켠 것은 지표 복사를 나타낸다.
ㄴ. 상자 안 기체의 적외선 흡수량은 (나)가 (다)보다 많다.
ㄷ. ㉠은 15.1보다 크다.

① ㄱ ② ㄴ ③ ㄱ, ㄷ ④ ㄴ, ㄷ ⑤ ㄱ, ㄴ, ㄷ

한눈에 보는 대단원 정리

1 대기와 해양의 변화

01 기압과 날씨 변화

1. 한랭 전선과 온난 전선

구분		한랭 전선	온난 전선
전선의 모식도		적란운, 따뜻한 공기, 찬 공기	층운형 구름, 따뜻한 공기, 찬 공기
특징		찬 공기가 따뜻한 공기 밑으로 파고든다.	따뜻한 공기가 찬 공기 위를 타고 올라간다.
전선면의 기울기		급함	완만함
전선의 이동 속도		빠름	느림
구름		적운형	층운형
강수 구역		전선 뒤쪽의 좁은 범위	전선 앞쪽의 넓은 범위
강수 형태		소나기성 강우	지속적 강우
전선 통과 후의 변화	기온	하강	상승
	기압	상승	하강
	풍향	남서풍 → 북서풍	남동풍 → 남서풍

2. 온대 저기압과 날씨

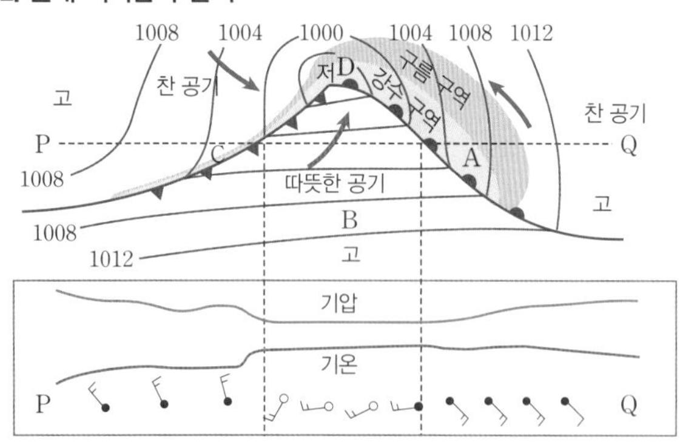

구분	위치	풍향	특징
A 지점	온난 전선 앞	남동풍	넓은 지역에 걸쳐 층운형 구름과 강수 현상
B 지점	온난 전선과 한랭 전선의 사이	남서풍	대체로 맑고 A~D 중에서 기온이 가장 높음
C 지점	한랭 전선 뒤	북서풍	좁은 지역에 소나기가 내림
D 지점	저기압 중심	북풍 계열	상승 기류, 구름 발생, 강수 현상

02 태풍과 우리나라의 악기상

1. 태풍

구분		내용
발생 장소		수증기의 공급이 충분하고 전향력이 작용하는 위도 5°~25°, 수온이 27 ℃ 이상인 열대 해상
구조		• 강한 상승 기류에 의해 적란운이 발달하여 강수량이 많다. • 태풍의 눈은 약한 하강 기류가 나타나고 날씨가 맑다. • 중심부로 갈수록 풍속이 강해지고 태풍의 눈에서 약해지며, 기압은 중심으로 갈수록 낮아진다.
위험 반원과 안전 반원	위험 반원	• 태풍 진행 방향의 오른쪽 반원 • 태풍의 회전 방향과 대기 대순환의 바람이 합쳐져 풍속이 강하고 피해가 크다.
	안전 반원	• 태풍 진행 방향의 왼쪽 반원 • 태풍의 회전 방향과 대기 대순환의 바람이 상쇄되어 풍속이 비교적 약하고 피해가 작다.

2. 악기상

구분	내용
뇌우	국지적으로 가열된 지표면에서 강한 상승 기류가 생겨 적란운이 발달하고, 번개와 천둥이 발생하며 소나기가 내리는 현상
국지성 호우	강한 상승 기류에 의해 적란운이 발생할 때 짧은 시간 동안 좁은 지역에 많은 양의 비가 집중적으로 내리는 현상
우박	강한 상승 기류가 있는 적란운 내에서 눈의 결정이 상승과 하강을 반복하면서 크기가 커지고 무거워진 얼음 덩어리로 변하여 땅 위로 떨어지는 것
황사	중국 북부나 몽골의 사막과 건조한 지역에서 발생한 모래 먼지가 편서풍을 타고 이동해 오는 현상

03 해수의 성질

1. 해수의 연직 수온 분포

구분	내용
혼합층	• 깊이에 따라 수온이 일정한 층 • 바람이 강한 중위도 지방에서 두껍게 발달
수온 약층	• 깊이에 따라 수온이 급격히 낮아지는 안정층 • 표층 수온이 높은 해역에서 더 뚜렷하게 발달
심해층	• 계절이나 깊이에 따른 수온 변화가 거의 없는 층 • 밀도가 가장 크고, 해양에서 가장 많은 부피 차지

2. 해수의 위도별 표층 염분 분포: 위도 30° 부근은 중위도 고압대 지역으로 증발량이 많고 강수량이 적기 때문에 표층 염분이 높다.

3. 해수의 밀도: 수온이 낮을수록, 염분이 높을수록 커진다.

4. 용존 기체: 표층에는 활발한 광합성 작용으로 용존 산소량이 많고, 용존 이산화 탄소량은 적다.

2 대기와 해양의 상호 작용

01 해수의 표층 순환

1. 대기 대순환

해들리 순환	0° ~ 30°	직접 순환	무역풍
페렐 순환	30° ~ 60°	간접 순환	편서풍
극순환	60° ~ 90°	직접 순환	극동풍

2. 표층 순환

발생 원인	대기 대순환의 바람, 대륙의 분포, 지구 자전의 영향
역할	위도별 에너지 불균형 해소, 주변 지역 기후에 영향
열대 순환	• 무역풍에 의한 적도 해류와 적도 반류로 이어지는 순환 • 순환 방향: 북반구에서는 반시계 방향, 남반구에서는 시계 방향
아열대 순환	• 무역풍과 편서풍의 영향으로 형성된 순환 • 순환 방향: 북반구는 시계 방향, 남반구는 반시계 방향으로 순환하면서 적도를 중심으로 대칭적 분포 • 북태평양에서의 아열대 순환: 북적도 해류(무역풍) → 쿠로시오 해류(서안 경계류) → 북태평양 해류(편서풍) → 캘리포니아 해류(동안 경계류)
아한대 순환	• 편서풍과 극동풍의 영향으로 형성된 순환 • 순환 방향: 북반구에서 반시계 방향 • 남반구에서는 나타나지 않음

02 해수의 심층 순환

발생 원인	수온과 염분 변화에 따른 해수의 밀도 차이 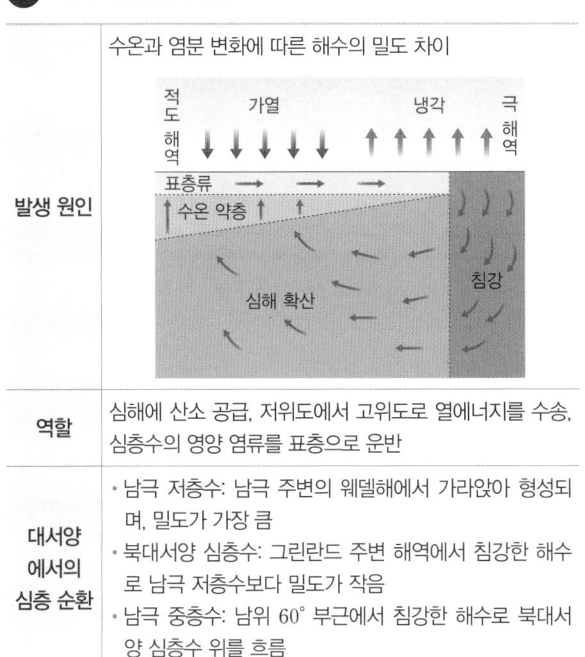
역할	심해에 산소 공급, 저위도에서 고위도로 열에너지를 수송, 심층수의 영양 염류를 표층으로 운반
대서양에서의 심층 순환	• 남극 저층수: 남극 주변의 웨델해에서 가라앉아 형성되며, 밀도가 가장 큼 • 북대서양 심층수: 그린란드 주변 해역에서 침강한 해수로 남극 저층수보다 밀도가 작음 • 남극 중층수: 남위 60° 부근에서 침강한 해수로 북대서양 심층수 위를 흐름

03 대기와 해양의 상호 작용

1. 용승과 침강

종류		특징
용승	연안 용승	• 해안에 나란하게 부는 바람에 의해 외해 쪽으로 해수가 이동하면서 일어남 • 해안에 가까울수록 수온이 낮고 좋은 어장이 형성
	적도 용승	적도 부근의 무역풍으로 인해 표층 해수가 발산되면서 일어남
연안 침강		먼 바다의 표층 해수가 대륙의 연안 쪽으로 이동할 때 발생

2. 엘니뇨와 라니냐

	엘니뇨	라니냐
발생 과정	무역풍 약화 → 동태평양에서 용승 약화 → 동태평양의 표층 수온 상승	무역풍 강화 → 동태평양에서 용승 강화 → 동태평양의 표층 수온 하강
현상	• 서태평양: 하강 기류 발달 → 강수량 감소 → 가뭄 발생 • 동태평양: 상승 기류 발달 → 강수량 증가 → 홍수 발생	• 서태평양: 상승 기류 발달 → 강수량이 많음 • 동태평양: 하강 기류 발달 → 강수량이 적음

3. 남방 진동: 열대 태평양의 동·서 기압 분포 변화

04 지구의 기후 변화

1. 기후 변화의 지구 외적 요인

세차 운동	• 지구 자전축이 약 26000년을 주기로 회전 • 약 13000년 후 북반구의 연교차가 커짐
자전축 기울기 변화	• 경사각이 약 41000년을 주기로 변함(21.5°~24.5°) • 자전축 경사가 커지면 연교차가 커짐
공전 궤도 이심률 변화	• 지구 공전 궤도 이심률이 약 10만 년을 주기로 변함 • 이심률이 작아지면 북반구의 연교차가 커짐

2. 인간 활동에 의한 기후 변화

온실 효과	지구 대기에서 가시광선은 잘 통과시키고, 적외선은 대부분 흡수하였다가 지표면으로 재방출하여 지구의 평균 온도를 높이는 현상
지구 온난화	대기 중의 온실 기체의 증가로 온실 효과가 증대되어 지구의 평균 기온이 상승하는 현상
지구 온난화의 영향	해수면 상승, 육지의 면적 감소, 기후대의 급격한 변화로 기상 이변 발생 증가, 생물 멸종 및 생태계의 파괴

한번에 끝내는 대단원 문제

정답과 해설 57쪽

01 그림은 우리나라 부근에 발달한 온대 저기압의 모습이다.

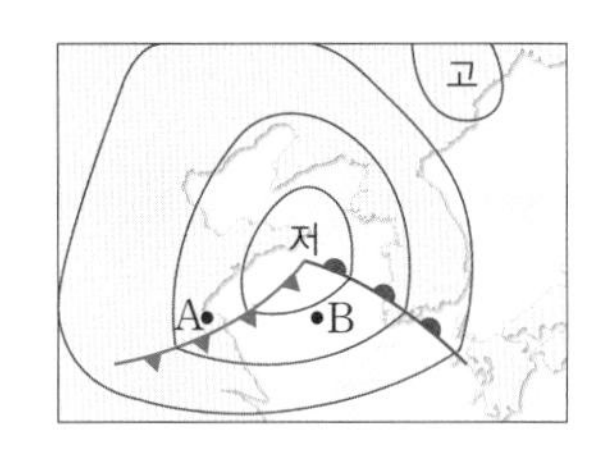

B보다 A에서 크게 나타나는 물리량을 〈보기〉에서 있는 대로 고른 것은?

〈보기〉
ㄱ. 기압 ㄴ. 기온
ㄷ. 강수 확률 ㄹ. 구름의 두께

① ㄱ, ㄴ ② ㄴ, ㄷ ③ ㄷ, ㄹ
④ ㄱ, ㄷ, ㄹ ⑤ ㄴ, ㄷ, ㄹ

02 그림은 우리나라를 통과한 태풍 중심의 이동 경로를 나타낸 것이다.
이에 대한 설명으로 옳지 않은 것은?

서울
15시
12시
부산
09시

① 바람의 세기는 서울이 부산보다 약하다.
② 태풍의 이동 방향은 편서풍의 영향을 받는다.
③ 서울 지방의 풍향은 반시계 방향으로 바뀐다.
④ 우리나라를 통과하면서 중심 기압은 더 낮아진다.
⑤ 태풍의 눈의 영향을 받는 지역은 바람이 약하고 날씨가 맑다.

03 다음 중 온대 저기압과 태풍을 비교하여 설명한 것으로 옳지 않은 것은?

① 온대 저기압은 전선을 동반한다.
② 태풍의 에너지원은 수증기의 응결열이다.
③ 태풍은 등압선이 원형이고 상대적으로 조밀하다.
④ 태풍의 발생 장소는 수온이 높은 적도 해상이다.
⑤ 온대 저기압은 편서풍을 따라 동쪽으로 이동한다.

04 그림은 8월의 전 세계 해양의 표층 수온 분포를 나타낸 것이다.

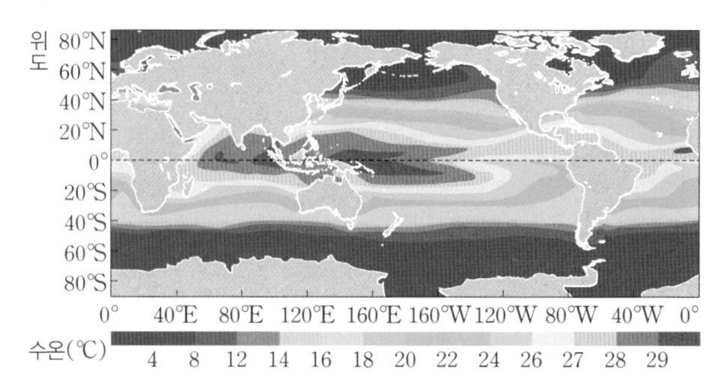

이에 대한 설명으로 옳은 것만을 〈보기〉에서 있는 대로 고른 것은?

〈보기〉
ㄱ. 적도 부근의 수온은 동태평양이 서태평양보다 높다.
ㄴ. 표층 수온은 저위도에서 고위도로 갈수록 대체로 낮아진다.
ㄷ. 대양의 중심부에서는 등온선이 위도와 대체로 나란하게 분포한다.

① ㄱ ② ㄷ ③ ㄱ, ㄴ
④ ㄴ, ㄷ ⑤ ㄱ, ㄴ, ㄷ

05 그림은 전 세계 해양의 표층 염분 분포와 위도에 따른 증발량과 강수량의 분포를 나타낸 것이다.

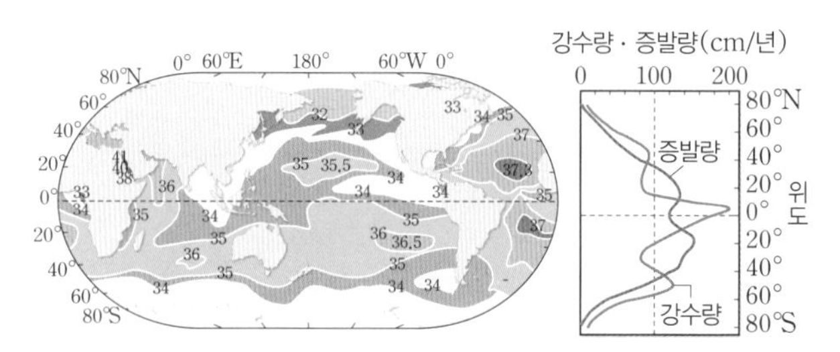

이에 대한 설명으로 옳은 것은?

① 적도 부근은 증발량이 강수량보다 많다.
② 대양에서 염분은 육지에 가까울수록 높다.
③ (증발량−강수량) 값이 클수록 염분이 낮다.
④ 표층 염분은 적도 부근 해역에서 높게 나타난다.
⑤ 중위도 지역은 증발량이 강수량보다 많아서 염분이 높다.

고난도

06 그림은 A~C 해역에서 측정한 해수의 온도, 염분을 수온 염분도에 나타낸 것이다.
이에 대한 해석으로 옳은 것만을 〈보기〉에서 있는 대로 고른 것은?

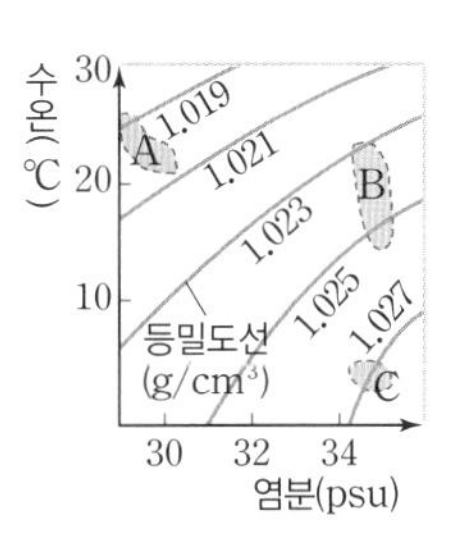

보기
ㄱ. A는 수온과 염분이 가장 높다.
ㄴ. 수온이 일정하고 염분이 높아지면 밀도는 커진다.
ㄷ. C가 B보다 밀도가 높은 것은 수온이 낮기 때문이다.

① ㄱ ② ㄴ ③ ㄷ
④ ㄱ, ㄴ ⑤ ㄴ, ㄷ

07 그림은 해류의 표층 순환을 간략히 나타낸 것이다.
이에 대한 설명으로 옳은 것만을 〈보기〉에서 있는 대로 고른 것은?

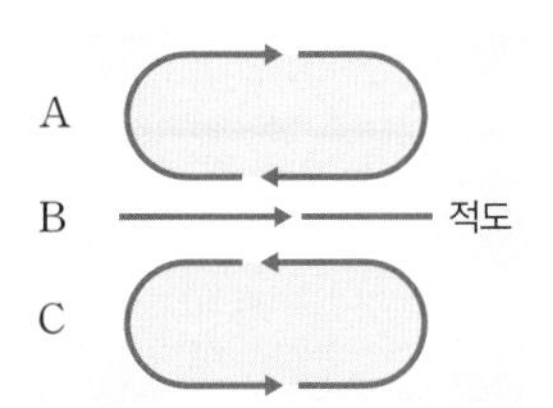

보기
ㄱ. A, C 순환은 아열대 순환이다.
ㄴ. B 해류는 적도 해류에 해당한다.
ㄷ. A, C 순환은 무역풍과 편서풍에 의해 형성된다.

① ㄱ ② ㄴ ③ ㄱ, ㄷ
④ ㄴ, ㄷ ⑤ ㄱ, ㄴ, ㄷ

08 〈보기〉는 해류를 일으키는 여러 요인을 나타낸 것이다.

보기
ㄱ. 바람 ㄴ. 수온의 변화
ㄷ. 염분의 변화

(가) 표층 해류를 일으키는 주 원인과 (나) 심층 해류를 일으키는 주 원인을 각각 보기에서 골라 옳게 짝 지은 것은?

	(가)	(나)
①	ㄱ	ㄴ, ㄷ
②	ㄷ	ㄱ, ㄴ
③	ㄱ, ㄴ	ㄷ
④	ㄴ, ㄷ	ㄱ
⑤	ㄱ, ㄷ	ㄴ

09 그림은 북반구 지역의 대기 대순환을 나타낸 것이다.

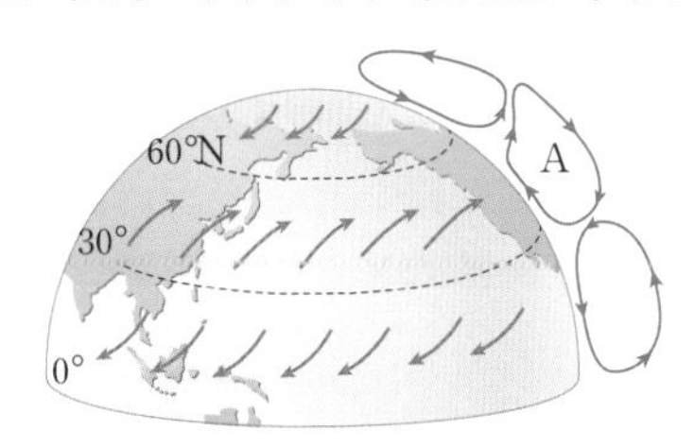

이에 대한 설명으로 옳은 것만을 〈보기〉에서 있는 대로 고른 것은?

보기
ㄱ. A는 열대류에 의한 직접 순환이다.
ㄴ. 위도 30° 지역은 고압대에 해당한다.
ㄷ. 무역풍은 해들리 순환의 지표 부근에서 부는 바람이다.

① ㄱ ② ㄷ ③ ㄱ, ㄴ
④ ㄴ, ㄷ ⑤ ㄱ, ㄴ, ㄷ

10 그림은 대서양 심층 순환의 단면을 나타낸 것이다.

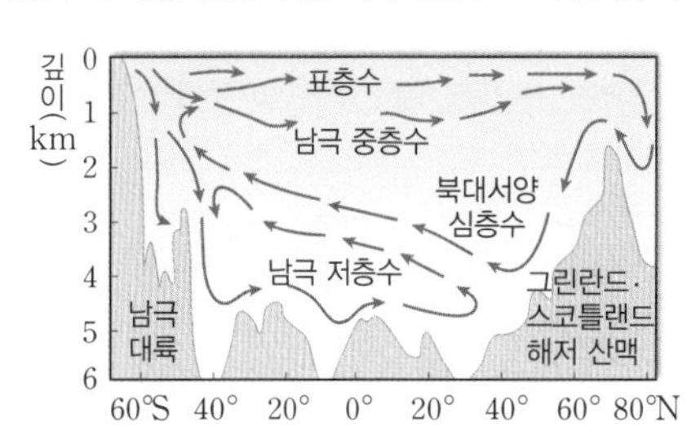

이에 대한 설명으로 옳은 것만을 〈보기〉에서 있는 대로 고른 것은?

보기
ㄱ. 남극 저층수가 북대서양 심층수보다 밀도가 크다.
ㄴ. 남극 중층수의 흐름은 바람의 영향으로 형성된 것이다.
ㄷ. 북대서양 심층수의 흐름이 강해지면 표층수의 흐름도 강해진다.

① ㄱ ② ㄴ ③ ㄱ, ㄷ
④ ㄴ, ㄷ ⑤ ㄱ, ㄴ, ㄷ

11 그림은 북반구에서 일어나는 해수의 표층 순환을 나타낸 것이다.

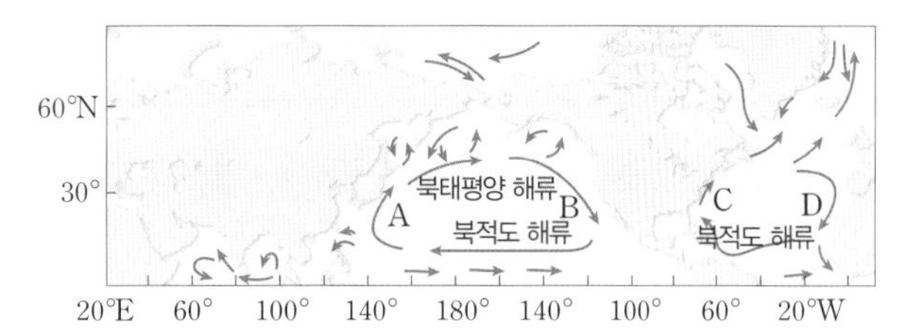

이에 대한 설명으로 옳은 것만을 〈보기〉에서 있는 대로 고른 것은?

> 보기
> ㄱ. A와 C는 고위도로 열에너지를 수송한다.
> ㄴ. B의 특성은 C보다 D의 특성에 가깝다.
> ㄷ. 태평양과 대서양의 북적도 해류는 무역풍에 의해 형성되었다.

① ㄱ ② ㄴ ③ ㄱ, ㄷ ④ ㄴ, ㄷ ⑤ ㄱ, ㄴ, ㄷ

12 그림은 남반구 어느 해역에서 해수면 위를 지속적으로 부는 바람을 나타낸 것이다.
A 해역에서 일어나는 현상과 수온 변화를 옳게 짝 지은 것은?

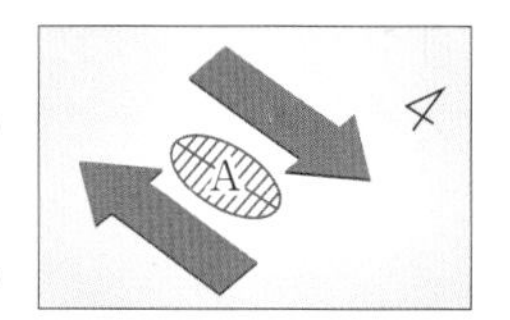

	현상	수온 변화		현상	수온 변화
①	용승	상승	②	침강	상승
③	용승	하강	④	침강	하강
⑤	용승	변함없음			

13 다음은 기후를 변화시키는 요인을 나타낸 것이다.

> (가) 태양 활동이 현재보다 더 활발해진다.
> (나) 지구 자전축 경사 방향이 현재와 반대로 된다.
> (다) 지표면의 태양 복사 에너지 흡수율이 현재보다 낮아진다.

이에 대한 설명으로 옳은 것만을 〈보기〉에서 있는 대로 고른 것은?

> 보기
> ㄱ. (가)는 지구 평균 기온을 높일 것이다.
> ㄴ. (나)의 경우 우리나라의 겨울철 기온은 더 낮아진다.
> ㄷ. (다)는 기후 변화의 지구 외적 요인이다.

① ㄱ ② ㄴ ③ ㄷ ④ ㄱ, ㄴ ⑤ ㄱ, ㄴ, ㄷ

고난도

14 그림 (가)와 (나)는 평상시와 엘니뇨 발생시에 적도 부근의 태평양에서 표층 해수의 흐름과 대기 순환을 순서 없이 나타낸 것이다.

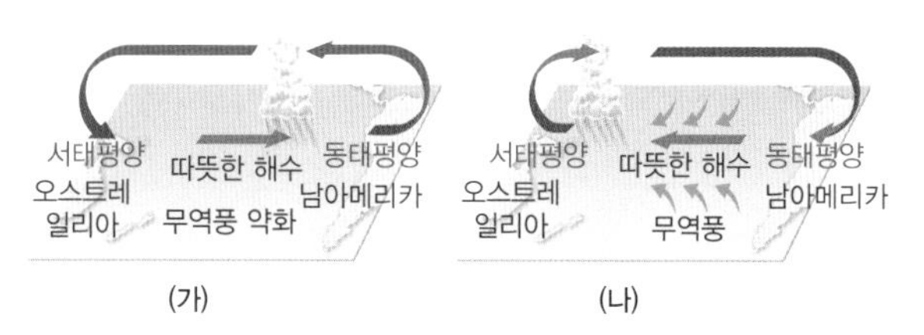

이에 대한 설명으로 옳은 것만을 〈보기〉에서 있는 대로 고른 것은?

> 보기
> ㄱ. (가)는 엘니뇨 발생시의 모습이다.
> ㄴ. 서태평양의 표층 수온은 (가)보다 (나)에서 더 높다.
> ㄷ. 동태평양에서 홍수가 발생할 가능성은 (나) 시기에 더 높다.

① ㄱ ② ㄷ ③ ㄱ, ㄴ
④ ㄴ, ㄷ ⑤ ㄱ, ㄴ, ㄷ

15 그림은 여러 온실 기체의 온실 효과 기여도를 나타낸 것이다.
이에 대한 설명으로 옳은 것만을 〈보기〉에서 있는 대로 고른 것은? (단, 수증기는 제외하고 나타낸 것이다.)

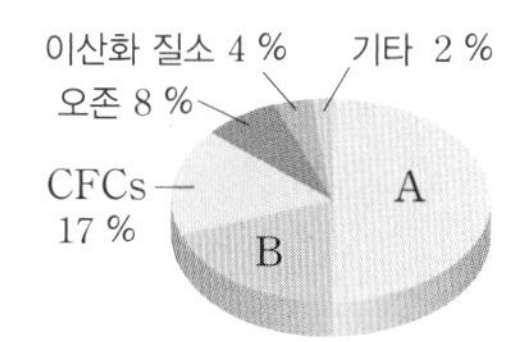

> 보기
> ㄱ. A는 이산화 탄소이다.
> ㄴ. B는 유기물이 분해될 때 방출된다.
> ㄷ. A는 B보다 대기 중의 농도가 높다.

① ㄱ ② ㄴ ③ ㄷ
④ ㄱ, ㄴ ⑤ ㄱ, ㄴ, ㄷ

16 지구 온난화를 억제하기 위해 우리가 실천해야 할 생활 수칙으로 타당하지 않은 것은?

① 재활용 상품을 이용한다.
② 실내 온도를 적정하게 유지한다.
③ 에너지를 절약하는 생활 습관을 기른다.
④ 천연 가스를 이용한 화력 발전 비율을 높인다.
⑤ 에너지 효율이 높은 전기 기구를 구입하여 사용한다.

단답형

17 그림은 성질이 다른 기단이 만나 생기는 두 전선을 나타낸 것이다.

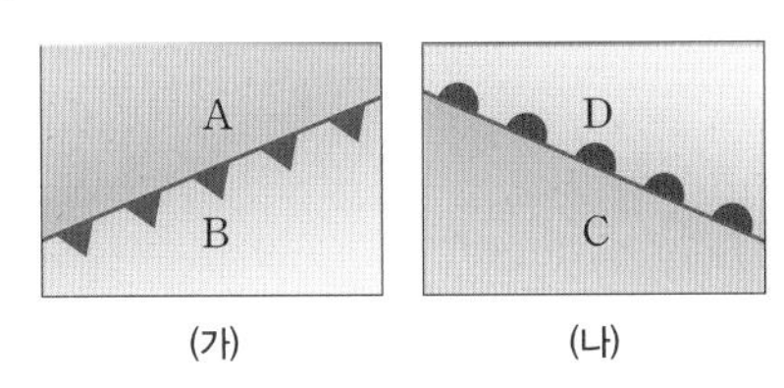

(가) (나)

A~D 중 강수 구역과 상대적으로 기온이 높은 지역을 모두 고르시오.

단답형

18 그림은 북태평양에서 순환하는 표층 해류를 나타낸 것이다.

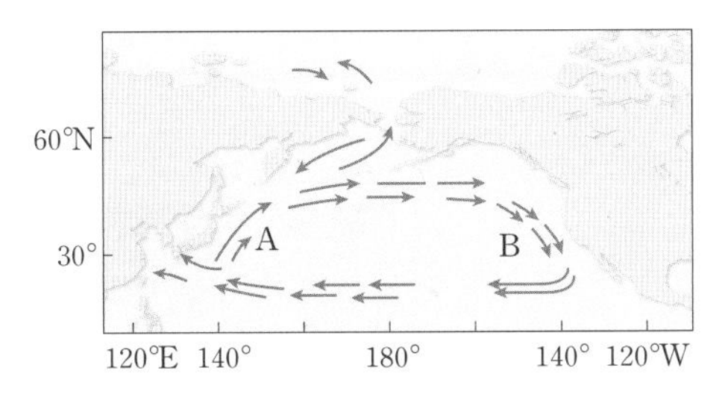

A와 B 해류를 이루는 해수의 다음 물리량을 비교하시오.

• 수온	• 유속	• 영양 염류량

서술형

19 그림은 태평양 적도 부근에서 수온 편차(관측값－평년값)를 나타낸 것이다.

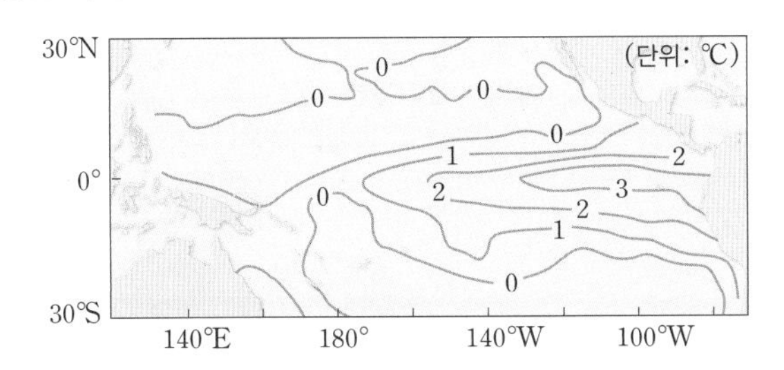

평상시와 비교하여 이 시기의 태평양 적도 부근 해역에 부는 무역풍의 세기, 동태평양의 해면 기압, 강수량의 변화를 서술하시오.

단답형

20 그림은 북반구의 (가), (나), (다) 해역에서 해수면 위를 지속적으로 부는 바람의 방향을 화살표로 나타낸 것이다.

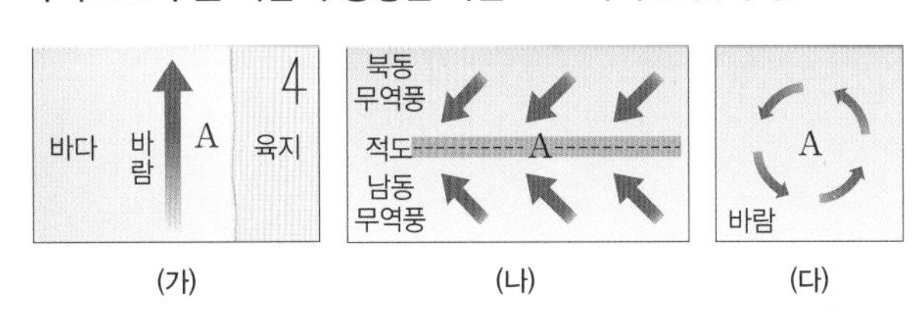

(가) (나) (다)

A 지점에서 용승이나 침강 중 어느 현상이 일어나는지 쓰시오.

서술형

21 그림 (가)와 (나)는 자전축의 방향과 기울기가 다른 경우를 나타낸 것이다.

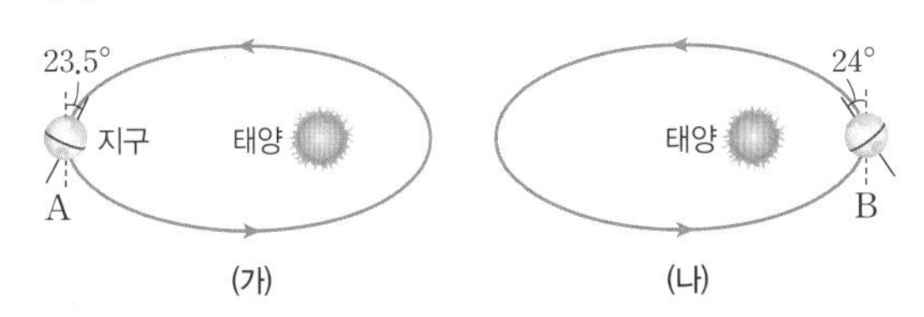

(가) (나)

우리나라에서 여름철에 평균 기온 차이를 비교하여 서술하시오.

단답형

22 다음은 지구에서 온실 효과가 일어나는 과정을 설명한 것이다. ㉠~㉢에 들어갈 알맞은 말을 쓰시오.

> 지구에 도달하는 태양 복사 에너지 중 (㉠)은 대기를 통과하면서 거의 흡수되지 않고 지표면까지 도달하여 흡수된다. 태양 복사 에너지를 받아 가열된 지표면은 대부분 (㉡)으로 에너지를 방출하는데, 이 (㉡)은 대기를 통과하면서 대부분 흡수되고 대기는 흡수한 에너지를 지표로 재방출하여 지구의 평균 온도를 높이게 되는데, 이를 (㉢)라고 한다.

Ⅲ 우주

나의 학습 계획표

중단원	소단원	계획일	실천일	성취도
1 별과 외계 행성계	01. 별의 물리량	/	/	○△×
	02. 별의 분류와 진화	/	/	○△×
	수능 POOL + 실전! 수능 도전하기	/	/	○△×
	03. 별의 에너지원과 내부 구조	/	/	○△×
	04. 외계 행성계와 외계 생명체 탐사	/	/	○△×
	수능 POOL + 실전! 수능 도전하기	/	/	○△×
2 외부 은하와 우주 팽창	01. 외부 은하	/	/	○△×
	02. 빅뱅 우주론	/	/	○△×
	03. 우주의 구성 물질과 미래	/	/	○△×
	수능 POOL + 실전! 수능 도전하기	/	/	○△×
	대단원 정리 + 문제	/	/	○△×

1 별과 외계 행성계

배울 내용 살펴보기

01 별의 물리량

별은 표면 온도에 따라 색이 다르고, 흡수선을 통해 분광형으로도 분류할 수 있어. 또한 광도와 표면 온도를 이용하여 크기도 알아낼 수 있어.

- A 별의 색과 표면 온도
- B 별의 분광형과 표면 온도
- C 별의 광도와 크기

02 별의 분류와 진화

별은 H-R도로 분류할 수 있고, 광도에 따라 광도 계급으로 나눌 수 있어. 그리고 이 H-R도를 통해서 별의 진화 과정을 알 수 있어.

- A H-R도
- B 별의 분류와 광도 계급
- C 별의 탄생과 주계열성
- D 주계열 이후의 별의 진화

03 별의 에너지원과 내부 구조

별의 에너지원은 수소 핵융합 반응이야. 별의 질량에 따라 수소 핵융합 반응의 종류와 에너지 전달 방식, 진화에 따른 내부 구조가 달라져.

- A 별의 에너지원
- B 수소 핵융합 반응의 종류
- C 별의 에너지 전달 방식
- D 별의 진화에 따른 별의 내부 구조

04 외계 행성계와 외계 생명체 탐사

외계 행성계를 탐사하는 다양한 방법이 존재하며, 발견된 행성은 외계 생명체가 존재하기 위한 행성의 조건을 만족해야 해.

- A 외계 행성계 탐사
- B 외계 생명체 탐사

01 별의 물리량

핵심 키워드로 흐름잡기

- A 색, 표면 온도, 색지수
- B 분광 관측, 스펙트럼, 분광형, 표면 온도
- C 광도, 절대 등급, 슈테판·볼츠만 법칙, 별의 반지름

A 별의 색과 표면 온도

|출·제·단·서| 시험에는 별의 색과 색지수로부터 표면 온도를 찾는 문제가 나와.

1. 별의 복사 별은 거의 흑체와 같이 복사한다.

(1) 흑체 입사된 에너지를 모두 흡수하고 흡수한 에너지를 모두 방출하는 이상적인 물체

(2) 흑체 복사 흑체의 표면에서 방출되는 복사 에너지의 파장에 따른 분포는 표면 온도에 따라 달라진다.

(3) 빈의 변위 법칙 흑체의 표면 온도가 높을수록 최대 에너지를 방출하는 파장이 짧아진다.

흑체는 모든 파장으로 에너지를 방출하며, 표면 온도가 높을수록 더 많은 에너지를 방출하여 밑면적이 넓다.

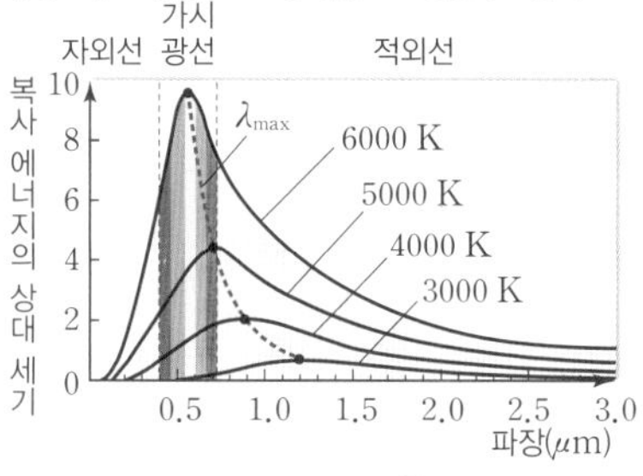

▲ 플랑크 곡선❶

$$\lambda_{max} = \frac{a}{T}\ (a\text{: 비례 상수, } a=2.898\times10^3\ \mu\text{m}\cdot\text{K})$$

⇨ 흑체의 온도(T)와 최대 에너지를 방출하는 파장(λ_{max})은 반비례 관계이다.

2. 별의 표면 온도와 색 표면 온도가 높은 별일수록 최대 에너지를 방출하는 파장이 짧아지므로 파란색으로 보이고, 표면 온도가 낮은 별일수록 최대 에너지를 방출하는 파장이 길어지므로 붉은색으로 보인다.

태양은 G형에 속하는 별이다.

파란색(O형) 청백색(B형) 흰색(A형) 황백색(F형) 노란색(G형) 주황색(K형) 붉은색(M형)

높다 ← 표면 온도 → 낮다

3. 별의 색지수와 표면 온도

(1) •색지수 사진으로 촬영한 별의 밝기인 사진 등급(m_p)과 맨눈으로 본 별의 밝기인 안시 등급(m_v)의 차이 [사진 등급(m_p) − 안시 등급(m_v)]

(2) 별의 표면 온도와 색지수 표면 온도가 높은 별일수록 색지수가 작다.

① 표면 온도가 10000 K인 흰색 별은 사진 등급과 안시 등급이 같아서 색지수가 0이다.

② 표면 온도가 10000 K보다 높은 별은 파장이 짧은 에너지를 많이 방출하므로 사진 등급이 작아져 색지수는 (−) 값을, 표면 온도가 10000 K보다 낮은 별은 (+) 값을 갖는다.

(3) U, B, V 필터❷를 이용한 색지수 별의 등급과 색을 측정하기 위해 U, B, V 필터가 사용되며, 보통 (B−V)를 색지수로 사용한다.

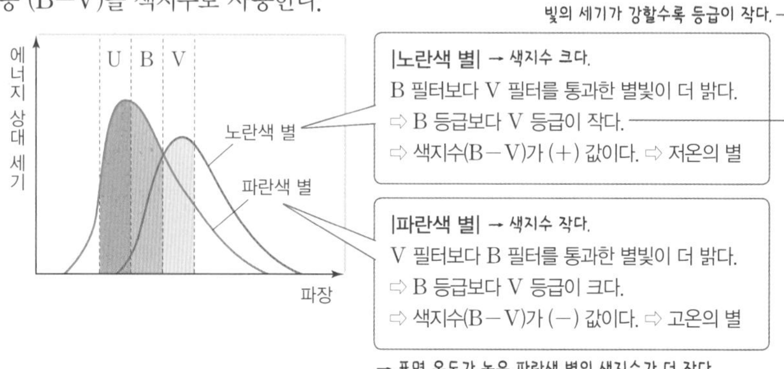

---

❶ 플랑크 곡선
흑체 표면에서 방출하는 복사 에너지를 파장에 따라 나타낸 곡선

? 별의 색이 다른 까닭은?
별의 색이 다른 까닭은 별의 표면 온도가 다르기 때문이다. 따라서 별의 색으로 표면 온도를 예상할 수 있다.

▲ 여름철 백조자리의 알비레오

❷ U, B, V 필터
파장에 따른 빛의 투과 영역으로, U 필터는 보라색 빛을, B 필터는 파란색 빛을, V 필터는 노란색 빛을 통과시킨다.

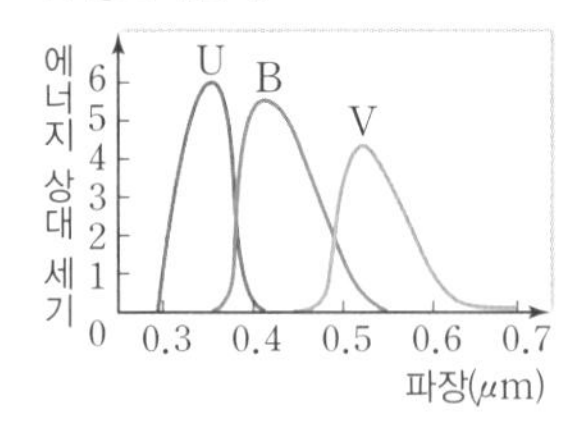

- U 필터: 0.35±0.1 μm
- B 필터: 0.43±0.1 μm
- V 필터: 0.55±0.1 μm

용어 알기

•색지수(빛 色, 가리키다 指, 세다 數)(color index) 별에서 나오는 빛의 특정한 색을 수량화하여 나타낸 밝기의 등급

B 별의 분광형과 표면 온도

|출·제·단·서| 시험에는 분광 관측을 통해 나온 스펙트럼과 표면 온도의 관계에 대해 묻는 문제가 나와.

1. 분광 관측과 스펙트럼

(1) **●분광 관측** 별빛의 스펙트럼 관측을 통해 별의 구성 성분이나 표면 온도, 밀도, 운동 상태 등을 연구하는 것이다.

(2) 분광 관측의 역사

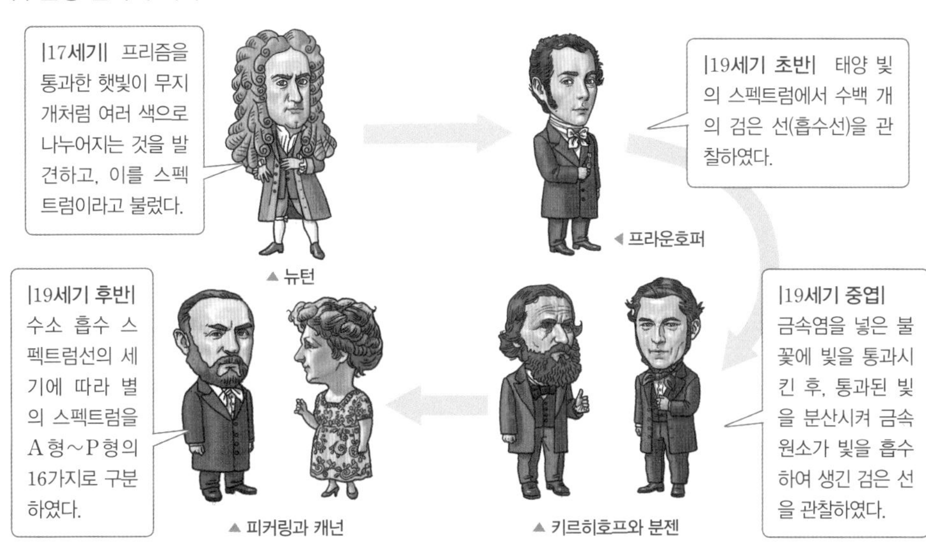

(3) 스펙트럼❸의 종류

구분		의미와 특징
연속 스펙트럼		방출되는 빛의 파장이 무지개 색깔의 연속적인 띠로 나타나는 스펙트럼
선 스펙트럼	흡수 스펙트럼❹	연속 스펙트럼 중간에 기체가 흡수한 에너지로 인해 검은색 선이 나타나는 스펙트럼
	방출 스펙트럼	기체가 흡수한 에너지를 빛에너지로 방출할 때 특정 파장에서만 나타나는 선 모양의 스펙트럼

스펙트럼은 파장에 따른 굴절률의 차이를 이용하여 분류한다.

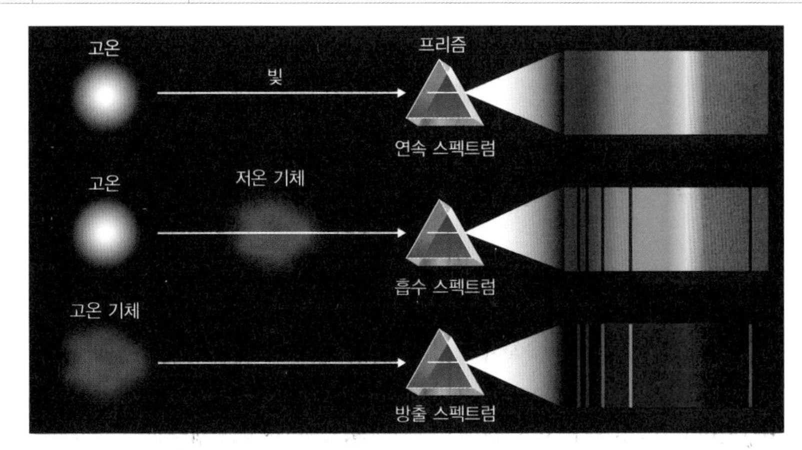

(4) **별의 스펙트럼** 별은 흡수 스펙트럼이 나타나며, 별마다 흡수 스펙트럼이 다르다.

① **흡수 스펙트럼이 나타나는 까닭:** 별의 대기에 존재하는 기체 원소들이 별에서 방출되는 빛 중에서 특정 파장의 빛을 흡수한다.

② **별마다 스펙트럼이 다른 까닭:** 별들의 구성 물질은 거의 동일하지만, 별의 표면 온도에 따라 원소들이 각각 특정한 흡수선을 형성하므로 다양한 스펙트럼이 나타난다.

전자기파
빛에너지는 파동의 형태로 이동하는데, 전기장과 자기장으로 이루어져 있어 전자기파라고 한다. 전자기파는 파장에 따라 전파에서 감마선(γ선)까지 연속적인 스펙트럼으로 나타낼 수 있다.

❸ 스펙트럼
분광기나 프리즘을 통과한 빛이 파장의 순서대로 펼쳐져서 나열된 색의 띠이다.

❹ 흡수 스펙트럼
흡수 스펙트럼을 분석하면 별의 대기에 존재하는 원소의 종류를 알 수 있으므로 별의 구성 성분을 추측할 수 있다.

용어 알기
●분광(나누다 分, 빛 光)(Spectrum) 빛이 프리즘과 같은 물체를 통과할 때 여러 개의 선으로 나누어지는 현상

2. 별의 분광형과 표면 온도

암기TIP 별의 분광형 순서 "Oh Be A Fine Girl(Guy), Kiss Me"

(1) 별의 분광형(스펙트럼형) 별의 표면 온도에 따라 나타나는 흡수선의 모양과 세기를 기준으로 온도가 높은 별부터 O, B, A, F, G, K, M형의 7가지로 분류한다. 각 분광형은 고온의 0에서 저온의 9까지 10단계로 세분화한다.

빈출 자료 분광형에 따른 흡수선의 종류 및 세기

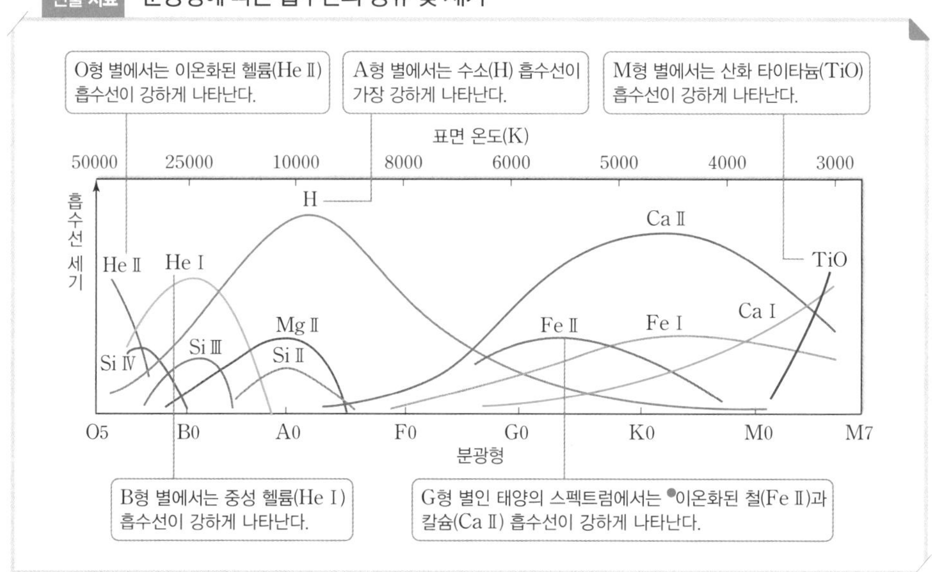

(2) 별의 분광형과 표면 온도 O형의 별의 표면 온도가 가장 높고, M형의 별이 표면 온도가 가장 낮다. ⇨ 분광형으로 표면 온도를 알 수 있다.❺

분광형	스펙트럼 모습	표면 온도(K)		색	색지수
O	700 nm, 수소, 400 nm, 헬륨	높다	>30000	파란색	작다
B	탄소, 헬륨		10000~30000	청백색	
A	철, 칼슘		7500~10000	흰색	
F	소듐, 마그네슘, 산소, 철	표면 온도	6000~7500	황백색	
G	산소		5000~6000	노란색	
K			3500~5000	주황색	
M	산화 타이타늄	낮다	<3500	붉은색	크다

❺ 분광형으로 표면 온도를 알 수 있는 까닭
별의 표면 온도에 따라 별의 대기를 구성하는 기체들이 이온화되는 정도가 다르기 때문에 흡수선의 세기가 달라진다.

용어 알기
•이온화(ionization) 전하를 띠는 원자 또는 원자단을 이온이라고 하는데, 원자가 전자를 얻거나 잃어서 전하를 띠게 되는 것을 이온화라고 함

C 별의 광도와 크기

|출·제·단·서| 시험에는 별의 광도와 크기의 관계를 묻는 문제가 나와.

1. 별의 광도

(1) 광도 별이 단위 시간 동안 표면에서 방출하는 에너지의 총량 ⇨ 광도는 별의 실제 밝기를 나타내며, 지구에서 별까지의 거리에 관계없이 일정한 값을 갖는다.

(2) 별의 밝기 별의 밝기는 등급[6]으로 나타내며, 절대 등급과 겉보기 등급이 있다.

절대 등급(실제 밝기)	겉보기 등급(겉보기 밝기)
• 별을 지구로부터 10 pc 떨어진 거리에 옮겨 놓았다고 가정했을 때의 밝기 • 별의 광도가 클수록 절대 등급이 작다.	• 눈에 보이는 별의 밝기로 정한 등급 • 거리와 광도의 영향을 받는다. 거리가 같은 경우: 광도가 큰 별의 겉보기 등급이 작다. 광도가 같은 경우: 거리가 가까운 별의 겉보기 등급이 작다.

2. 별의 •광도 구하기 별의 절대 등급을 알아낸 다음 태양의 절대 등급과 비교하여 구한다.

(1) 별의 절대 등급 계산 연주 시차 측정 등의 방법으로 별의 거리를 구하고, 별의 밝기 관측을 통해 별의 겉보기 등급을 알아낸 뒤 두 값의 관계를 이용하여 절대 등급을 계산한다.[7]

(2) 별과 태양의 절대 등급으로 별의 광도 측정

① 별의 절대 등급과 태양의 절대 등급(4.8등급)의 차이를 구한다.

② 1등급 사이의 밝기 차이는 $100^{\frac{1}{5}} ≒ 2.5$배이므로 등급 차를 통해서 광도의 크기를 구할 수 있다.

(3) 포그슨 공식 이용 별의 등급과 밝기의 관계를 나타내는 포그슨 공식을 이용하여 별의 등급에 따른 밝기를 구분할 수 있다.

❶ 두 별의 겉보기 등급을 m_1, m_2, 밝기를 l_1, l_2라고 하면 $\frac{l_1}{l_2} = 100^{\frac{1}{5}(m_2-m_1)} = 10^{\frac{2}{5}(m_2-m_1)}$의 관계가 성립한다.

❷ 양변에 log를 취하여 정리하면 다음과 같은 관계식이 성립한다. ⇨ 포그슨 공식

$$m_2 - m_1 = -2.5\log\frac{l_2}{l_1}$$

❸ 태양의 절대 등급($M_{\odot}$)과 태양의 광도($L_{\odot}$)를 이용하면 별의 절대 등급(M)을 통해 별의 광도(L)를 계산할 수 있다.

$$M - M_{\odot} = -2.5\log\frac{L}{L_{\odot}}$$

(태양의 절대 등급 $M_{\odot}$: 4.8등급, 태양의 광도 $L_{\odot}$: 4×10^{26} W)

3. 별의 크기 구하기 스펙트럼을 분석하여 별의 표면 온도를 알고 별의 절대 등급을 태양과 비교하여 별의 광도를 결정하면, 광도를 구하는 공식을 이용하여 별의 크기를 구할 수 있다. 개념 POOL

(1) 슈테판·볼츠만 법칙 표면 온도가 T인 흑체가 단위 시간에 단위 넓이당 방출하는 에너지양 E는 표면 온도의 4제곱에 비례한다.

$$E = \sigma T^4 \quad (\text{슈테판·볼츠만 상수 } \sigma = 5.670\times10^{-8}\ \mathrm{W\cdot m^{-2}\cdot K^{-4}})$$

(2) 별의 광도(L)와 표면 온도(T)로 별의 반지름을 구하는 방법

① 별은 흑체와 같이 복사하므로 슈테판·볼츠만 법칙에 따라 에너지를 방출한다.

② 별은 구형이므로 단위 면적당 방출하는 에너지양에 별의 겉넓이를 곱하여 별의 광도를 구할 수 있다.

③ 따라서 별의 광도와 표면 온도로부터 별의 반지름 R를 알 수 있다.

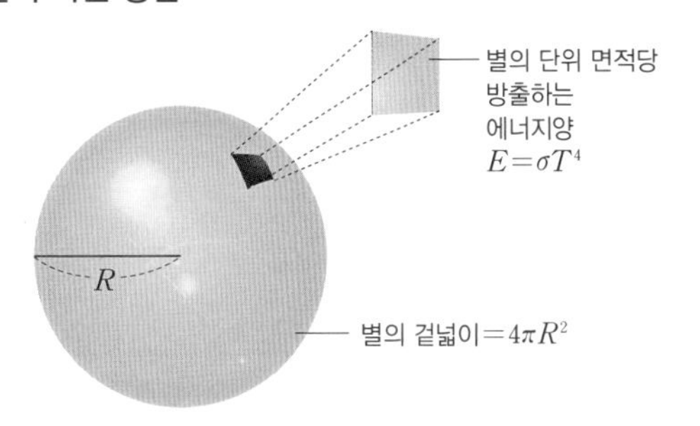

$$L = 4\pi R^2 \cdot \sigma T^4 \quad ⇨ \quad R = \frac{\sqrt{L}}{\sqrt{4\pi\sigma}\cdot T^2}$$

❻ 별의 등급
1등급의 별이 6등급의 별보다 100배 더 밝다. 즉, 1등급 간의 밝기 비는 $100^{\frac{1}{5}} ≒ 2.512$배이다.

❼ 거리 지수
(겉보기 등급 − 절대 등급)으로 별의 거리가 r, 겉보기 등급이 m, 절대 등급이 M일 때 $m-M = 5\log r - 5$이다.

$m-M<0$	10 pc보다 가까운 별
$m-M=0$	10 pc에 있는 별
$m-M>0$	10 pc보다 먼 별

슈테판·볼츠만 법칙에 의해 유도되는 광도의 식을 이용하면 온도와 광도가 알려진 별의 크기를 구할 수 있음을 알아둬! 또, 별의 광도와 반지름을 알고 있는 경우에는 이 식으로부터 별의 표면 온도를 구할 수 있음을 알아둬!

용어 알기
• 광도(빛 光, 정도 度) (Luminosity) 별에서 나오는 빛의 양을 나타내는 수치

별의 광도와 크기

목표 별의 광도와 표면 온도로부터 별의 크기를 비교할 수 있다.

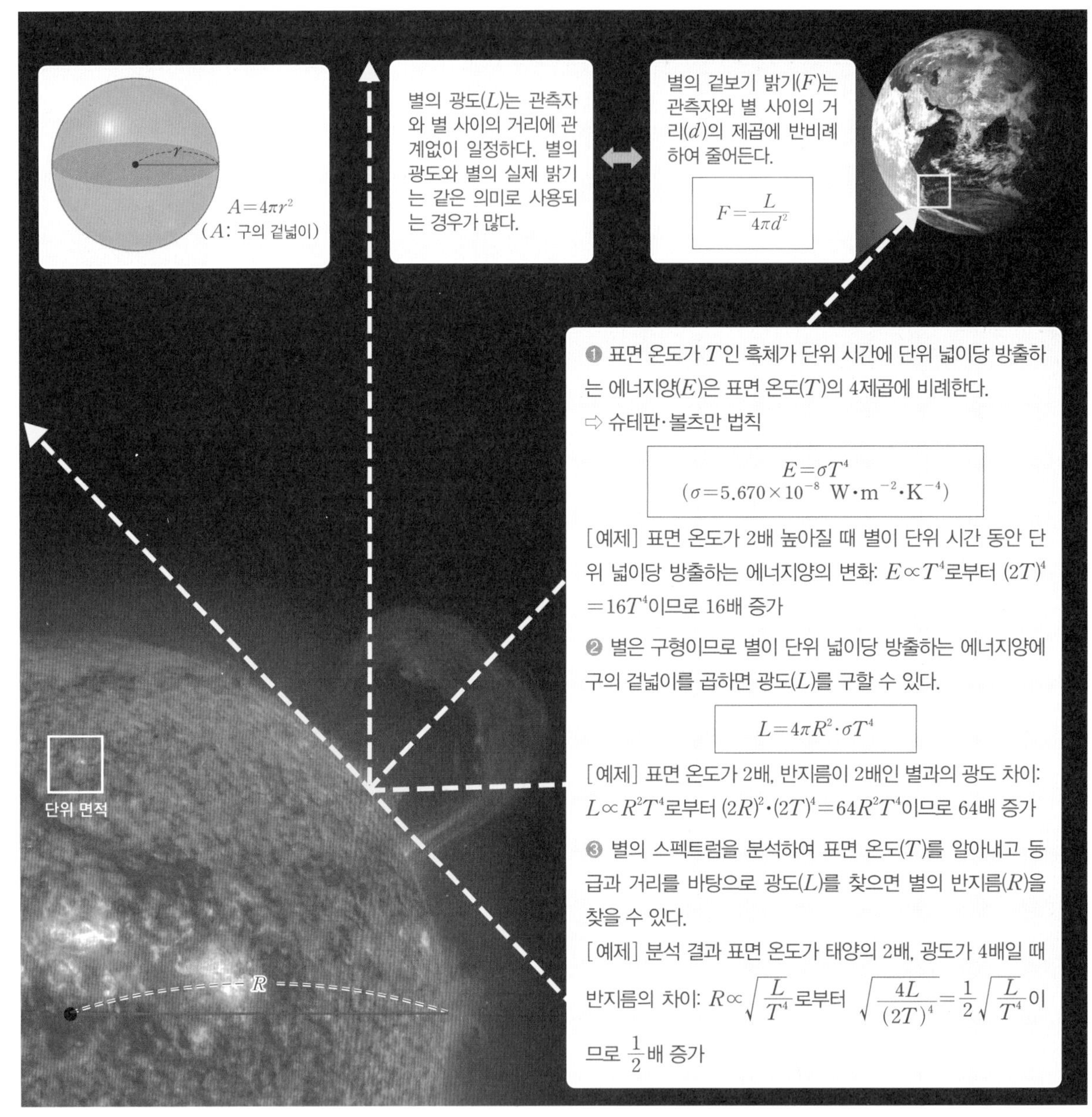

한·줄·핵심 슈테판·볼츠만 법칙을 이용하여 별의 반지름을 구할 수 있다.

확인 문제

정답과 해설 60쪽

01 두 별의 광도 크기를 비교해 보시오.

(1) 분광형이 같고 반지름이 다른 두 별

(2) 반지름이 같고 표면 온도가 다른 두 별

02 반지름이 태양의 $\frac{1}{2}$배이고, 표면 온도가 태양의 2배인 별의 광도는 태양의 몇 배인지 쓰시오.

03 표는 별 A, B의 물리량을 나타낸 것이다.

별	겉보기 등급	절대 등급	최대 에너지 방출 파장(μm)
A	7	2	0.2
B	7	7	0.4

(1) 별 A와 B의 광도를 비교해 보시오.

(2) 별 A와 B의 표면 온도를 비교해 보시오.

(3) 별 A와 B의 크기를 비교해 보시오.

콕콕! 개념 확인하기

정답과 해설 60쪽

✔ 잠깐 확인!

1. ☐☐
입사된 에너지를 모두 흡수하고 방출하는 이상적인 물체

2. ☐☐ ☐☐
사진으로 측정한 별의 등급

3. ☐☐ ☐☐
맨눈으로 측정한 별의 등급

4. ☐☐☐
사진 등급과 안시 등급의 차이

5. ☐☐☐☐
분광기나 프리즘을 통한 빛이 파장의 순서대로 펼쳐져 나열된 색의 띠

6. ☐☐
별이 단위 시간 동안 표면에서 방출하는 에너지의 총량

7. ☐☐ ☐☐
별을 지구로부터 10 pc 떨어진 거리에 옮겨 놓았다고 가정했을 때의 밝기

8. ☐☐☐ ☐☐
눈에 보이는 별의 밝기로 정한 등급

A 별의 색과 표면 온도

01 별의 물리량과 특성에 대한 설명으로 옳은 것은 ○표, 옳지 않은 것은 ×로 표시하시오.

(1) 별의 색이 다양한 것은 별마다 표면 온도가 다르기 때문이다. ( )

(2) 흑체란 입사된 에너지를 모두 흡수한 후 방출하지 않는 이상적인 물체를 말한다. ( )

(3) 사진 등급과 안시 등급의 차이를 색지수라고 한다. ( )

B 별의 분광형과 표면 온도

02 스펙트럼과 그에 대한 설명을 옳게 연결하시오.

(1) 연속 스펙트럼 •   • ㉠ 무지개와 같은 색의 띠가 나타난다.

(2) 흡수 스펙트럼 •   • ㉡ 불연속적인 파장의 빛이 밝게 나타난다.

(3) 방출 스펙트럼 •   • ㉢ 별의 스펙트럼 중간에 어두운 선이 나타난다.

03 태양의 분광형을 쓰시오.

04 별의 표면 온도에 따라 스펙트럼을 분류하는데, 이를 별의 분광형(스펙트럼형)이라고 한다. 분광형 중에서 표면 온도가 가장 높은 분광형부터 표면 온도가 낮은 분광형을 순서대로 쓰시오.

C 별의 광도와 크기

05 다음에서 설명하는 별의 물리량은 무엇인지 쓰시오.

> • 별의 실제 밝기를 좌우한다.
> • 지구에서 떨어진 거리와 관계없이 일정한 값을 갖는다.
> • 별이 단위 시간 동안 표면에서 방출하는 에너지의 총량이다.

06 오른쪽 표는 별 A, B의 분광형과 절대 등급을 나타낸 것이다. ( ) 안에 들어갈 알맞은 말을 쓰시오.

별	분광형	절대 등급
A	G	5
B	G	−5

> A와 B의 분광형이 같지만 절대 등급이 다르게 나타나는 까닭은 별의 ( )이 다르기 때문이다.

탄탄! 내신 다지기

A 별의 색과 표면 온도

01 별의 표면 온도를 알아낼 수 있는 물리량만을 〈보기〉에서 있는 대로 고른 것은?

〈보기〉
ㄱ. 색 ㄴ. 색지수
ㄷ. 연주 시차 ㄹ. 시선 속도
ㅁ. 분광형(스펙트럼형)

① ㄱ, ㄴ ② ㄴ, ㅁ ③ ㄱ, ㄹ
④ ㄱ, ㄴ, ㅁ ⑤ ㄴ, ㄷ, ㄹ

02 표는 별 A~D의 절대 등급과 색을 나타낸 것이다.

별	절대 등급	색
A	−5.0	붉은색
B	−1.0	청백색
C	4.0	노란색
D	12.0	흰색

이에 대한 설명으로 옳지 않은 것은?

① A의 광도가 가장 크다.
② A의 표면 온도가 가장 높다.
③ A는 B보다 반지름이 더 크다.
④ B는 C보다 100배 밝은 별이다.
⑤ D의 반지름이 가장 작다.

B 별의 분광형과 표면 온도

03 분광 관측에 대한 업적을 시대 순으로 옳게 나열한 것은?

(가) 태양 빛의 스펙트럼에서 수백 개의 검은 선(흡수선)을 관찰하였다.
(나) 프리즘을 통과한 햇빛이 무지개처럼 여러 색으로 나누어지는 것을 발견하였다.
(다) 수소 흡수 스펙트럼선의 세기에 따라 별의 스펙트럼을 A형~P형의 16가지로 구분하였다.
(라) 금속 원소가 빛을 흡수하여 생긴 검은 선을 관찰하였다.

① (가)−(나)−(다)−(라) ② (가)−(다)−(나)−(라)
③ (나)−(가)−(라)−(다) ④ (나)−(다)−(라)−(가)
⑤ (다)−(라)−(나)−(가)

단답형

04 다음 설명의 ㉠, ㉡에 들어갈 알맞은 말을 쓰시오.

별빛을 분광기에 통과시키면 연속 스펙트럼 중간에 검은 선이 나타나는데, 이를 (㉠)이라고 한다. (㉠)은 별의 안쪽으로부터 나온 빛이 대기를 통과하는 동안 대기를 구성하고 있는 원소에 특정 파장의 에너지가 (㉡)되어 나타난다.

05 별빛의 스펙트럼에 대한 설명으로 옳은 것만을 〈보기〉에서 있는 대로 고른 것은?

〈보기〉
ㄱ. 별의 대기에 존재하는 저온의 기체는 흡수 스펙트럼을 만든다.
ㄴ. 방출 스펙트럼은 별의 내부에서 나온 빛이 밝은 선으로 나타난 것이다.
ㄷ. 별과 같은 고온의 광원에서 방출되는 빛의 스펙트럼은 연속적인 띠로 나타난다.

① ㄱ ② ㄴ ③ ㄱ, ㄷ
④ ㄴ, ㄷ ⑤ ㄱ, ㄴ, ㄷ

06 그림 (가)와 (나)는 광원으로부터 나온 빛이 밀도가 희박한 저온의 기체와 고온의 기체를 각각 통과하여 관측자에게 도달하는 스펙트럼을 나타낸 것이다.

(가)

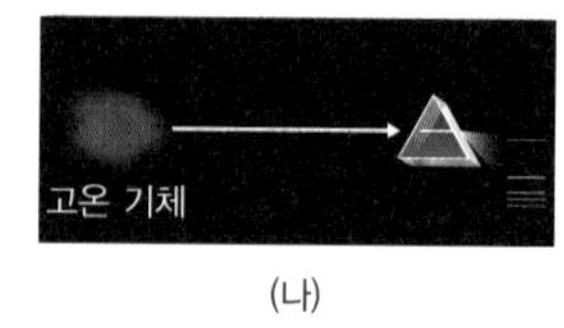

(나)

이에 대한 설명으로 옳지 않은 것은?

① (가)는 흡수 스펙트럼이 나타난다.
② (가)의 스펙트럼은 기체의 종류에 따라 다른 종류의 선 스펙트럼이 나타난다.
③ (가)와 (나) 모두 선 스펙트럼이 관측된다.
④ (나)는 방출 스펙트럼이 나타난다.
⑤ (나)의 스펙트럼은 별의 분광형을 분류하는 데 사용되었다.

07 별의 분광형에 대한 설명으로 옳은 것만을 〈보기〉에서 있는 대로 고른 것은?

보기
ㄱ. 별의 표면 온도에 따라 방출선의 세기가 달라진다.
ㄴ. 별의 표면 온도는 M형이 가장 높고, O형으로 갈수록 낮아진다.
ㄷ. 표면 온도가 낮은 별에서는 금속 원소와 분자들에 의한 선이 강하게 나타난다.

① ㄱ ② ㄷ ③ ㄱ, ㄴ
④ ㄴ, ㄷ ⑤ ㄱ, ㄴ, ㄷ

단답형

08 그림은 별의 분광형과 스펙트럼 흡수선 분포를 나타낸 것이다.

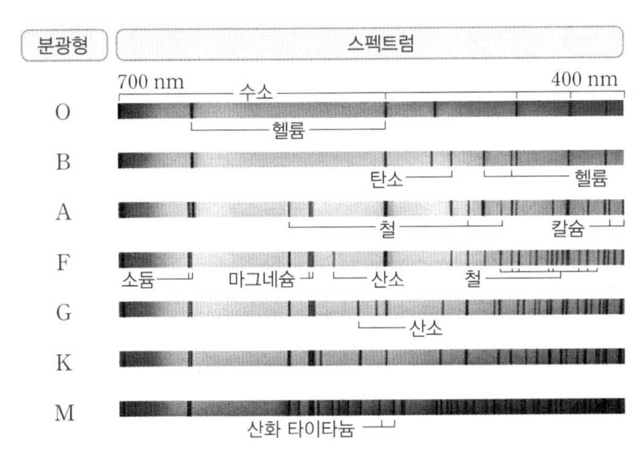

별들의 스펙트럼에서 동일한 분자에 대한 흡수선의 세기와 위치가 서로 다른 것은 무엇이 다르기 때문인지 쓰시오.

C 별의 광도와 크기

09 별의 광도에 대한 설명으로 옳지 않은 것은?

① 광도는 별의 실제 밝기를 나타낸다.
② 별의 광도가 클수록 절대 등급은 크다.
③ 광도는 별이 단위 시간에 방출하는 총 에너지양이다.
④ 반지름이 같다면 표면 온도가 높은 별일수록 광도는 크다.
⑤ 표면 온도가 같은 경우 반지름이 2배가 되면 광도는 4배가 된다.

10 표는 두 별 (가)와 (나)의 절대 등급과 겉보기 등급을 나타낸 것이다.

별	절대 등급	겉보기 등급
(가)	6	6
(나)	1	−4

이에 대한 설명으로 옳은 것만을 〈보기〉에서 있는 대로 고른 것은?

보기
ㄱ. (가)는 10 pc보다 멀리 있다.
ㄴ. (나)는 10 pc보다 가까이 있다.
ㄷ. 광도는 (가)가 (나)보다 100배 크다.

① ㄱ ② ㄴ ③ ㄱ, ㄷ
④ ㄴ, ㄷ ⑤ ㄱ, ㄴ, ㄷ

11 그림은 별의 표면 온도와 크기가 동일한 세 별의 거리를 나타낸 것이다.

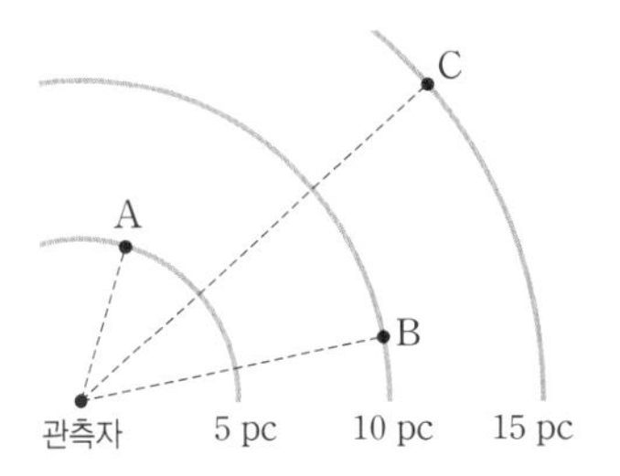

이에 대한 설명으로 옳은 것만을 〈보기〉에서 있는 대로 고른 것은?

보기
ㄱ. A, B, C의 광도는 같다.
ㄴ. A는 C보다 3배 밝게 보인다.
ㄷ. B는 절대 등급과 겉보기 등급이 같다.

① ㄱ ② ㄴ ③ ㄱ, ㄷ
④ ㄴ, ㄷ ⑤ ㄱ, ㄴ, ㄷ

12 슈테판·볼츠만 법칙을 이용하여 별의 반지름을 구할 때 알아야 할 물리량만을 〈보기〉에서 있는 대로 고른 것은?

보기
ㄱ. 광도 ㄴ. 표면 온도
ㄷ. 거리 지수 ㄹ. 질량

① ㄱ, ㄴ ② ㄱ, ㄷ ③ ㄴ, ㄹ
④ ㄱ, ㄴ, ㄹ ⑤ ㄴ, ㄷ, ㄹ

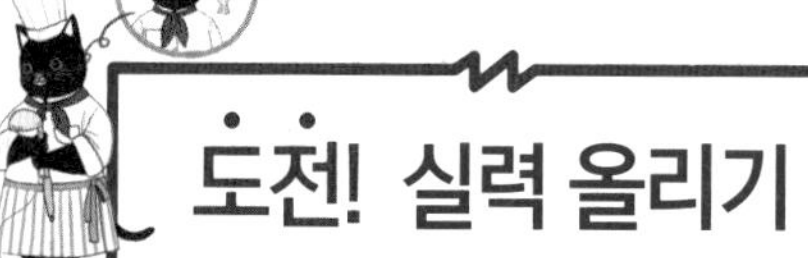

도전! 실력 올리기

출제예감

01 표는 별 (가)~(다)의 겉보기 등급과 절대 등급 및 분광형을 나타낸 것이다.

별	겉보기 등급	절대 등급	분광형
(가)	−1.0	1.0	B
(나)	1.0	0.0	G
(다)	−2.0	−2.0	G

이에 대한 설명으로 옳지 않은 것은?

① 10 pc의 거리에 있는 별은 (다)이다.
② 표면 온도가 가장 높은 별은 (가)이다.
③ 별 (나)와 (다)의 표면 온도는 거의 같다.
④ 우리 눈에 가장 어둡게 보이는 별은 (다)이다.
⑤ 별의 거리를 비교하면 (나)>(다)>(가) 순이다.

02 그림은 별 (가)와 (나)에서 U(보라색 빛), B(파란색 빛), V(노란색 빛) 필터를 투과하는 빛의 세기와 파장 영역을 나타낸 것이다. 각각의 필터를 통과한 별빛의 밝기에 의해서 정한 등급을 U, B, V 등급이라고 한다.

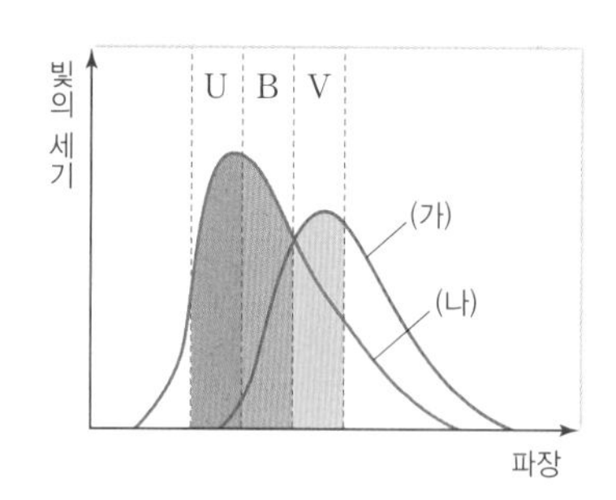

이에 대한 설명으로 옳은 것만을 〈보기〉에서 있는 대로 고른 것은?

보기
ㄱ. 별 (가)는 별 (나)보다 표면 온도가 낮다.
ㄴ. (B−V) 값은 별 (가)가 별 (나)보다 크다.
ㄷ. 별 (나)는 U 등급이 V 등급보다 크다.

① ㄱ ② ㄱ, ㄴ ③ ㄱ, ㄷ
④ ㄴ, ㄷ ⑤ ㄱ, ㄴ, ㄷ

03 그림은 주계열성의 색지수(B−V)와 표면 온도의 관계를 나타낸 것이다.

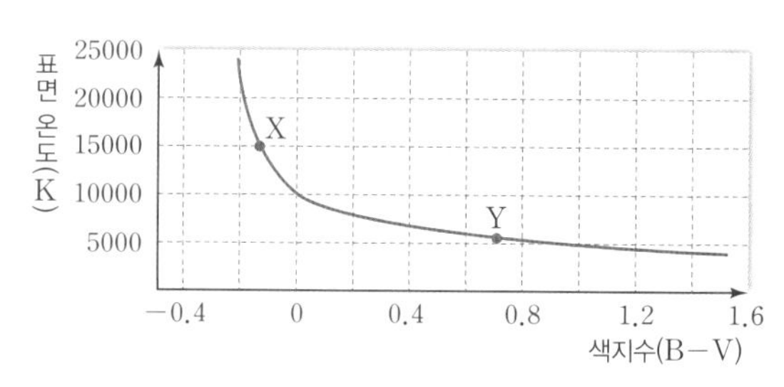

이에 대한 설명으로 옳은 것만을 〈보기〉에서 있는 대로 고른 것은?

보기
ㄱ. 색지수가 클수록 표면 온도는 낮다.
ㄴ. 표면 온도가 5000 K인 별은 B 등급이 V 등급보다 크다.
ㄷ. 별 X는 붉은색 별이고, 별 Y는 파란색 별이다.

① ㄱ ② ㄱ, ㄴ ③ ㄱ, ㄷ
④ ㄴ, ㄷ ⑤ ㄱ, ㄴ, ㄷ

출제예감

04 그림은 분광형에 따른 별의 흡수선의 세기를 나타낸 것이다.

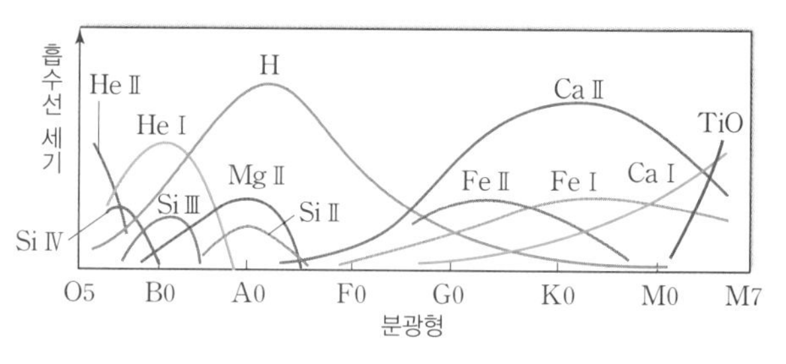

이에 대한 설명으로 옳은 것만을 〈보기〉에서 있는 대로 고른 것은?

보기
ㄱ. 별의 흡수선 세기로 별의 분광형을 결정할 수 있다.
ㄴ. 태양의 흡수선에서는 이온화된 철과 칼슘의 흡수선이 강하게 나타난다.
ㄷ. 중성 수소의 흡수선이 가장 강하게 나타나는 분광형은 A형이다.

① ㄱ ② ㄱ, ㄴ ③ ㄱ, ㄷ
④ ㄴ, ㄷ ⑤ ㄱ, ㄴ, ㄷ

05 표는 오리온자리의 베텔게우스와 리겔의 물리량을 나타낸 것이다.

별	겉보기 등급 (m)	절대 등급 (M)	분광형
베텔게우스	0.6	−5.0	M2
리겔	0.1	−6.7	B8

베텔게우스와 리겔을 비교한 것으로 옳은 것만을 〈보기〉에서 있는 대로 고른 것은?

보기
ㄱ. 리겔이 더 멀리 있는 별이다.
ㄴ. 베텔게우스의 표면 온도가 더 높다.
ㄷ. 광도는 리겔이 더 크다.

① ㄱ ② ㄴ ③ ㄱ, ㄴ
④ ㄱ, ㄷ ⑤ ㄱ, ㄴ, ㄷ

출제예감

06 표는 별 A, B, C의 물리적 특성을 나타낸 것이다.

별	겉보기 등급	절대 등급	색지수(B−V)
A	−1.5	1.4	0.00
B	1.3	−7.2	0.09
C	1.0	−3.6	−0.23

이에 대한 설명으로 옳은 것은?

① 거리가 가장 가까운 별은 A이다.
② 가장 밝게 보이는 별은 B이다.
③ 표면 온도가 가장 낮은 별은 C이다.
④ B는 C보다 광도가 작다.
⑤ A는 B보다 반지름이 크다.

단답형

07 표는 별 A~D의 겉보기 등급과 절대 등급을 나타낸 것이다.

별	A	B	C	D
겉보기 등급	3.4	7.6	0.0	−1.2
절대 등급	−2.3	3.5	4.5	1.5

(1) 우리 눈에 가장 밝게 보이는 별의 기호를 쓰시오.

(2) 광도가 가장 큰 별의 기호를 쓰시오.

서술형

08 표는 별 A와 B의 겉보기 등급과 별의 거리를 나타낸 것이다.

별	A	B
겉보기 등급	−0.2	7.8
거리	10 pc	100 pc

별 A와 B의 광도를 풀이 과정과 함께 서술하시오. (단, 태양의 절대 등급은 4.8등급이며, 광도는 $L=3.9\times10^{26}$ W이고, $10^{\frac{2}{5}}=2.5$로 계산한다.)

서술형

09 표는 쌍성계를 이루고 있는 안타레스 A와 안타레스 B를 관측하여 얻은 자료를 비교하여 나타낸 것이다.

별	분광형	지구에서 관측한 별의 상대적 밝기
안타레스 A	M	40
안타레스 B	B	1

안타레스 A가 안타레스 B보다 지구에서 관측한 별의 밝기가 더 밝은 까닭을 서술하시오.

02 별의 분류와 진화

핵심 키워드로 흐름잡기
- A H-R도, 별의 물리량
- B 별의 분류, 광도 계급
- C 원시별, 중력 수축, 주계열성
- D 거성, 백색 왜성, 중성자별, 블랙홀

H-R도의 가로축과 세로축이 의미하는 것을 알아둬!

A H-R도

|출·제·단·서| 시험에는 H-R도의 위치에 따른 별의 물리량을 묻는 문제가 나와.

1. •H-R도 별의 표면 온도와 광도 사이의 관계를 그래프로 나타낸 것으로, 표면 온도와 광도는 다른 값으로도 표현할 수 있다.

2. H-R도의 물리량

(1) **세로축 물리량** 별의 광도, 절대 등급으로 나타낸다.

(2) **가로축 물리량** 별의 표면 온도, 분광형(스펙트럼형), 색지수로 나타낸다.

3. H-R도의 특징

가로축에서 왼쪽으로 갈수록	• 표면 온도가 높다. • 색지수가 작다. • 파란색을 띤다.
세로축에서 위로 갈수록	• 광도가 크다. • 절대 등급이 작다.
오른쪽 위로 갈수록	• 반지름이 크다. • 밀도가 작다.

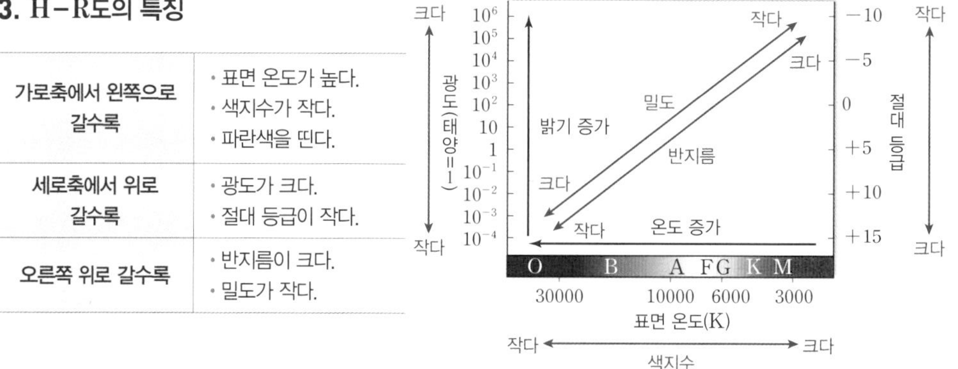

빈출 탐구 태양 주변의 별 자료를 이용하여 H-R도에 나타내기

H-R도에서 별을 분류하여 별의 물리적 특징을 설명할 수 있다.

과정 모눈종이의 가로축에는 분광형을, 세로축에는 절대 등급을 표시한 후, 표의 별들을 좌표상의 점으로 찍고 그 옆에 번호를 쓴 다음, 별의 분포에 따라 몇 개의 영역으로 구분한다.

번호	별 이름	절대 등급	분광형	번호	별 이름	절대 등급	분광형
1	태양	+4.8	G2	6	레굴루스	−0.6	B7
2	시리우스 A	+1.5	A1	7	민타카	−5.4	O9
3	시리우스 B	+11.3	A2	8	에니프	−4.2	K2
4	GC15853	+10.5	M2	9	스피카	−3.6	B1
5	베텔게우스	−5.0	M2	10	아르크투루스	−0.6	K2

결과 및 정리

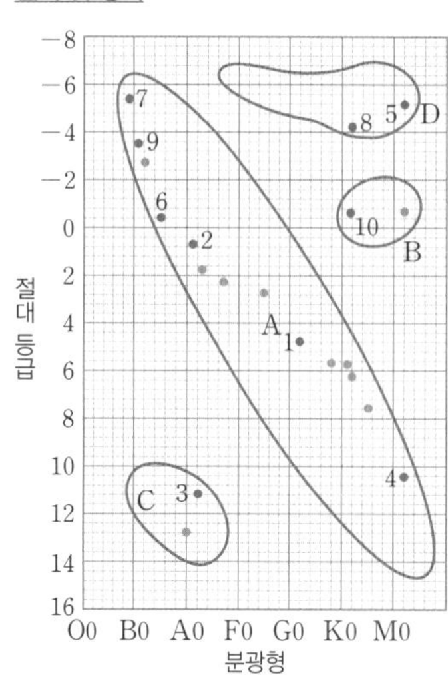

주계열성에서 광도가 큰 별은 표면 온도가 높고, 반지름이 크다.
주계열성에서 광도가 작은 별은 표면 온도가 낮고, 반지름도 작다.

❶ **별이 가장 많이 분포하는 영역:** A 영역 ⇨ 왼쪽 위부터 오른쪽 아래로 이어지는 띠에 가장 많은 별이 분포한다.❶

❷ **별의 영역 분류와 각 영역에서 나타나는 물리적 특성**

영역	단계	표면 온도	광도	크기
A	주계열성	다양	다양(표면 온도에 비례)	다양(광도에 비례)
B	적색 거성	낮다	크다	크다
C	백색 왜성	높다	작다	작다
D	초거성	다양	매우 크다	매우 크다

❸ **태양이 속한 영역:** A 영역(주계열성) ⇨ 태양의 분광형은 G형이고 절대 등급이 4.8등급이므로, 태양은 왼쪽 위부터 오른쪽 아래로 이어지는 띠에 속하는 A 영역의 별들과 같은 집단에 속한다.

❶ **H-R도에서 별의 분포**
현재까지 밤하늘의 탐사를 통해 얻은 별들의 통계를 볼 때, 우주 내 별들의 90 % 정도가 주계열성이고, 나머지 10 % 정도가 백색 왜성이며, 거성과 초거성은 1 % 이내로 분포한다.

용어 알기

•H-R도(Hertzsprung-Russell diagram) 처음 이 그래프를 그린 헤르츠스프룽과 러셀의 이름 첫 글자를 따서 H-R도라고 함

B 별의 분류와 광도 계급

|출·제·단·서| 시험에는 H-R도상의 위치에 따른 별의 종류에 대해 묻는 문제가 나와.

1. H-R도와 별의 분류 별의 분광형과 절대 등급으로 작성한 H-R도는 단순한 과정을 거쳐 얻은 결과물이지만, 이를 해석하여 알게 된 별의 종류와 물리적 특성은 별의 진화에 대한 정보를 제공하는 중요한 역할을 한다.

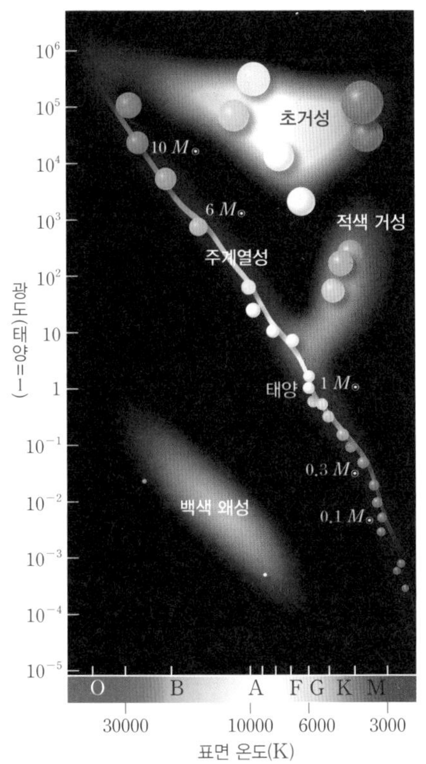

적색 거성과 초거성은 주계열성보다 크기는 매우 크지만, 평균 밀도는 훨씬 작다.

주계열성❷	• H-R도의 왼쪽 위에서 오른쪽 아래로 이어지는 좁은 띠 영역에 분포한다. • 모든 별의 약 90 %가 이에 속한다. • 왼쪽 위에 위치할수록 표면 온도가 높고, 광도가 크며, 질량과 반지름이 크다.❸
적색 거성❹	• 주계열성의 오른쪽 위에 분포한다. • 표면 온도가 낮아서 붉게 보인다. • 반지름이 커서 광도가 크다. • 주계열성에 비해 매우 크고 붉은색을 띠며 아주 밝게 빛난다.
초거성❺	• H-R도에서 적색 거성보다 위쪽에 분포한다. • 반지름이 매우 커서 광도가 매우 크다.
•백색 왜성	• H-R도의 왼쪽 아래에 분포한다. • 표면 온도는 높으나 반지름이 매우 작아 어둡게 보인다. • 평균 밀도가 매우 크다.
중성자별과 블랙홀	• 백색 왜성보다 밀도가 더 큰 천체이다. • 너무 어둡거나 가시광선을 거의 방출하지 않기 때문에 H-R도에 나타낼 수 없다.

2. 광도 계급 별을 광도에 따라 계급으로 구분한 것

(1) 광도 계급의 구분 광도가 큰 I에서 광도가 작은 Ⅶ까지 7개의 계급으로 구분한다.

(2) 광도 계급과 별의 분류

① 별의 분광형과 광도 계급을 이용하여 별을 분류할 수 있다. ⇨ 태양은 분광형이 노란색인 G2, 광도 계급은 주계열성인 V이므로 G2V로 나타낸다.

② 광도 계급을 알면 별의 종류나 크기에 대한 정보도 얻을 수 있다. ㉠ B1V로 분류된 별: 표면 온도가 약 10000~30000 K인 주계열성이다.

빈출 자료 H-R도와 광도 계급

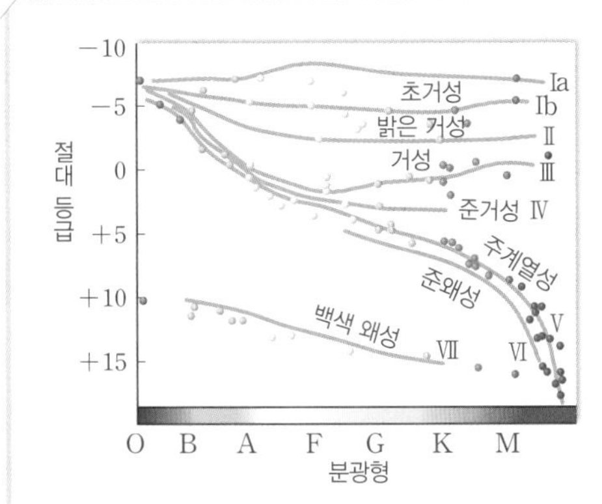

광도 계급	별의 종류	예
Ia	밝은 초거성	큰개자리 η
Ib	덜 밝은 초거성	북극성
Ⅱ	밝은 거성	토끼자리 β
Ⅲ	거성	알데바란
Ⅳ	준거성	레굴루스
V	주계열성(왜성)	태양
Ⅵ	준왜성	HD149382
Ⅶ(D)	백색 왜성	시리우스 B

분광형이 같더라도 광도 계급이 Ⅳ인 별의 광도는 V인 별보다 크고, Ⅲ인 별보다 작다.
⇨ 광도 계급이 Ⅳ인 별의 반지름이 V인 별보다 크고, Ⅲ인 별보다 작기 때문이다.

❷ **주계열성**
태양을 비롯해 스피카, 베가, 시리우스 등이 대표적인 주계열성이다.

❸ **주계열에서 질량과 H-R도상의 위치 관계**
주계열성의 질량과 표면 온도, 광도는 서로 관련되어 있어 주계열성의 분광형을 알면 질량을 알 수 있다. 단, 이러한 연관성은 주계열성에만 적용되며 거성이나 초거성 또는 백색 왜성에는 적용되지 않는다.

❹ **적색 거성**
목동자리의 α별인 아르크투루스가 대표적인 적색 거성이다.

❺ **초거성**
질량이 매우 크기 때문에 수명이 매우 짧으며, 오리온자리의 베텔게우스와 전갈자리의 안타레스가 대표적인 초거성이다.

별의 크기 비교

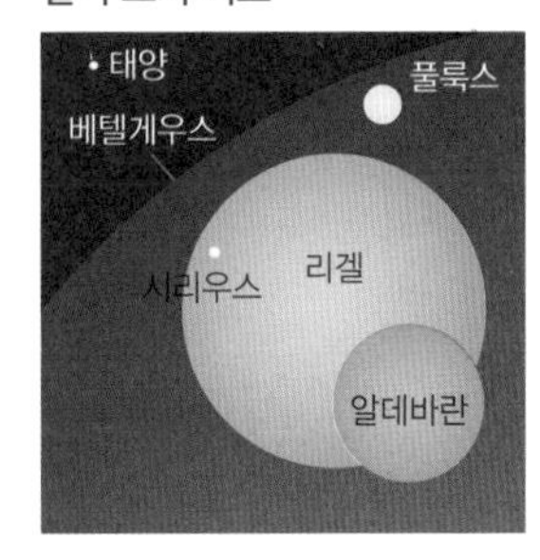

용어 알기 

•백색 왜성(희다 白, 색 色, 작다 矮, 별 星)(white dwarf) 표면 온도가 높아 흰색으로 보이지만 크기가 작은 별

C 별의 탄생과 주계열성

| 출·제·단·서 | 시험에는 원시별에서 주계열성으로의 진화 과정에 대한 문제가 나와.

1. 별의 탄생

(1) 별의 탄생 장소 성운 중에는 우리 눈에 보이지 않는 암흑 성운이 있는데, 이곳 내부의 밀도가 크고 온도가 낮은 영역에서 별이 탄생한다.[6]

(2) 별의 탄생 과정

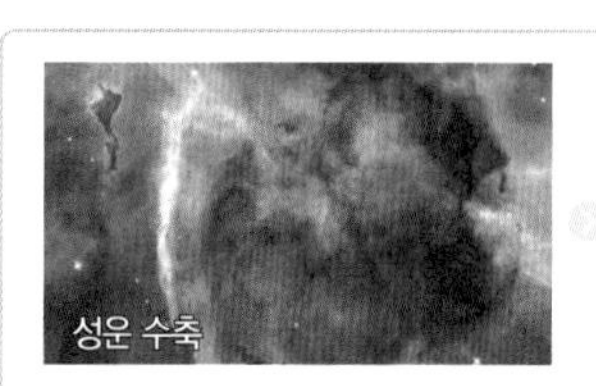

성간 물질의 수축으로 만들어진 성운이 계속 수축하면서 회전하다 원반 모양을 이룬다.

수축하는 성운의 중력 수축 에너지 때문에 중심부의 온도가 상승하고 원시별이 만들어진다.

원시별이 계속 수축하여 중심부 온도가 약 1000만 K 이상이 되면 중심부에서 수소 핵융합 반응이 시작되어 주계열성이 탄생한다.

① **성운의 중력 수축:** 우주 공간에서 성운의 밀도가 높고 온도가 낮은 분자 구름에서는 중력이 크게 작용하여 성간 물질들이 중력 수축한다.

② **원시별의 형성:** 성간 물질들이 수축하여 중심핵을 이루게 되며, 점차 성장하여 원시별을 형성한다. 원시별에서 주계열성이 탄생하기까지의 에너지원은 중력 수축에 의한 에너지이다.

③ **전주계열 단계:** 원시별이 주위 물질들을 끌어당겨 밀도가 점차 높아지고, 표면 온도가 상승하여 약 1000 K에 이르면 서서히 빛(가시광선)을 내기 시작한다.

④ **주계열 단계:** 중력 수축으로 인해 원시별의 중심 온도가 약 1000만 K에 이르면 수소 핵융합 반응이 일어나기 시작하며 별(주계열성)이 탄생한다.

(3) 원시별의 질량에 따른 특징 원시별의 질량이 클수록 주계열성에 도달하였을 때 별의 광도가 크고, 표면 온도가 높다.

빈출 자료 원시별의 진화 경로

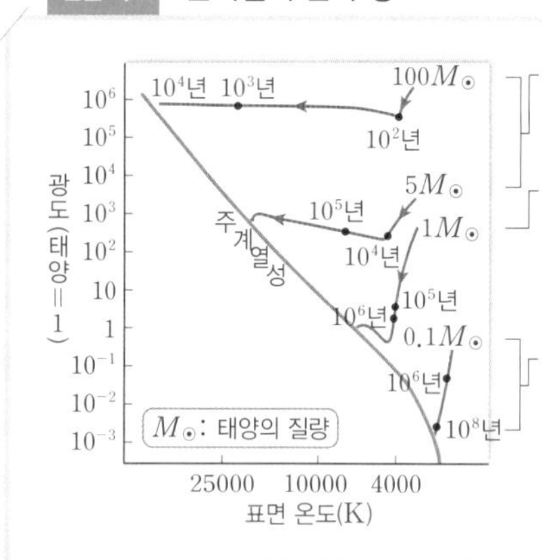

- **태양보다 질량이 큰 별:** 표면 온도가 높고 광도가 큰 주계열성으로 진화한다.
- **질량이 태양 정도인 별:** 중력 수축하면서 반지름이 줄어들지만, 표면 온도는 많이 높아지지 않기 때문에 광도가 작아져 H-R도에서 위치가 아래로 이동한다.
- **태양보다 질량이 작은 별:** 표면 온도가 낮고 광도가 작은 주계열성으로 진화한다. 반면, 태양 질량의 0.08배보다 작은 별은 중심부의 온도가 1000만 K에 도달하지 못해 주계열성으로 진화하지 못하고 갈색 왜성[7]이 된다.

2. 주계열성

중심핵에서 수소 핵융합 반응으로 에너지를 방출하고 크기가 일정한 별로, 별은 일생의 대부분을 주계열성으로 보낸다.

(1) 주계열성의 크기 수소 핵융합 반응이 일어나 내부 온도가 상승하면 압력이 커진다. 이때 별 내부의 복사 압력과 중력이 평형을 이루어 별의 크기가 일정하게 유지되는 •정역학 평형 상태를 이룬다.

(2) 주계열성의 수명[8] 주계열성은 질량이 클수록 주계열에 머무는 기간이 짧다. 이는 중심부 온도가 높아 핵융합을 할 수 있는 영역이 넓고, 훨씬 빠른 속도로 수소를 태우기 때문이다.

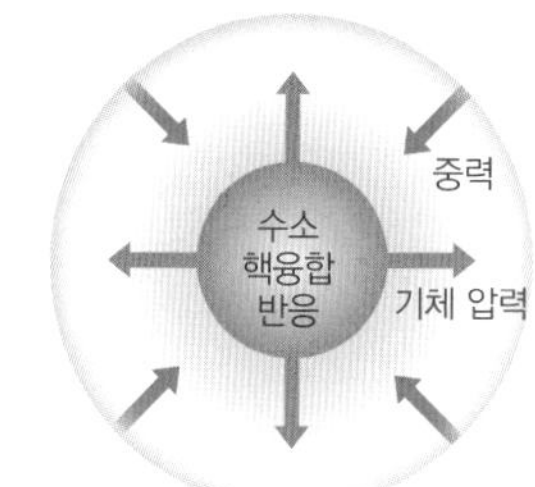

▲ 정역학 평형 상태

---

❻ 별의 탄생 장소
별과 별 사이에 밀도가 작은 가스와 먼지로 되어 있는 물질을 성간 물질이라고 한다. 이러한 성간 물질이 밀집되어 구름처럼 보이는 것을 성운이라고 하며, 이곳에서 별이 탄생한다.

▲ 독수리 성운에서 별이 탄생하는 모습

❼ 갈색 왜성
갈색 왜성은 내부의 열에너지를 주로 적외선 형태로 방출하므로 붉은색을 띠는데, 시간이 지남에 따라 더욱 어두워진다.

? 태양의 나이는 얼마일까?
질량이 태양 정도인 별은 약 100억 년 동안 주계열 단계에 머무르고, 질량이 태양보다 큰 별은 더 짧게 주계열 단계에 머무른다. 현재 태양의 나이는 약 50억 년이다.

❽ 별의 수명
주계열성의 수명(t)은 질량(M)을 광도(L)로 나눈 값에 비례한다.

$$t \propto \frac{M}{L} \propto \frac{M}{M^{3\sim4}} \propto \frac{1}{M^{2\sim3}}$$

질량이 클수록 주계열성에 빨리 도달한다. 질량이 태양 정도인 천체는 원시별에서 주계열성이 되는 데 약 3000만 년이 걸리지만, 질량이 태양의 5배인 천체는 원시별에서 주계열성이 되는 데 약 100만 년이 걸린다.

용어 알기
• 정역학 평형(조용하다 靜, 힘 力, 영역 學, 고르다 平, 평평하다 衡) (hydrostatic equilibrium)
물체에 작용하는 힘이 균형을 이루어서 모양이 변하지 않고 일정한 상태

D 주계열 이후의 별의 진화

|출·제·단·서| 시험에는 질량에 따른 주계열 이후 진화 과정의 특징을 묻는 문제가 나와.

1. 태양과 질량이 비슷한 별의 진화

주계열 단계에 비해 매우 빠르게 진행되며, 머무는 기간도 주계열 단계에 비해 매우 짧다.

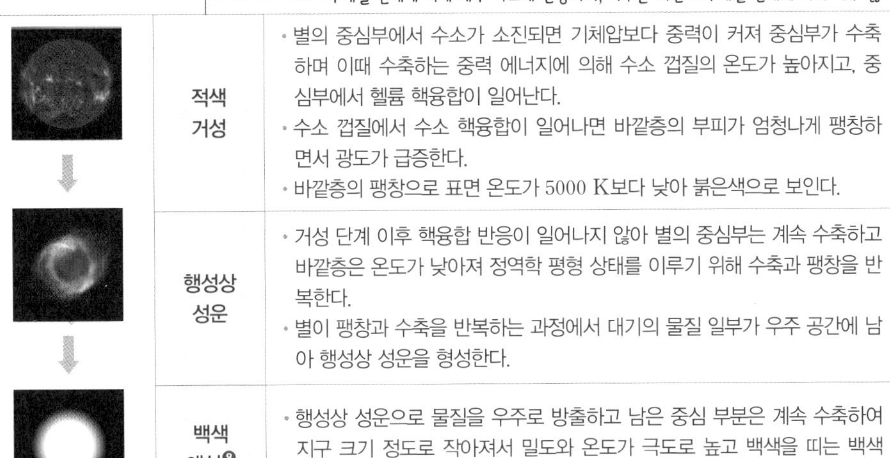

	단계	특징
	적색 거성	• 별의 중심부에서 수소가 소진되면 기체압보다 중력이 커져 중심부가 수축하며 이때 수축하는 중력 에너지에 의해 수소 껍질의 온도가 높아지고, 중심부에서 헬륨 핵융합이 일어난다. • 수소 껍질에서 수소 핵융합이 일어나면 바깥층의 부피가 엄청나게 팽창하면서 광도가 급증한다. • 바깥층의 팽창으로 표면 온도가 5000 K보다 낮아 붉은색으로 보인다.
↓	행성상 성운	• 거성 단계 이후 핵융합 반응이 일어나지 않아 별의 중심부는 계속 수축하고 바깥층은 온도가 낮아져 정역학 평형 상태를 이루기 위해 수축과 팽창을 반복한다. • 별이 팽창과 수축을 반복하는 과정에서 대기의 물질 일부가 우주 공간에 남아 행성상 성운을 형성한다.
↓	백색 왜성❾	• 행성상 성운으로 물질을 우주로 방출하고 남은 중심 부분은 계속 수축하여 지구 크기 정도로 작아져서 밀도와 온도가 극도로 높고 백색을 띠는 백색 왜성이 된다.

2. 태양보다 질량이 큰 별의 진화

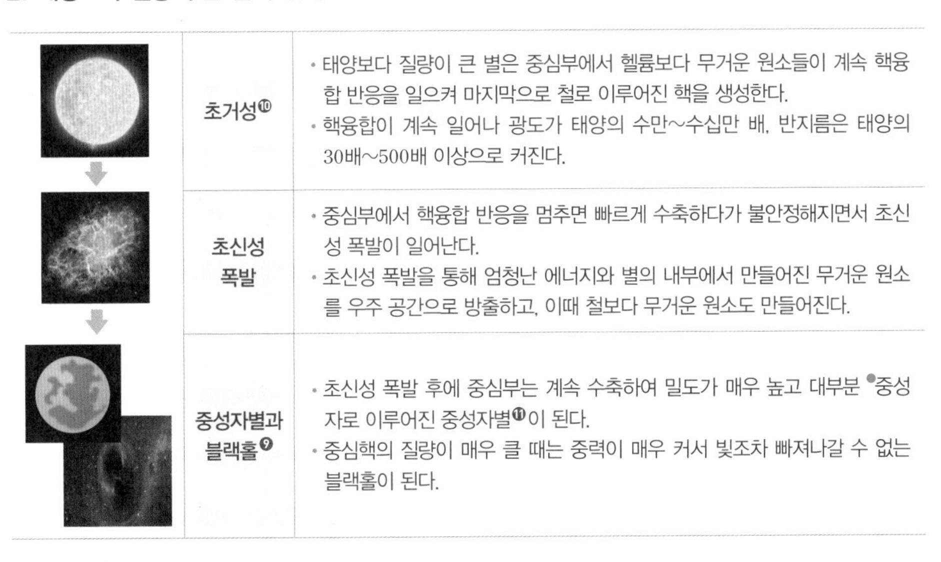

	단계	특징
	초거성❿	• 태양보다 질량이 큰 별은 중심부에서 헬륨보다 무거운 원소들이 계속 핵융합 반응을 일으켜 마지막으로 철로 이루어진 핵을 생성한다. • 핵융합이 계속 일어나 광도가 태양의 수만~수십만 배, 반지름은 태양의 30배~500배 이상으로 커진다.
↓	초신성 폭발	• 중심부에서 핵융합 반응을 멈추면 빠르게 수축하다가 불안정해지면서 초신성 폭발이 일어난다. • 초신성 폭발을 통해 엄청난 에너지와 별의 내부에서 만들어진 무거운 원소를 우주 공간으로 방출하고, 이때 철보다 무거운 원소도 만들어진다.
↓	중성자별과 블랙홀❾	• 초신성 폭발 후에 중심부는 계속 수축하여 밀도가 매우 높고 대부분 •중성자로 이루어진 중성자별⓫이 된다. • 중심핵의 질량이 매우 클 때는 중력이 매우 커서 빛조차 빠져나갈 수 없는 블랙홀이 된다.

빈출 탐구 H−R도에 태양의 진화 과정 나타내기

태양의 진화 과정을 H−R도를 이용하여 설명할 수 있다.

과정 주계열성 이후 태양의 진화 과정을 H−R도상에 나타낸다.

결과 및 정리

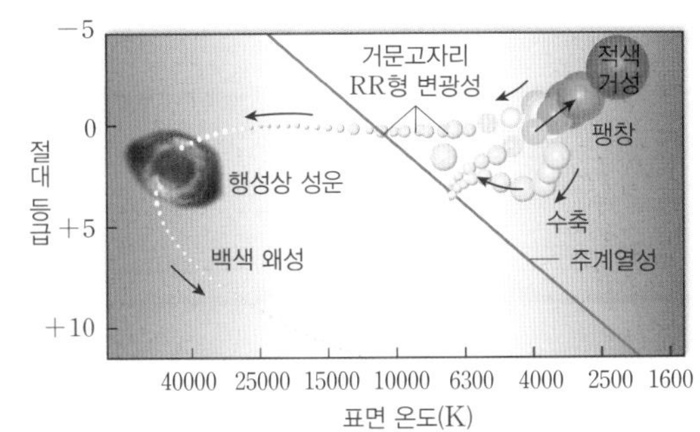

❶ 진화 과정
• 원시별 → 주계열성 → 적색 거성 → 행성상 성운과 백색 왜성

❷ 진화 과정에서 물리량 변화
• 주계열성 → 적색 거성: 크기와 광도 증가, 표면 온도와 밀도 감소
• 적색 거성 → 백색 왜성: 크기와 광도 감소, 표면 온도와 밀도 증가

---

❾ 질량에 따른 별의 종말

별의 질량(M)	종말 단계
$M < 1.44M_{\odot}$	백색 왜성
$1.44M_{\odot} < M < 3M_{\odot}$	중성자별
$3M_{\odot} < M$	블랙홀

($M_{\odot}$: 태양의 질량)

맥동 변광성
반지름과 온도, 광도가 주기적으로 변하는 항성

❿ 초거성의 내부 구조

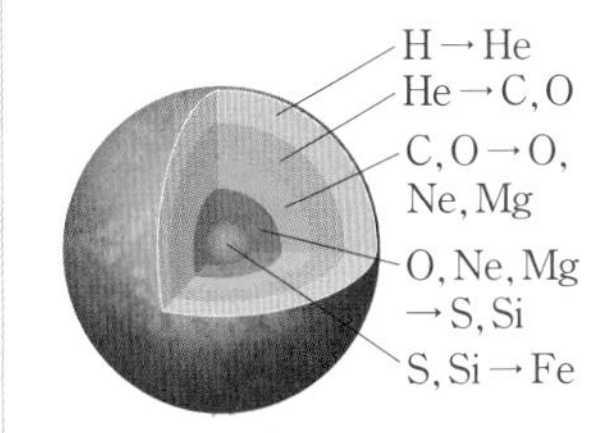

⓫ 중성자별
별 중심부 원자들이 중력을 이기지 못하고 전자와 양성자가 결합하여 중성자가 되면 전자기력이 사라져서 별 전체가 중성자로 구성된 거대한 원자핵과 같은 별이 형성될 수 있다.

별의 진화와 생명체의 탄생
수소와 헬륨은 우주 생성 초기부터 존재하였다. 그러나 생명체 구성에 필수적인 탄소, 산소, 질소와 같은 원소 별이 진화하고 소멸하는 과정에서 새롭게 생성되었다. 따라서 별이 없었다면 인류는 물론이고 어떤 생명체의 탄생도 불가능했을 것이다.

용어 알기
•중성자(가운데 中, 성질 性, 아들 子)(neutron)
전기적으로 어느 쪽으로도 치우치지 않은 입자

별의 진화

지구에 금이 철보다 적은 까닭은?
별의 중심에서는 많은 원소가 만들어지는데, 만들어질 수 있는 가장 무거운 원소는 철이다. 철보다 무거운 원소는 초신성 폭발 과정에서 많은 양의 에너지가 한꺼번에 방출되면서 핵융합 반응으로 생성된다. 따라서 금은 초신성 폭발이 일어날 때만 만들어질 수 있으므로 지구에서는 금이 철보다 적다.
※ 철의 원자 번호: 26, 금의 원자 번호: 79

목표 질량에 따른 별의 진화 과정과 종말의 차이를 설명할 수 있다.

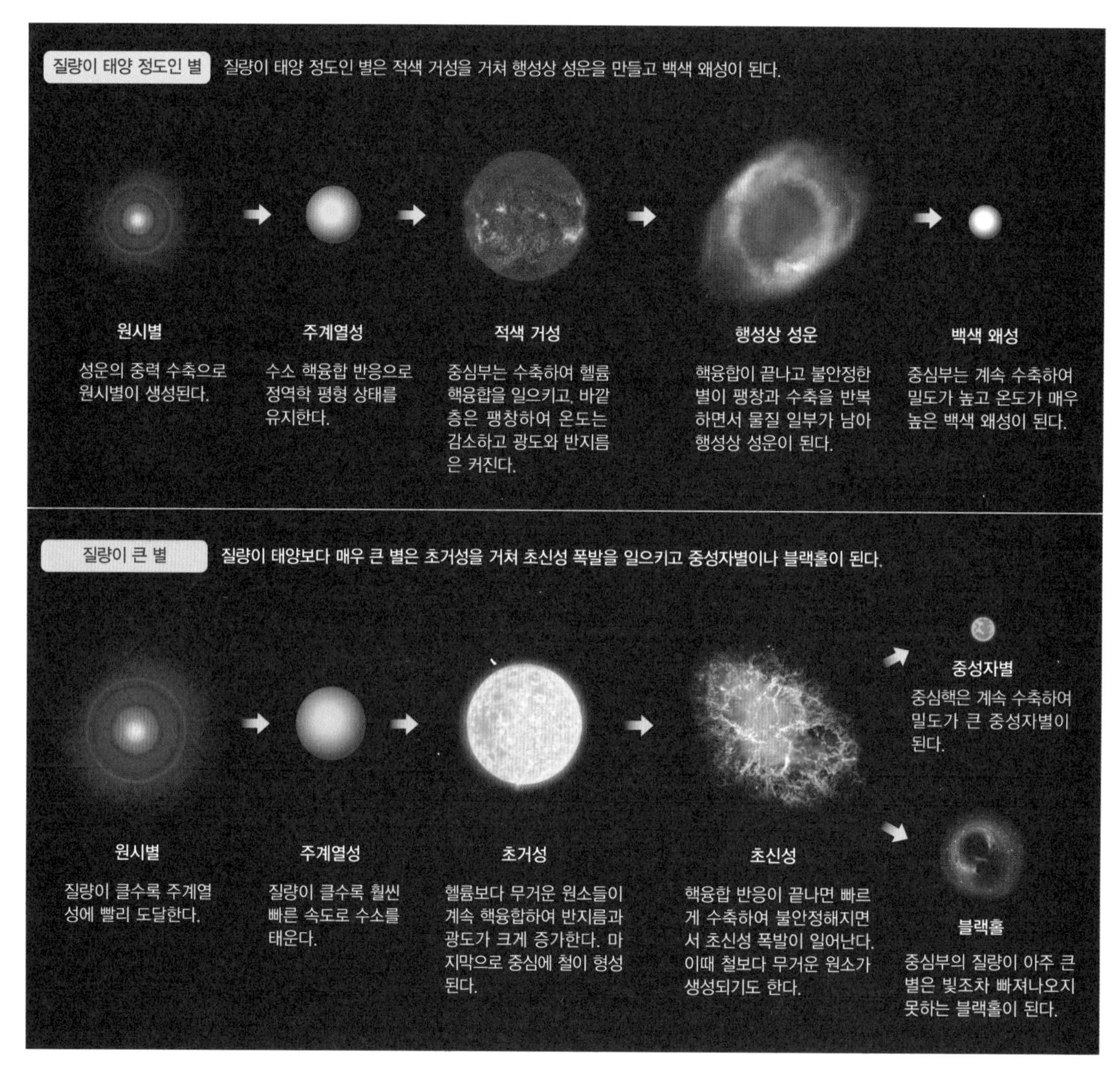

한·줄·핵심 별의 질량에 따라 주계열성이 거성이나 초거성으로 진화하는 경로와 진화하는 데 걸리는 기간이 달라진다.

확인 문제

정답과 해설 63쪽

01 그림은 질량이 다른 별의 일생을 나타낸 것이다. ①~⑦에 해당하는 이름을 쓰시오.

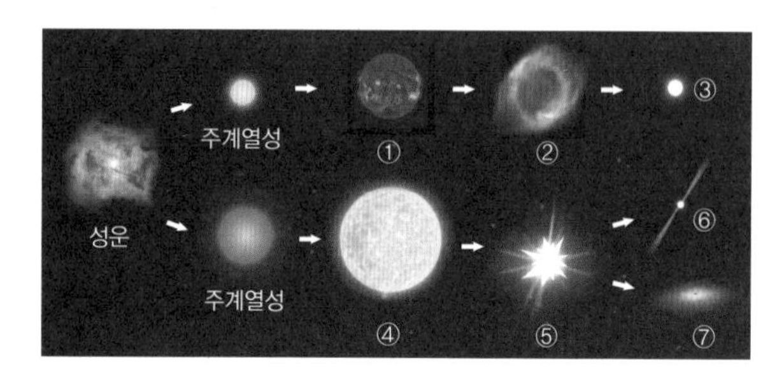

02 태양 정도의 질량을 갖는 별의 진화 단계를 순서대로 나열하시오.

03 다음 (　　) 안에 들어갈 알맞은 말을 쓰시오.

> 별의 내부에서는 핵융합 반응으로 철까지 만들어진다. 철보다 무거운 원소는 별의 핵융합 반응이 아닌 (　　) 시 방출되는 엄청난 양의 에너지에 의해 핵융합이 일어나면서 만들어진다.

콕콕! 개념 확인하기

정답과 해설 63쪽

✔ 잠깐 확인!

1. □□□□
별의 표면 온도와 광도 사이의 관계를 그래프로 나타낸 것

2. □□□□
항성의 일생에서 가장 긴 시간을 차지하는 진화 단계의 별

3. □□□
초신성 폭발 후 중심핵의 질량이 매우 큰 경우에 별의 중심핵이 계속 수축하여 되는 것

4. □□ □□
별을 광도가 큰 I에서 광도가 작은 Ⅶ까지 7개의 계급으로 구분하는 것

5. □□ □□
태양과 비슷한 질량의 핵이 지구 크기 정도로 작아짐에 따라 밀도와 온도가 극도로 높고 백색을 띠고 빛나는 왜성

6. □□□□
초신성 폭발로 엄청난 에너지와 중원소가 우주 공간으로 방출되고, 중심부가 수축하여 밀도가 매우 높고 거의 중성자로 이루어진 천체

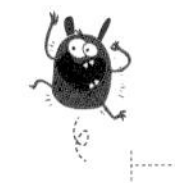

A H-R도

01 H-R도의 세로축과 가로축에 해당하는 물리량을 아래에서 찾아 쓰시오.

> 광도, 표면 온도, 분광형(스펙트럼형), 절대 등급, 색지수

(1) 세로축 물리량: ________

(2) 가로축 물리량: ________

B 별의 분류와 광도 계급

02 그림은 H-R도를 나타낸 것이다.

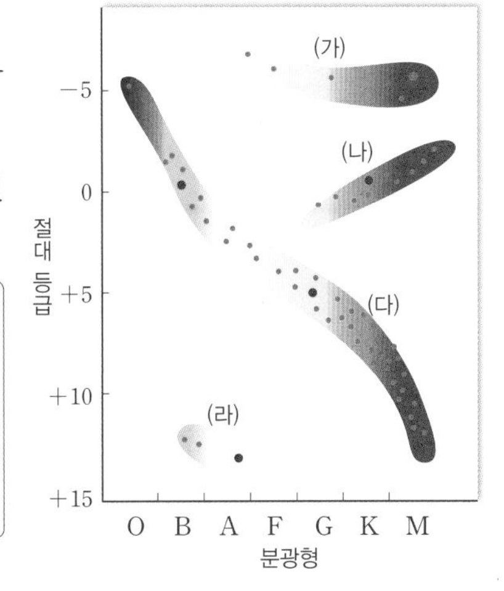

(1) (가)~(라)에 해당하는 별의 종류를 각각 쓰시오.

(2) 다음 설명에 해당하는 별의 종류는 무엇인지 쓰시오.

> • 모든 별의 약 90 %가 이에 속한다.
> • 질량과 크기가 매우 다양하다.
> • H-R도에서 왼쪽 위에 분포할수록 표면 온도가 높고, 질량과 반지름이 크다.

C 별의 탄생과 주계열성

03 원시별의 탄생과 진화에 대한 설명으로 옳은 것은 ○, 옳지 않은 것은 ×로 표시하시오.

(1) 성간 물질이 뭉쳐진 행성상 성운에서 원시별이 탄생하였다. ( )

(2) 원시별이 중력 수축하면 중심부의 온도가 높아진다. ( )

(3) 원시별의 중심부에서는 수소 핵융합 반응이 일어난다. ( )

(4) 원시별의 질량이 클수록 H-R의 왼쪽 위로 진화한다. ( )

D 주계열 이후의 별의 진화

04 다음은 태양 정도의 질량을 가진 별의 진화 과정이다. ㉠, ㉡에 들어갈 알맞은 말을 쓰시오.

> 성운 → 원시별 → 주계열성 → (㉠) → 행성상 성운과 (㉡)

탄탄! 내신 다지기

A H-R도

단답형

01 H-R도에서 가로축에 나타내는 물리량으로 옳은 것만을 <보기>에서 있는 대로 고르시오.

보기
ㄱ. 표면 온도　　ㄴ. 밀도
ㄷ. 질량　　ㄹ. 색지수
ㅁ. 반지름　　ㅂ. 분광형(스펙트럼형)

02 그림은 H-R도에 별 (가)~(라)를 표시한 것이다.

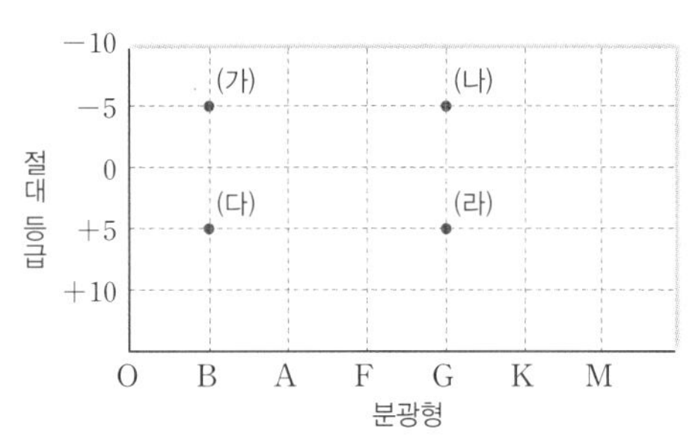

이에 대한 설명으로 옳은 것만을 <보기>에서 있는 대로 고른 것은?

보기
ㄱ. (가)는 (라)보다 광도가 크다.
ㄴ. (나)는 (다)보다 밀도가 크다.
ㄷ. (다)는 (라)보다 표면 온도가 낮다.

① ㄱ　② ㄷ　③ ㄱ, ㄴ　④ ㄴ, ㄷ　⑤ ㄱ, ㄴ, ㄷ

03 그림은 별의 H-R도를 나타낸 것이다.
이에 대한 설명으로 옳은 것만을 <보기>에서 있는 대로 고른 것은?

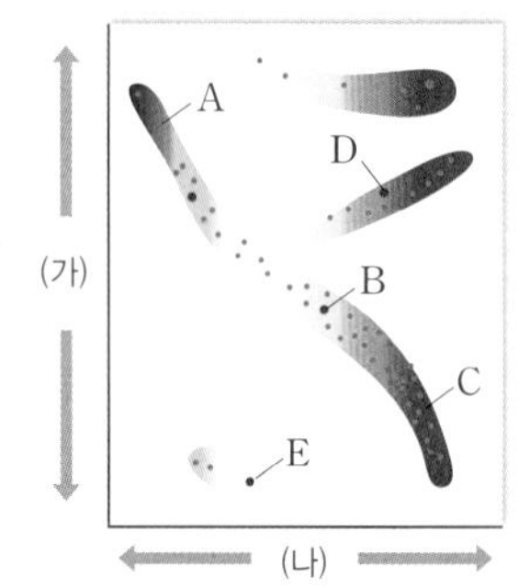

보기
ㄱ. (가)는 절대 등급, (나)는 표면 온도를 나타낸다.
ㄴ. 주계열성의 표면 온도는 A<B<C 순이다.
ㄷ. 별 D는 별 E보다 평균 밀도가 작다.

① ㄱ　② ㄴ　③ ㄷ　④ ㄱ, ㄷ　⑤ ㄱ, ㄴ, ㄷ

B 별의 분류와 광도 계급

단답형

04 그림은 여러 별들을 H-R도에 나타낸 것이다.

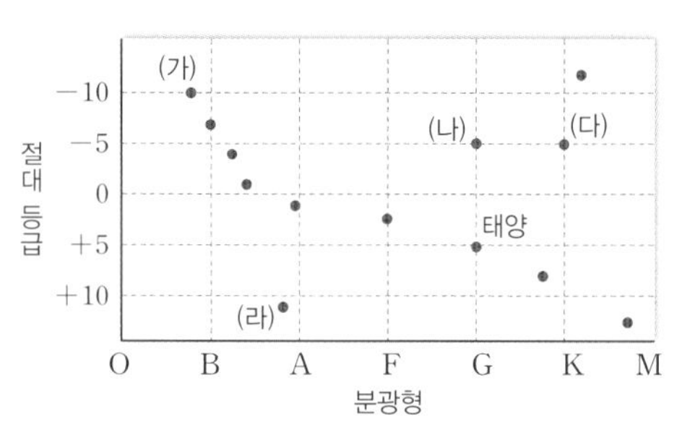

(가)~(라)를 별의 종류별로 구분하여 쓰시오.

05 H-R도를 통해 알게 된 별의 종류와 특성에 대한 설명으로 옳지 않은 것은?

① 백색 왜성은 적색 거성보다 광도가 작다.
② 초거성은 적색 거성에 비해 광도가 크다.
③ 주계열성은 광도가 큰 별일수록 질량이 크다.
④ 별은 일생의 대부분을 주계열성으로 보낸다.
⑤ 적색 거성은 색지수가 동일한 주계열성보다 반지름이 작다.

06 그림은 태양과 태양 주변의 별들을 H-R도에 나타낸 것이다.

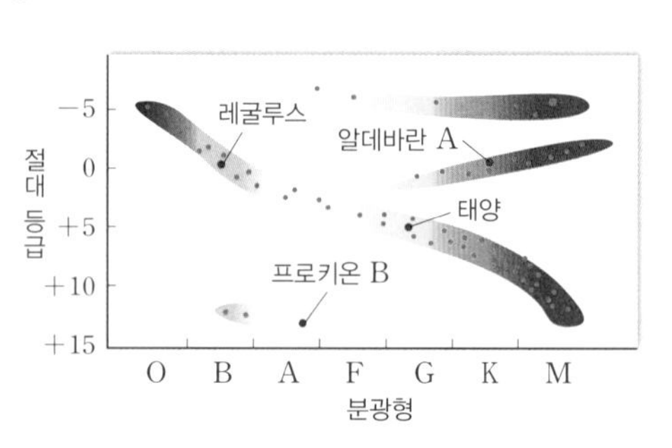

이에 대한 설명으로 옳지 않은 것은?

① 레굴루스는 태양보다 질량이 작다.
② 프로키온 B는 태양보다 표면 온도가 높다.
③ 알데바란 A는 태양보다 반지름이 크다.
④ 레굴루스의 광도는 태양의 약 100배이다.
⑤ 레굴루스의 반지름은 알데바란 A보다 작다.

C 별의 탄생과 주계열성

07 다음 별의 진화 단계에서 빛을 내는 에너지원을 옳게 짝지은 것은?

(가) 원시별　　(나) 주계열성

	(가)	(나)
①	중력 수축 에너지	중력 수축 에너지
②	중력 수축 에너지	수소 핵융합 에너지
③	중력 수축 에너지	헬륨 핵융합 에너지
④	수소 핵융합 에너지	헬륨 핵융합 에너지
⑤	수소 핵융합 에너지	중력 수축 에너지

단답형

08 그림은 질량이 다른 원시별이 주계열에 도달하는 경로를 나타낸 것이다.

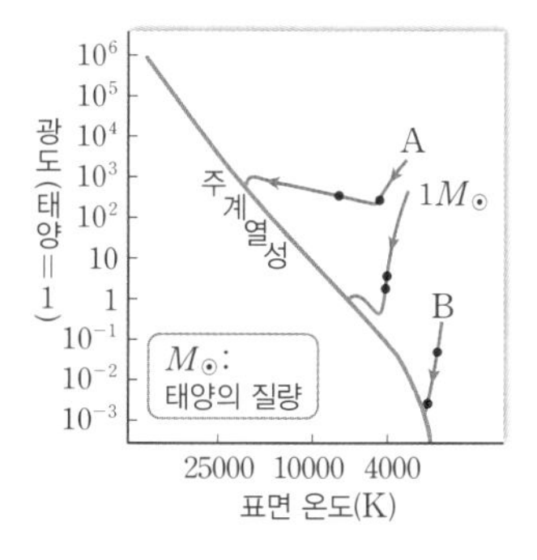

원시별 A와 B의 질량과 주계열성이 되기까지의 경과 시간을 비교하시오.

D 주계열 이후의 별의 진화

단답형

09 그림 (가)는 어느 별의 내부 구조를 나타낸 것이다.

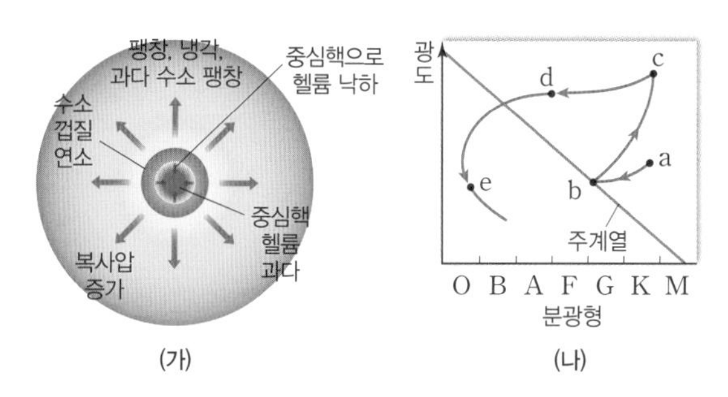

이 별의 진화 단계를 그림 (나)에서 고르고, 이 단계의 명칭을 쓰시오.

10 주계열성에서 거성 단계로 진화하는 과정에 대한 설명으로 옳지 않은 것은?

① 별의 중심핵은 중력 수축한다.
② 별의 중심핵을 이루는 물질은 수소이다.
③ 별 외곽부가 팽창하면서 광도가 크게 증가한다.
④ 중심핵 외곽부의 수소 껍질에서 수소 핵융합 반응이 일어난다.
⑤ 중심핵 외곽부에서 일어나는 수소 핵융합 반응으로 별의 표면 온도는 하강한다.

단답형

11 그림은 질량이 서로 다른 두 별의 진화 과정 중 일부를 나타낸 것이다.

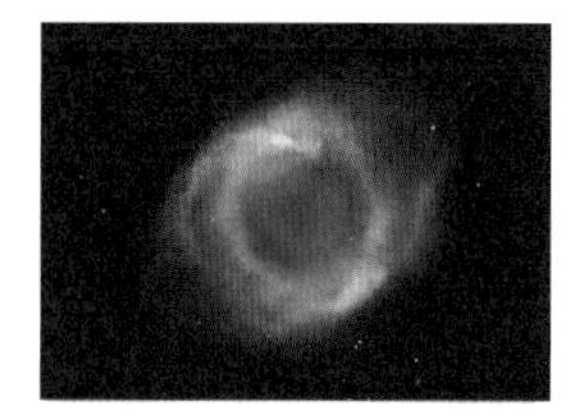

(가) 행성상 성운　　(나) 초신성 폭발

(가)와 (나)의 중심부에 남아 있는 별의 종류와 두 별의 질량을 비교하여 쓰시오.

12 그림은 태양과 질량이 같은 별의 예상 진화 경로를 H−R도에 나타낸 것이다.

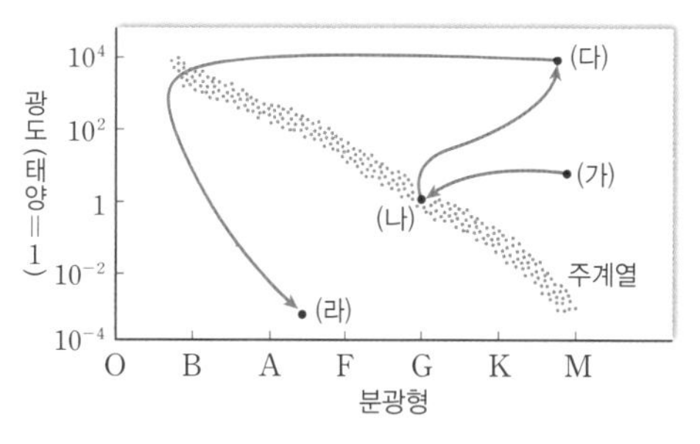

이에 대한 설명으로 옳지 않은 것은?

① (가)에서 (나)로 진화하는 과정의 에너지원은 중력 수축 에너지이다.
② 태양은 (나)의 상태에 있는 별이다.
③ (나)에서 별은 가장 오랫동안 머무른다.
④ (나)에서 (다)로 진화할 때 별의 반지름은 증가한다.
⑤ (다)에서 (라)로 진화하는 과정에서 질량은 증가한다.

도전! 실력 올리기

01 그림은 여러 별들의 절대 등급과 분광형을, 표는 별들의 겉보기 등급을 나타낸 것이다.

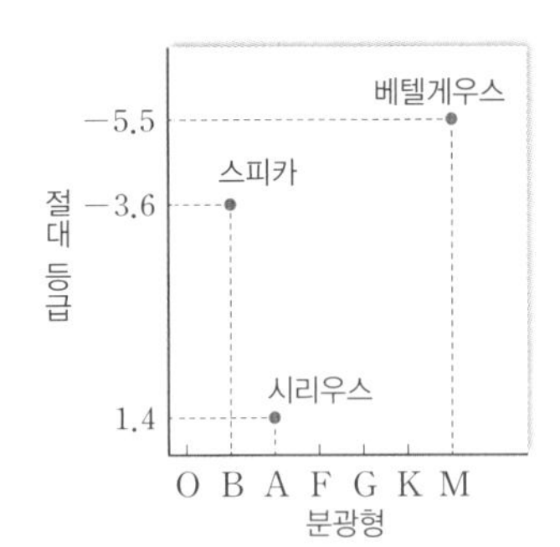

별	겉보기 등급
스피카	0.4
베텔게우스	0.9
시리우스	−1.4

이에 대한 설명으로 옳은 것만을 <보기>에서 있는 대로 고른 것은?

> 보기
> ㄱ. 밀도가 가장 큰 별은 베텔게우스이다.
> ㄴ. 반지름이 가장 큰 별은 시리우스이다.
> ㄷ. 표면 온도가 가장 높은 별은 스피카이다.

① ㄱ ② ㄴ ③ ㄷ
④ ㄱ, ㄷ ⑤ ㄱ, ㄴ, ㄷ

02 그림은 H−R도에 별 A~D의 위치를 나타낸 것이다.

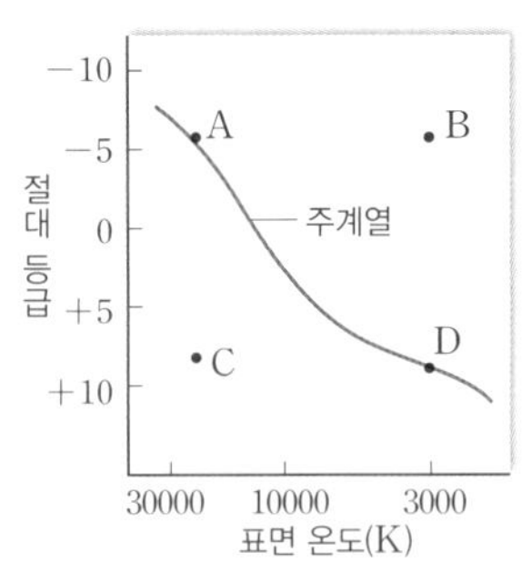

이에 대한 설명으로 옳은 것만을 <보기>에서 있는 대로 고른 것은?

> 보기
> ㄱ. A는 D보다 질량이 작다.
> ㄴ. B와 D의 색은 비슷하다.
> ㄷ. A~D 중에서 가장 많이 진화한 단계의 별은 C이다.

① ㄱ ② ㄴ ③ ㄱ, ㄷ
④ ㄴ, ㄷ ⑤ ㄱ, ㄴ, ㄷ

출제예감

03 그림은 태양과 태양 근처 별들의 H−R도를 나타낸 것이다.

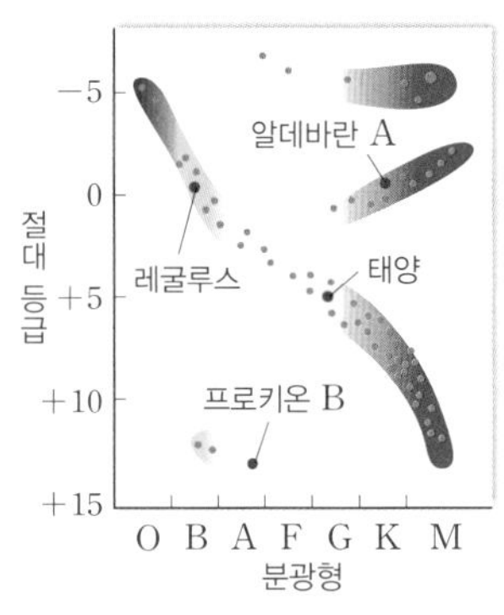

이에 대한 설명으로 옳은 것만을 <보기>에서 있는 대로 고른 것은?

> 보기
> ㄱ. 레굴루스의 질량은 태양보다 크다.
> ㄴ. 프로키온 B의 밀도는 알데바란 A보다 작다.
> ㄷ. 반지름은 알데바란 A > 레굴루스 > 태양 > 프로키온 B의 순이다.

① ㄱ ② ㄷ ③ ㄱ, ㄴ
④ ㄱ, ㄷ ⑤ ㄱ, ㄴ, ㄷ

04 그림은 질량이 다른 원시별이 진화하는 과정을 나타낸 것이다.

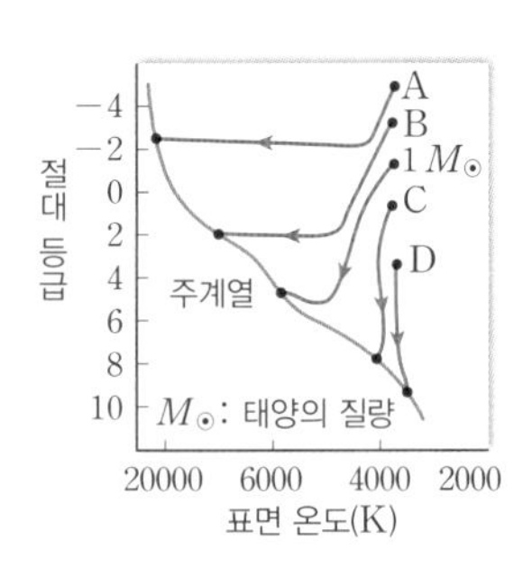

이에 대한 설명으로 옳은 것은?

① 원시별이 주계열성으로 진화할 때 A~D의 반지름은 모두 감소한다.
② 주계열에 도달했을 때 A~D의 중심핵의 온도는 모두 같다.
③ 원시별에서 주계열성으로 진화하는 동안의 에너지원은 수소 핵융합 에너지이다.
④ A~D 중 원시별에서 주계열에 도달하는 데 걸리는 시간은 D가 가장 짧다.
⑤ 원시별에서 주계열성으로 진화할 때 질량이 가장 큰 별의 광도 변화가 가장 크다.

정답과 해설 65쪽

05 표는 주계열성 (가)~(다)의 질량(M)과 최종 진화 단계를 나타낸 것이다.

주계열성	질량(태양=1)	최종 진화 단계
(가)	$0.26 \leq M \leq 1.5$	A
(나)	$8 \leq M < 25$	중성자별
(다)	$M \geq 25$	블랙홀

이에 대한 설명으로 옳은 것만을 〈보기〉에서 있는 대로 고른 것은?

보기
ㄱ. A는 백색 왜성이다.
ㄴ. (가)는 (다)보다 별의 진화 속도가 느리다.
ㄷ. (가)는 (나)보다 주계열성 단계에 머무는 시간이 길다.

① ㄱ ② ㄷ ③ ㄱ, ㄴ
④ ㄴ, ㄷ ⑤ ㄱ, ㄴ, ㄷ

출제예감

06 그림은 주계열성의 질량에 따른 진화 경로를 나타낸 것이다.

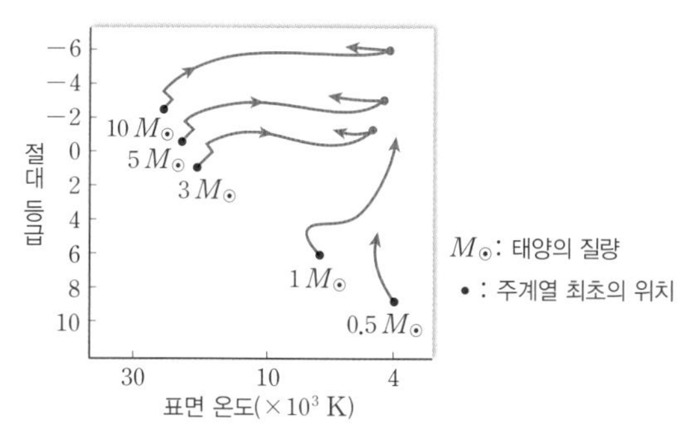

이에 대한 설명으로 옳은 것만을 〈보기〉에서 있는 대로 고른 것은?

보기
ㄱ. 질량이 큰 주계열성일수록 더 빠른 속도로 진화한다.
ㄴ. 질량이 작은 주계열성일수록 진화 과정에서 표면 온도의 변화가 크게 일어난다.
ㄷ. 태양보다 질량이 작은 주계열성은 적색 거성이나 초거성으로 진화하지 못하기도 한다.

① ㄱ ② ㄴ ③ ㄷ
④ ㄱ, ㄷ ⑤ ㄱ, ㄴ, ㄷ

단답형

07 다음과 같은 특징을 가지는 별의 종류는 무엇인지 쓰고, 그림의 A~D 중 어느 위치에 해당하는지 쓰시오.

- 중심부에서 핵융합 반응이 일어나지 않는다.
- 표면 온도는 높으나 반지름은 태양의 0.01배 정도로 작다.

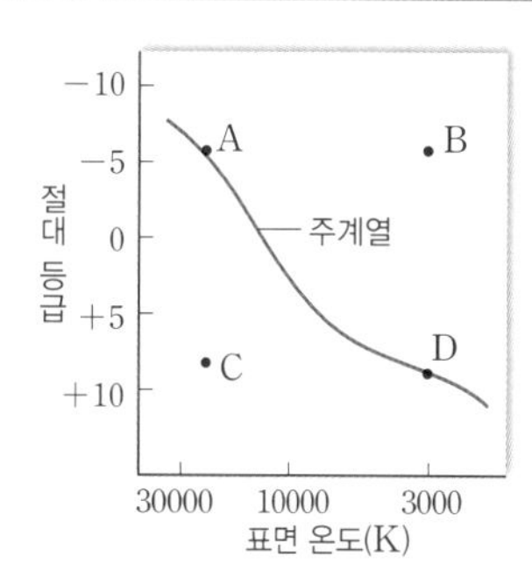

[08~09] 그림은 태양의 진화 경로를 H−R도에 나타낸 것이다.

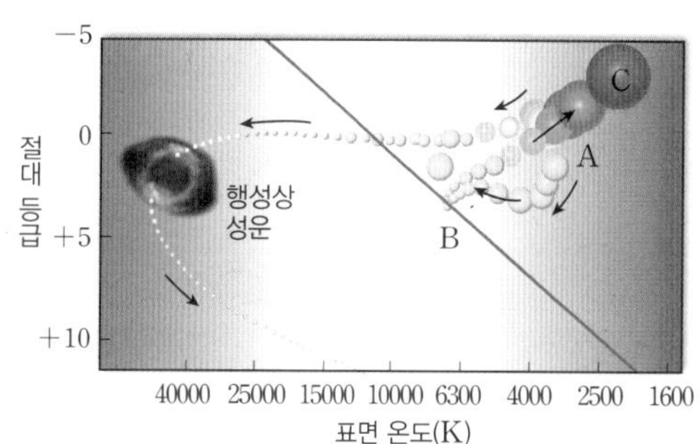

서술형

08 A, B 단계의 명칭을 쓰고, A에서 B로 진화할 때 일어나는 과정을 서술하시오.

서술형

09 C 단계의 명칭을 쓰고, B에서 C로 진화할 때 일어나는 과정을 서술하시오.

수능을 알기 쉽게 풀어주는 수능 POOL

질량이 다른 두 별의 진화 경로

대표 유형

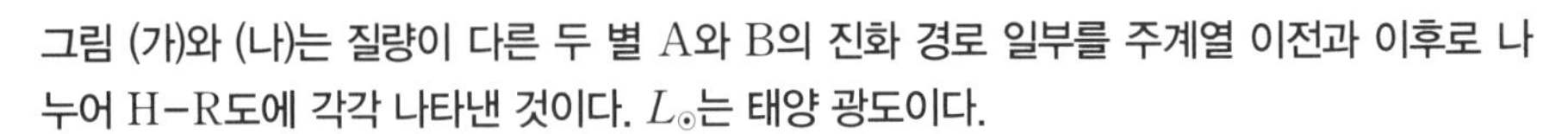

출제 의도

주계열 이전과 이후 진화 과정의 특징을 알고 있는지 묻는 문제이다.

그림 (가)와 (나)는 질량이 다른 두 별 A와 B의 진화 경로 일부를 주계열 이전과 이후로 나누어 H−R도에 각각 나타낸 것이다. $L_\odot$는 태양 광도이다.

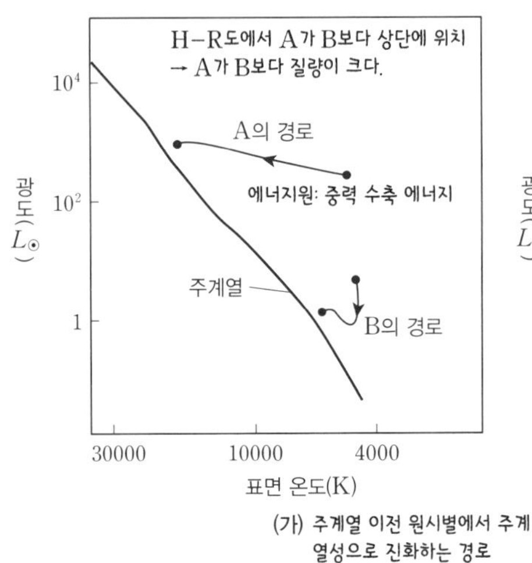

(가) 주계열 이전 원시별에서 주계열성으로 진화하는 경로

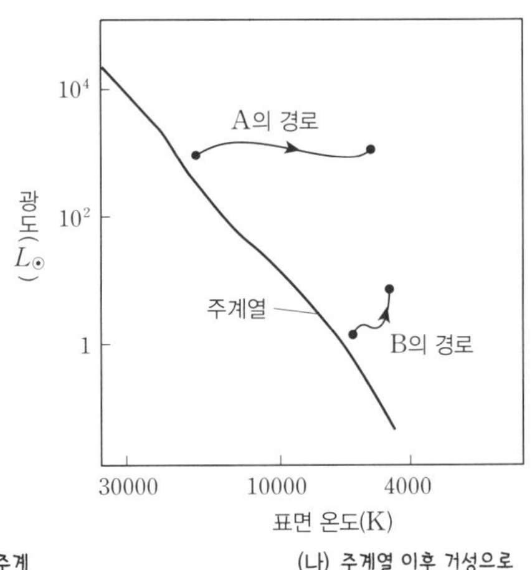

(나) 주계열 이후 거성으로 진화하는 경로

이에 대한 설명으로 옳은 것만을 〈보기〉에서 있는 대로 고른 것은?

✎ 이것이 함정

주계열 이전의 주요 에너지원은 중력 수축 에너지이며, 주계열에서의 주요 에너지원은 핵융합 반응이다.

〈보기〉

ㄱ. 주계열에 머무르는 시간은 B보다 A가 길다.
→ 주계열에서 H−R도의 상단에 위치할수록 질량이 커서 광도가 크다. 광도가 크면 에너지를 더 효율적으로 더 빠르게 방출하기 때문에 주계열에 머무르는 시간이 짧다.

ㄴ. (가)에서 A가 진화하는 동안의 주요 에너지원은 핵융합 반응이다.
→ 주계열에 도달하기 전의 주요 에너지원은 중력 수축 에너지이다.

ㄷ. (나)에서 B가 진화하는 동안 중심부는 수축한다.
→ 중심부의 수소가 고갈되면 에너지가 생성되지 않으므로 기체 압력이 작아져 중력 수축이 일어난다.

① ㄱ 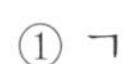 ② ㄷ ③ ㄱ, ㄴ ④ ㄴ, ㄷ ⑤ ㄱ, ㄴ, ㄷ

질량에 따른 별의 진화 경로 비교하기

그림 (가)와 (나)의 진화 경로가 주계열 이전인지, 이후인지를 먼저 찾는다. ≫ 주계열 이전과 이후의 경로에 따른 중요 에너지원을 파악한다. ≫ 그림 (가)와 (나)의 A와 B의 질량에 따른 별의 수명을 각각 비교한다. ≫ 별 A와 B의 질량에 따라 진화 경로가 달라짐을 찾는다.

추가 선택지

• (나)의 단계 이후 별 B는 행성상 성운이 된다. (○)
→ 별 B는 태양과 거의 비슷한 질량을 갖고 있으므로, 거성을 거쳐 외곽부는 행성상 성운이 되고, 내부는 백색 왜성이 된다.

• (가)에서 별 A의 절대 등급은 별 B보다 크다. (×)
→ 별 A가 별 B보다 광도가 크므로 절대 등급은 작다.

실전! 수능 도전하기

정답과 해설 66쪽

01 그림은 두 별 (가), (나)의 파장에 따른 상대적 에너지 세기와 U, B, V 필터를 투과하는 파장 영역을 나타낸 것이다.

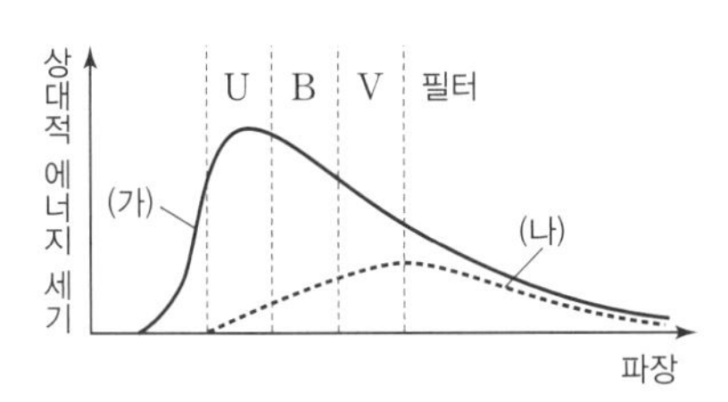

이에 대한 설명으로 옳은 것만을 〈보기〉에서 있는 대로 고른 것은?

보기
ㄱ. (가)는 (나)보다 표면 온도가 높다.
ㄴ. (가)의 색지수인 (B−V)는 (−)이다.
ㄷ. (나)는 U 등급이 B 등급보다 크다.

① ㄱ ② ㄷ ③ ㄱ, ㄴ
④ ㄴ, ㄷ ⑤ ㄱ, ㄴ, ㄷ

02 그림은 별 a, b, c의 절대 등급과 스펙트럼형을 나타낸 것이다.

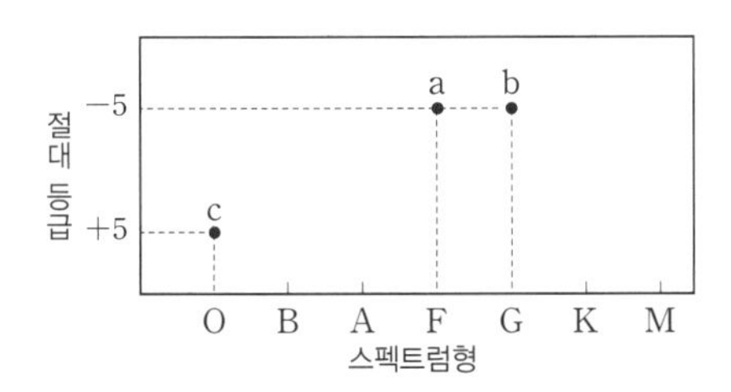

이에 대한 설명으로 옳은 것만을 〈보기〉에서 있는 대로 고른 것은?

보기
ㄱ. a별은 태양과 같은 색의 별이다.
ㄴ. b별의 표면 온도가 가장 낮다.
ㄷ. c별의 반지름이 가장 크다.

① ㄱ ② ㄴ ③ ㄱ, ㄷ
④ ㄴ, ㄷ ⑤ ㄱ, ㄴ, ㄷ

03 표는 별 (가)~(다)의 절대 등급과 스펙트럼형을, 그림은 이 별들을 H−R도에 순서 없이 나타낸 것이다.

별	절대 등급	스펙트럼형
(가)	−0.2	A0
(나)	−0.2	K2
(다)	+11.5	A0

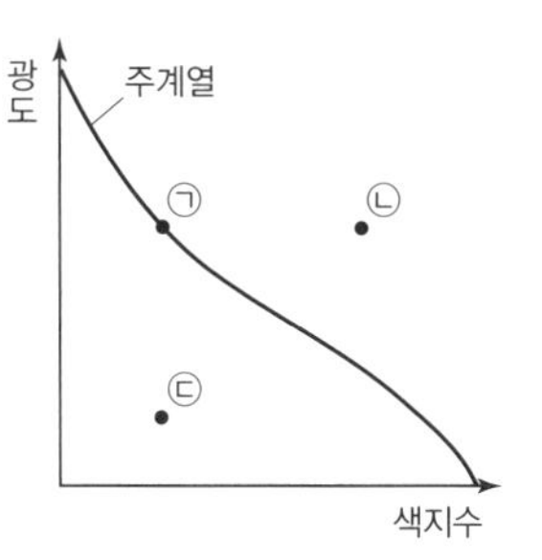

이에 대한 설명으로 옳은 것만을 〈보기〉에서 있는 대로 고른 것은?

보기
ㄱ. (가)는 ㉢, (나)는 ㉡, (다)는 ㉠에 해당한다.
ㄴ. 밀도가 가장 작은 별은 (나)이다.
ㄷ. (다)는 거성 또는 초거성이다.

① ㄱ ② ㄴ ③ ㄱ, ㄷ
④ ㄴ, ㄷ ⑤ ㄱ, ㄴ, ㄷ

04 그림은 비슷한 거리에 있는 별 A~C를 H−R도에 나타낸 것이다.

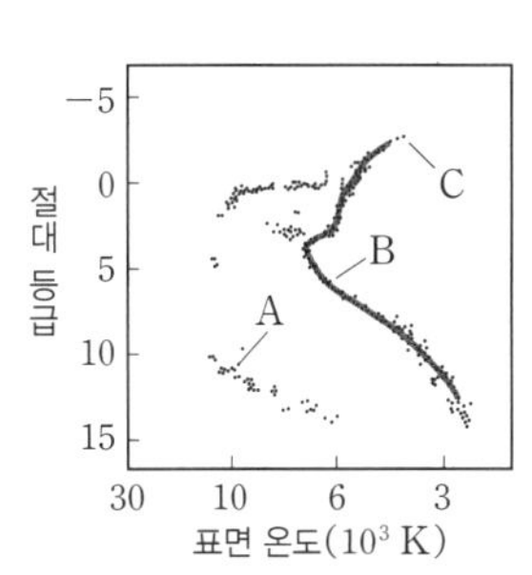

별 A~C에 대한 설명으로 옳은 것은?

① A의 중심핵은 철(Fe)로 이루어져 있다.
② B의 중심에서는 헬륨 핵융합이 일어나고 있다.
③ 색지수는 C가 가장 크다.
④ 밀도는 A가 B보다 작다.
⑤ 겉보기 등급은 B가 C보다 작다.

05 그림은 H-R도에 별 A와 B의 위치를 나타낸 것이다.

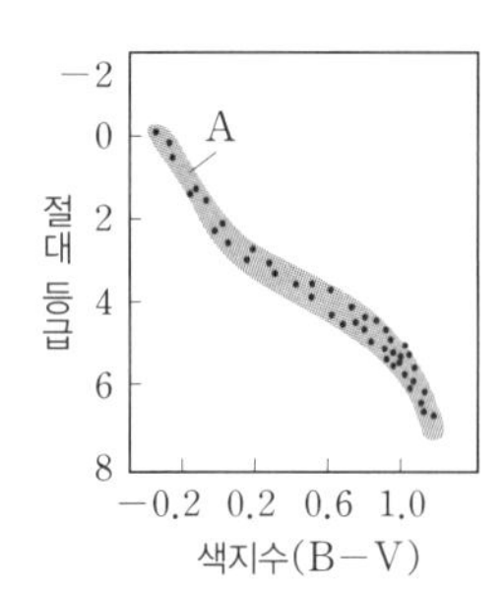

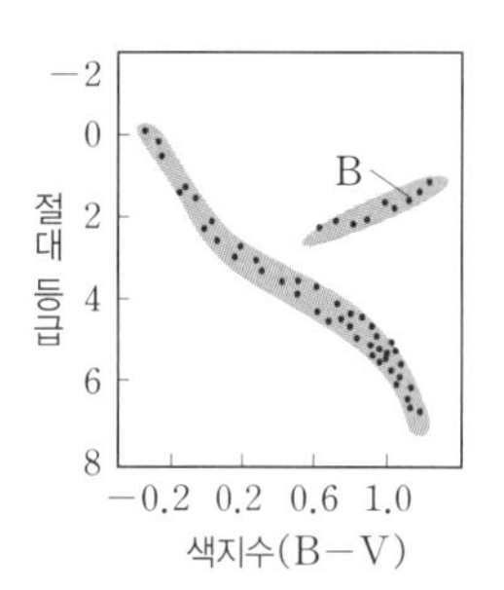

A가 B보다 작은 값을 갖는 물리량만을 〈보기〉에서 있는 대로 고른 것은?

〈보기〉
ㄱ. 밀도
ㄴ. 반지름
ㄷ. 중심부에서의 수소 함량비

① ㄱ ② ㄴ ③ ㄷ
④ ㄱ, ㄴ ⑤ ㄴ, ㄷ

수능 기출

06 그림 (가)는 H-R도에서 주계열성을, (나)는 주계열성의 질량-광도 관계를 나타낸 것이다.

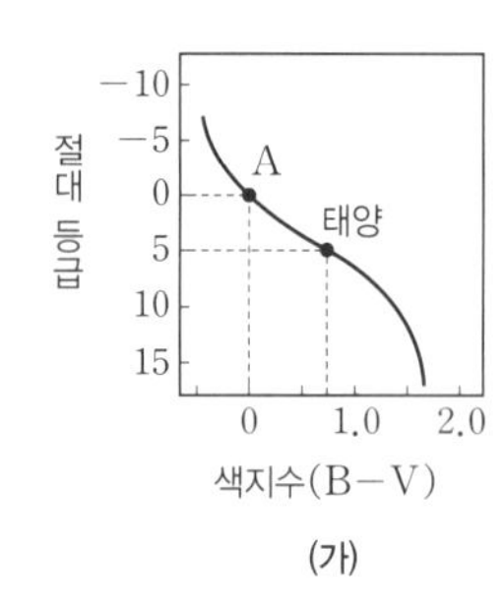

(가)

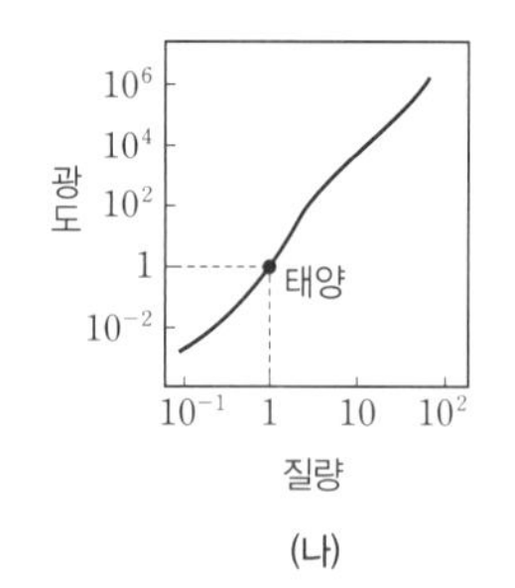

(나)

이에 대한 설명으로 옳은 것만을 〈보기〉에서 있는 대로 고른 것은?

〈보기〉
ㄱ. 색지수가 클수록 별의 질량은 크다.
ㄴ. 질량이 클수록 별의 반지름은 크다.
ㄷ. 별 A의 질량은 태양의 10배이다.

① ㄱ ② ㄴ ③ ㄱ, ㄷ
④ ㄴ, ㄷ ⑤ ㄱ, ㄴ, ㄷ

07 그림은 원시별 A와 B가 주계열성으로 진화하는 경로를 나타낸 것이다.

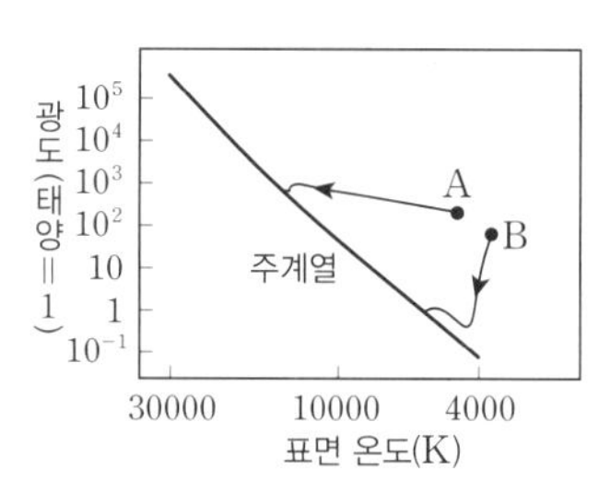

이에 대한 설명으로 옳은 것만을 〈보기〉에서 있는 대로 고른 것은?

〈보기〉
ㄱ. A는 B보다 질량이 크다.
ㄴ. A는 B보다 더 빠른 시간에 주계열성이 된다.
ㄷ. A와 B 모두 주계열성이 될 때까지 중력 수축 에너지가 주요 에너지원이다.

① ㄱ ② ㄴ ③ ㄱ, ㄷ
④ ㄴ, ㄷ ⑤ ㄱ, ㄴ, ㄷ

수능 기출

08 다음은 주계열성의 특징이고, 그림은 서로 다른 성단 (가)와 (나)의 H-R도이다.

- 질량이 클수록 반지름이 크다.
- 질량이 클수록 절대 등급이 작다.
- 질량이 클수록 주계열에 머무는 시간이 짧다.

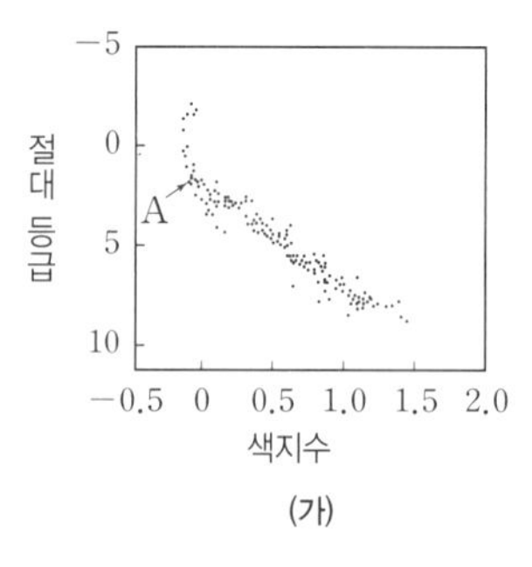

(가)

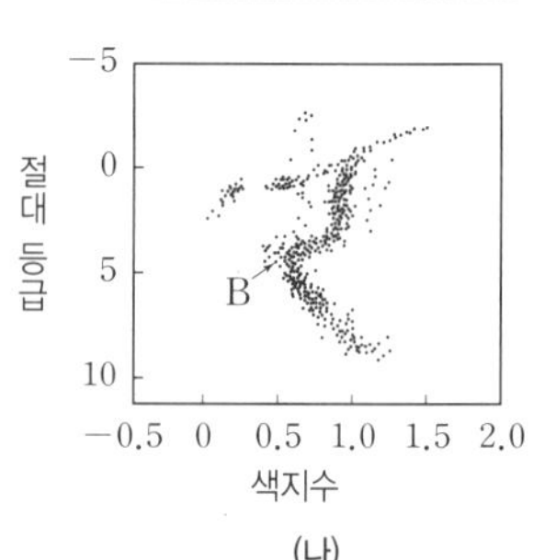

(나)

(가)와 (나)의 H-R도에 표시된 주계열성 A와 B에 대한 설명으로 옳은 것은?

① B는 파란색 별이다.
② 실제 밝기는 A가 B보다 밝다.
③ 질량은 A가 B보다 작다.
④ 반지름은 A가 B보다 작다.
⑤ 표면 온도는 A가 B보다 낮다.

수능 기출

09 그림은 주계열성 A와 B가 각각 거성 C와 D로 진화하는 경로를 H−R도에 나타낸 것이다.

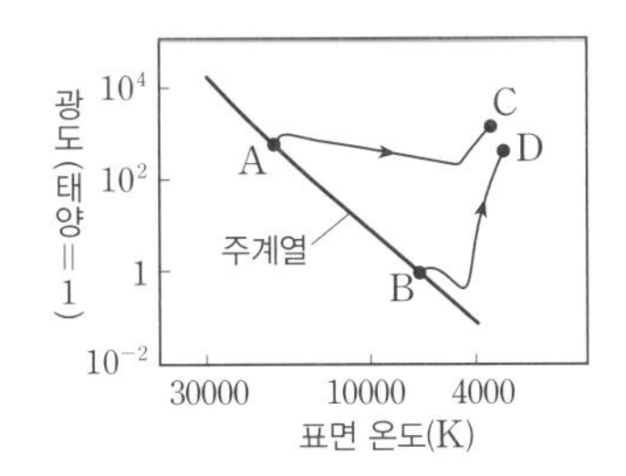

이에 대한 설명으로 옳은 것은?

① 색지수는 A가 C보다 크다.
② 질량은 B가 A보다 크다.
③ 절대 등급은 D가 B보다 크다.
④ 주계열에 머무는 기간은 B가 A보다 길다.
⑤ B의 중심핵에서는 헬륨 핵융합 반응이 일어난다.

10 그림 (가)는 태양과 질량이 비슷한 주계열성의 진화 과정을, (나)는 (가)의 진화 과정에 있는 어떤 별의 내부 구조를 나타낸 것이다.

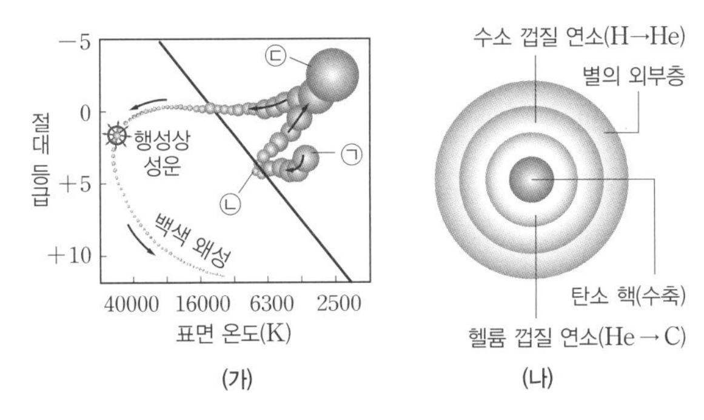

(가) (나)

이에 대한 설명으로 옳은 것만을 〈보기〉에서 있는 대로 고른 것은?

보기

ㄱ. (가)의 ㉠에서 ㉡으로 진화하는 동안 광도는 증가한다.
ㄴ. (가)의 ㉡에 도달하면 중심에서 수소 핵융합 반응이 시작된다.
ㄷ. (나)는 (가)의 ㉢ 단계에 해당하는 별의 내부 모습이다.

① ㄱ ② ㄴ ③ ㄷ
④ ㄱ, ㄴ ⑤ ㄴ, ㄷ

11 그림은 태양 정도의 질량을 가진 별의 진화 경로를 H−R도에 나타낸 것이다.

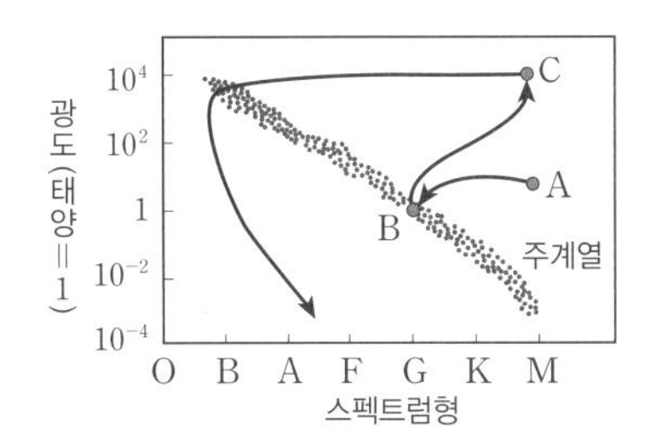

이에 대한 설명으로 옳은 것만을 〈보기〉에서 있는 대로 고른 것은?

보기

ㄱ. A→B 과정에서 별의 반지름이 작아진다.
ㄴ. B→C 과정에서 별의 중심부에서의 주요 에너지원은 수소 핵융합 반응이다.
ㄷ. A~C 중 C의 표면 온도가 가장 높다.

① ㄱ ② ㄷ ③ ㄱ, ㄴ
④ ㄴ, ㄷ ⑤ ㄱ, ㄴ, ㄷ

12 그림은 질량에 따른 별의 진화 과정을 간략하게 나타낸 것이다.

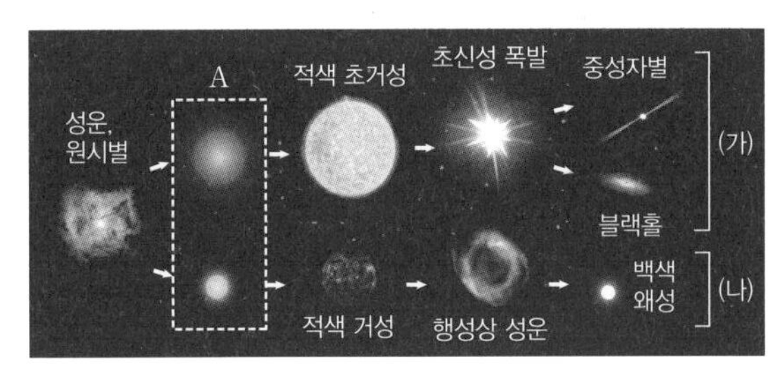

이에 대한 설명으로 옳은 것만을 〈보기〉에서 있는 대로 고른 것은?

보기

ㄱ. 별의 질량은 (가)가 (나)보다 크다.
ㄴ. A 과정에 머무는 시간은 (가)가 (나)보다 짧다.
ㄷ. 천체의 밀도는 (나)가 (가)보다 크다.

① ㄱ ② ㄷ ③ ㄱ, ㄴ
④ ㄴ, ㄷ ⑤ ㄱ, ㄴ, ㄷ

03 별의 에너지원과 내부 구조

핵심 키워드로 흐름잡기

- A 중력 수축, 수소 핵융합
- B 양성자·양성자 반응, 탄소·질소·산소 순환 반응
- C 정역학 평형, 복사, 대류
- D 적색 거성, 수소각, 초거성, 철(Fe)

A 별의 에너지원

|출·제·단·서| 시험에는 원시별과 주계열성의 에너지원에 대해 묻는 문제가 나와.

1. 원시별의 에너지원

(1) 원시별의 •중력 수축 원시별에서는 기체압보다 중력이 더 크게 작용하여 중력 수축이 일어난다.

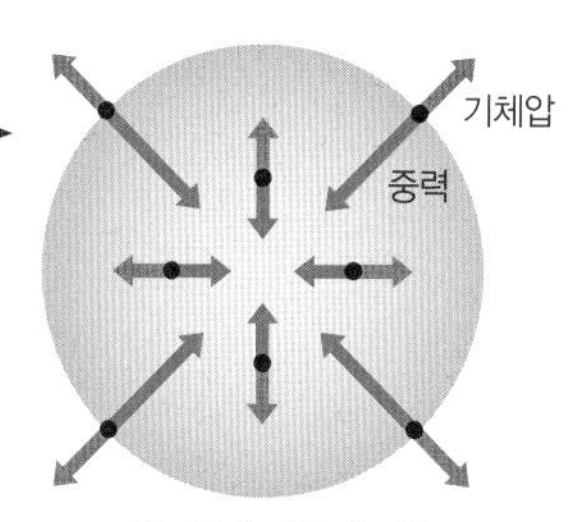

▲ 원시별에 작용하는 힘

(2) 중력 수축 에너지

① 중력에 의해 기체가 내부로 수축하면 기체의 위치 에너지는 감소하며, 감소된 에너지는 열에너지와 운동 에너지로 바뀐다.

② 열에너지로 바뀐 일부는 별의 내부 에너지를 증가시키고, 나머지는 빛에너지로 바뀌어 방출된다.

2. 주계열성의 에너지원

(1) 질량 에너지 •등가 원리 아인슈타인이 상대성 이론을 통해 발표한 원리로, 질량은 에너지의 한 형태이며 질량과 에너지는 서로 전환된다. $E=\Delta mc^2$ (Δm: 결손 질량, c: 광속)

(2) 수소 핵융합 반응 현재 태양은 수소 핵융합 반응을 통해 매초 4×10^{26} J의 막대한 에너지를 방출한다.

① 중력 수축으로 별의 내부 온도가 1000만 K이 넘게 되면 수소 핵융합❶ 반응을 시작하는데, 주계열성은 수소 핵융합 반응으로 에너지를 생성하여 빛을 낸다.

② 수소 원자 4개가 핵융합하여 헬륨 원자 1개가 만들어질 때 질량이 약간 줄어드는데(약 0.7 %), 줄어든 질량이 질량 에너지 등가 원리에 의해 에너지로 전환된다.

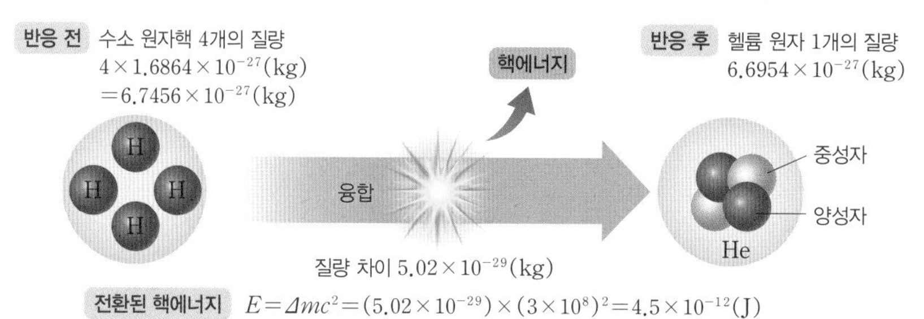

전환된 핵에너지 $E=\Delta mc^2=(5.02\times10^{-29})\times(3\times10^8)^2=4.5\times10^{-12}$(J)

빈출 계산연습 화학 반응에서의 질량과 기체의 부피 관계 계산하기

질량 결손 비율, 태양의 질량과 광도를 이용하여 태양의 수명을 계산해 보자.

1단계 4개의 수소 원자핵이 1개의 헬륨 원자핵으로 융합할 때, 질량 결손 비율(%)을 구한다.

수소 원자핵의 질량 $=1.6864\times10^{-27}$ kg

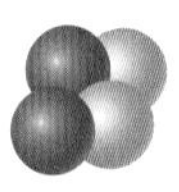

헬륨 원자핵의 질량 $=6.6954\times10^{-27}$ kg

❶ 결손되는 질량: 0.0502×10^{-27} kg

❷ 질량 결손 비율: 약 0.7 %

$$\frac{(4\times1.6864\times10^{-27}\text{ kg})-(6.6954\times10^{-27}\text{ kg})}{4\times1.6864\times10^{-27}\text{ kg}}\times100=\frac{0.0502\times10^{-27}\text{ kg}}{6.7456\times10^{-27}\text{ kg}}\times100\fallingdotseq0.7\ \%$$

2단계 태양의 질량(2×10^{30} kg) 중 10 %만 핵융합 반응이 일어나는 온도 범위에 있다고 할 때, 생성되는 총 에너지를 계산한다. ($E=mc^2$, $c=3.0\times10^8$ m/s, 1 kg·m²/s²=1 J)

$$E=\Delta mc^2=(2\times10^{30}\text{ kg})\times0.1\times0.007\times(3\times10^8\text{ m/s})^2=1.26\times10^{44}\text{ J}$$

3단계 태양의 광도가 현재와 같다고 할 때, 태양의 수명을 계산한다.

$$\frac{\text{생성되는 총 에너지양}}{\text{현재 태양의 광도}}=\frac{1.26\times10^{44}\text{ J}}{4\times10^{26}\text{ J/초}}=3.15\times10^{17}\text{초}\fallingdotseq100\text{억 년}$$

⇨ 태양의 수명(빛에너지를 모두 방출하는 데 걸리는 시간): 약 100억 년

현재 태양의 나이는 약 50억 년이므로, 앞으로 약 50억 년 동안 현재의 광도로 태양이 빛날 수 있다.

? 태양의 에너지원이 중력 수축 에너지 밖에 없다면?

태양이 원시 성운으로부터 현재의 크기로 중력 수축을 하면서 방출할 수 있는 에너지는 10^{42} J 정도로, 이는 태양이 현재의 광도로 에너지를 계속 방출한다고 했을 때 1500만 년 동안 쓸 수 있는 양에 불과하다. 따라서 중력 수축 에너지는 태양의 에너지원으로는 충분하지 않다.

❶ 핵융합과 핵분열

- 핵융합: 가벼운 원자핵이 합쳐져서 무거운 원자핵으로 되는 과정
- 핵분열: 무거운 원자핵이 갈라져서 두 가지의 가벼운 원자핵으로 되는 과정

용어 알기

•중력(무겁다 重, 힘 力) 질량을 가지고 있는 모든 물체가 서로 잡아당기는 힘

•등가 원리(같다 等, 가치 價, 근본 原, 이치 理) (equivalence principal) 서로 다른 물리량이나 에너지의 기초가 근본적으로 같음

B 수소 핵융합 반응의 종류

|출·제·단·서| 시험에는 수소 핵융합 반응의 종류와 특징을 묻는 문제가 나와.

1. 양성자·양성자 반응(p－p 반응)

① 수소 원자핵 4개가 융합하여 1개의 헬륨 원자핵을 만드는 핵융합 반응이다.

② 질량이 작은 주계열 하단의 별들에서 우세한 반응이다.

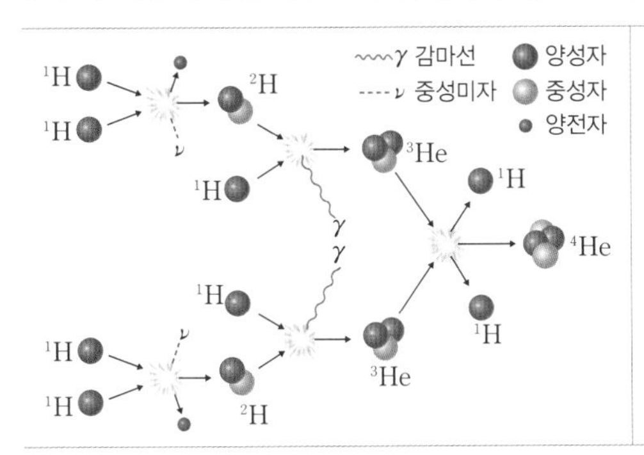

[별의 질량과 반응 온도]
질량이 태양과 비슷하거나 태양보다 작은 별에서 중심부의 온도가 1000만~1800만 K 정도일 때 우세하게 일어난다.❷

[반응 과정]
수소 원자핵 6개가 헬륨 원자핵 1개와 수소 원자핵 2개로 바뀌면서 에너지를 생성한다.

2. 탄소·질소·산소 순환 반응(CNO 순환 반응)

① 탄소 원자를 포함한 별에서 탄소, 질소, 산소가 촉매 작용을 하여 수소 원자핵 4개를 헬륨 원자핵으로 만드는 핵융합 반응이다.

② 질량이 큰 주계열 상단의 별에서 우세한 반응이며, p－p 반응이 우세한 별보다 밝고 수소가 빠르게 소비되어 주계열 단계가 짧다.

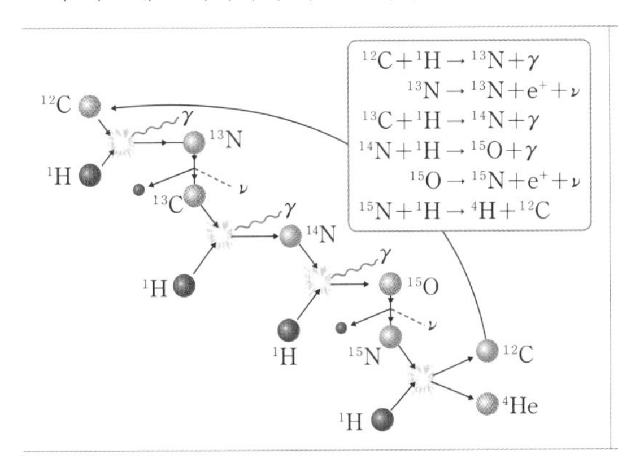

$^{12}C+{}^1H \rightarrow {}^{13}N+\gamma$
$^{13}N \rightarrow {}^{13}N+e^++\nu$
$^{13}C+{}^1H \rightarrow {}^{14}N+\gamma$
$^{14}N+{}^1H \rightarrow {}^{15}O+\gamma$
$^{15}O \rightarrow {}^{15}N+e^++\nu$
$^{15}N+{}^1H \rightarrow {}^4H+{}^{12}C$

[별의 질량과 반응 온도]
질량이 태양의 약 1.5배가 넘는 별에서 중심부의 온도가 약 1800만 K보다 높을 때 우세하다.

[반응 과정]
탄소, 질소, 산소가 촉매 역할을 하여 수소 원자핵 4개가 헬륨 원자핵으로 바뀌면서 에너지를 생성한다.

주계열성에서 일어나는 수소 핵융합 반응의 종류가 별의 질량과 어떤 관계가 있는지 꼭 알아둬!

❷ 핵융합이 일어나기 위한 조건
두 개의 양성자가 융합하기 위해서는 강한 전기적 반발력을 이길 수 있을 만큼 충분한 운동 에너지가 필요하다. 그러한 에너지를 얻으려면 초속 1000 km 이상의 속도로 충돌해야 하는데, 온도가 1000만 K 이상이 되어야 한다. 태양에서는 온도가 1500만 K 정도 되는 태양 전체 체적의 약 10 % 인 중심부 부근에서만 핵융합이 일어날 수 있다.

C 별의 에너지 전달 방식

|출·제·단·서| 시험에는 별의 질량에 따른 에너지 전달 방식을 묻는 문제가 나와.

1. 별의 내부

(1) 힘의 평형 주계열성은 별의 중심 쪽으로 향하는 중력과 수소 핵융합으로 발생한 기체의 압력 차이에 의해 바깥쪽으로 팽창하려는 힘이 평형을 이룬다.

(2) 정역학 평형 힘의 평형으로 주계열성은 수축이나 팽창을 하지 않고 일정한 모양을 유지하는 정역학 평형 상태를 유지한다.

▲ 주계열성의 정역학 평형

2. 에너지 전달 방식 별의 내부에서는 복사와 대류로 에너지가 전달된다.

(1) 복사 온도의 변화 비율이 작거나 빛이 물체를 투과하는 비율이 큰 경우 복사의 형태로 에너지를 전달한다.

(2) 대류 온도의 변화 비율이 크거나 빛이 물체를 투과하는 비율이 작은 경우 대류의 형태로 에너지를 전달한다.

용어 알기 

● 양성자(양극 陽, 성질 性, 아들 子)(proton) 전기적으로 양극의 성질을 가진 입자
● 복사(바퀴살 輻, 쏘다 射)(radiation) 물체로부터 열이나 전자기파가 사방으로 방출되는 현상
● 대류(마주하다 對, 흐름 流)(convection) 물질의 흐름에 의해서 열이 직접 전달되는 현상

❓ **태양과 질량이 태양의 약 2배가 넘는 별들 중 표면에서 쌀알무늬를 쉽게 볼 수 있는 것은?**
쌀알무늬는 대류에 의해 형성되므로 바깥 부분에 대류층이 있는 태양과 같은 별에서 쉽게 볼 수 있다. 반면, 질량이 태양의 약 2배가 넘는 별은 중심 부분에 대류층이 있으므로 쌀알무늬가 잘 나타나지 않는다.

3. 별의 질량에 따른 에너지 전달 방식

질량이 태양 정도인 별	질량이 태양의 약 1.5배 이상인 별
핵, 복사층, 대류층	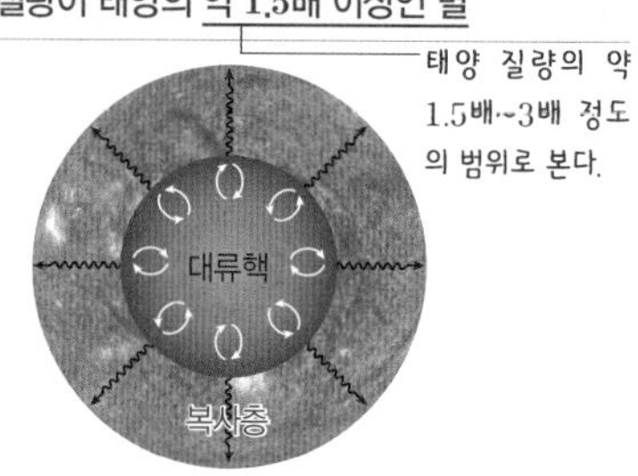 태양 질량의 약 1.5배~3배 정도의 범위로 본다.
[안쪽: 복사층] 중심부에서 생성된 에너지가 반지름의 70 %에 이르는 거리까지 복사를 통해 전달된다. **[바깥층: 대류층]** 바깥층에서는 대류에 의해 별의 표면까지 전달된다.	**[안쪽: 대류핵]** 중심부에서 엄청나게 많은 에너지가 생성되어 중심부와 별의 표면 사이의 온도 차가 매우 커서 복사에 의해서는 에너지가 효과적으로 전달되기 어렵다. 따라서 중심부에서는 대류를 통해 에너지가 전달된다. **[바깥층: 복사층]** 바깥층에서는 복사의 형태로 에너지가 전달된다.

D 별의 진화에 따른 별의 내부 구조

|출·제·단·서| 시험에는 별의 진화 과정에서 질량에 따른 별의 내부 구조를 묻는 문제가 나와.

1. 무거운 원소의 핵융합 반응

(1) 헬륨 핵융합 반응

① 시간이 흐름에 따라 주계열성의 중심부에 있는 수소가 고갈되고, 헬륨만 남으면 주계열성의 수명은 끝나게 된다.

② 수소가 모두 헬륨으로 바뀌면 헬륨 핵은 중력 수축을 하며, 중심부 온도가 점차 상승하여 1억 K 정도에 도달하게 되면 헬륨 핵융합 반응이 일어난다.

(2) 더 무거운 원소의 핵융합 반응

① 질량이 아주 큰 별은 헬륨 이후에도 여러 가지 무거운 원자핵을 만드는 핵융합 반응이 일어난다.

② 원자핵이 무거울수록 핵 사이에 작용하는 전기적 반발력이 더 커서 핵융합 반응에 필요한 온도도 증가한다.

❸ 수소각
중심부에서 수소 핵융합 반응으로 수소가 모두 고갈되고 헬륨만 남게된 중심핵을 둘러싼 수소층을 껍질에 비유한 말이다.

❹ 핵융합 반응이 일어나는 순서

반응 원소	생성 원소	온도
수소	헬륨	↓
헬륨	탄소, 산소	
탄소	산소, 네온, 마그네슘	
네온	마그네슘	
산소	규소, 황	
규소	철	높다

2. 주계열성에서 •적색 거성(초거성)으로 진화할 때의 내부 구조 개념 POOL

질량이 태양과 비슷한 별(적색 거성)	질량이 태양보다 매우 큰 별(초거성)
팽창, 수소의 핵반응, He, H→He, He 수축	H, He, C, O, Si, Fe
중심부의 수소가 모두 소모되면 헬륨 핵의 중력 수축이 일어난다. 이때 발생한 에너지가 중심부 외곽에 공급되어 수소각❸에서 수소 핵융합 반응(수소각 연소)이 일어난다. ⇨ 바깥층은 팽창하여 크기가 커지고 표면 온도는 낮아져 적색 거성으로 변한다. ⇨ 중심부는 수축하여 온도가 높아지며 헬륨 핵융합 반응이 일어난다.	• 태양보다 10배 이상 무거운 별의 중심부에서는 핵융합 반응으로 헬륨, 탄소, 네온, 산소, 규소가 차례로 생성된다. 최종적으로는 중심부에 철(Fe)로 된 핵이 만들어진다. • 별의 내부는 중심부로 갈수록 더 무거운 원소로 이루어진 양파껍질 같은 구조를 가지게 된다.❹ ⇨ 별의 바깥층은 더욱 팽창하여 초거성이 된다.

용어 알기
• 적색 거성(붉다 赤, 색 色, 크다 巨, 별 星)(red giant)
붉은색을 띠는 아주 큰 별

콕콕! 개념 확인하기

정답과 해설 67쪽

✔ 잠깐 확인!

1. □□ □□□ □□ □□
아인슈타인이 상대성 이론을 통해 발표한 것으로, 질량은 에너지의 한 형태이며 질량과 에너지는 서로 전환된다는 원리

2. □□□
질량 수가 작은 원자핵이 질량 수가 큰 원자핵이 되는 과정

3. □□□ □□□ □□
탄소, 질소, 산소가 촉매 역할을 하여 수소 원자핵이 헬륨 원자핵으로 바뀌면서 에너지를 생성하는 과정

4. □□□ □□
별의 중심 쪽으로 향하는 중력과 기체압에 의해 바깥쪽으로 향하는 힘이 평형을 이룬 상태

5. □□
열이 매질을 통하지 않고 고온의 물체에서 저온의 물체로 직접 전달하는 현상

6. □□
유체가 부력에 의한 상하 운동으로 열을 전달하는 것

A 별의 에너지원

01 별의 에너지원에 대한 설명으로 옳은 것은 ○표, 옳지 않은 것은 ×로 표시하시오.

(1) 원시별에서 온도를 높이는 데 주로 사용되는 에너지원은 중력 수축 에너지이다. ( )

(2) 주계열성의 에너지원은 헬륨 핵융합 반응에 의한 에너지이다. ( )

(3) 중심부의 온도가 1억 K 이상일 때 수소 핵융합 반응이 일어난다. ( )

(4) 핵융합 반응 후에 줄어든 질량이 에너지로 전환된다. ( )

B 수소 핵융합 반응의 종류

02 다음은 수소 핵융합 반응의 종류에 대한 설명이다. ( ) 안에 들어갈 알맞은 말을 쓰시오.

(1) 수소 원자핵 4개가 융합하여 1개의 헬륨 원자핵을 만드는 반응은 ( ) 이다.

(2) 중심부의 온도가 1000만~1800만 K 정도인 별에서는 ( ) 반응이 우세하게 일어난다.

(3) 질량이 태양의 약 1.5배가 넘는 별에서 우세하게 일어나는 수소 핵융합 반응은 ( ) 순환 반응이다.

C 별의 에너지 전달 방식

03 다음 글의 ㉠, ㉡에 들어갈 알맞은 말을 쓰시오.

> 질량이 태양 정도인 별의 중심부에서 생성된 에너지는 반지름의 70 %에 이르는 거리까지는 (㉠)의 형태로, 바깥층에서는 (㉡)의 형태로 별 표면까지 전달된다.

04 그림 (가)와 (나)는 주계열성에 속하는 두 별의 내부 구조를 나타낸 것이다.

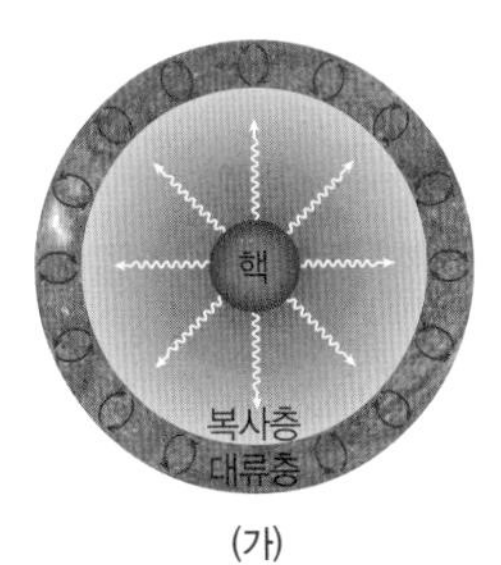

(가)

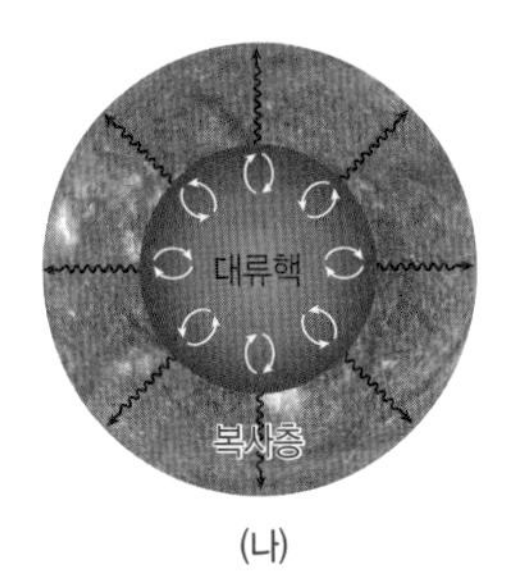

(나)

(가)와 (나)의 질량을 부등호로 비교하시오.

D 별의 진화에 따른 별의 내부 구조

05 다음은 별의 내부 구조에 대한 설명이다. ( ) 안에 들어갈 알맞은 말을 쓰시오.

(1) 질량이 충분히 큰 초거성의 중심부에서 핵융합 반응에 의해 최종적으로 생성되는 원소는 ( )이다.

(2) 초거성의 중심부는 양파껍질과 같이 여러 층의 원소로 이루어져 있는데, 중심부로 들어갈수록 ( ) 원소로 이루어져 있다.

별의 진화에 따른 핵융합 반응과 내부 구조의 변화

목표 별의 진화에 따른 별의 내부 구조의 변화를 설명할 수 있다.

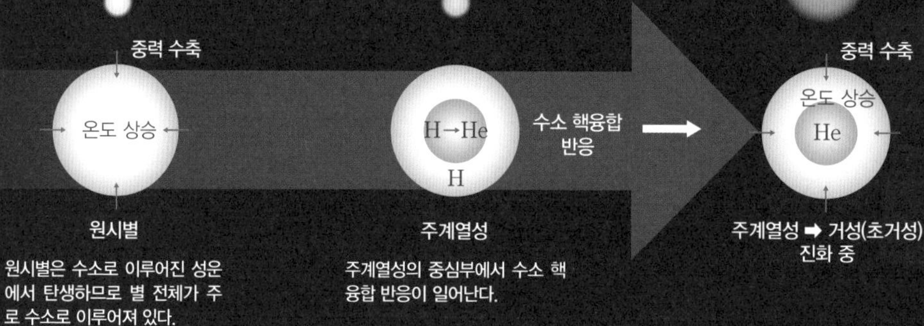

원시별은 수소로 이루어진 성운에서 탄생하므로 별 전체가 주로 수소로 이루어져 있다.

주계열성의 중심부에서 수소 핵융합 반응이 일어난다.

핵융합 반응의 종류

양성자·양성자 반응(p−p 반응)
질량이 태양과 비슷하거나 태양보다 작은 별에서 우세한 반응으로, 중심부 온도가 1000만~1800만 K 정도일 때 우세하다.

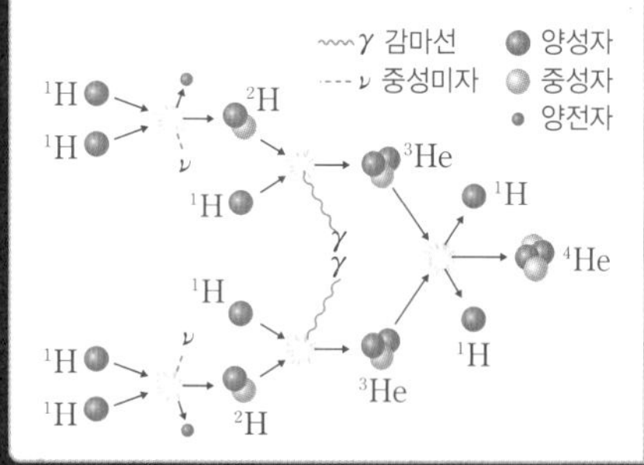

탄소·질소·산소 순환 반응(CNO 순환 반응)
질량이 태양의 약 1.5배가 넘는 별에서 우세한 반응으로, 중심부 온도가 약 1800만 K보다 높을 때 우세하다.

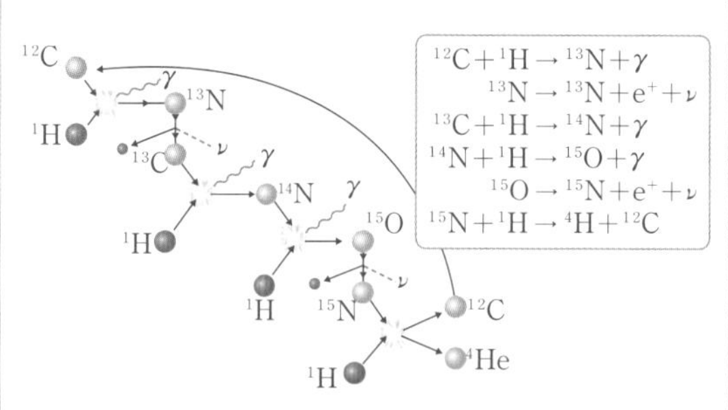

별의 중심부에서 철까지만 만들어지는 까닭
그래프에서 위로 갈수록 핵자당 결합 에너지가 큰 안정된 원소이다. 따라서 왼쪽 원소들은 핵융합, 오른쪽 원소들은 핵분열 과정을 거쳐 가장 안정된 형태인 철을 형성한다. 따라서 별의 중심부에서 핵융합으로 생성되는 최종 원소는 철이다. 철보다 더 무거운 원소는 별의 초신성 폭발로 만들어진다.

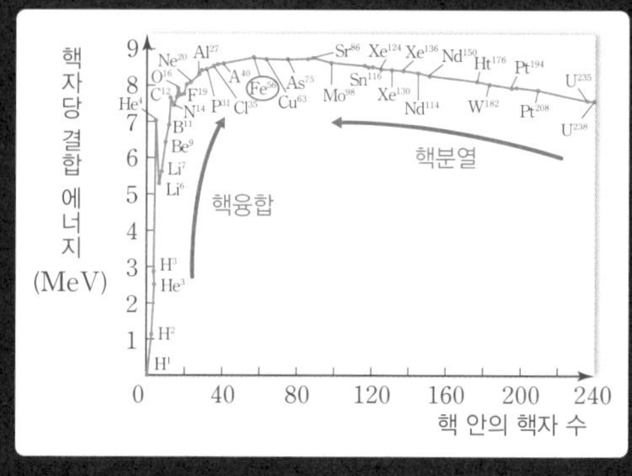

▲ 핵자당 결합 에너지 그래프

물질의 순환

행성상 성운이나 초신성 폭발로 인해 우주 공간으로 방출된 원소들은 성운 등의 성간 물질로 돌아간다. 이후 또 다른 별의 구성 물질이 되면서 계속 순환한다.

적색 거성 중심부에서는 헬륨 핵융합 반응으로 탄소 원자핵을 만든다.
→ 탄소와 산소로 구성된 핵이 만들어지고, 핵융합 반응이 멈춘다.

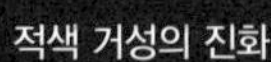

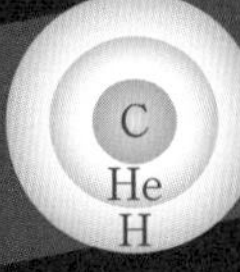

무거운 원소의 생성

철보다 무거운 물질은 초신성 폭발이 일어날 때 발생하는 에너지에 의해 철이 중성자와 충돌하여 만들어진다.

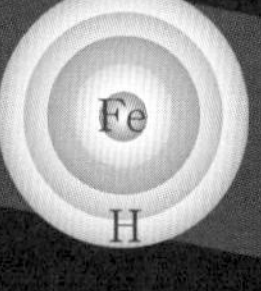
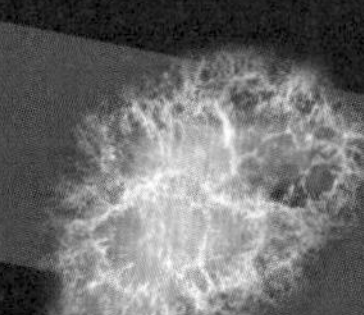

초거성의 중심부에서는 무거운 원소의 핵융합 반응이 일어난다.
→ 탄소, 산소, 규소의 원소가 차례로 생기고 최종적으로 철까지 만들어진다.

질량이
태양보다
매우 큰 별

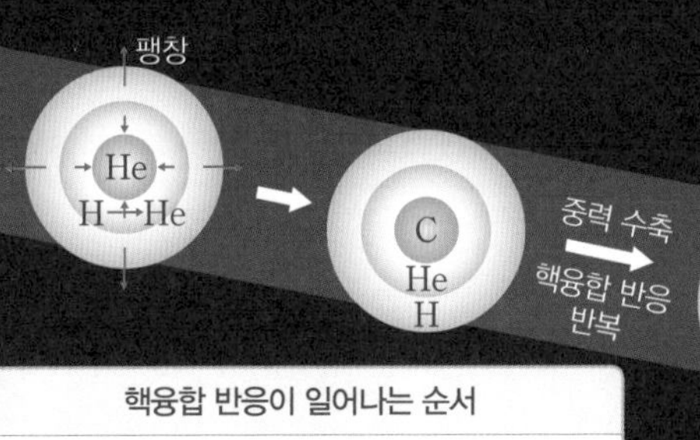

핵융합 반응이 일어나는 순서

반응 원소	생성 원소	온도
수소	헬륨	↓
헬륨	탄소, 산소	
탄소	산소, 네온, 마그네슘	
네온	마그네슘	
산소	규소, 황	
규소	철	높다

한 줄 핵심 별은 질량에 따라서 진화 단계와 내부 구조가 달라진다.

확인 문제

정답과 해설 68쪽

01 별 A와 별 B의 질량과 온도를 비교하여 쓰시오.

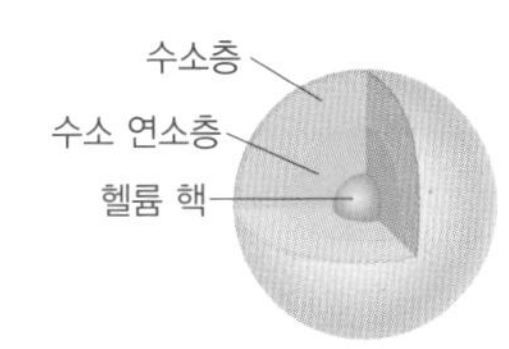

02 질량이 태양 정도인 주계열성과 태양의 약 1.5배 이상인 주계열성에서 양성자·양성자 반응과 탄소·질소·산소 순환 반응 중 어떤 수소 핵융합 반응이 우세한지 쓰시오.

(1) 태양 정도인 주계열성

(2) 태양의 약 1.5배 이상인 주계열성

탄탄! 내신 다지기

A 별의 에너지원

단답형

01 그림은 별의 진화 중 어느 한 과정을 나타낸 것이다.

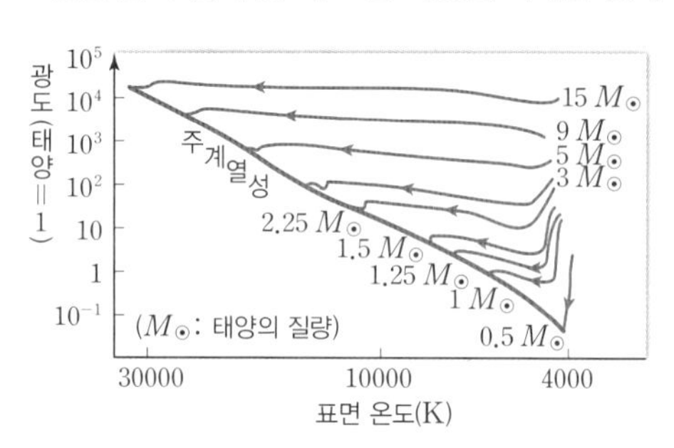

이 과정에서 주된 에너지원은 무엇인지 쓰시오.

02 그림은 핵융합 반응을 모식적으로 나타낸 것이다.

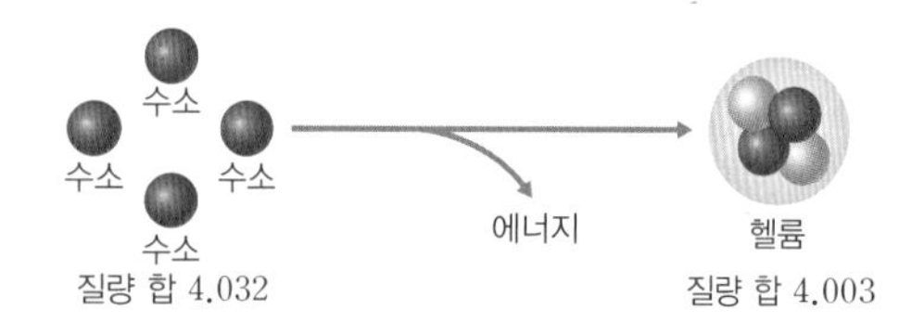

이에 대한 설명으로 옳은 것만을 〈보기〉에서 있는 대로 고른 것은?

보기
ㄱ. 수소 원자핵 4개가 융합하여 헬륨 원자핵 1개를 생성한다.
ㄴ. 핵융합 반응에서 감소한 질량이 에너지로 변한다.
ㄷ. 태양도 이와 같은 반응으로 에너지를 생성한다.

① ㄱ ② ㄷ ③ ㄱ, ㄴ
④ ㄴ, ㄷ ⑤ ㄱ, ㄴ, ㄷ

단답형

03 핵융합 과정에서 2 kg의 질량이 손실되었을 때 생성된 에너지의 양은 얼마인지 쓰시오. (단, 빛의 속도는 3×10^8 m/s이다.)

B 수소 핵융합 반응의 종류

04 그림은 수소 핵융합 반응의 한 종류를 나타낸 것이다.

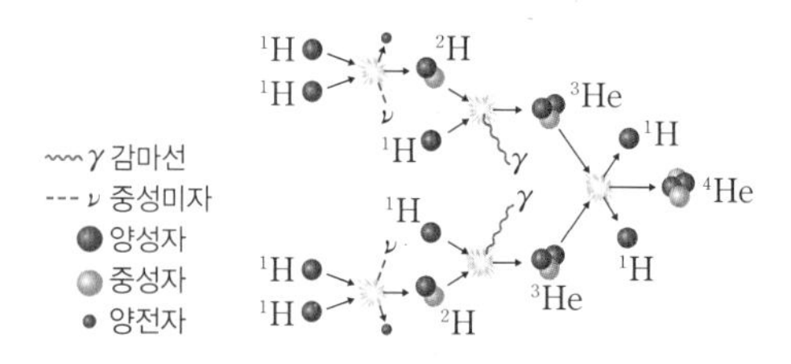

이와 같은 핵융합 과정에 대한 설명으로 옳은 것은?

① 원시별의 에너지원이다.
② 헬륨 원자가 촉매 작용을 한다.
③ 질량이 태양의 2배 이상인 별의 중심에서 우세하게 일어난다.
④ 수소 원자핵 4개의 질량은 헬륨 원자핵 1개의 질량보다 크다.
⑤ 별의 중심부의 온도가 1억 K 이상일 때 일어날 수 있는 반응이다.

단답형

05 그림과 같은 핵융합 반응에서 촉매로 작용하는 원소의 이름을 쓰시오.

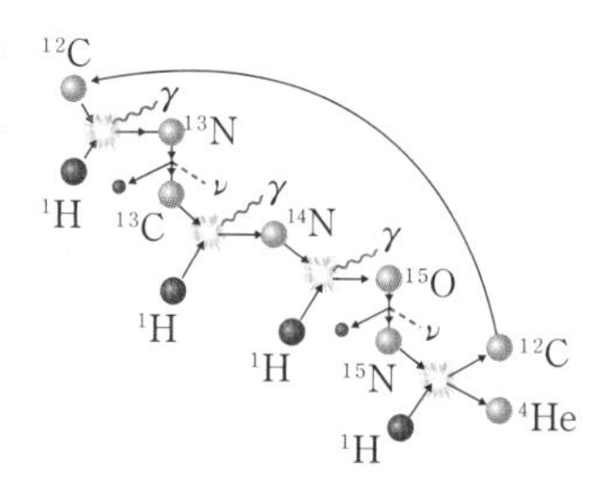

06 그림은 별의 중심핵 온도에 따른 두 가지 수소 핵융합 반응 A, B의 상대적 크기를 나타낸 것이다.

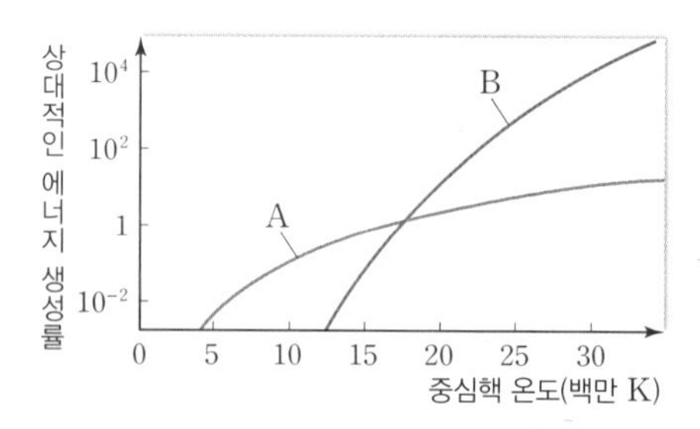

이에 대한 설명으로 옳은 것만을 〈보기〉에서 있는 대로 고른 것은?

보기
ㄱ. 태양의 내부에서는 A가 우세하게 일어난다.
ㄴ. B는 p−p 반응이다.
ㄷ. A, B 반응 후에 헬륨이 만들어진다.

① ㄱ ② ㄷ ③ ㄱ, ㄴ ④ ㄱ, ㄷ ⑤ ㄱ, ㄴ, ㄷ

C 별의 에너지 전달 방식

07 태양과 같은 주계열성의 내부는 어떤 상태인가?

① 중력이 기체압보다 큰 상태이다.
② 중력이 기체압보다 작은 상태이다.
③ 중력과 기체압이 평형을 이룬 상태이다.
④ 규칙적으로 중력이 기체압보다 커졌다 작아졌다 하는 상태이다.
⑤ 불규칙적으로 중력이 기체압보다 커졌다 작아졌다 하는 상태이다.

단답형

08 그림은 별의 내부에서 생성된 에너지가 별의 표면으로 전달되는 내부 구조를 나타낸 것이다.

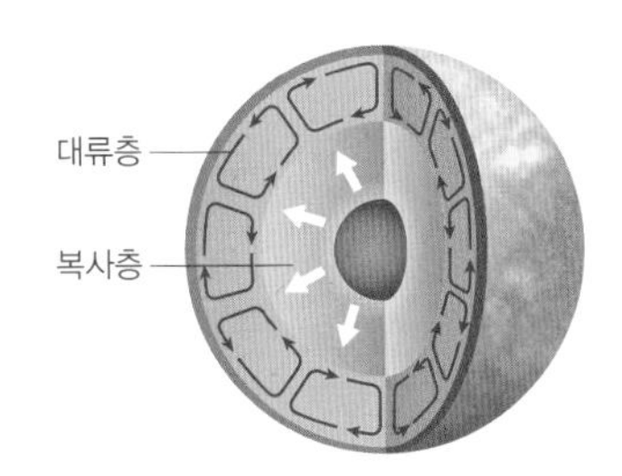

이와 같은 내부 구조를 보이는 별의 질량은 어느 정도인지 쓰시오.

09 그림은 질량이 다른 주계열성이 별 표면으로 에너지를 전달하는 방식을 나타낸 것이다.

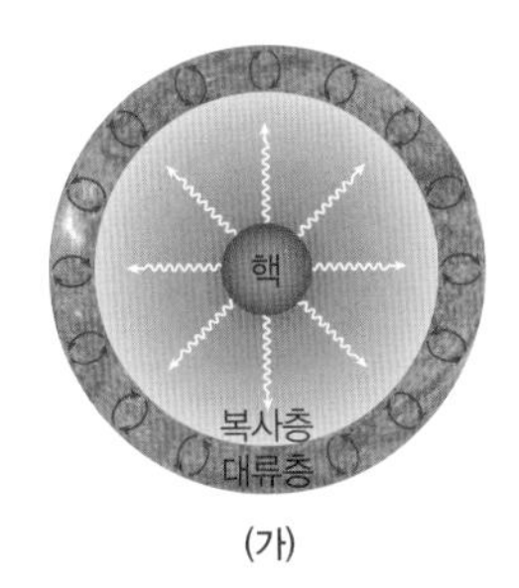

(가)

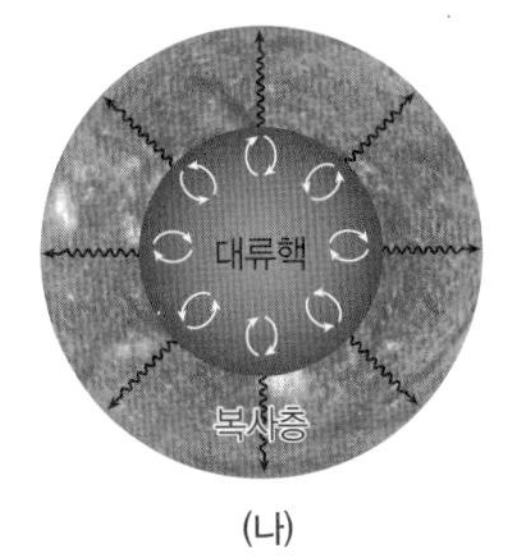

(나)

별 (나)가 (가)에 비해 큰 값을 갖는 물리량으로 옳은 것만을 〈보기〉에서 있는 대로 고른 것은?

〈보기〉
ㄱ. 질량 ㄴ. 표면 온도
ㄷ. 반지름 ㄹ. 별의 수명

① ㄱ ② ㄱ, ㄴ ③ ㄴ, ㄷ
④ ㄱ, ㄴ, ㄷ ⑤ ㄴ, ㄷ, ㄹ

D 별의 진화에 따른 별의 내부 구조

10 별의 중심에서 일어나는 핵융합으로 만들어질 수 있는 원소가 아닌 것은?

① 헬륨 ② 탄소 ③ 산소
④ 철 ⑤ 우라늄

단답형

11 그림은 질량이 서로 다른 별의 진화 과정을 나타낸 것이다.

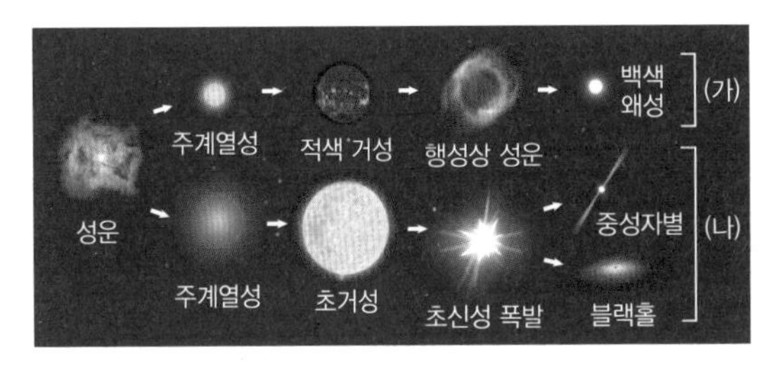

(가)와 (나) 중 철이 형성될 수 있는 과정을 찾아 쓰시오.

12 그림은 주계열성 내부에서 수소 핵융합 반응이 끝난 두 별의 내부 구조를 나타낸 것이다.

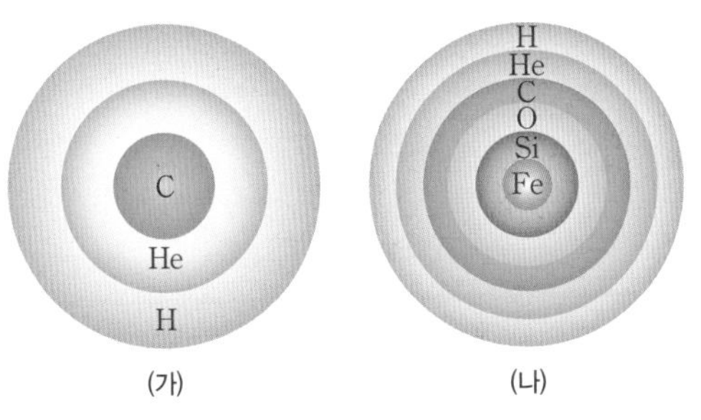

(가) (나)

이에 대한 설명으로 옳은 것만을 〈보기〉에서 있는 대로 고른 것은? (단, 두 별의 실제 크기는 고려하지 않는다.)

〈보기〉
ㄱ. (나)는 (가)보다 별의 질량이 크다.
ㄴ. (나)는 (가)보다 별의 중심 온도가 더 높다.
ㄷ. 초신성 폭발을 일으키는 별은 (나)이다.

① ㄱ ② ㄷ ③ ㄱ, ㄴ
④ ㄴ, ㄷ ⑤ ㄱ, ㄴ, ㄷ

도전! 실력 올리기

01 그림은 별 (가)~(다)를 H−R도에 나타낸 것이다.

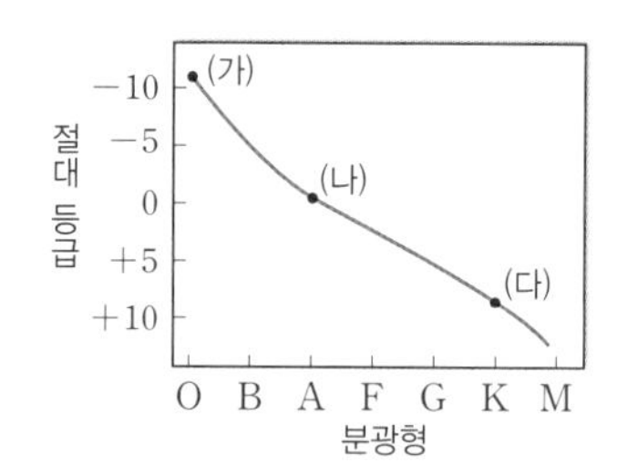

이에 대한 설명으로 옳은 것만을 〈보기〉에서 있는 대로 고른 것은? (단, 실선은 주계열을 나타낸 것이다.)

보기
ㄱ. (가)와 (나)에서는 수소 핵융합 반응이 일어난다.
ㄴ. (다)의 에너지원은 중력 수축 에너지이다.
ㄷ. (가)~(다) 중 (다)에서 CNO 순환 반응이 가장 활발하다.

① ㄱ ② ㄴ ③ ㄱ, ㄷ
④ ㄴ, ㄷ ⑤ ㄱ, ㄴ, ㄷ

출제예감

02 그림은 어느 별의 중심핵에서 일어나는 수소 핵융합 반응의 과정을 나타낸 것이다.

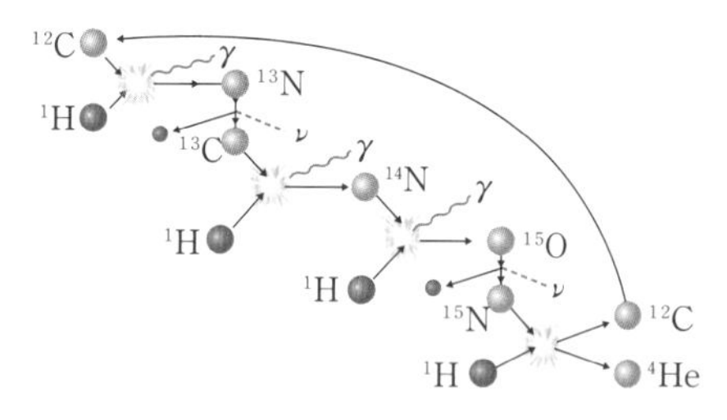

이에 대한 설명으로 옳은 것만을 〈보기〉에서 있는 대로 고른 것은?

보기
ㄱ. 탄소, 질소, 산소는 촉매의 역할을 한다.
ㄴ. 이 별은 정역학 평형 상태를 유지하고 있다.
ㄷ. 이 별의 중심부에서는 대류의 형태로 에너지가 전달된다.

① ㄱ ② ㄷ ③ ㄱ, ㄴ
④ ㄴ, ㄷ ⑤ ㄱ, ㄴ, ㄷ

출제예감

03 그림은 질량이 다른 주계열성 내부를 순서 없이 나타낸 것이다.

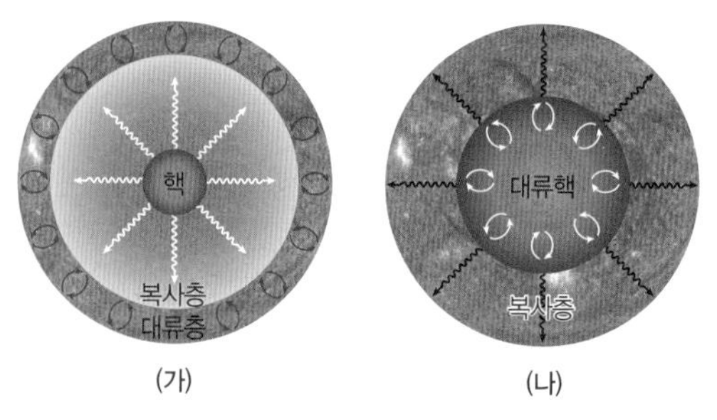

(가) (나)

이에 대한 설명으로 옳은 것만을 〈보기〉에서 있는 대로 고른 것은?

보기
ㄱ. (가)의 질량은 (나)보다 작다.
ㄴ. (가)의 중심핵에서는 탄소가 촉매 역할을 하는 반응이 우세하다.
ㄷ. (나)의 중심핵에서는 양성자·양성자 반응이 우세하다.

① ㄱ ② ㄴ ③ ㄱ, ㄷ
④ ㄴ, ㄷ ⑤ ㄱ, ㄴ, ㄷ

04 그림은 별이 진화하는 과정에서 중심부의 헬륨이 수축하고 바깥층이 팽창하는 단계를 나타낸 것이다.

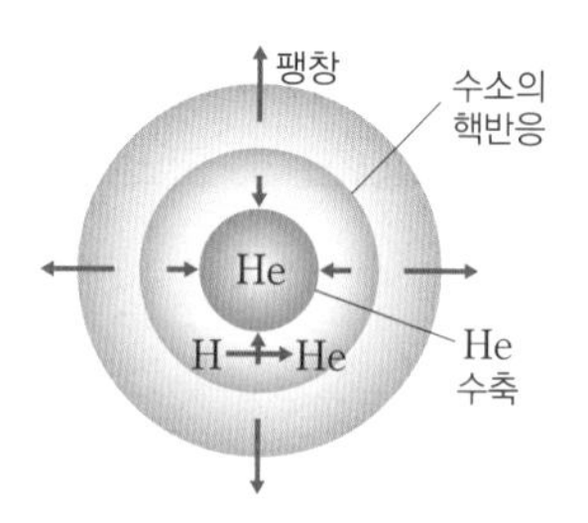

이와 같은 별의 진화 단계에 대한 설명으로 옳은 것만을 〈보기〉에서 있는 대로 고른 것은?

보기
ㄱ. 광도와 표면 온도 모두 증가한다.
ㄴ. 거성에서 초거성으로 진화하는 단계이다.
ㄷ. 헬륨의 중력 수축 에너지가 바깥쪽의 수소를 융합시킨다.

① ㄱ ② ㄷ ③ ㄱ, ㄴ
④ ㄱ, ㄷ ⑤ ㄴ, ㄷ

정답과 해설 69쪽

05 그림 (가)~(다)는 주계열과 거성의 내부 구조를 순서 없이 나타낸 것이다.

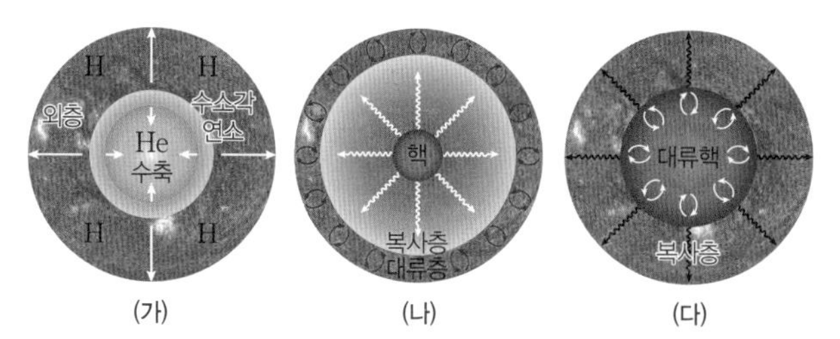

(가) (나) (다)

이에 대한 설명으로 옳은 것만을 〈보기〉에서 있는 대로 고른 것은?

〈보기〉
ㄱ. (가)는 거성의 내부 구조를 나타낸 것이다.
ㄴ. (나)는 (다)보다 질량이 작다.
ㄷ. (다)는 중심핵의 수소 융합 반응이 끝난 별의 내부 구조이다.

① ㄱ ② ㄷ ③ ㄱ, ㄴ
④ ㄴ, ㄷ ⑤ ㄱ, ㄴ, ㄷ

06 그림 (가)와 (나)는 별의 진화 단계에서 질량의 일부를 방출하기 직전의 두 별의 내부 구조를 나타낸 것이다.

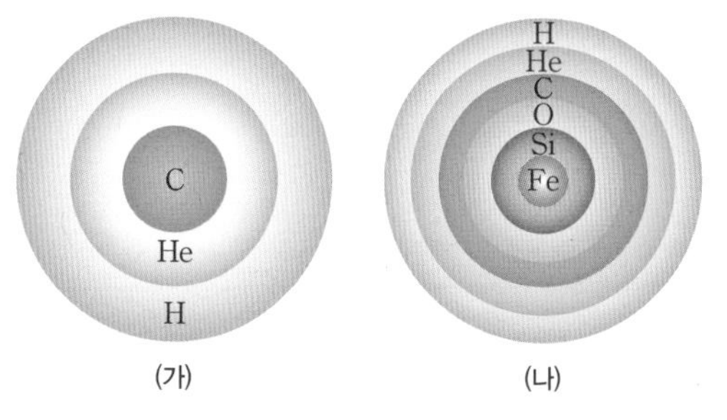

(가) (나)

이에 대한 설명으로 옳은 것만을 〈보기〉에서 있는 대로 고른 것은? (단, 두 별의 실제 크기는 고려하지 않는다.)

〈보기〉
ㄱ. 질량은 (가)가 (나)보다 작다.
ㄴ. 중심 온도 및 압력은 (가)가 (나)보다 높다.
ㄷ. (가)는 주계열성, (나)는 적색 거성의 내부 구조이다.

① ㄱ ② ㄴ ③ ㄱ, ㄷ
④ ㄴ, ㄷ ⑤ ㄱ, ㄴ, ㄷ

[07~08] 그림은 질량이 서로 다른 두 주계열성 (가)와 (나)의 내부 구조를 나타낸 것이다.

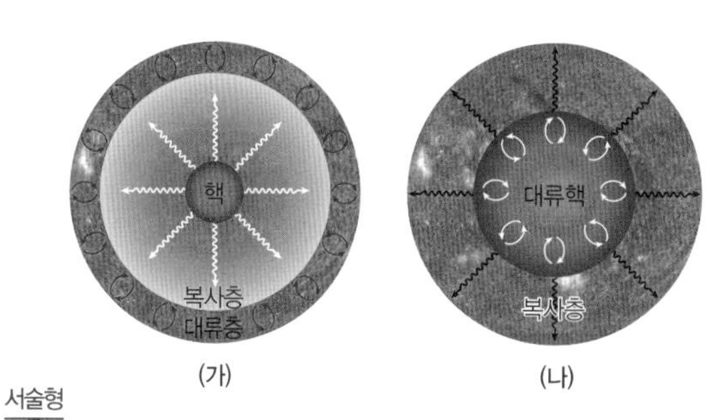

(가) (나)

서술형

07 별 (가)와 (나)의 질량, 중심 온도, 진화 속도를 비교하여 서술하시오.

단답형

08 (가)와 (나)의 중심부에서 우세하게 일어나는 핵융합 반응의 종류를 쓰시오.

서술형

09 별의 중심부에서 핵융합 반응으로 만들어질 수 있는 원소 중 원자량이 가장 큰 원소를 쓰고, 그 원소보다 원자량이 큰 물질은 어떻게 만들어지는지 서술하시오.

04 외계 행성계와 외계 생명체 탐사

핵심 키워드로 흐름잡기

A 도플러 효과, 식현상, 미세 중력 렌즈, 직접 촬영

B 액체 상태의 물, 탄소, 생명 가능 지대

A 외계 행성계 탐사

|출·제·단·서| 시험에는 외계 행성계 탐사 방법과 외계 행성계 특징에 대한 내용을 묻는 문제가 나와.

1. 외계 행성계 태양계 밖에 존재하며 별 주위를 도는 행성들이 이루는 계

2. 외계 행성 탐사 방법 행성은 별에 비해 크기가 작고 스스로 빛을 내지 않아 매우 어둡기 때문에 가까운 거리가 아니면 직접적으로 관측하기가 매우 어렵다. 따라서 외계 행성은 주로 별을 이용하여 간접적인 방법으로 탐사한다.

(1) 도플러 효과❶를 이용한 •시선 속도 측정 방법

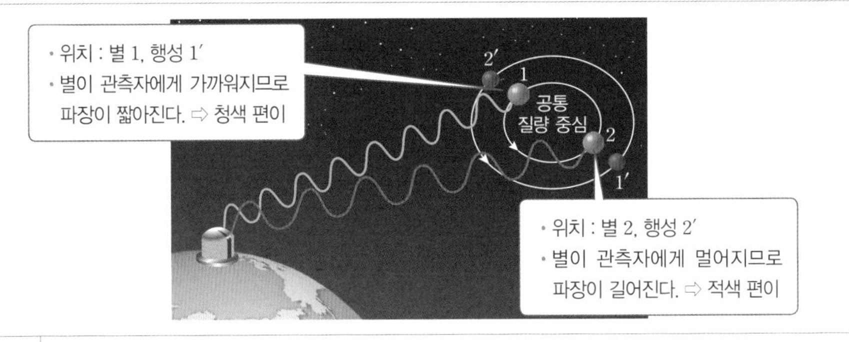

방법	• 행성과 중심별은 공통 질량 중심 주위를 공전하므로 별빛의 도플러 효과가 나타난다. • 중심별과 행성의 질량 차이가 크기 때문에 별의 움직임은 크지 않지만, 별의 스펙트럼을 분석하면 도플러 효과에 의한 이동 정도를 알아낼 수 있다. • 별의 밝기와 분광형의 관측을 통해 행성의 질량을 추정할 수 있다. ⇨ 행성의 도플러 효과를 관측하는 것이 아니라 중심별의 도플러 효과를 측정한다는 점에 유의한다.
한계점	• 행성의 질량이 작거나 중심별에서 멀리 떨어져 있으면 중심별의 움직임이 작아져 도플러 효과가 작아진다. ⇨ 지구처럼 질량이 작은 행성은 찾기 힘들다. • 행성의 공전 궤도면이 관측자의 시선 방향과 수직일 때는 도플러 효과가 나타나지 않는다. ⇨ 관측자의 시선 방향으로 움직일 경우에만 사용할 수 있다.

빈출 자료 중심별과 행성의 공전 위치에 따른 도플러 효과 측정

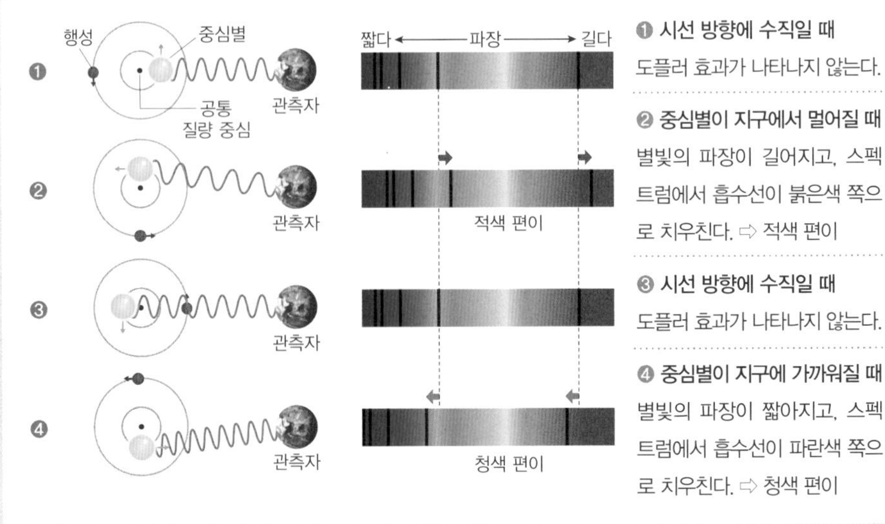

❶ **시선 방향에 수직일 때**
도플러 효과가 나타나지 않는다.

❷ **중심별이 지구에서 멀어질 때**
별빛의 파장이 길어지고, 스펙트럼에서 흡수선이 붉은색 쪽으로 치우친다. ⇨ 적색 편이

❸ **시선 방향에 수직일 때**
도플러 효과가 나타나지 않는다.

❹ **중심별이 지구에 가까워질 때**
별빛의 파장이 짧아지고, 스펙트럼에서 흡수선이 파란색 쪽으로 치우친다. ⇨ 청색 편이

? 외계 행성을 탐사하는 까닭은 무엇일까?
태양계 형성 과정에 대한 단서를 알 수 있으며, 지적인 생명체를 발견하여 우주로 활동 영역을 넓힐 수 있다.

❶ 도플러 효과
소리나 빛과 같은 파동이 관측자의 시선 방향에서 가까워지면 파장이 짧아지고(청색 편이), 멀어지면 파장이 길어지는(적색 편이) 현상이 나타난다.

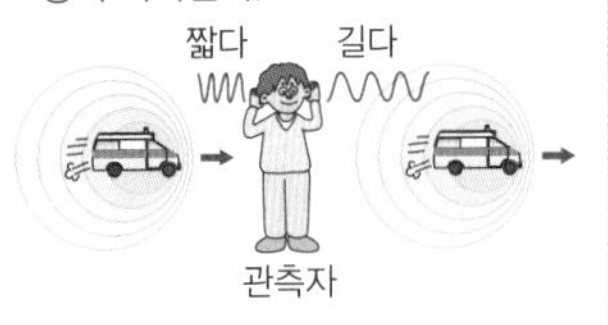

용어 알기

•시선 속도(보다 視, 선 線, 빠르다 速, 정도 度)(radial velocity)
바라보는 방향으로 얼마나 빠르게 이동하는지를 나타내는 값

(2) ●식현상을 이용한 방법(횡단법)

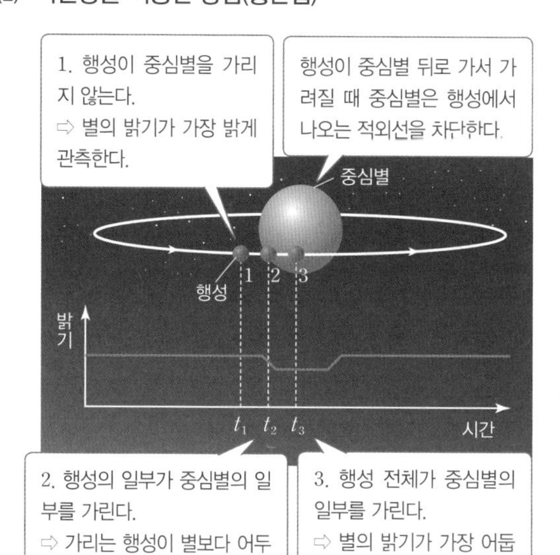

방법

- 행성의 공전 궤도면이 관측자의 시선 방향과 거의 나란하면 행성이 별의 표면을 횡단하는 현상을 관측할 수 있다.
- 식현상에 의해 행성의 크기를 알 수 있고, 도플러 효과를 활용하면 질량과 밀도를 구할 수 있어서 목성형 행성인지 지구형 행성인지 판단할 수 있다.

한계점

공전 궤도면이 크게 기울어지면 식현상이 일어나지 않는다.
⇨ 행성의 공전 궤도면이 관측자의 시선 방향과 거의 나란한 경우에만 이용할 수 있다.

(3) 미세 중력 렌즈 현상을 이용한 방법

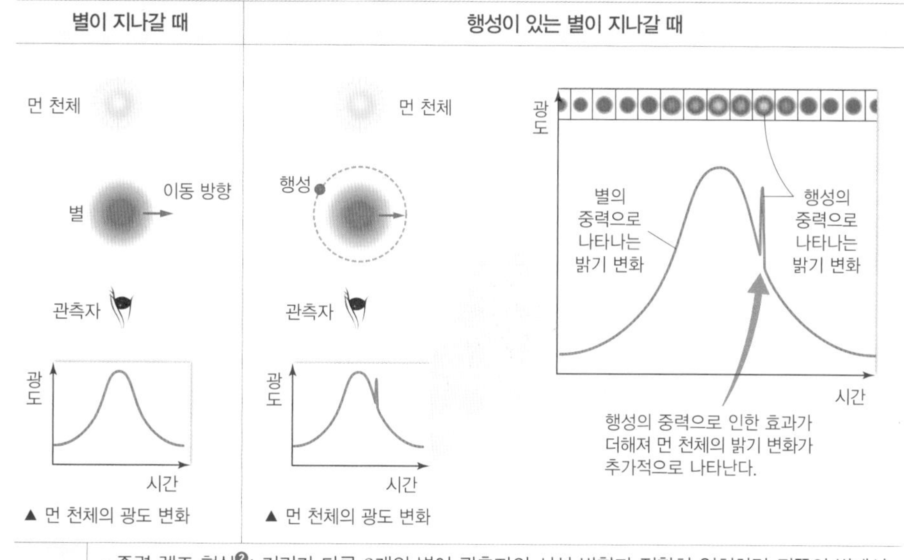

▲ 먼 천체의 광도 변화 ▲ 먼 천체의 광도 변화

방법	• 중력 렌즈 현상❷: 거리가 다른 2개의 별이 관측자의 시선 방향과 정확히 일치하면 뒤쪽의 별에서 나오는 빛은 가까운 별의 중력으로 인해 휘어져서 더 밝게 보이게 된다. • 미세 중력 렌즈 현상: 앞에 있는 별이 행성을 가졌다면 밝기 변화가 대칭을 이루지 않고 불규칙해지는 현상이다.
한계점	서로 떨어진 두 별의 시선 방향이 일치하는 것은 우연히 일어나는 현상이며, 미세 중력 렌즈 현상은 같은 별에 대해서 2번 이상 일어나는 경우가 거의 없어 확률도 매우 낮다. ⇨ 많은 별을 정밀하게 관측해야만 발견할 수 있다.

(4) 직접 촬영하는 방법❸

방법	• 중심별의 밝기가 행성에 비해 매우 밝으므로 중심별을 가리고 행성을 찾는다. • 행성의 존재를 사진으로 확인할 수 있고, 분광 관측으로 행성의 대기 성분을 알아낼 수 있다.
한계점	지구에서 중심별까지의 거리가 멀면 직접 촬영하여 행성을 관측하기 어렵다.

❷ 중력 렌즈 현상
강한 중력이 작용하면 빛이 굴절되는 현상이 나타나는데, 마치 렌즈에 의해 빛이 굴절되는 것과 비슷하므로 중력 렌즈 현상이라고 한다. 멀리 있는 배경별의 빛이 관측자에게 전달될 때, 중간에 위치한 별의 중력에 의해 굴절된다.

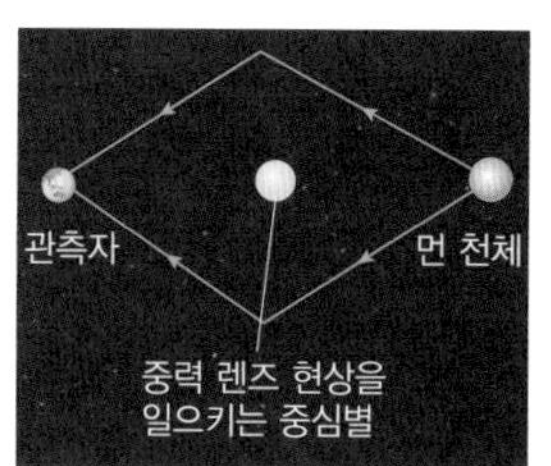

❸ 직접 촬영하는 방법
직접 촬영에는 케플러 우주 망원경과 같은 우주 망원경을 이용한다. 그러나 우주 망원경만으로는 별빛이 감소하는 까닭이 외계 행성 때문인지 다른 별의 활동 때문인지 정확하게 구분할 수 없으므로 정확한 관측을 위해서 지상 망원경을 함께 이용한다.

용어 알기

●식(갉아 먹다 蝕)(eclipse)
한 천체가 다른 천체를 가려 일부 또는 전부가 보이지 않는 현상

❹ 발견된 최초의 외계 행성

최초로 발견된 외계 행성은 1988년에 발견된 세페우스자리 감마 Ab이나 외계 행성으로 인정된 것은 2002년이다. 최초로 외계 행성으로 인정된 것은 1995년에 발견된 •페가수스 51b이다.

❓ 지구 규모의 외계 행성을 찾는 까닭은?

행성의 질량이 매우 크면 중력도 그만큼 커진다. 만약 지구 중력이 지금보다 훨씬 컸다면 대기 중으로 물이 증발하기 어려웠을 것이고 식물이 잎까지 물을 끌어올리기 힘들어 광합성을 하기도 어려웠을 것이다. 또한, 대기도 지금보다 두꺼워져 온실 효과가 크게 나타났을 것이다. 따라서 생명체가 살기에 가장 적당한 행성은 지구 크기의 행성으로 판단할 수 있다.

용어 알기

●페가수스 51b

외계 행성의 명명법은 행성의 모성이 되는 별 이름 뒤에 영문 소문자를 붙이는 방법을 사용한다. 발견된 순서에 따라 영문 소문자 b부터 시작하여 순서대로 붙인다. a를 쓰지 않는 까닭은 행성의 모성이 바로 'A'이기 때문이다. 따라서 페가수스 51b는 페가수스 51번 별의 첫 번째 행성이란 뜻이 됨

3. 우주 망원경을 통한 탐사

우주 망원경의 발달로 더 많은 외계 행성이 발견되었다.

케플러 우주 망원경	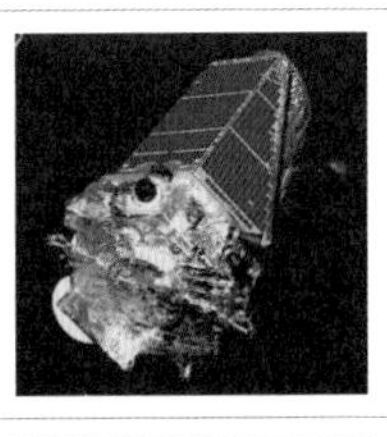	• 2009년에 발사된 우주 망원경으로, 식현상을 이용하여 별(항성)의 밝기 변화를 정밀하게 관측하여 외계 행성을 찾고 있다. • 2016년 5월까지 2325개의 외계 행성을 발견했으며, 이 중 지구와 비슷한 외계 행성은 300여 개이다.
제임스 웹 우주 망원경		주로 적외선 영역을 관측하며 관측 가능한 초기의 우주 상태와 외계 행성계를 연구한다.

4. 지금까지 발견된 외계 행성의 특징❹

주로 목성 정도의 질량을 갖고 있으나, 행성의 궤도 반지름은 지구와 비슷하거나 더 작은 경우가 많았다. 이는 행성의 질량이 크면 중심별에 미치는 행성의 영향이 크므로 행성을 발견하기가 더 쉽기 때문이다.

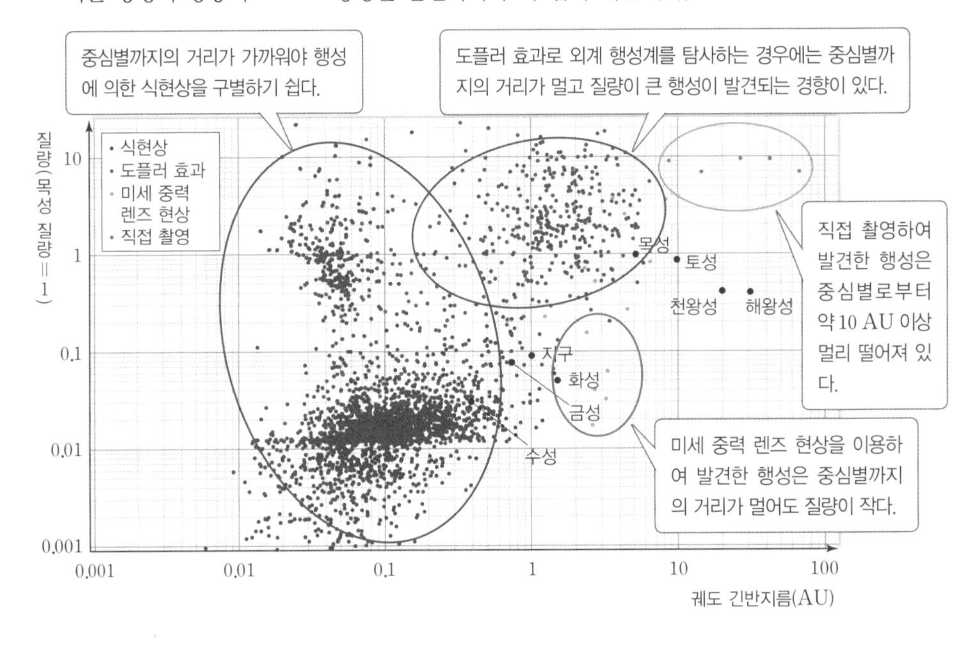

빈출 자료 외계 행성계 탐사 프로젝트 결과

외계 행성계 탐사로 발견한 행성들의 물리량

연도별로 발견된 외계 행성의 질량	외계 행성들의 크기별 발견된 개수	외계 행성의 반지름에 따른 공전 주기
질량(목성 질량=1): 10, 1, 10^{-1}, 10^{-2}, 10^{-3}, 10^{-4} / 연도(년): 1992, 2000, 2008, 2016	행성 수(개): 1000, 800, 600, 400, 200, 0 / 반지름(지구=1): 0.5~0.7, 1.2~1.9, 3.1~5.1, 8.3~13.7	공전 주기(일): 10^5, 10^4, 10^3, 10^2, 10, 1, 0.1 / 반지름(지구=1): 0.1, 1, 10, 10^2, 10^3, 10^4, 10^5, 10^6
탐사 초기에는 기술이 정밀하지 않아 질량이 큰 행성만 발견했지만, 최근에는 질량이 작은 행성들도 많이 발견되고 있다.	가장 많이 발견된 외계 행성의 반지름은 지구 반지름의 1.2~3.1배 정도에 해당하는 행성들이다.	외계 행성의 반지름이 클수록 공전 주기도 대체로 긴 경향성이 나타난다.

B 외계 생명체 탐사

|출·제·단·서| 시험에는 외계 생명체가 존재하기 위한 조건인 생명 가능 지대에 대한 문제가 나와.

1. 외계 생명체 지구 외의 다른 천체에 존재하는 생명체

(1) 외계 생명체 존재의 필수 요소 액체 상태의 물❺은 다양한 화학 물질을 녹일 수 있으므로 물이 있는 곳에서는 복잡한 유기물이 탄생할 가능성이 크다.

(2) 외계 생명체의 기본 구성 물질 탄소 원자는 다른 원자와 쉽게 결합하여 다양한 화합물을 만들 수 있기 때문에 외계 생명체의 기본 구성 물질로 추정된다.

(3) 생명 가능 지대(●골디락스 지대) 물이 액체 상태로 존재할 수 있는 적당한 온도를 나타내는 별 주위의 궤도 영역이다. 개념 POOL

① **중심별의 광도:** 중심별의 광도가 클수록 생명 가능 지대의 거리가 중심별에서 멀어지고, 생명 가능 지대의 폭은 넓어진다.

② **별과 행성 사이의 거리:** 태양계에서 생명 가능 지대는 이론적으로 금성과 화성 궤도 사이에 놓여 있다.

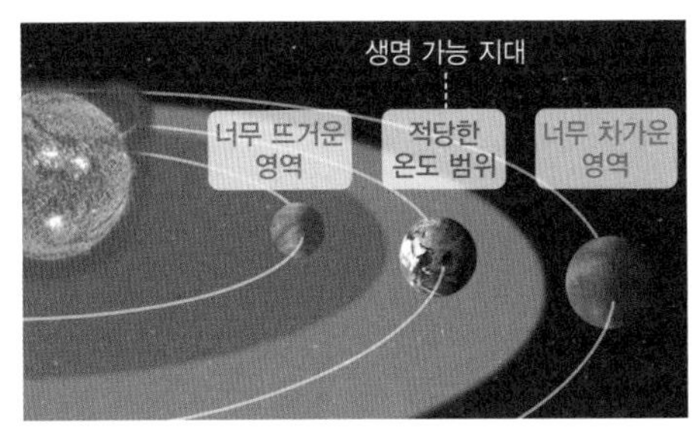

(4) 외계 생명체가 존재하기 위한 행성의 조건

생명 가능 지대 안에 위치	물이 액체 상태로 존재할 수 있는 생명 가능 지대 안에 위치해야 한다.
적당한 중심별의 질량(수명)	생명체가 발생하고 진화할 때까지 에너지를 제공할 수 있도록 중심별의 수명이 적당해야 한다.❻
충분한 양의 대기	대기는 중심별에서 오는 해로운 전자기파를 막아 주어 행성의 온도를 유지하고 낮과 밤의 온도 차를 줄여 생명체가 살 수 있는 환경을 만든다.
자기장의 존재	• 우주에서 날아오는 고에너지 입자와 태양풍을 차단한다. • 행성이 자기장을 가지려면 적어도 지구만한 크기에 적당한 회전 운동이 필요하다.
위성의 존재	• 자전축이 안정적으로 유지되게 한다. • 지구의 경우 달의 인력에 의해 밀물과 썰물이 형성되면서 갯벌에 다양한 생물이 번성하였다.
적당한 자전축의 경사	계절 변화가 극심하게 나타나지 않도록 적당히 기울어져 있어야 한다.

2. 태양계 내의 생명체 탐사 행성이나 위성에 직접 탐사정을 보내 탐사하거나, 지구에 떨어진 운석을 분석하여 간접적으로 외계 생명체의 존재를 확인한다.

목성의 위성 유로파	표면이 얼음으로 뒤덮여 있다. ⇨ 얼음 표면 아래에는 목성과의 조석력에 의한 열에너지로 인해 물로 이루어진 바다가 있을 것으로 추정된다.
토성의 위성 타이탄	지구와 비슷하게 대기 주성분이 질소이며, 메테인으로 된 호수가 있다.

3. 태양계 밖의 생명체 탐사 우리 은하에는 태양과 비슷한 물리적 특성을 가진 별들이 아주 흔하고, 그중에는 태양계처럼 행성을 거느린 별들도 많을 것으로 추정된다.

세티(SETI) 프로젝트 (Search for Extra-Terrestrial Intelligence)	먼 우주에서 오는 전파 신호를 추적하여 외계의 지적 생명체를 찾으려는 프로젝트로 1960년 프랭크 드레이크가 프로그램을 시작한 이래 60여 개의 세티(SETI) 프로젝트가 진행되었다. 현재에도 불사조 프로젝트, SETI@home 등 다양한 프로젝트가 진행 중이다.
드레이크 방정식	프랭크 드레이크 박사(SETI 연구소 소장)가 고안한 우리 은하 안에 존재하는 우리와 교신할 가능성이 있는 외계 지성체의 수를 계산하는 방정식이다.

❺ 물의 특징

물 분자는 분자 구조가 굽어 있어 극성을 띠므로 다양한 물질을 녹일 수 있고, 분자 사이에 전기적인 인력이 작용하여 끓는점과 어는점이 높다. 그리고 고체가 될 때 육각형의 결합 구조가 형성되므로 액체일 때보다 밀도가 낮아진다. (얼음은 물 위에 뜬다.)

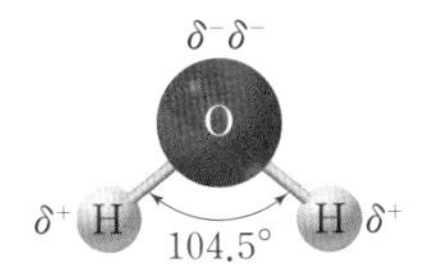

δ^- : 부분적인 음전하
δ^+ : 부분적인 양전하

▲ 물 분자의 구조

❻ 중심별의 질량에 따른 별의 수명

• 질량이 크고 광도가 큰 별일수록 수명이 짧다. ⇨ 표면 온도가 높아 생명 가능 지대의 폭이 넓어 행성이 생명 가능 지대에 존재할 확률이 크지만, 생명체가 탄생하기에 별의 수명이 짧다.

• 질량이 작고 광도가 작은 별일수록 수명이 길다. ⇨ 표면 온도가 낮아 생명 가능 지대의 폭이 좁고 중심별에 가까워져 행성의 자전 주기와 공전 주기가 같아질 가능성이 높아진다. 이렇게 되면 낮과 밤이 없어져 생명체가 살기 어렵다.

용어 알기

●골디락스(Goldilocks)
영국의 전래동화 『골디락스와 세 마리 곰』에서 따왔으며, 일반적으로 너무 뜨겁거나 차갑지 않은 딱 적당한 상태를 가리킴

별의 표면 온도 및 광도에 따른 생명 가능 지대

목표 별의 광도에 따른 생명 가능 지대를 추정할 수 있다.

과정

1. 그림은 주계열성의 질량에 따른 생명 가능 지대를 나타낸 것이다.

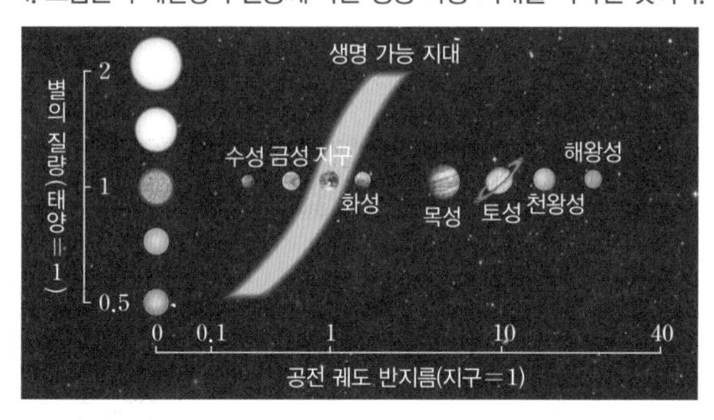

❶ 별의 질량이 클수록 광도가 크므로 중심별로부터 생명 가능 지대의 거리가 별로부터 멀어지고, 생명 가능 지대의 폭이 증가한다.
❷ 태양계에서 생명 가능 지대에 위치한 행성은 지구이다.

2. 그림은 H-R도에 주계열성의 질량과 수명을 나타낸 것이다.

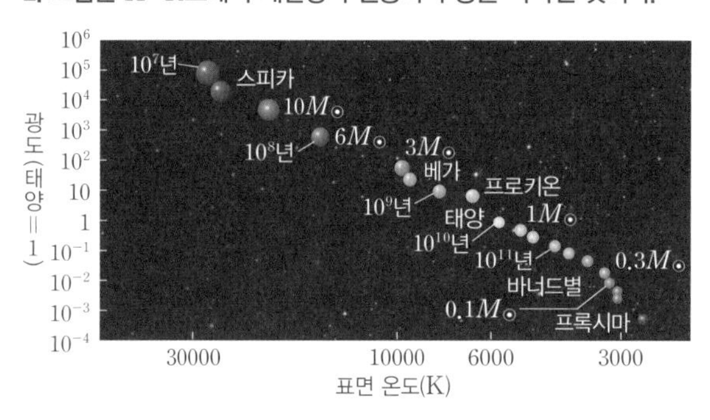

❶ 주계열성에서 별의 질량이 클수록 광도가 증가한다.
❷ 스피카는 태양보다 질량이 크므로 광도가 크고, 프록시마는 태양보다 질량이 작으므로 광도가 작다.

결과 및 정리

❶ 질량이 태양의 $\frac{1}{3}$ 정도인 적색 왜성의 생명 가능 지대는 태양의 생명 가능 지대와 어떤 점이 다를지 생각해 보자.
⇨ 별의 질량이 작을수록 생명 가능 지대는 별에 가깝고 폭이 좁다.

❷ 태양과 비교하여 스피카와 프록시마의 생명 가능 지대의 거리와 폭을 비교해 보자.
- 스피카: 태양보다 질량이 크므로 광도가 커서 생명 가능 지대의 거리가 멀고 폭이 넓을 것이다.
- 프록시마: 태양보다 질량이 작으므로 광도가 작아서 생명 가능 지대의 거리가 가깝고 폭이 좁을 것이다.

❸ 별의 광도에 따른 생명 가능 지대의 차이와 생명체가 탄생하기에 가장 적합한 별의 분광형은 무엇인지 생각해 보자.
- 별의 광도가 클수록 생명 가능 지대의 거리가 별로부터 멀어지며 폭이 넓어진다. 하지만 주계열성은 광도가 클수록 질량이 크므로 별의 수명이 짧아 생명체가 태어나 진화하기에 필요한 시간이 부족하다.
- F형보다 온도가 낮은 주계열성은 태양보다 질량이 작아 생명 가능 지대의 폭이 좁다. 따라서 태양과 유사한 G형 별이 생명체가 탄생하기에 가장 적합하다.

- 생명 가능 지대가 별에 너무 가까우면 중력의 영향을 크게 받아 행성은 자전 주기가 공전 주기와 같아지는데, 이처럼 같은 주기로 자전과 공전을 하면 낮과 밤의 변화가 없어 생명체가 살기 힘들다.
- 생명 가능 지대의 폭이 좁은 경우에는 공전 궤도가 조금만 달라져도 생명 가능 지대를 벗어날 위험이 있다.

한·줄·핵심 생명 가능 지대는 중심별의 광도가 클수록 더 바깥쪽으로 옮겨가고 그 폭도 커진다.

확인 문제

정답과 해설 70쪽

01 다음 설명의 (   ) 안에 들어갈 알맞은 말을 고르시오.

(1) 별의 광도가 클수록 생명 가능 지대의 폭이 (증가, 감소)하고, 생명 가능 지대의 거리는 별에서 (멀어, 가까워)진다.
(2) 행성에 생명체가 존재할 가능성이 가장 큰 별의 분광형은 (F형, G형)이다.
(3) 주계열성은 질량이 클수록 표면 온도가 (높고, 낮고), 광도가 (크다, 작다).

콕콕!
개념 확인하기

정답과 해설 70쪽

✔ 잠깐 확인!

1. □□ □□□
태양계 밖에 존재하며 별 주위를 행성이 공전하는 행성계

2. □□□ □□
파동의 주파수는 파원과 관측자 사이의 거리가 좁아질 때는 더 높게, 거리가 멀어질 때는 더 낮게 관측되는 현상

3. □□ □□ □□
강한 중력에 의해 빛이 굴절되는 현상

4. □□ □□ □□
별에서 적당한 거리에 위치하여 온도가 너무 차갑지도 뜨겁지도 않은 영역

5. □
다양한 화학 물질을 녹일 수 있으므로 □이 있는 곳에서 생명체가 탄생할 가능성이 높다.

6. □□ □□□□
1960년에 시작된 외계 지적 생명체 탐사 프로젝트로, 외계의 지적 생명체가 전파로 신호를 보낸다는 가정 아래 전파 망원경에서 수신한 전파를 분석하여 인공적인 전파를 찾는 일련의 활동

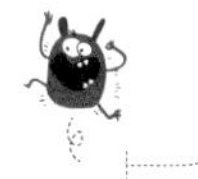

A 외계 행성계 탐사

01 다음은 외계 행성계에 대한 설명이다. (   ) 안에 들어갈 알맞은 말을 쓰시오.

(1) 태양이 아닌 다른 항성 주위를 공전하고 있는 행성을 (   )이라고 한다.

(2) 중심별까지의 거리가 먼 외계 행성계는 주로 (   )로 탐사하는 경우에 많이 발견되었다.

02 외계 행성의 탐사 방법에 대한 설명으로 옳은 것은 ○, 옳지 않은 것은 ×로 표시하시오.

(1) 별이 관측자에서 멀어지면 별빛의 파장은 원래보다 짧게 관측된다. (   )

(2) 도플러 효과를 이용하여 외계 행성을 탐사하려면 행성에서 나오는 빛의 스펙트럼을 관측해야 한다. (   )

(3) 도플러 효과를 이용한 방법은 별의 질량에 비해 행성의 질량이 클수록 관측에 유리하다. (   )

(4) 식현상을 이용한 방법은 행성의 지름이 클수록 유리하다. (   )

03 다음은 외계 행성 탐사 방법에 대한 설명이다. (   ) 안에 들어갈 알맞은 말을 쓰시오.

> 2개의 별이 관측자의 시선 방향 앞뒤로 겹쳐 놓일 때, 앞쪽 별의 중력 때문에 뒤에서 오는 별빛이 휘어져 관찰되는 현상을 (   ) 현상이라고 한다. 이 현상을 이용하여 외계 행성을 탐사한다.

B 외계 생명체 탐사

04 생명 가능 지대에 대한 설명으로 옳은 것은 ○, 옳지 않은 것은 ×로 표시하시오.

(1) 물이 액체 상태로 존재하는 영역이다. (   )

(2) 중심별의 광도가 클수록 생명 가능 지대의 거리가 별로부터 가깝다. (   )

(3) 외계 행성에 생명체가 존재하기 위해서는 중심별의 수명이 충분히 길어야 한다. (   )

(4) 생명 가능 지대는 시간에 따라 변하지 않는다. (   )

05 다음 글의 ㉠, ㉡에 들어갈 알맞은 말을 쓰시오.

> 생명 탄생에 가장 중요한 요소는 (㉠) 상태의 (㉡)이며, 외계 행성체의 기본 구성 물질은 탄소일 가능성이 높다.

탄탄! 내신 다지기

A 외계 행성계 탐사

단답형

01 외계 행성계 탐사 방법으로 옳은 것만을 <보기>에서 있는 대로 고르시오.

보기
ㄱ. 외계 행성에 의한 식현상을 이용하는 방법
ㄴ. 우주 왕복선을 보내어 외계 행성계를 촬영하는 방법
ㄷ. 중심별의 스펙트럼에 나타나는 도플러 효과를 이용하는 방법
ㄹ. 외계 행성의 위상 변화를 관찰하는 방법

02 그림 (가)와 (나)는 외계 행성을 탐사하는 방법을 나타낸 것이다.

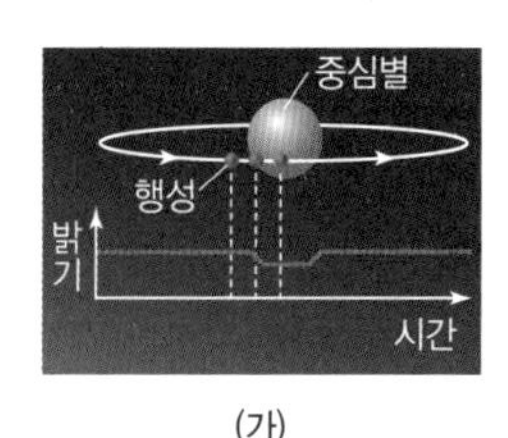

(가)

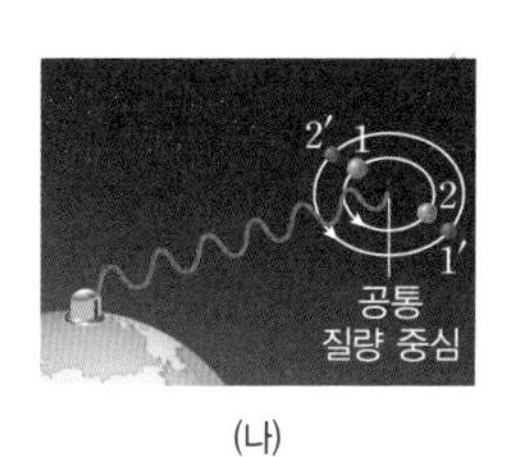

(나)

이에 대한 설명으로 옳은 것만을 <보기>에서 있는 대로 고른 것은?

보기
ㄱ. (가)는 별의 밝기 변화를 관측하여 외계 행성을 탐사한다.
ㄴ. (나)는 도플러 효과를 이용하여 행성을 찾아낸다.
ㄷ. 질량이 작은 행성은 (나)와 같은 방법으로 관측하기 유리하다.

① ㄱ ② ㄷ ③ ㄱ, ㄴ
④ ㄴ, ㄷ ⑤ ㄱ, ㄴ, ㄷ

03 도플러 효과를 이용하여 외계 행성을 탐사하기 위해 지구에서 측정해야 하는 것은?

① 중심별의 밝기 변화
② 외계 행성의 밝기 변화
③ 중심별의 스펙트럼 변화
④ 외계 행성의 스펙트럼 변화
⑤ 중심별과 외계 행성과의 거리 변화

04 그림은 식현상을 이용한 외계 행성 탐사 방법을 나타낸 것이다.

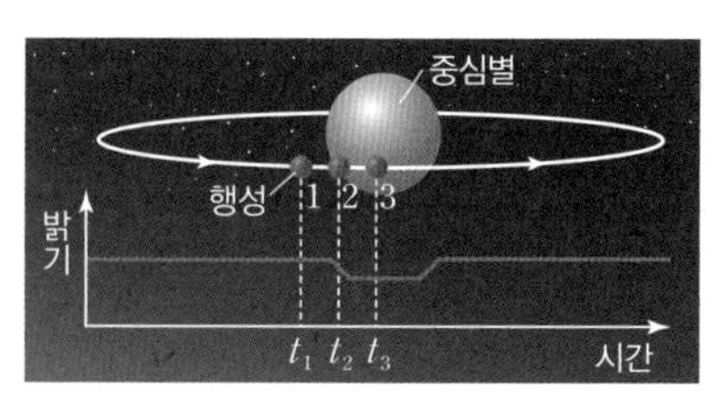

이에 대한 설명으로 옳은 것만을 <보기>에서 있는 대로 고른 것은?

보기
ㄱ. 행성이 중심별의 앞을 지날 때는 별의 밝기가 줄어든다.
ㄴ. 행성의 지름이 클수록 별의 밝기 변화가 심하다.
ㄷ. 식현상이 일어날 때 행성의 크기와 대기 성분을 알 수 있다.

① ㄱ ② ㄷ ③ ㄱ, ㄴ
④ ㄴ, ㄷ ⑤ ㄱ, ㄴ, ㄷ

05 그림 (가)는 어떤 외계 행성계의 모습을, (나)는 행성 A, B의 식현상에 의한 중심별의 광도 변화를 나타낸 것이다.

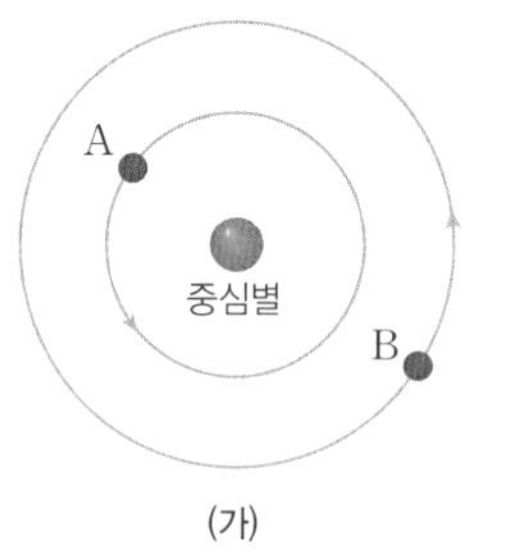

(가)

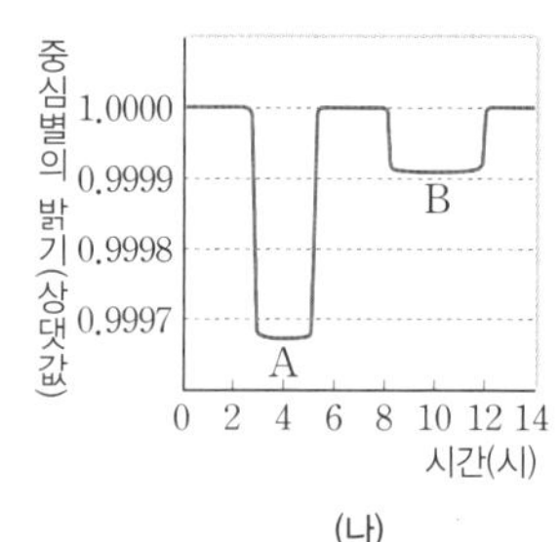

(나)

이에 대한 설명으로 옳은 것만을 <보기>에서 있는 대로 고른 것은? (단, 행성 A, B의 공전 궤도면은 관측자의 시선 방향과 나란하다.)

보기
ㄱ. 행성의 반지름은 A가 B보다 크다.
ㄴ. A에 의한 식현상이 B보다 더 자주 일어난다.
ㄷ. A에 의한 식현상은 B보다 오래 지속된다.

① ㄱ ② ㄷ ③ ㄱ, ㄴ
④ ㄴ, ㄷ ⑤ ㄱ, ㄴ, ㄷ

06 그림은 도플러 효과를 이용하여 발견한 외계 행성들에 대한 자료를 나타낸 것이다.

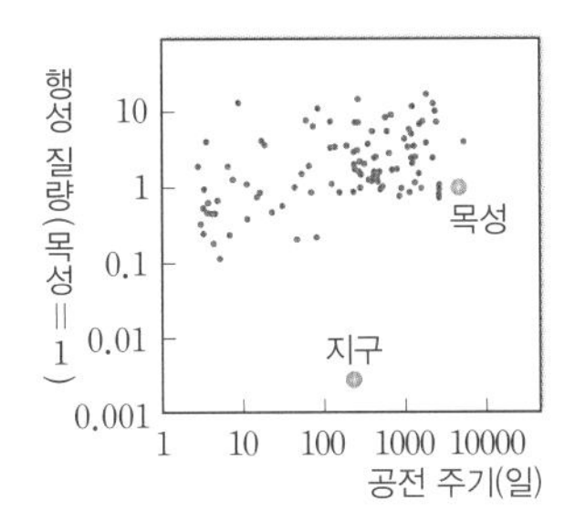

이에 대한 설명으로 옳은 것만을 〈보기〉에서 있는 대로 고른 것은?

보기
ㄱ. 외계 행성의 시선 속도 변화를 직접 측정하여 알아낸 자료이다.
ㄴ. 외계 행성이 중심별에 가까이 있을수록 쉽게 발견된다.
ㄷ. 발견된 외계 행성들의 질량은 대부분 지구보다 클 것이다.

① ㄱ ② ㄷ ③ ㄱ, ㄴ
④ ㄴ, ㄷ ⑤ ㄱ, ㄴ, ㄷ

B 외계 생명체 탐사

07 외계 생명체가 존재하기 위한 조건으로 옳지 않은 것은?

① 가장 필수적인 조건은 액체 상태의 물이다.
② 행성의 대기는 생명체를 유해한 우주선으로부터 보호한다.
③ 중심별에서 멀리 떨어질수록 생명체가 살아가는 데 유리하다.
④ 생명 가능 지대에 있더라도 생명체가 존재하지 않을 수 있다.
⑤ 행성의 자기장은 우주에서 날아오는 고에너지 입자를 차단한다.

08 그림은 별의 질량에 따른 생명 가능 지대와 태양계 행성들의 위치를 나타낸 것이다.

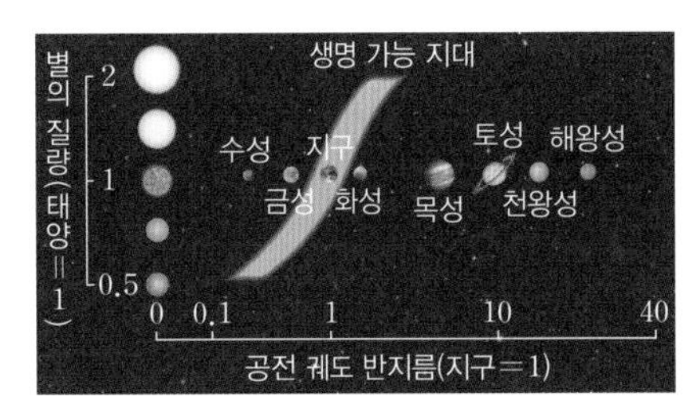

이에 대한 설명으로 옳은 것만을 〈보기〉에서 있는 대로 고른 것은?

보기
ㄱ. 생명 가능 지대에 있는 행성에는 액체 상태의 물이 존재할 수 있다.
ㄴ. 중심별의 질량이 클수록 생명 가능 지대의 거리는 별에서 멀어진다.
ㄷ. 태양계 행성 중 지구만이 생명 가능 지대에 위치한다.

① ㄱ ② ㄷ ③ ㄱ, ㄴ
④ ㄴ, ㄷ ⑤ ㄱ, ㄴ, ㄷ

09 그림은 태양계와 케플러-452와 케플러-186의 외계 행성계와 생명 가능 지대를 나타낸 것이다.

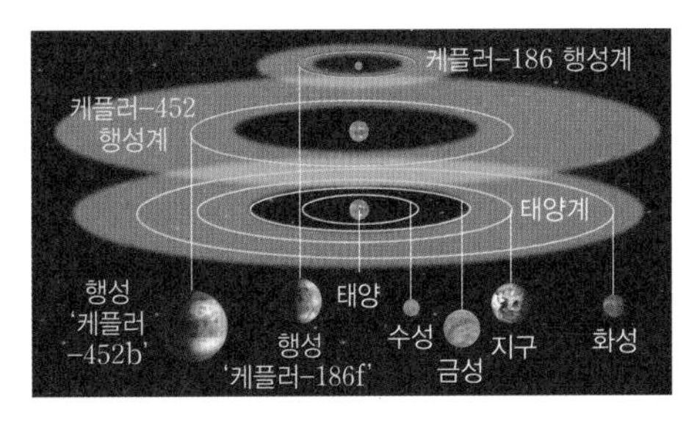

이에 대한 설명으로 옳은 것만을 〈보기〉에서 있는 대로 고른 것은?

보기
ㄱ. 케플러-186 행성계 중심별의 질량이 가장 작다.
ㄴ. 케플러-452 행성계 중심별의 수명이 케플러-186 행성계 중심별보다 길 것이다.
ㄷ. 외계 행성 케플러-452b에는 액체 상태의 물이 존재할 수 있다.

① ㄱ ② ㄴ ③ ㄱ, ㄷ
④ ㄴ, ㄷ ⑤ ㄱ, ㄴ, ㄷ

01 그림은 도플러 효과를 이용하여 외계 행성을 탐사하는 방법을 나타낸 것이다.

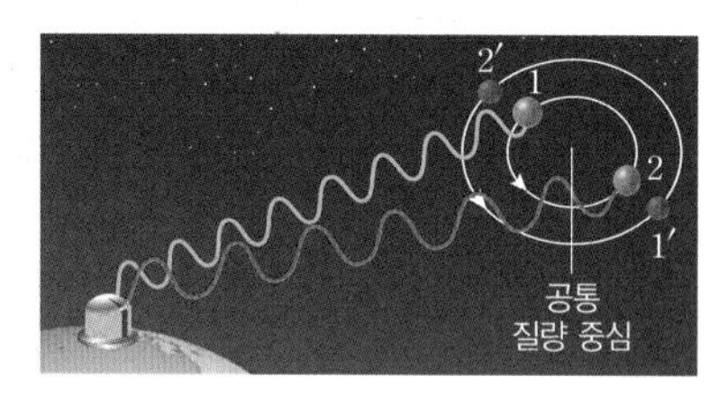

이에 대한 설명으로 옳은 것만을 〈보기〉에서 있는 대로 고른 것은?

보기
ㄱ. 중심별의 위치를 나타낸 것은 1, 2이다.
ㄴ. 외계 행성을 탐사하기 위해서는 1, 2의 스펙트럼을 관측해야 한다.
ㄷ. 1′, 2′의 질량이 클수록 탐사에 유리하다.

① ㄱ ② ㄷ ③ ㄱ, ㄴ ④ ㄴ, ㄷ ⑤ ㄱ, ㄴ, ㄷ

02 다음은 케플러 계획에 대한 설명이다.

> 케플러 계획은 우주 망원경을 이용하여 태양이 아닌 다른 항성 주위를 공전하는 지구형 행성을 찾는 것이다. 이 계획을 위해 개발한 망원경이 케플러 우주 망원경이다. 케플러 우주 망원경은 외계 행성에 의해 중심별의 밝기가 감소하는 것을 감지하는 광도계를 갖추고 있으며, 2009년 3월에 발사되어 현재까지 2000개 이상의 외계 행성을 발견하였다.

이에 대한 설명으로 옳은 것만을 〈보기〉에서 있는 대로 고른 것은?

보기
ㄱ. 지구형 행성을 찾는 까닭은 목성형 행성에 비해 생명체가 존재할 가능성이 더 크기 때문이다.
ㄴ. 케플러 우주 망원경은 도플러 효과를 이용하여 외계 행성을 찾는다.
ㄷ. 발견된 외계 행성의 공전 궤도면은 대부분 시선 방향에 나란하다.

① ㄱ ② ㄴ ③ ㄱ, ㄷ ④ ㄴ, ㄷ ⑤ ㄱ, ㄴ, ㄷ

출제예감

03 그림은 외계 행성에 의한 중심별의 밝기 변화를 나타낸 것이다.

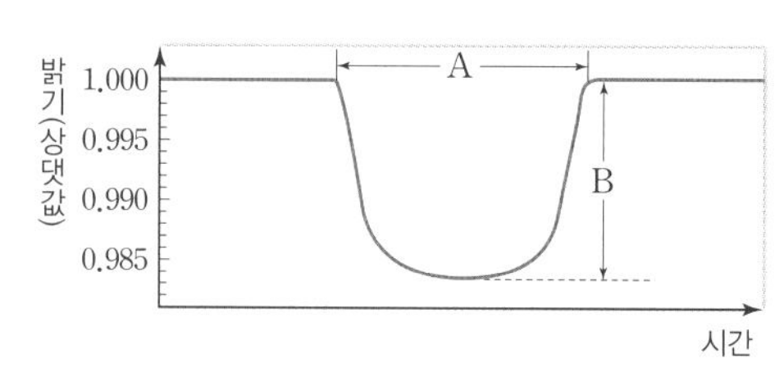

이에 대한 설명으로 옳은 것만을 〈보기〉에서 있는 대로 고른 것은?

보기
ㄱ. 중심별의 밝기가 어두워지는 까닭은 식현상 때문이다.
ㄴ. A는 행성의 공전 주기가 길수록 길어진다.
ㄷ. B는 행성의 반지름이 클수록 커진다.

① ㄱ ② ㄷ ③ ㄱ, ㄴ ④ ㄴ, ㄷ ⑤ ㄱ, ㄴ, ㄷ

04 그림은 외계 행성계를 탐사하는 방법을 나타낸 것이다.

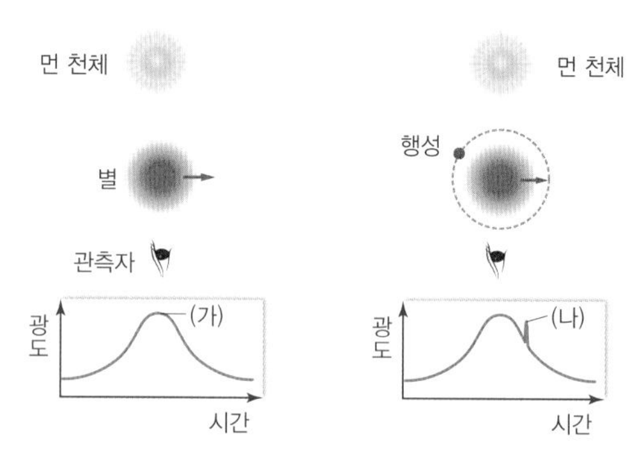

이에 대한 설명으로 옳은 것만을 〈보기〉에서 있는 대로 고른 것은?

보기
ㄱ. (가)는 이동하고 있는 별의 광도 변화를 나타낸다.
ㄴ. (나)는 외계 행성에 의해서 추가된 효과이다.
ㄷ. 외계 행성의 공전에 의해 주기적으로 나타난다.

① ㄱ ② ㄴ ③ ㄱ, ㄷ ④ ㄴ, ㄷ ⑤ ㄱ, ㄴ, ㄷ

05 그림은 외계 행성의 질량과 궤도 긴반지름을 나타낸 것이다.

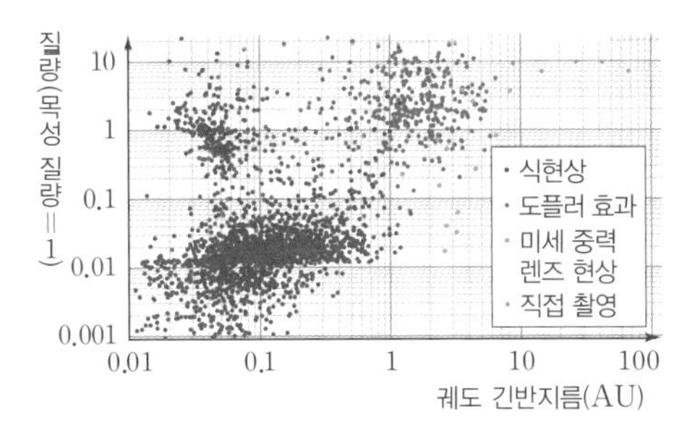

이에 대한 설명으로 옳은 것만을 〈보기〉에서 있는 대로 고른 것은? (단, 목성의 궤도 긴반지름은 약 5.2 AU이다.)

> **보기**
> ㄱ. 중심별까지의 거리가 가까운 행성들이 식현상에 의한 탐사가 비교적 쉽게 이루어진다.
> ㄴ. 목성과 질량이 같은 외계 행성들은 중심별로부터의 거리가 거의 같다.
> ㄷ. 목성보다 질량이 큰 외계 행성들의 궤도 긴반지름은 다양하다.

① ㄱ ② ㄴ ③ ㄱ, ㄷ ④ ㄴ, ㄷ ⑤ ㄱ, ㄴ, ㄷ

출제예감

06 그림은 별의 표면 온도와 광도를 나타낸 것으로, 별의 광도에 따른 질량과 수명이 함께 표시되어 있다.

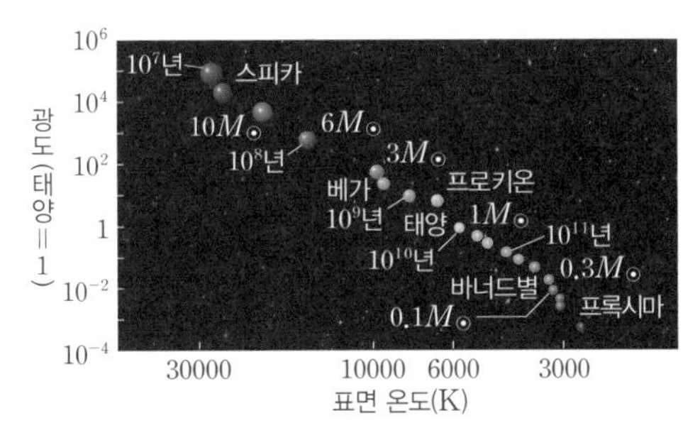

이에 대한 설명으로 옳은 것만을 〈보기〉에서 있는 대로 고른 것은?

> **보기**
> ㄱ. 광도가 클수록 별의 수명이 짧다.
> ㄴ. 스피카의 생명 가능 지대는 프로키온의 생명 가능 지대보다 별에서 더 먼 거리에 위치한다.
> ㄷ. 질량이 작은 별보다 질량이 큰 별 주변의 행성에서 생명체가 진화할 수 있는 안정된 환경이 오래 유지된다.

① ㄱ ② ㄷ ③ ㄱ, ㄴ ④ ㄴ, ㄷ ⑤ ㄱ, ㄴ, ㄷ

서술형

07 그림 (가)는 외계 행성 탐사 방법 중 한 가지를, (나)는 A 위치부터 1회 공전하는 동안 관측한 중심별의 스펙트럼 변화를 나타낸 것이다.

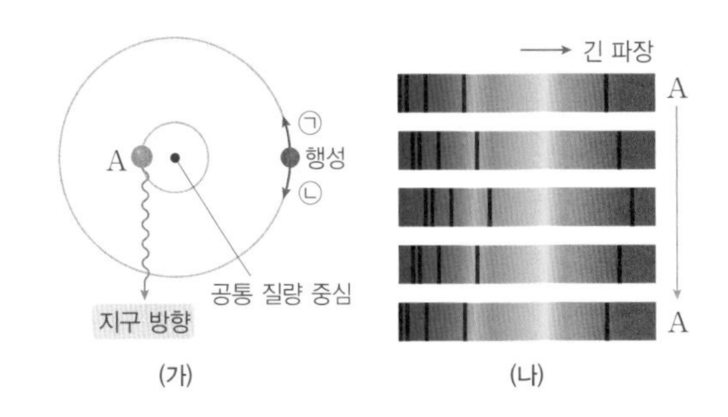

행성이 ㉠과 ㉡ 중 어느 방향으로 공전했는지 쓰고, 그 까닭을 이 탐사 방법의 원리를 언급하여 서술하시오.

단답형

08 그림은 미세 중력 렌즈 현상을 이용하여 외계 행성을 탐사하는 방법을 나타낸 것이다.

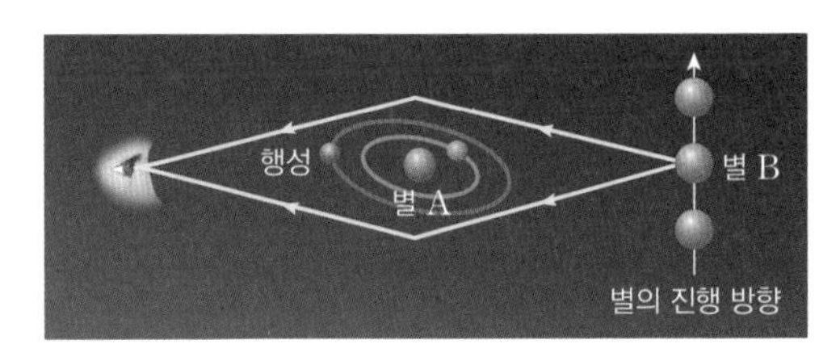

외계 행성을 탐사하기 위해서 측정해야 하는 것은 무엇인지 쓰시오.

서술형

09 그림과 같은 외계 행성 탐사 방법에서 관측된 별의 밝기가 불규칙하게 변하는 까닭을 서술하시오.

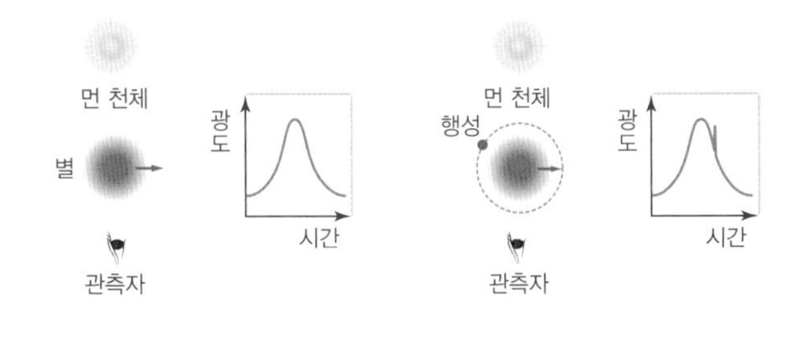

외계 행성의 탐사 방법

대표 유형

출제 의도

관측되는 외계 행성의 조건에 따라 탐사 방법이 달라짐을 설명할 수 있다.

이것이 함정

행성의 공전 궤도면이 시선 방향에 수직일 때는 도플러 효과와 식현상이 모두 나타나지 않는다.

그림은 외계 행성을 탐사하는 두 가지 방법이다.

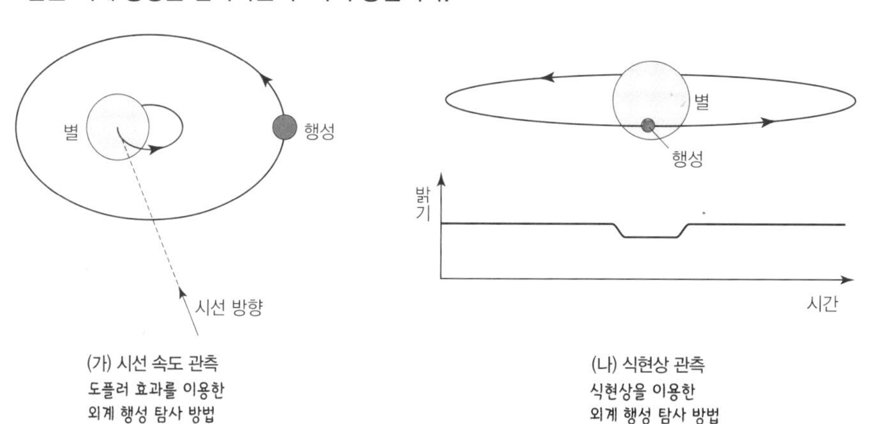

(가) 시선 속도 관측
도플러 효과를 이용한
외계 행성 탐사 방법

(나) 식현상 관측
식현상을 이용한
외계 행성 탐사 방법

이에 대한 설명으로 옳은 것만을 ⟨보기⟩에서 있는 대로 고른 것은?

보기

ㄱ. (가)와 같이 별과 행성이 위치하면 청색 편이가 나타난다.
→ (가)에서 별은 관측자의 시선 방향으로 접근하므로 청색 편이가 나타난다.

ㄴ. (가)와 (나) 모두 행성의 공전 주기를 구할 수 있다.
→ (가)에서는 별빛의 도플러 효과가 나타나는 주기로부터 행성의 공전 주기를 구할 수 있고, (나)에서는 행성이 별을 가리는 식현상에 의한 별빛의 밝기 변화 주기로부터 행성의 공전 주기를 구할 수 있다.

ㄷ. (가)와 (나) 모두 행성의 공전 궤도면이 시선 방향과 수직일 때 이용할 수 있다.
→ 행성의 공전 궤도면이 시선 방향과 수직일 때는 도플러 효과와 식현상이 나타나지 않으므로 (가)와 (나) 모두 이용할 수 없다.

① ㄱ ② ㄷ ③ ㄱ, ㄴ ④ ㄴ, ㄷ ⑤ ㄱ, ㄴ, ㄷ

외계 행성 탐사 방법 비교하기

그림을 보고 (가)와 (나)의 탐사 방법을 구분한다. >>> (가)는 도플러 효과를 이용한 방법인데, 현재 별이 관측자의 시선 방향으로 접근한다는 것을 찾아낸다. >>> (가)와 (나) 모두 행성의 공전 주기를 구할 수 있는 방법이다. >>> (가)와 (나) 모두 시선 방향이 관측자와 나란할 때 사용 가능한 방법이다.

추가 선택지

• (가)에서 행성은 멀어지고 있으므로 행성의 적색 편이를 관측할 수 있다. (×)
⋯ 행성은 광도가 너무 낮아 직접 관측이 불가능하므로, 행성이 아닌 별의 도플러 효과를 측정해야 한다. 별빛의 도플러 효과를 이용하여 행성의 존재를 알 수 있다.

• 겉보기 밝기가 최소일 때 중심별의 스펙트럼 파장이 가장 길게 관측된다. (×)
⋯ 겉보기 밝기가 최소일 때 별과 행성은 관측자의 시선 방향에 나란하게 위치한다. 이때 공통 질량 중심을 회전하는 별과 행성의 운동 방향은 관측자의 시선 방향에 대해 거의 수직이다. 따라서 중심별의 별빛 스펙트럼에 도플러 효과가 거의 나타나지 않는다.

실전! 수능 도전하기

정답과 해설 72쪽

01 그림은 어느 성단의 H－R도를 나타낸 것이다.

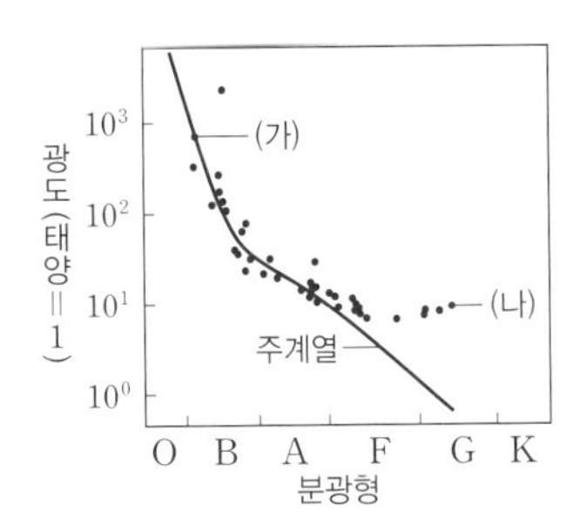

별 (가)와 (나)에 대한 설명으로 옳은 것만을 <보기>에서 있는 대로 고른 것은?

> 보기
> ㄱ. (가)의 중심에서는 CNO 순환 반응이 우세하다.
> ㄴ. (나)는 중력 수축 에너지가 주된 에너지원이다.
> ㄷ. 중심부의 온도는 (가)보다 (나)가 더 높다.

① ㄱ ② ㄷ ③ ㄱ, ㄴ
④ ㄴ, ㄷ ⑤ ㄱ, ㄴ, ㄷ

02 그림은 어떤 핵융합 반응의 한 과정을 간략히 나타낸 것이다.

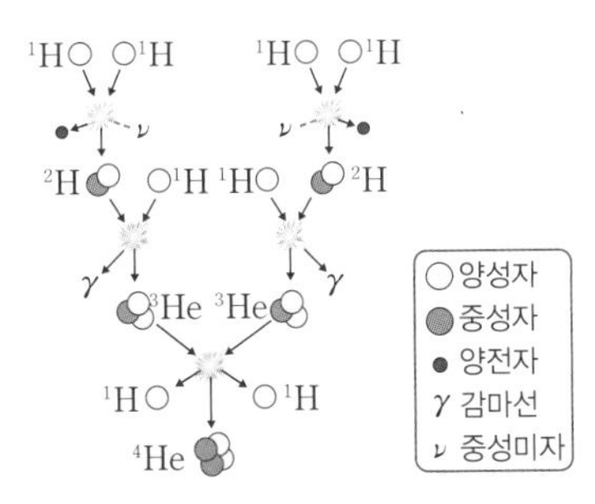

이에 대한 설명으로 옳은 것만을 <보기>에서 있는 대로 고른 것은?

> 보기
> ㄱ. 태양과 질량이 비슷한 별의 주계열 단계에서 일어나는 반응이다.
> ㄴ. 이 반응에서 감마선은 촉매 작용을 한다.
> ㄷ. 헬륨 원자핵 1개의 질량은 수소 원자핵 4개의 질량의 합보다 크다.

① ㄱ ② ㄴ ③ ㄱ, ㄷ
④ ㄴ, ㄷ ⑤ ㄱ, ㄴ, ㄷ

03 그림 (가)와 (나)는 주계열성이 가질 수 있는 내부 구조를 나타낸 것이다.

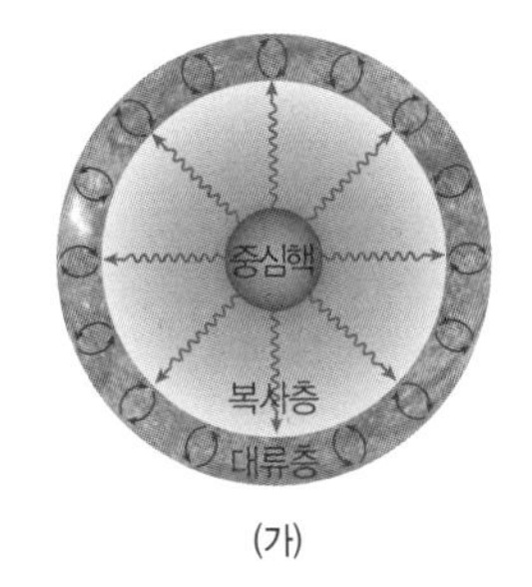

(가)

(나)

이에 대한 설명으로 옳은 것만을 <보기>에서 있는 대로 고른 것은?

> 보기
> ㄱ. (가)는 (나)보다 질량이 작다.
> ㄴ. (나)에서 핵은 복사층보다 온도가 높다.
> ㄷ. 태양은 (나)와 같은 내부 구조를 갖는다.

① ㄱ ② ㄷ ③ ㄱ, ㄴ
④ ㄴ, ㄷ ⑤ ㄱ, ㄴ, ㄷ

04 그림은 태양 정도의 질량을 가진 별이 주계열성에서 거성으로 진화하는 과정에서 나타나는 별의 내부 구조를 나타낸 것이다.

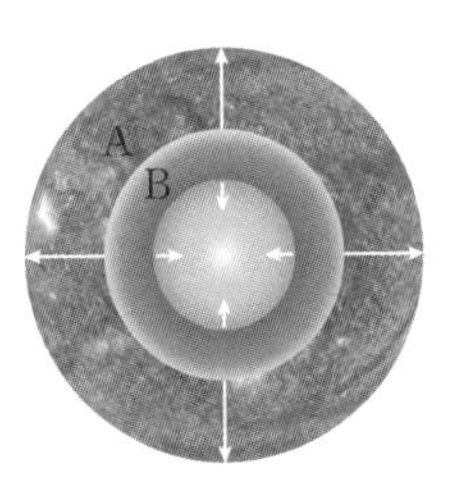

이에 대한 설명으로 옳은 것만을 <보기>에서 있는 대로 고른 것은?

> 보기
> ㄱ. A가 팽창하면서 표면 온도는 낮아진다.
> ㄴ. B에서는 헬륨 핵융합 반응이 일어난다.
> ㄷ. 핵의 수축으로 온도가 높아지면서 중심부에서는 수소 핵융합 반응이 다시 시작된다.

① ㄱ ② ㄴ ③ ㄱ, ㄷ
④ ㄴ, ㄷ ⑤ ㄱ, ㄴ, ㄷ

실전! 수능 도전하기

05 그림은 별빛의 도플러 효과가 나타날 때 이를 이용하여 우리 은하 내의 외계 행성을 탐사하는 방법을 모식적으로 나타낸 것이다.

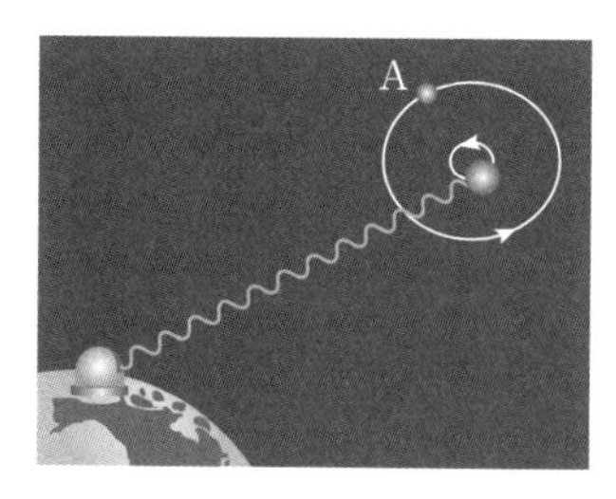

이에 대한 설명으로 옳은 것만을 〈보기〉에서 있는 대로 고른 것은?

보기
ㄱ. 행성이 A에 있을 때 청색 편이가 관측된다.
ㄴ. 별빛의 파장 변화는 별까지의 거리에 비례한다.
ㄷ. 행성의 질량이 클수록 별빛의 편이량이 커진다.

① ㄱ ② ㄴ ③ ㄷ
④ ㄱ, ㄴ ⑤ ㄴ, ㄷ

수능 기출

06 그림 (가)는 외계 행성 탐사 중 한 가지를, (나)는 A 위치부터 1회 공전하는 동안 관측한 중심별의 스펙트럼을 나타낸 것이다.

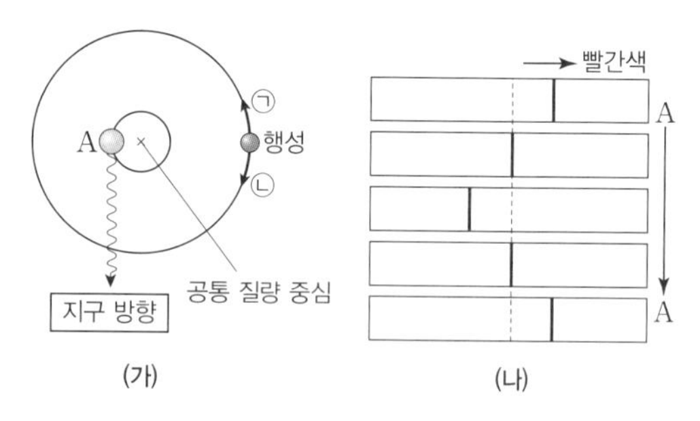

(가) (나)

이에 대한 설명으로 옳은 것만을 〈보기〉에서 있는 대로 고른 것은?

보기
ㄱ. 도플러 효과를 이용한 방법이다.
ㄴ. A 위치일 때 별빛의 파장이 길게 관측되었다.
ㄷ. 행성은 ㉠ 방향으로 공전하고 있다.

① ㄱ ② ㄷ ③ ㄱ, ㄴ
④ ㄴ, ㄷ ⑤ ㄱ, ㄴ, ㄷ

07 그림은 외계 행성계에서 행성이 별의 주위를 공전하는 모습을 나타낸 것이다.

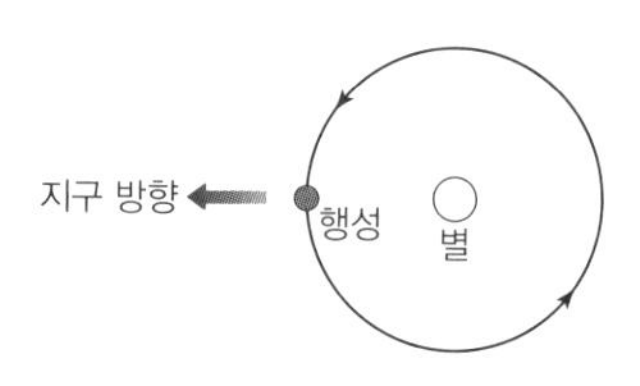

지구에서 이 행성의 존재를 알아내기 위해 사용하는 방법으로 옳은 것만을 〈보기〉에서 있는 대로 고른 것은?

보기
ㄱ. 행성에 의한 별의 식현상을 관측한다.
ㄴ. 행성에 의한 별의 표면 온도 변화를 관측한다.
ㄷ. 행성에 의한 별의 스펙트럼선 편이를 관측한다.

① ㄱ ② ㄴ ③ ㄱ, ㄷ
④ ㄴ, ㄷ ⑤ ㄱ, ㄴ, ㄷ

08 그림 (가)~(다)는 서로 다른 외계 행성계를 나타낸 것이다. 세 중심별의 질량과 반지름은 태양과 같고, 세 행성의 반지름은 지구와 같다.

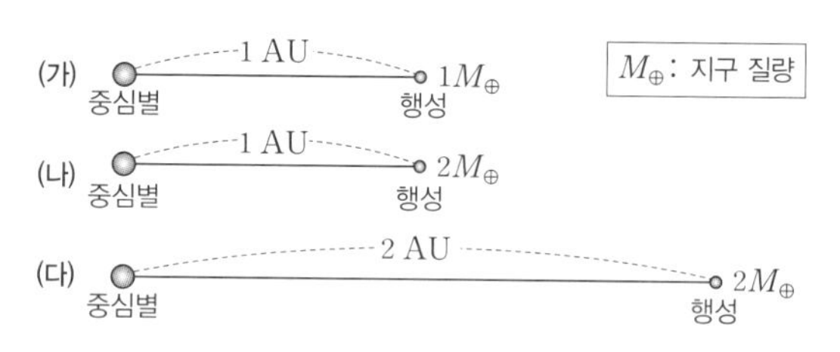

이에 대한 설명으로 옳은 것만을 〈보기〉에서 있는 대로 고른 것은? (단, 행성은 원 궤도를 따라 공전하며, 공전 궤도면은 관측자의 시선 방향과 나란하다.)

보기
ㄱ. 중심별과 행성은 공통 질량 중심을 공전한다.
ㄴ. (나)는 (가)보다 도플러 효과에 의한 별빛의 최대 편이량이 작다.
ㄷ. 행성에 의한 식이 진행되는 시간은 (다)가 (나)보다 길다.

① ㄱ ② ㄴ ③ ㄱ, ㄷ
④ ㄴ, ㄷ ⑤ ㄱ, ㄴ, ㄷ

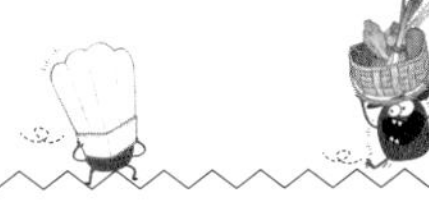

수능 기출

09 다음은 영희가 외계 행성 탐사 방법을 이해하기 위해 가설을 세우고 수행한 실험이다.

[가설]

[실험 과정]

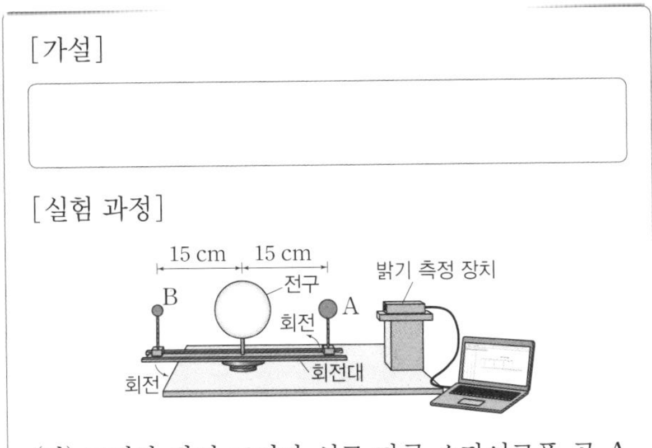

(가) 그림과 같이 크기가 서로 다른 스타이로폼 공 A와 B를 회전대 위에 고정한다.

(나) 회전대를 일정한 속도로 회전시킨다.

(다) A와 B가 전구를 중심으로 회전하는 동안 측정된 밝기를 기록한다.

[실험 결과]

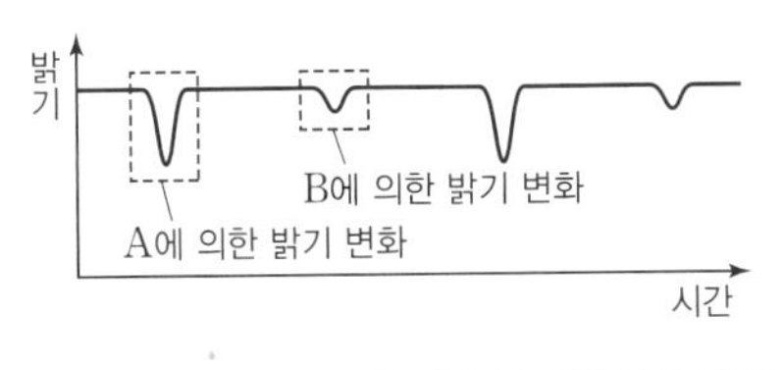

영희가 이 실험을 통해 검증하고자 하는 가설로 가장 적절한 것은?

① 중심별의 질량이 클수록 중심별의 밝기 변화가 크게 관측된다.

② 외계 행성의 크기가 클수록 중심별의 밝기 변화가 크게 관측된다.

③ 중심별의 온도가 높을수록 중심별의 밝기 변화가 크게 관측된다.

④ 외계 행성의 공전 속도가 느릴수록 중심별의 밝기 변화가 크게 관측된다.

⑤ 외계 행성과 중심별의 거리가 가까울수록 중심별의 밝기 변화가 크게 관측된다.

10 그림 (가)는 식현상, (나)는 미세 중력 렌즈 현상에 의한 별의 밝기 변화를 이용하여 외계 행성을 탐사하는 방법을 나타낸 것이다.

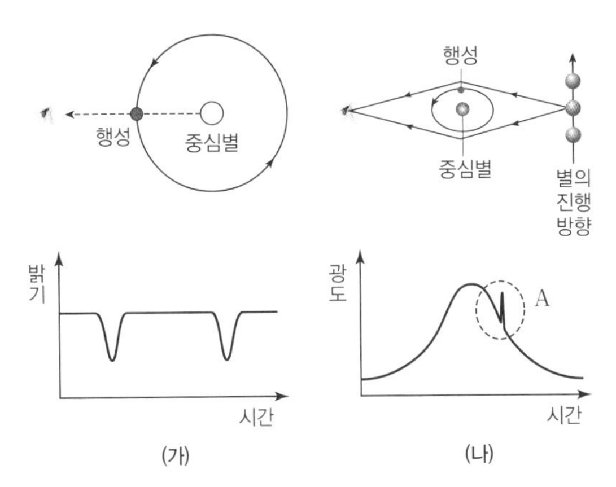

이에 대한 설명으로 옳은 것만을 〈보기〉에서 있는 대로 고른 것은?

보기

ㄱ. (가)에서 행성의 반지름이 클수록 별의 밝기 변화가 크다.

ㄴ. (나)에서 A는 별의 중력 때문에 나타난다.

ㄷ. (가)와 (나)는 행성에 의한 중심별의 밝기 변화를 이용한다.

① ㄱ ② ㄷ ③ ㄱ, ㄴ
④ ㄴ, ㄷ ⑤ ㄱ, ㄴ, ㄷ

11 그림은 항성의 밝기 변화를 이용하여 2014년 9월까지 발견한 모든 외계 행성들의 공전 궤도 긴반지름과 질량을 나타낸 것이다. 이에 대한 설명으로 옳은 것만을 〈보기〉에서 있는 대로 고른 것은?

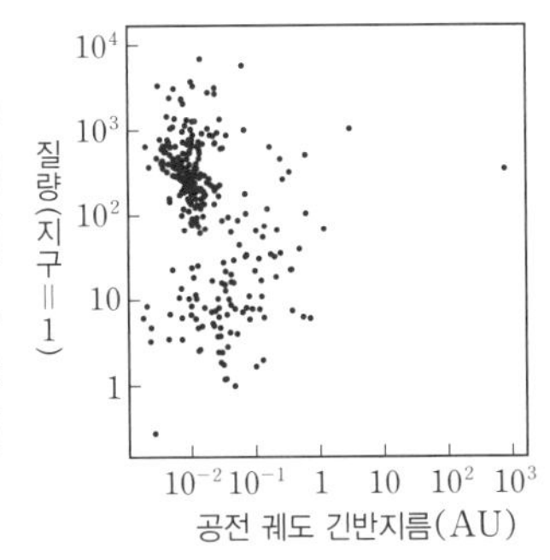

보기

ㄱ. 외계 행성들의 질량은 대부분 지구보다 크다.

ㄴ. 외계 행성들의 공전 궤도 긴반지름은 대부분 지구보다 크다.

ㄷ. 이 방법을 이용한 외계 행성 탐사는 관측자의 시선 방향이 외계 행성의 공전 궤도면에 수직일 때 가능하다.

① ㄱ ② ㄷ ③ ㄱ, ㄴ
④ ㄴ, ㄷ ⑤ ㄱ, ㄴ, ㄷ

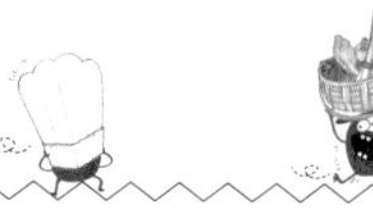

실전! 수능 도전하기

정답과 해설 72쪽

수능 기출

12 표는 주계열성 A, B, C의 질량, 생명 가능 지대, 생명 가능 지대에 위치한 행성의 공전 궤도 반지름을 나타낸 것이다.

주계열성	질량 (태양=1)	생명 가능 지대 (AU)	행성의 공전 궤도 반지름(AU)
A	2.0	( )	4.0
B	( )	0.3~0.5	0.4
C	1.2	1.2~2.0	1.6

이에 대한 설명으로 옳은 것만을 〈보기〉에서 있는 대로 고른 것은?

보기
ㄱ. 별의 광도는 A가 B보다 크다.
ㄴ. A에서 생명 가능 지대의 폭은 0.8 AU보다 크다.
ㄷ. 생명 가능 지대에 머무르는 기간은 B의 행성이 C의 행성보다 길다.

① ㄱ ② ㄷ ③ ㄱ, ㄴ
④ ㄴ, ㄷ ⑤ ㄱ, ㄴ, ㄷ

13 그림은 별의 질량에 따른 생명 가능 지대의 범위와 태양계 행성들의 위치를 나타낸 것이다.

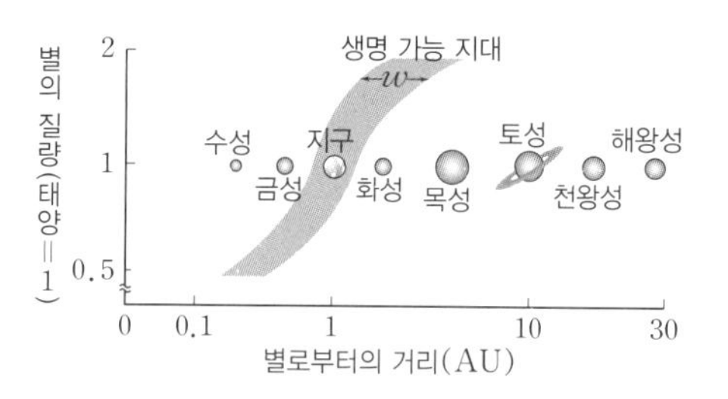

이에 대한 설명으로 옳은 것만을 〈보기〉에서 있는 대로 고른 것은?

보기
ㄱ. 지구는 생명 가능 지대에 속한다.
ㄴ. 질량이 작은 별일수록 생명 가능 지대의 폭이 좁아진다.
ㄷ. 태양의 질량이 0.5배가 되면 현재 화성의 위치에 액체 상태의 물이 존재한다.

① ㄱ ② ㄷ ③ ㄱ, ㄴ
④ ㄴ, ㄷ ⑤ ㄱ, ㄴ, ㄷ

14 그림은 태양계 생명 가능 지대의 변화를 시간에 따라 나타낸 것이다.

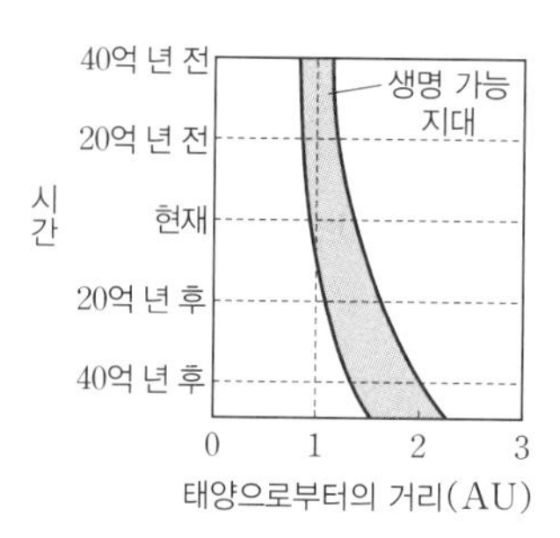

이에 대한 설명으로 옳은 것만을 〈보기〉에서 있는 대로 고른 것은?

보기
ㄱ. 시간이 지날수록 태양의 광도는 커진다.
ㄴ. 시간이 지날수록 태양계 생명 가능 지대의 폭은 넓어진다.
ㄷ. 현재로부터 40억 년 후에 지구상에는 액체 상태의 물이 존재하지 않을 것이다.

① ㄱ ② ㄷ ③ ㄱ, ㄴ
④ ㄴ, ㄷ ⑤ ㄱ, ㄴ, ㄷ

수능 기출

15 그림은 태양과 같은 진화 단계인 주계열에 속하는 어느 별의 현재와 20억 년 후의 생명 가능 지대를 나타낸 것이다.

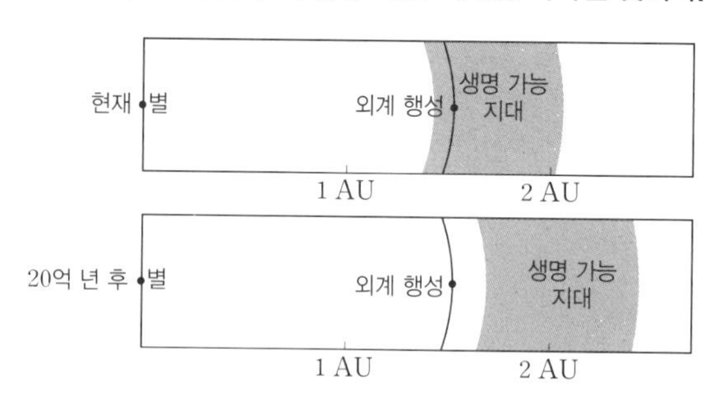

이에 대한 설명으로 옳은 것만을 〈보기〉에서 있는 대로 고른 것은?

보기
ㄱ. 별의 질량은 태양보다 크다.
ㄴ. 현재의 외계 행성에는 액체 상태의 물이 존재할 수 있다.
ㄷ. 20억 년 후에 별의 광도는 현재보다 크다.

① ㄱ ② ㄷ ③ ㄱ, ㄴ
④ ㄴ, ㄷ ⑤ ㄱ, ㄴ, ㄷ

2 외부 은하와 우주 팽창

배울 내용 살펴보기

01 외부 은하

A 외부 은하의 분류

B 특이 은하

C 충돌 은하

허블은 외부 은하를 형태에 따라 3가지로 구분했어. 하지만 이 분류 기준으로는 분류되지 않는 특이 은하도 존재해.

02 빅뱅 우주론

A 외부 은하의 적색 편이와 후퇴 속도

B 허블 법칙과 빅뱅 우주론

C 급팽창 이론과 가속 팽창 이론

외부 은하의 후퇴 속도를 통해서 허블 법칙을 발견했고, 여러 증거를 바탕으로 빅뱅 우주론이 등장했어. 빅뱅 우주론으로 설명하지 못한 문제점은 급팽창 이론으로 해결했어.

03 우주의 구성 물질과 미래

A 암흑 물질과 암흑 에너지

B 표준 우주 모형과 우주의 미래

우주에는 우리가 알고 있는 물질 뿐만 아니라 우리 눈에 보이지 않는 암흑 물질과 암흑 에너지가 있어. 이 암흑 물질과 암흑 에너지의 작용에 따라 우주의 미래가 결정돼.

01 외부 은하

핵심 키워드로 흐름잡기

A 외부 은하, 타원 은하, 나선 은하, 불규칙 은하

B 특이 은하, 전파 은하, 세이퍼트은하, 퀘이사

C 충돌 은하, 안드로메다은하

허블은 외부 은하를 어떻게 알아냈을까?

1924년 허블은 안드로메다자리 성운 안에 있는 세페이드 •변광성의 변광 주기를 관측하여 거리를 측정하였다. 측정 결과 약 90만 광년으로, 그 당시 알려진 우리은하의 크기 약 30만 광년보다 더 멀리에 있다는 것을 밝혀냈다.

허블의 은하 분류는 그 형태가 소리굽쇠를 닮아서 '소리굽쇠 도표'라고도 하지.

우리은하

우리은하는 안드로메다은하와 같이 정상 나선 은하로 분류되어 왔으나, 최근 조사 결과 지름 27000 광년의 막대 구조가 있다는 것이 밝혀져 SBb형 막대 나선 은하로 분류한다.

용어 알기

•변광성(변하다 變, 빛 光, 별 星) 시간에 따라 밝기가 변하는 별

A 외부 은하의 분류

|출·제·단·서| 시험에는 은하의 형태를 보고 은하를 분류해 보는 문제가 나와.

1. 외부 은하 우리은하 밖에 존재하는 은하

2. 허블의 외부 은하 분류 탐구 POOL 허블은 외부 은하를 형태(모양)에 따라 크게 타원 은하, 나선 은하, 불규칙 은하로 분류하였다.

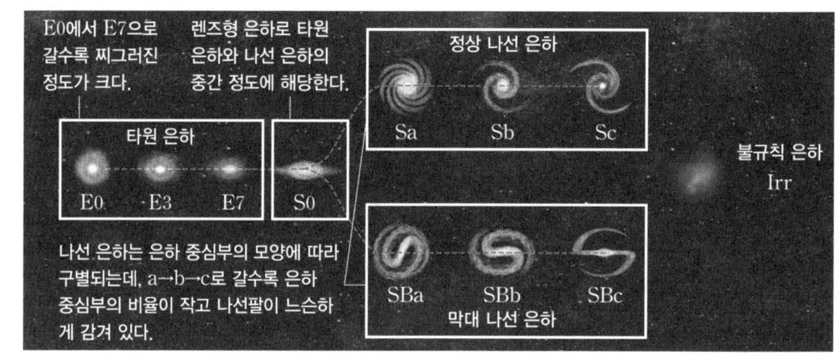

관측되는 은하 중 나선 은하는 약 77 %, 타원 은하는 약 20 %, 불규칙 은하는 약 3 %를 차지한다.

(1) 타원 은하 나선팔이 없는 타원형의 은하

① 빛의 분포는 고르며, 표면 밝기는 중앙에서 바깥으로 갈수록 감소한다.

② 찌그러진 정도에 따라 E0~E7으로 세분되는데, E7으로 갈수록 찌그러진 정도가 커진다.

③ 대부분의 별들이 나이가 많고, 은하의 색은 일반적으로 붉다.

④ 성간 물질이 매우 적어서 새로운 별의 탄생이 거의 없다.

(2) 나선 은하 구 또는 막대 모양의 은하 중심부를 나선팔이 감싸고 있는 은하

① 은하 중심부 모양이 구형이면 정상 나선 은하(S), 은하 중심부 모양이 막대 모양이면 막대 나선 은하(SB)로 분류한다.

② 나선팔이 감긴 정도에 따라 a, b, c로 세분하고, a형 쪽으로 갈수록 중심핵이 크고 나선팔이 단단히 감겨 있으며, c형 쪽으로 갈수록 중심핵의 크기가 작고 나선팔이 느슨하게 감겨 있다.

③ 나선팔 부분에는 가스와 먼지가 많고, 젊고 푸른색의 별들이 많이 분포하며, 중심 영역인 팽대부에는 주로 늙고 붉은색의 별들이 많이 분포한다.

은하 팽대부는 은하 내에 빽빽하게 모인 별들의 군집이다.

▲ 나선 은하의 구조

(3) 불규칙 은하 규칙적인 형태가 없거나 구조가 명확하지 않은 은하로 일정한 모양이 없으며, 성간 물질과 젊은 별들이 많이 포함되어 있다.

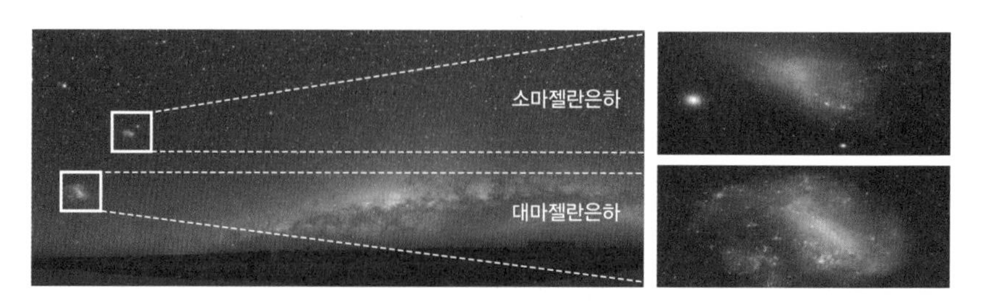

3. 은하의 형태와 진화 처음 형성되었을 때 은하의 형태가 오랜 시간이 지나도 유지된다.

B 특이 은하

|출·제·단·서| 시험에는 어떤 특징에 따라 특이 은하를 구분할 수 있는지 묻는 문제가 나와.

1. 특이 은하 허블의 은하 분류 기준으로는 분류되지 않는 특이한 은하로, 주로 은하 간의 충돌에 의해 만들어진 것으로 추정된다.

2. 특이 은하의 종류 특이 은하들은 은하 중심부의 매우 작은 영역에서 엄청난 양의 복사 에너지를 방출한다는 공통점이 있다.❶

(1) 전파 은하 보통의 은하보다 강한 전파를 방출하는 은하

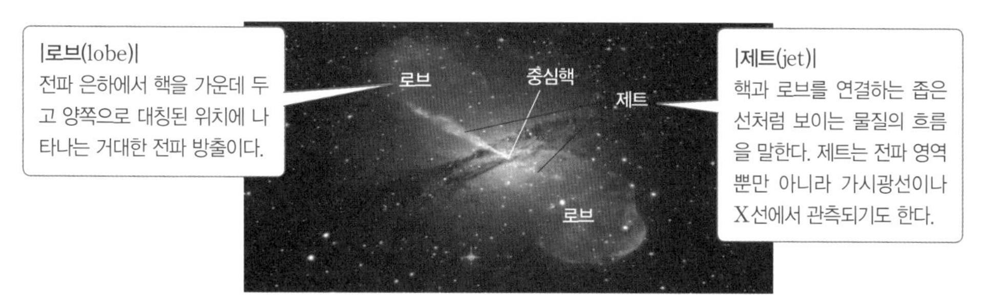

① 중심에서 뻗어 나온 제트가 양 끝에 뭉쳐서 로브를 형성하는 대칭적인 구조이다.

② 강한 전파를 방출하는 것은 은하끼리 충돌했거나 은하 내에서 큰 폭발이 일어났기 때문으로 추정된다.

③ 제트와 로브에서 방출되는 강한 X선을 통해 강한 자기장이 있고 전자가 매우 빠르게 움직이고 있음을 짐작할 수 있다.

빈출 탐구 다양한 파장으로 전파 은하 관측하기

전파 은하를 다양한 파장으로 관측했을 때의 특징을 알 수 있다.

과정 전파 은하로 잘 알려진 센타우루스 A 은하를 다양한 파장으로 관측하고 그 모습을 확인한다.

▲ X선

▲ 전파

▲ 가시광선

결과 및 정리

❶ **가시광선 영역으로 관측했을 때 센타우루스 A 은하의 모습은 어떤 은하에 해당하는가?** 타원 은하

❷ **센타우루스 A 은하를 X선과 전파 영역에서 관측했을 때의 특징은 무엇인가?**
센타우루스 A 은하를 X선과 전파 영역에서 관측하면 제트와 로브가 뚜렷하게 관측된다.

❸ **은하를 여러 가지 파장으로 관측해야 하는 이유는 무엇인지 설명해 보자.**
광학 망원경으로는 관측되지 않는 모습을 관측할 수 있기 때문이다.

(2) 세이퍼트은하❷ 일반적인 은하에 비해 중심핵이 아주 밝고 스펙트럼에서 폭넓은 방출선을 보이는 은하

① 가시광선 영역에서 대부분 나선 은하로 관측되고, 전체 나선 은하 중 약 2 %가 해당된다.

② 스펙트럼상에 넓은 방출선을 보이며, 이것은 은하 내의 가스 구름이 매우 빠른 속도로 움직이고 있다는 것을 뜻한다. ⇨ 은하 중심부에 질량이 매우 큰 거대 •블랙홀이 있을 것으로 추정된다.

❶ 활동 은하
폭발적인 에너지를 방출하는 은하의 은하핵을 통틀어서 활동 은하핵(AGN)이라고 한다. 그리고 활동 은하핵을 포함하고 있는 특이 은하를 활동 은하라고 부른다.

다양한 파장으로 관측하는 방법
관측하는 파장에 따라 같은 천체에서도 관측되는 영역과 모양이 다르기 때문에, 다양한 파장으로 관측하면 더욱 정확한 정보를 얻을 수 있다.

❷ 세이퍼트은하
미국의 천문학자 칼 세이퍼트가 핵이 밝은 나선 은하의 스펙트럼을 연구하여 발견하였다.

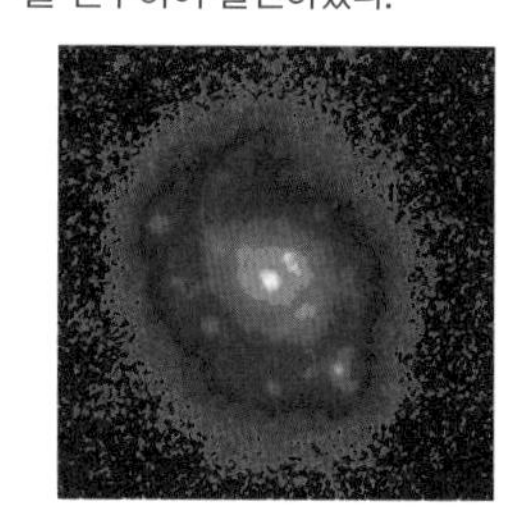

▲ M77의 자외선 사진
세이퍼트은하로 중심부가 흰색으로 매우 밝게 보인다.

용어 알기
•블랙홀(Black hole) 중력이 너무 커서 빛 조차도 빠져나갈 수 없어 검게 보이는 천체

❸ 퀘이사의 분류
절대 등급 −23 등급보다 밝은 활동 은하를 퀘이사로, 이보다 어두운 활동 은하를 세이퍼트은하로 분류한다.

❹ 충돌하는 두 은하
아주 거대한 은하가 작은 은하 옆을 지나가게 되면 거대한 은하는 작은 은하로부터 가스, 티끌, 별 등을 포획하고 더 작아진 작은 은하의 핵은 큰 은하의 중심부로 빨려 들어가 수백만 년 동안 큰 은하의 에너지원이 되기도 한다.

❺ 안드로메다은하
(Andromeda galaxy) (M31 또는 NGC 224)
북반구에서 보이는 가장 밝은 나선 은하로 우리은하와 유사한 점이 많다. 우리은하로부터 670 kpc 떨어져 있고 마젤란은하와 더불어 국부 은하군에 속하는 외부 은하이다.

❻ 충돌 후 은하 형태의 변화
조석력이 양측 은하의 나선팔 모양을 거대한 조석 꼬리 형태로 바꾸어 놓아, 우리은하와 안드로메다은하는 완전히 합쳐져서 거대한 타원 은하가 될 것이다.

용어 알기

● 퀘이사(Quasar) 처음 발견 당시 별처럼 관측되었기 때문에 항성과 비슷하다는 뜻인 준항성(Quasi-stellar object)이라는 이름이 붙은 은하

(3) ●퀘이사❸ 매우 멀리 있어 별처럼 보이지만 일반 은하의 수백 배 정도의 에너지를 방출하는 은하

① 모든 파장 영역에서 매우 강한 에너지를 방출하고 분광 관측하면 적색 편이가 비정상적으로 크게 나타나는 은하이다.

② 엄청난 에너지를 내고 있음에도 빛이 나오는 영역이 매우 작다. ⇨ 중심에 블랙홀이 있고, 블랙홀로 떨어지는 물질의 중력 에너지가 그 에너지원으로 추정된다.

③ 지구에서 관측할 수 있는 가장 먼 거리에 있는 천체로 매우 큰 후퇴 속도를 보인다. ⇨ 우주의 크기와 과거 모습을 알 수 있다.

▲ 퀘이사 3C 273

빈출 자료 퀘이사 3C 273의 스펙트럼 이동 모습

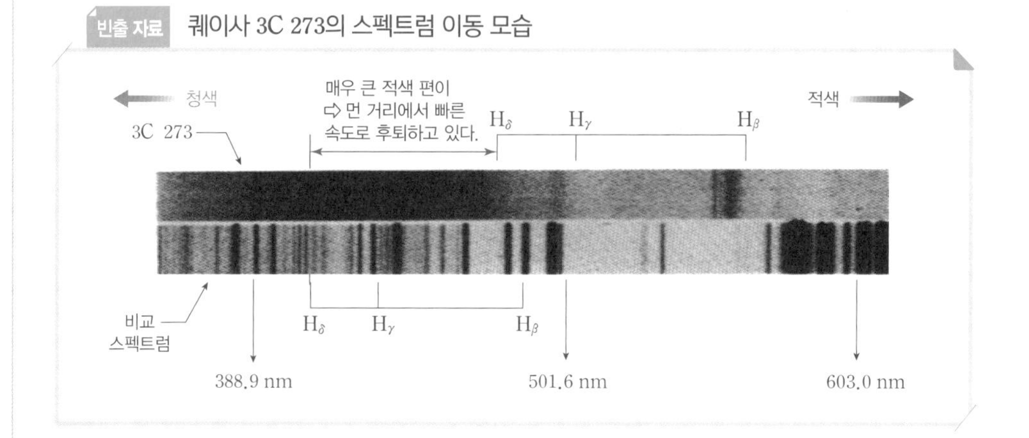

C 충돌 은하

|출·제·단·서| 시험에는 은하들의 충돌 과정에서 어떤 일들이 벌어지는지에 대해 묻는 문제가 나와.

1. 충돌 은하 은하들이 서로 충돌하는 모습을 보이는 은하

(1) 은하의 충돌

① 은하들은 우주에 골고루 퍼져 있는 것이 아니라 무리 지어 분포하기 때문에 서로의 중력에 의해 가까워지거나, 충돌하기도 한다.

② 은하가 충돌하더라도 별의 크기보다 별 사이의 공간이 크기 때문에 은하의 충돌이 일어나는 동안에도 별들은 거의 충돌하지 않는다.

③ 은하의 성간 물질은 은하 간의 상호 작용으로 가스와 티끌의 밀도가 증가하면서 별이 형성되기도 하고, 은하의 형태가 변하기도 한다.

(2) 다양한 충돌 은하❹ 우주 공간에서는 두 은하가 충돌하여 하나의 은하가 되기도 하고, 큰 은하가 작은 은하를 흡수하기도 한다.

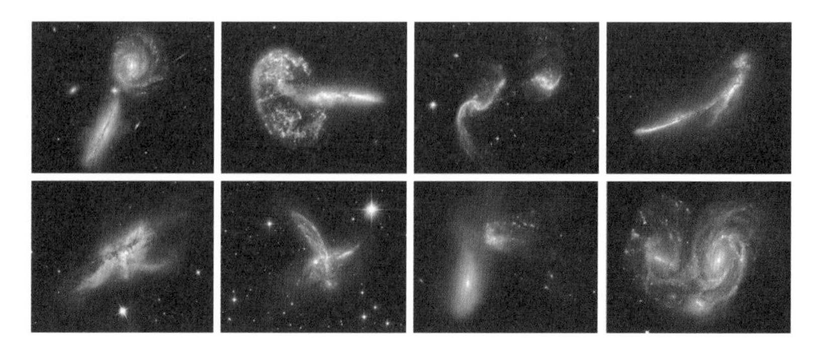

2. 우리은하와 안드로메다은하❺의 충돌 서로 가까이 있는 우리은하와 안드로메다은하도 수십억 년 후 충돌하여 거대한 타원 은하❻가 될 것으로 예상하고 있다.

다양한 은하 사진을 이용하여 은하 분류하기

목표 다양한 은하를 형태에 따라 분류할 수 있다.

과정

다양한 외부 은하를 형태에 따라 분류하고, 결과를 모둠원들과 비교해 보자.

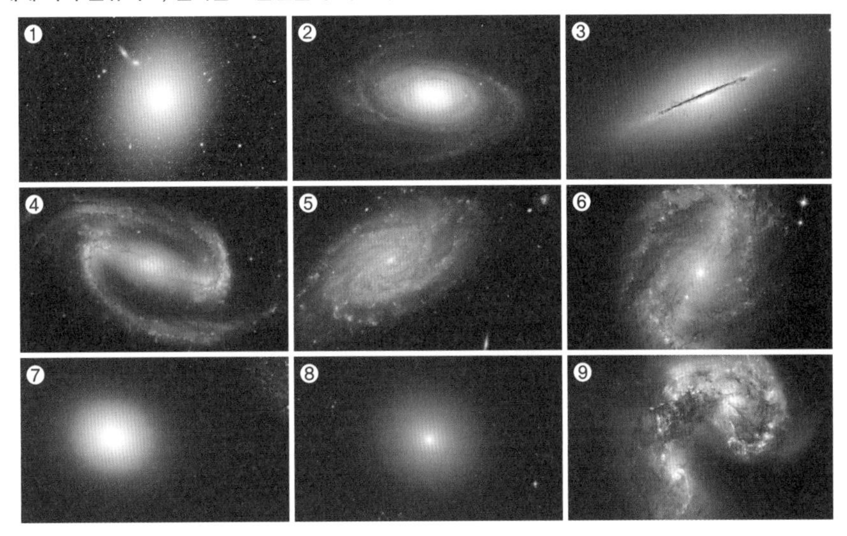

결과 및 정리

❶ 형태에 따라 은하를 어떻게 분류할 수 있는지 정리해 보자.

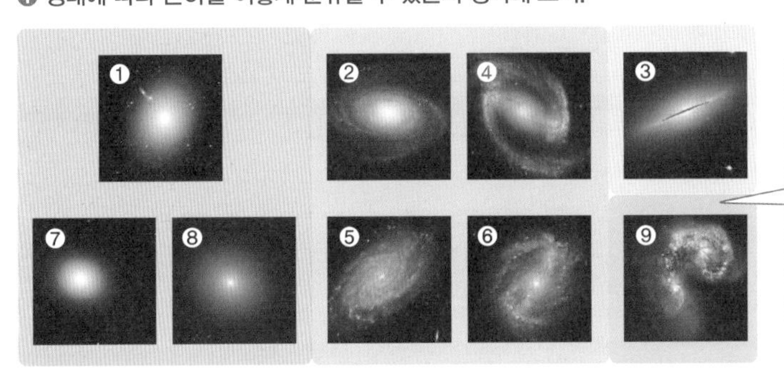

- 은하는 우선 나선팔이 있는 구조와 없는 구조로 나뉜다. 나선팔이 있는 ❷, ❹, ❺, ❻을 같은 그룹으로, 나선팔이 없는 ❶, ❼, ❽을 같은 그룹으로 분류할 수 있다.
- ❸은 ❷, ❹, ❺, ❻ 그룹과 ❶, ❼, ❽ 그룹의 중간 정도 단계에 해당하는 것으로 관찰되므로 독립적인 그룹으로 분류할 수 있다.
- 별다른 규칙성이 나타나지 않는 ❾도 다른 하나의 그룹으로 분류할 수 있다.

❷ 우리은하는 어떤 종류에 속하는지 조사해 보자.

우리은하는 중심부에 막대 모양의 구조가 있고, 그 중심부를 나선팔이 감싸고 있는 막대 나선 은하에 속한다.

한·줄·핵심 은하는 형태에 따라 타원 은하, 나선 은하, 불규칙 은하로 분류할 수 있다.

확인 문제

정답과 해설 75쪽

01 이 탐구에 대한 설명으로 옳은 것은 ○, 옳지 않은 것은 × 로 표시하시오.

(1) ①~⑨ 은하는 모두 우리은하에 속해 있다. ( )

(2) ②와 ⑧ 은하는 형태적 특징으로 분류할 때 같은 유형이다. ( )

(3) 은하들은 형태에 따라 두 개 이상의 그룹으로 분류할 수 있다. ( )

[02~03] 그림은 허블의 은하 분류 체계를 나타낸 것이다.

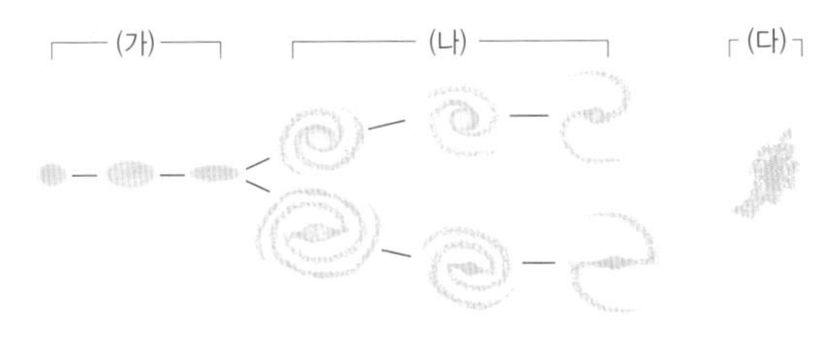

02 허블이 은하를 분류한 기준은 무엇인가?

03 (가), (나), (다)에 해당하는 은하를 각각 무엇이라고 하는지 쓰시오.

콕콕! 개념 확인하기

정답과 해설 75쪽

✔ 잠깐 확인!

1. □□□□
우리은하 바깥에 존재하는 은하

2. □□□□
나선팔이 없는 타원형의 은하

3. □□□□
구 또는 막대 모양의 은하 중심부를 나선팔이 감싸고 있는 은하

4. □□□□□
규칙적인 형태가 없거나 구조가 명확하지 않은 은하

5. □□□□
보통의 은하보다 강한 전파를 방출하는 은하

6. □□□□□□□
보통의 은하에 비해 중심부의 아주 밝은 핵과 넓은 방출선을 보이는 은하

7. □□□
매우 멀리 있어 별처럼 보이지만 일반 은하의 수백 배 정도의 에너지를 방출하는 은하

8. □□□□
은하들이 서로 충돌하는 모습을 보이는 은하

A 외부 은하의 분류

01 다음은 은하에 대한 설명이다. (　　) 안에 들어갈 알맞은 말을 쓰시오.

(1) 허블은 망원경으로 많은 외부 은하를 찾아내고, 이것들을 (　　　)에 따라 분류하였다.

(2) 허블의 은하 분류에 따르면 은하는 크게 (㉠) 은하, (㉡) 은하, (㉢) 은하로 분류할 수 있다.

02 허블의 은하 분류에 대한 설명으로 옳은 것은 ○, 옳지 않은 것은 ×로 표시하시오.

(1) 타원 은하는 은하의 크기에 따라 E0부터 E7까지 분류한다. (　　)

(2) 나선 은하는 은하핵을 가로지르는 막대 모양 구조의 유무에 따라 막대 나선 은하와 정상 나선 은하로 구분한다. (　　)

(3) 허블은 일정한 모양이나 규칙적인 구조가 없는 은하는 따로 분류하지 않았다. (　　)

B 특이 은하

03 다음 (　　) 안에 들어갈 알맞은 말을 쓰시오.

> 허블의 은하 분류 기준으로는 분류되지 않는 외부 은하를 (　　) 은하라고 한다.

04 다음 은하와 그 특징을 옳은 것끼리 연결하시오.

(1) 전파 은하 •　　　　• ㉠ 중심에 핵이 있고 양쪽에 로브가 있으며, 로브와 핵은 제트로 연결되어 있다.

(2) 퀘이사 •　　　　• ㉡ 보통의 은하들에 비해 아주 밝은 핵과 넓은 방출선이 보인다.

(3) 세이퍼트은하 •　　　　• ㉢ 별처럼 보이지만 별이 아닌 천체이다.

C 충돌 은하

05 다음 (　　) 안에 들어갈 알맞은 말을 쓰시오.

> 우리은하와 가장 가까이 있는 (　　　)은하는 수십억 년 후 우리은하와 충돌할 것으로 예상하고 있다.

탄탄! 내신 다지기

A 외부 은하의 분류

01 허블의 은하 분류에 대한 설명으로 옳은 것만을 〈보기〉에서 있는 대로 고른 것은?

〈보기〉
ㄱ. 외부 은하를 진화 과정에 따라 분류하였다.
ㄴ. 크게 타원 은하, 나선 은하, 특이 은하로 분류한다.
ㄷ. 나선 은하는 정상 나선 은하, 막대 나선 은하로 구분한다.

① ㄱ ② ㄷ ③ ㄱ, ㄴ
④ ㄴ, ㄷ ⑤ ㄱ, ㄴ, ㄷ

02 그림은 어느 외부 은하의 모습을 나타낸 것이다.

허블의 은하 분류에서 이에 해당하는 은하의 특징으로 옳은 것은?

① 대부분의 별들이 나이가 많고, 색이 일반적으로 붉다.
② 중심부를 관통하는 막대가 있으며, 우리은하가 이에 해당한다.
③ 차가운 기체나 먼지가 매우 적어 새로운 별을 거의 만들지 않는다.
④ 나선팔이 감긴 정도에 따라 a, b, c로 세분하는데, a로 갈수록 나선팔이 단단하게 감겨 있다.
⑤ 별이 둥글게 모여 있는 모양으로 중심부의 밀도가 높고 바깥쪽으로 갈수록 낮아진다.

단답형

03 다음은 여러 종류의 은하들을 나타낸 것이다.

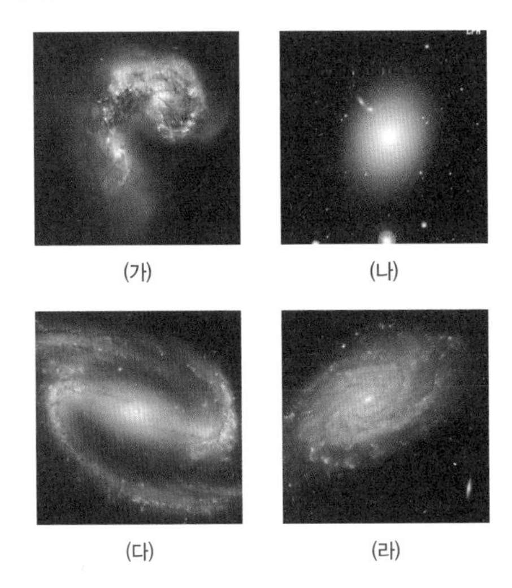

(1) 성간 물질이 거의 없으며, 주로 나이가 많은 붉은색의 별들로 이루어져 있는 은하를 고르시오.

(2) 규칙적인 형태가 없고, 주로 젊은 별과 성간 물질로 이루어져 있어 새로운 별의 형성이 매우 활발한 은하를 고르시오.

(3) SB로 구분되는 은하를 고르시오.

04 은하를 형태에 따라 분류할 때 우리은하와 같은 집단에 속하는 은하는?

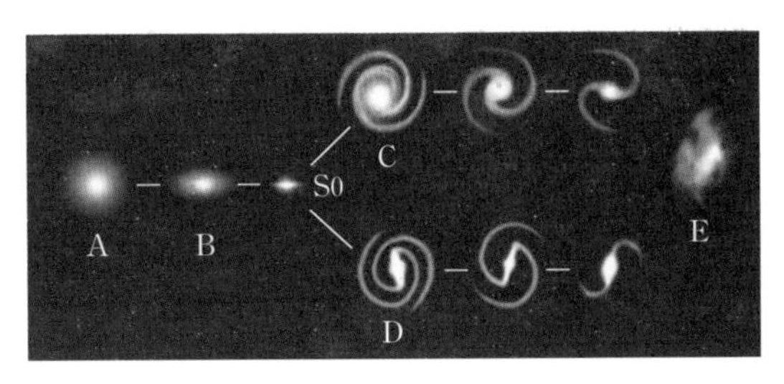

① A ② B ③ C
④ D ⑤ E

단답형

05 그림은 외부 은하를 일정한 기준에 따라 분류한 것이다.

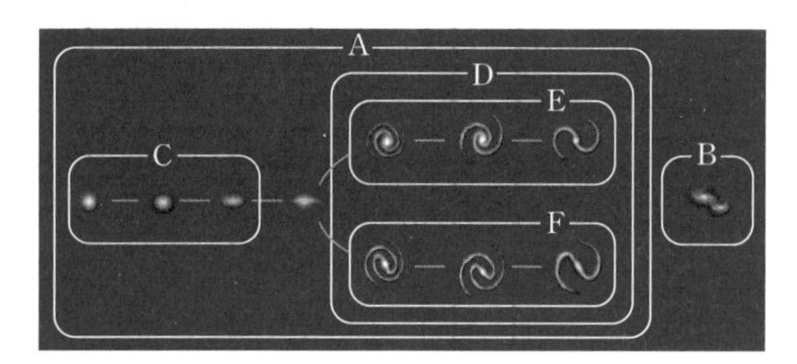

다음과 같이 은하의 집단을 분류할 때 기준이 되는 것은 무엇인지 각각 쓰시오.

(1) A와 B
(2) C와 D
(3) E와 F

06 그림 (가)와 (나)는 각각 우리은하를 위에서 본 모습과 옆에서 본 모습을 나타낸 것이다.

(가) (나)

이에 대한 설명으로 옳은 것만을 〈보기〉에서 있는 대로 고른 것은?

〈보기〉
ㄱ. 우리은하는 위에서 보면 막대 나선 모양이다.
ㄴ. 성간 물질은 A보다 B에 많이 분포한다.
ㄷ. 늙은 별은 B보다 A에 많이 분포한다.

① ㄱ ② ㄴ ③ ㄱ, ㄷ
④ ㄴ, ㄷ ⑤ ㄱ, ㄴ, ㄷ

B 특이 은하

07 그림은 전파 은하의 구조를 나타낸 것이다.

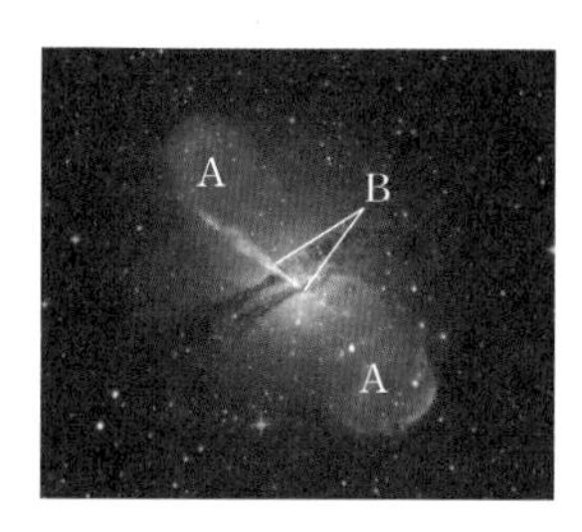

이에 대한 설명으로 옳은 것만을 〈보기〉에서 있는 대로 고른 것은?

〈보기〉
ㄱ. A는 로브로 거대한 전파 방출 영역이다.
ㄴ. B는 제트로 전파 영역에서만 관측이 가능하다.
ㄷ. 광학 망원경으로 로브와 제트를 모두 관측할 수 있다.

① ㄱ ② ㄴ ③ ㄱ, ㄷ
④ ㄴ, ㄷ ⑤ ㄱ, ㄴ, ㄷ

08 퀘이사에 대한 설명으로 옳은 것만을 〈보기〉에서 있는 대로 고른 것은?

〈보기〉
ㄱ. 지구에서 가장 멀리 있는 천체 중 하나로 강한 에너지를 방출한다.
ㄴ. 후퇴 속도가 매우 빨라 광속의 90 %의 속도로 멀어지는 것도 있다.
ㄷ. 강력한 에너지를 방출하고 있는 매우 먼 곳에 있는 하나의 별이다.

① ㄱ ② ㄷ ③ ㄱ, ㄴ
④ ㄴ, ㄷ ⑤ ㄱ, ㄴ, ㄷ

09 특이 은하에 대한 설명으로 옳은 것만을 <보기>에서 있는 대로 고른 것은?

보기
ㄱ. 전파 은하는 보통 은하에 비해 강한 전파를 방출한다.
ㄴ. 세이퍼트은하를 형태에 따라 분류하면 타원 은하에 해당된다.
ㄷ. 퀘이사는 우리은하와 매우 멀리 떨어져 있는 은하이다.

① ㄱ ② ㄴ ③ ㄱ, ㄷ
④ ㄴ, ㄷ ⑤ ㄱ, ㄴ, ㄷ

10 그림 (가)는 세이퍼트은하, 그림 (나)는 퀘이사의 모습을 나타낸 것이다.

(가)

(나)

이에 대한 설명으로 옳은 것만을 <보기>에서 있는 대로 고른 것은?

보기
ㄱ. (가)는 자외선으로 관측한 영상이다.
ㄴ. (나)는 매우 큰 적색 편이를 나타낸다.
ㄷ. (가)와 (나)는 모두 특이 은하에 해당한다.

① ㄱ ② ㄴ ③ ㄱ, ㄷ
④ ㄴ, ㄷ ⑤ ㄱ, ㄴ, ㄷ

C 충돌 은하

11 다음의 (가)와 (나)는 충돌 은하와 세이퍼트은하를 순서 없이 나타낸 것이다.

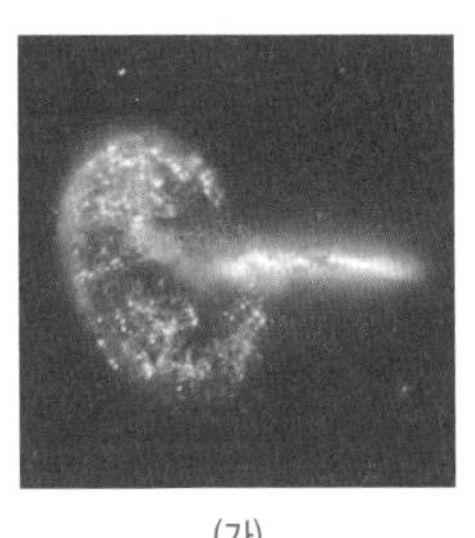
(가)

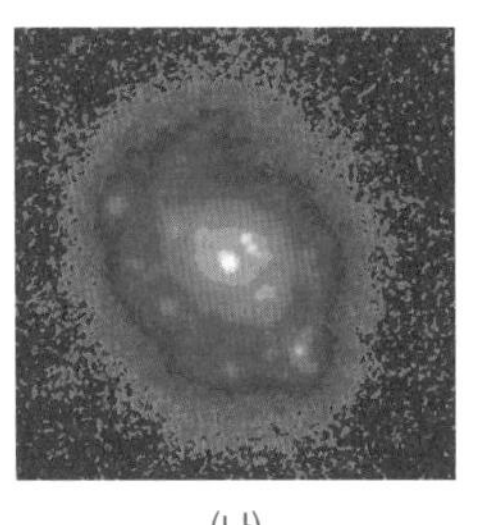
(나)

이에 대한 설명으로 옳은 것만을 <보기>에서 있는 대로 고른 것은?

보기
ㄱ. (가)는 은하들이 중력에 의해 서로 충돌하고 있는 모습이다.
ㄴ. (나)는 중심부에 블랙홀이 있을 것으로 추정된다.
ㄷ. (가)는 다른 은하에 비해 넓은 방출선을 보인다.

① ㄱ ② ㄴ ③ ㄱ, ㄴ
④ ㄴ, ㄷ ⑤ ㄱ, ㄴ, ㄷ

12 그림은 어느 은하의 모습을 나타낸 것이다.

이에 대한 설명으로 옳지 않은 것은?

① 은하들은 서로의 중력 때문에 충돌하기도 한다.
② 충돌 은하에서는 별들의 충돌이 흔하게 일어난다.
③ 은하의 충돌이 일어나면서 은하 간의 상호 작용으로 은하의 형태가 변하기도 한다.
④ 은하의 충돌이 일어나는 동안 가스와 티끌의 밀도가 증가하면서 별이 형성되기도 한다.
⑤ 두 은하가 충돌하면 하나의 은하가 되기도 하고 큰 은하가 작은 은하를 흡수하기도 한다.

도전! 실력 올리기

01 그림은 허블의 은하 분류 체계를 나타낸 것이다.

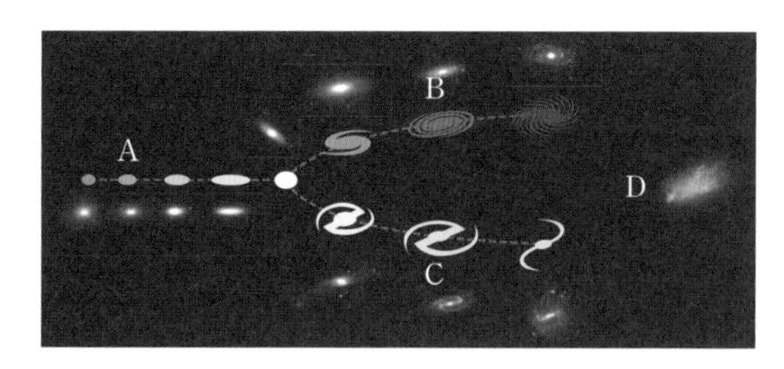

이에 대한 설명으로 옳은 것만을 〈보기〉에서 있는 대로 고른 것은?

보기
ㄱ. A 집단의 은하에서부터 시작하여 시간이 흐름에 따라 B, C 집단으로 진화한다.
ㄴ. 우리은하는 C 집단에 해당한다.
ㄷ. D 집단은 주로 젊고 밝은 별들이 많이 포함되어 있다.

① ㄱ ② ㄷ ③ ㄱ, ㄴ
④ ㄴ, ㄷ ⑤ ㄱ, ㄴ, ㄷ

02 그림 (가)와 (나)는 서로 다른 종류의 외부 은하를 나타낸 것이다.

(가)

(나)

이에 대한 설명으로 옳은 것만을 〈보기〉에서 있는 대로 고른 것은?

보기
ㄱ. (가)는 (나)보다 성간 물질의 비율이 높다.
ㄴ. (나)는 (가)보다 젊은 별의 비율이 높다.
ㄷ. 우리은하의 모양은 (나)보다 (가)에 가깝다.

① ㄱ ② ㄴ ③ ㄱ, ㄷ
④ ㄴ, ㄷ ⑤ ㄱ, ㄴ, ㄷ

출제예감

03 그림은 센타우루스 A 은하를 다양한 파장으로 관측한 모습을 나타낸 것이다.

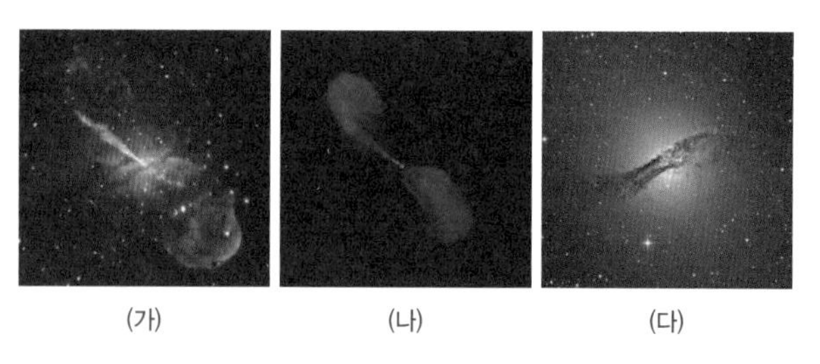

(가) (나) (다)

이에 대한 설명으로 옳은 것만을 〈보기〉에서 있는 대로 고른 것은?

보기
ㄱ. (가)는 X선으로 관측했을 때의 모습으로 제트를 관측할 수 있다.
ㄴ. (나)는 전파 영역으로 관측한 것으로, 이 은하가 전파 은하임을 알 수 있다.
ㄷ. (다)에서는 양쪽으로 넓게 퍼진 로브를 관측할 수 없다.

① ㄱ ② ㄴ ③ ㄱ, ㄷ
④ ㄴ, ㄷ ⑤ ㄱ, ㄴ, ㄷ

04 그림 (가)는 은하를 모양에 따라 구분한 것이고, (나)는 각 은하의 분광형 분포를 나타낸 것이다.

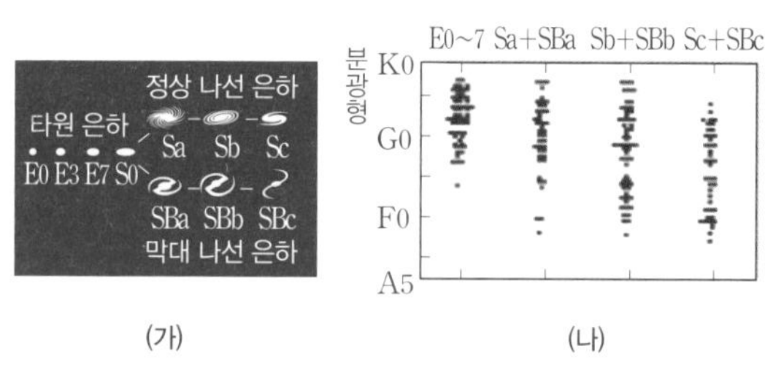

(가) (나)

이에 대한 설명으로 옳은 것만을 〈보기〉에서 있는 대로 고른 것은?

보기
ㄱ. 타원 은하에는 나선 은하보다 붉은색을 띠는 별들이 많다.
ㄴ. 나선 은하는 a → b → c로 갈수록 붉은색을 띠는 별들이 많다.
ㄷ. 정상 나선 은하는 a → b → c로 갈수록 은하핵의 크기가 작다.

① ㄱ ② ㄴ ③ ㄱ, ㄷ
④ ㄴ, ㄷ ⑤ ㄱ, ㄴ, ㄷ

정답과 해설 76쪽

05 그림 (가)는 성운 X와 Y의 상대적인 위치를, (나)는 A~D 각 지점에서 퀘이사를 관측할 때 스펙트럼의 흡수선 및 방출선의 세기와 편이량을 나타낸 것이다.

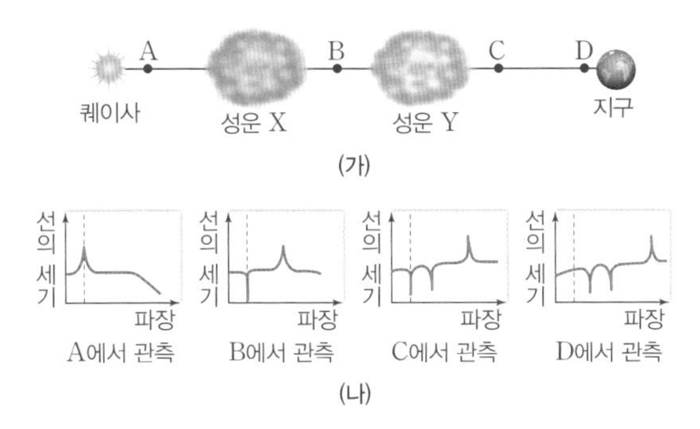

이에 대한 설명으로 옳은 것만을 〈보기〉에서 있는 대로 고른 것은?

보기
ㄱ. 성운 X에서 퀘이사까지의 거리는 성운 X와 Y 사이의 거리보다 멀다.
ㄴ. 현재 성운 X에서 관측한 퀘이사와 지구에서 관측한 퀘이사는 나이가 다르다.
ㄷ. 퀘이사에서 성운 Y를 관측하면 스펙트럼의 청색 편이가 나타난다.

① ㄱ ② ㄷ ③ ㄱ, ㄴ
④ ㄴ, ㄷ ⑤ ㄱ, ㄴ, ㄷ

06 충돌 은하에 대한 설명으로 옳은 것만을 〈보기〉에서 있는 대로 고른 것은?

보기
ㄱ. 은하는 서로 충돌하더라도 각각 은하의 원래 모습을 유지한다.
ㄴ. 큰 나선 은하들이 충돌하면 거대 타원 은하가 생기기도 한다.
ㄷ. 은하들이 충돌하면 은하 안의 별들이 충돌하며 초신성 폭발을 일으킨다.

① ㄱ ② ㄴ ③ ㄱ, ㄷ
④ ㄴ, ㄷ ⑤ ㄱ, ㄴ, ㄷ

[07~08] 그림 (가)~(라)는 여러 외부 은하들의 모습이다.

단답형

07 허블의 은하 분류 기준은 무엇인지 쓰시오.

서술형

08 은하 (가), (다)의 공통점과 차이점을 서술하시오.

서술형

09 다음은 우주에 존재하는 여러 가지 특이 은하이다. 각 은하에 대한 특징을 서술하시오.

전파 은하	세이퍼트은하	퀘이사

02 빅뱅 우주론

핵심 키워드로 흐름잡기

- A 적색 편이, 후퇴 속도
- B 허블 법칙, 빅뱅 우주론
- C 급팽창 이론, 가속 팽창 이론

A 외부 은하의 적색 편이와 후퇴 속도

|출·제·단·서| 시험에는 스펙트럼의 적색 편이와 후퇴 속도와의 관계에 대해 묻는 문제가 나와.

1. 외부 은하의 •적색 편이 멀리 있는 외부 은하의 스펙트럼에서 적색 편이가 관찰된다.

2. 적색 편이가 나타나는 이유 외부 은하가 지구에서 멀어지고 있기 때문이며, 멀리 있는 은하일수록 적색 편이가 크다. ⇨ 멀리 있는 외부 은하일수록 지구로부터 더 빨리 멀어지고 있다.

외부 은하의 적색 편이	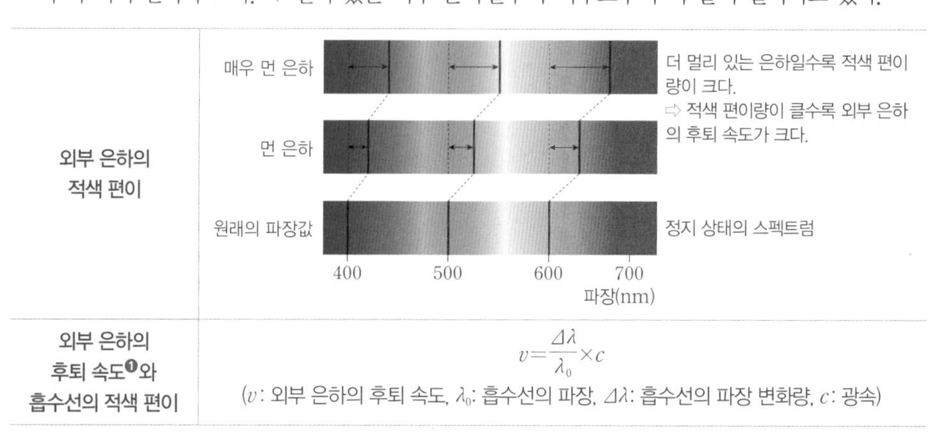
외부 은하의 후퇴 속도❶와 흡수선의 적색 편이	$v=\frac{\Delta\lambda}{\lambda_0}\times c$ (v: 외부 은하의 후퇴 속도, λ_0: 흡수선의 파장, $\Delta\lambda$: 흡수선의 파장 변화량, c: 광속)

❶ **외부 은하의 후퇴 속도**
별빛은 광속(c)으로 이동한다. 관측자에게 별빛이 정지 상태로 관측될 때 파장을 λ_0라 하면, 관측자에게 속도 v로 움직이는 별빛은 $\Delta\lambda$만큼의 파장 변화가 생긴다. 따라서 $c:\lambda_0=v:\Delta\lambda$의 관계가 성립한다.

전자기파 파장의 길이

1 nm, 1 Å, 1 μm, 1 cm 1 m
10^{-10} m, 10^{-9} m, 10^{-6} m, 10^{-2} m
감마선, X선, 자외선, 가시광선, 적외선, 마이크로파, 전파
400~700 nm

- μm: 마이크로미터
  $1\ \mu m=10^{-6}$ m
- nm: 나노미터
  $1\ nm=10^{-9}$ m
- Å: 옹스트롬
  $1\ Å=0.1\ nm=10^{-10}$ m

빈출 탐구 외부 은하의 후퇴 속도 계산

외부 은하의 후퇴 속도로부터 우주가 팽창하고 있음을 알 수 있다.

과정 그림은 여러 외부 은하의 스펙트럼을 나타낸 것이다.

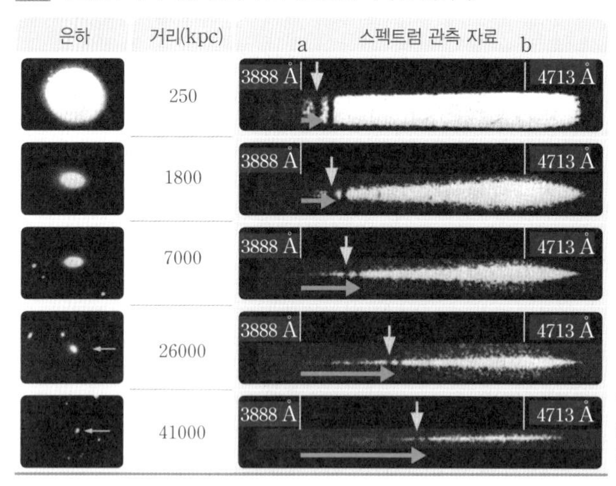

① 그림에서 노란색 화살표( )는 칼슘 흡수선의 값을 가리키고, 정지된 광원에서 파장은 3934 Å이다.
② 초록색 화살표(→)는 칼슘의 흡수선이 적색 편이된 정도를 표시한 것이다.
③ a와 b는 비교 스펙트럼으로, a의 파장은 3888 Å, 4713 Å이다.

각 은하의 적색 편이량은 초록색 화살표의 길이와 a−b 사이의 길이를 비교하여 구할 수 있다.

결과 및 정리

❶ 외부 은하까지의 거리가 멀수록 적색 편이량이 크다.
❷ 외부 은하의 적색 편이량이 커질수록 후퇴 속도도 커진다.
→ 외부 은하까지의 거리가 멀수록 후퇴 속도가 빠르다.

❸ 외부 은하의 스펙트럼에서는 대부분 적색 편이가 나타난다. 안드로메다은하의 스펙트럼에서도 적색 편이가 나타날지 생각해 보자.
⇨ 멀리 떨어져 있는 대부분의 외부 은하들에서는 적색 편이가 관측된다. 그러나 안드로메다은하는 우리은하와 매우 가깝기 때문에 우주 팽창의 영향보다 중력의 영향이 더 크게 작용하여 가까워지고 있다. 따라서 안드로메다은하의 스펙트럼에서는 청색 편이가 나타난다.

용어 알기
• 적색 편이(붉다 赤, 색 色, 쏠리다 偏, 이동하다 移) 스펙트럼이 붉은색 쪽으로 이동하는 현상

B 허블 법칙과 빅뱅 우주론

|출·제·단·서| 시험에는 허블 법칙과 빅뱅 우주론의 증거에 대한 문제가 나와.

1. 허블 법칙의 발견 허블은 외부 은하까지의 거리와 스펙트럼 분석으로 얻은 후퇴 속도와의 관계로부터 허블 법칙을 발견하였다. 모든 은하들이 우리은하로부터 멀어지고 있으며, 그 속도는 은하들까지의 거리에 비례한다.

(1) 허블 법칙 멀리 있는 은하일수록 후퇴 속도가 더 빠르다.

⇨ 우주가 팽창하고 있음을 말해 준다.

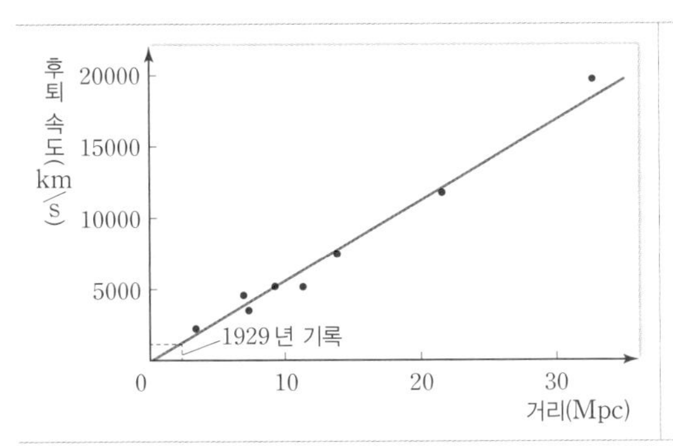

- 은하의 후퇴 속도(v)는 외부 은하까지의 거리(r)에 비례한다.
  ⇨ 멀리 있는 은하일수록 빠르게 멀어진다.

$v=H\times r$
(H: 허블 상수❷)

- 기울기$=\dfrac{v}{r}=H$(허블 상수)
  ⇨ 기울기가 클수록 허블 상수가 크다.

(2) 우주의 팽창❸ 우주의 팽창은 공간 자체가 팽창하고 있는 것이므로 모든 은하는 서로 멀어지고 있다.❹ 우주의 팽창률은 허블 상수로 알 수 있다.

① 우주가 팽창하고 있다면 과거의 우주는 지금보다 작았을 것이다. 따라서 시간을 거꾸로 거슬러 올라가면 최초의 우주는 한 점의 상태가 된다. ⇨ 이를 통해 우주의 나이를 유추할 수 있다.

② **우주의 나이 유추**

> ❶ 우주가 탄생한 이후 광속으로 팽창하였다고 가정한다.
> ❷ 우주의 끝에서 후퇴 속도는 광속과 같으므로 $c=H\times r$이 성립한다.
> ❸ 따라서 우주의 크기(r)는 $\dfrac{c}{H}$이다.
> ❹ 속도 v는 거리(r)에서 시간(t)을 나눈 값이므로 우주의 나이(t)는 $\dfrac{1}{H}$이다. 이는 허블 상수(H)의 역수이다. 허블 상수를 정확히 결정하면 우주의 끝에 있는 은하까지의 거리도 알아낼 수 있다. 이때 우주 끝에 있는 은하까지의 거리가 바로 우주의 크기이다.

③ 다른 은하가 우리은하와 떨어진 현재 거리에 도달하는 데 얼마만큼의 시간이 걸렸는지를 알면 우주의 나이를 알 수 있다는 결론이 나온다. ⇨ 최근 관측 결과에 따르면 우주의 나이는 약 138억 년이다.

2. 빅뱅 우주론(대폭발 우주론) 개념 POOL 온도와 밀도가 매우 높은 한 점에서 대폭발(빅뱅)이 일어나 우주가 형성되었다고 설명하는 이론으로, 1948년 가모프가 발표하였다.

정상 우주론	우주는 밀도를 일정하게 유지한 채 물질이 계속 생성되면서 팽창한다. ⇨ 우주가 팽창하면서 물질이 계속 생겨나기 때문에 우주가 팽창하더라도 은하의 밀도는 변하지 않는다.	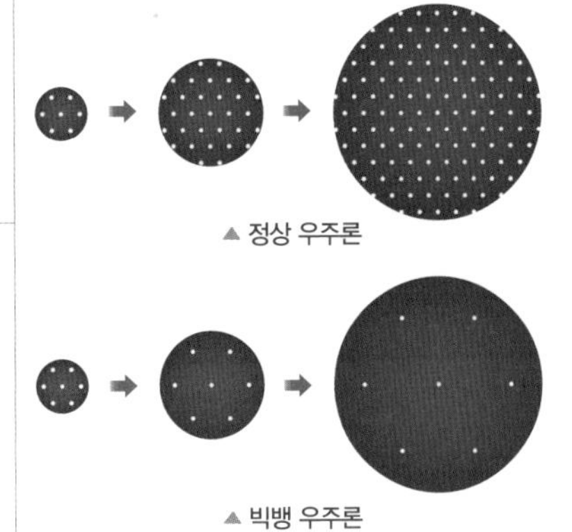 ▲ 정상 우주론
빅뱅 우주론	우주는 고온·고밀도 상태의 한 점에서 폭발하여 팽창하면서 식어 왔다. ⇨ 우주가 한 점에서 폭발하여 팽창하기 때문에 은하의 •개수 밀도가 감소한다.	▲ 빅뱅 우주론

❷ 허블 상수
허블이 구한 허블 상수 값은 약 500 km/s/Mpc이다.
최근에 측정된 허블 상수 값은 67.80 km/s/Mpc이다. 이것은 우리은하에서 1 Mpc만큼 떨어져 있는 외부 은하의 후퇴 속도가 67.80 km/s라는 것을 나타낸다.

거리를 나타내는 단위
1 Mpc＝1000000 pc
1 pc＝3.086×10^{16} m
광속(c)＝3.0×10^{5} km/s

❸ 우주 팽창 비유
풍선이 두 배 부풀어 오를 때 2 cm 거리에 있던 스티커는 4 cm 거리로 멀어지지만 4 cm나 8 cm의 거리에 있던 스티커는 각각 8 cm와 16 cm 거리로 멀어진다.

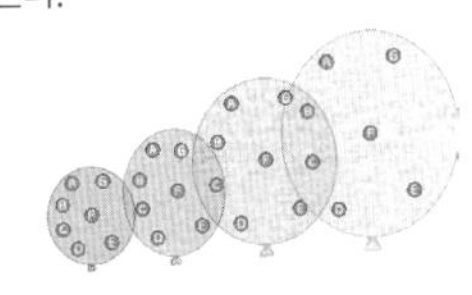

풍선이 팽창함에 따라 점들이 멀어지는 것처럼 우주가 팽창하면서 은하들도 서로 멀어지고 있어.

❹ 우주의 중심
우리은하가 우주의 중심에 위치하는 것처럼 생각하기 쉽다. 그러나 허블 법칙은 우주 어디에서나 똑같이 성립하므로 팽창하는 우주에서 중심을 정할 수 없다.

용어 알기
•개수 밀도(낱낱 個, 수량 數, 촘촘하다 密, 정도 度) 어느 공간에서 물체가 몇 개 정도 들어 있는지를 나타내는 단위

3. 빅뱅 우주론의 증거 개념 POOL

관측을 통해서 빅뱅 우주론에서 예측했던 사실이 발견되면서 현재는 빅뱅 우주론이 가장 설득력 있는 우주론이다.

(1) 수소와 헬륨의 질량비

① 빅뱅 우주론에서는 빅뱅 후 우주 초기에 수소와 헬륨의 질량비를 3 : 1로 예상하였다.

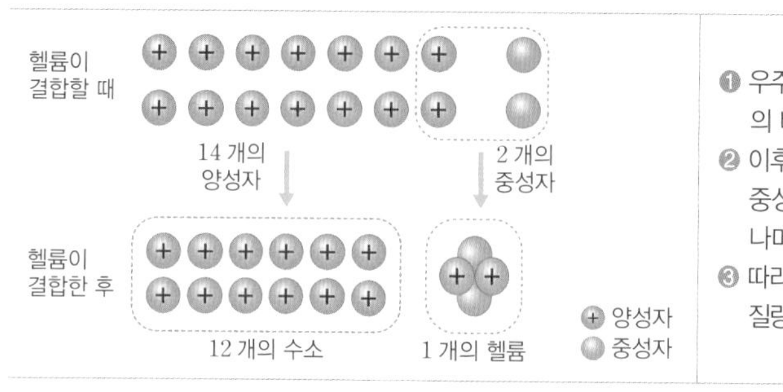

❶ 우주 초기에 양성자와 중성자가 7 : 1의 비율로 만들어졌다.
❷ 이후 핵합성이 일어나 양성자 2개와 중성자 2개가 헬륨 원자핵을 만들고 나머지 양성자는 수소 원자핵이 된다.
❸ 따라서 수소 원자핵과 헬륨 원자핵의 질량비는 12 : 4=3 : 1이다.

② 실제 관측을 통해 자연 상태의 원소들이 존재하는 질량비를 조사한 결과 약 3 : 1임을 알아냈다. 이는 빅뱅 우주론에서 계산한 수소와 헬륨의 질량비와 일치한다.

(2) •우주 배경 복사❺

① 우주 형성 이후 38만 년이었을 때 우주의 온도가 내려가면서 원자가 형성되기 시작하고, 이때 자유롭게 빠져나온 빛이 현재 우주 전체에서 남아 있을 것이라고 예상하였다.

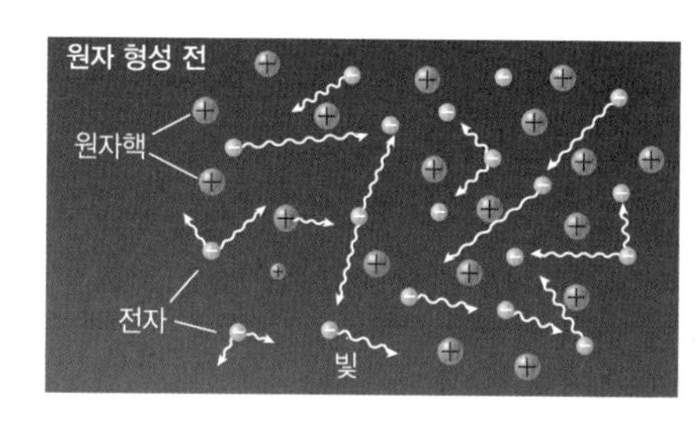

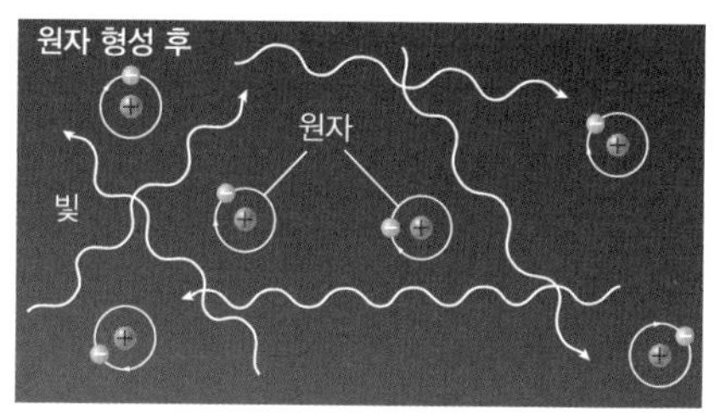

② 실제로 1964년 펜지어스와 윌슨이 처음 전파 망원경으로 2.7 K에 해당하는 우주 배경 복사를 발견하였고, 이후 다양한 우주 망원경을 통해 우주 배경 복사를 정밀하게 관측하였다.

③ 우주 배경 복사에 나타나는 미세한 온도 차는 초기 우주에 미세한 밀도 차가 존재했다는 것을 의미한다.

펜지어스와 윌슨의 관측 결과(1965년 논문)

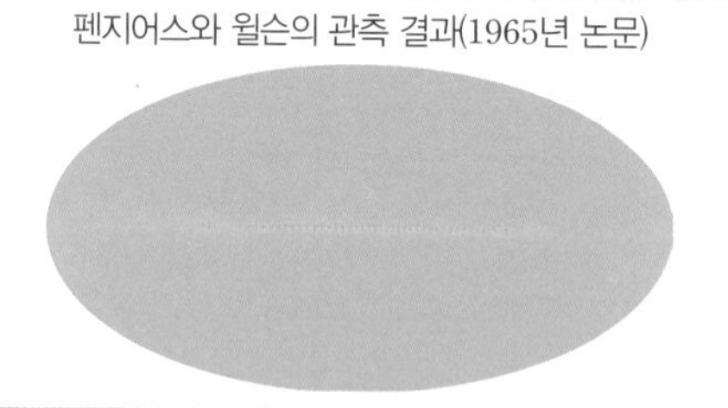

코비(COBE) 망원경의 관측 결과(1992년)

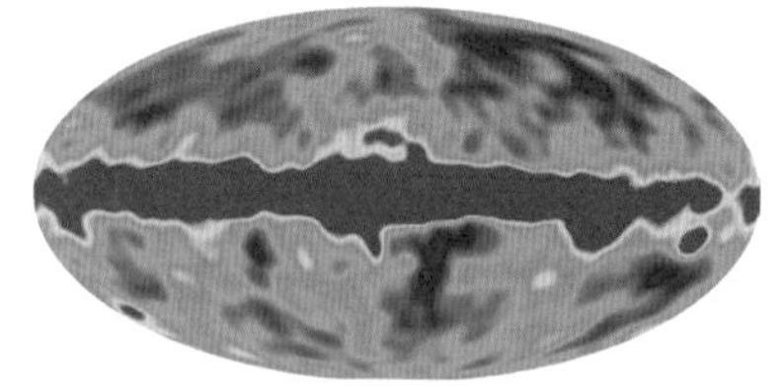

더블유맵(WMAP) 망원경의 관측 결과(2003년)

플랑크(Plank) 망원경의 관측 결과(2013년)

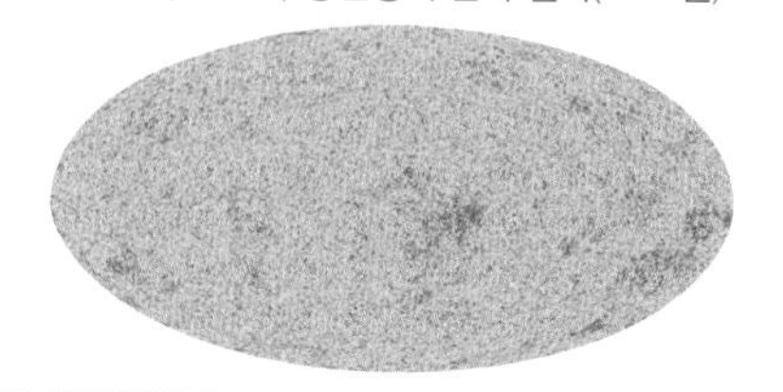

관측 기술의 발달로 국지적으로 미세한 온도 변화(밀도 불균일)가 관측되었다.

(3) 퀘이사(외부 은하 스펙트럼의 적색 편이)

① 퀘이사는 우주가 형성된 후 10~20억 광년 지역의 과거 우주에 집중적으로 분포한다.

② 이와 같은 특성은 우주의 모습은 시간에 따라 변화한다는 빅뱅 우주론에 의한 우주 팽창 현상을 뒷받침한다.

---

❺ 우주 배경 복사

우주 배경 복사가 처음 생성되었을 당시 우주의 온도는 약 3000 K이었고, 우주가 팽창하면서 온도는 계속 낮아졌을 것이다. 현재 우주 전역에서 약 2.7 K에 해당하는 복사가 관측되며, 이는 초기 우주 배경 복사가 냉각된 것이다.

암기TiP

빅뱅 우주론의 증거
- 수소와 헬륨의 질량비(3 : 1)
- 우주 배경 복사 관측

용어 알기

•우주 배경 복사(하늘 宇, 하늘 宙, 등지다 背, 경치 景, 바퀴살 輻, 쏘다 射) 우주의 모든 방향을 향해 방출하는 현상

C 급팽창 이론과 가속 팽창 이론

|출·제·단·서| 시험에는 급팽창 이론과 가속 팽창 이론으로 설명되는 부분에 대한 문제가 나와.

1. 급팽창(인플레이션) 이론❻ 우주 탄생 직후 극히 짧은 시간 동안 우주가 급격히 팽창했다는 이론으로, 빅뱅 우주론이 해결하지 못한 몇 가지 문제점을 설명하였다.

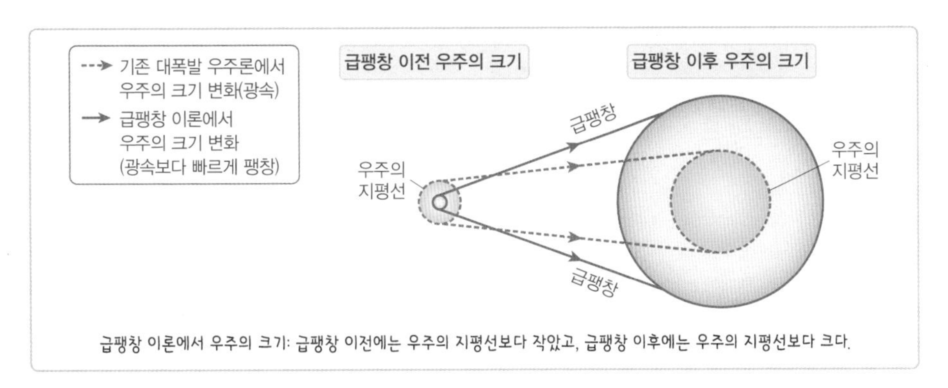

급팽창 이론에서 우주의 크기: 급팽창 이전에는 우주의 지평선보다 작았고, 급팽창 이후에는 우주의 지평선보다 크다.

2. 급팽창 이론이 해결한 문제

자기 단극자❼ 문제	빅뱅 초기에 생성된 수많은 자기 단극자가 현재 발견되지 않는다. ⇨ 우주가 짧은 시간 동안 너무 크게 팽창하여 자기 단극자의 밀도가 찾기 힘들 정도로 낮아졌기 때문이다.
우주의 지평선❽ 문제	서로 정보를 교환할 수 없을 만큼 멀리 떨어진 우주의 반대쪽 지평선에서 관측되는 우주 배경 복사가 균일하다. ⇨ 우주가 처음에 어느 정도는 가깝게 붙어 있다가 그 후 급격히 팽창했기 때문이다.
우주의 평탄성 문제	현재 관측되는 우주의 공간적인 곡률은 거의 0에 가까우며, 이러한 평탄 우주가 가능하려면 우주의 밀도가 •임계 밀도와 정확히 일치해야만 한다. ⇨ 두 밀도가 일치하기 보다는 우주의 실제 모습과는 상관없이 우주가 너무 많이 팽창해서 우리가 볼 수 있는 영역에서는 평탄하게 느낄 수 밖에 없기 때문이다.

3. 가속 팽창 이론 먼 과거의 우주는 느리게 팽창하였지만, 최근의 우주는 빠르게 팽창한다.

텅 빈 우주(Ω❾$=0$)	우주의 팽창 속도를 비교해 보기 위한 기준이 되는 가상의 우주로 우주에 중력을 미칠 수 있는 물질(에너지)이 전혀 없다면 우주는 일정한 속도로 팽창할 것이다.
열린 우주($\Omega<1$), 평탄 우주($\Omega=1$), 닫힌 우주($\Omega>1$)	• 우주의 평균 밀도가 임계 밀도보다 작을 때는 열린 우주, 평균 밀도와 임계 밀도가 같으면 평탄 우주, 평균 밀도가 임계 밀도보다 클 때는 닫힌 우주이다. • 우주는 텅 비어 있지 않기 때문에 이 세 가지 우주 중 하나가 우리의 우주일 것이라고 예상하였다. ⇨ 공통점: 우주의 팽창 속도가 줄어들고 있다.
가속 팽창 우주	실제 멀리 있는 은하의 팽창 속도를 알아낸 결과 우주의 팽창 속도는 줄어들지 않고 오히려 점점 빨라지고 있다는 것을 알아내었다. (그래프: 우주의 척도 / 시간 — 가속 팽창 우주, 텅 빈 우주, 열린 우주, 평탄 우주, 닫힌 우주, 빅뱅, 현재) 시간에 따른 우주의 팽창을 보여 주는 서로 다른 네 가지 모형과 기준이 되었던 텅 빈 우주를 나타낸 그래프이다. Ia 초신성❿을 관측하여 얻은 자료는 빨간색 그래프인 가속 팽창 우주에 해당하는 그래프와 거의 일치한다. ⇨ 즉, 현재 우리의 우주는 가속 팽창하고 있다.

❻ 우주의 팽창 속도
시공간 내에서는 어떤 물체가 광속 이상으로 운동하는 것이 불가능하지만, 공간 자체의 팽창 속도는 광속을 넘을 수 있다.

❼ 자기 단극자(자기 홀극)
N극과 S극을 독립적으로 갖는 이론적인 가상의 입자이다. 즉, 항상 N극과 S극을 가지고 있는 자석과 달리 N극 혹은 S극만을 가지고 있는 자석이라고 생각할 수 있다.

❽ 우주의 지평선
우주가 광속으로 팽창한다고 가정할 때 우주의 크기이며, 우주의 지평선의 반지름은 광속과 우주 나이를 곱한 값이다. 우주의 지평선 밖에서 방출된 빛은 지구에서 관측할 수 없다.

❾ Ω(오메가)
우주의 밀도를 임계 밀도로 나눈 값을 '밀도 변수'라고 부르고, Ω(오메가)로 표시한다.

❿ Ia형 초신성
이 종류의 초신성은 최대 광도가 일정하고 매우 밝기 때문에 거리를 측정할 수 있다. 즉, Ia형 초신성이 속해 있는 은하까지의 거리를 재는 척도로 사용된다.

용어 알기
•임계 밀도(지키다 臨, 경계 界, 촘촘하다 密, 정도 度)
어느 현상이 기존과 다르게 나타나기 시작하는 경계의 밀도

빅뱅 우주론

목표 빅뱅 우주론의 과정과 증거에 대해 설명할 수 있다.

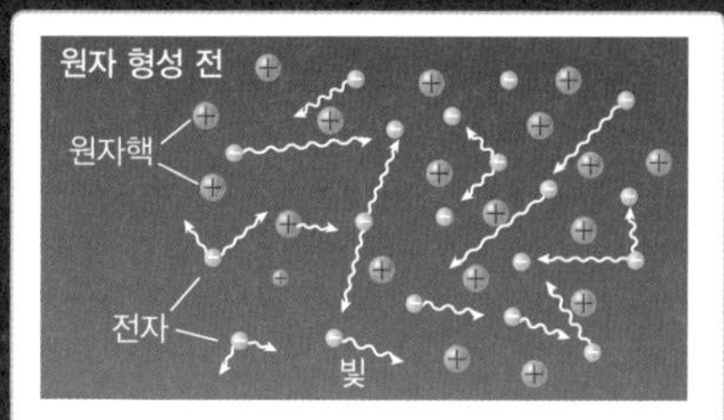

초고온 상태의 우주 초기 핵자 시대에는 광자(하얀 화살표)가 자유 전자와 빈번하게 충돌 ⇨ 짙은 안개

⇩

38만 년 후
온도가 내려감

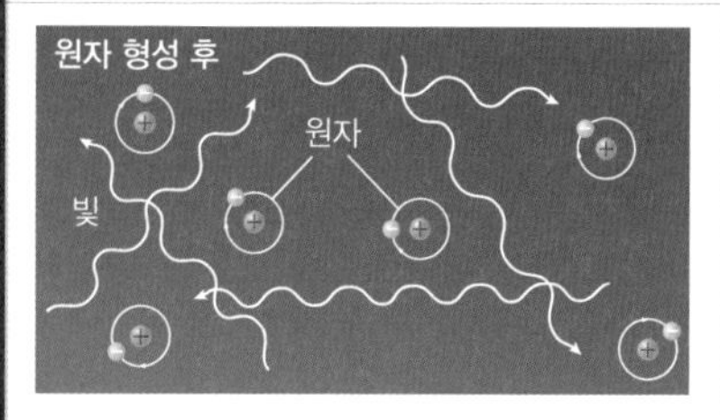

전자들을 포획한 이후 원자 시대에는 광자가 자유롭게 움직임 ⇨ 우주가 맑게 갬

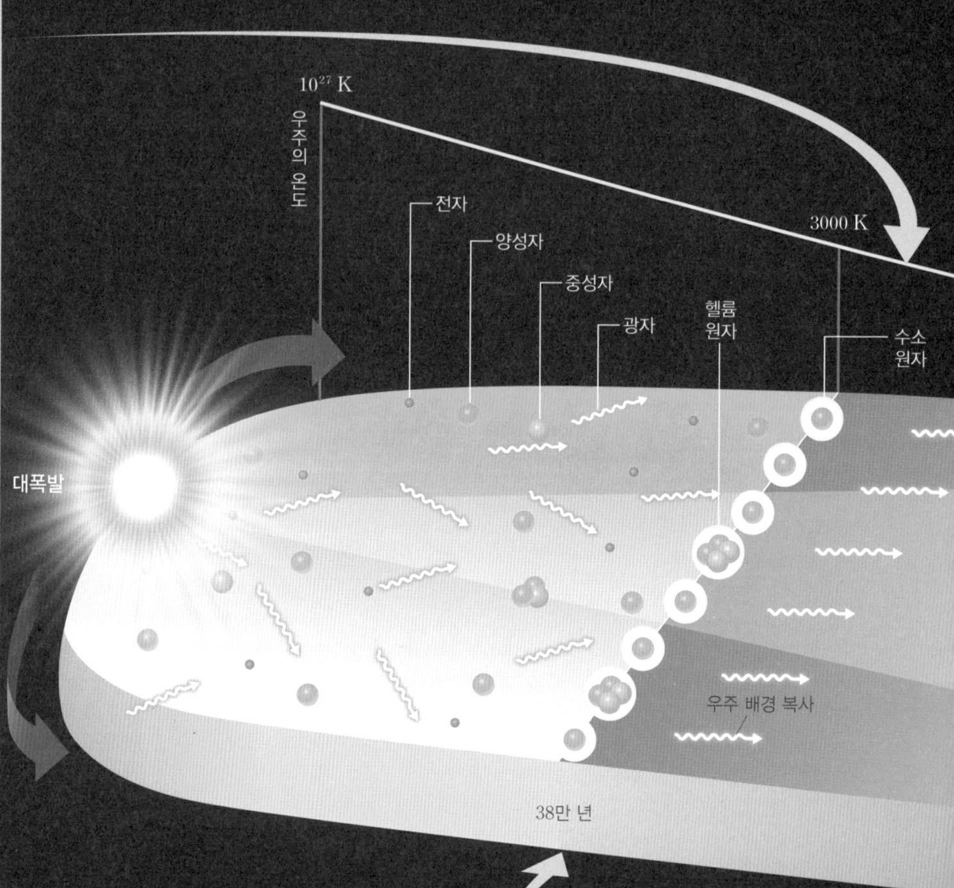

빅뱅 우주론의 증거 1

빅뱅 우주론을 통해 예측한 수소와 헬륨의 질량비와 실제 분포하는 질량비가 일치!

❶ 예측한 질량비
수소 : 헬륨＝3 : 1

❷ 우주 초기에 생성된
양성자 : 중성자(개수비)＝7 : 1

❸ 핵 합성 후
수소 원자핵 : 헬륨 원자핵(질량비)＝3 : 1

헬륨이 결합할 때
14 개의 양성자
2 개의 중성자
헬륨이 결합한 후
12 개의 수소
1 개의 헬륨
⊕ 양성자 ● 중성자

빅뱅 우주론의 증거 2

빅뱅 우주론을 통해 예측한 우주 배경 복사가 관측됨!

우주 배경 복사가 처음 생성되었을 당시 우주의 온도는 약 3000 K이었고, 우주가 팽창하면서 온도는 계속 낮아져 현재 우주 전역에서 약 2.7 K 우주 배경 복사가 관측됨

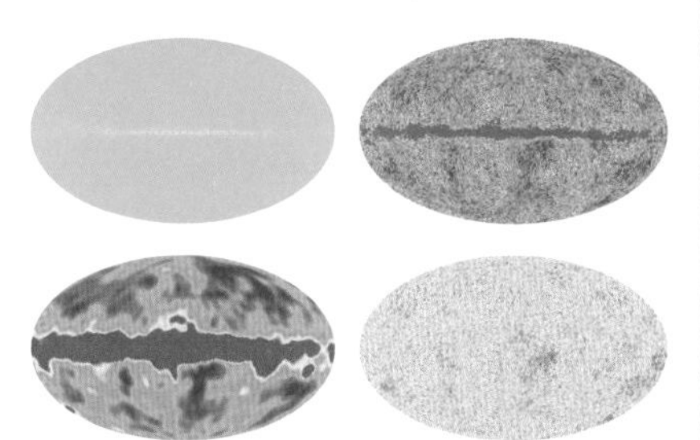

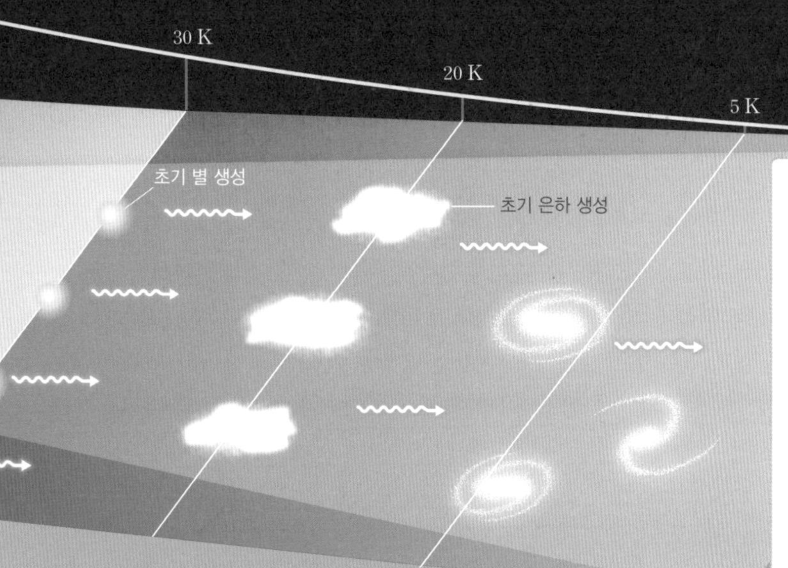

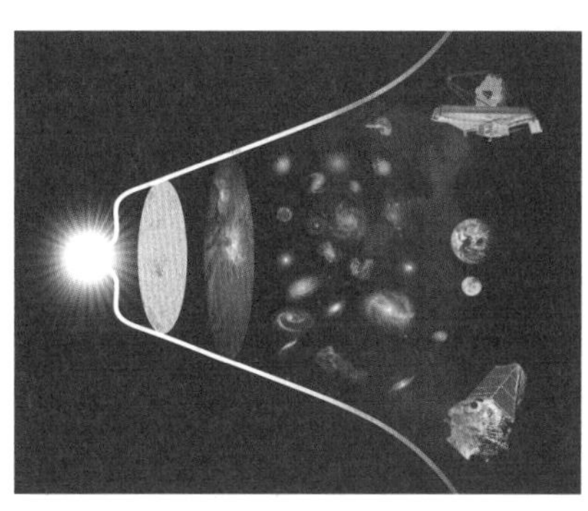

빅뱅+급팽창 우주+가속 팽창 우주

❶ 약 138억 년 전에 빅뱅으로 우주 탄생
❷ 급팽창(인플레이션)이 일어남
❸ 우주 탄생 약 38만 년 후에 우주가 투명해지면서 우주 배경 복사 방출 (현재 2.7 K)
❹ 급팽창 과정에서의 미세한 밀도 차이로 은하와 별 탄생
❺ 현재의 우주는 팽창 속도가 점점 빨라지는 가속 팽창 중

한 줄 핵심 빅뱅 우주론의 증거로는 수소와 헬륨의 질량비와 우주 배경 복사가 있다.

확인 문제

정답과 해설 77쪽

01 빅뱅 우주론을 뒷받침하는 관측적인 증거 2가지는 무엇인지 쓰시오.

02 우주 배경 복사에 대한 설명으로 옳은 것은 ○, 옳지 않은 것은 ×로 표시하시오.

(1) 하늘의 모든 방향에서 관측된다. ( )

(2) 우주의 온도가 2.7 K일 때 방출된 것이다. ( )

(3) 우주 배경 복사는 최초로 방출된 이후 파장이 점차 길어졌다. ( )

콕콕! 개념 확인하기

정답과 해설 77쪽

✔ 잠깐 확인!

1. 적색 편이량이 클수록 외부 은하의 □□ □□가 크다.

2. □□ □□ 우리로부터 거리가 먼 은하일수록 후퇴 속도가 더 빠르다는 법칙

3. □□ □□□ 우주는 밀도를 일정하게 유지한 채 물질이 계속 생성되면서 팽창한다는 우주론

4. □□ □□□ 우주는 고온·고밀도 상태의 한 점에서 폭발하여 팽창하면서 식어 왔다는 우주론

5. □□□ □□ 우주 탄생 직후 극히 짧은 시간 동안 우주가 급격히 팽창했다는 이론

6. □□□ □□□ 우주가 광속으로 팽창한다고 가정할 때 우주의 크기

7. □□ □□ □□ 팽창 속도가 줄어들지 않고 오히려 점점 빨라지고 있는 우주

A 외부 은하의 적색 편이와 후퇴 속도

01 다음 (　　) 안에 들어갈 알맞은 말을 쓰시오.

(1) 외부 은하의 스펙트럼을 조사하면 흡수선이 원래 관측되어야 할 파장 영역보다 더 적색 쪽으로 이동되어 있는 (　　　) 현상이 관찰된다.

(2) 외부 은하에서 적색 편이가 나타난다는 것은 외부 은하가 지구로부터 (　　　)지고 있다는 것을 의미한다.

(3) 멀리 있는 은하일수록 적색 편이가 (㉠) 나타나며, 이것은 멀리 있는 외부 은하일수록 지구로부터 더 (㉡) 멀어지고 있다는 것을 의미한다.

B 허블 법칙과 빅뱅 우주론

02 다음 (　　) 안에 들어갈 알맞은 말을 쓰시오.

(1) 1929년 허블은 멀리 있는 은하일수록 후퇴 속도가 더 빠르다는 (㉠)을 발표하였고, 이는 (㉡)라는 식으로 나타낼 수 있다.

(2) 팽창하고 있는 우주 내에서는 어느 곳에서 관측하든 멀어져 가는 은하를 볼 수 있으므로 (　　　)을 정할 수 없다.

(3) 허블 상수의 역수를 취하면 (　　　)를 알 수 있다.

(4) (　　　)은 우주가 고온과 고밀도 상태의 한 점에서 폭발하여 팽창하면서 식어 왔다는 이론이다.

(5) 빅뱅 우주론을 뒷받침하는 관측적 증거에는 (　　　), (　　　) 등이 있다.

C 급팽창 이론과 가속 팽창 이론

03 다음 (　　) 안에 들어갈 알맞은 말을 쓰시오.

(1) 급팽창 이론은 빅뱅 우주론이 해결하지 못한 (　　　) 문제, (　　　) 문제, (　　　) 문제를 해결하였다.

(2) 과학자들은 은하들에서 Ia형 초신성들이 예상했던 것보다 더 멀리 있다는 사실을 발견하고, 그 결과 우리는 (　　　)하는 우주에 살고 있다고 결론을 내렸다.

탄탄! 내신 다지기

정답과 해설 77쪽

A 외부 은하의 적색 편이와 후퇴 속도

01 그림은 외부 은하의 스펙트럼을 조사한 결과이다.

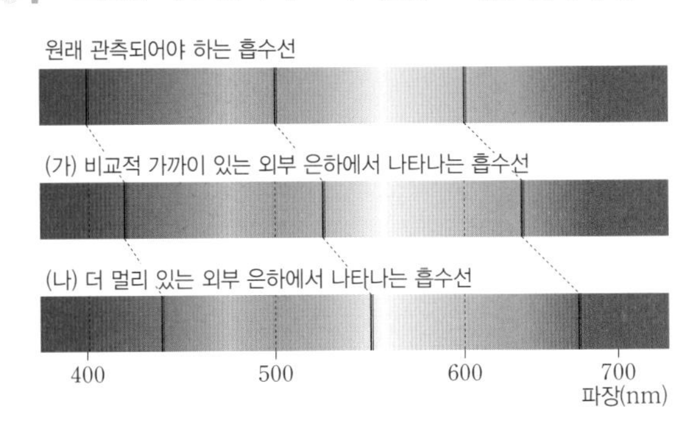

이에 대한 설명으로 옳은 것만을 ⟨보기⟩에서 있는 대로 고른 것은?

> 보기
> ㄱ. (가) 은하는 지구로부터 멀어지고 있다.
> ㄴ. (가) 은하의 후퇴 속도가 (나) 은하보다 느리다.
> ㄷ. (가), (나)를 보았을 때 우주가 팽창하고 있음을 알 수 있다.

① ㄱ ② ㄴ ③ ㄱ, ㄷ
④ ㄴ, ㄷ ⑤ ㄱ, ㄴ, ㄷ

B 허블 법칙과 빅뱅 우주론

02 허블 상수를 결정하기 위해 필요한 것만을 ⟨보기⟩에서 있는 대로 고른 것은?

> 보기
> ㄱ. 은하의 종류 ㄴ. 은하의 거리
> ㄷ. 은하의 적색 편이 ㄹ. 은하의 나이

① ㄱ ② ㄴ ③ ㄱ, ㄷ
④ ㄴ, ㄷ ⑤ ㄱ, ㄴ, ㄷ

03 그림은 외부 은하까지의 거리와 그 은하의 후퇴 속도를 나타낸 것이다.

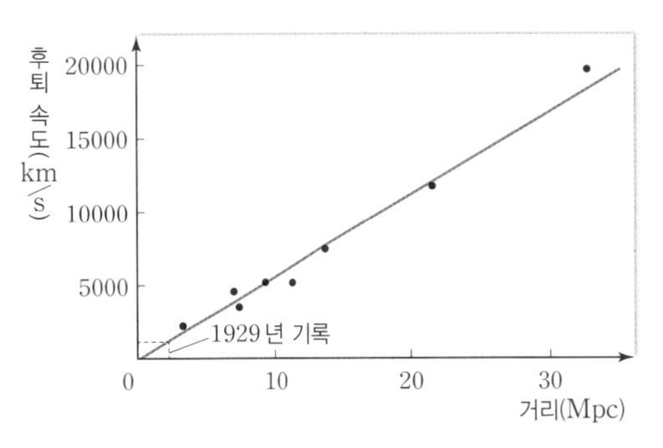

이에 대한 설명으로 옳은 것만을 ⟨보기⟩에서 있는 대로 고른 것은?

> 보기
> ㄱ. 거리가 먼 은하일수록 후퇴 속도가 더 빠르다.
> ㄴ. 거리를 r, 속도를 v, 비례 상수를 H라고 하면 $v=Hr$로 표현할 수 있다.
> ㄷ. 기울기는 대략 500 km/s/Mpc이다.

① ㄱ ② ㄷ ③ ㄱ, ㄴ
④ ㄴ, ㄷ ⑤ ㄱ, ㄴ, ㄷ

04 허블 상수에 대한 설명으로 옳은 것만을 ⟨보기⟩에서 있는 대로 고른 것은?

> 보기
> ㄱ. 허블 상수는 후퇴 속도와 은하까지의 거리에 대한 관계로 알 수 있다.
> ㄴ. 허블 상수의 역수는 우주의 나이에 해당한다.
> ㄷ. 허블 상수의 값은 관측치의 정확도에 따라 조금씩 변해 왔다.

① ㄱ ② ㄴ ③ ㄱ, ㄷ
④ ㄴ, ㄷ ⑤ ㄱ, ㄴ, ㄷ

05 그림은 팽창하는 우주의 모습을 풍선 모형으로 나타낸 것이다.

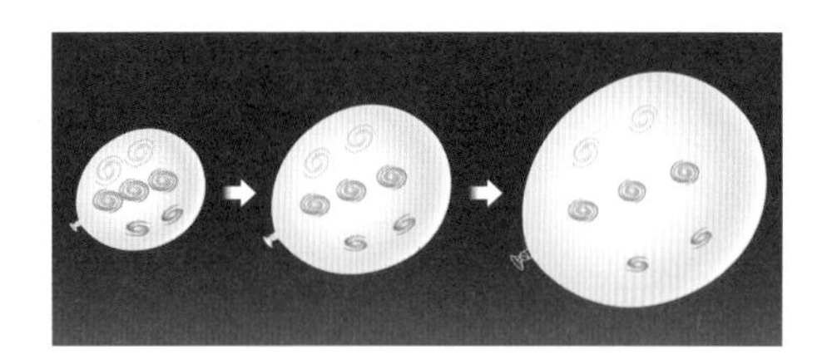

이에 대한 설명으로 옳은 것은?

① 풍선 내부는 우주에 해당한다.
② 풍선 표면에서는 팽창의 중심이 없다.
③ 동전은 우리은하 안에 있는 별에 해당한다.
④ 가까운 동전 사이의 거리가 더 빨리 멀어진다.
⑤ 풍선이 계속 팽창하더라도 동전 사이의 거리는 일정하게 유지된다.

06 우주의 팽창과 허블 법칙에 대한 설명으로 옳은 것은?

① 우주는 우리은하를 중심으로 팽창하고 있다.
② 우주가 팽창함에 따라 은하 자체도 팽창하고 있다.
③ 멀리 있는 은하일수록 적색 편이 현상이 더 크게 나타난다.
④ 은하의 청색 편이를 측정하여 은하의 후퇴 속도를 구할 수 있다.
⑤ 은하의 거리가 멀어짐에 따라 후퇴 속도는 일정한 값으로 수렴한다.

단답형

07 빅뱅 우주론에 대한 설명 중 ( ) 안에 들어갈 알맞은 말을 쓰시오.

(1) 초기 우주의 온도와 밀도는 (㉠), (㉡) 상태였다.
(2) 빅뱅 우주론을 뒷받침하는 관측적인 증거는 우주 (㉠) 복사, (㉡)와 헬륨의 질량비이다.
(3) 대폭발 이후 우주의 온도는 점점 ( ), 어두운 상태가 된다.

08 그림은 20세기 초 경쟁했던 두 개의 서로 다른 우주론을 모식적으로 나타낸 것이다.

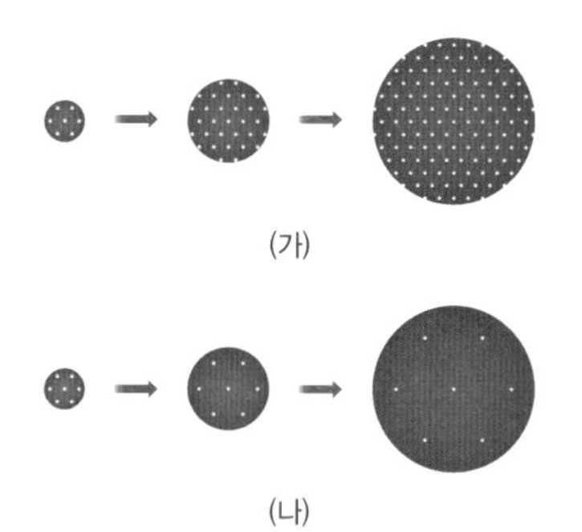

이에 대한 설명으로 옳은 것만을 〈보기〉에서 있는 대로 고른 것은?

보기
ㄱ. (가)와 (나) 모두 팽창하는 우주를 기본으로 전제한다.
ㄴ. (가)는 현재 가장 설득력 있는 우주론으로 받아들여지고 있다.
ㄷ. (나)는 우주의 크기와 상관없이 밀도가 일정하게 유지된다.

① ㄱ ② ㄴ ③ ㄱ, ㄷ
④ ㄴ, ㄷ ⑤ ㄱ, ㄴ, ㄷ

09 빅뱅 우주론의 증거에 대한 설명으로 옳은 것만을 〈보기〉에서 있는 대로 고른 것은?

보기
ㄱ. 2.7 K의 우주 배경 복사가 현재 관측되며, 이것이 빅뱅 우주론의 결정적인 증거이다.
ㄴ. 이론적으로 계산한 수소와 헬륨의 질량비와 실제 관측 결과가 수소 75 %, 헬륨 25 %로 일치하였다.
ㄷ. 여러 가지 관측적인 증거로 현재 정상 우주론이 빅뱅 우주론보다 설득력 있는 우주론으로 인정된다.

① ㄱ ② ㄷ ③ ㄱ, ㄴ
④ ㄴ, ㄷ ⑤ ㄱ, ㄴ, ㄷ

C 급팽창 이론과 가속 팽창 이론

10 Ia형 초신성과 우주의 가속 팽창에 대한 설명으로 옳지 않은 것은?

① Ia형 초신성들의 최대 밝기는 거의 일정하다.
② Ia형 초신성을 관측하여 멀리 있는 은하의 거리를 구할 수 있다.
③ 초신성의 최대 밝기는 우주가 등속 팽창하는 경우에 비하여 더 어둡다.
④ 멀리 있는 은하의 팽창 속도를 측정한 결과 우주의 팽창 속도는 오히려 점점 빨라지고 있다.
⑤ 빅뱅 이후 우주는 계속해서 가속 팽창하고 있다.

[11~12] 그림은 빅뱅 이후 시간에 따른 우주의 크기 변화를 A~E의 다섯 가지 모형으로 나타낸 것이다.

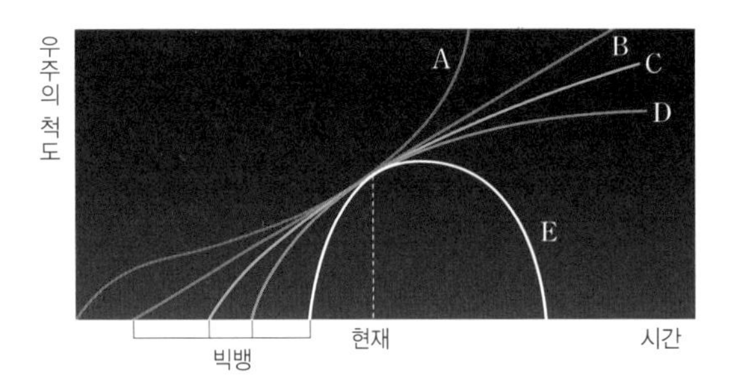

11 A~E에 해당하는 우주 모형의 명칭으로 옳게 짝지은 것은?

① A − 가속 팽창 우주
② B − 평탄 우주
③ C − 닫힌 우주
④ D − 열린 우주
⑤ E − 텅 빈 우주

12 이에 대한 설명으로 옳은 것만을 〈보기〉에서 있는 대로 고른 것은?

보기
ㄱ. Ia형 초신성 관측을 통해 얻은 자료는 A 모형과 일치한다.
ㄴ. B 모형은 우주에 중력을 미칠 수 있는 물질이 없다고 가정했을 때에 나타나는 모습을 나타낸 것이다.
ㄷ. 현재 과학자들은 우리 우주의 모습을 A 모형에 해당한다고 생각하고 있다.

① ㄱ ② ㄴ ③ ㄱ, ㄷ
④ ㄴ, ㄷ ⑤ ㄱ, ㄴ, ㄷ

도전! 실력 올리기

01 그림은 우리은하로부터 멀리 떨어져 있는 세 은하 A, B, C의 흡수 스펙트럼을 나타낸 것이다.

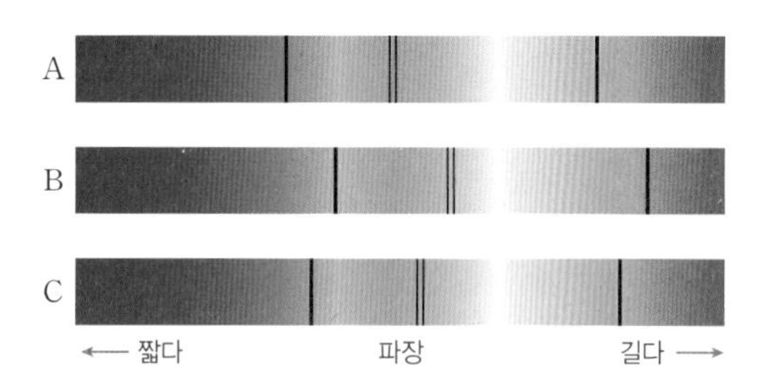

세 은하까지의 거리를 비교한 것으로 옳은 것은?

① A > B > C ② A > C > B
③ B > A > C ④ B > C > A
⑤ C > A > B

출제예감

02 그림은 외부 은하들의 거리에 따른 후퇴 속도를 나타낸 것이다.

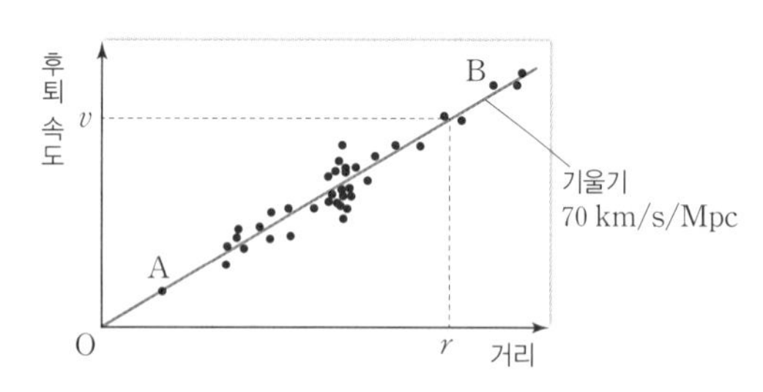

이에 대한 설명으로 옳은 것만을 〈보기〉에서 있는 대로 고른 것은?

보기
ㄱ. A 은하는 B 은하보다 적색 편이량이 작다.
ㄴ. 그래프의 기울기의 역수는 허블 상수를 의미한다.
ㄷ. 멀리 있는 은하일수록 더 빨리 멀어지고 있다.

① ㄱ ② ㄴ ③ ㄱ, ㄷ
④ ㄴ, ㄷ ⑤ ㄱ, ㄴ, ㄷ

03 그림은 우주 팽창을 설명하기 위해 풍선 표면에 스티커를 붙이고 풍선을 불었을 때를 나타낸 것이다.

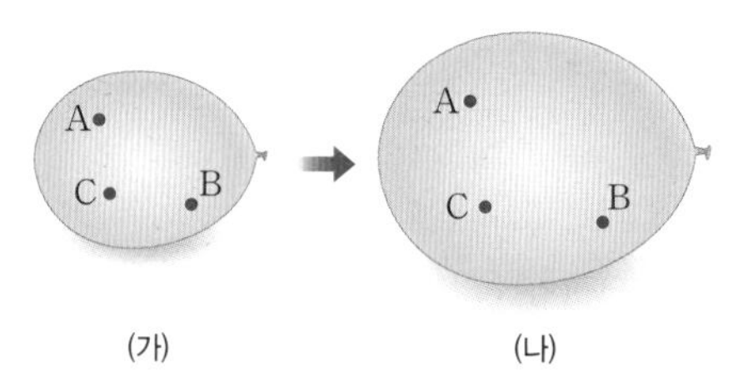

이에 대한 설명으로 옳은 것만을 〈보기〉에서 있는 대로 고른 것은?

보기
ㄱ. A~B가 3 cm 멀어진다면, A~C도 3 cm 멀어진다.
ㄴ. (가)에서 (나)로 팽창하는 동안 풍선의 팽창에는 중심이 없다.
ㄷ. A~C 사이의 거리가 2배 멀어지는 동안 A~B 사이의 거리도 2배 멀어진다.

① ㄱ ② ㄷ ③ ㄱ, ㄴ
④ ㄴ, ㄷ ⑤ ㄱ, ㄴ, ㄷ

04 그림은 우주 배경 복사 관측 결과를 나타낸 것이다.

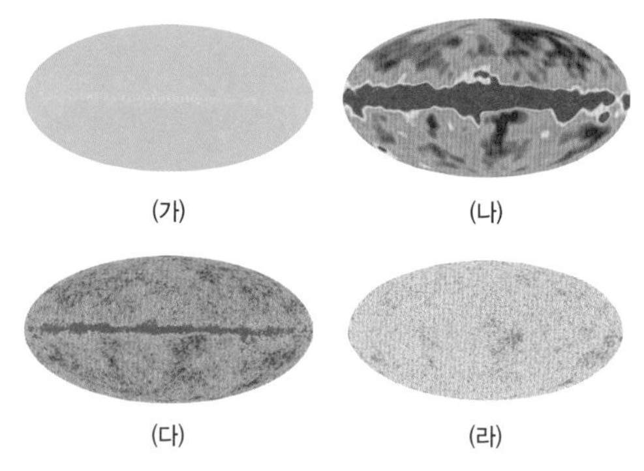

이에 대한 설명으로 옳은 것만을 〈보기〉에서 있는 대로 고른 것은?

보기
ㄱ. (가)는 지상에서 전파 망원경을 통해 관측된 것이다.
ㄴ. (나)는 우주에서 관측한 것으로 우주 배경 복사의 비균일성을 보여 준다.
ㄷ. (다), (라)는 해상도가 높은 관측 결과로 국지적으로 미세한 온도 차이를 보여 준다.

① ㄱ ② ㄴ ③ ㄱ, ㄷ
④ ㄴ, ㄷ ⑤ ㄱ, ㄴ, ㄷ

출제예감

05 그림 (가)와 (나)는 COBE 위성이 관측한 우주 배경 복사의 파장별 복사 세기와 온도 분포를 나타낸 것이다.

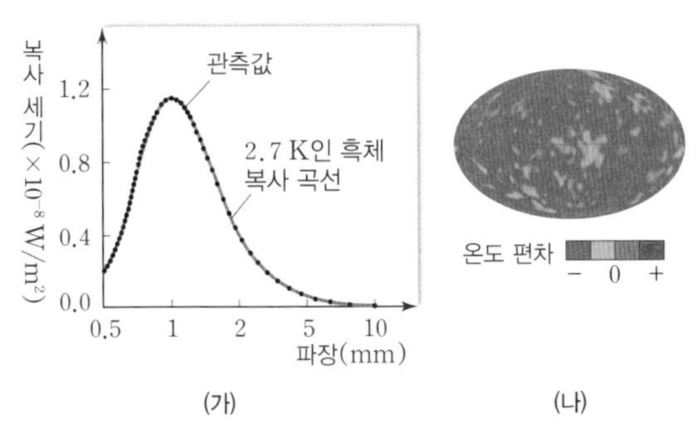

(가) (나)

이에 대한 설명으로 옳은 것만을 〈보기〉에서 있는 대로 고른 것은?

보기
ㄱ. 현재 우주의 평균 온도는 약 2.7 K이다.
ㄴ. 우주 배경 복사는 주로 전파 영역에서 강하게 나타난다.
ㄷ. (나)의 온도 차이는 현재 별의 진화 과정에서 나타난 결과이다.

① ㄱ ② ㄷ ③ ㄱ, ㄴ
④ ㄴ, ㄷ ⑤ ㄱ, ㄴ, ㄷ

06 급팽창 이론에 대한 설명으로 옳은 것만을 〈보기〉에서 있는 대로 고른 것은?

보기
ㄱ. 우주 탄생 직후 극히 짧은 시간 동안 우주가 급격히 팽창했다는 이론이다.
ㄴ. 급팽창 이전에는 우주의 크기가 우주의 지평선보다 작았고, 급팽창 이후에는 우주의 지평선보다 크다고 설명한다.
ㄷ. 빅뱅 우주론이 해결하지 못한 자기 단극자 문제, 우주의 지평선 문제, 우주의 평탄성 문제 등을 설명하였다.

① ㄱ ② ㄴ ③ ㄱ, ㄷ
④ ㄴ, ㄷ ⑤ ㄱ, ㄴ, ㄷ

정답과 해설 79쪽

단답형

07 어떤 외부 은하의 스펙트럼 관측 결과 원래 500 nm 파장의 흡수선이 550 nm로 적색으로 편이되었다.

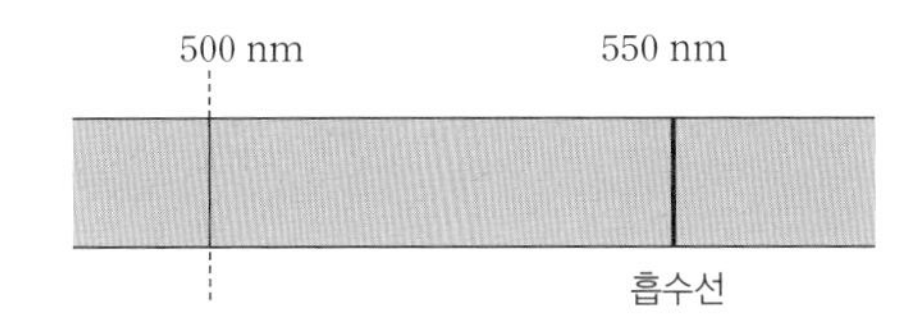

(1) 이 스펙트럼의 적색 편이량은 몇 nm인가?

(2) 이 외부 은하의 후퇴 속도는 몇 km/s인가? (단, 광속은 3×10^5 km/s이다.)

(3) 이 외부 은하까지의 거리는 몇 Mpc인가? (단, 허블 상수 H는 100 km/s/Mpc으로 가정한다.)

[08~09] 허블 상수를 약 70 km/s/Mpc으로 가정했을 때, 다음 물음에 답하시오.

서술형

08 우주의 나이를 구하고, 풀이 과정까지 서술하시오. (단, 1 Mpc$=326\times10^4$광년이고, 1광년$=9.46\times10^{12}$ km이다.)

서술형

09 우주의 크기를 구하고, 풀이 과정까지 서술하시오. (단, $c=3\times10^5$ km/s이다.)

03 우주의 구성 물질과 미래

핵심 키워드로 흐름잡기

- A 암흑 물질, 암흑 에너지
- B 표준 우주 모형, 우주의 미래

A 암흑 물질과 암흑 에너지

|출·제·단·서| 시험에는 암흑 물질과 암흑 에너지를 추정할 수 있는 현상에 대해 묻는 문제가 나와.

1. 우주의 구성 물질

현재 우주에는 중력이 미치는 물질이 약 32 %가 있다.

(1) **보통 물질** 주변에서 비교적 쉽게 관찰할 수 있는 대상을 구성하는 물질로, 우주에는 약 5 % 밖에 되지 않는다.

(2) **암흑 물질❶** 빛을 방출하지 않으나 질량이 있는 물질로 빛을 방출하지 않기 때문에 우리 눈에 보이지 않으며, 약 27 %를 차지한다.

2. 암흑 물질이 존재한다는 증거

나선 은하의 회전 속도❷	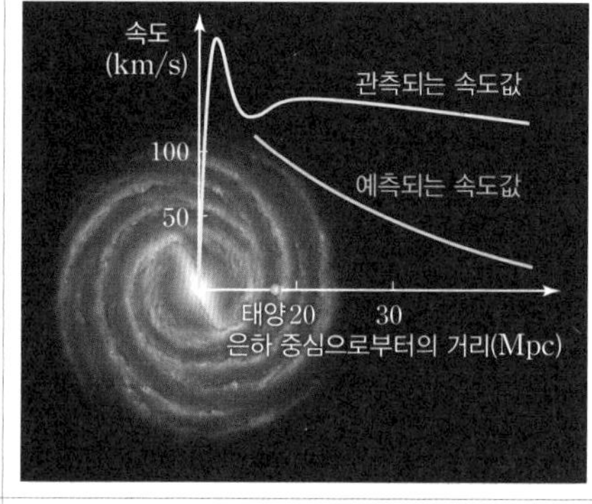	나선 은하는 은하의 중심부에 질량의 대부분이 모여 있기 때문에 별들의 회전 속도는 은하의 중심에서 멀수록 느릴 것으로 예상했으나, 실제 관측 결과는 은하 중심에서 멀어져도 회전 속도가 거의 일정하다. ⇨ 암흑 물질의 질량 때문에 은하 중심에서 멀어져도 회전 속도가 거의 일정하다.
중력 렌즈 현상	암흑 물질이 분포하는 곳에서 그 중력의 효과로 빛의 경로가 휘어지기도 하고, 주변의 별이나 은하의 운동이 •교란되기도 한다.  중력 렌즈 현상에 의하여 하나의 퀘이사가 여러 개의 영상으로 나타난다.	 암흑 물질의 질량은 멀리 있는 은하에서 오는 빛의 경로를 휘게 하여 은하의 형태가 왜곡되어 관측될 수 있다.
은하들의 이동 속도	은하들의 이동 속도는 매우 빨라서 은하단에서 탈출할 것으로 예상되는데, 실제로는 은하단에 묶여 있다. ⇨ 암흑 물질이 은하단을 유지시키는 데 중요한 역할을 한다.	
은하의 질량	역학적인 방법으로 계산한 은하의 질량보다 실제 광학적으로 관측된 은하의 질량이 작다. ⇨ 암흑 물질이 은하의 질량에 포함된다.	

3. 암흑 에너지의 발견

(1) **우주의 가속 팽창** 1980년대의 천문학자들은 우주의 팽창 속도가 중력 효과에 의해 점차 느려질 것이라고 예상하였다. ⇨ 관측 결과 팽창 속도가 오히려 빨라지고 있었다.

(2) **가속 팽창의 원인** 과학자들은 가속 팽창의 원인을 중력 에너지와 반대 방향으로 척력을 발생시키는 '알 수 없는 에너지'인 것으로 결론내렸으며, 이것을 암흑 에너지라고 한다.

---

❶ 암흑 물질 후보

암흑 물질의 후보들은 세 범주로 나뉘어 왔다. 현재 암흑 물질을 탐색하는 연구는 대부분 차가운 암흑 물질 입자를 찾는 데 초점이 맞추어져 있다.

- 뜨거운 암흑 물질(HDM)
- 따뜻한 암흑 물질(WDM)
- 차가운 암흑 물질(CDM)

❷ 은하의 회전 속도

은하의 회전 속도 곡선에서 은하 중심부에서는 거리에 따라 회전 속도가 일정하게 증가하는데, 마치 원반 모양의 강체가 도는 것과 같다고 하여 강체 회전이라고 한다. 반면 은하 중심에서 멀어질수록 회전 속도가 감소하는 경우는 행성의 운동 법칙을 밝힌 케플러의 이름을 따서 케플러 회전이라고 한다.

용어 알기

•교란(흔들다 攪, 어지럽다 亂) 마음이나 상황 따위를 뒤흔들어 어지럽게 함

4. 암흑 에너지가 존재한다는 증거

(1) **우주 물질의 총량** 우주 물질의 총량은 임계 밀도의 32 %에 불과하다. ⇨ 남는 에너지 68 %가 암흑 에너지이며, 우주가 팽창하면서 그 비율이 점점 증가할 것으로 예상된다.

(2) **가속 팽창 우주** 최신 관측 자료에 따르면 우주를 이루고 있는 요소들 중 대부분을 암흑 에너지가 차지한다.

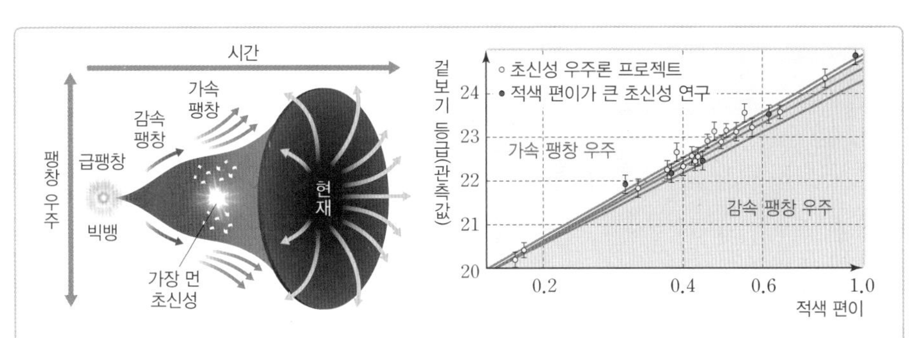

- 암흑 에너지가 없다면 우주 안에 있는 물질의 중력 때문에 우주는 수축해야 하지만 현재 우주의 팽창 속도는 더 빨라지고 있다.
  ⇨ 이는 우주 안에 있는 물질의 중력을 모두 합친 것보다 더 큰 •척력으로 작용하는 요소인 암흑 에너지가 우주에 존재한다는 것을 뜻한다.
- 우주 배경 복사와 우주 거대 규모 탐사 관측 자료를 함께 분석하면 우주의 팽창은 최근 수십억 년 전에 감속 팽창에서 가속 팽창으로 전환되었다.

빈출 자료 우주의 크기와 우주를 구성하는 요소의 상대량

그림은 팽창 우주 모형에서 시간에 따른 우주의 크기와 우주를 구성하는 요소의 상대량을 나타낸 것이다. 이를 통해 우주의 크기와 우주를 구성하는 요소의 상대량을 비교할 수 있다.

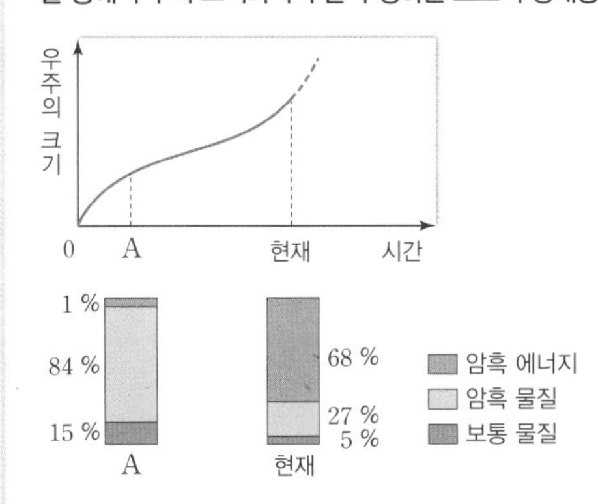

❶ 현재 시점에서 우주의 팽창률

시간에 따른 우주의 크기 변화율이 증가하여 그래프의 기울기가 커지고 있다. 따라서 우주의 팽창률은 증가하고 있다.

❷ 암흑 에너지의 비율과 우주의 크기 비교

시간	A 시점	현재
암흑 에너지의 비율	1 %	68 %
우주의 크기	작다	크다

B 표준 우주 모형과 우주의 미래

|출·제·단·서| 시험에는 표준 우주 모형에 대해 묻는 문제가 나와.

1. 표준 우주 모형 급팽창 이론을 포함한 빅뱅 우주론에 암흑 물질과 암흑 에너지의 개념까지 모두 포함된 최신의 우주론이다. → 지금까지의 우주 관측 사실을 잘 설명한다.

2. 표준 우주 모형으로 설명할 수 있는 것 더블유맵(WMAP) 망원경, 플랑크 망원경 등과 같은 최신 우주 망원경으로 관측한 자료를 표준 우주 모형으로 계산한 결과 보통 물질이 4.9 %, 암흑 물질이 26.8 %, 암흑 에너지가 68.3 %를 차지한다.[3]

3. 우주의 미래 개념 POOL 암흑 에너지를 고려하지 않는다면, 우주가 앞으로 팽창할지 수축할지는 우주의 밀도에 따라 결정된다.[4] 하지만 최근 관측 자료에 따르면 우주는 암흑 에너지에 의해 가속 팽창하고 있다.

❸ 우주의 구성

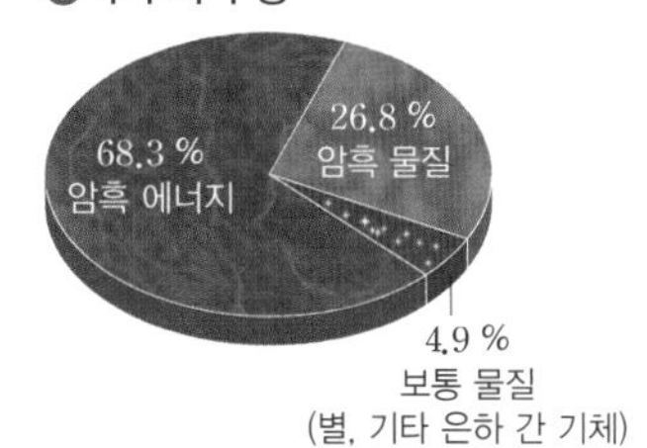

❹ 우주의 운명

우주가 앞으로 팽창할지 수축할지는 우주의 밀도에 따라 결정된다. 우주의 밀도가 임계 밀도보다 작으면 우주는 영원히 팽창할 것이고, 임계 밀도와 같으면 서서히 팽창할 것이며, 임계 밀도보다 크면 미래의 어느 시점부터 다시 수축하게 될 것이다.

빅크런치(Big Crunch)와 빅립(Big Rip)

- 빅크런치(대함몰 이론): 대폭발과 반대로 온 우주가 블랙홀의 특이점과 같이 한 점으로 축소되면서 종말을 맞이한다는 가설
- 빅립(대파열 이론): 우주가 매우 빠르게 팽창하여 모든 물질이 찢어지게 된다는 가설

용어 알기

•척력(물리치다 斥, 힘 力) 두 물체가 서로 밀어내는 힘으로, 인력의 반대 개념

우주의 기원과 진화

목표 우주의 기원과 진화 과정에 대해서 설명할 수 있다.

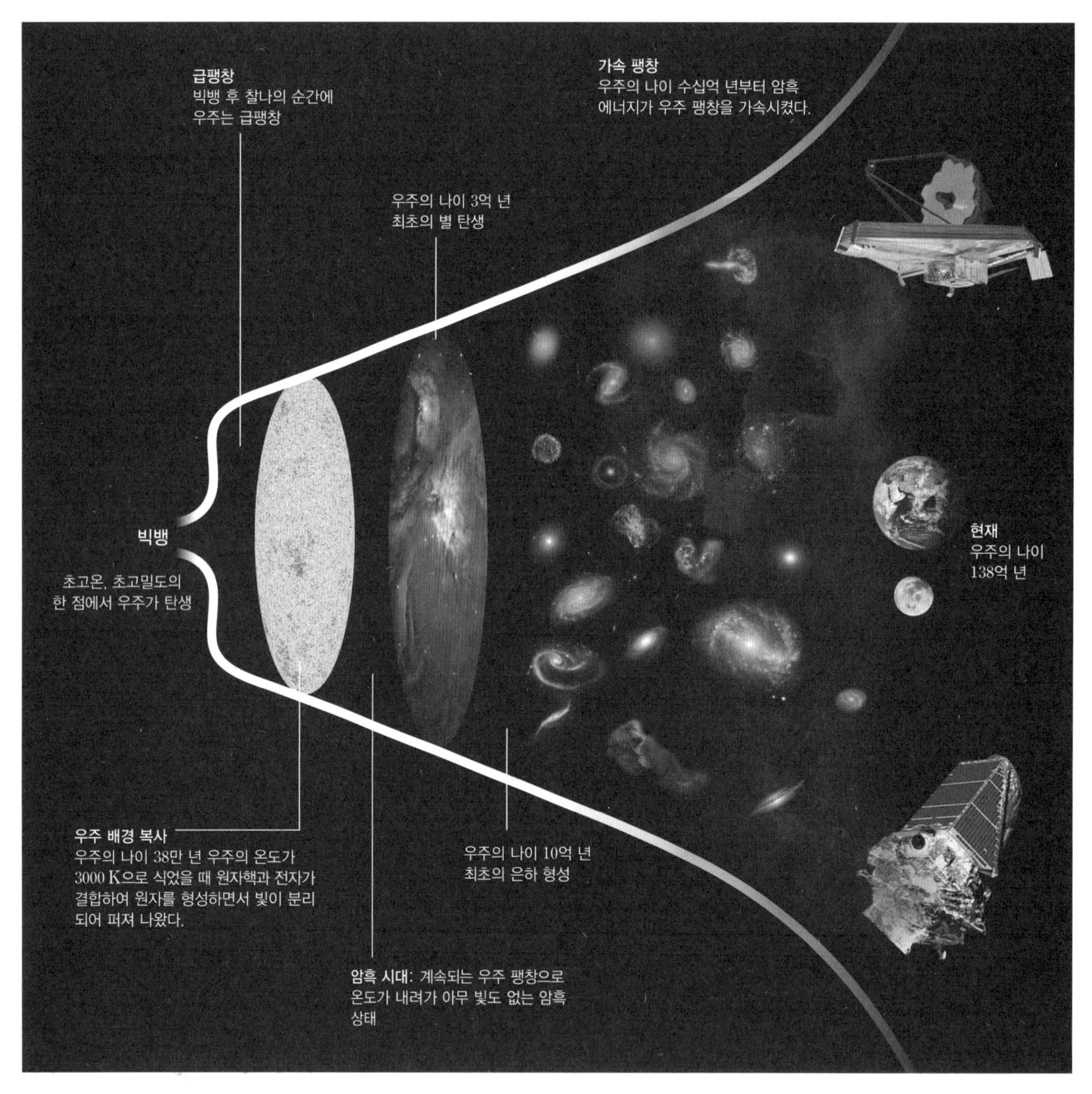

한·줄·핵심 우주의 미래는 우주의 밀도에 따라 결정된다.

확인 문제

정답과 해설 80쪽

01 우주의 구성 성분 중 우주를 가속시키는 것은 무엇인지 쓰시오.

02 눈에 보이지는 않지만 중력의 작용만으로 그 존재를 알 수 있으며, 우주 초기 별과 은하가 생기는 데 중요한 역할을 한 것은 무엇인지 쓰시오.

03 우주에 존재하는 물질과 에너지 가운데 보통 물질은 4.9 % 뿐이다. 나머지는 무엇인지 모두 쓰시오.

04 우주가 앞으로 팽창할지 수축할지는 우주의 (   )에 따라 결정된다.

콕콕! 개념 확인하기

정답과 해설 80쪽

✓ 잠깐 확인!

1. □□□□ 빛을 방출하지 않으나 질량이 있는 물질

2. □□□□ 우리의 몸과 지구, 별, 은하 등과 같이 비교적 쉽게 관찰할 수 있는 대상을 구성하는 물질

3. □□□□□ 우주의 팽창을 가속하는 성분

4. □□□□□□□ 급팽창 이론을 포함한 빅뱅 우주론에 암흑 물질과 암흑 에너지의 개념까지 모두 포함된 최신의 우주론

5. 암흑 에너지가 없다면 우주 안에 있는 물질의 □□ 때문에 우주는 수축해야 하지만 현재 우주의 팽창 속도는 더 빨라지고 있다.

6. □□□ 우주의 구성물, 구조와 진화 그리고 그 기원을 연구하는 학문이다.

A 암흑 물질과 암흑 에너지

01 다음 ( ) 안에 들어갈 알맞은 말을 쓰시오.

(1) ( )은 눈에는 보이지 않고 중력의 작용만으로 그 존재를 알 수 있으며, 물질을 끌어당기는 역할을 한다.

(2) 암흑 물질의 증거에는 (㉠)의 회전 속도, 은하단에 속한 은하들의 (㉡) 속도, (㉢) 현상 등이 있다.

02 그림은 우주를 구성하고 있는 요소들의 분포비를 나타낸 것이다.

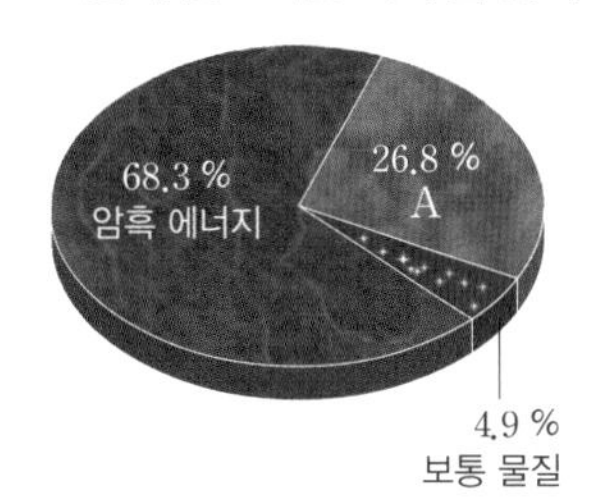

(1) A의 명칭을 쓰시오.

(2) 우주를 구성하고 있는 요소들 중 다음 설명에 해당하는 것을 쓰시오.

> 중력과 반대 방향으로 작용하는 힘을 발생시켜 우주의 가속 팽창을 일으키는 원인으로 추정된다.

03 다음 ( ) 안에 들어갈 알맞은 말을 쓰시오.

(1) ( )는 아무 것도 없는 빈 공간에서 나오는 에너지이기 때문에 우주 크기가 작았던 초기에는 거의 존재하지 않았다.

(2) 암흑 에너지는 우주가 팽창하면서 그 비율이 점점 ( )할 것으로 예상된다.

B 표준 우주 모형과 우주의 미래

04 다음 ( ) 안에 들어갈 알맞은 말을 쓰시오.

(1) 우주의 운명이 어떻게 될지 알 수는 없지만, 과학자들은 결국 팽창하는 힘이 중력을 이기고 ( )하는 우주가 될 가능성이 크다고 생각하고 있다.

(2) 급팽창 이론을 포함한 빅뱅 우주론에 암흑 물질과 암흑 에너지의 개념까지 모두 포함된 최신의 우주론을 ( )이라고 한다.

탄탄! 내신 다지기

A 암흑 물질과 암흑 에너지

01 우리은하의 질량과 암흑 물질에 대한 설명으로 옳은 것만을 〈보기〉에서 있는 대로 고른 것은?

보기
ㄱ. 우리은하의 질량은 대부분 중심에 집중되어 있다.
ㄴ. 우리은하의 외곽에서 회전 속도가 감소하지 않는 이유는 별이 많이 분포하기 때문이다.
ㄷ. 중력 렌즈 현상을 이용하여 암흑 물질의 존재를 간접적으로 확인할 수 있다.

① ㄱ ② ㄴ ③ ㄷ
④ ㄱ, ㄴ ⑤ ㄴ, ㄷ

02 암흑 물질과 암흑 에너지에 대한 설명으로 옳은 것만을 〈보기〉에서 있는 대로 고른 것은?

보기
ㄱ. 암흑 물질은 중력 렌즈 효과로 인해 그 존재를 추정할 수 있다.
ㄴ. 암흑 에너지로 인해 우주는 점차 감속 팽창하고 있다.
ㄷ. 우주를 이루고 있는 요소 중 암흑 물질의 비율이 가장 크다.

① ㄱ ② ㄷ ③ ㄱ, ㄷ
④ ㄴ, ㄷ ⑤ ㄱ, ㄴ, ㄷ

03 우주의 구성 성분에 대한 설명으로 옳지 않은 것은?

① 우주의 구성 성분은 크게 보통 물질, 암흑 물질, 암흑 에너지로 나눌 수 있다.
② 암흑 에너지는 우주의 가속 팽창을 일으키는 원인으로 추정된다.
③ 우주에서 가장 많은 비율을 차지하는 구성 성분은 전자기파를 방출하거나 흡수할 수 있는 물질이다.
④ 암흑 물질은 천체의 운동에 미치는 중력 효과에 의해 그 존재를 확인할 수 있다.
⑤ 우주의 구성 성분으로부터 우주의 팽창 속도를 추정할 수 있다.

04 다음은 우주 구성 요소의 비율을 나타낸 것이다.

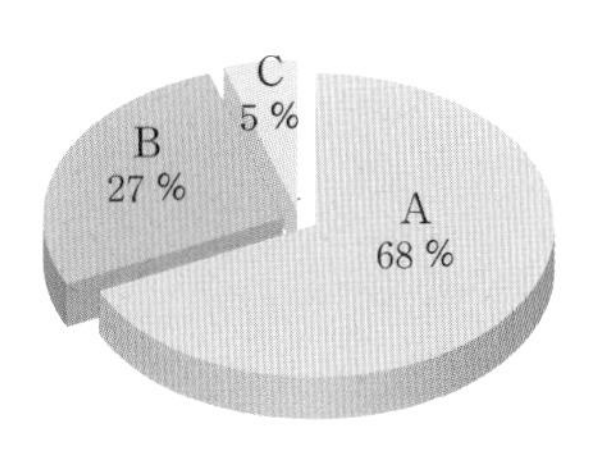

이에 대한 설명으로 옳은 것만을 〈보기〉에서 있는 대로 고른 것은?

보기
ㄱ. A는 팽창 속도를 가속시키는 역할을 한다.
ㄴ. A와 B는 중력을 일으키는 힘으로 작용한다.
ㄷ. 우리가 눈으로 볼 수 있는 보통 물질은 C에 해당한다.

① ㄱ ② ㄷ ③ ㄱ, ㄷ
④ ㄴ, ㄷ ⑤ ㄱ, ㄴ, ㄷ

05 암흑 물질과 암흑 에너지에 대한 설명으로 옳은 것만을 〈보기〉에서 있는 대로 고른 것은?

보기
ㄱ. 입자 물리학의 표준 모형에는 암흑 물질을 설명할 수 있는 입자가 없다.
ㄴ. 암흑 에너지는 우주의 팽창 속도를 늦추는 암흑 물질과는 같은 개념이다.
ㄷ. 암흑 물질은 전파 관측을 통해 그 존재를 알 수 있으며 물질을 끌어당기는 역할을 한다.

① ㄱ ② ㄷ ③ ㄱ, ㄴ
④ ㄴ, ㄷ ⑤ ㄱ, ㄴ, ㄷ

단답형

06 다음에서 설명하는 것은 무엇인지 쓰시오.

정체가 불명확하지만 우주에 널리 퍼져 있으며, 척력으로 작용하여 우주를 가속 팽창시키는 역할을 한다.

07 그림 (가)는 우주를 구성하는 물질과 에너지의 비율을, (나)는 우주의 팽창을 모식적으로 나타낸 것이다.

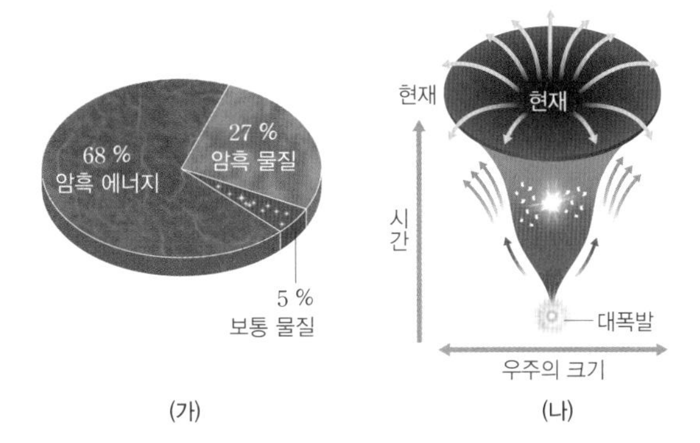

이에 대한 설명으로 옳은 것만을 〈보기〉에서 있는 대로 고른 것은?

〈보기〉
ㄱ. 현재 우주의 팽창 속도는 점점 빨라지고 있다.
ㄴ. 암흑 에너지는 우주의 팽창 속도를 늦추는 작용을 한다.
ㄷ. 우주에는 우리 눈으로 볼 수 없는 물질이 볼 수 있는 물질보다 많다.

① ㄱ ② ㄴ ③ ㄱ, ㄷ
④ ㄴ, ㄷ ⑤ ㄱ, ㄴ, ㄷ

08 그림은 어느 가속 팽창 우주 모형에서 시간에 따른 우주 구성 요소 A, B, C의 밀도를 나타낸 것이다. A, B, C는 각각 보통 물질, 암흑 물질, 암흑 에너지 중 하나이다.

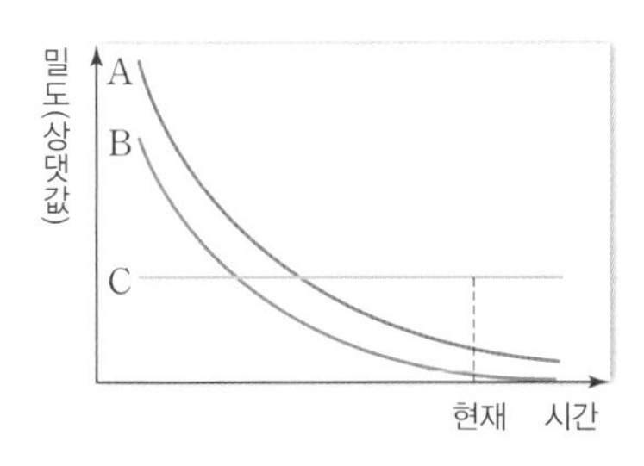

이에 대한 설명으로 옳은 것만을 〈보기〉에서 있는 대로 고른 것은?

〈보기〉
ㄱ. A는 암흑 에너지이다.
ㄴ. 우주에 존재하는 암흑 에너지의 총량은 시간에 따라 감소한다.
ㄷ. 보통 물질이 차지하는 비율은 시간에 따라 감소한다.

① ㄱ ② ㄷ ③ ㄱ, ㄴ
④ ㄴ, ㄷ ⑤ ㄱ, ㄴ, ㄷ

B 표준 우주 모형과 우주의 미래

09 우주의 미래에 대한 설명으로 옳은 것만을 〈보기〉에서 있는 대로 고른 것은?

〈보기〉
ㄱ. 만약 중력의 힘이 팽창을 이긴다면, 우주는 결국 모든 물질들이 찢어지는 빅립이 된다.
ㄴ. 만약 팽창이 중력의 힘을 이긴다면, 우주는 밀도가 점점 증가하며 결국 모두 하나의 점으로 수축할 것이다.
ㄷ. 현재 과학자들은 현재 우주의 팽창률이 증가하고 있다고 본다.

① ㄱ ② ㄷ ③ ㄱ, ㄴ
④ ㄴ, ㄷ ⑤ ㄱ, ㄴ, ㄷ

10 표는 우주를 구성하는 요소의 상대량을 나타낸 것이다.

구성 요소	상대량(%)
(가)	68
암흑 물질	A
보통 물질	B

이에 대한 설명으로 옳은 것만을 〈보기〉에서 있는 대로 고른 것은?

〈보기〉
ㄱ. (가)는 암흑 에너지이다.
ㄴ. A는 B보다 작다.
ㄷ. 암흑 물질은 우주를 가속 팽창시키는 원인이 된다.

① ㄱ ② ㄴ ③ ㄷ
④ ㄱ, ㄴ ⑤ ㄴ, ㄷ

도전! 실력 올리기

01 그림은 우리은하의 예측된 회전 속도와 실제 관측 회전 속도를 함께 나타낸 것이다.

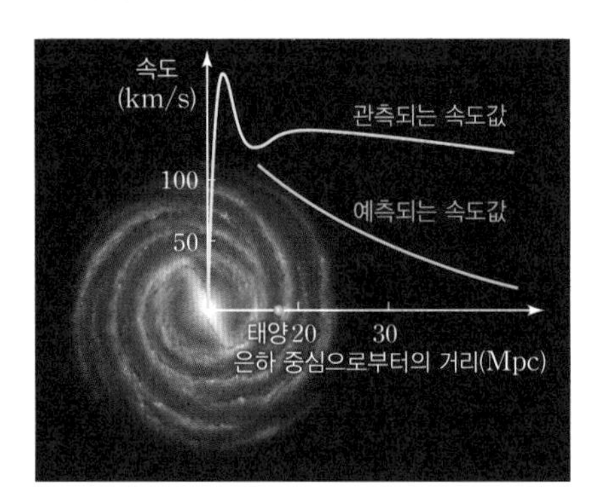

이에 대한 설명으로 옳은 것만을 <보기>에서 있는 대로 고른 것은?

> 보기
> ㄱ. 은하의 바깥쪽에도 많은 질량이 존재한다.
> ㄴ. 암흑 물질이 존재한다는 증거 중 하나이다.
> ㄷ. 예측된 회전 속도가 실제와 다른 이유는 우리가 관측할 수 없는 물질이 존재하기 때문이다.

① ㄱ ② ㄴ ③ ㄱ, ㄷ
④ ㄴ, ㄷ ⑤ ㄱ, ㄴ, ㄷ

02 표는 우주를 구성하고 있는 물질과 에너지의 비율을 나타낸 것이다.

우주의 구성	구성비(%)
A	68
B	27
보통 물질	5

이에 대한 설명으로 옳은 것만을 <보기>에서 있는 대로 고른 것은?

> 보기
> ㄱ. A는 우주를 가속 팽창시키는 원인이 된다.
> ㄴ. B는 암흑 물질이다.
> ㄷ. 보통 물질은 대부분 수소와 헬륨으로 이루어져 있다.

① ㄱ ② ㄷ ③ ㄱ, ㄴ
④ ㄱ, ㄷ ⑤ ㄱ, ㄴ, ㄷ

03 그림은 절대 등급이 일정한 Ia형 초신성을 관측한 등급을 후퇴 속도로 예상한 등급과 비교하여 나타낸 것이다.

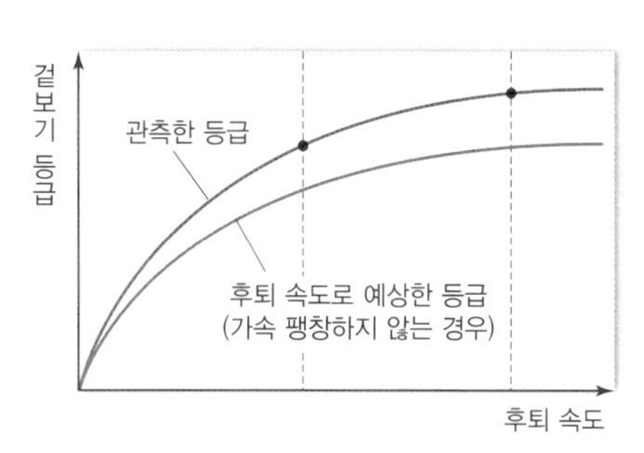

이에 대한 설명으로 옳은 것만을 <보기>에서 있는 대로 고른 것은?

> 보기
> ㄱ. Ia형 초신성은 밝게 보일수록 빠르게 멀어진다.
> ㄴ. Ia형 초신성은 후퇴 속도로 예상한 것보다 밝게 관측된다.
> ㄷ. 우주는 가속 팽창하고 있다.

① ㄱ ② ㄴ ③ ㄷ
④ ㄱ, ㄷ ⑤ ㄴ, ㄷ

출제예감

04 그림은 시간에 따른 우주의 팽창을, 표는 우주를 구성하는 요소의 상대량을 나타낸 것이다.

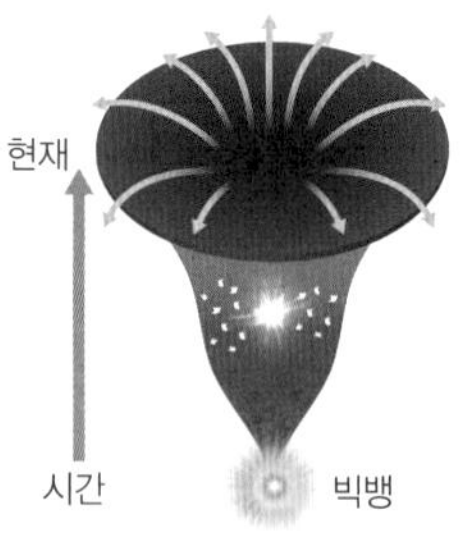

구성 요소	상대량(%)
암흑 에너지	A
(가)	27
보통 물질	B

이에 대한 설명으로 옳은 것만을 <보기>에서 있는 대로 고른 것은?

> 보기
> ㄱ. 현재 우주의 팽창 속도는 점점 느려지고 있다.
> ㄴ. (가)는 은하 간의 중력을 유발한다.
> ㄷ. A는 B보다 크다.

① ㄱ ② ㄴ ③ ㄱ, ㄷ
④ ㄴ, ㄷ ⑤ ㄱ, ㄴ, ㄷ

출제예감

05 그림은 우주의 구성 성분을 나타낸 것이다.

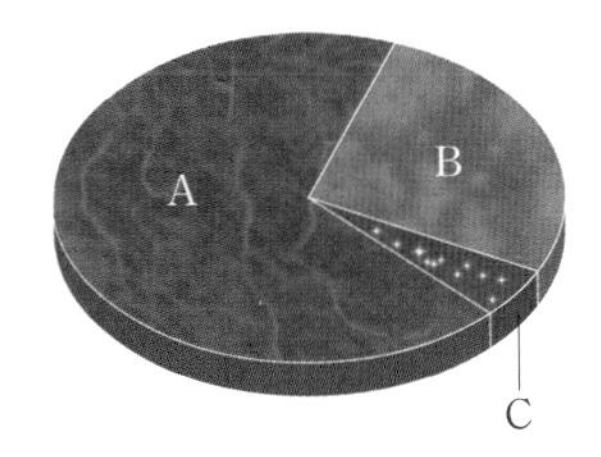

A~C에 대한 설명으로 옳은 것만을 ⟨보기⟩에서 있는 대로 고른 것은?

> 보기
> ㄱ. A는 우주의 가속 팽창을 일으키는 원인으로 추정된다.
> ㄴ. B는 전자기파를 방출하거나 흡수하는 물질이다.
> ㄷ. C는 관측을 통해서 그 존재를 확인할 수 있다.

① ㄱ　② ㄴ　③ ㄱ, ㄷ　④ ㄴ, ㄷ　⑤ ㄱ, ㄴ, ㄷ

06 그림 (가)~(다)는 우주의 미래에 대한 세 가지 모형을 나타낸 것이다.

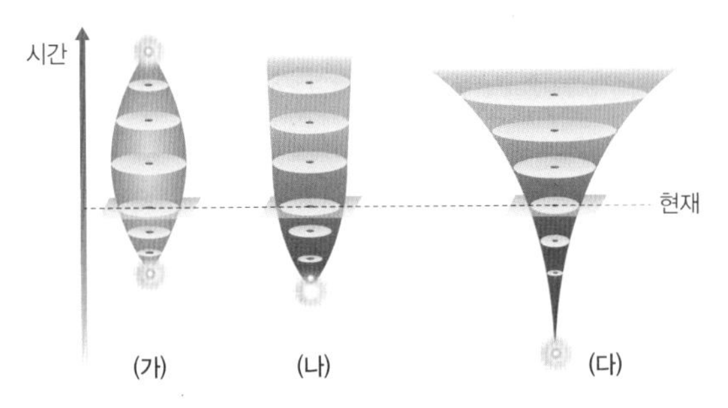

이에 대한 설명으로 옳은 것만을 ⟨보기⟩에서 있는 대로 고른 것은?

> 보기
> ㄱ. (가)는 우주의 밀도가 매우 작은 우주이다.
> ㄴ. (나)는 암흑 에너지가 없을 때 우주의 밀도가 임계 밀도와 같은 우주이다.
> ㄷ. (다)는 암흑 에너지가 우주의 대부분을 차지하는 우주이다.

① ㄱ　② ㄴ　③ ㄱ, ㄷ　④ ㄴ, ㄷ　⑤ ㄱ, ㄴ, ㄷ

07 그림은 우주의 구성을 나타낸 것이다.

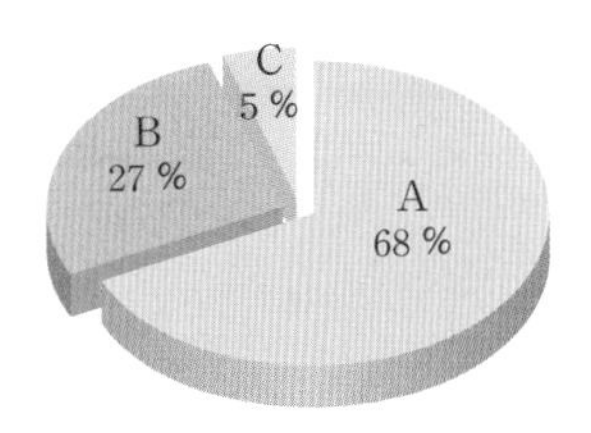

(1) A~C는 각각 무엇을 나타내는지 쓰시오.

(2) A~C 중 다음 글과 관련이 깊은 것을 쓰시오.

> • 중력과 반대 방향으로 작용하여 우주의 팽창을 일으킨다.
> • 우주의 팽창에 따라 그 영향력이 상대적으로 더욱 커지기 때문에 우주의 가속 팽창을 일으킨다.

[08~09] 그림은 Ia형 초신성들의 적색 편이와 거리 지수를 나타낸 것이다.

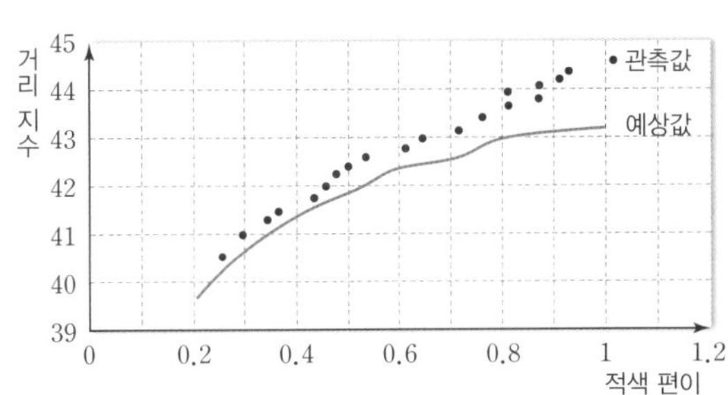

서술형

08 이론적인 예상값과 관측값이 차이가 나는 까닭을 우주의 팽창 속도와 관련지어 서술하시오.

서술형

09 위와 같이 최근 Ia형 초신성을 관측한 결과, 우주의 팽창 속도의 변화가 나타나는 까닭을 서술하시오.

수능을 알기 쉽게 풀어주는 수능 POOL

세 가지 우주 모형

대표 유형

출제 의도

우주의 평균 밀도와 임계 밀도의 관계에 따라 달라지는 우주 모형에 대해서 묻는 문제이다.

그림은 세 가지 우주 모형을 구분하는 과정을 나타낸 것이다.

우주의 평균 밀도와 임계 밀도의 관계에 따라 우주 모형은 열린 우주, 닫힌 우주, 평탄 우주의 세 가지 모형으로 구분된다.

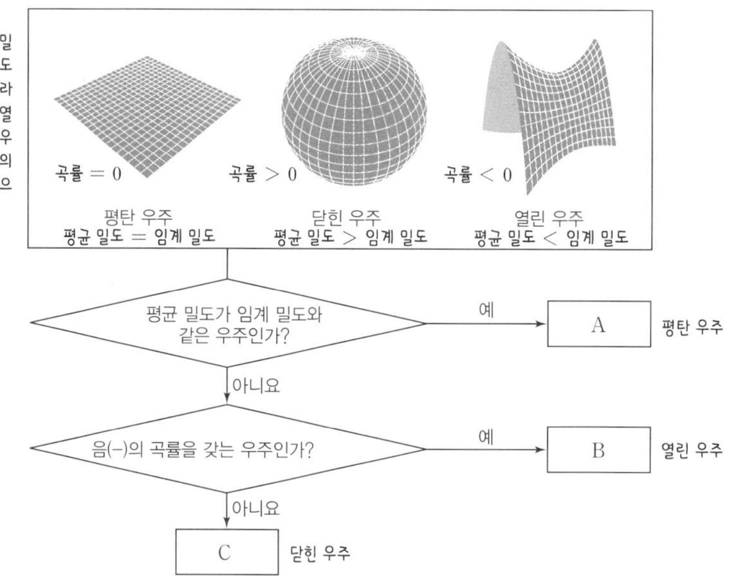

이에 대한 설명으로 옳은 것만을 〈보기〉에서 있는 대로 고른 것은?

〈보기〉

ㄱ. A는 평탄 우주이다.
→ A는 우주의 평균 밀도가 임계 밀도와 같은 우주이므로 평탄 우주에 해당한다.

ㄴ. B는 계속 팽창하는 우주이다.
→ B는 음(−)의 곡률을 갖는 우주이므로 말안장 모양인 열린 우주에 해당하며 우주의 평균 밀도가 임계 밀도보다 작아서 계속 팽창하는 우주이다.

ㄷ. 현재의 우리 우주는 C에 해당한다.
→ C는 평균 밀도가 임계 밀도보다 큰 닫힌 우주에 해당한다. 우리는 가속 팽창하는 우주에 살고 있으므로 C는 우리 우주가 될 수 없다.

① ㄱ ② ㄷ ③ ㄱ, ㄴ ④ ㄴ, ㄷ ⑤ ㄱ, ㄴ, ㄷ

이것이 함정

평균 밀도와 임계 밀도가 같으면 평탄 우주, 평균 밀도가 임계 밀도보다 작을 때는 열린 우주, 평균 밀도가 임계 밀도보다 클 때는 닫힌 우주이다.

그림에서 우주 모형 구분하기

그림에서 각각 우주의 임계 밀도와 우주의 평균 밀도 사이의 관계를 파악한다. ⋙ 순서도에서 A, B, C에 해당하는 우주의 종류를 파악한다. ⋙ 각각의 우주는 어떤 곡률을 갖는지 파악한다. ⋙ 각 종류의 우주는 어떤 특성을 갖는지 보기와 비교한다.

추가 선택지

• A는 우주의 평균 밀도와 임계 밀도가 같다. (○)
⋯→ A는 평탄 우주로 우주의 시공간은 편평하고, 곡률은 0이다.

• C는 중력의 작용이 우세하여 우주의 팽창 속도가 감소한다. (○)
⋯→ C는 닫힌 우주로 우주의 평균 밀도가 임계 밀도보다 클 때 중력의 작용이 우세하며, 양(+)의 곡률을 가진다.

실전! 수능 도전하기

정답과 해설 82쪽

수능 기출

01 그림은 허블의 은하 분류상 서로 다른 형태의 세 은하 A, B, C를 가시광선으로 관측한 것이다.

A

B

C

이에 대한 설명으로 옳은 것만을 〈보기〉에서 있는 대로 고른 것은?

보기
ㄱ. A는 불규칙 은하이다.
ㄴ. B의 경우 별의 평균 색지수는 은하 중심부보다 나선팔에서 크다.
ㄷ. 보통 물질 중 성간 물질이 차지하는 질량의 비율은 B가 C보다 크다.

① ㄱ ② ㄴ ③ ㄱ, ㄷ
④ ㄴ, ㄷ ⑤ ㄱ, ㄴ, ㄷ

02 그림 (가)와 (나)는 서로 다른 두 은하를 가시광선으로 관측한 것이다.

(가)

(나)

이에 대한 설명으로 옳은 것만을 〈보기〉에서 있는 대로 고른 것은?

보기
ㄱ. 푸른 별은 (가)보다 (나)에 많다.
ㄴ. (나)가 진화하면 (가)와 같은 형태가 된다.
ㄷ. 성간 기체는 (가)보다 (나)에 많이 분포한다.

① ㄱ ② ㄴ ③ ㄱ, ㄷ
④ ㄴ, ㄷ ⑤ ㄱ, ㄴ, ㄷ

03 그림 (가)와 (나)는 전파 은하 M87을 각각 가시광선과 전파로 관측한 것이다.

(가) 가시광선 영상

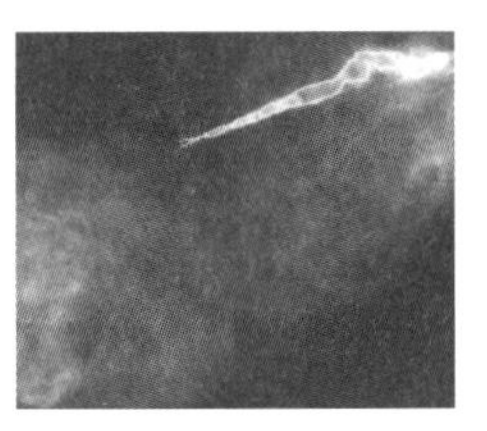
(나) 전파 영상

이에 대한 설명으로 옳은 것만을 〈보기〉에서 있는 대로 고른 것은?

보기
ㄱ. 이 은하는 강한 전파를 방출한다.
ㄴ. 중심핵에서는 물질이 분출되고 있다.
ㄷ. 이 은하를 허블의 분류에 따라 분류하면 타원 은하에 해당한다.

① ㄱ ② ㄷ ③ ㄱ, ㄴ
④ ㄴ, ㄷ ⑤ ㄱ, ㄴ, ㄷ

04 그림은 퀘이사 3C 273을 관측한 것이다.

퀘이사에 대한 설명으로 옳은 것만을 〈보기〉에서 있는 대로 고른 것은?

보기
ㄱ. 광도는 항성보다 크다.
ㄴ. 연주 시차를 측정하여 거리를 구한다.
ㄷ. 퀘이사는 질량이 매우 큰 별로 판단된다.

① ㄱ ② ㄴ ③ ㄱ, ㄷ
④ ㄴ, ㄷ ⑤ ㄱ, ㄴ, ㄷ

수능 기출

05 그림은 외부 은하 X의 스펙트럼을 비교 선 스펙트럼과 함께 나타낸 것이고, 표는 파장이 4000Å(λ_0)인 흡수선의 적색 편이가 일어난 양($\Delta\lambda$)과 X까지의 거리를 나타낸 것이다.

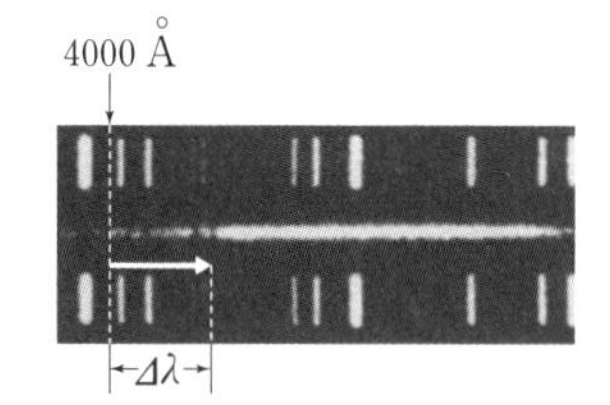

$\Delta\lambda$(Å)	X까지의 거리(Mpc)
200	300

이에 대한 설명으로 옳은 것만을 〈보기〉에서 있는 대로 고른 것은? (단, 빛의 속도는 3×10^5 km/s이다.)

〈보기〉
ㄱ. 멀리 있는 외부 은하일수록 $\Delta\lambda$는 작아진다.
ㄴ. X의 후퇴 속도는 15000 km/s이다.
ㄷ. X를 이용하여 구한 허블 상수는 75 km/s/Mpc 이다.

① ㄱ ② ㄴ ③ ㄷ
④ ㄱ, ㄴ ⑤ ㄴ, ㄷ

수능 기출

06 그림은 허블 법칙에 따라 팽창하는 우주의 모습을 풍선 모형으로 나타낸 것이다. 풍선 표면에 고정시킨 단추 A, B, C는 은하를, 물결 무늬(~)는 우주 배경 복사를 나타낸다.

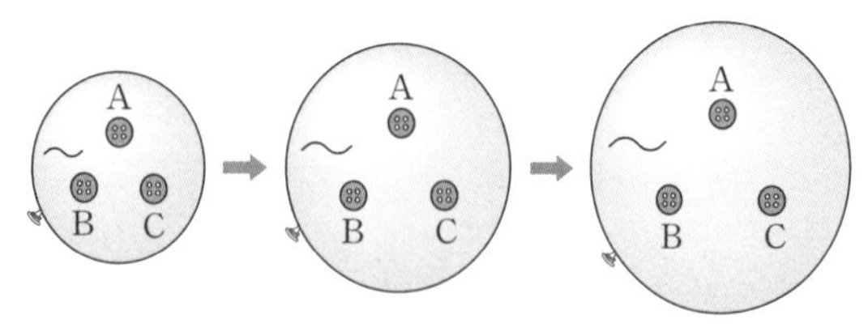

이에 대한 설명으로 옳은 것만을 〈보기〉에서 있는 대로 고른 것은?

〈보기〉
ㄱ. 풍선 표면의 A, B, C는 서로 멀어진다.
ㄴ. 풍선 표면의 중심은 B의 위치에 있다.
ㄷ. 우주가 팽창하면 우주 배경 복사의 파장이 길어진다.

① ㄱ ② ㄴ ③ ㄱ, ㄷ
④ ㄴ, ㄷ ⑤ ㄱ, ㄴ, ㄷ

07 그림은 한 직선 상에 있는 외부 은하 A, B, C의 거리와 후퇴 속도를 나타낸 것이다.

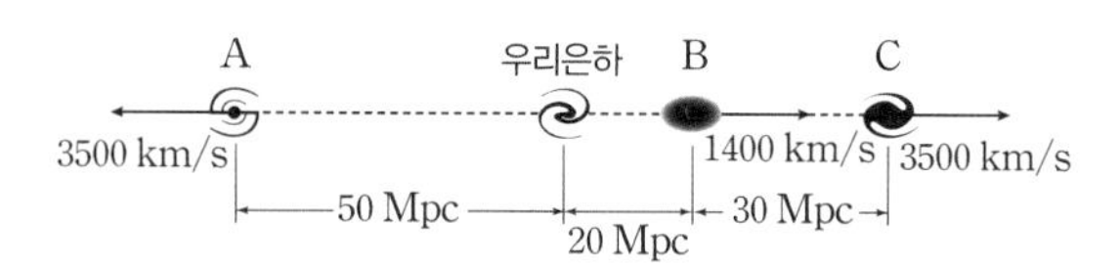

이에 대한 설명으로 옳은 것만을 〈보기〉에서 있는 대로 고른 것은?

〈보기〉
ㄱ. 우리은하가 우주의 중심이다.
ㄴ. 우리은하에서 측정한 적색 편이 값은 B가 가장 작다.
ㄷ. A에서 측정한 후퇴 속도는 우리은하가 C보다 작다.

① ㄱ ② ㄴ ③ ㄷ
④ ㄱ, ㄷ ⑤ ㄴ, ㄷ

08 그림은 지구에서 관측한 두 은하 A와 B의 위치와 후퇴 속도를 나타낸 것이다. A의 후퇴 속도는 7000 km/s, B의 후퇴 속도는 14000 km/s이고, A와 B 사이의 거리는 300 Mpc이다. 우리 우주는 평탄한 우주이고, A, B와 우리은하는 허블 법칙을 만족한다.

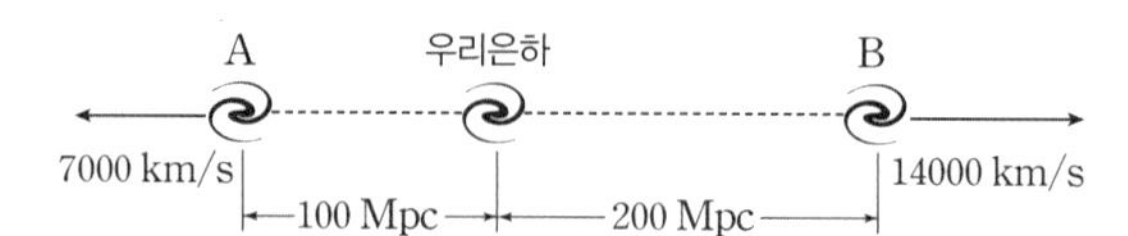

이에 대한 설명으로 옳은 것만을 〈보기〉에서 있는 대로 고른 것은?

〈보기〉
ㄱ. A에서 관측하면 B는 적색 편이가 나타난다.
ㄴ. A와 B 사이에 우주의 중심이 존재한다.
ㄷ. B에서 측정되는 허블 상수의 값은 70 km/s/Mpc이다.

① ㄱ ② ㄴ ③ ㄱ, ㄷ
④ ㄴ, ㄷ ⑤ ㄱ, ㄴ, ㄷ

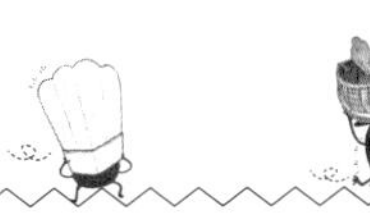

09 다음은 대폭발 우주론을 설명한 것이다.

> 우주는 처음에 아주 작고 뜨거운 점에서 대폭발이 일어나 급팽창한 후 정상적인 팽창을 거치면서 냉각되어 현재의 형태로 진화하였다고 한다.

이 이론으로 설명할 수 있는 현상으로 옳은 것만을 〈보기〉에서 있는 대로 고른 것은?

보기
ㄱ. 우주 배경 복사의 온도
ㄴ. 우주에서 관측되는 수소와 헬륨의 질량비
ㄷ. 우주의 평탄성 문제

① ㄱ ② ㄷ ③ ㄱ, ㄴ
④ ㄴ, ㄷ ⑤ ㄱ, ㄴ, ㄷ

10 표는 우주를 구성하는 요소의 상대량을 나타낸 것이다.

구성 요소	상대량(%)
(가)	68
암흑 물질	A
보통 물질	B

이에 대한 설명으로 옳은 것만을 〈보기〉에서 있는 대로 고른 것은?

보기
ㄱ. (가)는 별과 은하와 같은 천체이다.
ㄴ. A는 B보다 크다.
ㄷ. 암흑 물질은 우주를 가속 팽창시키는 원인이 된다.

① ㄱ ② ㄴ ③ ㄷ
④ ㄱ, ㄴ ⑤ ㄴ, ㄷ

11 그림은 어느 팽창 우주 모형에서 시간에 따른 우주의 크기와 우주를 구성하는 요소의 상대량을 나타낸 것이다.

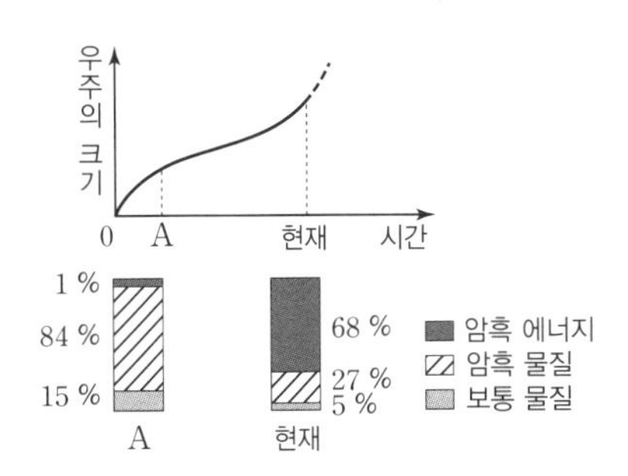

이에 대한 설명으로 옳은 것만을 〈보기〉에서 있는 대로 고른 것은?

보기
ㄱ. 현재 시점에서 우주의 팽창 속도는 감소하고 있다.
ㄴ. 암흑 에너지의 비율은 A 시점보다 현재가 크다.
ㄷ. 우주의 평균 밀도는 A 시점보다 현재가 작다.

① ㄱ ② ㄷ ③ ㄱ, ㄴ
④ ㄴ, ㄷ ⑤ ㄱ, ㄴ, ㄷ

수능 기출

12 그림은 외부 은하에서 발견된 Ia형 초신성의 관측 자료와 우주 팽창을 설명하기 위한 두 모델 A와 B를, 표는 A와 B의 특징을 나타낸 것이다.

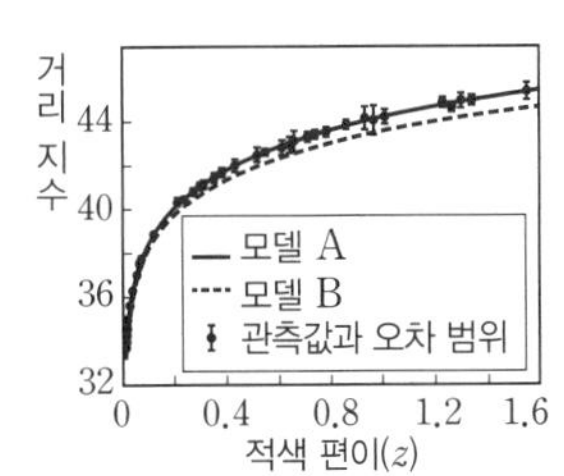

모델	특징
A	보통 물질, 암흑 물질, 암흑 에너지를 고려함
B	보통 물질과 암흑 물질을 고려함

이에 대한 설명으로 옳은 것만을 〈보기〉에서 있는 대로 고른 것은?

보기
ㄱ. Ia형 초신성의 절대 등급은 거리가 멀수록 커진다.
ㄴ. $z=1.2$인 Ia형 초신성의 거리 예측값은 A가 B보다 크다.
ㄷ. 관측 자료에 나타난 우주의 팽창을 설명하기 위해서는 암흑 에너지도 고려해야 한다.

① ㄱ ② ㄷ ③ ㄱ, ㄴ
④ ㄴ, ㄷ ⑤ ㄱ, ㄴ, ㄷ

한눈에 보는 대단원 정리

1 별과 외계 행성계

01 별의 물리량

1. 별의 분광형과 표면 온도

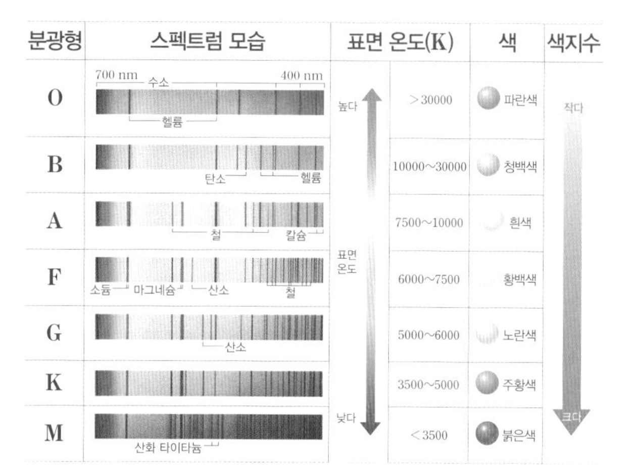

분광형	스펙트럼 모습	표면 온도(K)	색	색지수
O	700 nm 수소 400 nm / 헬륨	>30000	파란색	작다
B	탄소 헬륨	10000~30000	청백색	
A	철 칼슘	7500~10000	흰색	
F	소듐 마그네슘 산소 철	6000~7500	황백색	
G	산소	5000~6000	노란색	
K		3500~5000	주황색	
M	산화 타이타늄	<3500	붉은색	크다

① 표면 온도가 높은 별일수록 최대 에너지를 방출하는 파장이 짧아져 파란색으로 보인다.

② 표면 온도가 낮은 별일수록 최대 에너지를 방출하는 파장이 길어져 붉은색으로 보인다.

2. 별의 광도

광도	별이 단위 시간 동안 표면에서 방출하는 에너지의 총량(별의 실제 밝기)
별의 밝기	• 별의 밝기는 등급으로 나타낸다. • 1 등급의 별이 6 등급의 별보다 약 100배가 밝다. 즉, 1 등급 간의 밝기비는 $100^{\frac{1}{5}} \fallingdotseq 2.512$배이다.

02 별의 분류와 진화

1. H-R도와 별의 분류

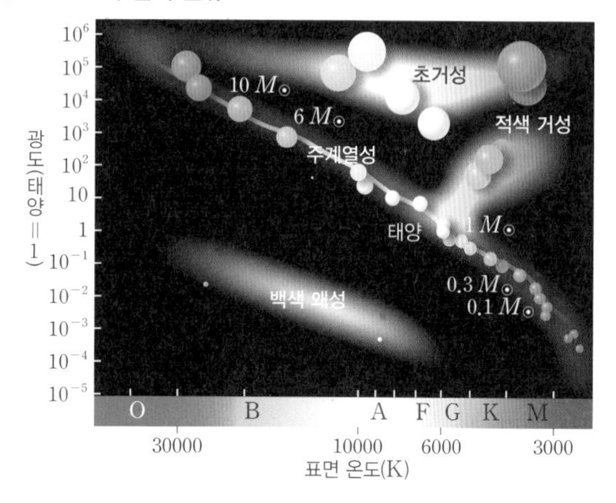

2. 별의 종류

주계열성	• 모든 별의 약 90 %가 이에 속한다. • H-R에서 왼쪽 위에 위치할수록 표면 온도가 높고, 광도가 크며, 질량과 반지름이 크다.
적색 거성	• 표면 온도가 낮아서 붉게 보인다. • 반지름이 커서 광도가 크다. • 주계열성에 비해 매우 크고 붉은색을 띠며 아주 밝게 빛난다.
초거성	• H-R도에서 적색 거성보다 위쪽에 분포한다. • 반지름이 매우 커서 광도가 매우 크다.
백색 왜성	• 표면 온도는 높으나 반지름이 매우 작아 어둡게 보인다. • 평균 밀도가 매우 크다.
중성자별, 블랙홀	• 백색 왜성보다 밀도가 더 큰 천체이다. • 너무 어둡거나 가시광선을 거의 방출하지 않기 때문에 H-R도에 나타낼 수 없다.

3. 별의 진화

원시별	밀도가 높고 온도가 낮은 분자 구름에서는 중력이 크게 작용하므로 물질들이 수축하여 중심핵을 이루게 되며, 점차 성장하여 원시별을 형성한다.
주계열성	중력 수축으로 인해 원시별의 중심에서 온도가 약 1000만 K에 이르면 수소 핵융합 반응이 일어나기 시작하며 별(주계열성)이 탄생한다.
거성	별 바깥층의 수소 핵융합으로 부피가 엄청나게 팽창한다. • 적색 거성: 거성 중에서 표면 온도가 5000 K보다 낮아 붉은색으로 보이는 별 • 초거성: 광도가 태양의 수만~수십만 배, 반지름은 태양의 30~500배 이상으로 큰 별
거성 이후 단계	거성 이후 수축과 팽창을 반복하는 단계 • 맥동 변광성: 반지름과 온도가 변하고, 광도가 주기적으로 변하는 항성 • 행성상 성운: 별이 팽창과 수축을 반복하는 과정에서 대기의 물질 일부가 우주 공간에 남아 형성되는 가스 성운
별의 진화 마지막 단계	• 백색 왜성: 태양과 비슷한 질량의 핵이 지구 크기 정도로 작아짐에 따라 밀도와 온도가 극도로 높고 백색을 띠는 왜성 • 중성자별: 초신성 폭발로 엄청난 에너지와 중원소가 우주 공간으로 방출되고, 중심부가 수축하여 밀도가 매우 높고 거의 중성자로 이루어진 천체 • 블랙홀: 초신성 폭발 후에도 별의 중심부가 계속 수축하여 밀도와 표면 중력이 너무 커서 빛조차 빠져나갈 수 없는 천체

2 외부 은하와 우주 팽창

03 별의 에너지원과 내부 구조

1. 중력 수축 에너지: 원시별의 에너지원이다.

2. 수소 핵융합 반응과 별의 내부 구조

구분	양성자·양성자 반응	탄소·질소·산소 순환 반응
별의 질량	태양과 비슷하거나 태양보다 작은 별	태양의 약 1.5배가 넘어서 중심부의 온도가 약 1800만 K 이상인 별
반응 과정	수소 원자핵 6개가 헬륨 원자핵 1개와 수소 원자핵 2개로 바뀌면서 에너지 생성	탄소, 질소, 산소가 촉매 역할을 하여 수소 원자핵이 헬륨 원자핵으로 바뀌면서 에너지 생성
내부 구조	핵, 복사층, 대류층	대류핵, 복사층

04 외계 행성계와 외계 생명체

1. 외계 행성계 탐사 방법

중심별의 시선 속도 변화 이용	행성과 중심별은 공통 질량 중심 주위를 공전하므로 별빛의 도플러 효과가 나타난다. ⇨ 행성이 아닌 중심별의 도플러 효과를 측정한다.
식 현상 이용	행성의 공전 궤도면이 우리의 시선 방향과 거의 나란하면 행성이 별의 표면을 횡단하는 현상을 관측할 수 있다. ⇨ 중심별의 밝기 변화를 측정한다.
미세 중력 렌즈 효과 이용	거리가 다른 2개의 별이 우리의 시선 방향과 정확히 일치하면 뒤쪽의 별에서 나오는 빛은 가까운 별의 중력으로 인해 휘어져서 밝게 보이게 된다. ⇨ 앞에 있는 별이 행성을 가졌다면 밝기 변화가 대칭을 이루지 않고 불규칙해지는데, 이를 미세 중력 렌즈 현상이라고 한다.

2. 생명 가능 지대

생명체 존재 요건	물이 액체 상태로 존재할 수 있도록 표면 온도가 적당해야 한다. ⇨ 생명 가능 지대(골디락스 지대): 물이 액체 상태로 존재할 수 있는 적당한 온도를 나타내는 별 주위의 궤도 영역

01 외부 은하

1. 허블의 은하 분류

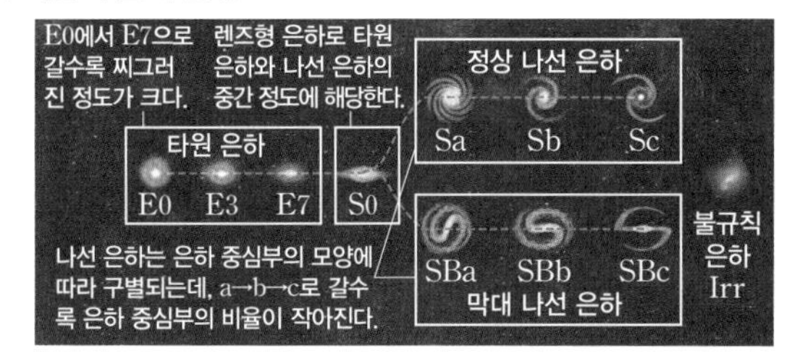

2. 특이 은하: 허블의 은하 분류 기준으로는 분류되지 않는 특이한 은하

02 빅뱅 우주론

1. 허블 법칙: 멀리 있는 외부 은하일수록 후퇴 속도가 더 빠르다.
⇨ 우주가 팽창하고 있음을 말해 준다.

2. 빅뱅 우주론: 대폭발로 우주가 시작되었으며, 우주는 팽창하고 총 질량은 일정하여 우주의 밀도와 온도가 감소하면서 현재의 우주가 되었다는 이론

3. 급팽창 이론: 우주 탄생 직후 극히 짧은 시간 동안 우주가 급격히 팽창했다는 이론으로, 빅뱅 우주론이 해결하지 못한 몇 가지 문제점(자기 단극자 문제, 우주의 지평선 문제, 우주의 평탄성 문제)을 설명하였다.

4. 가속 팽창 이론: 먼 과거의 우주는 느리게 팽창하였지만, 비교적 최근의 우주는 빠르게 팽창한다.

텅 빈 우주(Ω=0)
열린 우주(Ω<1), 평탄 우주(Ω=1), 닫힌 우주(Ω>1)
가속 팽창 우주

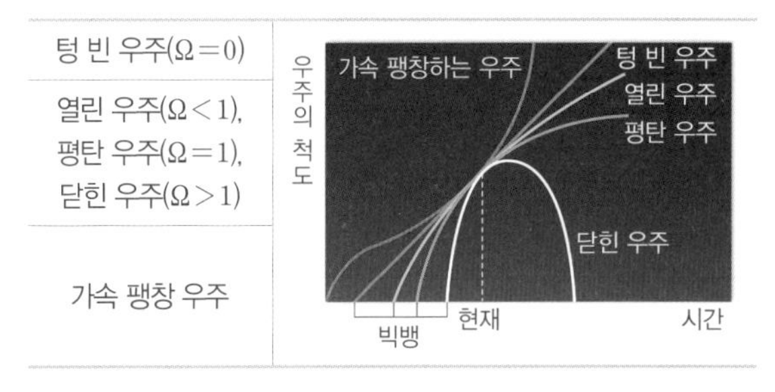

03 우주의 구성 물질과 미래

1. 우주를 이루고 있는 요소

① **보통 물질:** 관측이 가능하고 질량이 있는 물질(약 5 %)

② **암흑 물질:** 빛을 방출하지 않으나 질량이 있는 물질(약 27 %)

③ **암흑 에너지:** 우주의 팽창률이 점점 더 커지려면 물질과는 반대로 척력으로 작용하는 요소가 있어야 하는데, 이러한 우주의 팽창을 가속하는 성분(약 68 %)

2. 표준 우주 모형: 급팽창 이론을 포함한 빅뱅 우주론에 암흑 물질과 암흑 에너지의 개념까지 모두 포함된 최신의 우주론

한번에 끝내는
대단원 문제

정답과 해설 84쪽

01 그림은 별의 분광형과 수소와 헬륨의 흡수선의 상대적 세기를 나타낸 것이다.

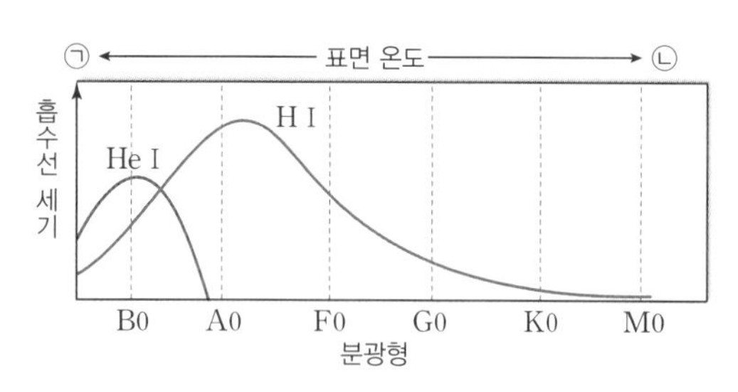

이에 대한 설명으로 옳은 것만을 <보기>에서 있는 대로 고른 것은?

보기
ㄱ. 표면 온도는 ㉠보다 ㉡쪽으로 갈수록 높아진다.
ㄴ. 중성 수소 흡수선은 A형 별에서 가장 세다.
ㄷ. 태양보다 고온인 별에서 헬륨 흡수선이 나타난다.

① ㄱ ② ㄴ ③ ㄱ, ㄴ
④ ㄴ, ㄷ ⑤ ㄱ, ㄴ, ㄷ

02 그림은 H-R도상에 세 별 ㉠, ㉡, ㉢의 위치를 나타낸 것이다.

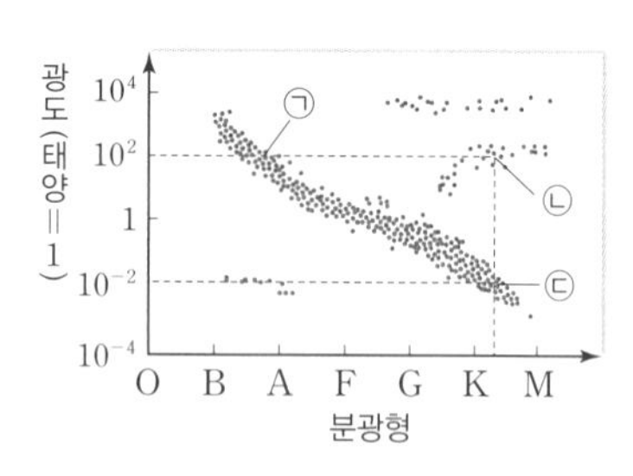

이에 대한 설명으로 옳은 것만을 <보기>에서 있는 대로 고른 것은?

보기
ㄱ. 별의 표면 온도는 ㉠이 가장 낮다.
ㄴ. 별의 반지름은 ㉡이 ㉢보다 100배 크다.
ㄷ. 앞으로 수명이 가장 긴 것은 ㉢이다.

① ㄱ ② ㄴ ③ ㄱ, ㄴ
④ ㄴ, ㄷ ⑤ ㄱ, ㄴ, ㄷ

03 그림은 질량이 다른 원시별이 진화하는 과정을 나타낸 것으로, 숫자는 진화하는 데 걸린 시간을 나타낸다. 이에 대한 설명으로 옳은 것만을 <보기>에서 있는 대로 고른 것은?

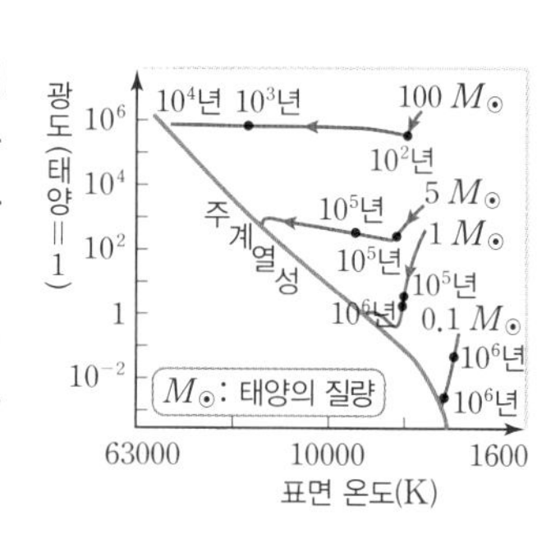

보기
ㄱ. 원시별은 질량이 클수록 주계열에 도달하는 속도가 빠르다.
ㄴ. 원시별이 중심핵에서 수소 핵융합 반응을 시작하면 주계열에 도달한다.
ㄷ. 질량이 작은 원시별일수록 진화 과정 중 표면 온도 변화가 크게 일어난다.

① ㄱ ② ㄴ ③ ㄱ, ㄴ
④ ㄱ, ㄷ ⑤ ㄱ, ㄴ, ㄷ

04 그림은 공전 궤도면이 지구 관측자의 시선 방향과 나란한 외계 행성을 탐사하는 방법을 나타낸 것이다.

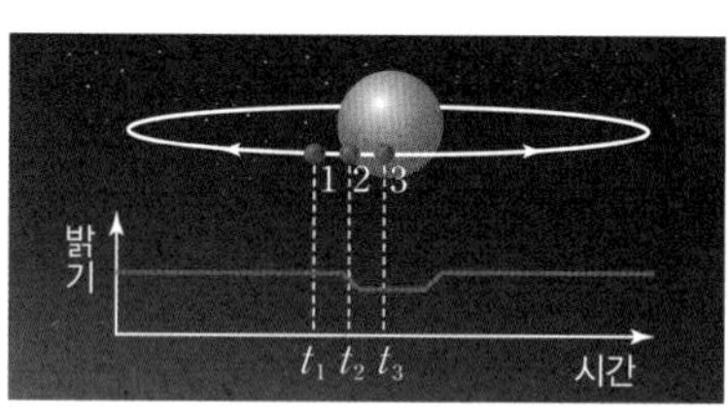

이에 대한 설명으로 옳은 것만을 <보기>에서 있는 대로 고른 것은?

보기
ㄱ. 행성의 공전 주기가 길수록 t_1~t_3까지의 밝기가 변화하는 시간이 길어진다.
ㄴ. 행성의 반지름이 클수록 별의 밝기 변화가 크다.
ㄷ. 행성이 1 → 3으로 이동하는 동안 중심별의 스펙트럼에서는 청색 편이가 일어난다.

① ㄱ ② ㄷ ③ ㄱ, ㄴ
④ ㄴ, ㄷ ⑤ ㄱ, ㄴ, ㄷ

05 그림은 외계 행성계에서 중심별과 행성의 운동을 나타낸 것이다.
이에 대한 설명으로 옳은 것만을 〈보기〉에서 있는 대로 고른 것은?

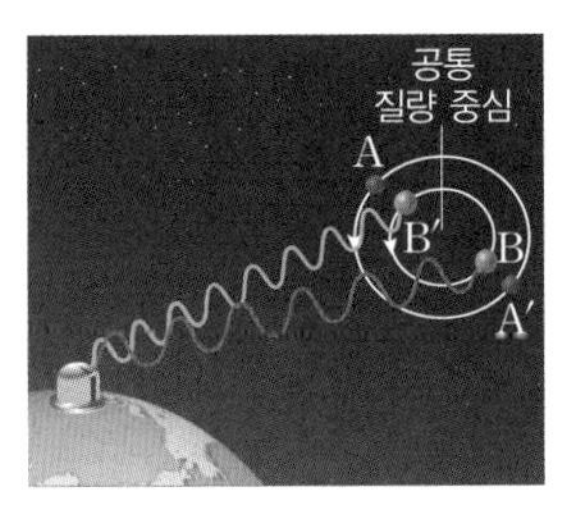

보기
ㄱ. 행성이 A의 위치에 있을 때 중심별은 청색 편이가 관측된다.
ㄴ. 공통 질량 중심을 회전하는 주기는 A와 B가 같다.
ㄷ. B와 B'의 시선 속도 방향은 반대이다.

① ㄱ ② ㄴ ③ ㄱ, ㄷ
④ ㄴ, ㄷ ⑤ ㄱ, ㄴ, ㄷ

06 그림은 태양계의 생명 가능 지대를 나타낸 것이다.

이에 대한 설명으로 옳은 것만을 〈보기〉에서 있는 대로 고른 것은?

보기
ㄱ. 태양계의 생명 가능 지대는 1 AU 내외의 범위에 존재한다.
ㄴ. 화성에는 기체 상태의 물이 존재할 것이다.
ㄷ. 태양의 질량이 현재보다 컸다면 생명 가능 지대는 태양에서 더 멀어졌을 것이다.

① ㄱ ② ㄴ ③ ㄱ, ㄷ
④ ㄴ, ㄷ ⑤ ㄱ, ㄴ, ㄷ

07 그림은 외부 은하를 형태에 따라 분류한 것이다.

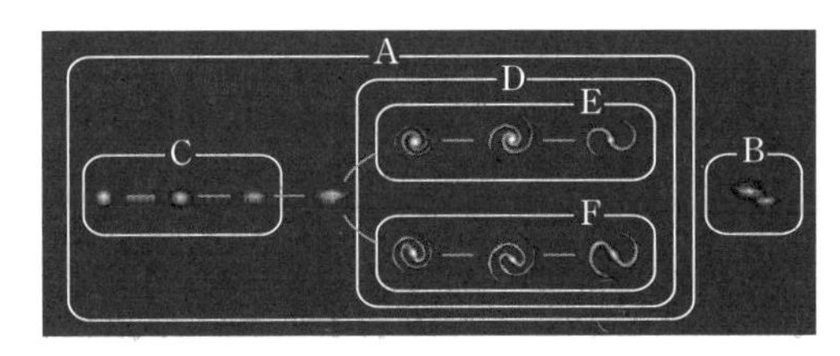

이에 대한 설명으로 옳은 것만을 〈보기〉에서 있는 대로 고른 것은?

보기
ㄱ. A와 B의 분류 기준은 모양의 규칙성 여부이다.
ㄴ. C와 D의 분류 기준은 나선팔의 유무이다.
ㄷ. E와 F의 분류 기준은 중심부에 막대 구조의 유무이다.

① ㄱ ② ㄷ ③ ㄱ, ㄴ
④ ㄴ, ㄷ ⑤ ㄱ, ㄴ, ㄷ

08 그림은 세이퍼트은하의 스펙트럼을 나타낸 것이다.
이에 대한 설명으로 옳은 것만을 〈보기〉에서 있는 대로 고른 것은?

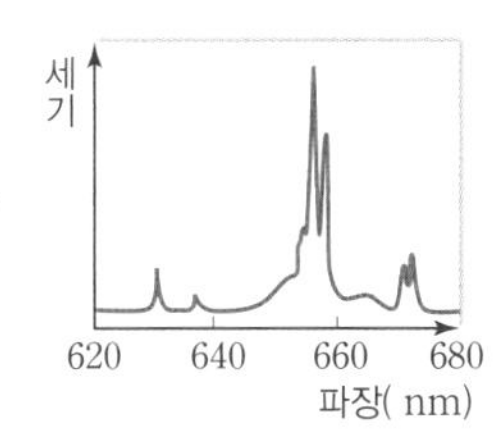

보기
ㄱ. 강한 방출선이 관측된다.
ㄴ. 선 스펙트럼의 폭이 넓게 나타난다.
ㄷ. 가시광선 영역에서 대부분 나선 은하로 관측된다.

① ㄱ ② ㄴ ③ ㄱ, ㄷ
④ ㄴ, ㄷ ⑤ ㄱ, ㄴ, ㄷ

09 Ia형 초신성을 이용하면 우주의 가속 팽창을 알 수 있는데, 이에 대한 설명으로 옳은 것만을 〈보기〉에서 있는 대로 고른 것은?

보기
ㄱ. Ia형 초신성의 겉보기 등급은 멀리 있을수록 더 어둡게 관측된다.
ㄴ. 빅뱅 이후 우주의 팽창 속도는 계속 증가하고 있다.
ㄷ. 우주가 가속 팽창하는 까닭은 암흑 에너지에 의한 척력 때문이다.

① ㄱ ② ㄴ ③ ㄱ, ㄷ
④ ㄴ, ㄷ ⑤ ㄱ, ㄴ, ㄷ

10 그림은 약 2.7 K 흑체 복사와 코비 위성이 관측한 우주 배경 복사의 관측값을 나타낸 것이다.
이에 대한 설명으로 옳은 것만을 〈보기〉에서 있는 대로 고른 것은?

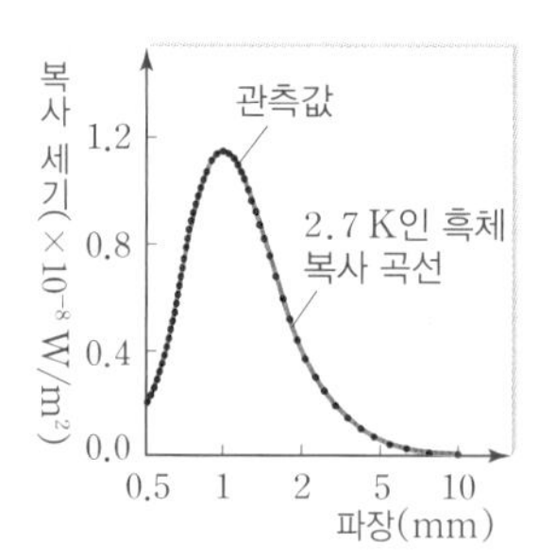

보기
ㄱ. 우주 배경 복사는 2.7 K 흑체 복사와 일치한다.
ㄴ. 이 관측 결과는 빅뱅 우주론이 설명하지 못하는 취약점이다.
ㄷ. 이 그래프는 우주 전체의 국지적으로 미세한 온도 변화를 보여 준다.

① ㄱ ② ㄷ ③ ㄱ, ㄴ
④ ㄴ, ㄷ ⑤ ㄱ, ㄴ, ㄷ

11 그림은 대폭발 이후의 시간에 따른 우주 반지름의 상대적 크기를 나타낸 것이다.

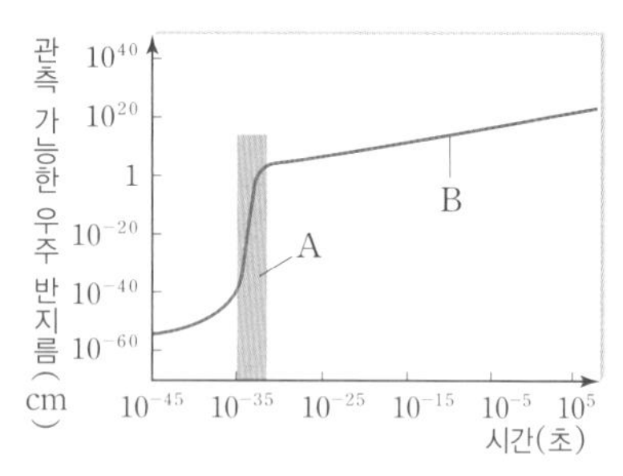

이에 대한 설명으로 옳은 것만을 〈보기〉에서 있는 대로 고른 것은?

보기
ㄱ. A 구간은 급팽창이 일어났음을 의미한다.
ㄴ. B 구간은 A 구간보다는 느린 속도이지만, 우주가 계속 팽창하고 있음을 나타낸다.
ㄷ. 이 우주론은 기존 빅뱅 이론의 우주의 지평선 문제를 해결하였다.

① ㄱ ② ㄷ ③ ㄱ, ㄴ
④ ㄴ, ㄷ ⑤ ㄱ, ㄴ, ㄷ

서답형 문제

정답과 해설 84쪽

서술형

12 그림은 별의 수명이 거의 끝나는 시기에 별의 외곽 물질을 우주 공간으로 방출하고 있는 성운을 나타낸 것이다.

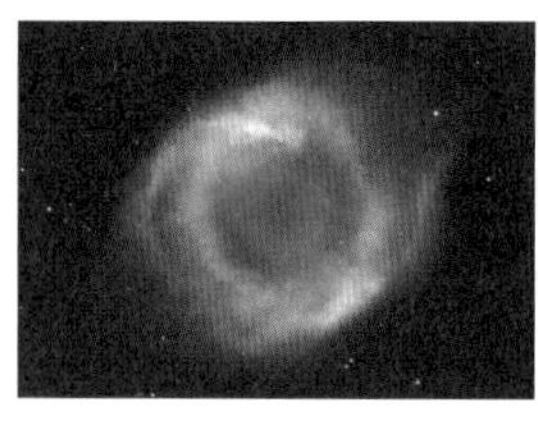

이러한 성운이 생성되기 전과 후의 별의 진화 단계를 쓰고, 이러한 최후를 맞이하는 별의 질량에 대해 서술하시오.

[13~14] 그림 (가)는 외부 은하의 분광 관측 결과 고유 파장이 400 nm인 어떤 흡수선이 420 nm에 나타난 것을, (나)는 외부 은하의 거리와 시선 속도의 관계를 나타낸 것이다.

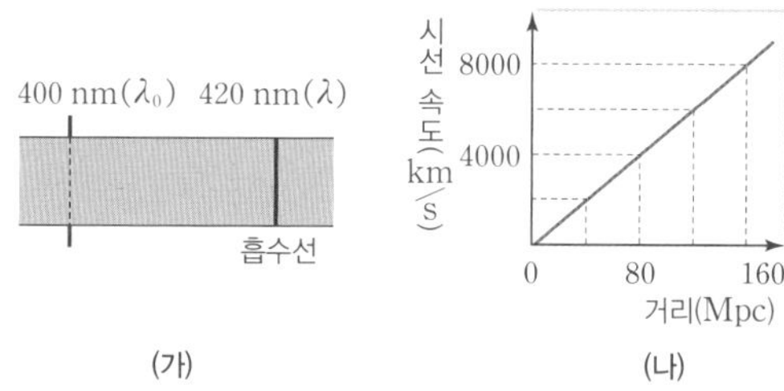

(가) (나)

서술형

13 그림 (가)에 해당하는 외부 은하의 후퇴 속도(시선 속도)를 구하고, 계산 과정을 서술하시오. (단, $\frac{V_R}{c}=\frac{\lambda-\lambda_0}{\lambda_0}$이고, $c=3\times10^5$ km/s이다.)

서술형

14 이 은하까지의 거리를 구하고, 계산 과정을 서술하시오.

히어 리어트 지학사

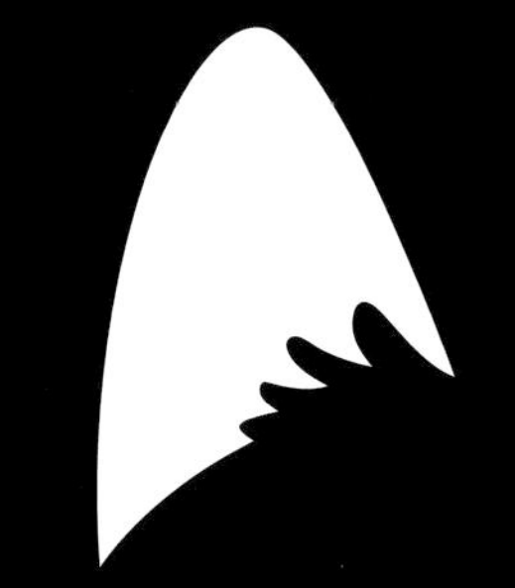

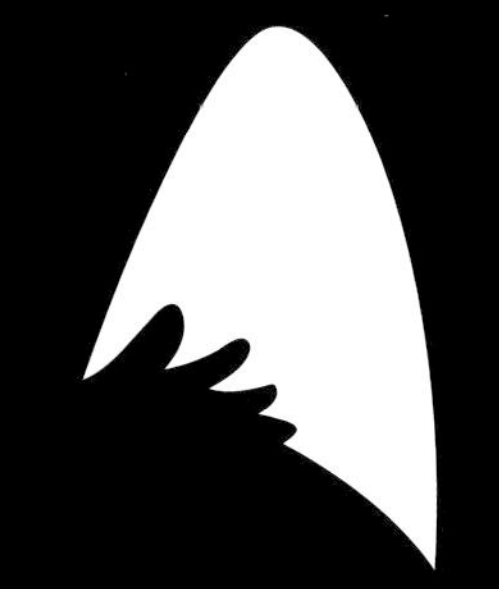

개념 학습과 정리가 한번에 끝나는 기본서

개념풀

지구과학 I

정답과 해설

개념과 정리가 한번에 끝나는 기본서

개념풀

지구과학 I

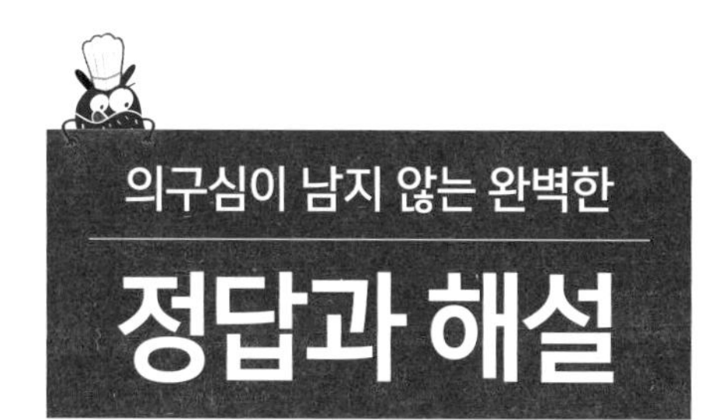

의구심이 남지 않는 완벽한

정답과 해설

1 ≫ 지권의 변동

01~ 판 구조론의 정립 과정

탐구POOL
014쪽

01 (1) × (2) × (3) ○ **02** 발산형 경계
03 음파 왕복 시간이 점점 길어진다.

03 대륙붕에서 대륙대까지 음파 왕복 시간이 점점 길어진다. 이때 대륙 사면에서 경사가 크므로 음파 왕복 시간이 빠르게 증가한다.

콕콕! 개념 확인하기
015쪽

✔ 잠깐 확인!
1 판게아 **02** 대륙 이동설 **03** 맨틀 대류설 **04** 음향 측심법 **05** 해저 확장설 **06** 변환 단층 **07** 판 구조론

01 (1) ○ (2) ○ (3) ○ (4) × **02** 원동력
03 ㉠ 온도 ㉡ 대륙 **04** (1) ○ (2) ○ (3) ×
05 ㉠ 판 ㉡ 지각 변동

02 대륙 이동에 대한 여러 증거에도 불구하고 베게너는 대륙을 이동시키는 원동력을 충분히 설명하지 못해 대륙 이동설은 많은 과학자들에게 받아들여지지 않았다.

03 홈스는 맨틀 내부의 온도 차로 일어나는 맨틀 대류가 대륙을 이동시키는 원동력이라고 주장하였다.

05 판 구조론을 통해 서로 관계없이 일어난다고 생각하였던 여러 가지 지각 변동(화산 활동, 지진, 조산 운동 등)을 통합적으로 해석할 수 있게 되었다.

탄탄! 내신 다지기
016쪽~017쪽

01 ① **02** ① **03** 대륙의 이동 **04** 판게아, 고생대 말
05 ① **06** ④ **07** ④ **08** ② **09** c−d
10 ㉠ 맨틀 대류설 ㉡ 해저 확장설 **11** ③ **12** ⑤

01 20세기 초 베게너는 멀리 떨어진 두 대륙의 해안선 모양이 유사하다는 것에 착안하여 여러 가지 증거를 제시하면서 대륙 이동설을 주장하였다.

02 | 선택지 분석 |

✔① 맨틀 대류에 의해 거대한 대륙이 이동한다.
➡ 베게너는 대륙 이동의 원동력을 설명하지 못하였다.

② 대서양을 사이에 두고 화석 분포가 연속적이다.
➡ 대서양의 양쪽에 위치한 두 대륙에서 고생물 화석의 분포가 연속적으로 나타난다.

③ 고생대 말기 빙하의 흔적이 남극을 중심으로 잘 연결된다.
➡ 고생대 말기에 형성된 빙하의 흔적 분포를 남극을 중심으로 연결하면 하나로 잘 모아진다.

④ 멀리 떨어져 있는 두 대륙에서 지질 구조가 연속적으로 나타난다.
➡ 아프리카 대륙과 남아메리카 대륙에서 지질 구조가 연속적으로 이어진다.

⑤ 남아메리카 대륙의 동해안과 아프리카 대륙의 서해안 모양이 거의 일치한다.
➡ 대서양 양쪽에 위치한 남아메리카 대륙의 동해안과 아프리카 대륙의 서해안 모양이 잘 일치한다.

03 과거에는 여러 대륙들이 하나로 모여 있었고, 이 당시의 고생물 분포 지역이 현재에는 멀리 떨어져 있는 여러 대륙에서 발견된다. 베게너는 메소사우루스(고생대 파충류), 글로소프테리스(양치식물) 등의 화석 분포를 근거로 대륙 이동설을 주장하였다.

04 베게너는 고생대 말에 하나로 모여 있던 초대륙을 판게아라고 하였다.

05 홈스는 맨틀 내부에서 온도 차에 의해 열대류가 일어나며, 이로 인해 대륙이 분리되고 이동할 수 있다고 주장하였다.

06 | 선택지 분석 |

① 맨틀 내부의 온도 차이로 맨틀에서 열대류가 발생한다.
➡ 방사성 동위 원소의 붕괴열로 맨틀 내부의 열대류가 발생한다고 주장하였다.

② 맨틀 대류가 상승하는 곳에서는 마그마의 활동으로 새로운 지각이 형성된다.
➡ 맨틀 대류의 상승부에서 대륙이 분리되어 새로운 섬이 형성된다고 주장하였다.

③ 맨틀 대류가 하강하는 곳에서는 지각이 맨틀 속으로 들어간다.
➡ 맨틀 대류의 하강부에서 대륙이 소멸된다고 설명하였다.

✔④ 맨틀 대류설이 제시되면서 대륙 이동설을 정설로 받아들이기 시작하였다.
➡ 당시에는 맨틀 대류설을 뒷받침할 만한 결정적인 증거가 없어 받아들여지지 않았다.

⑤ 맨틀 대류를 뒷받침할 만한 결정적인 증거를 제시하지 못하였다.
➡ 홈스는 맨틀 대류의 결정적인 증거를 제시하지 못하였다.

07 | 선택지 분석 |

① 제2차 세계 대전 이후 탐사 장비와 기술이 크게 발전하였다.
➡ 탐사 기술의 발달로 해저 지형을 자세하게 조사할 수 있게 되었다.

② 음향 측심법을 활용하여 해령과 해구 등의 해저 지형을 알게 되었다.
➡ 음파를 이용한 해저 지형 조사를 통해 해령, 해구, 심해저 평원 등의 존재를 확인하였다.

③ 음파가 해저면에 반사되어 되돌아오기까지 걸리는 시간을 재어 수심을 측정한다.
➡ 음파가 선박과 해저면 사이를 왕복하는 시간을 측정하여 수심을 알아낼 수 있다.

④ 수심은 (음파의 평균 속력×음파 왕복 시간)에 해당한다.
➡ 수심은 $\frac{1}{2}$×(음파의 평균 속력×음파 왕복 시간)에 해당한다.

⑤ 해저 지형의 발견은 해저 확장설의 바탕이 되었다.
➡ 해저 지형이 자세하게 알려지면서 해저 확장설이 등장하였다.

08 | 선택지 분석 |

① 해령 부근에는 나이가 적은 암석이 분포한다.
➡ 해령 부근에는 해령의 중심부에서 형성된 젊은 암석이 분포한다.

② 대륙 주변부에 거대한 습곡 산맥이 발달한다.
➡ 습곡 산맥은 판과 판의 충돌에 의한 조산 운동으로 만들어지므로 해저 확장과 직접적인 관계가 없다.

③ 해령과 해령 사이에는 변환 단층이 존재한다.
➡ 해령을 기준으로 해저가 양쪽으로 확장되므로 두 해령 사이에 변환 단층이 존재한다.

④ 해령에서 멀어질수록 해저 퇴적물의 두께가 증가한다.
➡ 해령에서 해구 쪽으로 갈수록 해저 퇴적물의 두께가 두껍다.

⑤ 해령을 중심으로 고지자기의 줄무늬가 대칭적으로 나타난다.
➡ 해령에 대해 대칭적으로 분포하는 고지자기 줄무늬는 해저 확장설의 증거이다.

09 변환 단층은 해령과 해령 사이에 수직으로 발달한 단층으로 서로 어긋나게 움직이는 부분이다. a−c와 d−f가 해령이므로 변환 단층은 c−d 구간에 해당한다.

10 판 구조론은 대륙 이동설과 맨틀 대류설을 거쳐 해저 확장설의 증거들이 차례로 발견되면서 통합 이론으로 확립되었다.

11 | 선택지 분석 |

① 지각과 상부 맨틀을 포함하는 평균 두께가 약 100 km인 부분을 암석권이라고 한다.
➡ 암석권은 두께 약 100 km인 단단한 지구의 겉 부분으로 지각과 상부 맨틀의 일부로 이루어져 있다.

② 해양판의 밀도는 대륙판보다 크다.
➡ 해양판을 구성하는 해양 지각이 대륙판을 구성하는 대륙 지각보다 밀도가 크기 때문에 해양판의 밀도는 대륙판의 밀도보다 크다.

③ 지구의 겉 부분은 ~~하나로 연결된 거대한~~ 여러 개의 판으로 이루어져 있다.
➡ 지구의 겉 부분을 이루고 있는 암석권은 크고 작은 여러 개의 판으로 나누어져 있다.

④ 탐사 기술의 발전은 판 구조론이 정립되는 데 중요한 역할을 하였다.
➡ 제2차 세계 대전 이후에 탐사 기술이 급격하게 발달하였고, 이를 바탕으로 해저 확장설을 거쳐 판 구조론이 정립되었다.

⑤ 1970년대 초 지각 변동을 설명하는 통합 이론으로 판 구조론이 탄생하였다.
➡ 1970년대 초 지구 겉 부분이 10여 개의 판들로 구분되며, 판의 운동에 의해 다양한 지질 현상이 일어난다는 통합적인 이론인 판 구조론이 정립되었다.

12 변환 단층은 두 판이 서로 어긋나는 보존형 경계에서, 열곡대는 두 판이 서로 멀어지는 발산형 경계에서, 습곡 산맥은 두 판이 서로 가까워지는 수렴형 경계에서 형성된다.

도전! 실력 올리기

018쪽~019쪽

01 ⑤ **02** ③ **03** ② **04** ④ **05** ⑤ **06** ④

07 지점 6, 7500 m

08 | 모범 답안 | 고지자기의 줄무늬가 해령을 축으로 대칭을 이루는 까닭은 해령에서 생성된 지각이 양쪽으로 이동하였기 때문이다. 즉, 해양저가 확장되었음을 나타낸다.

09 | 모범 답안 | A에서 해령으로 가는 동안 해양 지각의 나이는 감소하고, 해령에서 B로 가는 동안 다시 증가한다.

01 | 선택지 분석 |

㉠ 고생대에는 대서양이 존재하지 않았다.
➡ 대서양은 중생대 중기에 판게아가 분리된 이후에 생성되었다.

㉡ 인도 대륙은 과거에 남반구에 위치하였다.
➡ 인도는 고생대 말에 남극 대륙과 붙어 있었다.

㉢ 남아메리카 동해안과 아프리카 서해안의 해안선 모양이 거의 일치한다.
➡ 고생대 말에는 남아메리카와 아프리카가 연결되어 있었으므로 해안선 모양이 거의 일치한다.

02 | 선택지 분석 |

㉠ 화석 ㉠~㉣의 분포는 대륙 이동의 증거이다.
➡ 화석 ㉠~㉣의 분포를 기준으로 각 대륙을 연결하면 과거의 대륙 분포를 파악할 수 있다. 고생물 화석의 분포는 대륙 이동의 중요한 증거이다.

㉡ ㉠~㉣은 모두 대륙이 분리되기 이전에 살았던 생물들이다.
➡ 화석 ㉠~㉣은 모두 판게아가 분리되기 이전에 살았던 생물들이다.

✕ 대륙이 분리된 이후에 살았던 생물 분포도 연속적으로 나타날 것이다.

➡ 대륙이 분리된 이후에는 각 대륙에서 서로 다른 종의 생물 화석이 산출된다.

03 | 자료 분석 |

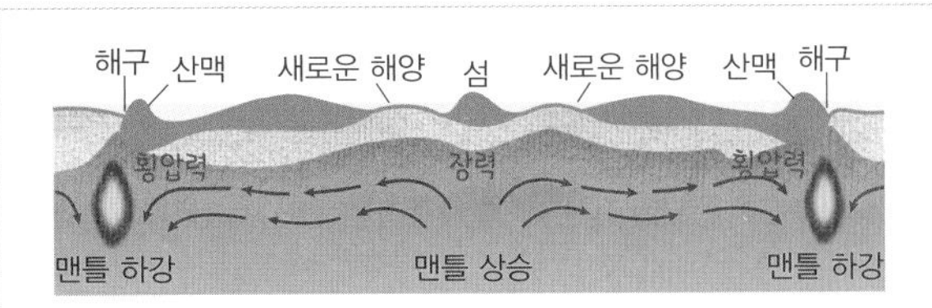

- **맨틀 대류의 에너지원:** 방사성 원소가 붕괴하여 생성된 열
- **맨틀 물질의 상승부:** 맨틀 물질이 발산하면서 장력이 작용하여 대륙이 갈라져 양쪽으로 이동, 새로운 해양과 섬이 형성
- **맨틀 물질의 하강부:** 맨틀 물질이 수렴하면서 횡압력이 작용하여 지각이 맨틀 속으로 들어가고, 해구와 산맥이 형성

| 선택지 분석 |

✕ 맨틀 대류의 상승부에서 횡압력이 작용한다.

➡ 맨틀 대류의 상승부에서는 장력이, 하강부에서는 횡압력이 작용한다.

✕ 맨틀 대류의 하강부에서 대륙 지각이 분리된다.

➡ 맨틀 대류의 하강부에서는 횡압력이 작용하면서 산맥과 해구가 형성된다.

㉢ 맨틀 대류에 의해 새로운 해양과 섬이 생성된다.

➡ 홈스의 맨틀 대류설에 따르면 맨틀 대류의 상승부에서는 대륙 지각이 분리되면서 새로운 해양과 섬이 생성된다.

04 | 자료 분석 |

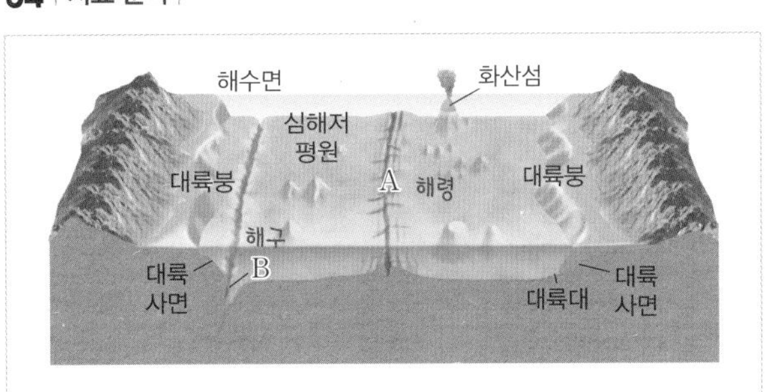

- **대륙붕:** 대륙의 연장으로 경사가 거의 없는 지형
- **대륙 사면:** 대륙붕에서 이어진 비교적 경사가 급한 지형
- **대륙대:** 경사가 완만한 지형
- **해구:** 수심 약 6 km 이상의 깊은 골짜기
- **심해저 평원:** 수심 약 4 km로, 해저의 대부분을 차지함
- **해령:** 주변보다 수심이 얕은 해저 산맥, 중앙에 열곡이 발달함

| 선택지 분석 |

✕ 대륙붕은 대륙 사면보다 경사가 크다.

➡ 대륙붕은 대륙의 연장으로 경사가 거의 없는 완만한 지형이다.

㉡ A의 중심부에 V자 모양의 열곡이 있다.

➡ A는 해양저에 존재하는 해령(해저 산맥)으로, 중심부에 V자 모양의 열곡이 발달한다.

㉢ B는 수심 약 6 km 이상의 깊은 골짜기이다.

➡ B는 수심이 가장 깊은 해구이다.

05 | 자료 분석 |

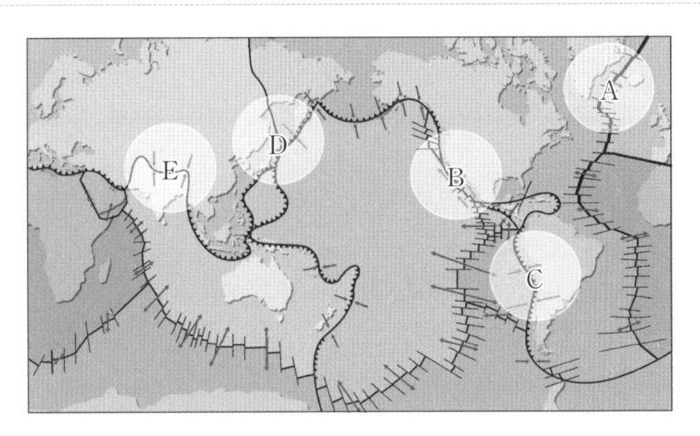

- A: 발산형 경계, 대서양 중앙 해령
- B: 보존형 경계, 산안드레아스 단층(변환 단층)
- C: 수렴형 경계, 페루–칠레 해구, 안데스산맥
- D: 수렴형 경계, 일본 해구
- E: 수렴형 경계, 히말라야산맥

| 선택지 분석 |

㉠ A에서는 새로운 해양 지각이 생성된다.

➡ A는 발산형 경계인 해령으로 새로운 해양 지각이 생성된다.

㉡ B에는 변환 단층이 발달한다.

➡ B는 보존형 경계로 변환 단층이 발달한다.

㉢ C, D, E는 맨틀 대류의 하강부에 위치한다.

➡ C, D, E는 맨틀 대류의 하강부인 수렴형 경계이다. C와 D에서는 해구, E에서는 습곡 산맥이 발달한다.

06 (가)는 해저 확장설, (나)는 맨틀 대류설, (다)는 대륙 이동설, (라)는 판 구조론이다. 정립된 순서는 대륙 이동설(다) → 맨틀 대류설(나) → 해저 확장설(가) → 판 구조론(라) 순이다.

07 음파의 왕복 시간이 오래 걸릴수록 수심이 깊은 곳이다. 지점 6에서 음파의 왕복 시간이 10초이고, 음파의 평균 속력은 1500 m/s이다. 따라서 수심은 $\frac{1}{2} \times 10 \times 1500 = 7500$ m이다.

08 해양 지각에 분포하는 지구 자기를 측정한 결과 지구 자기장의 남극과 북극이 반복적으로 바뀌었다는 것을 밝혀내었는데, 이를 고지자기의 역전이라고 한다. 고지자기 역전은 해령을 축으로 대칭으로 나타나는데, 이는 해령을 중심으로 해양저가 양쪽으로 확장되었기 때문이다.

채점 기준	배점
해령을 중심으로 해저가 확장된다는 설명이 포함된 경우	100 %
해저 확장에 대해서만 언급하고, 구체적인 설명이 부족한 경우	50 %

09 A와 B 사이에 발산형 경계인 해령이 존재한다. 해령에서는 새로운 해양 지각이 생성되어 양옆으로 이동하므로 해령 부근에는 매우 젊은 암석이 분포한다. 따라서 A에서 해령까지는 해양 지각의 나이가 감소하고, 해령에서 B로 가는 동안 다시 증가한다.

채점 기준	배점
해양 지각의 나이를 해령을 포함하여 옳게 서술한 경우	100 %
나이 변화 경향성만 서술한 경우	50 %

02 고지자기와 대륙 분포의 변화

탐구POOL 024쪽

01 (1) × (2) ○ **02** 북쪽
03 해구에서 해양 지각이 소멸하기 때문이다.

03 해양 지각은 대륙 지각에 비해 밀도가 커서 지구 내부로 들어가 소멸될 수 있다. 해령에서 멀리 떨어져 있는 해구에서는 나이가 많은 해양 지각이 지구 내부로 섭입하여 소멸된다. 따라서 대륙 지각과 달리 해양 지각은 나이가 많은 암석이 존재하지 않는다.

콕콕! 개념 확인하기 025쪽

✓ 잠깐 확인!
1 지구 자기장 **2** 자북극 **3** 잔류 자기 **4** 고생대, 중생대
5 신생대 **6** 판

01 (1) ○ (2) ○ (3) × (4) ○ **02** 대륙이 이동
03 (1) 판게아 (2) 습곡 산맥 (3) 상승
04 (1) × (2) ○ (3) × (4) ○

02 같은 시기에 지구의 자극이 2개 있을 수는 없으므로 북아메리카와 유럽이 갈라져 서로 다른 방향으로 이동하였음을 알 수 있다.

03 판게아는 고생대 말에 형성되었으며, 형성 과정에서 판의 충돌로 거대한 습곡 산맥들이 형성되었다. 중생대 초인 약 2억 년 전부터 판게아가 분리되기 시작하여 현재의 수륙 분포를 이루었다.

탄탄! 내신 다지기 026쪽~027쪽

01 ③ **02** (가) 자기 적도 (나) 북반구 중위도 (다) 남반구 중위도 **03** ② **04** ① **05** ④ **06** 계속 증가하였다. **07** ②
08 ⑤ **09** (가) → (나) → (다) **10** ③ **11** ②

01 | 선택지 분석 |
① A는 자북극이다.
➡ A는 지리상 북극이고, B는 자북극이다.
② A에서 복각은 90°이다.
➡ 복각은 자북극에서 90°이다.
③ 시간에 따라 B의 위치는 달라진다.
➡ A의 위치는 시간에 따라 변하지 않지만, B의 위치는 변한다.
④ B는 지구 자전축과 지표면이 만난 점이다.
➡ B는 자북극이며, 지구 자전축과 지표면이 만난 점은 A이다.
⑤ 자기 적도에서는 A의 방향과 B의 방향이 같다.
➡ 자기 적도는 복각이 0°이 되는 지점이다.

02 나침반의 자침이 수평면과 이루는 각도를 복각이라 한다. 복각이 0°인 곳을 자기 적도, 90°인 곳을 자북극이라고 한다. 지구 자기력선은 북반구에서 지평선 아래, 남반구에서는 지평선 위쪽을 향한다.

03 | 선택지 분석 |
ㄱ. 자성을 띤 물질은 뜨거운 용암 상태에서도 자성을 잃지 않는다.
➡ 암석에 포함된 자성을 띤 물질은 뜨거운 용암 상태에서는 자성을 잃었다가 냉각되는 과정에서 다시 자성을 띤다.
ㄴ. 자성이 있는 광물 입자가 물속에서 퇴적될 때 그 당시의 자기장 방향으로 배열될 수 있다.
➡ 자성이 있는 광물 입자가 물속에서 퇴적되어 가라앉을 때, 퇴적물 속의 자성 광물은 그 당시의 자기장 방향으로 배열된다. 퇴적암이 형성된 후에는 배열 방향이 바뀌지 않는다.
ㄷ. 광물 입자는 항상 지구 자기장 방향에 따라 배열해 있다.
➡ 암석이 형성된 이후에는 지구 자기장의 방향이 변해도 암석 속 광물의 자화 방향은 보존된다.

04 암석의 잔류 자기에 기록된 복각 변화를 측정하여 과거 암석이 생성될 당시의 위도를 알아낼 수 있다.

더 알아보기 복각

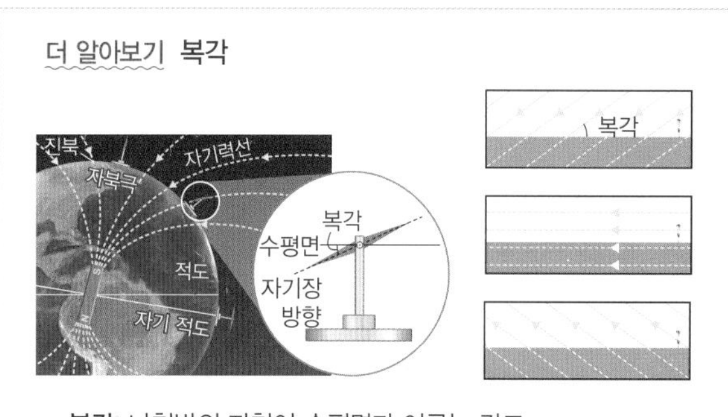

• **복각:** 나침반의 자침이 수평면과 이루는 각도
• 복각이 0°인 곳을 자기 적도, 90°인 곳을 자북극이라고 한다.

05 유럽 대륙과 북아메리카 대륙에서 측정한 자북극의 겉보기 이동 경로가 서로 다른 까닭은 지질 시대 동안 두 대륙이 서로 다른 방향으로 이동하였기 때문이다.

06 남반구에 위치했을 때 복각은 (−)이고, 자기 적도에서 0, 북반구에서 (+)값을 갖는다. 따라서 복각은 계속 증가하였다.

07 | 선택지 분석 |

① 가장 최근에 존재했던 초대륙은 판게아이다.

➡ 지구상에 존재했던 마지막 초대륙은 고생대 말에 형성된 판게아이다.

② 초대륙을 형성하는 에너지원은 ~~태양~~ 지구 내부 에너지이다.

➡ 초대륙을 형성하거나 분리시키는 에너지원은 지구 내부 에너지이다.

③ 초대륙이 작은 대륙으로 나누어지면 다양한 기후대가 형성된다.

➡ 초대륙이 여러 대륙으로 분리될수록 대륙에서는 다양한 기후대가 나타난다.

④ 지질 시대 동안 초대륙을 형성한 시기는 몇 차례 있었다.

➡ 초대륙이 형성되는 주기는 대략 3억 년~5억 년으로 추정하고 있다.

⑤ 미래에 대륙이 모여 새로운 초대륙을 형성할 것이다.

➡ 앞으로 약 2억 년~2억 5천만 년 후에는 현재의 대륙들이 모여 새로운 초대륙을 형성할 것으로 예측된다.

08 고생대 말에 판게아가 형성되었으며, 중생대 초에 판게아에서 열곡대가 발달하면서 서서히 분리되기 시작하였다. 인도 대륙은 남극 대륙과 붙어 있다가 분리되어 북상하였고, 유라시아 대륙과 충돌하여 히말라야산맥을 형성하였다.

09 (가)는 고생대 말, (나)는 중생대, (다)는 신생대에 해당한다. 따라서 지질 시대에 따른 수륙 분포는 (가) → (나) → (다) 순이다.

10 현재 태평양에는 섭입대가 있어 판이 소멸되고 있다. 대서양에서는 섭입대가 없고 해령에서 해양저가 확장되고 있다. 따라서 미래에는 대서양이 넓어지고, 태평양이 좁아질 것이다. 한편 아프리카판이 계속 북상하고 있으므로 유라시아판과 충돌하게 되고, 지중해는 사라질 것이다.

11 | 선택지 분석 |

ㄱ. 약 1억 년 후 초대륙이 형성된다.

➡ 1억 년 후에도 여러 대륙으로 분리되어 있다.

ㄴ. 태평양의 면적은 (가)보다 (나)에서 좁다.

➡ (가)에서 (나)로 될 때 태평양의 면적은 좁아지고, 대서양은 넓어진다.

ㄷ. 이 기간 동안 대륙은 대체로 남쪽으로 이동하였다.

➡ 전체적으로 대륙들은 북쪽으로 이동하였다.

도전! 실력 올리기

028쪽~029쪽

01 ⑤ **02** ① **03** ③ **04** ④ **05** ④ **06** ④

07 약 4천만 년 전

08 | 모범 답안 | 최근 1000만 년 동안 위도는 5° 변했으므로 이동 거리는 약 550 km이다. 따라서 이동 속도는

$\frac{550\text{ km}}{1000\text{만 년}} = \frac{5.5\times10^7\text{ cm}}{1\times10^7\text{ 년}} = 5.5\text{ cm/년}$이다.

09 | 모범 답안 | 다양한 기후대의 형성으로 생물 다양성이 증가할 수 있다. 그리고 대륙붕 면적(대륙 연안 환경)이 증가하여 풍부한 생태계가 형성될 수 있다.

01 | 선택지 분석 |

ㄱ. ㉠은 자기 적도이다.

➡ ㉠에서 나침판의 자침이 기울어지지 않고 지평선과 나란하므로 자기 적도임을 알 수 있다.

ㄴ. ㉡은 복각이다.

➡ ㉡은 복각으로 나침반의 자침이 수평면과 이루는 각도이다.

ㄷ. ㉡은 진북보다 자북극에서 크다.

➡ 복각은 자북극에서 90°가 되므로 가장 큰 값을 갖는다.

02 | 자료 분석 |

- 인도 대륙에서 복각은 −49°에서 +36°로 바뀌었다.
- 3800만 년 전을 기준으로 그 이전 시기의 위도 변화량이 그 이후 시기의 위도 변화량보다 크다. → 인도 대륙의 이동 속도는 느려졌다.

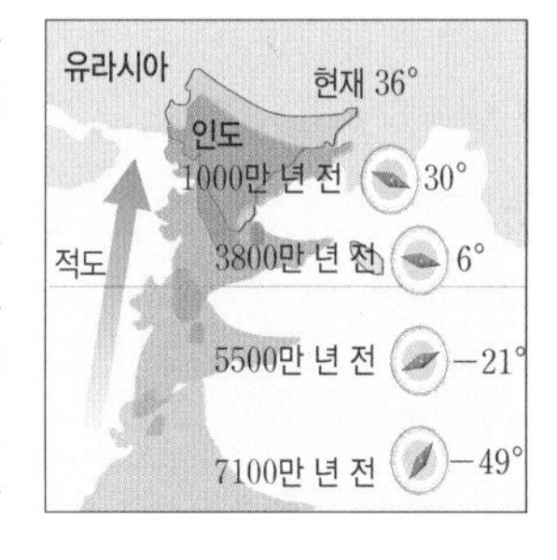

- 약 3800만 년 전부터 대륙이 충돌하기 시작하여 히말라야산맥이 형성되기 시작하였다.

| 선택지 분석 |

ㄱ. 이 기간 동안 인도 대륙은 자북극에 계속 가까워졌다.

➡ 이 기간 동안 인도 대륙의 복각이 계속 증가하였으므로 자북극에 가까워졌다.

ㄴ. 이 기간 동안 인도 대륙의 이동 속도는 점점 빨라졌다.

➡ 인도 대륙의 위치 변화량은 시간에 따라 조금씩 줄어들었다.

ㄷ. 히말라야산맥은 약 7100만 년 전부터 형성되기 시작하였다.

➡ 히말라야산맥은 인도 대륙과 유라시아 대륙이 충돌하기 시작한 약 3800만 년 전부터 형성되기 시작하였다.

03 | 선택지 분석 |

ㄱ. 과거에는 자북극이 ~~2곳~~ 1곳이었다.

➡ 자북극은 항상 1곳만 존재할 수 있다.

ㄴ. 북아메리카 대륙과 유라시아 대륙은 현재보다 과거에 더 거리가 멀었다.
➡ 과거에 두 대륙은 서로 가까운 곳에 위치하였다.

ㄷ. (나)의 결과는 대륙이 이동했다는 증거이다.
➡ 자북극의 이동 경로가 2개로 나타나는 것은 대륙이 이동하였음을 뜻하고, 이를 거꾸로 추적하면 과거 대륙의 이동 경로를 알아낼 수 있다.

04 | 선택지 분석 |

ㄱ. (가)는 (나)보다 먼저 형성되었다.
➡ (가)는 약 12억 년 전에 형성된 로디니아 초대륙이고, (나)는 약 2억 4천만 년 전에 형성된 판게아 초대륙의 모습이다.

ㄴ. (가)의 초대륙은 화석 자료를 이용하여 복원할 수 있다.
➡ 로디니아 초대륙은 화석 자료가 거의 없어 지층 순서를 비교하여 복원하였다.

ㄷ. (나)의 초대륙이 분리될 때 열곡대가 발달하였다.
➡ 대륙이 분리될 때 대륙 내부에서 열곡대가 발달한다.

05 | 선택지 분석 |

① 판의 이동 방향과 속력은 모두 다르다.
➡ 판의 이동 방향과 속력은 제각각 다르다.

② 대서양의 면적은 계속 넓어질 것이다.
➡ 대서양에는 해구가 없고, 해령만 있으므로 넓어질 것이다.

③ 태평양 가장자리에서 판의 소멸이 활발하다.
➡ 태평양 가장자리에는 해구가 발달해 있다.

④ 오스트레일리아 대륙은 남극에 더 가까워질 것이다.
➡ 오스트레일리아 대륙이 포함되어 있는 판은 현재 북쪽으로 이동 중이다.

⑤ 히말라야산맥의 높이는 현재보다 더 높아질 것이다.
➡ 인도-오스트레일리아판이 계속 북쪽으로 이동하고 있으므로 히말라야산맥은 현재보다 더 높아질 것이다.

06 | 선택지 분석 |

ㄱ. (가) → (나) 과정에서 습곡 산맥이 형성된다.
➡ 습곡 산맥은 초대륙이 형성될 때 잘 형성된다.

ㄴ. (다)에서 해양 중앙부에 발산형 경계가 발달한다.
➡ (다)에서 해양의 중앙부에 발산형 경계인 해령이 발달한다.

ㄷ. 대륙의 기후대는 (가) 시기보다 (다) 시기에 다양하다.
➡ 대륙이 작게 분리되었을 때 기후대가 다양하다.

더 알아보기 **초대륙의 형성과 분리**
- **초대륙 형성:** 대륙판 아래로 해양판이 섭입 → 대륙과 대륙이 충돌 → 대륙은 합쳐져 초대륙 형성, 습곡 산맥 발달
- **초대륙 분리:** 초대륙 내부에서 맨틀 대류의 상승류 발달 → 초대륙 분리 → 여러 대륙에서 다양한 기후대 발달

07 그래프에서 복각이 0°일 때 적도에 위치한다. 표에서 복각이 0°인 시기는 대략 4천만 년 전이다.

08 최근 1000만 년 동안 인도 대륙의 복각은 30°에서 36°로 변했으므로 위도는 15°에서 20°로 5° 변했다. 따라서 이동 거리는 약 550 km이다. 이동 속도는

$$\frac{550\text{ km}}{1000\text{만 년}}=\frac{5.5\times10^7\text{ cm}}{1\times10^7\text{ 년}}=5.5\text{ cm/년이다.}$$

채점 기준	배점
풀이 과정과 답을 모두 옳게 제시한 경우	100 %
이동 속도를 구하는 풀이 과정은 옳으나, 계산 과정(단위 처리)이 틀린 경우	50 %

09 대륙이 작은 조각으로 분리되어 다양한 위도에 분포하면, 기후대가 다양하게 형성되기 때문에 생물 다양성이 증가할 수 있다. 또한 대륙붕 면적(대륙 연안 환경)이 증가하여 풍부한 생태계가 형성될 수 있다.

채점 기준	배점
긍정적인 영향을 2가지 모두 옳게 서술한 경우	100 %
긍정적인 영향을 1가지만 옳게 서술한 경우	50 %

실전! 수능 도전하기

031쪽~033쪽

01 ③ 02 ⑤ 03 ② 04 ① 05 ⑤ 06 ① 07 ③ 08 ④
09 ⑤ 10 ③ 11 ⑤ 12 ⑤

01 베게너가 주장한 대륙 이동설의 증거는 두 대륙의 해안선 모양 유사, 화석 분포와 지질 구조의 연속성, 빙하의 흔적 등이다.

| 선택지 분석 |

ㄱ. A 대륙의 동쪽 해안선과 B 대륙의 서쪽 해안선 모양이 유사하다.
➡ 판게아 형성 당시 붙어 있었던 두 대륙은 분리된 이후에도 유사한 해안선 모양이 유지된다.

ㄴ. C 대륙과 D 대륙에서 산맥 구조가 연속적으로 나타난다.
➡ 판게아 당시 형성된 산맥이 현재 멀리 떨어져 있는 두 대륙에서 연속적으로 나타난다.

ㄷ. A~D 대륙에서 모두 고생대 말의 빙하 퇴적층이 분포한다.
➡ 고생대 말의 빙하 퇴적층은 남극 대륙을 중심으로 분포하였으므로 C와 D 대륙에서는 발견되지 않는다.

02 | 선택지 분석 |

ㄱ. 시간 순서는 (나) → (가) → (라) → (다)이다.
➡ (가)는 맨틀 대류설, (나)는 대륙 이동설, (다)는 판 구조론, (라)는 해저 확장설에 해당한다. 이론이나 주장이 제시된 순서는 (나) → (가) → (라) → (다)이다.

ㄴ 판은 지각과 맨틀의 최상부로 이루어져 있다.
➡ 판은 암석권의 조각으로 지각과 맨틀 최상부로 이루어져 있다.

ㄷ (라)는 음향 측심법이 발달한 이후에 등장하였다.
➡ 해저 확장설은 음향 측심법을 이용하여 정확한 해저 지형 탐사가 이루어진 이후에 등장하였다.

03 | 자료 분석 |

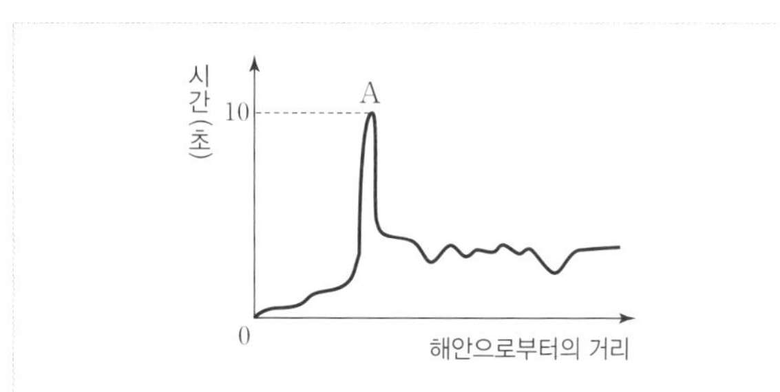

A에서 음파 왕복 시간이 10초이므로 수심은 약 7500 m이다.

수심 $= \frac{1}{2} \times$ 음파 왕복 시간 $\times$ 음파의 속도

$= \frac{1}{2} \times 10초 \times 1500\ m/s = 7500\ m$

✕ 주변보다 수심이 매우 얕은 곳이다.
➡ A는 음파 왕복 시간이 가장 긴 곳으로 해구에 해당한다.

✕ 심해저에 발달한 해저 산맥이다.
➡ 해구는 수심이 매우 깊은 골짜기이다.

ㄷ 두 판이 서로 가까워지는 수렴형 경계에서 형성된 지형이다.
➡ 해구는 판이 섭입하는 수렴형 경계에서 형성된다.

04 | 선택지 분석 |

ㄱ A, B, C의 암석은 모두 대서양 중앙 해령에서 생성되었다.
➡ 해양 지각은 해령의 중심축에서 생성되어 양옆으로 이동한다. 따라서 A, B, C의 암석은 모두 중앙 해령에서 생성되었다.

✕ A에서 B로 갈수록 퇴적물의 두께는 ~~두껍다~~. 얇다
➡ 퇴적물의 두께는 암석의 나이가 많은 A가 B보다 두껍다.

✕ B와 C 사이의 거리는 ~~일정하게 유지될~~ 멀어질 것이다.
➡ 해저가 확장됨에 따라 B와 C 사이의 거리는 점점 멀어질 것이다.

05 | 선택지 분석 |

ㄱ 해양 지각의 연령은 (나)의 세로축 물리량으로 적절하다.
➡ 대서양의 중앙에는 새로운 해양 지각이 생성되는 해령이 발달해 있으므로 해양 지각의 연령은 (나)의 세로축 물리량으로 적절하다.

ㄴ ㉠ 주변에는 해저 산맥이 발달한다.
➡ ㉠에는 주변보다 수심이 얕은 해저 산맥이 발달해 있다.

ㄷ ㉠에서 새로운 해양 지각이 생성된다.
➡ 해령에서 새로운 해양 지각이 생성되어 양옆으로 이동한다.

06 | 자료 분석 |

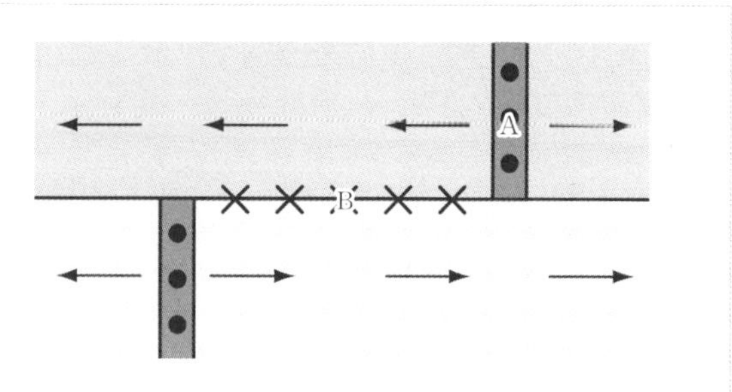

• A: 두 판이 서로 멀어지는 발산형 경계 ⇨ 해령
• B: 두 판이 서로 어긋나는 보존형 경계 ⇨ 변환 단층

A는 발산형 경계인 해령이고, B는 보존형 경계인 변환 단층이다. 따라서 A와 B에서는 모두 지진이 활발하다. 열곡은 A의 중심부에서 발달하고, 해양 지각도 A에서만 생성된다.

07 | 자료 분석 |

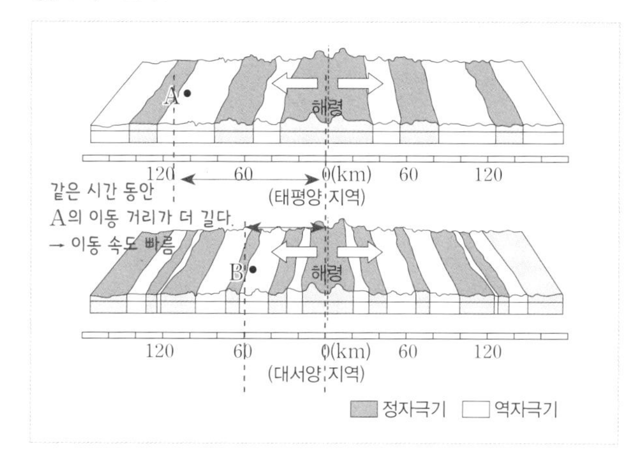

| 선택지 분석 |

ㄱ 고지자기 분포는 해령을 중심으로 대칭적이다.
➡ 해령에서 생성된 해양 지각이 양옆으로 이동하므로 고지자기는 해령을 중심으로 대칭적으로 나타난다.

ㄴ 해양 지각의 암석 연령은 해령에서 멀어질수록 증가한다.
➡ 해령에서 생성된 해양 지각이 양옆으로 이동하므로 해령에서 멀어질수록 해양 지각의 나이는 많아진다.

✕ 지각의 이동 속도는 태평양 지역이 대서양 지역보다 느리다.
➡ A와 B는 모두 같은 시기에 형성된 암석이므로 해령에서 지각이 이동하는 속도는 태평양 지역이 대서양 지역보다 빠르다.

08 | 선택지 분석 |

✕ 지질 시대는 ~~(가)~~(나)가 ~~(나)~~(가)보다 오래되었다.
➡ (가)는 중생대 중기, (나)는 고생대 말에 해당한다.

ㄴ 대륙붕의 총넓이는 (가)가 (나)보다 넓다.
➡ 대륙붕의 총넓이는 대륙이 분리되어 이동하는 (가)가 더 넓다.

ㄷ 생물의 서식 환경은 (가)가 (나)보다 다양하다.
➡ 대륙이 분리된 (가)일 때 생물의 서식 환경이 더 다양하다.

09 | 자료 분석 |

지질 시대	쥐라기	전기 백악기	후기 백악기	제3기
고지자기 복각	+25°	+36°	+44°	+50°
진북 방향	63°	35°	17°	0°

←…… 진북 방향 ←— 고지자기로 추정한 진북 방향

진북 방향 / 쥐라기일 때 대륙 → 고지자기는 암석에 고정, 대륙은 시계 방향으로 회전 → 진북 방향 63° / 현재의 대륙

| 선택지 분석 |

㉠ 제3기에 북반구에 위치하였다.
➡ 제3기에 복각이 +50°이므로 북반구에 위치하였다.

㉡ 백악기 동안 고위도 방향으로 이동하였다.
➡ 자북극에 가까울수록 복각이 커진다. 쥐라기에서 백악기를 거쳐 제3기로 오는 동안 복각이 계속 증가하였으므로 이 대륙은 고위도로 이동하였다.

㉢ 쥐라기 이후 시계 방향으로 회전하였다.
➡ 이 기간 동안 고지자기로 추정한 진북 방향이 점점 시계 반대 방향으로 회전하였다. 진북 방향은 변하지 않았으므로 대륙이 시계 방향으로 회전하였음을 알 수 있다.

10 | 선택지 분석 |

㉠ A 시기는 고생대이다.
➡ A 시기 말에 초대륙 판게아가 존재했다. 따라서 A 시기는 고생대, B 시기는 중생대이다.

~~㉡~~ 초대륙이 형성되면서 해수면은 상승했다.
➡ A 시기 말에 판게아가 형성되면서 해수면은 대체로 낮아졌다.

㉢ 지구의 평균 기온은 A 시기 말기보다 B 시기 말기에 높았을 것이다.
➡ 지구의 평균 기온이 높을수록 해수면이 대체로 높아지므로 A 시기 말기보다 B 시기 말기에 평균 기온이 높았을 것이다.

11 | 선택지 분석 |

㉠ 맨틀이 상승하는 지역에서 암석권의 두께가 얇아진다.
➡ 맨틀 대류의 상승부에서 대륙 지각이 나누어짐에 따라 암석권의 두께가 얇아지면서 열곡대가 발달한다.

㉡ (나) 이후 암석권이 분리되면 해양 지각이 생성된다.
➡ 암석권이 분리되면 해양 지각이 생성되는 해령이 발달하기 시작한다.

㉢ 동아프리카 열곡대는 이러한 과정을 거쳐 형성되었다.
➡ 동아프리카 열곡대는 현재 대륙이 분리되는 과정에 있으므로 (나)에 해당한다.

12 | 선택지 분석 |

㉠ 유라시아판과 북아메리카판은 서로 가까워진다.
➡ 유라시아판과 북아메리카판은 서로 가까워지는 방향으로 이동하고 있다.

㉡ 대서양은 현재보다 넓어진다.
➡ 태평양은 좁아지고, 대서양은 넓어진다.

㉢ 남극판의 크기는 현재보다 커진다.
➡ 남극판은 섭입대가 없고, 해령이 발달해 있으므로 점점 넓어질 것이다.

03 맨틀 대류와 플룸 구조론

개념POOL 036쪽

01 ㉠ → ㉡ → ㉢
02 (1) × (2) × (3) × (4) ○

01 현재 열점은 하와이섬(㉢)에 위치해 있다. 카우아이섬(㉠)과 마우이섬(㉡)은 하와이섬 위치에서 생성된 후 판의 이동으로 북서쪽으로 이동하였다. 따라서 암석의 나이는 ㉠ → ㉡ → ㉢이다.

콕콕! 개념 확인하기 037쪽

✓ 잠깐 확인!
1 용융 **2** 맨틀 **3** 해구 **4** 플룸 **5** 수렴 **6** 플룸 구조론

01 (1) ○ (2) × (3) × (4) ○
02 (1) ㉡ (2) ㉣ (3) ㉠ (4) ㉢
03 (1) 차가운 플룸 (2) 느리다 (3) 플룸 구조론
04 (1) ○ (2) × (3) ×

03 플룸 구조론은 플룸의 상승이나 하강으로 지구 내부의 변동이 일어난다는 이론이다. 판의 내부(하와이섬이나 동아프리카 지역 등)에서 일어나는 화산 활동은 판 구조론으로 설명하기 어렵지만, 플룸 구조론을 이용하면 쉽게 설명된다.

탄탄! 내신 다지기 038쪽~039쪽

01 ③ **02** ③ **03** ③ **04** ④ **05** ① **06** 해구 **07** ② **08** 플룸 구조론 **09** ㉠ 플룸 ㉡ 연약권 **10** ⑤ **11** ④ **12** ②

01 | 선택지 분석 |

① ㉠은 암석권이다.
➡ ㉠은 지각과 상부 맨틀의 일부로 이루어진 암석권이다.

② ㉡은 연약권이다.
➡ ㉡은 맨틀의 부분 용융으로 유동성이 있는 연약권이다.

③ ㉠은 부분 용융되어 있다.
➡ 암석권은 단단한 성질을 가지고 있다. 부분 용융되어 있는 영역은 ㉡이다.

④ ㉠의 조각을 판이라고 한다.
➡ 암석권의 조각을 판이라고 한다.

⑤ ㉡에서 맨틀의 열대류가 나타난다.
➡ 연약권은 유동성이 있어 맨틀 대류가 일어난다.

02 | 선택지 분석 |

㉠ 맨틀은 고체 상태이다.
➡ 맨틀은 부분 용융 상태인 일부 영역이 있으나 전체적으로 고체 상태이다.

㉡ 상부 맨틀에는 부분 용융 상태인 연약권이 존재한다.
➡ 깊이 100~400 km에는 일부가 부분 용융 상태인 연약권이 존재한다.

㉢ 맨틀은 전체적으로 거의 일정한 온도를 유지하고 있다.
➡ 맨틀 내부에서는 깊이가 깊어질수록 온도가 높아진다. 따라서 맨틀에서는 깊이에 따른 온도 차이로 열대류가 일어난다.

03 맨틀의 열대류를 일으키는 근원 에너지는 지구 내부 에너지이며, 이 에너지는 주로 방사성 동위 원소의 붕괴열에 의해 공급된다.

04 해령과 열곡대는 맨틀 대류의 상승부에서 발달하는 지형으로 발산형 경계에 해당한다. 해구와 습곡 산맥은 맨틀 대류의 하강부에서 발달하는 지형으로 수렴형 경계에 해당한다.

05 판을 움직이는 주요 원동력에는 맨틀 대류 이외에 판 자체에서 발생하는 힘도 있다. A는 맨틀 대류에 의한 힘, B는 해령에서 밀어내는 힘, C는 섭입대에서 잡아당기는 힘이다.

06 해구에서 섭입하는 해양판은 판 자체의 무게에 의해 끌어당기는 힘이 작용한다. 따라서 해구가 발달한 판은 대체로 판의 이동 속도가 빠르다.

07 | 선택지 분석 |

㉠ 해령과 해령 사이에 변환 단층이 발달한다.
➡ 변환 단층은 보존형 경계에서 발달하며, 판 구조론으로 설명이 가능하다.

㉡ 판의 내부에서 대규모 화산 활동이 일어난다.
➡ 하와이섬이나 동아프리카 지역 등 판의 내부에서 일어나는 화산 활동은 판 구조론으로 설명하기 어려운 현상이다.

㉢ 고지자기의 줄무늬가 해령을 중심으로 대칭적으로 나타난다.
➡ 고지자기의 줄무늬는 발산형 경계인 해령을 중심으로 대칭으로 나타나며, 판 구조론으로 설명이 가능하다.

08 플룸 구조론은 플룸의 상승이나 하강으로 지구 내부의 변동이 일어난다는 이론이다.

09 플룸은 맨틀 전체 영역에서 일어나는 상승과 하강으로 설명된다. 뜨거운 플룸은 외핵과 맨틀의 경계부에서 형성된 뜨거운 물질로, 폭이 100 km 미만인 가늘고 긴 원기둥 형태로 지표까지 빠르게 상승한다. 차가운 플룸은 수렴형 경계에서 섭입된 판의 물질이 상부 맨틀과 하부 맨틀의 경계 부근에 쌓여 있다가 가라앉아 생성된다. 이에 반해 상부 맨틀에서의 운동은 주로 연약권에서 일어나는 열대류로 설명된다.

10 | 선택지 분석 |

① 화산대와 지진대의 분포를 설명할 수 있다.
➡ 화산대와 지진대의 분포는 판 구조론으로 잘 설명된다.

② 해저 지형의 탐사 기술이 발달하면서 등장한 이론이다.
➡ 해저 탐사 기술의 발달로 정립된 이론은 판 구조론이다.

③ 섭입대에서 ~~뜨거운~~ 차가운 플룸이 형성된다.
➡ 차가운 플룸은 수렴형 경계에서 섭입된 판의 물질이 가라앉아 생성된다.

④ 하와이는 ~~차가운~~ 뜨거운 플룸의 ~~하강~~ 상승 지역에 위치한다.
➡ 하와이는 뜨거운 플룸의 상승 지역에 해당하는 열점에 위치한다.

⑤ 대규모의 뜨거운 플룸은 초대륙을 분리시킬 수 있다.
➡ 플룸 운동은 지질 시대에 있었던 초대륙을 분리시키는 역할을 하였던 것으로 추정된다.

11 | 선택지 분석 |

㉠ 뜨거운 플룸은 차가운 플룸보다 밀도가 ~~크다~~ 작다.
➡ 뜨거운 플룸은 차가운 플룸보다 온도가 높아 밀도가 작다.

㉡ 차가운 플룸은 수렴형 경계에서 섭입된 판이 가라앉아 생성된다.
➡ 차가운 플룸은 해구에서 섭입된 판이 가라앉아 생성된다.

㉢ 플룸 상승류가 있는 곳은 주변의 맨틀보다 온도가 높으므로 지진파의 속도가 느리다.
➡ 지진파로 지구 내부의 온도를 추정한 결과, 플룸 상승류가 있는 곳에서 온도가 높으며 지진파의 속도가 느리다.

12 뜨거운 플룸이 상승하여 지표면과 만나는 지점 아래 마그마가 생성되는 곳을 열점이라고 한다. 열점에서 분출하는 마그마는 연약권보다 깊은 곳에서 형성되기 때문에 상부 맨틀이 대류하여 판이 이동해도 열점의 위치는 변하지 않는다.

| 선택지 분석 |

㉠ 열점은 대부분 판의 경계에 분포한다.
➡ 열점은 판의 경계와 판의 내부에 모두 분포한다.

㉡ 열점은 뜨거운 플룸이 상승하여 지각을 뚫고 분출하는 곳이다.
➡ 열점은 뜨거운 플룸의 상승류가 발달한 곳이다.

✗ 판이 이동하면 열점의 위치도 함께 이동한다.
➡ 열점에서 분출하는 마그마는 연약권보다 깊은 곳에서 형성되기 때문에 상부 맨틀이 대류하여 판이 이동해도 열점의 위치는 변하지 않는다.

도전! 실력 올리기

040쪽~041쪽

01 ⑤ **02** ③ **03** ③ **04** ① **05** ① **06** ②

07 A, C

08 | 모범 답안 | B는 판의 내부에서 형성된 화산으로, 연약권보다 깊은 곳에 분포한 열점에서 생성된 마그마가 분출하여 형성되었다.

09 | 모범 답안 | A, B, C는 모두 지구 내부의 고정된 위치에 분포하는 열점에 의해 생성되었다. 따라서 생성 위치는 열점의 바로 위이며, 생성된 순서는 A → B → C이므로 구성 암석의 평균 연령은 A>B>C이다.

01 | 자료 분석 |

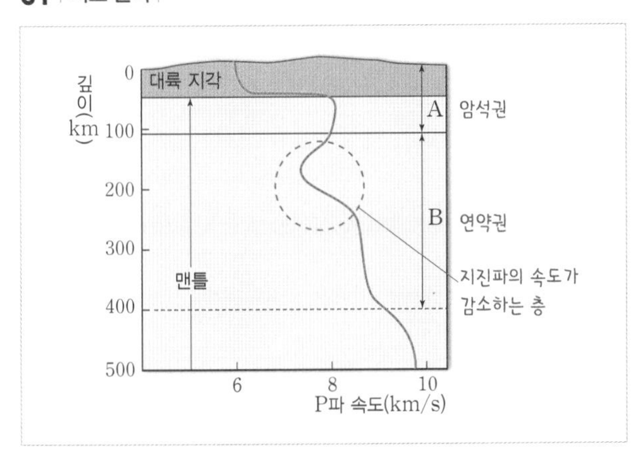

| 선택지 분석 |

ㄱ A는 암석권이다.
➡ A는 암석권, B는 연약권이다.

ㄴ B에는 지진파의 속도가 감소하는 층이 존재한다.
➡ 연약권은 부분 용융되어 있으며, 지진파의 속도가 감소하는 구간이 존재한다.

ㄷ B의 대류에 의해 A가 이동할 수 있다.
➡ 연약권인 B에서 일어나는 맨틀 대류에 의해 암석권인 A가 이동할 수 있다.

02 | 선택지 분석 |

ㄱ 연약권에서 일어나는 맨틀 대류를 나타낸 모형이다.
➡ 이 맨틀 모형은 연약권에서 맨틀 대류가 일어나는 모형이다.

ㄴ A에서 새로운 해양 지각이 생성된다.
➡ A에서는 맨틀 대류가 상승하므로 발산형 경계가 형성되며, 새로운 해양 지각이 생성된다.

✗ B에서 해령이 발달한다.
➡ B에서는 맨틀 대류가 하강하면서 섭입대인 해구가 발달한다.

03 | 선택지 분석 |

✗ A는 섭입하는 판의 밀도가 작을수록 크다.
➡ 섭입대에서 판을 당기는 힘 A는 섭입하는 판의 밀도가 클수록 커진다.

✗ B는 해저면의 경사가 완만할수록 크다.
➡ 해저면의 경사로 인해 나타나는 힘 B는 해저면의 경사가 급할수록 커진다.

ㄷ C는 발산형 경계에서 발생하는 힘이다.
➡ C는 해령에서 판을 밀어내는 힘이다.

ㄹ D는 맨틀의 열대류에 의해 발생하는 힘이다.
➡ D는 맨틀 대류에 의해 판을 이동시키는 힘이다.

04 | 선택지 분석 |

ㄱ 수심은 A보다 B에서 깊다.
➡ 수심은 해령인 A보다 해구인 B에서 깊다.

✗ B에서 밀도가 작은 판이 밀도가 큰 판 아래로 섭입한다.
➡ 해구에서는 밀도가 큰 판이 밀도가 작은 판 아래로 섭입한다.

✗ 맨틀 대류의 상승부에서 심발 지진이 자주 발생한다.
➡ 심발 지진은 맨틀 대류가 하강하는 섭입대에서 발생한다. 맨틀 대류의 상승부에서는 두 판이 서로 멀어지면서 천발 지진이 발생한다.

05 | 자료 분석 |

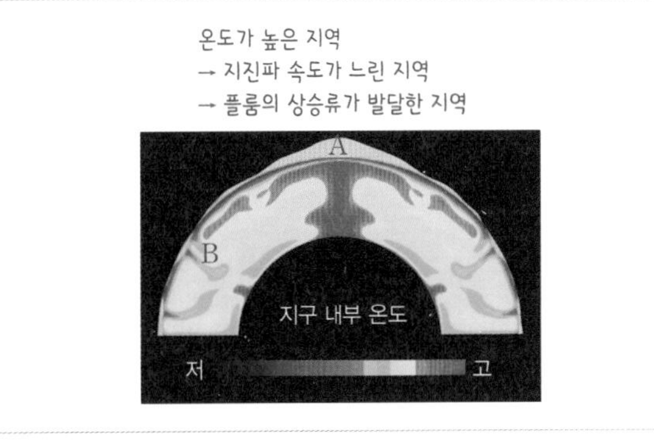

| 선택지 분석 |

ㄱ A에서 화산 활동이 활발하다.
➡ A에서는 뜨거운 플룸의 상승류에 의한 화산 활동이 활발하다.

✗ B의 하부에서 플룸의 상승류가 발달한다.
➡ B에서는 차가운 플룸의 하강류가 나타난다.

✗ 지진파의 속도는 온도가 높은 영역일수록 빠르다.
➡ 지구 내부에서 온도가 높은 영역은 주변 영역에 비해 지진파의 속도가 느리다.

06 | 선택지 분석 |

✗ 뜨거운 플룸은 내핵에서 형성된다.
➡ 뜨거운 플룸은 외핵과 맨틀의 경계부에서 형성된다.

ㄴ 플룸 상승류는 태평양과 대서양에 모두 존재한다.
➡ 현재 플룸 상승류가 올라오는 곳은 태평양, 아프리카 대륙, 대서양 중앙 해령이다. 차가운 플룸은 섭입대가 발달한 아시아 대륙의 하부에서 나타난다.

ㄹ. 열곡대는 아프리카 대륙보다 아시아 대륙에 발달한다.
➡ 열곡대는 플룸 상승류가 나타나는 아프리카 대륙에서 발달한다.

07 A와 C는 해양판의 섭입에 의해 형성된 화산이고, D는 발산형 경계에서 형성된 화산이다. B는 열점에 의해 형성된 화산이다.

08 B는 판의 내부에서 열점 활동으로 형성된 하와이 화산이다. 이곳은 연약권보다 훨씬 깊은 곳에 분포한 열점에서 생성된 마그마가 분출하는 지역이다.

채점 기준	배점
B를 옳게 제시하고, 열점에 대해 옳게 서술한 경우	100 %
B만 옳게 제시한 경우	40 %

09 A, B, C는 모두 지구 내부의 고정된 위치에 분포하는 열점에서 분출된 마그마에 의해 생성된 섬들이다. 따라서 생성 위치는 현재 열점이 위치한 곳의 바로 위이며, 생성된 순서는 A → B → C이다. 따라서 구성 암석의 평균 연령은 A>B>C이다.

채점 기준	배점
생성 위치와 암석의 평균 연령을 모두 옳게 서술한 경우	100 %
생성 위치와 암석의 평균 연령 중 1가지만 옳게 서술한 경우	50 %

04 마그마의 생성과 화성암

개념POOL 046쪽

01 A: 안산암질 마그마(또는 유문암질 마그마)
B: 현무암질 마그마 C: 현무암질 마그마
02 (1) × (2) ○ (3) × (4) ○

01 A는 지각 하부에서 부분 용융에 의해 안산암질(유문암질) 마그마가 생성되는 과정에 해당하며, B는 해령이나 열점에서 압력 감소로 현무암질 마그마가 생성되는 과정에 해당한다. C는 섭입대에서 물의 공급으로 현무암질 마그마가 생성되는 과정에 해당한다.

콕콕! 개념 확인하기 047쪽

✔ 잠깐 확인!
1 마그마 **2** 현무암질 **3** 화성암 **4** 조립질 **5** 화강암
6 현무암 **7** 주상 절리

01 (1) ○ (2) × (3) × (4) ○ **02** (1) ㉡ (2) ㉢ (3) ㉠
03 (1) SiO_2 (2) 심성암 (3) 세립질 (4) 반려암
04 (1) ㉡ (2) ㉣ (3) ㉠ (4) ㉢

탄탄! 내신 다지기 048쪽~049쪽

01 ① **02** ② **03** ② **04** ③ **05** ② **06** ㉠>㉡>㉢
07 화학 조성(또는 SiO_2 함량)과 냉각 속도(또는 구성 광물의 크기, 조직) **08** ⑤ **09** 반려암 **10** ④ **11** ② **12** ④

01 현무암질 마그마는 유문암질 마그마보다 온도가 높고, 유동성이 크지만, SiO_2 함량이 적어 점성이 작고 화산체의 경사가 완만하다.

02 해령(A)에서는 맨틀 물질이 상승하면서 압력 감소에 의해 마그마가 생성된다. 섭입대(B)에서는 지각에서 공급된 물에 의해 용융점이 낮아져 마그마가 생성된다. 대륙 하부(C)에서는 상승한 마그마에 의해 온도가 상승하여 부분 용융이 일어나 마그마가 생성된다.

03 해령과 섭입대에서는 현무암질 마그마가 생성되고, 섭입대에서 상승한 현무암질 마그마는 대륙 하부에서 부분 용융에 의해 안산암질 마그마가 된다.

04 | 선택지 분석 |
ㄱ. 연약권의 온도는 암석의 용융점보다 높다.
➡ 연약권은 고체 상태이므로 용융점보다 온도가 낮은 상태이다.
ㄴ. 판의 섭입대에서는 P → A 과정을 거쳐 마그마가 생성된다.
➡ 판의 섭입대에서는 물이 공급되어 암석의 용융 온도가 낮아져 마그마가 생성된다.
㉢ 해령에서는 P → B 과정을 거쳐 마그마가 생성된다.
➡ 해령에서는 압력 감소(P → B) 과정에 의해 마그마가 생성된다.

05 현무암은 염기성암, 화강암은 산성암이다.
| 선택지 분석 |
① 염기성암은 산성암보다 색이 어둡다.
➡ 염기성암은 산성암보다 어두운 색 광물이 많다.
② 현무암은 화강암보다 SiO_2 함량이 많다. (적다)
➡ 현무암은 SiO_2 함량이 52 % 이하인 염기성암이고, 화강암은 SiO_2 함량이 63 % 이상인 산성암이다.
③ 섬록암은 안산암보다 광물 결정의 크기가 크다.
➡ 섬록암은 심성암, 안산암은 화산암이므로 광물 결정의 크기는 섬록암이 더 크다.
④ 현무암과 반려암을 구성하는 광물의 종류는 비슷하다.
➡ 현무암과 반려암은 모두 염기성암이므로 화학 조성이 비슷하다.
⑤ 화강암은 유문암보다 마그마가 천천히 냉각되어 생성되었다.
➡ 화강암은 심성암이므로 화산암인 유문암보다 마그마가 천천히 냉각되어 생성되었다.

06 지하 깊은 곳에서 형성된 암석일수록 구성 광물의 입자 크기가 크다.

07 화성암은 화학 조성에 따라 염기성암, 중성암, 산성암으로 구분하며, 마그마의 냉각 속도에 따라 화산암과 심성암으로 구분한다.

08 밝기, 광물 크기, SiO_2 함량은 화강암이 현무암보다 크고, 냉각 속도는 현무암이 화강암보다 크다.

09 어두운색 광물이 많고, SiO_2 함량이 52 % 이하이므로 염기성 암석이며, 지하 깊은 곳에서 형성된 암석이므로 조립질 조직을 갖는다. 따라서 이 암석은 반려암이다.

더 알아보기 화성암의 분류

조직에 따른 분류 \ 화학 조성에 따른 분류			염기성암	중성암	산성암
	성질	SiO_2 함량	적음 ← 52 %		63 % → 많음
		색	어두운 색 ←	중간	→ 밝은 색
		많은 원소	Ca, Fe, Mg ←		→ Na, K, Si
	조직	냉각 속도 \ 밀도	큼		작음
화산암	세립질 조직	빠름	현무암	안산암	유문암
심성암	조립질 조직	느림	반려암	섬록암	화강암

- **화학 조성에 의한 분류:** SiO_2 함량을 기준으로 염기성암, 중성암, 산성암으로 구분
- **조직에 따른 분류:** 마그마의 냉각 속도(조직)에 따라 화산암(세립질)과 심성암(조립질)으로 구분한다.

10 화강암은 지하 깊은 곳에서 형성된 심성암이고, 밝은 색 광물이 많은 조립질 암석이다. 화강암은 SiO_2 함량이 63 % 이상인 산성암이다.

| 선택지 분석 |

① 염기성암이다.
➡ 화강암은 SiO_2 함량이 63 % 이상인 산성암이다.

② 세립질 암석이다.
➡ 심성암이므로 조립질 암석이다.

③ 암석의 색은 현무암보다 어둡다.
➡ 밝은 색 광물이 많은 암석이다.

④ SiO_2의 함량이 반려암보다 많다.
➡ 반려암은 SiO_2 함량이 52 % 이하인 염기성암이다.

⑤ 지표 부근에서 빠르게 식어 형성되었다.
➡ 화강암은 지하 깊은 곳에서 천천히 식어 형성되었다.

11 | 선택지 분석 |

ㄱ. 주요 구성 암석은 ~~화강암~~ 현무암이다.
➡ 주요 구성 암석은 현무암이다.

ㄴ. ~~조립질~~ 세립질 암석으로 이루어져 있다.
➡ 화산암이므로 세립질 조직의 암석이다.

ㄷ. 유동성이 큰 용암이 굳어져 형성되었다.
➡ 철원의 용암 대지는 유동성이 매우 큰 현무암질 마그마가 굳어져 형성되었다.

12 (가)는 현무암, (나)는 화강암으로 이루어져 있다.

| 선택지 분석 |

ㄱ. (가)는 화산 활동에 의해 형성되었다.
➡ (가)의 울릉도는 신생대에 일어난 화산 활동으로 형성되었다.

ㄴ. (나)에서는 주상 절리가 잘 나타난다.
➡ 주상 절리는 화산암으로 이루어진 (가)의 암석에서 잘 나타난다.

ㄷ. 주요 구성 암석의 SiO_2의 함량은 (가)가 (나)보다 적다.
➡ 암석의 SiO_2 함량은 (가)의 현무암이 (나)의 화강암보다 적다.

도전! 실력 올리기

050쪽~051쪽

01 ② **02** ① **03** ① **04** ① **05** ⑤ **06** ④

07 (1) | **모범 답안** | A에서는 해양 지각이 섭입하면서 공급한 물에 의해 맨틀 물질의 용융점이 감소하여 마그마가 생성된다.
(2) | **모범 답안** | A는 현무암질 마그마이고, B는 안산암질 마그마이므로, SiO_2 함량은 B가 A보다 많다.

08 반려암은 화강암보다 색이 어둡고, SiO_2 함량이 적다.

09 | **모범 답안** | 암석에서 관찰되는 기둥 모양의 구조는 주상 절리이다. 주상 절리는 마그마가 지표 부근에서 빠르게 냉각될 때 기둥 모양으로 수축이 일어나면서 형성된다.

01 (가)는 현무암질 마그마, (나)는 안산암질 마그마, (다)는 유문암질 마그마이다.

| 선택지 분석 |

ㄱ. 점성이 가장 큰 마그마는 (가)이다.
➡ 마그마의 점성은 (가)<(나)<(다) 순이다.

ㄴ. 마그마의 온도는 (가)가 (다)보다 높다.
➡ 마그마의 온도는 (가)>(나)>(다) 순이다.

ㄷ. 발산형 경계에서 생성되는 마그마의 화학 조성은 (나)에 가깝다.
➡ 발산형 경계에서는 현무암질 마그마인 (가)가 생성된다.

02 | 자료 분석 |

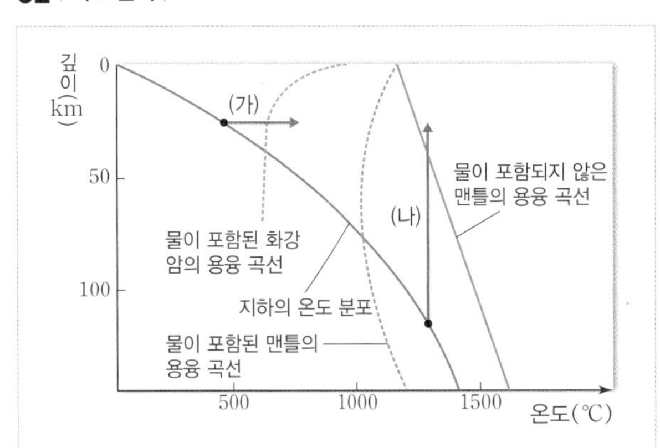

(가): 물이 포함된 화강암의 용융 곡선과 대륙 지각의 온도 곡선이 만나면 안산암질(유문암질) 마그마가 생성된다.
(나): 압력 감소로 지구 내부의 온도 곡선이 맨틀의 용융 곡선과 만나면 현무암질 마그마가 생성된다.

| 선택지 분석 |

ㄱ. 대륙 하부에서는 (가) 과정에 의해 마그마가 생성된다.
➡ 대륙 하부에서는 (가)의 온도 상승 과정에 의해 안산암질(유문암질) 마그마가 생성될 수 있다.

ㄴ. (나) 과정에서 암석의 용융점이 증가한다.
➡ (나) 과정은 압력 감소에 의해 용융점이 낮아져 마그마가 생성되는 과정에 해당한다.

ㄷ. 물은 암석의 용융점을 증가시키는 역할을 한다.
➡ 물은 암석의 용융점을 감소시켜 마그마가 쉽게 생성되도록 도와주는 역할을 한다.

03 | 선택지 분석 |

ㄱ. A에서 압력 감소에 의해 마그마가 생성된다.
➡ A(해령)에서는 맨틀 물질이 상승하는 과정에서 압력 감소에 의해 마그마가 생성된다.

ㄴ. B에서 생성된 마그마의 SiO_2 함량은 63 % 이상이다.
➡ B(열점)에서 생성된 마그마는 SiO_2 함량이 52 % 이하인 현무암질 마그마이다.

ㄷ. C에서 온도 상승에 의해 마그마가 생성된다.
➡ C(섭입대)에서는 섭입하는 해양 지각에서 물을 공급받아 맨틀 물질의 용융점이 낮아져 현무암질 마그마가 생성된다.

04 | 자료 분석 |

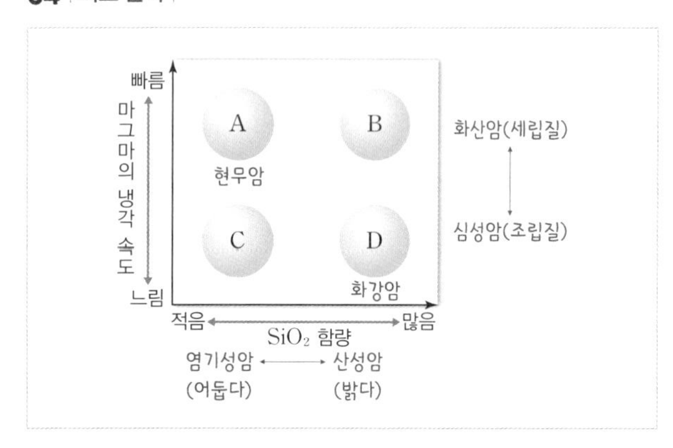

A와 B는 화산암이고, C와 D는 심성암이다. A와 C는 염기성암이고, B와 D는 산성암이다. 구성 광물의 크기와 암석의 생성 깊이는 심성암이 화산암보다 크다.

| 선택지 분석 |

ㄱ. A는 B보다 어두운 색깔을 띤다.
➡ 염기성암은 산성암보다 색이 어둡다.

ㄴ. A는 C보다 구성 광물의 크기가 크다.
➡ 화산암은 심성암보다 구성 광물의 크기가 작다.

ㄷ. 암석의 생성 깊이는 A가 D보다 깊다.
➡ 암석의 생성 깊이는 화산암이 심성암보다 얕다.

05 | 선택지 분석 |

ㄱ. SiO_2의 함량은 (가)보다 (나)의 암석에 많다.
➡ (가)는 (나)보다 암석의 색이 어두우므로 SiO_2 함량이 적다.

ㄴ. 암석을 생성한 용암의 점성은 (가)보다 (나)가 크다.
➡ 용암의 점성은 SiO_2 함량에 비례하므로 (나)가 (가)보다 크다.

ㄷ. (가)와 (나)는 모두 지표 부근에서 급격하게 냉각되어 형성되었다.
➡ (가)와 (나)는 모두 화산암이며, 주상 절리가 나타나므로 지표 부근에서 급격하게 냉각되어 형성되었다.

06 | 선택지 분석 |

ㄱ. 화산체의 경사는 (가)가 (나)보다 완만하다.
➡ (가)는 종상 화산, (나)는 순상 화산이므로 화산체의 경사는 (나)가 더 완만하다.

ㄴ. 암석의 생성 깊이는 (다)가 가장 깊다.
➡ (가)와 (나)는 화산암이고, (다)는 심성암인 화강암으로 이루어져 있다.

ㄷ. (가), (나), (다)를 형성한 주요 구성 암석은 모두 화성암이다.
➡ (가), (나), (다)는 모두 마그마가 굳어져 생성된 화성암으로 이루어져 있다.

07 (1) A에서는 해양 지각이 섭입하면서 연약권으로 물이 공급되어 맨틀 물질의 용융점이 감소하고, 그에 따라 현무암질 마그마가 생성된다.

채점 기준	배점
해양 지각의 물 공급과 용융점 감소를 모두 옳게 서술한 경우	100 %
해양 지각의 물 공급과 용융점 감소 중 1가지만 옳게 서술한 경우	50 %

(2) A에서 생성된 현무암질 마그마는 위로 상승하여 지각 하부에 도달한다. 마그마에 의해 지각 물질의 일부가 부분 용융되어 마그마에 포함되고, 마그마에서 일부 성분이 빠져나가면서 점차 안산암질 마그마로 변한다. 따라서 마그마의 SiO_2 함량은 B가 A보다 많다.

채점 기준	배점
마그마의 종류를 옳게 쓰고, SiO_2 함량을 옳게 비교한 경우	100 %
마그마의 종류와 SiO_2 함량 중 1가지만 옳게 비교한 경우	50 %

08 반려암은 염기성암이고, 화강암은 산성암이다. 따라서 반려암은 화강암에 비해 암석의 색이 어둡고, SiO_2 함량이 적다.

09 한탄강 유역을 이루고 있는 주요 구성 암석은 현무암이다. 현무암이 지표 부근에서 빠르게 냉각되면서 기둥 모양의 주상 절리를 형성하였다.

채점 기준	배점
주상 절리와 생성 과정을 모두 옳게 서술한 경우	100 %
주상 절리만 옳게 쓴 경우	40 %

실전! 수능 도전하기

053쪽~054쪽

01 ④ **02** ③ **03** ④ **04** ③ **05** ① **06** ① **07** ② **08** ②

01 | 선택지 분석 |

ㄱ. 연약권은 고체 상태이다.
➡ S파는 액체에서 전달되지 못한다. 따라서 연약권은 고체 상태이다.

ㄴ. 지하 100 km ~ 400 km 구간에서 지진파의 속도가 느려지는 저속도층이 존재한다.
➡ 연약권에서는 부분 용융에 의해 지진파의 속도가 느려진다.

✕. 맨틀 대류는 지각(암석권) 하부의 상부 맨틀에서 일어난다.
➡ 맨틀 대류는 암석권 하부의 연약권에서 일어난다.

02 | 선택지 분석 |

ㄱ. (가)에서 해령은 A판을 서쪽으로 밀어낸다.
➡ 해령은 판을 양옆으로 밀어내므로 (가)에서 A판을 서쪽으로 밀어낸다.

ㄴ. (나)에서 섭입대는 B판을 동쪽으로 잡아당긴다.
➡ 섭입대에서는 판을 잡아당기는 힘이 작용하므로 (나)의 섭입대는 B판을 동쪽으로 잡아당긴다.

✕. 판의 이동 속력은 A판이 B판보다 빠르다.
➡ A판은 해령에서 밀어내는 힘만 받지만, B판은 해령에서 밀어내는 힘과 섭입대에서 잡아당기는 힘을 모두 받는다. 따라서 판의 이동 속력은 A판보다 B판이 빠르다.

03 | 자료 분석 |

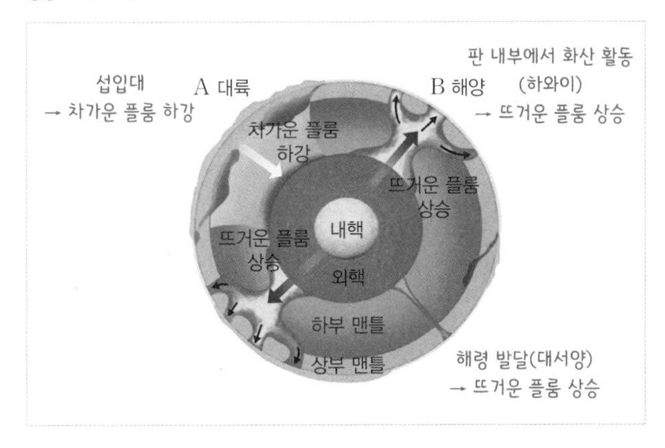

| 선택지 분석 |

✕. A 대륙에서 열곡대가 발달한다.
➡ A 대륙에서는 차가운 플룸이 하강하므로 섭입대가 발달한다.

ㄴ. B 해양의 가장자리에는 섭입대가 발달한다.
➡ B 해양은 태평양으로 가장자리에서는 섭입대가 발달한다.

ㄷ. 차가운 플룸은 뜨거운 플룸보다 밀도가 크다.
➡ 뜨거운 플룸은 밀도가 작아 상승하며, 차가운 플룸은 밀도가 커서 맨틀 바닥까지 내려간다.

04 | 선택지 분석 |

ㄱ. 해구에서 냉각된 판이 섭입하고 있다.
➡ 해구에서 섭입되는 판의 온도는 주변의 온도보다 낮다.

ㄴ. 섭입대를 따라 지진의 발생 깊이가 점점 깊어진다.
➡ 판이 섭입함에 따라 천발 지진, 중발 지진, 심발 지진이 발생한다.

✕. 섭입대에서 온도 상승에 의해 마그마가 생성될 수 있다.
➡ 섭입대에서 연약권으로 공급된 물에 의해 용융점이 낮아져서 연약권 물질이 녹아 마그마가 생성될 수 있다.

05 | 자료 분석 |

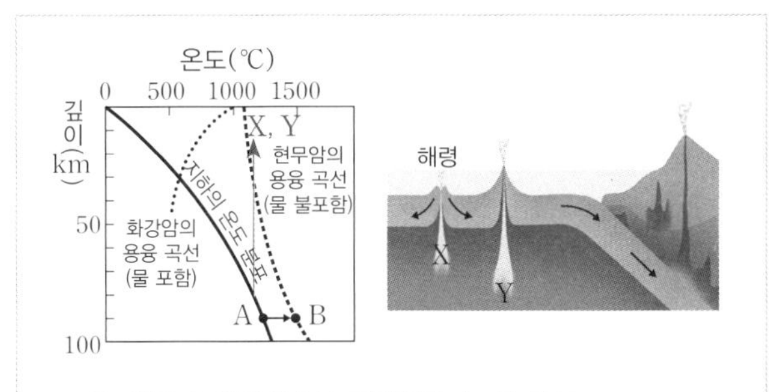

- X: 해령 ⇨ 압력 감소로 현무암질 마그마 생성
- Y: 열점 ⇨ 압력 감소로 현무암질 마그마 생성

| 선택지 분석 |

ㄱ. 20 km 깊이에서 암석의 용융 온도는 물을 포함하지 않은 현무암이 물을 포함한 화강암보다 높다.
➡ 20 km 깊이에서 물을 포함하지 않은 현무암의 용융 온도는 1000 ℃보다 높지만, 물을 포함한 화강암의 용융 온도는 1000 ℃보다 낮다.

✕. X에서는 A → B와 같은 과정으로 마그마가 생성된다.
➡ 해령 X에서는 압력 감소에 의해 마그마가 형성된다.

✕. Y에서는 화강암질 마그마가 생성된다.
➡ 열점 Y에서는 현무암질 마그마가 생성된다.

06 | 선택지 분석 |

ㄱ. (가)는 현무암이다.
➡ (가)는 세립질 조직을 갖고 있는 현무암이고, (나)는 조립질 조직을 갖고 있는 화강암이다.

✕. SiO_2 함량은 (가)가 (나)보다 많다.
➡ SiO_2 함량은 현무암보다 화강암이 많다.

✕. (가)의 조직은 조립질, (나)의 조직은 세립질이다.
➡ (가)의 조직은 입자가 매우 작은 세립질, (나)의 조직은 입자가 비교적 큰 조립질이다.

07

A는 SiO_2 함량이 약 50 %인 염기성암이고, 세립질이므로 입자의 크기는 작다. 유색 광물의 함량은 B보다 많으므로 어둡게 보인다. 한편, B는 SiO_2 함량이 약 70 %인 산성암이고 조립질이므로 입자의 크기는 크다. 유색 광물의 함량은 A보다 적어 밝게 보인다. 따라서 A는 현무암, B는 화강암이다.

08

독도는 화산암으로, 북한산은 심성암으로 이루어져 있다.

| 선택지 분석 |

✕. 구성 광물의 크기는 (가)가 (나)보다 크다.
➡ 구성 광물의 크기는 심성암으로 이루어진 (나)가 (가)보다 크다.

ㄴ. 암석을 형성한 마그마의 냉각 속도는 (가)가 (나)보다 빠르다.
➡ 마그마의 냉각 속도는 화산암으로 이루어진 (가)가 (나)보다 빠르다.

✗ㄷ. (가)와 (나)에는 모두 주상 절리가 발달한다.
➡ 주상 절리는 마그마가 빠르게 냉각될 때 형성되므로 (가)에서만 발달한다.

Success follows doing what you want to do.
There is no other way to be successful.
- *Malcolm Forbes*

하고 싶은 것을 해야만 성공할 수 있다.
이것이 유일한 성공 비결이다.
– 말콤 포브스

2 »› 지구의 역사

01 ~ 퇴적 구조와 퇴적 환경

개념POOL

060쪽

01 (1) 점이 층리 (2) 사층리 (3) 건열
02 (1) × (2) ○ (3) ○

02 (3) 증발암은 건조한 환경에서 물이 증발하여 그 속에 녹아 있던 광물 성분이 침전, 퇴적되어 형성된 암석이므로 주로 건열과 함께 발견된다.

콕콕! 개념 확인하기

061쪽

✓ 잠깐 확인!
1 속성 작용 **2** 공극, 밀도 **3** 규질 **4** 유기적 퇴적암
5 사층리 **6** 건열 **7** 선상지 **8** 대륙붕

01 (1) ㉢ (2) ㉡ (3) ㉠ **02** (1) ○ (2) × (3) ○ (4) ×
03 사층리, 연흔 **04** ㉠ 점이 층리 ㉡ 저탁류
05 (1) ㉡ (2) ㉢ (3) ㉠ **06** 점이 층리

03 사층리와 연흔 모두 물이 흐르거나 사막과 같이 바람이 질 부는 환경에서 형성될 수 있다.

04 점이 층리는 저탁류가 흐르는 깊은 호수나 바다에서 퇴적물의 침강 속도 차이에 의해 형성된다.

탄탄! 내신 다지기

062쪽~063쪽

01 ③ **02** ① **03** ④ **04** 입자의 크기 **05** (가) 연흔 (나) 사층리 **06** ① **07** ② **08** ⑤ **09** 해빈, 삼각주, 해안 사구 **10** ② **11** ② **12** ㉠ 연안 ㉡ 육지 **13** ①

01 | 선택지 분석 |

ㄱ. 공극의 크기
➡ 퇴적물은 속성 작용을 거치는 동안 압축되므로 공극의 크기가 감소한다.

ㄴ. 퇴적물의 부피
➡ 공극의 크기가 감소하면 퇴적물의 부피도 감소한다.

✗ㄷ. 퇴적물의 밀도
➡ 퇴적물이 속성 작용을 거치는 동안 질량은 거의 일정한데 부피가 감소하므로 밀도는 증가한다.

02 | 선택지 분석 |

① 퇴적암은 육지보다 바다에서 더 많이 형성된다.
➡ 퇴적물은 육지보다 높이가 낮고 해수로 덮여있는 바다에서 많이 쌓인다.

② 화석은 퇴적암보다 화성암에서 더 많이 산출된다.
➡ 화석은 마그마가 굳어져 형성된 화성암에서는 산출될 수 없으며, 대부분 퇴적암에서 산출된다.

③ 퇴적물이 다짐 작용을 받으면 단단한 암석이 된다.
➡ 퇴적물이 퇴적암이 되기 위해서는 다짐 작용과 교결 작용을 받아야 한다.

④ 화산 활동 시 분출된 용암이 굳으면 퇴적암이 된다.
➡ 화산 활동으로 분출된 용암이 굳어서 형성된 암석은 화산암(화성암)이다.

⑤ 퇴적암은 모두 풍화·침식에 의해 잘게 부서진 입자가 쌓여서 형성된다.
➡ 퇴적암은 풍화 · 침식에 의해 잘게 부서진 입자가 쌓여 형성되는 쇄설성 퇴적암 외에도 화학적 퇴적암과 유기적 퇴적암이 있다.

03 | 선택지 분석 |

① 사암
➡ 주로 모래가 퇴적되어 형성된 쇄설성 퇴적암이다.

② 석탄
➡ 주로 육상 식물의 사체가 퇴적되어 형성된 유기적 퇴적암이다.

③ 셰일
➡ 주로 점토가 퇴적되어 형성된 쇄설성 퇴적암이다.

④ 처트
➡ 규질 생물체의 껍데기가 퇴적되어 형성된 유기적 퇴적암 또는 화학적으로 침전된 규질 물질이 쌓여서 형성된 화학적 퇴적암이다.

⑤ 석회암
➡ 물속에서 탄산 이온과 칼슘 이온이 결합 · 침전되어 형성된 화학적 퇴적암 또는 석회질 껍데기를 가진 생물체의 사체가 퇴적되어 형성된 유기적 퇴적암이다.

04 셰일, 사암, 역암 등의 쇄설성 퇴적암은 입자의 크기로 구분한다. 입자의 크기는 역암>사암>셰일 순으로 크다.

05 연흔은 흐르는 물, 파도, 바람 등에 의해 퇴적물의 표면에 생긴 물결 모양의 구조이며, 사층리는 바람이 강하게 불거나 물이 흐르는 환경에서 지층이 기울어진 상태로 쌓인 구조이다.

06 퇴적 당시의 환경에 따라 점이 층리, 사층리, 연흔, 건열 등의 다양한 퇴적 구조가 나타난다. 건조한 기후에서 물이 빠른 속도로 증발하여 퇴적층 표면이 갈라져서 형성된 퇴적 구조는 건열이다.

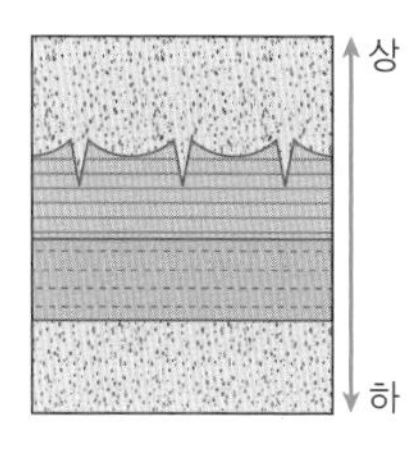

07 (가)는 바람이 불거나 물이 흐르는 환경에서 지층이 기울어진 상태로 쌓인 사층리이고, (나)는 흐르는 물, 파도, 바람 등에 의해 퇴적물의 표면에 생긴 물결 모양의 연흔이다.

08 (가)에서는 점이 층리, (나)에서는 연흔, (다)에서는 건열이 나타나는데 세 퇴적 구조 모두 역전된 모습이다.

구분	정상적인 모습	역전된 모습
(가) 점이 층리	위쪽 / 아래쪽	아래쪽 / 위쪽
(나) 연흔	위쪽 / 아래쪽	아래쪽 / 위쪽
(다) 건열	위쪽 / 아래쪽	아래쪽 / 위쪽

09 연안 환경은 육상 환경과 해양 환경이 만나는 곳에서 퇴적물이 퇴적되는 곳으로, 해빈, 삼각주, 해안 사구 등이 있다.

더 알아보기 **주요 퇴적 환경**

퇴적 환경	지형	주요 퇴적 구조
육상 환경	강	사층리
	호수	점이 층리, 연흔, 건열
	사막	사층리, 연흔
	빙하	–
연안 환경	삼각주	사층리, 연흔
	해빈	사층리, 연흔
해양 환경	대륙붕	층리, 연흔
	대륙대	점이 층리
	심해저	층리

10 | 선택지 분석 |

ㄱ. 퇴적물은 해양 환경보다 육상 환경에서 더 많이 쌓인다.
➡ 퇴적물은 육지보다 바다에서 더 많이 퇴적된다.

ㄴ. 빙하 지대에서 퇴적되는 주요 퇴적물은 얼음이다.
➡ 빙하가 운반하여 퇴적시킨 물질은 주로 암석 쇄설물로 다양한 크기의 각진 자갈들이 혼합되어 있다. 얼음은 수권에 해당하므로 퇴적물이 아니다.

ㄷ. 선상지는 삼각주보다 지형의 경사가 급변하는 곳에 형성된다.
➡ 선상지는 산지와 평지 사이의 경사가 급변하는 곳에서 유속의 감소로 퇴적물이 쌓여 형성된다.

11 | 선택지 분석 |

ㄱ. 연흔은 주로 심해저에서 형성된다.
➡ 연흔은 주로 얕은 물밑 환경에서 형성된다.

✗ 건열은 주로 고온 다습한 환경에서 형성된다.
➡ 건열은 주로 건조한 기후에서 퇴적물이 물 밖으로 노출된 후 표면이 갈라져서 형성된다.

ㄷ 사층리는 주로 물이 흐르거나 바람이 부는 환경에서 형성된다.
➡ 사층리는 바람이 불거나 물이 흐르는 환경에서 지층이 기울어진 상태로 쌓여서 형성된다.

12 퇴적 환경 중 연안 환경은 육상 환경과 해양 환경이 만나는 영역으로 주로 육지에서 공급된 퇴적물이 쌓인다.

13 제주도 수월봉은 화산재가 쌓여 이루어진 응회암이 분포하고, 진안 마이산에는 주로 역암이 분포한다.

도전! 실력 올리기 064쪽~065쪽

01 ⑤ **02** ③ **03** ④ **04** ④ **05** ① **06** ③

07 사암

08 | **모범 답안** | 점이 층리는 대륙붕이나 대륙 사면에 있던 퇴적물들이 해저 지진 등으로 발생한 저탁류에 의해 심해로 가라앉는 동안 입자 크기에 따른 퇴적 속도의 차이로 인해 큰 입자는 아래쪽에 먼저 가라앉고 위쪽으로 갈수록 점차 작은 입자가 퇴적되어 형성된다.

09 | **모범 답안** | 퇴적물의 종류와 크기, 수심과 유속, 해안으로부터의 거리 등에 의해 다양한 퇴적 환경이 조성된다.

01 A는 유기적 퇴적암, B는 화학적 퇴적암, C는 쇄설성 퇴적암이 형성되는 과정이며, D는 속성 작용이다.

| **선택지 분석** |

ㄱ 석회암은 대부분 A와 B 과정으로 형성된다.
➡ 석회암은 물속에서 탄산 이온과 칼슘 이온이 결합한 후 침전되어 형성된 화학적 석회암과 탄산 칼슘 성분의 껍데기를 가지고 있는 생물의 사체가 퇴적되어 형성된 유기적 석회암이 있다. 따라서 석회암은 대부분 A와 B 과정으로 형성된다.

ㄴ 사암은 C 과정으로 형성된다.
➡ 사암은 모래가 굳어져서 형성된 쇄설성 퇴적암이므로 C 과정으로 형성된다.

ㄷ D 과정에서 속성 작용이 일어난다.
➡ 퇴적물이 속성 작용(D)을 거치면 퇴적암이 된다.

02 | **선택지 분석** |

ㄱ 화학적 퇴적암에 해당한다.
➡ 암염은 건조한 기후에서 바닷물이 증발하여 소금 결정이 퇴적되어 형성된 증발암으로 화학적 퇴적암에 해당한다.

✗ 주로 점이 층리와 함께 발견된다.
➡ 점이 층리는 주로 깊은 물밑에서 형성되므로 암염과 함께 발견되기 어렵다. 암염과 함께 발견될 수 있는 퇴적 구조는 건조한 환경에서 형성되는 건열이다.

ㄷ 수권과 지권의 상호 작용으로 형성된다.
➡ 암염은 바닷물(수권)이 증발하여 형성된 증발암(지권)이므로 수권과 지권의 상호 작용으로 형성된다고 할 수 있다.

03 A에는 점이 층리, B에는 사층리, C에는 건열이 나타난다.

| **선택지 분석** |

✗ A는 기반암이 풍화·침식 작용을 받아 형성되었다.
➡ A에 나타나는 점이 층리는 저탁류가 흐르는 깊은 호수나 바다에서 퇴적물의 침강 속도 차이에 의해 형성된다.

ㄴ B가 퇴적될 당시 물은 ㉠ 방향으로 흘렀다.
➡ B에 나타나는 사층리는 물이나 바람에 의해 운반된 퇴적물이 기울어져 퇴적된 구조이며, B가 퇴적될 당시 물은 ㉠ 방향으로 흘렀다.

ㄷ C는 과거에 건조한 대기에 노출된 적이 있었다.
➡ 건열은 주로 건조한 기후에서 퇴적물이 물 밖으로 노출된 후 표면이 갈라져서 형성된다.

더 알아보기 **사층리의 형성 과정**

사막이나 수심이 얕은 곳에서 바람이 불거나 물이 흘러가는 방향 쪽의 비탈면에 입자가 쌓일 때 형성되므로, 사층리의 형태를 보고 지층의 역전 여부와 퇴적 당시 퇴적물이 이동한 방향을 추정할 수 있다.

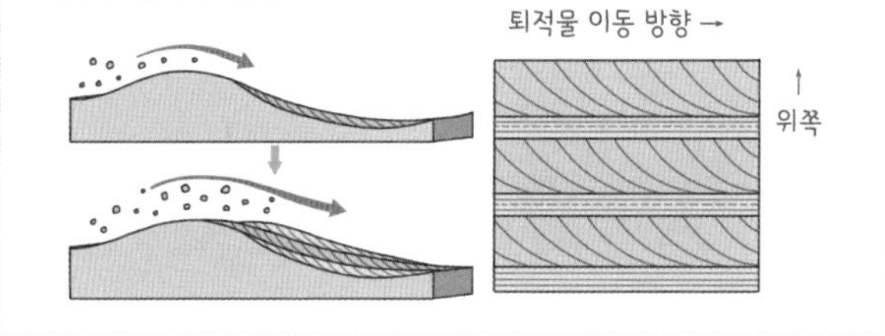

04 | **선택지 분석** |

✗ 심한 압력을 받아 형성되었다.
➡ 그림의 퇴적 구조는 연흔으로 주로 흐르는 물, 파도, 바람에 의해서 형성된다.

ㄴ 지층의 상하 판단을 하는 데 이용할 수 있다.
➡ 연흔은 특징적인 모양을 가지고 있어 지층의 상하 판단을 하는 데 이용할 수 있다.

ㄷ 수권과 지권의 상호 작용 또는 기권과 지권의 상호 작용으로 형성된다.
➡ 연흔은 주로 흐르는 물, 파도, 바람에 의해서 형성되므로, 수권과 지권 또는 기권과 지권의 상호 작용으로 형성된다.

05 선상지는 육상 환경, 삼각주는 연안 환경, 대륙붕은 해양 환경이며, 삼각주의 퇴적물은 선상지의 퇴적물에 비해 입자 크기가 고른 편이다.

06 | **선택지 분석** |

ㄱ 점이 층리이다.
➡ 그림처럼 한 지층 내에서 위로 갈수록 입자 크기가 점점 작아지는 퇴적 구조는 점이 층리이다.

✕. 해양 환경보다 연안 환경에서 잘 형성된다.
➡ 점이 층리는 주로 깊은 호수나 바다에서 형성되며, 연안 환경에서는 거의 형성되지 않는다.

ⓒ 퇴적물의 입자 크기에 따른 퇴적 속도 차이로 형성된다.
➡ 깊은 바다나 깊은 호수로 저탁류가 유입될 때 무거운 입자는 빨리 가라앉고, 가벼운 입자는 느리게 가라앉는다. 이와 같이 입자 크기에 따른 퇴적 속도 차이로 형성되는 퇴적 구조가 점이 층리이다.

07 사암은 주로 모래로 이루어진 퇴적물이 퇴적된 후 다짐 작용 및 교결 작용을 거쳐 형성된다.

08 점이 층리는 퇴적물들이 해저 지진 등으로 발생한 저탁류에 의해 심해로 가라앉는 동안 입자 크기에 따른 퇴적 속도 차이로 큰 입자는 먼저 가라앉고 위쪽으로 갈수록 점차 작은 입자가 늦게 가라앉아 형성된다.

채점 기준	배점
저탁류를 이용하여 점이 층리의 구조적 특징을 옳게 서술한 경우	100 %
저탁류의 언급 없이 입자 크기에 따른 퇴적물의 퇴적 속도 차이로만 서술한 경우	70 %

09 퇴적 환경은 퇴적물의 종류와 크기, 수심과 유속, 해안으로부터의 거리 등에 의해 다양하게 조성된다.

채점 기준	배점
퇴적물의 종류와 크기, 수심과 유속, 해안으로부터의 거리 중 2가지 모두 옳게 서술한 경우	100 %
퇴적물의 종류와 크기, 수심과 유속, 해안으로부터의 거리 중 1가지만 옳게 서술한 경우	50 %

02 지질 구조와 지층의 나이

탐구POOL 070쪽

01 변성 영역 및 포획암의 존재 여부
02 기저 역암의 존재 여부

02 지층이 융기하여 육지가 되면 침식을 받아 기저 역암이 형성된다.

콕콕! 개념 확인하기 071쪽

✔ 잠깐 확인!
1 횡와 **2** 정단층 **3** 융기 **4** 난정합 **5** 관입 **6** 표준 **7** 반감기

01 (1) 횡와 습곡 (2) 역단층 (3) 경사 부정합 (4) 판상 절리
02 (1) ○ (2) × (3) ○ (4) × (5) ○ **03** (1) 지층 누중의 법칙 (2) 동물군 천이의 법칙 (3) 수평 퇴적의 법칙
04 응회암층, 석탄층 **05** (1) × (2) × (3) ○ (4) ○ (5) ○

04 지층을 대비할 때 비교적 짧은 시간 동안 넓은 지역에 퇴적되는 응회암층이나 석탄층과 같은 지층을 건층으로 이용한다.

05 (2) 방사성 동위 원소는 일정한 시간 동안에 일정한 비율로 붕괴되므로 시간이 지날수록 같은 시간 동안에 감소하는 양은 점차 감소한다.

탄탄! 내신 다지기 072쪽~073쪽

01 ① **02** A: 배사 B: 향사 **03** ④ **04** ① **05** ② **06** ④
07 ① **08** 관입의 법칙, 부정합의 법칙 **09** 표준 화석
10 ② **11** ⑤ **12** ③ **13** 1억 년

01 | 선택지 분석 |

ⓐ 습곡
➡ 습곡은 지층이 지각 변동에 의한 횡압력을 받아 휘어진 지질 구조이다.

ⓑ 역단층
➡ 역단층은 횡압력을 받아 상반이 하반에 대해 위로 이동한 단층이다.

✕. 정단층
➡ 정단층은 장력을 받아 상반이 하반에 대해 아래로 이동한 단층이다.

✕. 주상 절리
➡ 주상 절리는 용암이 분출할 때 급격히 냉각 · 수축하여 형성된 기둥 모양의 절리이다.

02 | 자료 분석 |

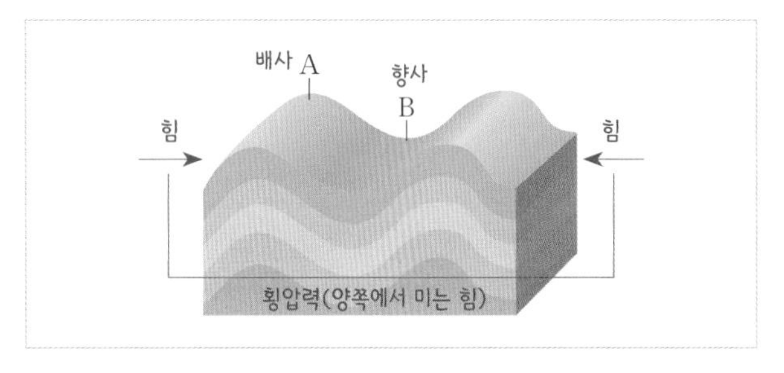

습곡의 구조에서 위로 볼록 올라간 부분(A)을 배사, 아래로 볼록 내려간 부분(B)을 향사라고 한다.

03 상반(B)이 하반(A)에 대해 아래쪽으로 이동한 단층은 정단층으로 장력이 작용할 때 생성될 수 있다.

04 (가)는 용암이 분출할 때 급격히 냉각·수축되어 형성된 주상 절리이고, (나)는 지하에서 마그마가 지층의 갈라진 틈 사이로 들어가 형성된 관입 구조이다.

05 C 하부에 변성을 받은 영역이 분포하므로 B는 관입암이다. 따라서 B가 A와 C를 관입하였으므로 지층의 생성 순서는 A → C → B이다.

06 지층 누중의 법칙은 지층의 역전이 없다면 아래 놓인 지층이 위에 놓인 지층보다 먼저 형성되었다는 법칙이다. 아래에 놓인 퇴적층(A)이 위에 놓인 퇴적층(C)보다 먼저 생성되었다고 해석할 수 있으므로 지층 누중의 법칙을 이용하여 A가 C보다 먼저 생성되었다고 판단할 수 있다.

07 | 자료 분석 |

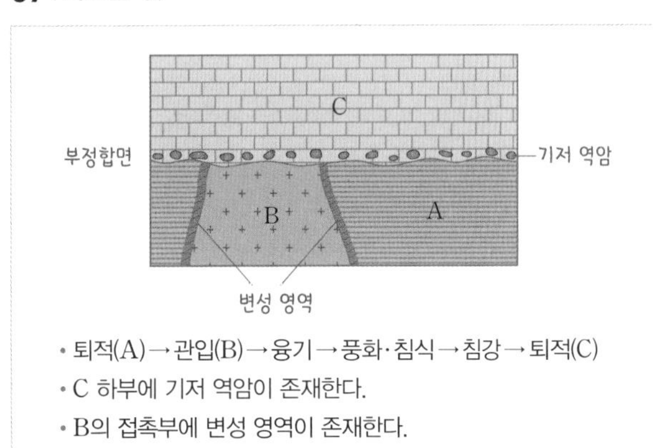

- 퇴적(A) → 관입(B) → 융기 → 풍화·침식 → 침강 → 퇴적(C)
- C 하부에 기저 역암이 존재한다.
- B의 접촉부에 변성 영역이 존재한다.

관입한 암석은 관입당한 암석보다 나중에 생성되었으며, 부정합면을 경계로 상하 두 지층 사이에는 오랜 시간 간격이 존재한다. B는 A를 관입하였으며, C는 A 및 B와 부정합 관계이다. 따라서 지층은 A → B → C 순으로 생성되었다.

08 A와 B의 선후 판단은 관입의 법칙을, A, B와 C의 선후 판단은 부정합의 법칙을 이용하여 판단할 수 있다.

09 지층 대비는 건층 또는 표준 화석을 이용하여 지층의 선후를 판단하고 동물군 천이의 법칙은 표준 화석을 이용한다. 따라서 지층 대비 및 동물군 천이의 법칙을 이용하여 지층의 선후를 판단할 때 공통으로 이용할 수 있는 것은 표준 화석이다.

10 | 선택지 분석 |

ㄱ. ~~퇴적 구조 등을 이용하여 지층의 생성 순서를 결정하는 방법이다.~~ (×)
➡ 절대 연령은 암석 속에 들어있는 방사성 동위 원소의 양을 측정하여 암석이 생성된 시기를 결정하는 방법이다. 퇴적 구조나 표준 화석 등을 이용하여 지층의 생성 순서를 결정하는 방법은 상대 연령 측정법이다.

ㄴ. 시간이 지날수록 암석 속에 포함된 방사성 동위 원소의 양은 감소한다. (○)
➡ 방사성 동위 원소가 붕괴하여 처음 양의 절반으로 감소하는 데 걸리는 시간을 반감기라고 한다.

ㄷ. 방사성 동위 원소의 반감기는 주변 온도나 압력에 따라 달라진다. (×)
➡ 방사성 동위 원소의 반감기는 주변 온도와 압력에 관계없이 일정하다.

11 | 선택지 분석 |

ㄱ. ㉠은 25이다. (○)
➡ 암석 속에 포함된 방사성 동위 원소(X)의 함량비와 자원소의 함량비의 합은 시간에 관계없이 100 %로 항상 같다. 따라서 ㉠은 25이다.

ㄴ. A의 절대 연령은 2억 년이다. (○)
➡ A는 반감기를 2번 거쳤으므로 절대 연령은 2억 년이다.

ㄷ. A가 B보다 먼저 형성되었다. (○)
➡ A 속에는 방사성 동위 원소(X)가 처음 양의 $\frac{1}{4}$이 남아 있고, B 속에는 X가 처음 양의 $\frac{3}{4}$ 이 남아 있으므로 A가 B보다 먼저 형성되었다.

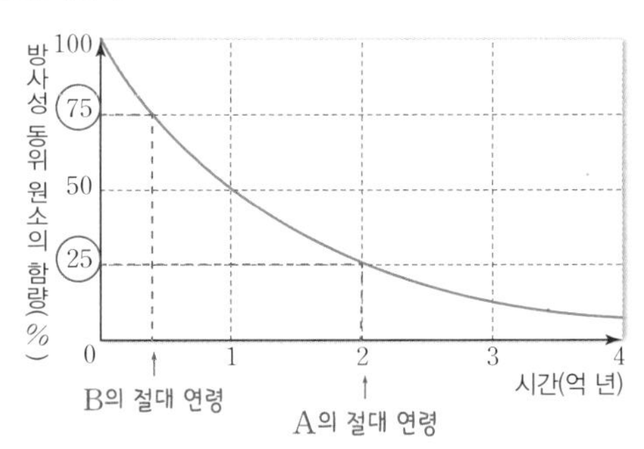

방사성 동위 원소 반감기 그래프와 A와 B의 절대 연령

12 | 선택지 분석 |

ㄱ. 방사성 동위 원소는 A이다. (○)
➡ 시간이 지날수록 원소의 양이 일정한 비율로 감소하는 A가 방사성 동위 원소이고, 시간이 지날수록 원소의 양이 증가하는 B는 안정한 원소이다.

ㄴ. 암석이 생성될 당시 B는 없었다. (○)
➡ 그래프를 보면 암석이 생성될 당시 B는 없었다. 따라서 특정 시기에 암석 속에 들어있는 B의 양은 방사성 동위 원소(A)의 감소량이라고 판단할 수 있다.

ㄷ. 시간이 지날수록 A가 처음 양의 절반으로 감소하는 데 걸리는 시간은 ~~짧아진다.~~ 일정하다. (×)
➡ 방사성 동위 원소의 반감기는 주변 환경에 관계없이 일정하다.

13 | 자료 분석 |

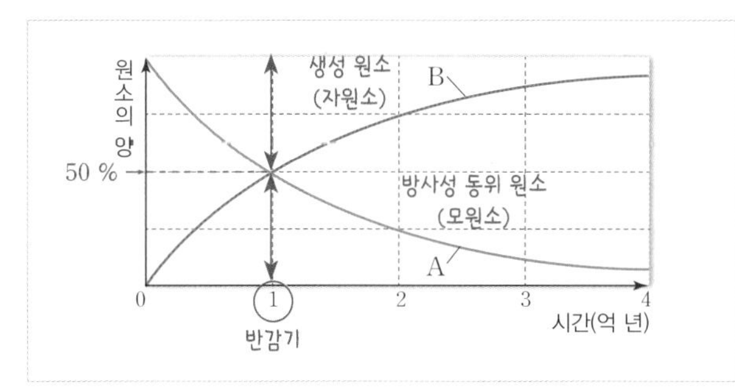

반감기 그래프에서 방사성 동위 원소(A)와 생성 원소(B)가 만난 점에 해당하는 시간이 반감기이다.

도전! 실력 올리기 074쪽~075쪽

01 ① **02** ④ **03** ③ **04** ③ **05** ⑤ **06** ①

07 | **모범 답안** | 적어도 3번 이상 발생하였다. 부정합의 형성 과정은 '퇴적 → 융기 → 풍화·침식 → 침강 → 퇴적'이므로 1개의 부정합이 형성되기 위해서는 적어도 1번의 융기가 있어야 한다. 그런데 이 지역은 부정합면이 2개 있으며, 현재 육지이므로 과거에 적어도 3번의 융기가 있었다.

08 | **모범 답안** | 생존 기간이 짧아야 한다. 표준 화석으로 이용하기 위해서는 특정 지질 시대에만 살아야 하므로 생존 기간이 상대적으로 짧아야 한다.

09 4억 년

01 그림의 판 경계는 대륙판과 대륙판이 충돌하는 수렴형 경계로 횡압력이 작용되어 습곡 산맥이 형성된다.

| **선택지 분석** |

ㄱ. 습곡
➡ 습곡은 지층이 지각 변동에 의한 횡압력을 받아 휘어진 지질 구조로 수렴형 경계에서 잘 형성된다.

ㄴ. 역단층
➡ 역단층은 횡압력을 받아 상반이 하반에 대해 위쪽으로 이동한 단층으로 수렴형 경계에서 잘 형성된다.

~~ㄷ~~. 정단층
➡ 정단층은 장력을 받아 상반이 하반에 대해 아래쪽으로 이동한 단층으로 주로 발산형 경계에서 잘 형성된다.

~~ㄹ~~. 주상 절리
➡ 주상 절리는 용암이 분출할 때 급격히 냉각·수축하여 형성된 기둥 모양의 절리로 화산 지대에서 잘 형성된다. 대륙판과 대륙판의 수렴형 경계에서는 화산 활동이 거의 일어나지 않는다.

더 알아보기 **대륙판과 대륙판의 수렴형 경계 특징**

- **작용하는 힘:** 횡압력
- **지질 구조:** 습곡, 역단층
- **화산 활동:** 거의 없음
- **지형:** 습곡 산맥

02 | 자료 분석 |

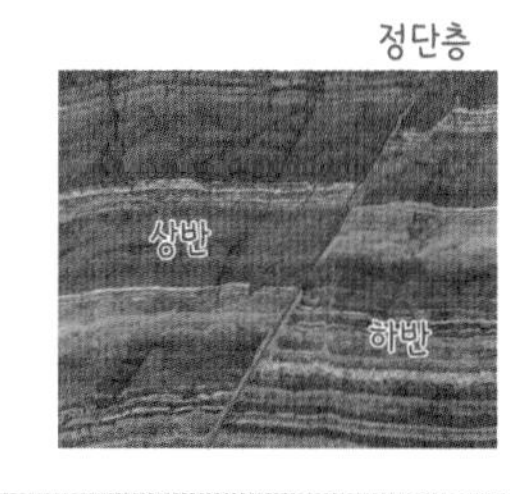

- **지층의 움직임:** 상반이 아래쪽으로 이동
- **작용하는 힘:** 장력
- **발달 지역:** 발산형 경계

(가)는 습곡으로 횡압력을 받아 형성되므로 주로 수렴형 경계에서, (나)는 정단층으로 장력을 받아 형성되므로 주로 발산형 경계에서 형성된다.

03 | 선택지 분석 |

ㄱ. B는 화성암이다.
➡ B는 A와 C를 관입하였으므로 화성암이다.

~~ㄴ~~. C 하부에서 B 성분의 침식물이 발견될 수 있다.
➡ B가 A와 C를 관입할 때 C의 일부 암석이 마그마에 포획되어 B에서 C 성분의 암석이 발견될 수 있다. C 하부에 B 성분의 침식물이 발견되는 경우는 B와 C가 부정합 관계일 때이다.

ㄷ. A와 C의 생성 순서를 결정할 때 지층 누중의 법칙을 이용한다.
➡ 아래 놓인 지층(A)과 위에 놓인 지층(C)의 생성 순서는 지층 누중의 법칙을 이용하여 판단할 수 있다. 아래 놓인 지층 A는 위에 놓인 지층 C보다 먼저 생성되었다.

04 | 선택지 분석 |

ㄱ. ㉠은 가장 최근까지 번성했던 생물의 화석이다.
➡ A~D층 중 가장 나중에 퇴적된 D층에서 발견되는 ㉠이 가장 최근까지 번성했던 생물의 화석이다.

~~ㄴ~~. ㉢은 가장 진화된 생물의 화석이다.
➡ 일반적으로 가장 최근까지 번성했던 생물(㉠)이 가장 진화된 생물이라고 판단할 수 있다.

ㄷ. ㉡은 ㉢보다 지층 대비에 유용하다.
➡ C층에서만 산출되는 ㉡은 ㉠과 ㉢에 비해 표준 화석으로 적합하므로 지층 대비에 유용하다. 표준 화석은 지질 시대를 결정하는 기준이 되는 화석으로 생존 기간이 짧고, 분포 면적이 넓어야 한다.

05 | 선택지 분석 |

ㄱ. 현재 화성암 속에 포함된 A의 양은 $\frac{1}{4}$ mg이다.
➡ 반감기가 2억 년인 A는 4억 년 후에 처음 양의 $\frac{1}{4}$로 감소한다.

ㄴ. 방사성 동위 원소의 붕괴 속도는 A가 B보다 느리다.
➡ 방사성 동위 원소는 반감기가 짧을수록 붕괴 속도가 빠르다. 따라서 반감기가 긴 A가 반감기가 짧은 B보다 붕괴 속도가 느리다.

ㄷ. 암석이 생성된 후 6억 년이 지났을 때 원소의 양은 A가 B보다 많다.
➡ 암석이 생성된 후 6억 년이 지났을 때 A의 양은 $\frac{1}{8}$ mg이고, B의 양은 $\frac{1}{16}$ mg이다.

구분	원소의 양(mg)			반감기
	생성 당시	4억 년 후(현재)	6억 년 후	
A	1	$\frac{1}{4}$	$\frac{1}{8}$	2억 년
B	4	$\frac{4}{16}=\frac{1}{4}$	$\frac{4}{64}=\frac{1}{16}$	1억 년

06 | 선택지 분석 |

㉠ 암석이 생성된 후 2억 년이 지났을 때 A의 양은 B의 $\frac{1}{3}$배이다.

➡ 방사성 동위 원소 A의 반감기는 1억 년이므로 암석이 생성된 후 2억 년이 지났을 때 A의 양은 처음 양의 $\frac{1}{4}$로 감소하고, 감소한 $\frac{3}{4}$은 B가 된다. 따라서 암석이 생성된 후 2억 년이 지났을 때 A의 양은 B의 $\frac{1}{3}$배이다.

✕ 암석이 생성된 후 약 4억 년 이상이 되면 방사성 동위 원소는 모두 없어진다.

➡ 방사성 동위 원소는 반감기를 거치는 동안 $\frac{1}{2}$씩 감소하므로 이론적으로 오랜 시간이 지나도 완전히 없어지지는 않는다.

✕ B가 처음 양의 2배로 증가하는 데 걸리는 시간은 A의 반감기와 같다.

➡ 방사성 동위 원소(A)가 붕괴하여 생성된 안정한 원소(B)가 처음 양의 2배가 되는 시간은 일정하지 않으므로 방사성 동위 원소의 반감기와 같을 수 없다.

07 부정합은 퇴적물이 융기하여 풍화·침식 과정을 거치고 다시 침강·퇴적되어 생성된다. 따라서 부정합면 1개가 형성되려면 적어도 1번의 융기가 있어야 한다. 이 지역은 부정합면이 2개 있고 현재 육지이므로 적어도 3번의 융기가 있었다.

채점 기준	배점
융기한 횟수와 까닭을 모두 옳게 서술한 경우	100 %
융기한 횟수는 틀렸지만 부정합 형성 과정을 바탕으로 1개의 부정합이 형성되기 위해서 최소한 1번의 융기가 필요하다는 내용을 언급한 경우	50 %

08 표준 화석으로 이용되는 고생물은 특정 지질 시대를 대표해야 하므로 생존 기간이 짧아야 하고 분포 면적은 넓어야 한다.

채점 기준	배점
생존 기간과 까닭을 모두 옳게 서술한 경우	100 %
생존 기간만 옳게 서술한 경우	30 %

09 현재 화강암 A 속에 포함된 방사성 동위 원소 X의 양(1.0×10^{-6})은 처음 양($X+Y=1.6\times10^{-5}$)의 $\frac{1}{16}$이므로 반감기를 4번 거쳤다. 따라서 화강암 A의 절대 연령은 4억 년이다.

03 ~ 지질 시대의 환경과 생물

개념POOL 079쪽

01 필석 → 방추충 → 암모나이트 → 화폐석 → 매머드
02 화폐석

개념POOL 080쪽

01 기온은 높고 강수량은 많다.
02 높아진다.

01 기온이 높고 강수량이 많은 시기에는 나무의 성장이 빨라서 나이테의 폭이 넓다.

02 기온이 높아지면 상대적으로 ^{18}O의 증발이 활발해지므로 빙하 속의 산소 동위 원소비$\left(\frac{^{18}O}{^{16}O}\right)$가 높아진다.

콕콕! 개념 확인하기 081쪽

✔ 잠깐 확인!
1 화석 **2** 표준 화석 **3** 시상 화석 **4** 산소 **5** 빙하
6 누대 **7** 고생, 중생, 신생 **8** 고생, 중생

01 (1) ○ (2) ○ (3) ○ (4) × **02** ㄴ, ㄹ, ㅁ, ㅂ
03 ㉠ 줄무늬 ㉡ 산소 동위 원소비$\left(\frac{^{18}O}{^{16}O}\right)$ **04** 낮다.
05 (1) ㉠ (2) ㉢ (3) ㉤ (4) ㉡ (5) ㉣

02 갑주어와 완족류는 고생대, 시조새는 중생대, 화폐석은 신생대의 표준 화석이다. 산호와 고사리는 과거의 환경을 알아내는 데 이용하는 시상 화석이다.

03 계절에 따라 빙하의 생성 조건이 달라서 1년에 밝은 줄무늬와 어두운 줄무늬가 각각 1개씩 나타나므로 줄무늬의 개수를 세면 빙하의 생성 시기를 알 수 있다.

탄탄! 내신 다지기 082쪽~083쪽

01 ④ **02** ③ **03** B **04** ⑤ **05** ⑤ **06** ① **07** ③
08 A 지역 **09** ② **10** ⑤ **11** ② **12** 신생대 **13** ①

01 | 선택지 분석 |

✕ 암석의 절대 연령

➡ 암석의 절대 연령은 방사성 동위 원소의 반감기를 이용하여 구할 수 있다.

㉡ 지층의 생성 순서

➡ 표준 화석을 이용하여 지층의 상대적 생성 순서를 결정할 수 있다.

ㄷ 지층이 퇴적될 당시의 환경
➡ 시상 화석을 이용하여 지층이 퇴적될 당시의 환경을 추정할 수 있다.

02 | 선택지 분석 |

ㄱ. 생존 기간이 길었다.
➡ 상대적으로 생존 기간이 길었던 생물의 화석은 시상 화석으로 적합하다.

ㄴ 분포 면적이 넓었다.
➡ 분포 면적이 넓었던 생물의 화석은 표준 화석으로 적합하다.

ㄷ. 특정 환경에만 분포하였다.
➡ 특정 환경에만 분포하였던 생물의 화석은 시상 화석으로 적합하다.

ㄹ 특정 지질 시대에만 번성하였다.
➡ 특정 지질 시대에만 번성하였던 생물의 화석은 화석이 산출되는 지층이 퇴적될 당시의 지질 시대를 알려주므로 표준 화석으로 적합하다.

03 지질 시대를 구분하고 지층을 대비하는 데 유용한 화석은 표준 화석이다. 따라서 그림에서 생존 기간이 짧고 분포 면적이 넓은 B이다.

04 산호와 고사리는 시상 화석, 삼엽충과 화폐석은 표준 화석이다.

05 | 선택지 분석 |

ㄱ 매머드 화석은 표준 화석으로 이용된다.
➡ 매머드는 신생대 제4기에 번성하였으므로 매머드의 화석은 신생대 제4기의 표준 화석으로 이용할 수 있다.

ㄴ 산호 화석이 산출되는 지층은 따뜻하고 얕은 바다에서 형성되었다.
➡ 산호는 과거에 따뜻하고 얕은 바다에서 번성하였다.

ㄷ 산호의 생존 기간은 매머드의 생존 기간보다 길다.
➡ 생존 기간은 상대적으로 시상 화석인 산호가 표준 화석인 매머드보다 길다.

06 | 선택지 분석 |

① 변성암 연구
➡ 변성암은 지하 깊은 곳에서 암석이 열과 압력을 받아 조직과 성분이 변한 암석으로 생성 당시 기후와는 전혀 관계가 없다.

② 시상 화석 연구
➡ 시상 화석을 이용하여 과거의 기후 및 퇴적 환경을 추정할 수 있다.

③ 나무의 나이테 조사
➡ 나무 나이테의 밝기와 폭을 이용하여 과거의 기온과 강수량 변화를 추정할 수 있다.

④ 빙하 코어 속 공기 방울과 꽃가루 연구
➡ 빙하 코어 속 공기 방울을 이용하여 과거 대기 조성을 알 수 있고, 꽃가루 화석을 이용하여 과거 기후 환경을 추정할 수 있다.

⑤ 해양 생물 화석 속의 산소 동위 원소비$\left(\frac{^{18}O}{^{16}O}\right)$ 측정
➡ 해양 생물 화석 속의 산소 동위 원소비를 이용하여 과거의 기온 변화를 추정할 수 있다.

07 | 자료 분석 |

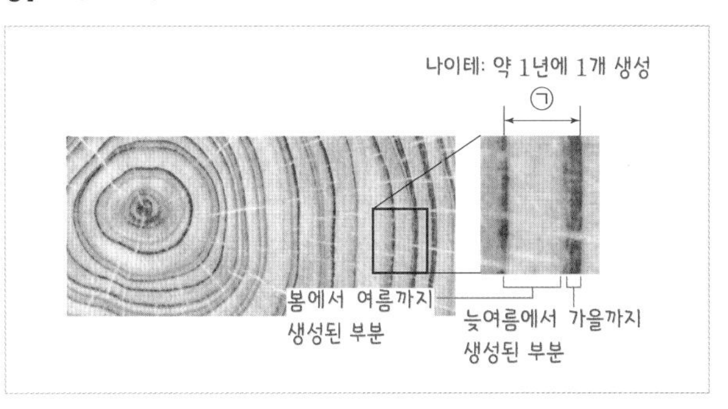

| 선택지 분석 |

ㄱ 온대 지방에서 나무는 가을보다 여름에 더 잘 자란다.
➡ 온대 지방에서 나무는 기온이 높고 강수량이 많은 여름에 잘 자란다.

ㄴ. ㉠의 두께는 기온이 높을수록 좁다.
➡ 기온이 높고 강수량이 많은 시기에는 나무의 성장이 빨라서 나이테의 폭(㉠)이 넓다.

ㄷ ㉠이 생성되는 데 걸리는 시간은 약 1년이다.
➡ 1년에 밝은 줄무늬와 어두운 줄무늬가 1개씩 형성된다. 따라서 밝은 줄무늬 1개와 어두운 줄무늬 1개로 이루어진 ㉠이 생성되는 데 걸리는 시간은 약 1년이다.

08 기온이 높고 강수량이 많은 시기에는 나무의 성장이 빨라서 나이테의 폭이 넓다. 따라서 나무가 성장했던 시기의 기온은 나무 화석의 나이테가 두꺼운 A 지역이 B 지역보다 높았다.

09 | 선택지 분석 |

ㄱ. ^{18}O의 질량은 ^{16}O와 같다.
➡ ^{18}O과 ^{16}O의 원자량은 각각 18, 16으로 ^{18}O이 ^{16}O보다 무겁다.

ㄴ. 평상시보다 기온이 높아지면 ^{18}O의 증발 비율은 감소한다.
➡ ^{18}O는 ^{16}O보다 무거워서 ^{18}O를 포함한 물 분자는 ^{16}O를 포함한 물 분자에 비하여 증발이 어렵지만, 기후가 따뜻해지면 ^{18}O를 포함한 물 분자도 증발이 활발해진다.

ㄷ 빙하 속의 산소 동위 원소비$\left(\frac{^{18}O}{^{16}O}\right)$는 빙하기보다 간빙기에 더 높다.
➡ 기온이 높아지면 상대적으로 ^{18}O의 증발이 활발해지므로 빙하 속의 산소 동위 원소비$\left(\frac{^{18}O}{^{16}O}\right)$가 높아진다. 따라서 빙하 속의 산소 동위 원소비는 빙하기보다 간빙기에 더 높다.

구분	빙하의 산소 동위 원소비 $\left(\frac{^{18}O}{^{16}O}\right)$	해양 생물의 산소 동위 원소비$\left(\frac{^{18}O}{^{16}O}\right)$
빙하기	낮다	높다
간빙기	높다	낮다

10 갑주어는 고생대, 암모나이트는 중생대, 스트로마톨라이트는 선캄브리아 시대의 표준 화석이다.

11 | 선택지 분석 |

ㄱ. ~~식물~~ 화석이다. (동물)

➡ 필석은 고생대의 캄브리아기 중기부터 석탄기 초기까지 지구상에 군체를 이루어 살았던 해양 동물의 화석이다.

ㄴ. 고생대에 번성한 생물의 화석이다.

➡ 필석은 고생대 초기에 번성하였다.

ㄷ. ~~육지~~에서 번성한 생물의 화석이다. (해양)

➡ 필석은 해양에서 번성한 생물의 화석이다.

12 매머드는 약 480만 년 전부터 4천 년 전까지 신생대 제4기에 번성했던 포유류로, 혹심한 추위에도 견딜 수 있게 온몸이 털로 뒤덮여 있었지만 마지막 빙하기 때 멸종한 것으로 추정된다.

13 (가)는 고생대에 번성했던 삼엽충 화석, (나)는 중생대에 번성했던 시조새 화석, (다)는 신생대에 번성했던 화폐석의 화석이다.

도전! 실력 올리기

084쪽~085쪽

01 ⑤ **02** ③ **03** ⑤ **04** ③ **05** ① **06** ④

07 A: 산호 B: 삼엽충 C: 공룡

08 | 모범 답안 | 공룡은 중생대에 육지에서 번성한 생물이므로 이 지역은 중생대 육지에서 형성되었다.

09 | 모범 답안 | A 시기는 고생대와 중생대의 경계 시기로 고생대 말에 빙하기가 시작되어 한랭해졌으며, 흩어져 있던 대륙이 모여 판게아가 형성되면서 해양 생물의 서식지가 감소하였기 때문이다.

01 | 선택지 분석 |

ㄱ. A는 표준 화석이다.

➡ A와 B는 각각 표준 화석과 시상 화석 중 하나이므로 특정 지층에서만 산출되는 A가 표준 화석이다.

ㄴ. 고사리 화석은 B에 해당한다.

➡ B는 여러 시대의 지층에서 산출되므로 시상 화석이며, 고사리 화석은 시상 화석에 해당한다.

ㄷ. 지층 대비에는 B보다 A가 적합하다.

➡ 지층 대비에는 시상 화석(B)보다 표준 화석(A)이 적합하다.

02 | 선택지 분석 |

ㄱ. (가)는 시상 화석으로 적합하다.

➡ 고사리 화석은 시상 화석에 해당한다.

ㄴ. (나)는 지층을 대비할 때 유용하다.

➡ 암모나이트는 중생대에 번성한 표준 화석으로 지층을 대비할 때 이용할 수 있다.

ㄷ. ~~(나)는 암석의 절대 연령을 측정할 때 이용된다.~~

➡ 암석의 절대 연령은 방사성 동위 원소의 반감기를 이용하여 구할 수 있다.

03 | 선택지 분석 |

ㄱ. (가)와 (나) 모두 줄무늬가 나타난다.

➡ 빙하와 나무는 모두 계절에 따른 성장 속도가 달라서 줄무늬가 형성된다.

ㄴ. (가)에 포함된 기포를 이용하여 과거 대기 조성을 알아낼 수 있다.

➡ 빙하 코어 속에 포함된 기포(공기 방울)를 분석하여 과거 대기 조성을 알아낼 수 있다.

ㄷ. (나)에서 밝은 줄무늬가 형성된 시기가 어두운 줄무늬가 형성된 시기보다 따뜻했다.

➡ 나무 나이테에서 밝은 부분은 기온이 높은 시기에 나무가 빠르게 성장하여 형성된다.

04 기온이 낮아지면 ^{16}O에 비해 상대적으로 ^{18}O의 증발량이 더 감소하므로 해수 속의 산소 동위 원소비$\left(\frac{^{18}O}{^{16}O}\right)$가 증가한다. 따라서 기온이 낮아지면 해양 생물과 해양 생물 화석 속의 산소 동위 원소비$\left(\frac{^{18}O}{^{16}O}\right)$는 증가한다.

05 | 자료 분석 |

①은 고생대 해양에서 전체적으로 번성한 삼엽충, ②는 중생대 해양에서 번성한 암모나이트, ③은 고생대 초기 해양에서 번성한 필석, ④는 신생대 팔레오기와 네오기 해양에서 번성한 화폐석, ⑤는 중생대 육지에서 번성한 공룡이다.

06 (가)는 삼엽충, (나)는 시조새, (다)는 화폐석이다.

| 선택지 분석 |

ㄱ. ~~(가), (나), (다) 모두 해양 생물의 화석이다.~~

➡ 삼엽충은 고생대 바다에서, 시조새는 중생대 육지에서, 화폐석은 신생대 바다에서 각각 번성하였다.

ㄴ (가)는 (나)보다 생존 기간이 길다.
➡ 삼엽충은 고생대에 전체적으로 번성하였으므로 중생대에 번성한 시조새보다 생존 기간이 길다.

ㄷ 가장 나중에 출현한 생물의 화석은 (다)이다.
➡ 삼엽충은 고생대, 시조새는 중생대, 화폐석은 신생대에 각각 번성하였다. 따라서 가장 나중에 출현한 생물의 화석은 (다)이다.

더 알아보기 지질 시대 구분
지질 시대는 넓은 지역에 걸쳐 일어난 지구 환경의 급격한 변화와 생물계의 변화 등을 기준으로 구분한다.

화석이 거의 발견되지 않는 시대(시생 누대, 원생 누대) | 화석이 많이 발견되는 시대(현생 누대)
선캄브리아 시대 (88.2 %) | 고생대 (6.3 %) | 중생대 (4.1 %) | 신생대 (1.4 %)
4600 | 541.0 | 252.2 | 66.0 (백만 년 전)

07 삼엽충과 공룡 화석은 각각 고생대와 중생대의 표준 화석으로 지층 대비에 이용되며, 삼엽충은 해양 동물, 공룡은 육상 동물이다.

08 공룡은 중생대에 육지에서 번성하였으므로 공룡 발자국 화석이 발견되는 지층은 중생대에 육지에서 퇴적된 지층이다.

채점 기준	배점
지질 시대와 퇴적 환경을 모두 옳게 서술한 경우	100 %
지질 시대와 퇴적 환경 중에서 1가지만 옳게 서술한 경우	50 %

09 고생대 말기에 판게아의 형성으로 해양 생물 서식지가 줄어들고 빙하기가 시작되면서 생물종 수가 크게 감소하였다.

채점 기준	배점
기후 변화와 수륙 분포의 변화를 모두 옳게 서술한 경우	100 %
기후 변화와 수륙 분포의 변화 중 1가지만 옳게 서술한 경우	50 %

실전! 수능 도전하기

087쪽~091쪽

01 ③ **02** ③ **03** ① **04** ⑤ **05** ② **06** ① **07** ④ **08** ⑤
09 ③ **10** ⑤ **11** ③ **12** ② **13** ② **14** ③ **15** ③ **16** ②
17 ② **18** ③ **19** ① **20** ⑤

01 | 자료 분석 |

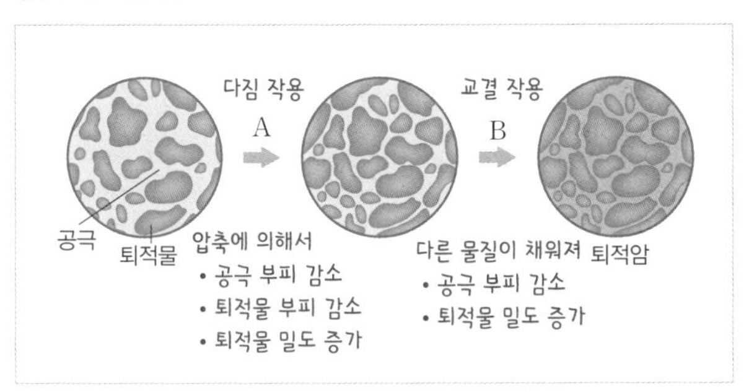

| 선택지 분석 |

ㄱ A 과정에서 퇴적물의 밀도가 증가한다.
➡ A는 다짐 작용으로 퇴적물이 압축되면서 부피가 감소하므로 밀도가 증가한다.

ㄴ B 과정에서 공극의 부피가 감소한다.
➡ B는 교결 작용으로 퇴적물의 공극에 다른 물질이 채워지므로 공극의 부피가 감소한다.

✕ A와 B 과정을 거쳐 형성된 퇴적암은 모두 쇄설성 퇴적암이다.
➡ 화학적 퇴적암과 유기적 퇴적암도 속성 작용에 의해 형성된다.

02 | 선택지 분석 |

ㄱ A의 형성은 수권과 지권의 상호 작용 또는 생물권과 지권의 상호 작용에 해당한다.
➡ 석회암은 대부분 해양에서 화학적 침전에 의해 형성되거나 해양 생물의 사체가 퇴적되어 형성된다. 따라서 석회암은 수권과 지권의 상호 작용 또는 생물권과 지권의 상호 작용으로 형성된다.

✕ ㉠은 주로 풍화·침식 작용에 의해 퇴적되는 과정이다.
➡ ㉠은 주로 물속에서 탄산 이온과 칼슘 이온이 화학적으로 결합·침전되거나 생물의 사체가 퇴적되는 과정이다.

ㄷ ㉡ 과정에서 퇴적물 사이의 간격은 감소한다.
➡ 퇴적물은 퇴적암이 되면서 퇴적물 입자 사이의 간격인 공극이 줄어든다.

03 암염은 건조한 환경에서 형성되는 증발암으로 화학적 퇴적암이고, 역암은 주로 자갈이 쌓여서 형성된 쇄설성 퇴적암이다. 응회암은 주로 화산재가 쌓여서 형성된 쇄설성 퇴적암이다.

04 | 자료 분석 |

구분	(가) 건열	(나) 연흔	(다) 사층리
단면 모습			
역전 여부	역전 안 됨	역전 됨	역전 됨
퇴적 환경	건조 환경	수심이 얕은 물밑, 사막	하천, 사막

(가)는 건열, (나)는 연흔, (다)는 사층리이다.

| 선택지 분석 |

ㄱ (가)는 점토질 토양에서 잘 형성된다.
➡ 건열은 주로 건조 기후에서 점토질 토양이 공기 중에 노출될 때 형성된다.

ㄴ 역전된 퇴적 구조는 (나)와 (다)이다.
➡ 그림에서 (나)와 (다)는 역전된 모습이다.

ㄷ (나)와 (다)는 모두 사막에서 형성될 수 있다.
➡ 연흔과 사층리는 모두 흐르는 물, 바람이 잘 부는 사막 등에서 형성될 수 있다.

05 (가)는 연흔, (나)는 점이 층리이다.

| 선택지 분석 |

✕. (가)는 수권과 지권의 상호 작용에 의해서만 형성된다.

➡ 연흔은 흐르는 물, 파도, 바람 등에 의해 퇴적물의 표면에 생긴 물결 모양의 구조이다. 따라서 수권과 지권의 상호 작용뿐만 아니라 기권과 지권의 상호 작용으로도 형성된다.

✕. (나)는 해양 환경보다 연안 환경에서 잘 형성된다.

➡ 점이 층리는 주로 저탁류에 의해 많은 퇴적물이 공급되는 대륙대(해양 환경)에서 형성된다.

ⓒ. (가)는 층리면에서 관찰할 수 있지만, (나)는 층리면에서 관찰할 수 없다.

➡ 연흔은 퇴적물 표면에 생긴 물결 모양의 구조이므로 층리면에서 관찰할 수 있지만, 한 지층 내에서 위로 갈수록 입자의 크기가 점점 작아지는 구조인 점이 층리는 지층의 단면에서만 관찰할 수 있다.

06 A는 점이 층리, B는 건열, C는 연흔이다.

| 선택지 분석 |

ⓖ. 수심이 가장 깊은 환경에서 형성될 수 있는 구조는 A이다.

➡ 점이 층리(A)는 건열(B)이나 연흔(C)에 비해 수심이 깊은 환경에서 형성된다.

✕. B는 모든 쇄설성 퇴적암에서 잘 형성된다.

➡ 건열(B)은 주로 점토질 퇴적층이 건조한 대기에 노출되었을 때 형성된다. 역암과 같이 입자의 크기가 큰 쇄설성 퇴적암에서는 거의 형성되지 않는다.

✕. C는 육상 환경에서는 형성되지 않는다.

➡ 연흔(C)은 사막 등 바람의 영향을 받는 환경에서 형성될 수 있다.

07 | 선택지 분석 |

✕. A는 ~~삼각주~~(선상지), B는 ~~선상지~~(삼각주)이다.

ⓛ. A는 육상 환경, B는 연안 환경에 해당한다.

➡ 선상지(A)는 육상 환경, 삼각주(B)는 연안 환경에 해당한다.

ⓒ. 퇴적물 입자의 평균 크기는 A가 B보다 크다.

➡ 삼각주는 선상지에 비해 퇴적물 입자의 평균 크기가 작고 입자 크기가 고른 편이다.

더 알아보기 **선상지와 삼각주 퇴적 환경 비교**

구분	선상지	삼각주
모양	부채꼴	삼각형
생성 장소	급경사의 산지와 평지가 만나는 곳 → 강 상류	하천과 바다가 만나는 곳 → 강 하구
퇴적물 입자 크기	크다.	작다.

08 (가)는 정단층, (나)는 습곡, (다)는 부정합이다.

| 선택지 분석 |

ⓖ. (가)는 단층 구조가 발달되어 있다.

➡ (가)는 장력에 의해 형성된 정단층이다.

ⓛ. (나)는 횡압력에 의해 형성되었다.

➡ (나)는 횡압력에 의해 형성된 습곡이다.

ⓒ. (다)는 퇴적이 중단된 시기가 있었다.

➡ (다)는 조륙 운동이나 조산 운동에 의한 퇴적 환경의 변화로 오랫동안 퇴적이 중단된 후 다시 퇴적이 일어나 형성된 부정합이다.

09 | 선택지 분석 |

ⓖ. 단층이 관찰된다.

➡ 이 지역에서는 지층이 어긋난 단층이 관찰된다.

ⓛ. 습곡 구조가 관찰된다.

➡ 이 지역에서는 지층이 휘어진 습곡 구조가 관찰된다.

✕. 사암층이 셰일층보다 먼저 형성되었다.

➡ 그림에서 건열의 형태를 보면 지층이 역전되었다. 따라서 아래에 놓인 사암층이 위에 놓인 셰일층보다 나중에 형성되었다.

10 | 자료 분석 |

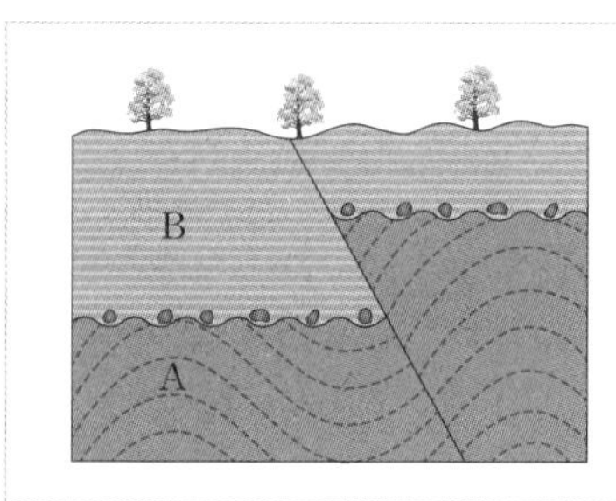

A 퇴적(바다 또는 호수) → 습곡, 융기 → 풍화·침식(육지) → 침강 → B 퇴적(바다 또는 호수) → 단층, 융기 → 풍화·침식(육지)

| 선택지 분석 |

ⓖ. A와 B층 모두 횡압력을 받은 적이 있었다.

➡ A층은 습곡과 역단층이 형성될 때, B층은 역단층이 형성될 때 횡압력을 받았다.

ⓛ. 습곡 작용을 받은 후 단층이 생겼다.

➡ 그림을 보면 A층의 습곡이 단층에 의해 어긋나 있으므로 이 지역 지층은 습곡 작용을 받은 후 단층이 형성되었다.

ⓒ. 적어도 2번의 융기가 있었다.

➡ 이 지역에는 부정합면이 1개 있으며, 현재 육지이므로 과거에 적어도 2번의 융기가 있었다.

11 (가)에서 화강암은 석회암을 관입하였으며, (나)에서 화강암과 석회암은 부정합 관계이다.

| 선택지 분석 |

ⓖ. (가)에는 경사 부정합이 나타난다.

➡ (가)에는 부정합면을 경계로 상하 지층의 층리가 경사진 경사 부정합이 나타난다.

ⓛ. (나)의 셰일은 화강암의 관입에 의해 접촉 변성 작용을 받았다.

➡ (나)의 셰일은 화강암이 관입하였으므로 접촉 변성 작용을 받았다.

✗ (가)의 석회암은 (나)의 석회암보다 나중에 생성되었다.
➡ (가)에서 화강암은 석회암을 관입하였으며, (나)에서 화강암과 석회암은 부정합 관계이다. 따라서 (가)와 (나)에서 화강암과 석회암의 생성 순서는 (가)의 석회암 → 화강암 → (나)의 석회암이다.

12 (가)에서 B와 C는 부정합 관계이며, (나)에서 E와 F는 관입 관계이다.

| 선택지 분석 |

✗ ㉠은 ~~거저 역암~~ 포획암이다.
➡ 마그마가 관입할 때 주변에 이미 존재하던 암석 조각이 마그마 속으로 들어가 있는 것을 포획암이라고 한다.

ⓛ C는 F보다 나중에 형성되었다.
➡ (가)에서 지층의 생성 순서는 A → B → C이며, (나)에서 지층의 생성 순서는 D → F → E이다. 그런데 화성암 B와 E의 생성 시기가 같으므로 C는 F보다 나중에 형성되었다.

✗ B와 C의 선후 판단을 할 때 ~~관입의 법칙~~ 부정합의 법칙을 이용한다.

13 이 지역에서 지층은 B → A → C 순으로 생성되었으며, ㉠은 고생대 바다에서 번성했던 삼엽충 화석이고, ㉡은 중생대 바다에서 번성했던 암모나이트 화석이다.

| 선택지 분석 |

✗ 이 지역에는 육지에서 퇴적된 지층이 분포한다.
➡ 이 지역 지층에는 삼엽충과 암모나이트가 산출되므로 모두 바다에서 퇴적된 지층이다.

✗ A가 형성된 시기는 원생 누대이다.
➡ A는 B가 퇴적된 이후에 관입하였으므로 고생대 이후에 관입하였다고 판단할 수 있다.

ⓒ ㉠은 B에서, ㉡은 C에서 산출된다.
➡ B가 C보다 먼저 생성되었다. 따라서 B에서는 삼엽충 화석(㉠)이 산출되고, C에서는 암모나이트 화석(㉡)이 산출된다.

14 | 선택지 분석 |

ⓖ 이 암석의 절대 연령은 6억 년이다.
➡ 반감기가 2억 년인 B가 처음 양의 $\frac{1}{8}$로 감소하였으므로(반감기를 3번 거쳤으므로) 이 암석의 절대 연령은 6억 년이다.

ⓛ ㉠은 3이다.
➡ 암석의 절대 연령이 6억 년이고, A는 처음 양의 $\frac{1}{4}$로 감소하였으므로(반감기를 2번 거쳤으므로) 반감기가 3억 년이다.

✗ 생성될 당시 이 암석에는 A보다 B가 더 많았다.
➡ 현재 암석 속에 A와 B의 자원소 양이 같다고 했으므로 생성 당시에는 반감기를 거친 횟수가 적은 A보다 반감기를 거친 횟수가 많은 B가 더 적었다.

15 | 자료 분석 |

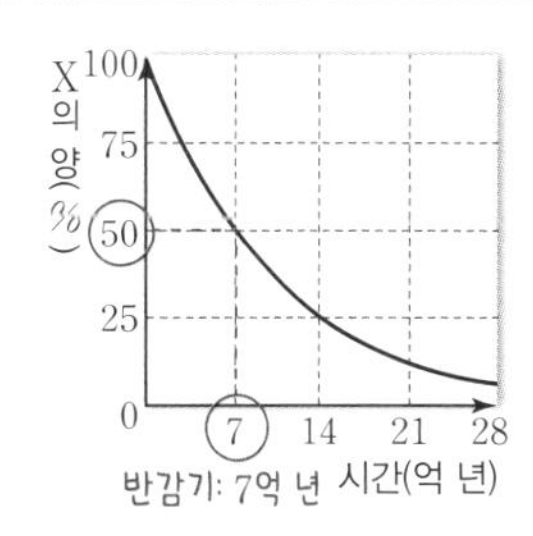

- 화성암 P에 포함된 방사성 원소 X의 양은 암석이 생성될 당시의 $\frac{1}{2}$이므로 반감기를 1번 거쳤다. → 절대 연령: 7억 년
- 화성암 Q에 포함된 방사성 원소 X의 양은 암석이 생성될 당시의 $\frac{1}{4}$이므로 반감기를 2번 거쳤다. → 절대 연령: 14억 년

| 선택지 분석 |

ⓖ 가장 오래된 지층은 C이다.
➡ (가)에서 지층의 생성 순서는 C → Q → B → A → P이므로 가장 오래된 지층은 C이다.

✗ 지층 A는 중생대 지층이다.
➡ P와 Q의 절대 연령은 각각 7억 년, 14억 년이므로 P와 Q의 관입 사이에 퇴적된 A는 선캄브리아 시대 지층이다.

ⓒ 지층 B와 C 사이에 퇴적이 중단된 시기가 있었다.
➡ B와 C는 부정합 관계이므로 과거에 퇴적이 중단된 시기가 있었다.

16 | 선택지 분석 |

✗ ㉠은 선캄브리아 시대이다.
➡ 화석으로 산출되는 최초의 육상 식물인 쿡소니아는 오존층이 형성된 후 고생대 실루리아기에 출현하였다.

✗ 이 화석이 발견되는 지층은 마그마가 굳어져 형성되었다.
➡ 화석은 대부분 퇴적층에서 산출되며, 화성암에서는 화석이 산출되지 않는다.

ⓒ 표준 화석으로 이용할 수 있다.
➡ 쿡소니아는 고생대 실루리아기부터 데본기층까지 산출되므로 고생대 표준 화석으로 이용할 수 있다.

17 | 선택지 분석 |

✗ (가)가 산출되는 지층은 (나)가 산출되는 지층보다 ~~나중에~~ 먼저 퇴적되었다.
➡ (가)는 삼엽충 화석과 같은 지층에서 산출되므로 고생대에 번성했던 산호의 화석이다. 따라서 (가)가 산출되는 지층은 중생대에 번성했던 (나) 공룡 뼈 화석이 산출되는 지층보다 먼저 퇴적되었다.

ⓛ (가)가 퇴적물에 의해 매몰될 당시 이 지역은 바다였다.
➡ 산호는 따뜻하고 얕은 바다에서 서식하므로, 산호가 산출되는 지층은 과거에 바다에서 형성되었다.

✗ (나)는 암모나이트 화석과 같은 지층에서 산출될 수 있다.
➡ 공룡과 같이 중생대에 번성했던 암모나이트는 해양 생물이므로 육상 공룡 뼈와 같은 지층에서 산출될 수 없다.

18 화폐석은 신생대, 암모나이트는 중생대, 삼엽충은 고생대에 번성하였으며, 세 동물 모두 바다에서 번성하였다.

| 선택지 분석 |

ㄱ. A의 지질 시대 초기에 판게아가 분리되었다.
➡ 삼엽충이 발견되는 A는 고생대 지층이다. 고생대 말에 판게아가 생성되었다.

ㄴ. B의 지질 시대에는 공룡이 번성하였다.
➡ 암모나이트가 발견되는 B는 중생대 지층이다. 중생대에는 공룡이 번성하였다.

ㄷ. C의 지질 시대에는 포유류가 번성하였다.
➡ 화폐석이 발견되는 C는 신생대 지층이다. 신생대에는 포유류가 번성하였다.

ㄹ. A, B, C는 모두 육지에서 형성되었다.
➡ A, B, C에서는 해양 동물인 삼엽충, 암모나이트, 화폐석의 화석이 발견되므로 이 지층들은 모두 바다에서 형성되었다.

19 | 선택지 분석 |

ㄱ. ㉠은 빙하가 형성되는 과정에서 포함된다.
➡ 빙하가 형성될 때 그 당시 대기가 미세한 공기 방울로 빙하에 갇힌다. 이 공기 방울을 분석하면 과거의 대기 중 이산화 탄소 농도를 추정할 수 있다.

ㄴ. 해수에서 증발하는 수증기의 ㉡은 A 시기가 B 시기보다 높다.
➡ 온난한 시기일수록 해수에서 증발하는 수증기의 산소 동위 원소 비$\left(\frac{^{18}O}{^{16}O}\right)$가 높고, 이 수증기의 일부가 눈으로 내려 빙하를 형성하므로 빙하의 산소 동위 원소비도 높다. 따라서 해수에서 증발하는 수증기의 산소 동위 원소비는 A 시기보다 B 시기에 높다.

ㄷ. 대륙 빙하의 면적은 A 시기가 B 시기보다 좁다.
➡ 대륙 빙하의 면적은 추운 시기일수록 더 넓게 분포하므로 한랭한 A 시기가 온난한 B 시기보다 넓다.

20 A 시기는 고생대와 중생대의 경계, B 시기는 중생대와 신생대의 경계이다.

| 선택지 분석 |

ㄱ. 삼엽충은 A 시기에 멸종되었다.
➡ 삼엽충은 고생대 말(A 시기)에 멸종되었다.

ㄴ. 화폐석은 B 시기 이후에 번성하였다.
➡ 화폐석은 신생대 팔레오기와 네오기에 번성하였다. 따라서 화폐석은 B 시기 이후에 번성하였다.

ㄷ. A 시기와 B 시기 사이에 겉씨식물이 번성하였다.
➡ 중생대(A~B)에 번성했던 육상 식물은 겉씨식물이다.

한번에 끝내는 대단원 문제 094쪽~097쪽

01 ⑤ **02** ② **03** ④ **04** ② **05** ⑤ **06** ⑤ **07** ① **08** ② **09** ③ **10** ④ **11** ⑤ **12** ① **13** ② **14** ③ **15** ③

16 | 모범 답안 | 오래된 해양 지각은 판의 수렴형 경계인 해구에서 섭입하여 지구 내부로 들어가 소멸한다. 따라서 해양 지각 중 2억 년 이상인 암석이 존재하지 않는다.

17 A: 맨틀 대류에 의한 힘 B: 해령에서 판을 밀어내는 힘 C: 섭입하는 판이 잡아당기는 힘

18 | 모범 답안 | 열점은 하와이섬 아래에 위치한다. 태평양판의 이동 속도는 $\frac{510\text{ km}}{510\text{만 년}}=\frac{5.1\times10^7\text{ cm}}{5.1\times10^6\text{ 년}}=10\text{ cm/년}$이다.

19 | 모범 답안 | 최소한 3번 이상 유입되었다. 많은 퇴적물을 포함한 저탁류가 1번 유입되면 점이 층리 1개가 형성된다. 그런데 그림에서 점이 층리가 3개 나타나므로 과거 이 지역에는 최소한 3번 이상의 저탁류 유입이 있었다고 판단할 수 있다.

20 B 퇴적 → A 관입 → 융기 → 풍화·침식 → 침강 → D 퇴적 → $f-f'$ 역단층 형성 → C 관입 → 융기 → 풍화·침식

21 | 모범 답안 | 고생대 초(약 5억 년 전)의 대기 성분은 현재와 비슷하므로 오존층이 형성되었다고 판단할 수 있고, 오존층이 형성된 후 태양의 유해한 자외선이 차단되면서 생물이 육지로 상륙하는 등, 생물이 살아가기 적합한 환경이 조성되었다. 따라서 생물의 수가 크게 증가하였다.

01 베게너가 제시한 대륙 이동의 증거는 멀리 떨어진 두 대륙의 해안선 모양 일치, 지질 구조의 연속성, 동일한 고생물 화석 산출, 빙하의 흔적 등이다. 해지 지각에서 측정된 고지자기 줄무늬의 대칭은 해저 확장설의 증거이다.

02 (가)는 대륙 이동설, (나)는 맨틀 대류설, (다)는 판 구조론, (라)는 해저 확장설과 관련된 내용이다. 판 구조론이 정립된 순서는 대륙 이동설 → 맨틀 대류설 → 해저 확장설 → 판 구조론이다.

03 | 자료 분석 |

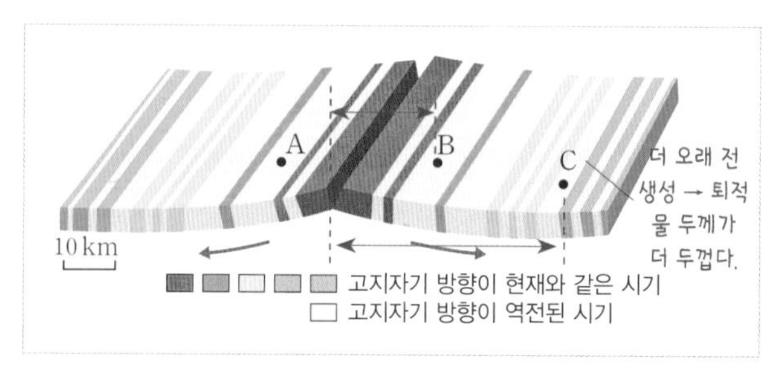

| 선택지 분석 |

ㄱ. 고지자기의 역전 현상은 일정한 주기로 반복되었다.
➡ 지질 시대 동안 지구 자기장의 역전 현상은 불규칙하게 일어났다.

ㄴ. A, B, C의 해양 지각은 모두 해령에서 생성되었다.

➡ 해령에서 생성된 지각이 양옆으로 이동하므로 A, B, C의 해양 지각은 모두 해령에서 생성되었다.

ㄷ 퇴적물의 두께는 B보다 C에서 두껍다.

➡ 퇴적층의 두께는 해령으로부터 더 멀리 있는 C에서 더 두껍다.

04 판게아는 고생대 말부터 존재하였으며, 중생대에 분리되기 시작하였다. 판게아가 형성될 때 많은 습곡 산맥이 형성되었다.

05 | 선택지 분석 |

ㄱ 오스트레일리아 대륙은 남극에서 멀어질 것이다.

➡ 오스트레일리아 대륙은 현재 북상 중이므로 남극에서 멀어질 것이다.

ㄴ 유라시아 대륙과 북아메리카 대륙은 점점 가까워질 것이다.

➡ 태평양이 좁아지면서 유라시아 대륙과 북아메리카 대륙은 점점 가까워질 것이다.

ㄷ 아프리카 대륙과 남아메리카 대륙 사이의 거리는 점점 멀어질 것이다.

➡ 대서양이 확장되면서 아프리카와 남아메리카 대륙 사이의 거리는 점점 멀어질 것이다.

06 맨틀 대류와 플룸 운동을 일으키는 주요 에너지원은 지구 내부 에너지이다. 뜨거운 플룸과 차가운 플룸은 온도 차에 의한 밀도 차로 상승과 하강이 나타난다. 플룸 구조론은 판 내부의 화산 활동을 잘 설명할 수 있다.

07 | 선택지 분석 |

ㄱ (가) 과정에 의해 유문암질 마그마가 생성될 수 있다.

➡ (가)는 대륙 하부에서 온도 상승에 의해 유문암질(안산암질) 마그마가 생성되는 과정이다.

✕ (나) 과정은 주로 맨틀 대류의 하강부에서 일어난다.

➡ (나)는 해령에서 압력 감소로 현무암질 마그마가 생성되는 과정이다.

✕ (다) 과정에 의해 섭입대에서 해양 지각이 녹아 현무암질 마그마가 생성된다.

➡ (다)는 섭입대에서 연약권 물질이 물을 공급 받아 마그마가 생성되는 과정에 해당한다.

08 | 선택지 분석 |

✕ A의 분출로 순상 화산체가 형성된다.

➡ 순상 화산체는 유동성이 큰 현무암질 마그마가 분출할 때 형성된다. 안산암질 마그마가 분출할 경우 주로 성층 화산이 형성된다.

✕ A는 C보다 어두운 색을 띤다.

➡ 동일한 마그마에서 생성되었으므로 A와 C의 색은 비슷하다.

ㄷ C는 B보다 구성 광물의 크기가 크다.

➡ C는 B보다 천천히 냉각되므로 구성 광물의 크기가 크다.

09 북한산과 설악산은 주로 화강암(심성암), 한라산(화산암)은 주로 현무암으로 이루어져 있다.

10 | 선택지 분석 |

✕ (가)에서 퇴적물은 모두 무기물이다.

➡ 퇴적물은 기원에 따라 암석이 풍화·침식을 받아 형성된 쇄설성 퇴적물, 물속에서 화학적 침전에 의해 형성된 화학적 퇴적물, 생물의 사체가 쌓여 형성된 유기적 퇴적물로 구분할 수 있다. 따라서 무기물과 유기물 모두 퇴적물이 될 수 있다.

ㄴ (나)와 (다)에서 공극의 부피는 감소한다.

➡ (나)는 다짐 작용, (다)는 교결 작용으로 두 과정 모두 공극의 부피가 감소한다.

ㄷ (라)의 퇴적암이 응회암이면, (가)의 퇴적물은 화산재이다.

➡ 화산재가 굳어져 형성된 퇴적암은 응회암이다.

11 | 선택지 분석 |

ㄱ A층을 형성한 퇴적물은 저탁류에 의해 공급되었다.

➡ A의 점이 층리는 주로 저탁류에 의해 공급된 퇴적물이 수심이 깊은 대륙대에 쌓여 형성된다.

ㄴ 입자의 평균 크기는 A층 하부가 B층 상부보다 크다.

➡ A층 아래쪽에는 자갈과 같은 큰 입자가 있고 위로 갈수록 입자 크기가 작아지며, B층에 있는 건열은 점토질 물질이 건조 환경에 노출되어 형성된다. 따라서 입자의 평균 크기는 A층 하부가 B층 상부보다 크다.

ㄷ 이 지역의 수심은 과거에 한동안 얕아졌다가 다시 깊어졌다.

➡ 이 지역은 점이 층리가 나타나는 A층이 퇴적될 당시 수심이 매우 깊었고, 건열이 나타나는 B층이 퇴적될 당시 지표로 노출된 시기가 있었으며, 현재는 바다 환경이다. 따라서 이 지역의 수심은 과거에 한동안 얕아졌다가 다시 깊어졌다고 판단할 수 있다.

12 지층이 끊어지지 않고 횡압력을 받아 형성된 지질 구조는 습곡이며, 상반이 하반에 대해 위쪽으로 이동한 지질 구조는 역단층이다. 따라서 A는 습곡, B는 역단층, C는 정단층이다.

13 | 선택지 분석 |

✕ D는 2억 년 전~4억 년 전 사이에 형성되었다.

➡ 화성암 E의 절대 연령은 4억 년이며, D는 E보다 먼저 생성되었으므로 D는 4억 년 전 이전에 형성되었다.

ㄴ B의 절대 연령은 C보다 A와 비슷하다.

➡ B는 A와 정합 관계이고 C와 부정합 관계이므로, B의 절대 연령은 C보다 A와 비슷하다.

✕ B와 F의 경계부에서는 변성암이 분포한다.

➡ B와 F는 부정합 관계이므로(관입한 것이 아니므로) B와 F의 경계부에서는 변성암이 분포하지 않는다.

14 | 선택지 분석 |

ㄱ (가)로부터 과거의 기온과 강수량 변화를 추정할 수 있다.

➡ 나무 나이테의 폭과 밝기를 조사하면 과거의 기온과 강수량 변화를 추정할 수 있다.

ㄴ. (나)로부터 과거의 대기 조성을 추정할 수 있다.
➡ 빙하에 포함된 공기 방울을 분석하면 빙하가 생성될 당시의 대기 조성을 추정할 수 있다.

ㄷ. (가)와 (나) 모두 고생대 이전의 기후를 연구하는 데 이용할 수 있다.
➡ 빙하 코어를 이용하는 경우 약 40만 년 전까지의 기후 변화를 연구할 수 있으며, 나무 나이테를 이용하는 경우 더 가까운 시대의 기후 변화를 연구할 수 있다. 고생대는 지금으로부터 약 5.41억 년 전~2.52억 년 전 시기이다.

15 A는 원생 누대, B는 신생대, C는 중생대, D는 고생대이다.

선택지 분석

ㄱ. A 시대의 지층에서는 에디아카라 동물군 화석이 산출될 수 있다.
➡ 에디아카라 동물군 화석은 원생 누대(A)의 표준 화석이다.

ㄴ. 매머드는 B 시대에 번성하였다.
➡ 매머드는 신생대(B)의 표준 화석이다.

ㄷ. 판게아는 C 시대에 형성되었다가 D 시대에 분리되었다.
➡ 판게아는 고생대(D) 말에 형성되었다가 중생대(C) 초에 분리되기 시작하였다.

16 대륙 지각은 밀도가 작아 지구 내부로 들어갈 수 없으므로 나이가 많은 지각이 흔하게 발견된다. 하지만 해양 지각은 판의 수렴형 경계인 해구에서 섭입하여 지구 내부로 들어가 소멸하기 때문에 나이가 많은 암석이 거의 발견되지 않는다. 현재 해양 지각 중 2억 년 이상인 암석은 존재하지 않는다.

채점 기준	배점
오래된 해양 지각이 해구에서 섭입하여 소멸한다는 것을 옳게 서술한 경우	100 %
오래된 해양 지각의 소멸에 대해 부분적으로 옳게 서술한 경우	50 %

17 A, B, C는 판을 이동시키는 대표적인 힘이다. A는 맨틀 대류에 의한 힘이고, B는 해령에서 판을 밀어내는 힘이다. C는 섭입하는 판이 잡아당기는 힘이다.

18 현재 열점은 하와이섬 아래에 위치하며, 열점 활동에 의해 생성된 섬은 판이 이동할 때 함께 이동한다. 따라서 암석의 나이와 암석이 열점으로부터 멀어진 거리를 이용하여 판의 이동 속도를 구할 수 있다. 태평양판의 이동 속도는 약 $\frac{510\ \text{km}}{510\text{만 년}}=\frac{5.1\times10^{7}\ \text{cm}}{5.1\times10^{6}\ \text{년}}=10\ \text{cm/년}$이다.

채점 기준	배점
열점의 위치와 태평양판의 이동 속도를 모두 옳게 제시한 경우	100 %
태평양판의 이동 속도만 옳게 제시한 경우	60 %
열점의 위치만 옳게 제시한 경우	40 %

19 점이 층리는 주로 깊은 호수나 바다에서 저탁류에 의해 형성된다. 그림을 보면 점이 층리가 3개 나타나므로 이 지역에는 과거 최소한 3번의 저탁류가 유입되었다.

채점 기준	배점
유입된 횟수와 근거를 모두 옳게 쓴 경우	100 %
유입된 횟수만 옳게 쓴 경우	30 %

20 A가 B를 관입하였고, A와 D 사이에 부정합면이 발견된다. 부정합면에 역단층이 형성되었으므로 $f-f'$ 역단층은 부정합 다음에 일어났으며, 그 후에 C가 관입하였다. 그 이후 융기하여 풍화·침식 과정을 거치고 있다.

21 그림 (가)에서 고생대 초기(약 5억 년 전)의 대기 성분을 보면 현재와 거의 비슷한 대기 조성임을 알 수 있다. 따라서 오존층이 형성되고, 태양의 유해한 자외선을 차단되어 지상에 생물이 살아갈 수 있는 환경이 조성되었을 것이다. 따라서 생물의 수가 크게 증가하였을 것이다.

채점 기준	배점
고생대 생물의 수가 증가한 원인을 대기 성분 변화 및 오존층 형성과 관련지어 옳게 서술한 경우	100 %
고생대 초기에 오존층이 형성되었기 때문이라고만 서술한 경우	50 %

I find the harder I work, the more luck I have.
- *Thomas Jefferson*
노력할수록 행운은 따른다.
– 토머스 제퍼슨

1 »» 대기와 해양의 변화

01 ~ 기압과 날씨 변화

탐구POOL 104쪽

01 (1) ○ (2) × (3) ×
02 시계 방향(남동풍 → 남서풍 → 북서풍)

02 온대 저기압의 중심이 A 지역의 북쪽을 지나갔으므로 풍향은 점차 시계 방향(남동풍 → 남서풍 → 북서풍)으로 변하였을 것이다.

콕콕! 개념 확인하기 105쪽

✔ 잠깐 확인!
1 고기압, 저기압 **2** 시베리아 **3** 층운 **4** 편서풍 **5** 한랭 **6** 폐색 **7** 일기 기호

01 (1) ○ (2) × (3) ○ **02** (1) 기단 (2) 북태평양 (3) 적란운
03 (1) ㉢ (2) ㉠ (3) ㉡ (4) ㉣ **04** (1) ○ (2) ○ (3) ×
05 (1) 등압선 (2) 적외 (3) 가시 (4) 레이더

02 (3) 기단이 발원지에서 벗어나 이동하면 통과하는 지역의 지표면 영향으로 성질이 변하는데, 특히 찬 기단이 따뜻한 수면을 만나면 열과 수증기를 공급받아 대기가 불안정해진다.

04 중위도 지역에서는 전선을 동반한 저기압이 발생하는데, 이를 온대 저기압이라고 한다. 온대 저기압은 발생에서 소멸까지 대체로 5일~7일이 걸리며, 편서풍의 영향으로 서쪽에서 동쪽으로 이동한다.

탄탄! 내신 다지기 106쪽~107쪽

01 ① **02** ㉠ 저기압 ㉡ 팽창 **03** ② **04** ④ **05** ④
06 (가) 여름철 (나) 겨울철 (다) 봄철 **07** ④ **08** ④
09 (가) → (다) → (나) **10** ④ **11** ① **12** (가) 구름의 두께 (나) 강수 구역

01 | 선택지 분석 |

㉠ 이 지역은 북반구에 위치한다.
➡ 시계 방향으로 바람이 불어 나가고 있으므로 북반구 지역이다.

㉡ A는 주변보다 기압이 낮다.
➡ A에서 주변으로 바람이 불어 나가므로 A는 고기압이다.

㉢ A에서 상승 기류가 나타난다.
➡ 고기압 지역에서는 하강 기류가 발달한다.

02 저기압 중심부에서는 상승 기류가 발달하며, 공기가 상승함에 따라 단열 팽창이 일어나 공기가 포화되면 구름이 생성된다.

03 | 선택지 분석 |

① 해양성 기단은 대륙성 기단보다 습하다.
➡ 해양성 기단은 바다에서 증발된 수증기로 인해 습하다.

② 기단은 한 번 형성되면 성질이 변하지 않는다.
➡ 기단이 발원지를 떠나 다른 지역으로 이동하면 지표면의 영향을 받아 성질이 변하는데, 이를 기단의 변질이라고 한다.

③ 기단은 온도와 습도가 비슷한 거대한 공기 덩어리이다.
➡ 공기 덩어리가 지표면의 성질을 닮아 온도와 습도 등의 성질이 비슷해진 것을 기단이라고 한다.

④ 기단은 넓은 범위의 지표면과 오랫동안 접촉하여 생성된다.
➡ 기단은 공기 덩어리가 넓은 해양이나 대륙 위에 오랫동안 머무를 때 생성된다.

⑤ 고위도에서 형성된 기단은 저위도에서 형성된 기단보다 기온이 낮다.
➡ 고위도의 추운 지역에서 형성된 기단이 저위도의 따뜻한 지역에서 형성된 기단보다 상대적으로 기온이 낮다.

04 | 선택지 분석 |

① A 기단은 온난 다습하다.
➡ 시베리아 기단(A)은 한랭 건조하다.

② 겨울철에는 B 기단의 영향을 받는다.
➡ 겨울철에는 주로 A 기단의 영향을 받는다.

③ 꽃샘 추위는 C 기단의 영향으로 나타난다.
➡ 꽃샘 추위는 A 기단의 영향으로 나타난다.

④ D 기단의 영향으로 무더운 날씨가 된다.
➡ 북태평양 기단(D)의 영향으로 무더운 날씨가 나타난다.

⑤ A와 C 기단은 장마철에 많은 비가 내리게 한다.
➡ 장마철에 많은 비를 내리게 하는 기단은 C와 D이다.

05 | 선택지 분석 |

㉠ 북서풍이 우세하다.
➡ 북서쪽에 위치한 고기압의 영향으로 북서풍이 우세하다.

㉡ 오호츠크해 기단의 영향을 받는다.
➡ 이날 우리나라는 시베리아 고기압의 영향을 받는다.

㉢ 기단의 변질로 서해안에 많은 눈이 내릴 수 있다.
➡ 시베리아 기단의 변질로 서해안에 폭설이 내릴 수 있다.

06 | 자료 분석 |

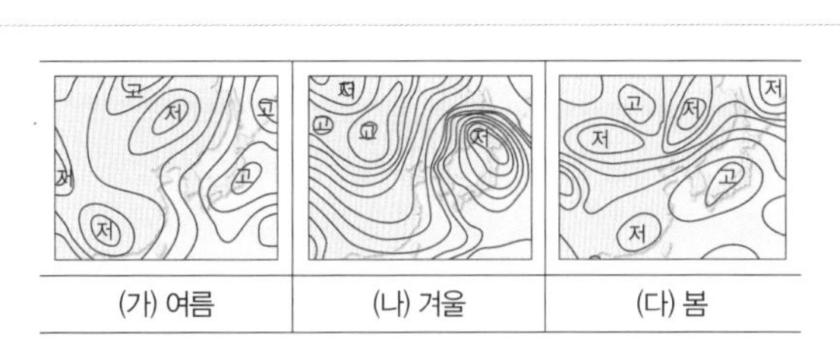

(가) 여름 (나) 겨울 (다) 봄

- (가): 북태평양 고기압의 영향, 남동풍 우세, 고온 다습
- (나): 시베리아 고기압의 영향, 북서풍 우세, 한랭 건조
- (다): 이동성 고기압 통과, 날씨 변화가 큼, 대체로 건조

(가)는 북태평양 고기압이 발달한 여름철 일기도이고, (나)는 시베리아 고기압이 발달한 겨울철 일기도이다. (다)는 이동성 고기압이 보이는 봄철 일기도이다.

07 | 선택지 분석 |

① 온난 전선이 발달한다.
➡ 적란운이 발달하였으므로 한랭 전선이 위치한다.

② 공기의 온도는 A가 B보다 높다.
➡ A는 찬 공기, B는 따뜻한 공기이다.

③ 전선은 서쪽으로 이동하고 있다.
➡ 전선은 찬 공기에 의해 동쪽으로 이동한다.

④ 강수 구역은 주로 전선의 뒤쪽에 나타난다.
➡ 강수 구역은 주로 한랭 전선의 뒤쪽에 나타난다.

⑤ 전선은 거의 이동하지 않고 오랫동안 머문다.
➡ 한랭 전선은 비교적 빠르게 이동하며, 거의 이동하지 않고 오랫동안 머무는 전선은 정체 전선이다.

08 | 자료 분석 |

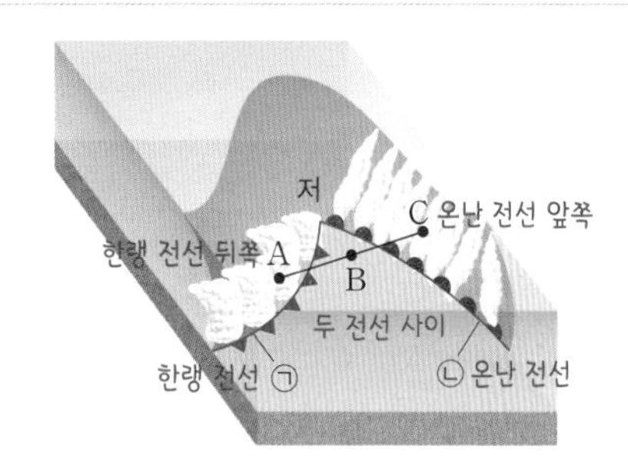

- **A 지역:** 적란운이 발달하며, 좁은 지역에서 소나기가 내린다. 바람은 북서풍이 불고, 기온은 낮은 편이다.
- **B 지역:** 한랭 전선과 온난 전선 사이로 구름은 거의 없고, 따뜻한 편이다. 바람은 남서풍이 분다.
- **C 지역:** 층운형 구름이 발달하며, 지속적인 비가 내린다. 바람은 남동풍이 불고, 기온은 낮은 편이다.

| 선택지 분석 |

① A 지역은 넓은 지역에 이슬비가 내린다.
➡ A 지역은 소나기가 내린다.

② 현재 B 지역의 기온이 가장 낮다.
➡ B 지역은 현재 따뜻한 공기가 있어 기온이 가장 높다.

③ C 지역에서는 북서풍이 분다.
➡ C 지역에서는 남동풍이 분다.

④ B 지역은 ㉠ 전선 통과 후 기압이 높아질 것이다.
➡ B 지역은 한랭 전선 통과 후 기압이 상승할 것이다.

⑤ C 지역은 ㉡ 전선 통과 후 기온이 낮아질 것이다.
➡ C 지역은 온난 전선 통과 후에 기온이 상승할 것이다.

09 온난 전선이 접근하면 넓은 지역에서 지속적인 비가 내린다. 온난 전선이 통과할 때 풍향은 남동풍에서 남서풍으로 바뀐다. 한랭 전선이 통과하면 기온이 낮아지고, 소나기가 내린다.

10 온난 전선은 따뜻한 공기가 찬 공기 쪽으로 이동할 때 만들어지는 경계선이고, 정체 전선은 찬 공기와 따뜻한 공기의 세력이 비슷하여 한곳에 오래 머무르는 경계선이다. 따라서 (가)는 온난 전선이고, (나)는 정체 전선이다.

11 | 자료 분석 |

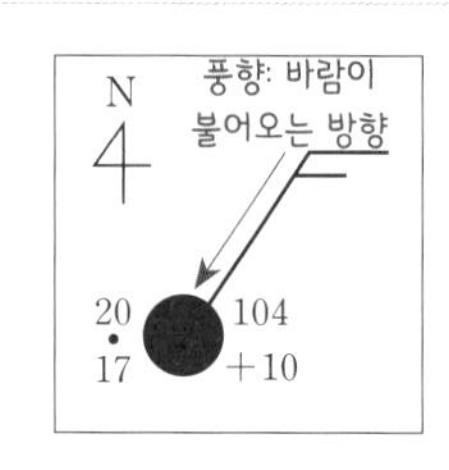

- **풍향:** 북동풍
- **풍속:** 7 m/s
- **구름의 양:** 흐림
- **기온:** 20 ℃
- **이슬점:** 17 ℃
- **현재 일기:** 비
- **기압:** 1010.4 hPa

일기도에서는 일기 현상, 구름의 양, 풍향과 풍속, 전선과 기압 등을 일기 기호로 나타낸다. 현재 관측소에서는 북동풍이 7 m/s로 불고 있다.

12 가시 영상에서는 구름이 두꺼울수록 밝게 나타난다. 기상 레이더 영상을 분석하면 강수 구역의 위치와 시간당 강수량, 강수 구역의 이동 방향 등을 쉽게 파악할 수 있다.

도전! 실력 올리기

108쪽~109쪽

01 ② **02** ④ **03** ④ **04** ① **05** ⑤ **06** ⑤

07 | 모범 답안 | (가)는 고기압, (나)는 저기압이다. (가)에서 바람은 시계 방향으로 불어 나가고, (나)에서 바람은 반시계 방향으로 불어 들어온다.

08 (가) A 구역, 소나기 (나) D 구역, 지속적인 비(이슬비)

09 | 모범 답안 | 우리나라에 위치한 전선은 정체 전선이다. 북태평양 고기압이 강하게 발달하면 따뜻한 기단의 세력이 강해져 정체 전선은 북상하며, 반대로 북태평양 고기압이 약해질 때 정체 전선은 남하한다.

01 | 선택지 분석 |

ㄱ. A는 주변 지역보다 기압이 낮다.
➡ A는 주변보다 기압이 높은 고기압 지역이다.

ㄴ. B에서 상승하는 공기는 단열 팽창한다.
➡ 저기압인 B에서는 모여든 공기가 상승하면서 단열 팽창을 일으켜 구름이 생성된다.

ㄷ. 비가 내릴 가능성은 A가 B보다 크다.
➡ 비가 올 가능성은 저기압이 발달한 B에서 크다.

02 A는 한랭 건조한 시베리아 기단, B는 한랭 다습한 오호츠크해 기단, C는 온난 건조한 양쯔강 기단, D는 고온 다습한 북태평양 기단이다.

03 | 선택지 분석 |

~~ㄱ.~~ 시베리아 기단의 하층부는 점점 안정해진다.
➡ 시베리아 기단의 하층부가 가열되면 기층이 불안정해지면서 적란운이 형성된다.

ㄴ. 시베리아 기단은 따뜻한 바다를 지나는 동안 열과 수증기를 공급받는다.
➡ 한랭 건조한 시베리아 기단이 상대적으로 따뜻한 황해를 지나는 동안 열과 수증기를 공급받을 수 있다.

ㄷ. 겨울철 우리나라 서해안 지방에 폭설이 내리는 현상을 이 과정으로 설명할 수 있다.
➡ 겨울철에 서해안 지방의 폭설은 시베리아 기단의 변질로 발생하는 경우가 많다.

04 | 자료 분석 |

| 선택지 분석 |

~~ㄱ.~~ 08시경에 남동풍이 불었다.
➡ 08시경에는 한랭 전선이 통과하기 전이므로 남서풍이 불었다.

ㄴ. 10시~12시 사이에 한랭 전선이 통과하였다.
➡ 10시~12시 사이에 기온이 급격하게 낮아졌으므로 한랭 전선이 통과하였다.

~~ㄷ.~~ 12시 이후에 지속적으로 비가 내렸다.
➡ 12시 무렵에는 한랭 전선이 통과한 직후이므로 소나기가 내렸을 것이다.

05 | 선택지 분석 |

ㄱ. (가)는 (나)보다 먼저 작성되었다.
➡ 온대 저기압은 편서풍의 영향으로 서쪽에서 동쪽으로 이동하므로 (가)가 (나)보다 하루 전 일기도이다.

ㄴ. 이 기간 동안 온대 저기압의 세력은 강화되었다.
➡ (나)에서 온대 저기압의 중심 기압은 (가)보다 낮다. 따라서 (나)가 (가)보다 강하게 발달하였다.

ㄷ. 온대 저기압이 우리나라를 지나는 동안 제주도의 풍향은 시계 방향으로 변했다.
➡ 온대 저기압이 우리나라를 지나는 동안 제주도의 풍향은 남서풍에서 북서풍으로 바뀌었으므로 시계 방향으로 변하였다.

06 | 자료 분석 |

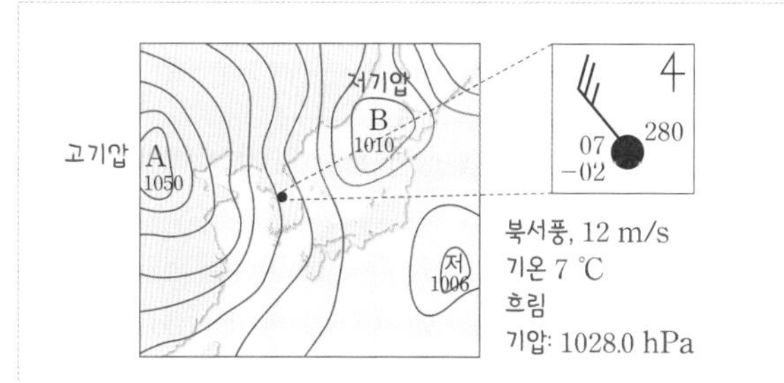

우리나라에서는 시베리아 고기압의 영향으로 차가운 북서풍이 강하게 분다.

| 선택지 분석 |

① 구름의 양은 A보다 B에서 많다.
➡ A는 고기압, B는 저기압이므로, 구름의 양은 A보다 B에서 많다.

② A에서는 하강 기류가 우세하다.
➡ 고기압 A에서는 하강 기류가 발달한다.

③ 서울에서는 북서풍이 강하게 분다.
➡ 서울에서는 북서풍이 12 m/s로 강하게 불고 있다.

④ 이날 우리나라는 한랭 건조한 날씨가 나타난다.
➡ 우리나라는 시베리아 고기압의 영향으로 한랭 건조한 날씨가 나타난다.

⑤ 다음날 우리나라는 B의 영향을 받을 것이다.
➡ 다음날 저기압 B는 편서풍의 영향으로 이날보다 동쪽에 위치할 것이다.

07 (가)는 중심부의 기압이 주변보다 높은 고기압, (나)는 중심부의 기압이 주변보다 낮은 저기압이다. (가)에서 바람은 시계 방향으로 불어 나가고, (나)에서 바람은 반시계 방향으로 불어 들어온다.

채점 기준	배점
바람의 발산과 수렴, 풍향을 모두 옳게 설명한 경우	100 %
바람의 발산과 수렴, 풍향 중 1가지만 옳게 설명한 경우	50 %

08 (가)에서는 한랭 전선의 뒤쪽에 위치한 A 구역에서 소나기가 내리고, (나)에서는 온난 전선의 앞쪽에 위치한 D 구역에 지속적인 비(이슬비)가 내린다.

09 우리나라의 남부 지방에 위치한 전선은 정체 전선이다. 정체 전선은 따뜻한 기단과 찬 기단의 세력이 비슷하여 한곳에 오래 머무는 전선이다. 만약 북태평양 고기압이 강하게 발달하면 따뜻한 기단의 세력이 강해져 정체 전선은 북상하며, 반대로 북태평양 고기압이 약해질 때 정체 전선은 남하한다.

채점 기준	배점
북태평양 고기압의 세력과 정체 전선의 위치 변화를 옳게 설명한 경우	100 %
정체 전선만 옳게 쓴 경우	40 %

02 태풍과 우리나라의 악기상

탐구POOL 114쪽

01 높아진다. **02** 오른쪽

01 태풍이 북상하여 찬 바다로 이동하면 수증기의 공급이 줄어들어 태풍의 세력이 약해지므로 중심 기압은 높아진다.

콕콕! 개념 확인하기 115쪽

✔ 잠깐 확인!

1 태풍 **2** 하강, 약 **3** 낮아 **4** 위험, 안전 **5** 뇌우 **6** 우박 **7** 시베리아 **8** 황사

01 (1) × (2) ○ (3) × (4) ○ **02** 수증기의 응결열(숨은열 또는 잠열) **03** ㉠ 폭풍 해일 ㉡ 만조 **04** ㉠ 폭설 ㉡ 시베리아 **05** 우박, 폭설과 한파, 황사 **06** 강풍, 폭설과 한파

03 폭풍 해일은 태풍 등의 강한 바람에 의해 바닷물이 비정상적으로 높아져 육지로 넘쳐 들어오는 현상으로, 조석 현상에 의해 하루 중 해수면이 가장 높아지는 만조와 겹치면 피해가 커진다.

05 고온 다습한 여름철에는 우박, 폭설과 한파, 황사는 거의 발생하지 않는다.

탄탄! 내신 다지기 116쪽~117쪽

01 ④ **02** ④ **03** A: 풍속 B: 기압 **04** 적란운 **05** ③ **06** ② **07** 높아진다. **08** ③ **09** (가) → (다) → (나) **10** ⑤ **11** ② **12** ③ **13** ④

01 | 선택지 분석 |

① 에너지원은 수증기의 응결열이다.
➡ 태풍의 에너지원은 수증기가 물방울로 응결될 때 방출되는 응결열이다.

② 수온이 27 ℃ 이상인 열대 해상에서 발생한다.
➡ 태풍은 육지와 수온이 낮은 바다에서는 발생하지 않는다.

③ 중심 부근 순간 최대 풍속이 17 m/s 이상이다.
➡ 북서태평양에서 발생한 태풍의 기준은 중심 부근 순간 최대 풍속이 17 m/s 이상이다.

④ 중심(태풍의 눈)에서 강한 상승 기류가 발달한다.
➡ 태풍의 눈에서는 약한 하강 기류가 나타나 날씨가 맑고 바람이 약하다.

⑤ 위도 30°N~60°N에서는 편서풍의 영향으로 대체로 북동쪽으로 이동한다.
➡ 태풍은 편서풍대에서 대체로 북동쪽으로 진행한다.

02 | 선택지 분석 |

① 이 지역은 ~~남반구~~ 북반구이다.
➡ 바람이 태풍 중심부를 향해 반시계 방향으로 불어 들어가므로 이 지역은 북반구이다. 남반구에서는 시계 방향으로 불어 들어간다.

② 이 지역은 ~~무역풍대~~ 편서풍대에 위치한다.
➡ 북반구에서 태풍이 북동쪽으로 진행하는 곳은 편서풍의 영향을 받는 지역이다. 무역풍대에서는 북서쪽으로 진행한다.

③ A는 ~~위험~~ 안전 반원이다.
➡ A는 태풍의 풍향과 진행 방향이 반대인 안전 반원이다.

④ B에서는 풍향이 태풍의 진행 방향과 대체로 비슷하다.
➡ B에서는 태풍의 풍향과 진행 방향이 비슷하여 바람과 상승 기류가 강한 위험 반원이다.

⑤ A에서는 하강 기류가, B에서는 상승 기류가 발달한다.
➡ A와 B 모두에서 대체로 상승 기류가 발달한다.

03 | 자료 분석 |

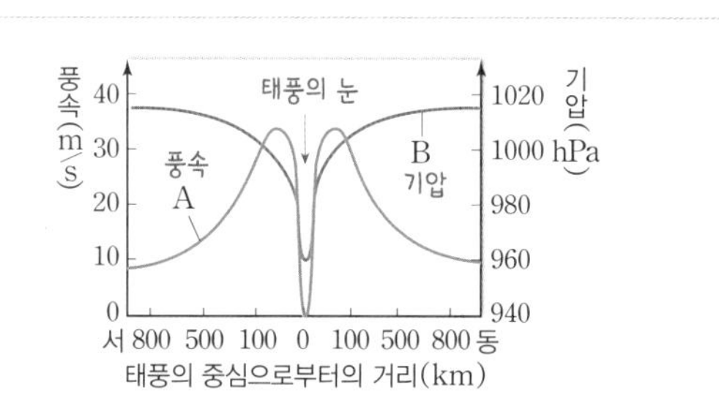

- **풍속:** 태풍의 중심부로 갈수록 증가하다가 태풍의 눈에서 약해진다. ⇨ 풍속은 태풍의 눈 주위에서 가장 세다.
- **기압:** 태풍의 중심으로 갈수록 계속 낮아진다.
- **태풍의 눈:** 주변부에 비해 기압은 낮고 바람은 약하며, 약한 하강 기류가 있어 날씨가 맑다.

태풍의 중심부로 갈수록 바람이 강해지다가 태풍의 눈에서 약해지며, 기압은 중심으로 갈수록 계속 낮아진다. 따라서 A는 풍속, B는 기압 변화이다.

04 태풍은 전체적으로 상승 기류가 발달하여 중심부로 갈수록 두꺼운 적란운이 발달한다.

05 A는 태풍의 눈으로 주변부에 비해 기압은 낮고 바람은 약하며, 약한 하강 기류가 있어 날씨가 맑다.

06 전향점은 태풍의 진로가 북서쪽에서 북동쪽으로 바뀌는 지점으로, 그림을 보면 7월에 전향점이 가장 고위도에 위치한다.

더 알아보기 **태풍의 진행 경로와 월별 전향점의 위치**

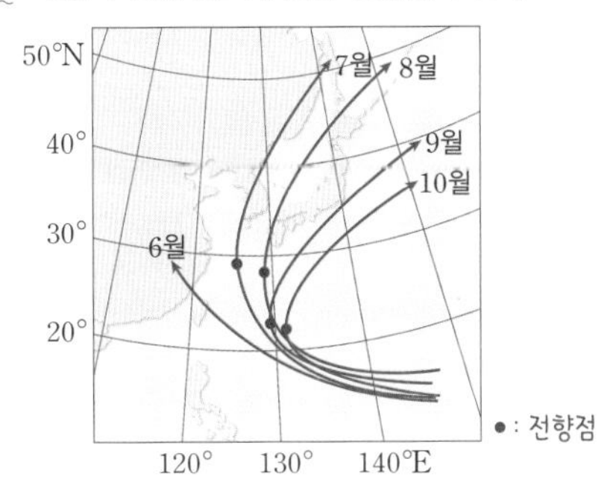

- 태풍의 전향점은 7월에 가장 고위도에 위치하며, 그 이후에 점차 저위도로 위치가 변한다.
- 6월에 발생한 태풍은 대부분 무역풍대에서 북서쪽으로 진행하다가 육지(중국)에 상륙하여 소멸하므로 전향점이 나타나지 않는다.

07 태풍은 저기압이므로 중심 기압이 낮을수록 세력이 강하다. 그런데 태풍이 육지에 상륙하면 수증기가 거의 공급되지 않으며 지표면과의 마찰로 태풍의 세력이 급격히 약해지므로 중심 기압은 높아진다.

08 뇌우는 여름철 등 대기가 불안정할 때 적란운이 발달하면서 천둥, 번개와 함께 소나기나 우박 등이 내리는 현상으로 하강 기류가 발달한 곳에서 많은 비가 내린다.

09 (가)는 적운 단계, (나)는 소멸 단계, (다)는 성숙 단계이다. 뇌우는 적운 단계 → 성숙 단계 → 소멸 단계 순으로 발달한다.

10 뇌우의 발달 과정 중 성숙 단계에서 적란운 내에는 상승 기류와 하강 기류가 함께 나타나며 강한 돌풍과 함께 천둥, 번개, 소나기, 우박 등의 현상이 나타난다.

11 국지성 호우는 국지적으로 짧은 시간 동안 많은 양의 비가 집중적으로 내리는 현상이다. 한 시간에 30 mm 이상, 하루에 80 mm 이상의 비가 내릴 때 또는 하루에 연 강수량의 10 % 정도의 비가 내릴 때 집중 호우라고 한다.

| 선택지 분석 |

① 주로 ~~층운형~~ 구름에서 발생한다.
적운형

② 태풍에 비해 일기 예보가 어렵다.
➡ 비교적 좁은 지역에 짧은 시간 동안 내리므로 정확한 예보가 어렵다.

③ 매우 더울 때는 잘 발생하지 않는다.
➡ 매우 더워서 대기가 불안정할 때 잘 발생한다.

④ ~~하루에~~ 30 mm 이상 내리는 비이다.
한 시간에

⑤ 비교적 넓은 지역에 지속적으로 내린다.
➡ 비교적 좁은 지역에 짧은 시간 동안에 내린다.

12 **| 선택지 분석 |**

① 황사는 주로 봄철에 발생한다.
➡ 황사는 토양이 얼었다가 녹는 3월~5월에 많이 발생한다.

② 황사의 이동은 편서풍의 영향을 받는다.
➡ 황사 발원지에서 바람에 날려 대기에 퍼진 다량의 모래 먼지가 상층의 편서풍을 타고 이동한다.

③ 발원지에 강수량이 많을 때 황사는 자주 발생한다.
➡ 황사를 이루는 모래 먼지는 건조한 토양에서 잘 발생하므로 황사 발원지에 눈이 많이 쌓여 있거나 비가 많이 왔다면 지표면이 젖어 있어 황사가 발생하기 어렵다.

④ 중국 북부 지역의 사막화가 진행될수록 황사는 자주 발생한다.
➡ 황사 발원지의 사막화가 진행되면 지표면이 더 건조해져 모래 먼지가 많이 발생하므로 황사는 자주 발생한다.

⑤ 황사는 호흡기 질환 및 눈병 유발 등 사람의 건강을 위협하고, 농작물의 생장을 방해한다.
➡ 황사는 호흡기 질환 및 눈병 유발 등 사람의 건강을 위협하고, 농작물의 생장을 방해한다. 또한 항공, 운수, 정밀 산업 등에 피해를 준다.

13 뇌우와 국지성 호우는 주로 대기가 불안정할 때 강한 상승 기류에 의해 형성된 적란운에서 잘 발생한다. 그런데 태풍은 적란운과 강한 바람을 동반하므로 태풍과 함께 발생할 수 있는 악기상은 강풍, 뇌우, 국지성 호우이다. 황사는 중국 북부나 몽골 사막 또는 황토 지대에서 발생하여 하늘 높이 올라간 다량의 모래 먼지가 상층의 편서풍을 타고 우리나라까지 이동한 후 서서히 하강하는 현상으로 주로 건조한 봄철에 발생한다.

도전! 실력 올리기 118쪽~119쪽

01 ③ **02** ② **03** ③ **04** ⑤ **05** ⑤ **06** ②

07 | **모범 답안** | 태풍 진행 방향의 오른쪽은 태풍의 풍향과 이동 방향이 비슷하여 풍속이 강해 태풍에 의한 피해가 상대적으로 크다.

08 | **모범 답안** | 태풍은 풍속이 매우 큰데, 바람이 강할수록 지구 자전 효과가 커서 바람은 오른쪽으로 많이 휘어서 분다. 태풍 중심 주변에서 부는 강한 바람은 중심으로 수렴하지 못하고 주변에서 맴돌듯 상승한 후 그 중 일부가 상층부에서 중심쪽으로 이동하여 하강 기류를 형성하게 되므로 맑은 날씨가 나타난다.

09 기권과 지권

01 **| 선택지 분석 |**

ㄱ. 적란운이 발달해 있다.
➡ 태풍은 전체적으로 상승 기류가 발달하여 중심부로 갈수록 두꺼운 적란운이 발달한다.

✕. 풍속은 중심에서 가장 빠르다.
➡ 태풍의 중심부로 갈수록 바람이 강해지다가 태풍의 눈에서 약해진다.

㉢ 중심 기압은 주변 기압보다 낮다.
➡ 기압은 태풍의 중심으로 갈수록 계속 낮아진다.

02 | 선택지 분석 |

✕. 우리나라는 안전 반원에 있었다.
➡ 태풍 진행 방향의 오른쪽 지역은 왼쪽 지역에 비해 바람이 강하고 강수량이 많은 위험 반원이며, 태풍이 황해를 지나갔으므로 우리나라는 위험 반원에 있었다.

✕. 25일 태풍의 세력은 점점 약해졌다.
➡ 24일 15시부터 26일 15시까지 태풍의 중심 기압은 점차 낮아졌으므로 25일 태풍의 세력은 강해졌다고 판단할 수 있다.

㉢ 태풍의 평균 이동 속력은 무역풍대보다 편서풍대에서 더 빨랐다.
➡ 편서풍대는 태풍의 진행 방향과 편서풍의 방향이 비슷하므로 무역풍대에 비해 태풍의 이동 속력이 대체로 빠르다.

03 | 선택지 분석 |

㉠ (가)는 (나)에 동반되어 나타날 수 있다.
➡ 뇌우는 적란운이 발달한 태풍에 동반되어 나타날 수 있다.

✕. (가)와 (나)는 모두 육지에서 발생할 수 있다.
➡ 뇌우는 육지와 바다에서 모두 발생할 수 있지만 태풍은 열대 해상에서만 발생한다.

㉢ (가)와 (나)에서 모두 집중 호우가 나타날 수 있다.
➡ 뇌우와 태풍 모두 대기가 불안정한 상태에서 적란운이 형성되므로 집중 호우가 나타날 수 있다.

04 뇌우와 우박은 대기가 불안정할 때 형성된 적란운에서 잘 나타나며, 우박은 기온이 매우 높은 여름철에는 얼음 결정이 성장하지 못해서 잘 발생하지 않는다. 한파는 겨울철에 나타나는 이례적인 저온 현상으로 시베리아 기단의 영향으로 발생하므로 대기가 불안정할 때 발생하는 기상 현상이 아니다.

05 | 선택지 분석 |

㉠ 이 시기는 겨울철이다.
➡ 시베리아 기단은 겨울철에 우리나라에 영향을 주어 한파 등의 기상 현상이 나타난다.

㉡ B 지역에서는 폭설이 나타날 수 있다.
➡ 시베리아 고기압의 찬 공기가 상대적으로 따뜻한 황해를 지나면서 열과 수증기를 공급받아 상승 기류가 활발해져 서해안에 폭설이 내릴 수 있다.

㉢ 기단이 A→B로 이동하는 동안 기온과 습도가 높아졌다.
➡ 시베리아 기단의 찬 공기가 황해를 지나면서 열과 수증기를 공급받으므로 A→B로 이동하는 동안 기온과 습도가 높아진다.

더 알아보기 기단의 변질

구분	한랭 기단의 변질	온난 기단의 변질
모습	차고 건조한 기단 → → 적란운 / 한랭한 육지, 따뜻한 바다, 따뜻한 육지	따뜻한 기단 → → 층운 또는 안개 / 따뜻한 육지, 한랭한 바다, 한랭한 육지
특징	• 기층이 불안정해진다. • 적운이나 적란운이 형성된다.	• 기층이 안정해진다. • 층운이나 안개가 형성된다.
예	시베리아 기단의 변질	북태평양 기단의 변질

06 | 선택지 분석 |

✕. 황사는 ~~극동풍~~ 편서풍에 의해 이동한다.

㉡ 황사는 (나) → (가) → (다) 순으로 이동하였다.
➡ 황사는 상층의 편서풍을 타고 서쪽에서 동쪽으로 이동한다. 따라서 황사의 이동 순서는 (나) → (가) → (다)이다.

✕. 우리나라에서 황사는 주로 북서 계절풍의 영향을 받는 겨울철에 나타난다.
➡ 황사는 주로 토양이 얼었다가 녹는 봄철에 많이 발생한다.

07 태풍 진행 방향의 오른쪽은 태풍의 풍향과 이동 방향 및 대기 대순환의 바람 방향이 비슷하여 풍속이 강해 태풍에 의한 피해가 크게 나타나므로 위험 반원이라고 한다.

채점 기준	배점
태풍의 풍향과 태풍의 이동 방향을 비교하여 옳게 서술한 경우	100 %
위험 반원에 위치하기 때문이라고만 서술한 경우	40 %

08 태풍의 눈에서는 약한 하강 기류의 발달로 날씨가 맑고, 바람이 약하다.

채점 기준	배점
태풍의 풍속 및 지구 자전 효과와 연관지어 옳게 서술한 경우	100 %
태풍의 풍속 및 지구 자전 효과는 언급하지 않고 태풍 중심에서 하강 기류가 발달하는 과정을 언급하여 서술한 경우	60 %
태풍 중심에서 하강 기류가 나타나기 때문이라고만 서술한 경우	30 %

09 황사는 중국 북부나 몽골 사막 또는 건조한 황토 지대에서 바람에 날려 대기에 퍼진 다량의 모래 먼지가 상층의 편서풍을 타고 이동한 후 서서히 하강하는 현상으로, 기권과 지권의 상호 작용에 해당한다.

03 해수의 성질

개념POOL 124쪽

01 강수량과 증발량 02 대륙 주변부

02 대륙 주변부에는 육지로부터 염분이 매우 낮은 하천수가 유입되므로 해양 중앙부에 비해 표층 염분이 낮게 나타난다.

콕콕! 개념 확인하기 125쪽

✔ 잠깐 확인!
1 염분 2 증발, 강수 3 태양 복사 4 수온 약층
5 낮을, 높을 6 깊어 7 온도(수온) 8 높

01 (1) ○ (2) × (3) ○ (4) × 02 (1) ○ (2) × (3) ○
03 혼합층, 수온 약층, 심해층 04 (1) 염분이 같은 해수: B, 밀도가 같은 해수: C (2) 수온이 낮고 염분이 높은 경우
05 ㉠ 광합성 ㉡ 호흡

04 (2) 해수의 밀도는 주로 수온과 염분에 의해 결정되며, 수온이 낮을수록, 염분이 높을수록 커진다.

05 용존 산소량은 해양 생물의 광합성에 의해 증가하고, 해양 생물의 호흡에 의해 감소한다.

탄탄! 내신 다지기 126쪽~127쪽

01 A: 강수량 B: 증발량 02 ② 03 ⑤ 04 ④ 05 ④
06 A: 혼합층 B: 수온 약층 C: 심해층 07 ⑤ 08 ②
09 A: 수온 B: 염분 10 ④ 11 ② 12 A: 산소 B: 이산화탄소 13 ⑤

01 적도 부근(저압대)에서 가장 크고 중위도(위도 30° 부근, 고압대) 지역에서 작은 값을 나타내는 A는 강수량이며, 중위도 지역에서 가장 큰 값을 나타내는 B는 증발량이다.

02 표층 염분이 가장 높게 나타나는 지역은 증발량이 많고 강수량이 적은 아열대 고압대(위도 30° 부근) 해역이다.

03 | 선택지 분석 |

① 강수량 ~~증가~~ 감소

② 빙하의 융해
➡ 빙하가 융해되어 담수가 해수에 흘러 들어가 섞이면 염분이 낮아진다.

③ 육수의 유입
➡ 육수가 유입되면 해수에 담수가 섞여 염분이 낮아진다.

④ 증발량 감소
➡ 평소보다 증발량이 감소하면 상대적으로 염분이 낮아진다.

⑤ 해수의 결빙
➡ 해수가 결빙되면 염류는 빠져 나가고 순수한 물만 얼기 때문에 표층 염분이 높아진다.

04 염분은 해수 1 kg 속에 녹아 있는 염류의 g수로 단위는 psu를 쓴다. 1 psu는 1 ‰과 같다.

05 | 선택지 분석 |

✗ 해수의 염분
➡ 해수의 염분은 수온 변화에 영향을 주지 못한다.

㉡ 위도에 따른 태양 복사 에너지의 양
➡ 표층 해수의 수온 분포에 가장 큰 영향을 미치는 요인은 태양 복사 에너지이며, 태양 복사 에너지는 위도와 계절에 따라 달라진다.

㉢ 수륙 분포에 따른 해양과 대륙의 열용량 차이
➡ 대륙은 해양에 비해 열용량이 작아 온도 변화 폭이 크다. 따라서 대륙 주변 해수는 대륙의 온도 변화에 영향을 받아 해양 중앙부보다 온도 변화가 크게 나타난다.

06 A층은 바람에 의한 혼합 작용으로 깊이에 따라 수온이 거의 일정한 혼합층이고, B층은 혼합층 아래로 깊어질수록 수온이 급격히 낮아지는 수온 약층이며, C층은 햇빛을 거의 받지 못하여 수온이 낮고 깊이에 따른 수온 변화가 거의 없는 심해층이다.

07 | 선택지 분석 |

㉠ A층은 바람이 강할수록 두껍게 형성된다.
➡ A는 혼합층으로 바람이 강할수록 깊은 곳까지 혼합되어 수온이 일정한 층이 두껍게 나타난다.

㉡ B층은 햇빛이 강할수록 뚜렷하게 형성된다.
➡ B는 수온 약층으로 햇빛이 강할수록 표층 수온이 높아 뚜렷하게 형성된다.

㉢ C의 수온은 고위도와 저위도에서 거의 비슷하다.
➡ C는 심해층으로 햇빛을 거의 받지 못하며, 극지방에서 침강한 찬 해수가 유입되므로 위도와 관계없이 수온이 거의 일정하다.

08 | 선택지 분석 |

✗ 온실 효과로 지구의 평균 기온이 상승하면 극지방 해수의 밀도는 ~~증가~~ 감소한다.
➡ 온실 효과로 지구의 평균 기온이 상승하면 극지방 해수의 온도가 상승하고, 극지방의 빙하가 녹아 주변 해역으로 유입되므로 염분이 낮아져 해수의 밀도가 감소한다.

✗ 어느 해역의 표층 해수가 고위도에서 저위도로 이동하면 해수의 밀도는 ~~증가~~ 감소한다.
➡ 고위도의 찬 해수가 저위도로 이동하면 수온이 높아지므로 해수의 밀도가 감소한다.

ⓒ 대륙 주변부 해역에서 육지로부터 유입되는 담수의 양이 감소하면 해수의 밀도는 증가한다.
➡ 육지로부터 담수의 유입량이 감소하면 해수의 평균 염분이 높아져 밀도가 증가한다.

09 그래프에서 왼쪽 위에서 오른쪽 아래로 갈수록 밀도가 증가하므로 A는 수온, B는 염분이다.

10 | 자료 분석 |

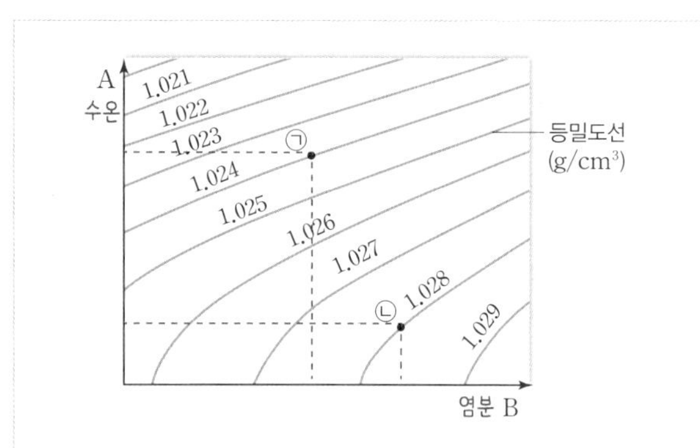

- 수온은 ㉠이 ㉡보다 높다.
- 염분은 ㉠이 ㉡보다 낮다.
- 밀도는 ㉠이 ㉡보다 작다.

⇨ 수온이 낮을수록, 염분이 높을수록 밀도는 증가한다.

A는 수온, B는 염분이다. 따라서 ㉡은 ㉠보다 수온은 낮고, 염분은 높다. 또한 밀도는 ㉡이 1.028 g/cm^{3}로 1.024 g/cm^{3}인 ㉠보다 크다.

11 | 선택지 분석 |

ㄱ. 수온이 ~~높은~~ 낮은 경우
➡ 수온이 높을수록 물에 대한 기체 용해도가 작아지므로 용존 기체의 양은 감소한다.

ㄴ. 염분이 ~~높은~~ 낮은 경우
➡ 염분이 높을수록 물에 대한 기체 용해도가 작아지므로 용존 기체의 양은 감소한다.

ⓒ 수압이 높은 경우
➡ 수압이 높을수록 물에 대한 기체 용해도가 커지므로 용존 기체의 양은 증가한다.

12 용존 산소량은 표층에서 가장 많고 일정 구간 수심이 깊어질수록 감소하다가 심층에서는 다시 증가한다. 반면 용존 이산화 탄소량은 표층에서 가장 적고 수심이 깊어질수록 증가한다. 따라서 A와 B에 해당하는 기체는 각각 산소, 이산화 탄소이다.

13 | 자료 분석 |

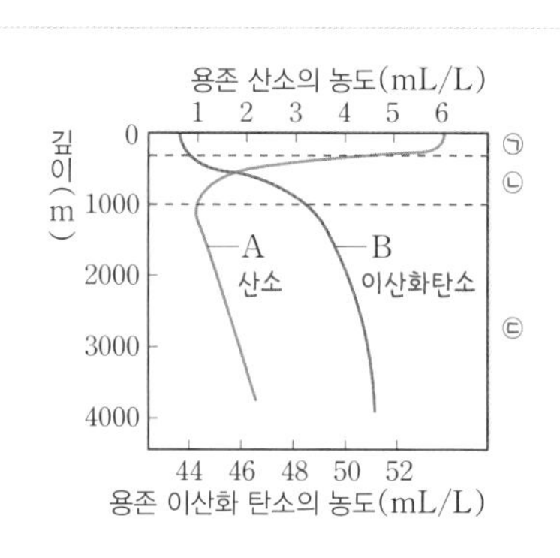

㉠	대기와 접해 있으며, 해양 생물의 광합성이 활발하다.	용존 산소량은 많고, 용존 이산화 탄소량은 적다.
㉡	해양 생물의 광합성이 거의 일어나지 않는다.	수심이 깊어질수록 용존 산소량은 감소하고, 용존 이산화 탄소량은 증가한다.
㉢	용존 기체의 양이 많은 극지방의 찬 해수가 침강하여 유입된다.	수심이 깊어질수록 용존 산소량과 용존 이산화 탄소량이 대체로 증가한다.

| 선택지 분석 |

① 해양 생물의 호흡이 활발해지기 때문이다.
➡ 해수의 심층에는 생물의 수가 적으며, 생물의 호흡에 의해 용존 산소량은 감소한다.

② 해양 생물의 광합성이 활발해지기 때문이다.
➡ 해수의 심층에는 햇빛이 들어가지 못하므로 광합성 작용이 일어나지 않는다.

③ 해저 화산 활동으로 A가 공급되기 때문이다.
➡ 해저 화산 활동으로 분출되는 화산 가스는 대부분 수증기와 이산화 탄소이다. 산소는 거의 배출되지 않는다.

④ 해양 지각 속의 A가 해수에 용해되기 때문이다.
➡ 해양 지각 속의 산소는 해수에 거의 용해되지 않는다.

⑤ 극지방에서 침강한 찬 해수가 유입되기 때문이다.
➡ 심층에서는 용존 산소가 풍부한 극지방의 찬 해수가 침강하여 유입되므로 수심이 깊어질수록 용존 산소량이 증가한다.

도전! 실력 올리기

128쪽~129쪽

01 ⑤ **02** ① **03** ⑤ **04** ② **05** ④ **06** ②

07 | 모범 답안 | 11월, 혼합층의 두께는 바람이 강할수록 두꺼워지는데 11월이 다른 달에 비해 혼합층의 두께가 가장 두껍다.

08 A: 약 1.026 g/cm^3 B: 약 1.024 g/cm^3

09 | 모범 답안 | 북반구 고위도 해역에서는 빙하가 녹은 물이 많이 유입되므로 같은 위도의 남반구 고위도 해역에 비해 염분이 낮아 밀도가 작게 나타난다.

01 | 선택지 분석 |

ⓐ 표층 염분은 적도보다 위도 30°에서 높다.
➡ 적도는 증발량보다 강수량이 많고, 위도 30° 부근은 고압대가

형성되어 강수량보다 증발량이 많으므로 표층 염분은 적도보다 위도 30°에서 높게 나타난다.

ㄴ. 중위도에서 강수량보다 증발량이 많은 까닭은 고압대가 형성되기 때문이다.

➡ 중위도(위도 30° 부근)에서는 내기 내순환에 의한 하강 기류가 발달하여 고압대가 형성된다. 고압대가 형성되면 구름이 잘 생성되지 않아 강수량이 적고 기후가 건조하여 증발량이 많다.

ㄷ. 극지방에서 빙하의 융해량은 북반구가 남반구보다 많다.

➡ 최근 지구 온난화로 빙하가 융해되어 극지방의 표층 염분이 대체로 낮아지는데, 남반구보다 북반구에서 빙하가 더 많이 융해된다. 그래서 남반구 고위도보다 북반구 고위도에서 표층 해수의 염분이 낮다.

02 | 선택지 분석 |

ㄱ. (가)는 2월, (나)는 8월에 측정한 것이다.

➡ 우리나라 주변 해역의 표층 염분은 강수량이 많은 8월이 2월보다 낮게 나타나므로, 표층 염분이 높은 (가)는 2월, 표층 염분이 낮은 (나)는 8월에 관측한 자료이다.

✗. 같은 위도에서 표층 염분은 동해보다 황해에서 높다. (낮다)

➡ 같은 위도에서 표층 염분은 육수의 유입이 많은 황해가 동해보다 낮게 나타난다.

✗. 표층 염분이 (나)보다 (가)에서 대체로 높게 나타나는 주된 요인은 해수의 결빙이다.

➡ 표층 염분이 (나)보다 (가)에서 대체로 높게 나타나는 주된 요인은 강수량과 육수의 유입량이다. 강수량과 육수의 유입량은 겨울철인 (가) 시기보다 여름철인 (나) 시기에 더 많다.

03 | 선택지 분석 |

ㄱ. 표층 수온은 고위도로 갈수록 대체로 낮아진다.

➡ 고위도로 갈수록 해수면에 도달하는 태양 복사 에너지의 양이 감소하므로 표층 수온은 대체로 낮아진다.

ㄴ. 수온 약층은 A보다 B 해역에서 뚜렷하게 발달한다.

➡ 수온 약층은 표층 수온이 높은 지역에서 더 뚜렷하게 발달한다. 따라서 수온 약층은 표층 수온이 낮은 A보다 표층 수온이 높은 B 해역에서 뚜렷하게 발달한다.

ㄷ. 태평양의 중위도에서 동쪽 해역은 서쪽 해역보다 대체로 표층 수온이 낮다.

➡ 아래 그림처럼 표층 수온은 한류의 영향을 받는 태평양 동쪽 해역이 난류의 영향을 받은 서쪽 해역보다 대체로 낮다.

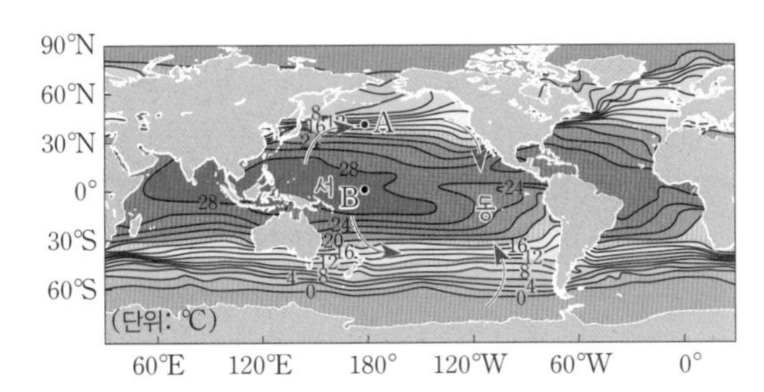

04 A가 가장 고위도이고, C가 가장 저위도이다.

| 선택지 분석 |

✗. A에서는 혼합층만 나타난다.

➡ 고위도 해역에서는 표층과 심층의 수온 차이가 거의 없어 심해층만 나타난다.

✗. 바람은 B보다 C에서 강하게 분다.

➡ 혼합층은 바람이 강하게 불수록 두껍게 발달한다. 따라서 바람은 혼합층의 두께가 두꺼운 B보다 얇은 C에서 약하게 분다.

ㄷ. 수온 약층은 B보다 C에서 더 안정하다.

➡ 수온 약층은 깊이에 따른 수온 변화가 클수록 더 안정하다. 따라서 수온 약층은 수온 변화가 작은 B보다 수온 변화가 큰 C에서 더 안정하다.

더 알아보기 위도와 깊이에 따른 해수의 층상 구조

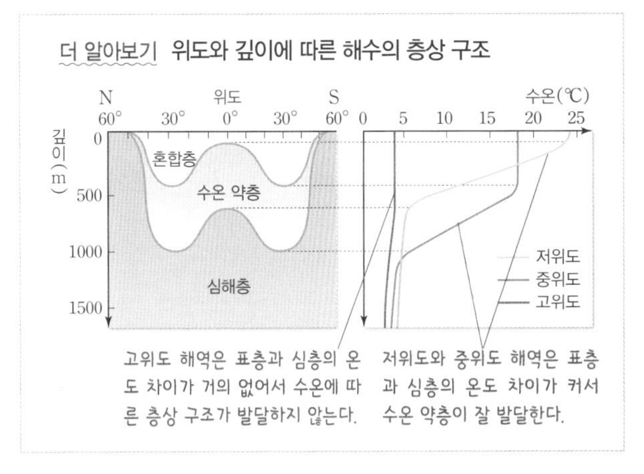

05 | 자료 분석 |

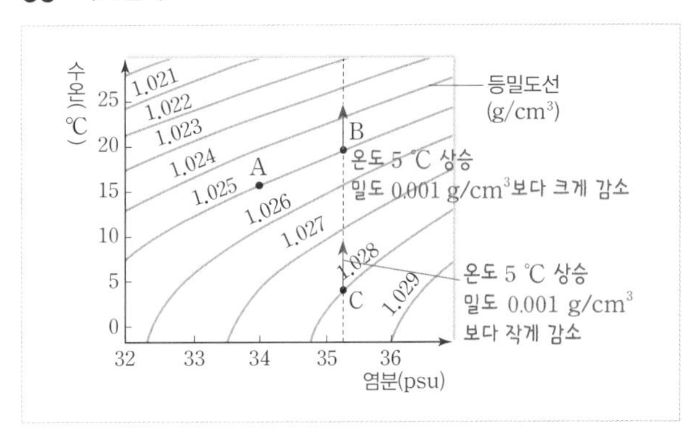

| 선택지 분석 |

✗. 밀도는 A보다 B에서 크다.

➡ A와 B 해수의 밀도는 1.025 g/cm³로 같다.

ㄴ. A는 C보다 저위도에 위치한다.

➡ 수온이 높은 A가 C보다 저위도에 위치한 해역이다.

ㄷ. 수온 변화에 따른 밀도 변화는 B보다 C에서 작게 나타난다.

➡ 수온 변화에 따른 밀도 변화는 수온 변화량이 같을 때 밀도 변화량이 큰 B보다 밀도 변화량이 작은 C에서 작게 나타난다.

06 | 선택지 분석 |

✗. 표층에는 이산화 탄소보다 산소가 더 많이 녹아 있다.

➡ 표층에서 용존 이산화 탄소량은 약 44 mL/L이고, 용존 산소량은 약 6 mL/L이다.

ㄴ. 표층에서 용존 기체의 양은 해양 생물의 호흡보다 광합성의 영향을 더 많이 받는다.

➡ 표층에서는 해양 생물의 광합성에 의해 상대적으로 용존 산소량은 많고 용존 이산화 탄소량은 적다.

✕ 심층에서 용존 산소량과 용존 이산화 탄소량은 반비례하는 경향을 보인다.
➡ 심층에는 고위도에서 침강한 용존 기체가 풍부한 해수가 유입되므로 용존 산소량과 용존 이산화 탄소량 모두 깊어질수록 증가하는 경향을 보인다.

07 혼합층의 두께는 바람이 강할수록 두꺼워진다.

채점 기준	배점
풍속이 가장 큰 달과 판단 까닭을 모두 옳게 쓴 경우	100 %
풍속이 가장 큰 달만 옳게 쓴 경우	30 %

08 수온 염분도를 보면 A는 수온이 15 ℃이고 염분이 35 psu이므로 밀도가 약 1.026 g/cm³이며, B는 수온이 20 ℃이고 염분이 34 psu이므로 밀도가 약 1.024 g/cm³이다.

09 해수의 밀도는 수온과 염분에 따라 달라진다. 북반구 고위도 해역에서는 수온이 낮아도 빙하가 녹은 물이 해양으로 많이 유입되기 때문에 염분이 낮아져 밀도가 작게 나타난다.

채점 기준	배점
북반구 고위도 해역의 염분 변화를 빙하가 녹은 물과 연관지어 서술한 경우	100 %
북반구 고위도 해역의 염분 변화만 언급하여 서술한 경우	50 %

실전! 수능 도전하기

131쪽~134쪽

01 ③ **02** ① **03** ① **04** ③ **05** ① **06** ① **07** ① **08** ⑤
09 ② **10** ⑤ **11** ② **12** ⑤ **13** ④ **14** ④ **15** ③ **16** ⑤

01 A는 한랭 건조한 시베리아 기단, B는 한랭 다습한 오호츠크해 기단, C는 온난 건조한 양쯔강 기단, D는 고온 다습한 북태평양 기단이다.

| 선택지 분석 |

㉠ A는 B보다 건조하다.
➡ 대륙성 기단인 시베리아 기단(A)은 해양성 기단인 오호츠크해 기단(B)보다 건조하다.

㉡ C에서는 주로 이동성 고기압이 발달한다.
➡ 양쯔강 기단(C)에서 발달하는 고기압은 비교적 규모가 작은 이동성 고기압이다.

✕ D는 태풍을 형성하는 기단이다.
➡ 북태평양 기단(D)에서는 규모가 큰 정체성 고기압이 발달한다. 태풍은 적도 부근의 열대 해상에서 발생하는 열대 저기압이다.

02 (가)는 온난 전선, (나)는 한랭 전선이다.

| 선택지 분석 |

㉠ A 지역은 B 지역보다 기온이 높다.
➡ 온난 전선의 뒤쪽(A)은 앞쪽(B)보다 기온이 높다.

✕ B 지역과 D 지역에는 강수 현상이 있다.
➡ 온난 전선 앞쪽(B)과 한랭 전선 뒤쪽(C)에서 강수 현상이 있다.

✕ 온대 저기압이 지나갈 때 (나)가 (가)보다 먼저 통과한다.
➡ 온대 저기압이 지나갈 때 온난 전선이 한랭 전선보다 먼저 통과한다.

03 | 자료 분석 |

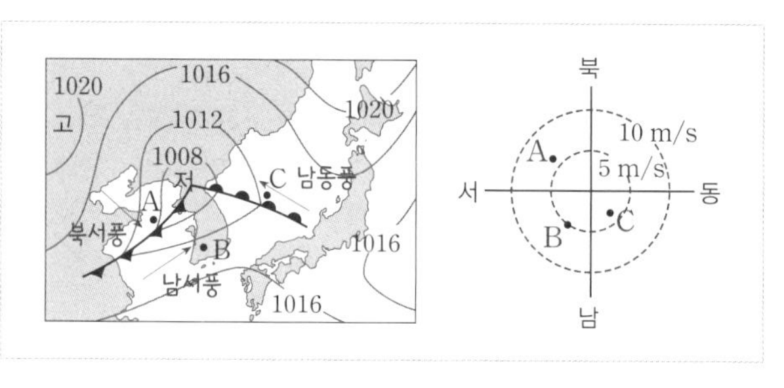

| 선택지 분석 |

㉠ 기압은 B가 A보다 높다.
➡ A 지점의 기압은 1012 hPa보다 낮고 B 지점의 기압은 1012 hPa보다 높으므로 기압은 B가 A보다 높다.

✕ C의 풍속은 5 m/s보다 크다.
➡ 남서풍이 불고 있는 B 지점에서 풍속은 약 5 m/s이다. 또한 등압선 간격이 좁을수록 바람이 강하게 불므로 등압선 간격이 가장 넓은 C 지점의 풍속이 가장 작다. 따라서 C 지점의 풍속은 5 m/s보다 작다.

✕ 온난 전선이 C를 통과하는 동안 이 지점의 풍향은 반시계 방향으로 바뀐다.
➡ 온난 전선이 통과하는 동안 C 지점의 풍향은 남동풍에서 남서풍으로 바뀌므로 풍향은 시계 방향으로 변한다.

04 | 선택지 분석 |

㉠ (가)가 (나)보다 먼저 작성되었다.
➡ 온대 저기압은 편서풍의 영향으로 서쪽에서 동쪽으로 이동하므로 (가)가 (나)보다 먼저 작성된 것이다.

㉡ 이 기간 동안 A 지역의 풍향은 시계 방향으로 변하였다.
➡ 온대 저기압에서 온난 전선과 한랭 전선 사이의 지역에서는 대체로 남서풍이 불고, 한랭 전선 뒤쪽에서는 대체로 북서풍이 분다. 따라서 A 지역의 풍향은 (가)에서 남서풍, (나)에서 북서풍으로 바뀌었으므로 이 기간 동안 A 지역의 풍향은 시계 방향으로 변하였다.

✕ 이 기간 동안 우리나라를 통과한 저기압은 열대 저기압이다.
➡ 이 기간 동안 우리나라를 통과한 저기압은 전선을 동반하였으므로 온대 저기압이다.

05 | 선택지 분석 |

㉠ 발달 과정은 (나) → (다) → (가)이다.
➡ 온대 저기압은 (나) 정체 전선 형성 → (다) 온난 전선과 한랭 전선 발달 → (가) 폐색 전선 형성 순으로 발달한다.

✕ A 지역과 B 지역 사이에는 ~~정체~~ 전선이 존재한다. (폐색)
➡ A 지역과 B 지역 사이에는 이동 속도가 빠른 한랭 전선이 온난 전선을 따라잡아 겹쳐진 폐색 전선이 존재한다.

✕ C 지역에서는 ~~남동풍~~이 분다. (남서풍)
➡ 온난 전선과 한랭 전선 사이(C 지역)에서는 남서풍이 분다.

06 | 자료 분석 |

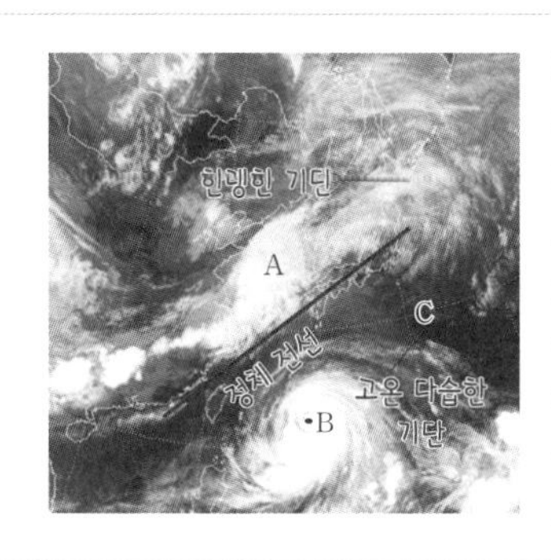

따뜻한 공기와 찬 공기가 만나서 형성된 정체 전선 주변에서는 남쪽의 따뜻한 공기가 북쪽의 찬 공기 위로 상승하면서 구름이 형성된다. 따라서 전선 상의 구름은 전선 북쪽의 찬 기단 쪽에 발달한다.

| 선택지 분석 |

㉠ C 지역에는 북태평양 기단이 발달되어 있다.
➡ 정체 전선 남쪽(C 지역)에는 고온 다습한 북태평양 기단이 분포한다.

✕ 정체 전선은 A 지역 구름의 북쪽 경계선에 위치한다.
➡ 정체 전선(장마 전선)에서는 남쪽의 따뜻한 공기가 북쪽의 찬 공기 위로 상승하면서 구름이 생성되므로, 정체 전선 상의 구름은 전선 북쪽의 찬 기단 쪽에 발달한다. 따라서 정체 전선은 동서 방향으로 분포되어 있는 A 지역 구름의 남쪽 경계선에 위치한다.

✕ A 지역의 저기압 중심과 B 지역의 태풍의 눈에는 모두 상승 기류가 발달한다.
➡ A 지역의 저기압 중심에서는 상승 기류가 발달하지만, 태풍의 눈에서는 약한 하강 기류가 나타난다.

07 | 선택지 분석 |

㉠ 전향점은 9월보다 7월에 고위도에 위치한다.
➡ 태풍의 진로가 바뀌는 전향점은 9월에 약 25°N에 위치하고, 7월에 약 35°N에 위치한다.

✕ 태풍은 주로 가을철에 우리나라에 영향을 준다.
➡ 북서 태평양에서 발생한 태풍 중에서 우리나라에 영향을 주는 태풍은 주로 7월과 8월에 발생한 것이다.

✕ 봄철에 발생한 태풍은 주로 편서풍의 영향을 받아 이동한다.
➡ 그림을 보면 북서 태평양에서 봄철에 발생한 태풍은 대부분 무역풍대에서만 이동하다가 소멸된다.

08 | 선택지 분석 |

㉠ 태풍의 세력은 10일이 16일보다 약하다.
➡ 태풍의 중심 기압은 10일에 1000 hPa, 16일에 955 hPa이므로 태풍의 세력은 10일이 16일보다 약하다.

㉡ 14일 태풍 중심의 이동 방향과 이동 속도는 ㉡에 해당한다.
➡ (가)에서 하루 동안 태풍이 이동해 간 방향과 이동 거리로부터 ㉠은 12일, ㉡은 14일, ㉢은 16일에 관측한 자료라는 것을 판단할 수 있다.

㉢ 16일과 17일 사이에는 A 지점의 풍향이 반시계 방향으로 변한다.
➡ 16일과 17일 사이에 A 지점은 태풍 진행 방향의 왼쪽에 위치하였으므로 풍향은 반시계 방향으로 변한다.

09 | 선택지 분석 |

✕ 이 기간 동안 태풍의 중심 기압은 낮아질 것이다.
➡ 이 기간 동안 태풍의 중심부 최대 풍속이 감소하므로 태풍의 세력은 약해질 것이므로 중심 기압은 높아질 것이다.

㉡ 7월 3일 15시에 태풍은 편서풍대에 위치할 것이다.
➡ 7월 3일 15시에 태풍은 북북동쪽으로 이동하였으므로 편서풍대에 위치할 것이다.

✕ 태풍이 지나가는 동안 A 지역은 위험 반원에 위치할 것이다.
➡ 그림에서 A 지역은 태풍이 지나가는 동안 풍향 변화가 반시계 방향이다. 따라서 A 지역은 태풍이 지나가는 동안 태풍 진행 방향의 왼쪽(안전 반원)에 위치한다.

10 (가)는 성숙 단계, (나)는 소멸 단계이다.

| 선택지 분석 |

㉠ (가)가 (나)보다 먼저 나타난다.
➡ 뇌우는 적운 단계 → 성숙 단계 → 소멸 단계 순으로 발달한다.

㉡ 우박은 (나)보다 (가)에서 잘 나타난다.
➡ 성숙 단계에서는 대기가 불안정하여 천둥, 번개, 우박이 동반될 수 있다.

㉢ (가)에서 비는 A보다 B에서 많이 내린다.
➡ 성숙 단계에서는 하강 기류가 있는 쪽에서 강한 비가 내린다.

더 알아보기 뇌우의 발달 단계

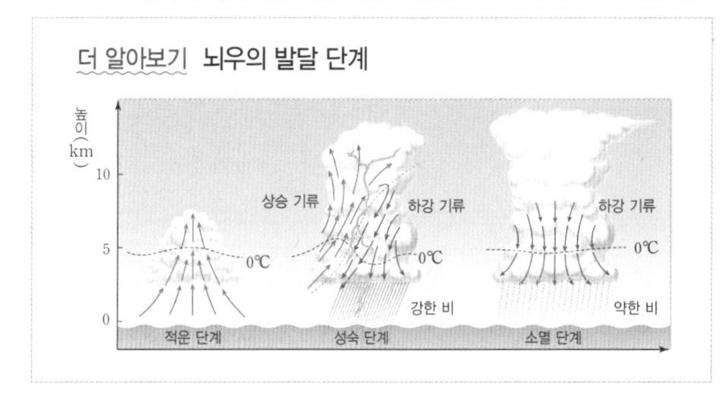

11 A는 집중 호우, B는 뇌우, C는 황사이다.

| 선택지 분석 |

✕ A는 주로 층운형 구름에서 잘 나타난다.
➡ A는 국지성 호우로 대기가 불안정할 때 형성된 적운형 구름에서 잘 나타난다.

✕ B는 수권과 기권의 상호 작용에 의해서만 발생한다.
➡ B는 뇌우로 국지적으로 가열된 육지로부터 열을 받아 형성된 적란운에서도 발생하므로 지권과 기권의 상호 작용에 해당하기도 한다.

㉢ 중국에서 사막화가 가속화되면 C에 의한 피해는 커진다.
➡ 황사 발원지가 분포하는 중국에서 사막화가 가속화되면 황사에 의한 피해는 커진다.

12 | 선택지 분석 |

㉠ 혼합층은 (가)가 (나)보다 두껍다.
➡ 혼합층은 해수의 표면 위로 부는 바람의 영향으로 표층 해수의 혼합이 이루어져 깊이에 따른 온도 변화가 거의 없이 일정한 층이다. (가)에는 혼합층이 약 100 m 깊이까지 두껍게 발달해 있지만, (나)에는 표층부터 수온 약층이 형성되어 있고 혼합층이 거의 나타나지 않는다.

ㄴ. (증발량−강수량) 값은 (가)가 (나)보다 크다.

➡ 표층 염분에 영향을 주는 요인 중 가장 큰 영향을 주는 것은 증발량과 강수량이다. (증발량−강수량)의 값이 클수록 표층 염분이 높으므로, 표층 염분이 높은 (가) 계절이 (나) 계절보다 (증발량−강수량)의 값이 크다.

ㄷ. 표층 해수의 밀도는 (가)가 (나)보다 크다.

➡ 표층 해수의 밀도는 수온이 낮고 염분이 높을수록 크므로 (가)가 (나)보다 크다.

13 | 선택지 분석 |

~~ㄱ~~. (가)는 여름철에 관측한 것이다.

➡ 우리나라의 겨울철은 여름철에 비해 기온이 낮고 바람이 강하게 분다. 따라서 (가)는 표층 수온이 낮고 혼합층이 두꺼우므로 겨울철에 관측한 자료이다.

ㄴ. 수온 약층은 (가)보다 (나)일 때 두껍다.

➡ 수온 약층은 깊이에 따라 수온이 급격히 낮아지는 층으로 (가)보다 (나)일 때 두껍게 발달해 있다.

ㄷ. A층은 기권과 수권의 상호 작용으로 형성된다.

➡ A층은 바람에 의한 혼합 작용으로 형성된 혼합층으로 기권과 수권의 상호 작용으로 형성된다.

더 알아보기 혼합층의 수온

T_1 T　D_1　　T_2　T　D_2

바람이 불어 혼합층이 형성되었을 때의 수온 분포

(가) 바람이 약할 때　　(나) 바람이 강할 때

T : 바람이 불지 않았을 때의 표면 수온 ⇨ (가)와 (나)에서 같음

T_1: 수심 D_1에서의 수온

T_2: 수심 D_2에서의 수온

구분	(가)	크기 비교	(나)
혼합층의 두께	D_1	<	D_2
혼합층의 평균 수온	$\frac{T_1+T}{2}$	>	$\frac{T_2+T}{2}$

14 | 선택지 분석 |

ㄱ. 이 해수의 밀도는 1.027 g/cm³보다 크다.

➡ 수온 염분도를 보면 수온이 −0.5 ℃이고 염분이 34.5 ‰인 해수의 밀도는 1.027 g/cm³과 1.028 g/cm³ 사이의 값을 갖는다. 따라서 이 해수의 밀도는 1.027 g/cm³보다 크다.

~~ㄴ~~. 결빙이 일어나면 얼음 주변의 해수 밀도는 작아진다.

➡ 해수의 결빙이 일어날 때에는 포함되어 있던 염류가 주변 해수로 이동하고 물만 얼어붙는다. 따라서 결빙이 일어나면 얼음 주변의 해수는 염분이 높아지므로 밀도는 커진다.

ㄷ. 이 해수와 밀도는 같으나 수온이 높은 해수의 염분은 34.5 ‰보다 크다.

➡ 해수의 밀도는 수온이 낮을수록, 염분이 높을수록 크므로, 밀도가 같은 상태에서 수온이 높으면 염분도 높다.

15 | 자료 분석 |

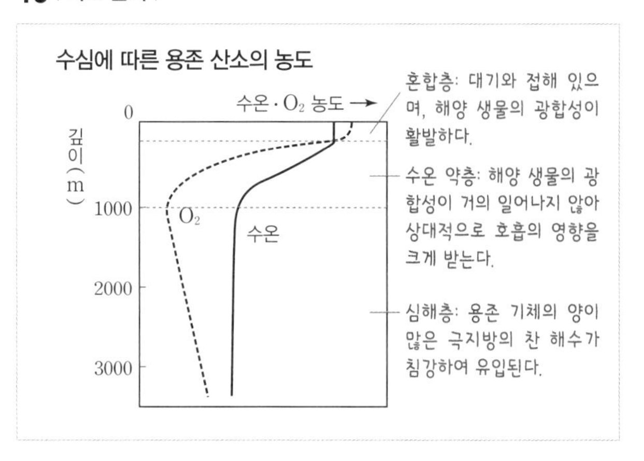

| 선택지 분석 |

ㄱ. 용존 산소량은 수온 약층보다 혼합층에서 많다.

➡ 그림을 보면 용존 산소량은 수온 약층보다 혼합층에서 많다는 것을 확인할 수 있다. 해양에서 용존 산소량은 일반적으로 대기와 접해 있고 생물의 광합성이 활발한 혼합층에서 가장 높게 나타난다.

ㄴ. 수온 약층에서 용존 산소의 농도는 주로 수권과 생물권의 상호 작용으로 감소한다.

➡ 깊이 100 m 이상의 수온 약층에서는 생물의 호흡에 의해 용존 산소량이 급속히 감소한다. 따라서 수온 약층에서는 용존 산소의 농도가 주로 수권과 생물권의 상호 작용으로 감소한다.

~~ㄷ~~. 심해층에서 용존 산소의 농도가 증가하는 것은 심해 생물의 광합성 때문이다.

➡ 심해층에서는 용존 산소가 풍부한 극 지역 해수가 침강하여 유입된 심층 해류에 의해 깊어질수록 용존 산소량이 증가한다.

16 동해는 (나)보다 (가)에서 난류의 영향을 더 크게 받으며, A 해역은 (가)에서 난류의 영향을, (나)에서 한류의 영향을 받는다.

| 선택지 분석 |

ㄱ. (가)는 여름철, (나)는 겨울철이다.

➡ 그림을 보면 황해와 동해 모두 (나)보다 (가)에서 난류의 영향을 더 크게 받고 있으므로 (가)는 여름철이다.

ㄴ. A 해역 표층 해수의 밀도는 (가)보다 (나)에서 크다.

➡ 저위도에서 고위도로 흐르는 해류는 난류로 한류에 비해 수온과 염분은 높고 용존 산소량과 밀도는 작다.

ㄷ. 표층 해수의 염분은 대체로 동해보다 남해가 높다.

➡ 표층 염분은 연중 난류의 영향을 크게 받는 남해가 동해보다 대체로 높다.

2 »» 대기와 해양의 상호 작용

01~ 해수의 표층 순환

탐구POOL 140쪽

01 무역풍: 북적도 해류, 편서풍: 북태평양 해류
02 서로 반대 방향

02 아열대 순환 방향은 북태평양에서는 시계 방향으로, 남태평양에서는 반시계 방향으로 일어난다.

콕콕! 개념 확인하기 141쪽

✔ 잠깐 확인!
1 지구 복사 **2** 페렐 순환 **3** 서풍 피류 **4** 북적도
5 쿠로시오 **6** 북한 한류

01 (1) ○ (2) ○ (3) × (4) × **02** ㉠ 태양 ㉡ 지구 ㉢ 과잉
03 (1) ○ (2) ○ (3) × (4) ○ **04** (1) 대칭 (2) 높 (3) 쿠로시오 **05** (1) ㉡ (2) ㉠ (3) ㉢

02 저위도 지역은 태양 복사 에너지양이 지구 복사 에너지양보다 많으므로 에너지가 과잉되고, 이 에너지는 대기와 해수의 순환에 의해 고위도로 수송된다.

05 (1) 동한 난류는 북한 한류와 만나 조경 수역을 이룬다.
(2) 우리나라 난류의 근원이 되는 해류는 쿠로시오 해류이다.
(3) 북한 한류는 연해주 한류의 지류로 용존 산소량과 영양염류가 풍부하다.

탄탄! 내신 다지기 142쪽~143쪽

01 ② **02** ④ **03** ④ **04** ② **05** ⑤ **06** ③ **7** ④ **8** ⑤
9 (1) 북적도 해류 (2) 북태평양 해류, 북대서양 해류, 남극 순환 해류 **10** ③ **11** ③

01 | 선택지 분석 |

~~ㄱ~~. 적도 지역은 기온이 계속 상승한다.
➡ 적도 지역의 과잉되는 에너지는 대기와 해수의 순환에 의해 고위도로 수송되므로 적도 지역의 기온은 계속 상승하지 않는다.

~~ㄴ~~. 에너지 수송량은 적도에서 가장 많다.
➡ 에너지 수송량은 에너지 과잉과 부족의 경계에 위치하는 위도 약 38°에서 가장 많다.

ⓒ 지표가 받는 태양 복사 에너지양은 고위도로 갈수록 적어진다.
➡ 고위도로 갈수록 태양의 남중 고도가 낮아지므로 지표가 받는 태양 복사 에너지는 적어진다.

02 적도~위도 30°에서는 해들리 순환이 형성되고 지표 부근에서는 무역풍이 분다.
위도 30°~60°에서는 페렐 순환이 형성되고 지표 부근에서는 편서풍이 분다.
위도 60°~극에서는 극순환이 형성되고 지표 부근에서는 극동풍이 분다.

03 적도 부근은 북동 무역풍과 남동 무역풍이 수렴하여 상승하면서 상승 기류가 발달하고, 그에 따라 저압대가 형성된다.

04 | 선택지 분석 |

~~ㄱ~~. 남반구 지상에서는 북풍이 분다.
➡ 단일 순환 세포의 경우 남반구 지상에서는 남풍이 분다.

ⓛ 적도 지역은 저기압이 발달한다.
➡ 적도 지역은 상승 기류가 발달하므로 저기압이 발달한다.

~~ㄷ~~. 저위도의 에너지가 고위도로 수송되지 못한다.
➡ 지구가 자전하지 않는다면 단순히 적도 지역에서 가열된 공기가 상승하여 북쪽으로 이동하고, 극 지역에서 냉각된 공기는 하강하여 남쪽으로 이동하면서 열에너지가 수송된다.

05 표층 해류를 발생시키는 주 원인은 해수면 위를 지속적으로 부는 바람이다.

06 | 선택지 분석 |

① 대기 대순환의 영향을 받는다.
➡ 표층 순환은 무역풍과 편서풍과 같은 해수면 위를 지속적으로 부는 대기 대순환의 바람에 의해 형성된다.

② 지구 자전에 따른 영향을 받는다.
➡ 표층 순환은 지구 자전에 따른 영향을 받아 순환 중심이 서쪽으로 치우쳐 있다.

~~③~~ 순환의 방향이 주기적으로 바뀐다.
➡ 해류는 거의 일정한 방향과 속도를 가지고 흐르므로 표층 순환도 방향과 속도는 거의 일정하게 유지된다.

④ 저위도 → 고위도로 열에너지를 수송한다.
➡ 표층 순환을 통해서 저위도의 과잉되는 에너지를 고위도로 수송한다.

⑤ 아열대 순환이 규모가 가장 크고 뚜렷하게 발달되어 있다.
➡ 아열대 순환이 규모가 가장 크고 뚜렷하게 발달한다.

07 | 자료 분석 |

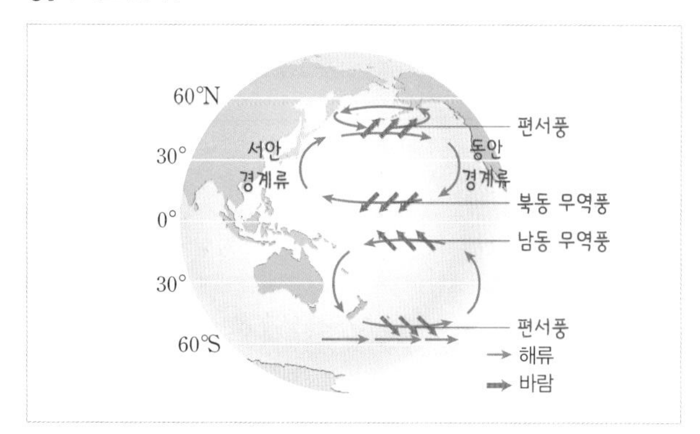

| 선택지 분석 |

✗ ㄱ. 편서풍대에서 형성된 해류는 서쪽으로 흐른다.
➡ 위도 30°~60° 사이의 편서풍대에서는 편서풍에 의해 형성된 해류가 동쪽으로 흐른다.

ㄴ. 해수의 표층 순환을 일으키는 직접적인 원인은 바람이다.
➡ 표층 해류는 바람에 의해 해수의 이동이 일어나면서 발생하므로 표층 순환을 일으키는 직접적인 원인은 바람이다.

ㄷ. 아열대 순환의 서안에 남북 방향으로 흐르는 해류는 난류이다.
➡ 아열대 해역의 서안에는 저위도에서 고위도로 흐르는 해류가 있으며, 이 해류는 난류이다.

08 A~E는 모두 아열대 순환을 이루고 있는 해류이다. 이 중 편서풍에 의해 형성된 해류는 B와 E이다. B와 E 중 지구를 한 바퀴 도는 해류는 남극 순환 해류인 E이다.

09 북적도 해류는 무역풍에 의해, 북대서양 해류, 북태평양 해류, 남극 순환 해류는 모두 편서풍에 의해 형성된 해류이다.

10 | 선택지 분석 |

① A는 동한 난류이다.
➡ 쿠로시오 해류의 일부가 황해로 유입되어 흐르는 C는 황해 난류이고, 쿠로시오 해류의 일부가 대한 해협을 통과하여 북상하면서 형성된 A는 동한 난류이다.

② B는 북한 한류이다.
➡ B는 고위도에서 저위도로 흐르는 한류로 연해주 한류의 일부가 남하하여 형성된 북한 한류이다.

✓③ A가 B보다 수온이 높고 영양 염류가 많다.
➡ A는 난류이므로 한류인 B보다 수온과 염분은 높으나 용존 산소와 영양 염류는 더 적다.

④ A, B 해류가 만나는 곳에 조경 수역이 형성된다.
➡ 난류와 한류인 A와 B 해류가 만나는 동해의 위도 40° 부근 해역에서는 조경 수역이 형성된다.

⑤ A, C의 근원이 되는 해류는 쿠로시오 해류이다.
➡ 쿠로시오 해류는 북태평양의 남서쪽에서 북동쪽으로 북상하는 따뜻한 해류이다.

11 | 선택지 분석 |

✗ ㄱ. 황해는 동해보다 해류의 속력이 빠르다.
➡ 황해는 대륙에 의해 막혀 있으므로 동해보다 해류의 속력이 느리다.

ㄴ. 동한 난류는 겨울보다 여름에 강해진다.
➡ 동한 난류는 겨울보다 수온이 높아지는 여름에 강해진다.

ㄷ. 북한 한류는 동한 난류보다 용존 산소량이 많다.
➡ 북한 한류는 동한 난류보다 수온이 낮으므로 용존 산소량이 많다.

✗ ㄹ. 조경 수역이 형성되는 해역의 수온은 연중 일정하다.
➡ 조경 수역이 형성되는 해역은 한류와 난류가 만나는 해역으로 계절에 따라 한류와 난류의 세력이 변하므로 수온은 일정하게 유지되지 않는다.

도전! 실력 올리기

144쪽~145쪽

01 ① **02** ③ **03** ⑤ **04** ③ **05** ② **06** ③ **07** ③

08 난류: A와 B, 한류: C, 에너지 수송: A와 B

09 | 모범 답안 | 위도 약 38° 부근에서 열에너지의 이동량이 최대이다. 이 위도를 경계로 온도차가 가장 커서 열에너지 수송이 빠르게 일어나기 때문이다.

01 | 자료 분석 |

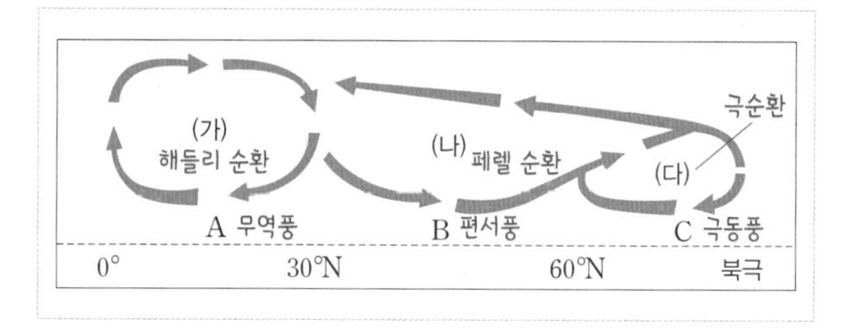

| 선택지 분석 |

ㄱ. B는 편서풍에 해당한다.
➡ 해들리 순환의 지표 부근에서 부는 A는 북동 무역풍, 페렐 순환의 지표 부근에서 부는 B는 편서풍, 극순환의 지표 부근에서 부는 C는 극동풍이다.

✗ ㄴ. (가)~(다)는 모두 직접 순환에 해당한다.
➡ (가)는 해들리 순환, (나)는 페렐 순환, (다)는 극순환이다. (가)와 (다)는 직접 순환이나 (나)는 두 순환 사이에서 역학적으로 일어나는 간접 순환이다.

✗ ㄷ. 고위도로 에너지 수송이 가장 활발한 것은 (나)이다.
➡ (나)는 순환이 약하게 일어나므로 고위도로 에너지 수송이 활발하지 못하다.

02 | 선택지 분석 |

ㄱ. 대기 대순환의 세포 수는 자전하는 경우가 더 많다.
➡ 자전하지 않는 (가)에서는 적도에서 상승한 공기가 극에서 냉각되는 1개의 열적 순환이 나타나지만 자전하는 경우인 (나)에서는 적도~위도 30°, 위도 30°~60°, 위도 60°~극에서 각각 순환하는 3개의 순환이 나타난다.

✕. (나)에서 지표면 평균 기압은 적도가 위도 30°보다 높다.

➡ (나)에서는 적도에서 상승한 공기가 위도 30°에서 하강하므로 적도는 저압대가 형성되고, 위도 30°에서는 고압대가 형성되므로 지표면 평균 기압은 위도 30°에서 더 높다.

ㄷ. (가)와 (나)는 위도에 따른 에너지 불균형에 의해 일어난다.

➡ (가)와 (나)의 대기 대순환은 저위도에서 과잉된 에너지가 고위도로 이동하는 과정에서 일어나므로 위도에 따른 에너지 불균형에 의해 일어난다.

03 | 자료 분석 |

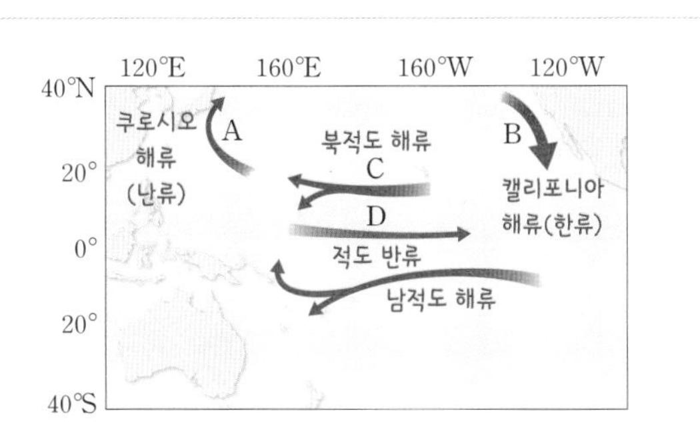

- **북적도 해류:** 북동 무역풍대의 동쪽에서 서쪽으로 흐르는 해류
- **남적도 해류:** 남동 무역풍대의 동쪽에서 서쪽으로 흐르는 해류
- **적도 반류:** 두 적도 해류 사이에서 서쪽에서 동쪽으로 흐르는 해류

| 선택지 분석 |

① 수온은 A가 B보다 높다.

➡ 수온은 난류인 A가 한류인 B보다 높다.

② 용존 산소량은 A가 B보다 적다.

➡ 쿠로시오 해류(A)는 난류이므로 한류인 캘리포니아 해류(B)보다 수온이 높고, 용존 산소량이 적다.

③ A는 저위도의 열을 고위도로 운반한다.

➡ 쿠로시오 해류(A)는 북상하는 동안 저위도의 열을 고위도로 운반하는 역할을 한다.

④ C는 북동 무역풍의 영향으로 형성된 북적도 해류이다.

➡ C는 북동 무역풍의 영향으로 서쪽으로 흐르는 북적도 해류이다.

⑤ D는 남동 무역풍에 의한 남적도 해류이다.

➡ D는 북적도 해류와 남적도 해류 사이에서 서에서 동으로 흐르는 적도 반류이다.

04 | 선택지 분석 |

ㄱ. 적도 해류는 무역풍에 의해 형성된 해류이다.

➡ 북적도 해류와 남적도 해류는 무역풍대에서 무역풍에 의해 형성되어 서쪽으로 흐르는 해류이다.

✕. 남반구와 북반구에서 아열대 순환의 방향은 같다.

➡ 남반구와 북반구에서 아열대 순환은 대칭적이며, 순환의 방향은 각각 반시계 방향과 시계 방향으로 서로 반대이다.

ㄷ. 우리나라 주변의 난류는 A 해류에서 갈라져 나온 해류이다.

➡ A는 쿠로시오 해류로 이 중 일부가 우리나라 쪽으로 북상하여 우리나라 난류인 동한 난류와 황해 난류를 이룬다.

05 | 선택지 분석 |

✕. 유속은 C보다 A가 느리다.

➡ C는 동안 경계류이고 A는 서안 경계류이므로 유속은 C보다 A가 빠르다.

ㄴ. B는 북동 무역풍이 강해지면 유속이 빨라진다.

➡ B는 북동 무역풍에 의해 형성된 북적도 해류이므로 북동 무역풍이 강해지면 유속이 빨라진다.

✕. C의 영향을 받는 지역의 기후는 매우 따뜻하다.

➡ C는 고위도에서 저위도 쪽으로 흐르는 한류이므로 C의 영향을 받는 지역의 기후는 서늘하다.

06 | 선택지 분석 |

ㄱ. A~C는 아열대 순환을 이루는 해류이다.

➡ A~C는 중위도에서 시계 방향으로 순환하는 해류이므로 아열대 순환을 이루는 해류이다.

✕. B 해류는 서풍 계열의 바람의 영향으로 형성되었다.

➡ 해류는 바람의 방향과 거의 일치하므로 동쪽에서 서쪽으로 흐르는 B 해류는 동풍 계열의 바람에 의해 형성되었다.

ㄷ. 북태평양의 캘리포니아 해류는 C에 해당하는 해류이다.

➡ 북태평양의 캘리포니아 해류는 아열대 순환에서 동안 경계류에 해당하므로 C에 해당하는 해류이다.

07 | 선택지 분석 |

ㄱ. B와 C는 A에서 갈라져 나온 해류이다.

➡ B와 C는 우리나라의 난류로 쿠로시오 해류인 A에서 갈라져 나온 해류이다.

✕. C는 D보다 용존 산소량이 많다.

➡ 난류인 C는 한류인 D보다 용존 산소량이 적다.

ㄷ. D는 겨울철에 더 남쪽까지 내려온다.

➡ 북한 한류 D는 여름철보다 수온이 낮은 겨울철에 세력이 더 강해져 더 남쪽까지 내려온다.

08

A와 B는 저위도에서 고위도로 흐르는 난류이고, C는 고위도에서 저위도로 흐르는 한류이다. 따라서 난류인 A, B가 고위도로 에너지를 수송하는 역할을 한다.

09

열에너지 이동량은 에너지 과잉과 부족이 일어나는 지역의 경계가 되는 위도 약 38° 부근에서 가장 많다. 이것은 이 위도를 경계로 온도차가 가장 커서 열에너지 수송이 빠르게 일어나기 때문이다.

채점 기준	배점
위도대와 까닭을 모두 옳게 서술한 경우	100 %
위도대만 옳게 서술한 경우	40 %

02 해수의 심층 순환

탐구POOL 150쪽

01 수온은 낮고, 염분은 높다. 02 고위도나 극 해역

01 해수의 밀도는 수온이 낮을수록, 염분이 높을수록 크다.

02 밀도가 높은 표층수가 형성되는 해역은 수온이 낮고 해수가 결빙하는 고위도나 극에 가까운 해역이다.

콕콕! 개념 확인하기 151쪽

✔ 잠깐 확인!

1 심층 순환 **2** 수괴 **3** 수온 염분도 **4** 열염 순환 **5** 남극 저층수 **6** 대서양

01 (1) ○ (2) × (3) ○ (4) ○ (5) ○ **02** (1) 남극 저층수 (2) 북대서양 심층수 (3) 남극 중층수 **03** (1) 위의 혼합층 → 아래의 심해층 (2) 수온이 높고 염분이 낮은 → 수온이 낮고 염분이 높은 (3) 태평양 → 대서양 **04** (1) 표층 순환 (2) 산소, 영양 염류 (3) 약해 (4) 낮아, 약해 (5) 약해

03 (1) 수온 약층의 위에서는 표층 순환이, 아래에서는 심층 순환이 일어난다.
(2) 표층수가 가라앉으려면 수온이 낮고 염분이 높아 밀도가 커야 한다.
(3) 세계 해양에 분포하는 대부분의 심층수는 대서양에서 침강한 해수가 이동한 것이다.

탄탄! 내신 다지기 152쪽~153쪽

01 ④ **02** ② **03** ③ **04** ① **05** ③ **06** ① **07** ⑤ **08** ③ **09** ③ **10** ③

01 심층 순환은 주로 수온과 염분 변화에 따른 밀도의 변화가 생길 때 발생한다. 해수면 위를 지속적으로 부는 바람에 의해서는 표층 순환이 형성된다.

02 | 선택지 분석 |

ㄱ. 표층 순환에 비하여 유속이 더 빠르다.
➡ 심층 순환은 표층 순환에 비하여 유속이 매우 느리다.

ㄴ. 수온과 염분의 변화에 의하여 발생한다.
➡ 심층 순환은 수온과 염분의 변화에 의한 밀도 변화로 발생한다.

ㄷ. 심층 순환은 주로 적도 지방에서 발생한다.
➡ 밀도가 큰 해수가 형성되어야 하므로 수온이 낮은 극지방에서 주로 발생한다.

03 심층 순환은 밀도가 커진 해수가 침강하여 형성되므로 수온은 낮고 염분이 높아서 밀도가 큰 해수가 있는 지역에서 잘 발생한다.

04 | 선택지 분석 |

ㄱ. 유속은 B보다 A가 빠르다.
➡ 유속은 표층 해수인 A가 심층수인 B보다 빠르다.

ㄴ. 극지방에서 수온이 높아진 해수가 침강한다.
➡ 해수의 밀도는 수온이 낮을수록, 염분이 높을수록 높아진다. 따라서 해수의 온도가 낮아질수록 밀도가 커져 침강하기 쉬워진다.

ㄷ. 표층에서는 고위도에서 저위도로 에너지가 이동한다.
➡ 표층에서는 해류가 저위도의 남는 에너지를 고위도로 수송한다.

05 | 자료 분석 |

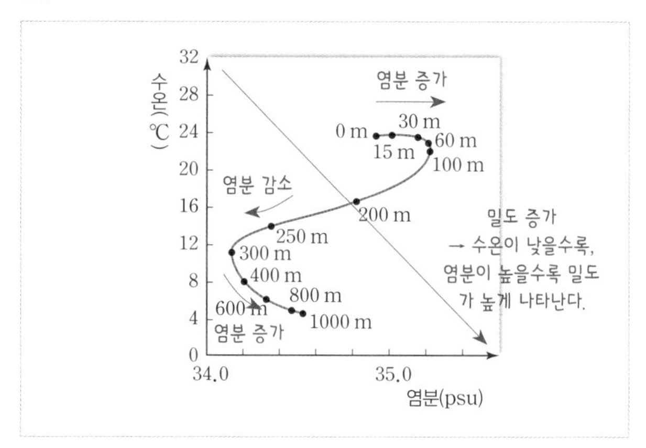

| 선택지 분석 |

ㄱ. 수심에 따라 수온이 낮아지는 층에서는 염분이 감소한다.
➡ 수심 300 m 아래에서는 수온이 낮아지지만 염분은 높아진다.

ㄴ. 수심이 깊어짐에 따라 염분이 계속 감소하는 경향이 있다.
➡ 해수 표면부터 100 m 사이와 수심 300 m 아래에서는 수심이 깊어짐에 따라 염분이 증가한다.

ㄷ. 수심 300 m 아래에서는 수심이 깊어짐에 따라 해수의 밀도가 증가한다.
➡ 해수의 밀도는 수온이 낮을수록, 염분과 수압이 높을수록 증가한다. 수심 300 m 아래에서는 수온이 낮아지고, 염분과 수압이 높아지므로 해수의 밀도가 증가한다.

06 대서양의 심층 해류는 남극 대륙 주변의 웨델해에서 침강하여 해저를 따라 이동하는 남극 저층수(C)와 북대서양의 그린란드 해역에서 침강하여 저층수 바로 위를 흐르는 북대서양 심층수(B), 그리고 남위 60° 부근에서 가라앉아 수심 약 1000 m 깊이를 따라 북쪽으로 흐르는 남극 중층수(A)가 있다.

07 | 선택지 분석 |

ㄱ. A에서 흐르는 해류는 주로 바람에 의해 형성된 것이다.
➡ A는 표층 해류이므로 주로 바람에 의해 형성된다.

ㄷ. C 해수가 B 해수보다 수온이 높다.
➡ B가 C보다 위에 분포하는 것으로 보아 밀도가 작으므로 수온이 높을 것이다.

ㄷ. D에 분포하는 해수의 밀도가 가장 크다.
➡ D는 B, C보다 밑에 분포하고 있으므로 밀도가 가장 크다.

08 | 선택지 분석 |

① 깊은 바다까지 산소를 운반하는 역할을 한다.
➡ 해수가 침강할 때는 깊은 바다 속까지도 산소를 운반하여 생물이 살 수 있도록 해 준다.

② 거의 전 수심에 걸쳐서 일어나면서 해수를 순환시킨다.
➡ 심층 순환은 거의 전 수심에 걸쳐서 일어나므로 해수를 순환시키는 데 큰 역할을 하고 있다.

③ 유속계 등을 이용하여 직접 흐름을 관측하여 알아낸다.
➡ 심층 순환은 속도가 매우 느려서 유속계 등을 이용하여 직접 흐름을 관측할 수 없고, 수온이나 염분을 조사하여 간접적으로 알아낸다.

④ 수온과 염분 변화에 따라 일어나므로 열염 순환이라고도 한다.
➡ 심층 순환은 수온과 염분 변화에 의한 해수의 밀도 차이에 의해 일어나는 순환으로 열염 순환이라고도 한다.

⑤ 심층수에 많이 포함된 영양 염류를 표층으로 운반하는 역할을 한다.
➡ 해수가 표층으로 올라올 때 심층수에 많이 포함되어 있는 영양 염류 등을 표층으로 운반한다.

09 지구 온난화가 지속되면 극지방의 빙하가 녹아서 녹은 물이 바다로 유입되어 주변 해수의 염분이 낮아지면서 밀도가 작아진다. 또한 지구 온난화로 수온이 높아지면 역시 해수의 밀도가 작아진다. 이와 같이 지구 온난화가 지속되어 해수의 밀도가 작아져 침강이 약화된다.

10 | 자료 분석 |

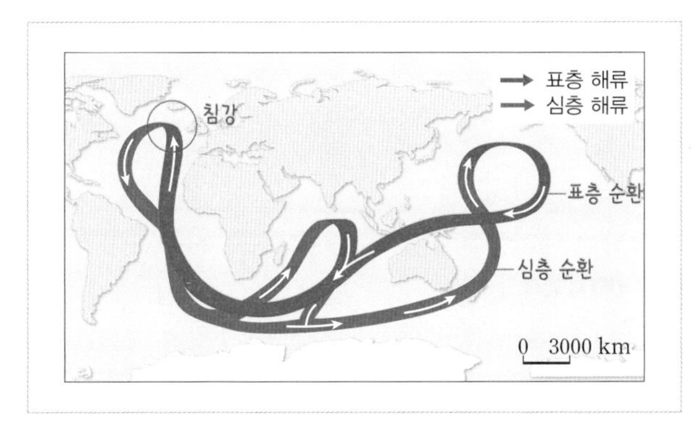

| 선택지 분석 |

ㄱ. 표층 순환과 심층 순환은 서로 연결되어 있다.
➡ 표층 순환과 심층 순환은 서로 연결되어 순환하고 있다.

ㄴ. 태평양과 인도양의 심층수는 용승하여 표층수로 변한다.
➡ 심층수는 심층 순환을 따라 이동하다가 점차 수온이 높아지면서 인도양이나 태평양에서 용승하여 표층수로 변하고, 복잡한 여러 단계를 거쳐 다시 북대서양으로 돌아가는 순환을 하고 있다.

ㄷ. 대양의 심층수는 대부분 각 대양의 고위도에서 공급된 것이다.
➡ 대양의 심층수는 대부분 남극 대륙 주변이나 북대서양의 그린란드 주변의 고위도 표층에서 가라앉은 물이 대서양은 물론 태평양과 인도양으로 퍼져나가 형성된 것이다.

도전! 실력 올리기 154쪽~155쪽

01 ③ **02** ⑤ **03** ③ **04** ② **05** ③ **06** ② **07** ⑤

08 A, B, C

09 | 모범 답안 | A보다 B가 염분은 낮으나 밀도가 큰 까닭은 B가 A보다 수온이 낮기 때문이다.

01 | 자료 분석 |

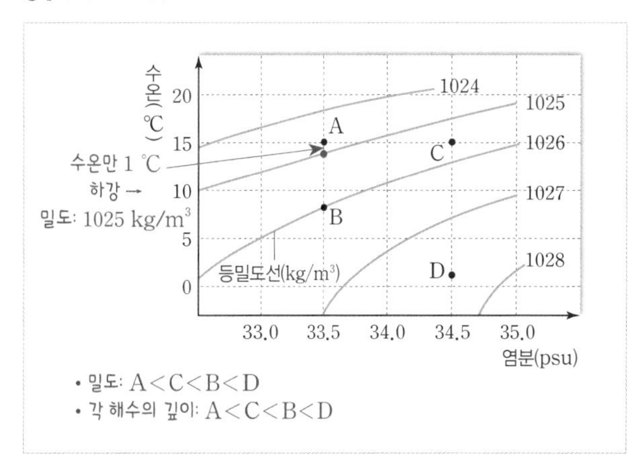

• 밀도: A<C<B<D
• 각 해수의 깊이: A<C<B<D

| 선택지 분석 |

ㄱ. 표층에 가장 가까이 있는 해수는 A이다.
➡ 해수의 밀도는 깊어질수록 커진다. A~D 중 밀도가 가장 작은 물은 A이므로 A가 표층에 가장 가까운 해수이다.

ㄴ. 가장 깊은 곳의 해수는 D이다.
➡ 해수의 밀도는 깊어질수록 커지므로 가장 밀도가 큰 D가 가장 깊은 곳에 있다.

ㄷ. A의 수온만 1 ℃ 낮아지면 C보다 밀도가 커진다.
➡ A의 수온만 1 ℃ 낮아지면 밀도는 약 1025 kg/m³로 C보다 밀도가 작다.

02 | 선택지 분석 |

ㄱ. 지중해 해수가 대서양 해수보다 평균 염분이 높다.

ㄴ. 지브롤터 해협의 표층에서는 대서양 해수가 지중해로 흘러든다.
➡ 지중해 해수는 염분이 높아 밀도가 크므로 지브롤터 해협을 통하여 대서양으로 흘러 들어오고, 빠져 나온 해수를 보충하기 위해 표층에서는 대서양 해수가 지중해로 유입되고 있다.

ㄷ. 대서양의 수심 1200 m 이하의 해수는 지중해 해수보다 밀도가 크다.
➡ 대서양으로 흘러 들어온 지중해 해수는 수심 약 1200 m까지는 주변 해수보다 밀도가 크므로 침강하다가 수심 1200 m에서는 주변 해수와 밀도가 같아지면서 수평 방향으로 흘러간다. 따라서

대서양 수심 1200 m 이하의 해수는 지중해에서 유입된 해수보다 밀도가 큼을 알 수 있다.

03 심층 해류는 주변보다 밀도가 큰 해역에서 표층수가 침강하여 형성되므로 주변보다 수온이 낮고 염분이 높은 해역에서 잘 발생한다. 따라서 주변보다 수온이 가장 낮고 염분이 가장 높은 C 해역에서 발생할 가능성이 가장 크다.

04 | 선택지 분석 |

ㄱ. 표면에 있는 물은 종이컵 쪽으로 이동할 것이다.
➡ 종이컵에서 흘러나온 차가운 물이 가라앉으므로 이를 보충하기 위해 표면에 있는 물은 종이컵 쪽으로 이동할 것이다.

✕. 종이컵에서 멀리 떨어진 온도계의 눈금이 먼저 내려간다.
➡ 얼음물은 아래로 가라앉은 후 바닥을 타고 이동하므로 종이컵에 가까이 놓인 온도계의 눈금이 먼저 내려간다.

ㄷ. 얼음을 넣은 종이컵은 수온이 낮은 극지방의 해수에 해당한다.
➡ 얼음을 넣은 종이컵은 수온이 낮은 극지방에서 냉각된 해수의 효과를 내기 위한 것이다.

✕. 파란색 잉크로 착색한 물의 이동은 해양의 표층 순환에 해당한다.
➡ 파란색 잉크로 착색한 물의 이동은 밀도 차이로 생기는 해양의 심층 순환에 해당한다.

05 | 선택지 분석 |

ㄱ. C는 심해에 산소를 공급하는 역할을 한다.
➡ C는 표층의 용존 산소량이 많은 해수가 심해로 가라앉아 생성되므로 심해에 산소를 공급하는 역할을 한다.

✕. 심층 순환은 주로 바람의 영향으로 일어난다.
➡ 심층 순환은 주로 밀도 차에 의해 일어난다.

ㄷ. A~C는 무거워진 표층수가 가라앉아 생성된다.
➡ 심층 해류 A~C는 고위도나 극 해역에서 무거워진 표층 해수가 가라앉아 생성된다.

06 | 선택지 분석 |

✕. 심층 순환이 강해지면 고위도로 열에너지 수송이 약화된다.
➡ 심층 순환과 표층 순환은 연결되어 있으므로 심층 순환이 강해지면 표층 순환도 강해지면서 고위도로 열에너지 수송이 강화된다.

ㄴ. A 해역에서는 북대서양 심층수가 형성되어 남쪽으로 흘러간다.
➡ A 해역에서는 무거워진 표층수가 가라앉아 북대서양 심층수가 형성되어 남쪽으로 흘러간다.

✕. A 해역에 그린란드의 해빙수가 유입되면 해수의 침강이 활발해진다.
➡ A 해역에 그린란드의 해빙수가 유입되면 염분이 낮아져 밀도가 작아지므로 A 해역에서 해수의 침강이 약해진다.

07 | 선택지 분석 |

ㄱ. 현재보다 빙하 면적이 넓었을 것이다.
➡ 기온이 큰 폭으로 내려갔으므로 현재보다 빙하 면적이 넓었을 것이다.

ㄴ. 현재보다 평균 해수면이 낮았을 것이다.
➡ 빙하 면적이 늘어났을 것이므로 평균 해수면은 현재보다 낮았을 것이다.

ㄷ. A 시기는 대량의 담수가 북대서양에 유입되어 나타났다.
➡ A 시기에 그린란드 지역의 기온이 큰 폭으로 떨어진 까닭은 대량의 담수가 북대서양 지역으로 유입되어 침강이 약해져 난류에 의한 열 수송이 감소했기 때문이다.

08 표층 해류는 전 세계 해양에서 주로 바람에 의해 발생한다.

09 해수의 온도가 낮고, 염분이 높을수록 밀도가 크다. B는 A보다 염분은 낮지만 온도가 낮기 때문에 밀도가 더 클 수 있다.

채점 기준	배점
염분과 수온을 모두 옳게 서술한 경우	100 %
염분과 수온 중 1가지만 옳게 서술한 경우	50 %

실전! 수능 도전하기

157쪽~159쪽

01 ⑤ **02** ③ **03** ② **04** ⑤ **05** ② **06** ③ **07** ③ **08** ③
09 ④ **10** ③ **11** ③ **12** ②

01 | 선택지 분석 |

ㄱ. P와 Q의 총 에너지양은 서로 같다.
➡ P는 지구 복사 에너지, Q는 태양 복사 에너지이다. 지구는 복사 평형을 이루고 있으므로 지구가 흡수하는 태양 복사 에너지의 총량과 방출하는 지구 복사 에너지의 총량은 같다.

ㄴ. Q의 위도에 따른 차이는 태양의 고도차 때문이다.
➡ 태양 복사 에너지의 위도에 따른 차이는 태양의 고도차로 인해 단위 면적당 받는 복사 에너지양이 다르기 때문이다.

ㄷ. 열에너지 이동은 위도에 따른 에너지 불균형 때문에 일어난다.
➡ 저위도는 열에너지가 과잉되고, 고위도는 열에너지가 부족하므로 위도에 따른 에너지 불균형이 생긴다. 그 결과 대기와 해수의 순환이 일어나고, 순환 과정에서 에너지 이동이 일어나 에너지 불균형이 해소된다.

02 | 선택지 분석 |

ㄱ. B는 A와 C에 의해 형성된 간접 순환이다.
➡ 페렐 순환인 B는 A와 C에 의해 역학적으로 형성된 간접 순환이다.

ㄴ. B와 C의 경계 부근의 지상에는 사막이 발달한다.
➡ B와 C의 경계 부근의 지상에는 하강 기류가 발달하면서 고기압이 형성되므로 증발량이 많고 강수량이 적어서 사막이 발달한다.

✕. A, B, C의 순환이 일어나지 않는다면 적도와 극지방의 기온 차이는 점점 작아질 것이다.
➡ A, B, C의 순환이 일어나지 않는다면 저위도의 과잉 에너지가

고위도로 수송되지 않으므로 적도와 극지방의 기온 차이는 점점 커질 것이다.

03 | 선택지 분석 |

ㄱ. A와 C의 해류의 특성은 거의 같다.

➡ 무역풍과 편서풍의 영향을 받아 형성된 순환은 북반구에서는 시계 방향으로, 남반구에서는 반시계 방향으로 순환하는 아열대 순환이다. 따라서 A에는 서안 경계류인 난류가 흐르고 C에는 동안 경계류인 한류가 흐르므로 두 해류의 특성은 차이가 크다.

ㄴ. B와 D에서 해류는 모두 서쪽으로 흐른다.

➡ B와 D에서 흐르는 해류는 모두 무역풍에 의해서 형성된 적도 해류이므로 같은 방향인 서쪽으로 흐른다.

ㄷ. C에서 해류는 저위도에서 고위도로 흐른다.

➡ C에서 흐르는 해류는 남태평양의 동안 경계류이므로 고위도에서 저위도로 흐른다.

04 | 선택지 분석 |

ㄱ. A와 B 해수 순환은 아열대 순환이다.

ㄴ. 아열대 순환의 서안에는 난류가 흐른다.

➡ A와 B 해수 순환은 아열대 순환으로, 무역풍의 영향으로 서쪽으로 흐르는 해류와 편서풍의 영향으로 동쪽으로 흐르는 해류가 대륙과 부딪히면서 남북 방향으로 흐름이 생기면서 형성된 순환으로 무역풍과 편서풍의 영향으로 형성되었다.

ㄷ. 육지가 없다면 A와 B 해수 순환은 형성되지 않는다.

➡ 육지가 없다면 남북 방향으로 흐르는 해류가 형성되지 않아서 A와 B 해수 순환은 형성되지 않는다.

05 | 자료 분석 |

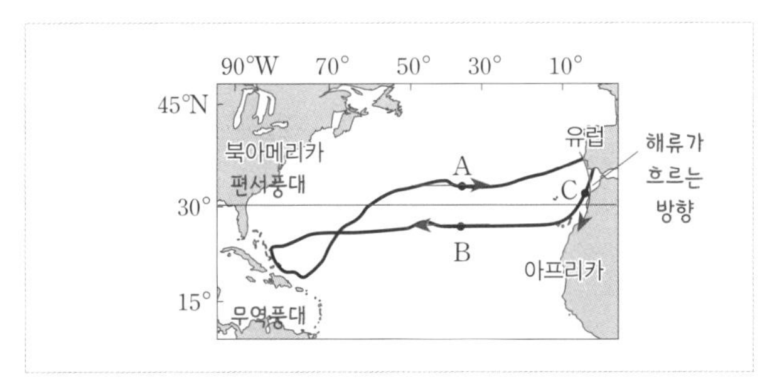

| 선택지 분석 |

ㄱ. A를 항해할 때는 무역풍을 이용하였다.

➡ 중위도를 따라 이동한 A를 항해할 때는 이 곳에 부는 편서풍을 이용하여 항해하였다.

ㄴ. B를 통과할 때는 동쪽에서 서쪽으로 항해하였다.

➡ B를 통과할 때는 이 지역에 부는 무역풍과 북적도 해류를 이용하여 동쪽에서 서쪽으로 항해하였다.

ㄷ. C에 흐르는 해류는 난류이다.

➡ C에 흐르는 해류는 북대서양의 동안을 따라 남쪽으로 흐르므로 한류이다.

06 | 선택지 분석 |

ㄱ. 부산과 대마도 사이에서 유속이 빨라진다.

➡ 부산과 대마도 사이는 바다의 폭이 좁아지면서 유속이 빨라진다.

ㄴ. (가)의 해류는 북쪽으로 이동하여 북한 한류가 된다.

➡ (가)의 해류는 동한 난류이다. 난류가 북쪽으로 이동하여도 한류가 되지는 않는다.

ㄷ. (나)의 해류는 (가) 해류의 근원 해류이다.

➡ (나)의 해류는 쿠로시오 해류로 (가)를 비롯한 우리나라 난류의 근원 해류이다.

07 | 선택지 분석 |

ㄱ. A는 북태평양 아열대 표층 순환의 일부이다.

➡ A는 북태평양 아열대 표층 순환에서 대양의 서쪽 연안을 따라 북상하는 쿠로시오 해류이다.

ㄴ. B는 겨울에 주변 대기로 열을 공급한다.

➡ B는 동해안을 따라 북상하는 동한 난류로, 주위보다 수온이 높으므로 겨울에 주변 대기로 열을 공급한다.

ㄷ. 용존 산소량은 C가 B보다 적다.

➡ 수온이 낮을수록 용존 산소량이 많으므로 북한 한류인 C가 동한 난류인 B보다 용존 산소량이 많다.

08 | 선택지 분석 |

ㄱ. 실험 결과에서 ㉠은 8보다 크다.

➡ 실험 Ⅱ에서는 소금량의 감소에 따른 염분 감소로 침강 속도가 감소하여 소금물이 도달하는 시간은 8초보다 길어졌을 것이다.

ㄴ. 소금물은 극지방의 침강하는 표층 해수에 해당한다.

➡ 염분이 커지면 해수의 밀도가 커져서 해수의 침강이 일어날 수 있다. 따라서 실험에서 소금물은 극지방에서 염분 증가에 따른 밀도 증가로 침강하는 표층 해수에 해당한다.

ㄷ. 실험 Ⅱ에서 소금물의 농도를 낮춘 것은 극지방 표층 해수가 결빙되는 경우에 해당한다.

➡ 극지방의 표층 해수가 결빙되면 어는 과정 중에 염류가 빠져나오므로 주변 해수의 염분이 증가한다. 염분이 낮아지는 경우는 빙하가 녹은 물이 유입되는 경우 등이다.

09 | 선택지 분석 |

ㄱ. A 해수가 냉각되면 밀도는 작아진다.

➡ A 해수가 냉각되어 온도가 낮아진다면 밀도는 커진다.

ㄴ. 밀도가 가장 높은 해수는 B이다.

➡ 밀도가 가장 높은 해수는 밀도가 1.028 g/cm^3인 B이다.

ㄷ. 해수 C와 D가 혼합된다면 해수의 밀도는 커진다.

➡ 해수 C와 D가 혼합된다면 C와 D의 수온과 염분의 중간값을 나타내는 해수가 되면서 해수의 밀도는 커진다.

10 | 선택지 분석 |

ㄱ. 소금물이 가라앉는 이유는 소금물의 밀도가 수돗물보다 크기 때문이다.

➡ 심층 순환은 수온과 염분차에 의한 밀도차에 의해 나타나며, 밀도가 클수록 더 아래쪽에서 이동하게 된다. A와 B의 소금물이 가라앉아 수돗물보다 아래쪽에서 이동하는 것은 소금물의 밀도가 수돗물보다 크기 때문이다.

ㄴ. A에 넣은 소금물의 온도는 4 ℃이다.
➡ A의 소금물이 B의 소금물보다 더 아래쪽에서 이동하므로 밀도는 A의 소금물이 B의 소금물보다 크다. 소금물의 농도가 같을 때 수온이 낮을수록 밀도가 커지므로 밀도가 큰 A의 소금물이 수온이 더 낮다. 따라서 A의 소금물의 온도는 4 ℃, B의 소금물의 온도는 15 ℃이다.

ㄷ. B에서 나온 소금물은 남극 저층수에 해당한다.
➡ 남극 저층수는 북대서양 심층수보다 밀도가 크기 때문에 북대서양 심층수보다 수심이 더 깊은 곳에서 이동한다. 따라서 밀도가 큰 A의 소금물이 남극 저층수에 해당한다.

11 | 자료 분석 |

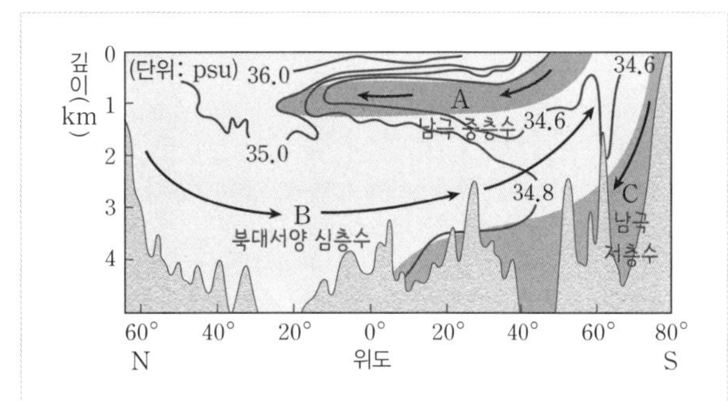

심층 해수의 밀도: C>B>A ⇨ 밀도가 큰 해수일수록 수심이 깊은 곳에 위치한다.

| 선택지 분석 |

ㄱ. A는 남극 중층수이다.
➡ A는 남극 대륙 주변에서 표층수가 침강하여 형성된 남극 중층수이다.

ㄴ. B는 그린란드 부근 해역에서 표층 해수가 침강하여 생성된다.
➡ B는 그린란드 부근 해역에서 표층 해수가 침강하여 생성된 북대서양 심층수이다.

ㄷ. C는 B보다 염분이 높으므로 밀도가 크다.
➡ 남극 저층수인 C가 북대서양 심층수인 B보다 염분이 더 낮음에도 불구하고 밀도가 큰 이유는 수온이 더 낮기 때문이다.

12 | 선택지 분석 |

ㄱ. A는 용승 해역, B는 침강 해역이다.
➡ A에서는 표층의 해수가 심층으로 침강하고, B에서는 심층의 해수가 표층으로 용승한다.

ㄴ. 심층 순환을 일으키는 주된 원인은 대기 대순환이다.
➡ 해수 순환은 표층 해류의 침강과 심층 해류의 용승이 이어지는 순환이다. 심층 순환을 일으키는 주된 원인은 수온과 염분 변화에 의한 밀도 변화이다.

ㄷ. A에서 표층 염분이 감소하면 C 해류의 속력은 감소한다.
➡ A는 침강 해역이므로 A에서 표층 염분이 감소하면 해수 밀도가 감소하여 침강이 일어나기 어려워지며, 이에 따라 C 해류의 속력도 감소한다.

03 대기와 해양의 상호 작용

개념POOL 164쪽

01 (가) 엘니뇨 (나) 라니냐
02 (1) ○ (2) × (3) ×

02 (1) 수온 편차는 (측정값－평년값)이므로 평상시보다 수온이 상승하는 엘니뇨 발생시에 동태평양의 수온 편차가 크게 나타난다.

콕콕! 개념 확인하기 165쪽

✔ 잠깐 확인!
1 연안 용승 **2** 적도 용승 **3** 연안 침강 **4** 엘니뇨
5 라니냐 **6** 남방 진동

01 (1) × (2) ○ (3) × (4) ○ (5) ○ (6) ○
02 (1) × (2) ○ (3) × (4) × **03** (가) 엘니뇨 (나) 라니냐
04 (1) 기압 (2) 라니냐 (3) 남방 진동 (4) 상승, 하강 (5) 낮

01 (1) 북반구에서 대륙의 서해안에 남풍이 계속 불면 해수의 이동이 연안 쪽으로 일어나면서 침강이 일어난다.
(6) 용승이 일어나면 심해의 찬 해수가 상승하면서 주변 해수보다 용존 산소량과 영양 염류가 많아진다.

02 (4) 엘니뇨와 라니냐는 대체로 교대로 나타나지만 그 주기가 일정하지는 않다.

03 동태평양의 수온 약층이 시작되는 깊이가 상대적으로 깊은 (가)가 엘니뇨, 얕은 (나)가 라니냐 시기이다.

04 (5) 서태평양 해역은 라니냐 발생시가 평상시보다 기압이 낮아 상승 기류가 강하게 발달한다.

탄탄! 내신 다지기 166쪽~167쪽

01 ① **02** ③ **03** ④ **04** 수온 하강, 용존 산소량 증가
05 (가) 침강 (나) 용승 **06** (가) 평상시 (나) 엘니뇨 시기
(다) 라니냐 시기 **07** ③ **08** ① **09** ② **10** ③

01 해안을 따라 남풍이 지속적으로 불면 표층 부근의 해수의 이동이 외해 쪽으로 일어나면서 표층수가 이동함에 따라 연안 용승이 일어난다. 따라서 해저로부터 차가운 물이 솟아오르므로 육지에 가까울수록 표층 수온이 낮은 ①번과 같은 수온 분포를 보인다.

02 | 선택지 분석 |

ㄱ. 적도를 따라 용승이 일어난다.

➡ 적도 해역에서는 해수의 발산이 일어나므로 밑으로부터 찬 해수가 올라오면서 적도를 따라 용승이 일어난다.

ㄴ. 표층 해수는 적도 쪽으로 수렴한다.

➡ 해수면 위를 부는 무역풍에 의해 북반구에서는 해수의 이동이 북쪽으로 일어나고, 남반구에서는 남쪽으로 일어나므로 적도 해역에서는 해수의 발산이 일어난다.

ㄷ. 적도 해역은 주변 해수보다 영양 염류가 많아진다.

➡ 용승이 일어나므로 영양 염류와 용존 산소량이 주변보다 많아진다.

03 북반구 저기압 주변에서 바람은 반시계 방향으로 회전하면서 중심으로 불어 들어간다. 그에 따라 바람에 의한 표층 해수의 이동은 바람 방향의 오른쪽, 즉, 저기압 중심에서 바깥쪽으로 일어난다. 따라서 중심부에서는 발산한 표층의 해수를 채워 주기 위해 용승이 나타난다.

04 강한 무역풍에 의해 북반구에서는 해수의 이동이 북쪽으로, 남반구에서는 남쪽으로 일어나므로 해수의 발산이 일어나면서 적도 해역에서는 용승이 일어난다. 용승이 일어나면서 수온은 이전보다 낮아지고 그에 따라 용존 산소량은 증가한다.

05 | 자료 분석 |

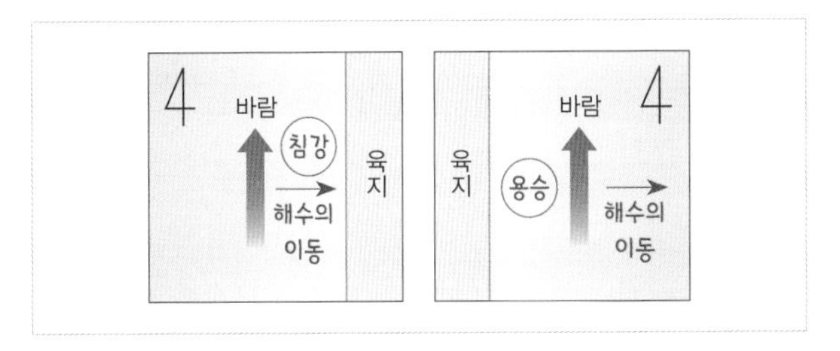

북반구에서 바람에 의한 해수의 이동은 풍향의 오른쪽 90° 방향으로 일어나므로 (가)의 경우 연안에 해수의 수렴이 일어나면서 침강이 발생한다. 반면에 (나)의 경우 해수의 이동이 외해 쪽으로 일어나면서 연안 용승이 일어난다.

06 동태평양 적도 해역의 수온이 중간 정도인 (가)가 평상시 수온 분포이다. (가)보다 동태평양 적도 해역의 수온이 더 높은 (나)가 엘니뇨 시기이고, 더 낮은 (다)가 라니냐 시기이다.

07 | 선택지 분석 |

① 엘니뇨가 발생하면 무역풍이 강해진다.

➡ 엘니뇨가 발생하면 무역풍이 약해진다.

② 라니냐가 발생하면 동태평양 적도 해역의 수온이 상승한다.

➡ 라니냐가 발생하면 동태평양 적도 해역은 용승이 더 활발하므로 수온이 하강한다.

③ 남적도 해류가 강화되면 서태평양 적도 해역은 홍수가 예상된다.

➡ 남적도 해류가 강화되면 라니냐의 발생 가능성이 커지고 그에 따라 서태평양 적도 해역은 강수량이 증가하고 홍수가 예상된다.

④ 엘니뇨가 발생하면 적도 부근 동태평양 지역은 강수량이 감소하여 가뭄이 예상된다.

➡ 엘니뇨가 발생하면 적도 부근 동태평양 지역은 상승 기류 발달로 강수량이 증가한다.

⑤ 엘니뇨나 라니냐가 발생하면 적도 부근에 위치한 나라에서만 기상 이변 현상이 나타난다.

➡ 엘니뇨나 라니냐가 발생하면 적도 부근에 위치한 나라뿐만 아니라 전 세계에서 기상 이변 현상이 나타난다.

08 ㉠ 엘니뇨 시기에는 적도 부근의 무역풍이 평소보다 약해진다.

㉡ 무역풍이 약해지면 서쪽으로 흐르는 적도 해류가 약해지고 그에 따라 동태평양 적도 부근의 용승이 약해지면서 표층 수온은 높아진다.

㉢ 엘니뇨에 의해 평소에 형성되는 서태평양의 저기압이 고기압으로 바뀌면서 강수량은 적어진다.

09 | 선택지 분석 |

ㄱ. 수온 ~~증가~~ 감소

ㄴ. 강수량 ~~증가~~ 감소

➡ 용승 현상이 강해지면 이 해역의 수온이 낮아지고 고기압이 발달하여 강수량이 감소한다.

ㄷ. 따뜻한 해수층의 두께 감소

➡ 태평양 적도 부근에서 부는 무역풍이 평상시보다 강해지면 적도 가까운 곳에서 서쪽으로 흐르는 적도 해류가 강해진다. 이로 인해 동태평양 적도 해역의 깊은 곳에서 찬 해수가 올라오는 용승이 강해지고 따뜻한 해수층의 두께는 얇아진다.

10 온도 편차가 (−)일 때가 라니냐 시기이고, (+)일 때가 엘니뇨 시기이다.

| 선택지 분석 |

① 무역풍의 세기가 감소한다.

➡ 엘니뇨 시기에 무역풍의 세기가 감소한다.

② 동태평양의 수온이 높아진다.

➡ 엘니뇨 시기에 동태평양의 수온이 평상시보다 높아진다.

③ 서태평양 지역의 기압이 낮아진다.

➡ 엘니뇨 시기에 서태평양 지역은 고기압이 발달하므로 기압은 높아진다.

④ 동태평양 해역의 해수면 높이가 높아진다.

➡ 엘니뇨 시기에 서쪽의 표층 해류가 동쪽으로 이동하고, 동태평양 해역의 따뜻한 해수층의 두께가 두꺼워지므로 해수면 높이가 높아진다.

⑤ 동태평양 지역에 폭우와 홍수 피해가 발생한다.

➡ 엘니뇨 시기에 동태평양 지역은 저기압 발달로 폭우와 홍수 피해가 발생한다.

도전! 실력 올리기 168쪽~169쪽

01 ③ 02 ③ 03 ⑤ 04 ④ 05 ② 06 ④ 07 ②

08 남풍, 용승

09 | 모범 답안 | 수온 약층이 시작되는 깊이가 깊고, 동태평양의 평균 기압은 낮다.

10 | 모범 답안 | (가) 엘니뇨 시기보다 (나) 라니냐 시기에 서태평양과 동태평양의 수온 차이가 크다.

01 | 선택지 분석 |

① 연안 용승이 일어난다.
➡ 남풍에 의해 외해 쪽으로 빠져나간 표층수를 보충하기 위해 이 지역에는 연안 용승 현상이 일어난다.

② 해수 중의 영양 염류가 증가한다.
➡ 연안 용승으로 심층의 찬물이 올라오면서 영양 염류가 증가한다.

③ 에크만 수송은 해안 쪽으로 일어난다.
➡ 이 지역은 남풍이 불고 있으므로 해수의 이동은 풍향의 오른쪽 직각 방향인 외해 쪽으로 일어난다.

④ 심해의 찬 해수가 표층으로 올라온다.

⑤ 해안 지방은 서늘한 날씨가 될 수 있다.
➡ 연안 용승으로 올라온 찬물의 영향으로 해안 지방은 다른 지역에 비해 서늘한 기후를 나타낼 것이다.

02 | 자료 분석 |

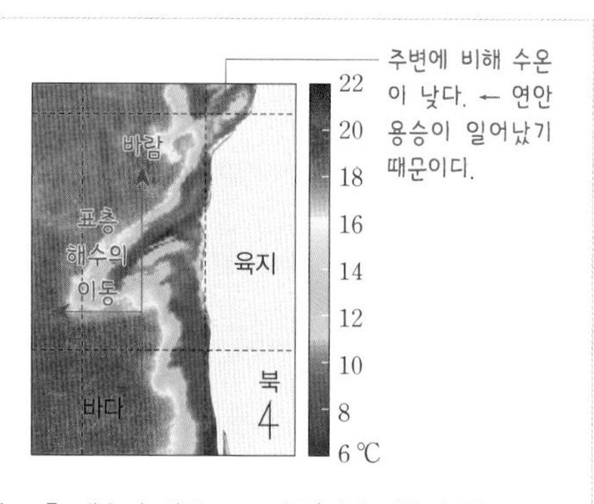

남풍이 불 때 표층 해수가 서쪽으로 이동(바람 방향의 왼쪽 직각 방향)하였으므로 이 지역은 남반구에 위치한다.

| 선택지 분석 |

㉠ 서늘한 날씨가 나타난다.
➡ 낮아진 수온의 영향으로 이 지역은 서늘한 날씨가 나타난다.

㉡ 이 지역은 남반구에 위치한다.
➡ 표층 해수의 이동이 풍향에 대하여 왼쪽으로 일어났으므로 이 지역은 남반구이다.

㉢ 표층 해수는 동쪽으로 이동했다.
➡ 남풍이 불 때 연안의 수온이 하강했으므로 연안 용승이 나타났으며 표층 해수는 서쪽으로 이동했다.

03 | 선택지 분석 |

㉠ A 해역은 좋은 어장이 형성될 수 있다.
➡ 용승이 일어나면 심층의 찬 해수가 솟아오르므로 수온이 낮아지고, 찬 해수에 포함된 영양 염류가 표층으로 운반되어 플랑크톤이 번성하므로 좋은 어장이 형성된다.

㉡ B 해역은 무역풍에 의해 용승이 발생하였다.
➡ B 해역은 무역풍에 의해 해수가 양극 쪽으로 이동하면서 해수의 발산이 일어나므로 적도 용승이 일어난다.

㉢ C 해역은 남풍이 우세하게 불 때 용승이 일어난다.
➡ C 해역은 남반구에 있으므로 남풍이 불어야 해수의 이동이 풍향에 대해 왼쪽인 외해 쪽으로 일어나면서 연안 용승이 일어난다.

04 | 선택지 분석 |

㉠ 연안에서 해수의 침강이 일어난다.
➡ 연안에서 표층 수온이 먼 바다보다 낮고 식물성 플랑크톤의 농도가 높다. 이는 북풍에 의해 해수의 이동이 오른쪽인 서쪽으로 일어나 연안에서 해수의 용승이 일어나기 때문이다.

㉡ 해상과 연안에 안개가 잘 발생한다.
➡ 해수면의 수온이 낮아 해상과 연안의 공기가 냉각되므로 안개가 잘 발생한다.

㉢ 북풍 계열의 바람이 불면서 서쪽으로 해수의 이동이 일어났다.

05 적도 해역을 따라 수온 편차(관측값 − 평년값)가 (−)값으로 나타나므로 평년보다 수온이 낮아진 라니냐 시기이다.

| 선택지 분석 |

㉠ 적도 용승이 약해진다.
➡ 라니냐 시기로 적도 용승이 강해지면서 수온이 낮아졌다.

㉡ 동태평양에 허리케인의 발생이 줄어든다.
➡ 수온이 낮아졌으므로 동태평양에 허리케인의 발생이 줄어든다.

㉢ 동태평양에 평년보다 강수량이 많아진다.
➡ 라니냐로 인해 동태평양에 강한 고기압이 발달하므로 평년보다 강수량이 적어진다.

06 | 선택지 분석 |

㉠ (가)는 라니냐 시기에 해당한다.
➡ (가)와 (나)에서 동태평양의 표층 수온을 비교해 보면 (가) 시기가 더 높으므로 (가)는 엘니뇨, (나)는 라니냐 시기에 해당한다.

㉡ 서태평양에서 평균 해수면 높이는 (가)보다 (나) 시기에 높다.
➡ (나) 시기에는 강한 무역풍에 의해 서태평양 쪽으로 이동하는 따뜻한 해수의 양이 증가하므로 서태평양의 평균 해수면 높이는 (가)보다 (나) 시기에 높다.

㉢ 동태평양에서 수온 약층이 시작되는 깊이는 (가)보다 (나) 시기에 얕다.
➡ 등수온선의 간격이 조밀한 곳이 수심에 따른 수온 변화가 큰 수온 약층이므로 동태평양에서 수온 약층이 시작되는 수심은 (가)보다 (나) 시기에 얕다.

07 | 선택지 분석 |

㉠ A 시기에 엘니뇨가 발생하였다.

➡ 남방 진동 지수가 양의 값일 때 라니냐가 발생하고, 음의 값일 때 엘니뇨가 발생한다. 따라서 A 시기에 라니냐가, B 시기에 엘니뇨가 발생하였다.

ㄴ. B 시기에 서태평양 해역에는 상승 기류가 발달한다.
➡ 엘니뇨가 발생한 B 시기에 서태평양 해역은 평소보다 수온이 낮고 하강 기류가 발달한다.

ㄷ. 동태평양 해수면의 높이는 A보다 B 시기에 높다.
➡ 동태평양 해수면의 높이는 표층에 찬 해수가 분포하는 라니냐의 발생 시기인 A보다 따뜻한 해수가 분포하는 엘니뇨 발생 시기인 B 시기에 높다.

08 해안에서 멀어지면서 수온이 높아지므로 바람에 의한 해수의 이동이 외해 쪽으로 일어나면서 연안 용승이 일어났다. 해수의 이동이 외해 쪽으로 일어나려면 해안선을 따라 북쪽으로 바람이 불어야 하므로 남풍이 불었다.

09 서태평양에 하강 기류가 발달하고 동태평양에 상승 기류가 발달하므로 엘니뇨가 발생한 시기이다. 따라서 평상시와 비교하여 이 시기에는 동태평양의 수온 약층이 시작되는 깊이가 깊고, 동태평양의 평균 기압은 낮다.

채점 기준	배점
수온 약층의 시작 깊이와 평균 기압 변화를 모두 옳게 서술한 경우	100 %
수온 약층의 시작 깊이와 평균 기압 변화 중 1가지만 옳게 서술한 경우	40 %

10 (가)는 동태평양 부근이 상대적으로 수온이 높은 엘니뇨 시기이고, (나)는 수온이 상대적으로 낮은 라니냐 시기이다. 주어진 자료에서 (가) 시기에는 서태평양과 동태평양의 수온 차이가 거의 없으나 (나) 시기에는 상대적으로 수온 차이가 크다.

채점 기준	배점
(가)와 (나)의 시기와 수온 차이를 모두 옳게 서술한 경우	100 %
(가)와 (나)의 시기만 옳게 쓴 경우	40 %

04 지구의 기후 변화

탐구POOL 174쪽

01 지구 온난화가 가속화되고 있다.
02 인간 활동에 의한 온실 기체 증가

01 최근으로 오면서 온실 기체 증가율과 기온 상승률이 더 커지고 있다.

02 화석 연료 사용 증가, 산림 파괴 등 인간 활동에 의해 대기 중에 온실 기체 농도가 증가하기 때문이다.

콕콕! 개념 확인하기 175쪽

✔ 잠깐 확인!
1 세차 운동 **2** 이심률 **3** 근일점 **4** 원일점 **5** 복사 평형 **6** 온실 기체 **7** 파리 기후 변화 협약

01 (1) ○ (2) × (3) × (4) ○ **02** (1) ㄱ, ㅁ (2) ㄴ, ㄹ
03 (1) 태양, 지구 (2) 해수 열팽창 (3) 아열대 (4) 길어, 짧아
04 (1) 온실 기체 농도 증가 (2) 기온 상승, 해수면 상승, 육지 면적 감소, 사막 증가, 이상 기후, 기상 재해 증가
05 (1) ○ (2) × (3) ○ (4) ○

01 (3) 공전 궤도 이심률이 현재보다 커지면 근일점이 더 가까워지고, 근일점에서 겨울철인 우리나라 겨울철 기온은 높아진다.

02 (1) 자연적인 요인에는 ㄱ, ㄷ, ㅁ이 해당되고 이 중 지구 내적인 요인은 ㄱ, ㅁ이다.

04 인간의 활동에 의한 화석 연료의 사용량 증가, 삼림의 벌채 등에 의해 적외선을 잘 흡수하는 온실 기체의 발생량이 증가하고, 이로 인해 지구의 기온이 상승한다. 이러한 지구 온난화에 의해 해빙과 해수면 상승, 육지 면적 감소, 사막 증가, 이상 기후, 기상 재해 증가 등이 나타난다.

탄탄! 내신 다지기 176쪽~177쪽

01 ④ **02** ① **03** ④ **04** ⑤ **05** ② **06** ③ **07** ④ **08** ④
09 ② **10** ③ **11** ④ **12** ①

01 지구 자전축 경사각의 변화, 지구의 세차 운동, 공전 궤도 이심률 변화, 태양의 활동 변화는 기후를 변화시키는 지구 외적 요인이다. 화산 폭발, 수륙 분포 변화, 화석 연료 사용 증가는 기후 변화의 내적 요인에 해당한다.

02 | 선택지 분석 |

ㄱ. 온실 효과를 억제하는 효과가 있다.
➡ 열대 우림의 파괴는 이산화 탄소의 농도 증가에 의해 온실 효과를 증대시킨다.

ㄴ. 대기 중 이산화 탄소의 농도가 증가한다.
➡ 열대 우림이 파괴되면 광합성에 의한 이산화 탄소 흡수율이 작아지므로 대기 중 이산화 탄소의 농도가 증가한다.

ㄷ. 열대 우림이 경작지로 바뀌면 반사율이 감소한다.
➡ 열대 우림이 경작지로 바뀌면 반사율이 증가한다.

03 | 선택지 분석 |

ㄱ. 우리나라는 여름은 더 덥고, 겨울은 더 추워진다.
➡ 지구 자전축 기울기가 커지면 우리나라에서 태양의 남중 고도가 여름에는 높아지므로 더 덥고, 겨울에는 낮아지므로 더 추워진다.

ㄴ. 북반구와 남반구의 계절이 지금과는 반대로 바뀐다.
➡ 계절이 지금과 반대로 되는 것은 세차 운동으로 자전축 경사 방향이 반대로 될 때이다.

ㄷ. 지구 전체가 태양으로부터 받는 복사 에너지양에는 변화가 없다.
➡ 지구 자전축 기울기가 변하여도 지구 전체가 태양으로부터 받는 복사 에너지양에는 변화가 없다.

04 지표면의 상태 변화, 수륙 분포의 변화, 화산재 분출은 모두 기후 변화의 내적 요인이다.

05 빙하 면적의 감소는 지구 온난화로 기온이 상승하면서 빙하가 녹았기 때문이고, 그에 따라 지표면의 반사율은 감소한다. 기온이 상승하면 빙하가 녹은 물이 바다로 유입되어 해수면이 상승한다.

06 | 선택지 분석 |

ㄱ. 자전축 방향 변화는 기후 변화의 원인이 된다.
➡ 지구의 세차 운동은 계절에 따라 지구의 북반구와 남반구에 입사하는 일사량을 변화시켜 지구의 기후가 장기적으로 변동하는 원인이 된다.

ㄴ. 지구 자전축 방향은 약 26000년을 주기로 변한다.
➡ 자료에서 지구 자전축 방향의 변화는 약 26000년을 주기로 변한다.

ㄷ. 약 13000년 후에는 우리나라에 계절 변화가 일어나지 않는다.
➡ 약 13000년 후에도 자전축 경사가 있고 지구가 공전하므로 우리나라에 계절 변화는 일어난다.

07 온실 효과는 지표면에서 방출되는 지구 복사 에너지의 대부분이 적외선 영역으로 대기에 흡수되었다가 지표로 재방출되기 때문에 일어난다.

08 최근 평균 기온이 상승하는 지구 온난화의 가장 큰 원인은 화석 연료 사용량 증가에 따른 대기 중 이산화 탄소 농도의 증가이다.

09 해수면을 상승시키는 가장 큰 원인은 지구 온난화에 따른 수온 상승으로 해수의 부피가 팽창한 것이다.

10 오존층 파괴의 주 원인은 프레온 가스의 사용이고 지구 온난화는 오존층 파괴에 거의 영향을 주지 않는다. 지구 온난화에 의해 대기와 해수의 순환에 이상이 생기면서 기상 재해가 증가하고 있으며, 강수량의 감소 등에 의해 사막 지역이 확대되고 있다. 또한 대륙 빙하가 녹아서 감소하고 있고, 해수면이 상승하고 있다.

11 | 선택지 분석 |

ㄱ. 여름이 짧아지고 있다.
➡ 평균 기온 상승으로 겨울은 짧아지고 여름은 길어지고 있다.

ㄴ. 아열대 기후 지역이 확산되고 있다.

ㄷ. 봄철의 개화 시기가 빨라지고 있다.
➡ 우리나라의 연평균 기온은 상승하는 추세에 있다. 그에 따라 아열대 기후 지역이 확산되고 있으며 봄철의 개화 시기가 빨라지고 있다.

12 남극 조약은 남극 지역의 자원 개발 등 평화적인 이용에 관한 국제 조약이다. 유엔 기후 변화 협약, 교토 의정서, 파리 기후 변화 협약은 지구 평균 기온 상승의 억제에 관한 국제 협약이고, 몬트리올 의정서는 오존층 파괴 물질인 프레온 가스 사용 규제에 관한 협약이다.

도전! 실력 올리기

178쪽~179쪽

01 ② **02** ⑤ **03** ① **04** ② **05** ① **06** ③ **07** ⑤

08 | 모범 답안 | 계절 변화의 폭과 연교차는 커진다.

09 | 모범 답안 | 메테인의 농도가 높아지고 평균 기온은 상승하고 있다.

10 A, C, D

01 | 선택지 분석 |

ㄱ. 연교차는 현재보다 작아진다.
➡ 여름철에는 태양의 남중 고도가 높아져 평균 기온이 높아지고, 겨울철에는 태양의 남중 고도가 낮아져 평균 기온이 낮아지므로 연교차는 현재보다 커진다.

ㄴ. A 위치에서 우리나라는 겨울철이 된다.
➡ 자전축 경사 방향은 변하지 않으므로 A 위치에서 우리나라는 여름철이 된다.

ㄷ. 여름철 평균 기온은 현재보다 높아진다.
➡ 경사각이 커지면 우리나라의 여름철에는 태양의 남중 고도가 높아지므로 여름철 평균 기온은 현재보다 상승한다.

02 대규모의 화산 폭발이 일어날 때 방출되는 화산재는 지구의 반사율을 높여서 흡수되는 태양 복사 에너지를 감소시킨다. 그 결과 지구의 평균 기온은 일시적으로 낮아진다.

03 | 선택지 분석 |

ㄱ. 화석 연료의 사용 증가로 지구의 기온이 상승하고 있다.
➡ 화석 연료 사용에 의한 환경 변화는 인간 활동에서 비롯된 것이다.

~~ㄴ.~~ 태양의 활동이 활발해지면서 지구의 기온이 상승하였다.
➡ 태양의 활동 변화는 지구 외적인 요인이다.

~~ㄷ.~~ 화산 활동으로 분출된 화산재로 인해 지구의 기온이 하강하였다.
➡ 화산 활동으로 인한 기온 하강은 지구 내부 요인이나 인간 활동에서 비롯된 것은 아니다.

04 | 선택지 분석 |

~~ㄱ.~~ 지표면의 반사율 감소
➡ 지표면의 반사율이 감소하면 흡수율이 커지므로 평균 기온은 상승한다.

ㄴ. 대기 중의 에어로졸 증가
➡ 대기 중 에어로졸의 증가는 지구의 반사율을 높여서 기온 하강을 유발한다.

~~ㄷ.~~ 대기 중 이산화 탄소 농도 증가
➡ 대기 중 이산화 탄소 농도 증가는 지구 온난화를 증대시켜 기온을 상승시킨다.

05 | 선택지 분석 |

~~ㄱ.~~ 태양의 흑점 수가 증가하는 경우
➡ 흑점 수가 증가하면 태양 활동이 활발해지면서 지구에 도달하는 복사 에너지양이 증가하여 평균 기온은 상승하나 계절 변화가 뚜렷해지지는 않는다.

ㄴ. 지구 자전축의 기울기만 현재보다 큰 경우
➡ 자전축 기울기가 커지면 겨울은 더 추워지고 여름은 더 더워지면서 계절 변화가 뚜렷해진다.

~~ㄷ.~~ 지구 공전 궤도 이심률만 현재보다 큰 경우
➡ 공전 궤도 이심률이 커지면 겨울은 따뜻해지고 여름은 서늘해지면서 연교차가 줄어들고 계절 변화가 약해진다.

06 | 선택지 분석 |

ㄱ. 연안 수온이 상승한다.

ㄴ. 연평균 기온이 상승한다.
➡ 개화 시기가 빨라지고, 대나무 서식지가 북상하며 한류성 어종의 어획량이 감소하고 적조 현상이 증가하는 것은 연평균 기온과 수온이 상승하는 지구 온난화에 따른 현상이다.

~~ㄷ.~~ 겨울의 길이가 길어진다.
➡ 지구 온난화에 따라 우리나라 겨울의 길이는 짧아지고 있다.

07 | 선택지 분석 |

ㄱ. 해수면은 상승하였다.
➡ 해수면의 높이 편차가 증가하고 있으므로 해수면은 상승하였다.

ㄴ. 국지적인 홍수와 가뭄 피해가 증가한다.
➡ 기온 상승으로 증발량이 증가하므로 국지적인 홍수와 가뭄 피해가 증가한다.

ㄷ. 해수 온도 상승으로 해수의 부피가 팽창하였다.
➡ 해수면의 상승은 해수 온도 상승으로 해수의 부피가 팽창하였기 때문이다.

08 | 자료 분석 |

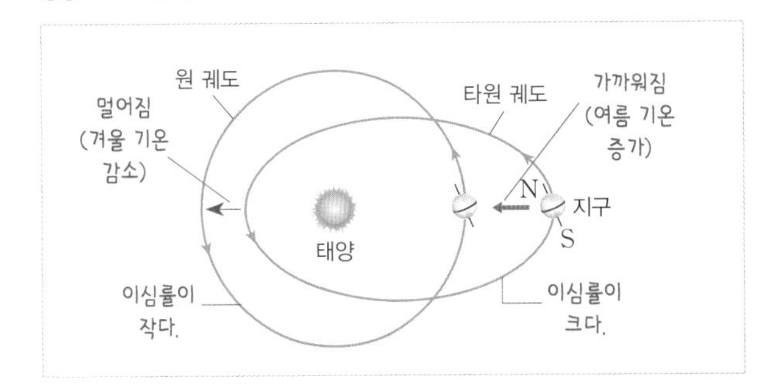

현재 지구가 근일점에 위치할 때 북반구는 겨울철이고, 원일점에 위치할 때 북반구는 여름철이다. 지구 공전 궤도의 이심률이 작아지면 근일점은 태양에서 멀어지므로 겨울철은 온도가 내려가고, 원일점은 태양에 가까워지므로 여름철은 온도가 올라간다. 따라서 우리나라에서 계절 변화의 폭과 연교차는 커진다.

채점 기준	배점
계절 변화의 폭과 연교차를 모두 옳게 서술한 경우	100 %
계절 변화의 폭과 연교차 중 1가지만 옳게 서술한 경우	50 %

09 수온 상승으로 해저에 있는 메테인 수화물이 기화되면서 대기 중에 온실 기체인 메테인의 양이 증가하고 있으며 메테인의 농도가 높아지므로 온실 효과는 더 커지면서 평균 기온은 상승하고 있다.

채점 기준	배점
메테인의 농도와 평균 기온의 변화를 모두 옳게 서술한 경우	100 %
메테인의 농도와 평균 기온의 변화 중 1가지만 옳게 서술한 경우	50 %

10 지구 온난화가 진행되면 극지방의 빙하가 녹으면서 빙하 면적(A)이 감소하고 그에 따라 지표면의 태양 빛 반사율(D)이 작아진다. 지구 온난화로 인해 해수의 온도가 높아지면 이산화 탄소 용해율(C)이 감소한다.

실전! 수능 도전하기 181쪽~183쪽

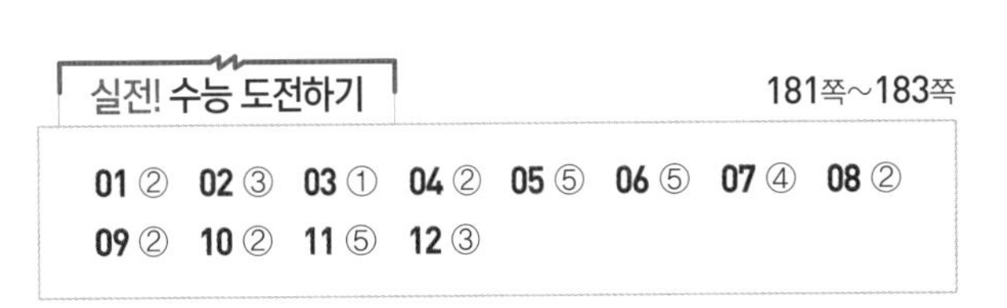
01 ② 02 ③ 03 ① 04 ② 05 ⑤ 06 ⑤ 07 ④ 08 ②
09 ② 10 ② 11 ⑤ 12 ③

01 | 선택지 분석 |

~~ㄱ.~~ 북풍이 지속적으로 분다.

➡ 해수의 이동 방향이 외해 쪽으로 일어나고 그에 따라 연안 용승이 일어나고 있다. 따라서 이 지역에는 남풍이 지속적으로 불고 있다.

✗ 바람의 방향과 해수의 이동 방향은 같다.
➡ 해수의 이동 방향이 풍향과 일치하지 않는 것은 지구 자전에 따른 전향력에 의해 편향되기 때문이다.

㉢ 연안 표층 해수 중의 영양 염류량은 이전보다 많아진다.
➡ 연안 용승이 일어나므로 용승을 따라 심층에서 영양 염류가 올라와 표층 해수 중의 영양 염류량은 이전보다 많아진다.

02 | 선택지 분석 |

㉠ A 지점은 주위보다 해수면의 높이가 높다.
➡ A 지점은 해수가 수렴하므로 주위보다 해수면의 높이가 높다.

✗ B 지점은 주위보다 표층 수온이 높다.
➡ B에서는 용승이 일어나므로 주위보다 표층 수온이 낮다.

㉢ A에서는 침강이, B에서는 용승이 일어난다.
➡ 북반구에서 바람이 시계 방향으로 부는 A 지점은 고기압, 반시계 방향으로 부는 B 지점은 저기압이다. 바람에 의한 해수의 이동으로 A에서는 침강이, B에서는 용승이 일어난다.

03 | 자료 분석 |

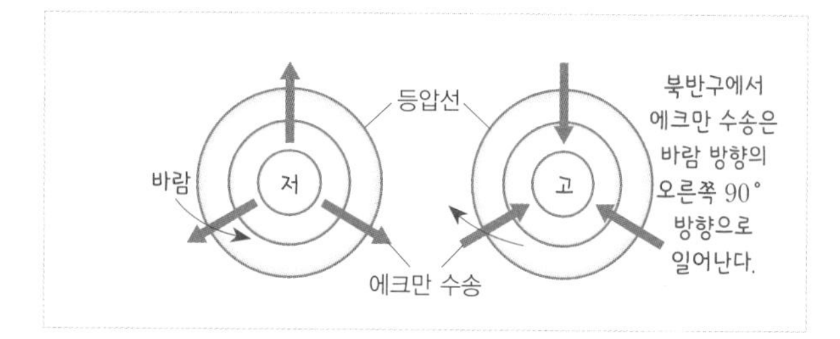

| 선택지 분석 |

㉠ (가) 중심부는 저기압이다.
➡ (가)는 중심부에서 해수의 발산이 일어나므로 바람이 시계 반대 방향으로 불고 있다. 따라서 중심부는 저기압이다.

✗ 중심부에서 수온 약층이 나타나는 깊이는 (가)가 (나)보다 깊다.
➡ (가)에서는 용승이, (나)에서는 침강이 일어나므로 중심부에서 수온 약층이 나타나는 깊이는 용승이 일어나는 (가)가 (나)보다 얕다.

✗ 남반구에서는 (가)와 같은 기압 배치에서 에크만 수송에 의해 해수가 중심으로 수렴한다.
➡ 남반구에서는 바람에 의한 해수의 이동이 풍향의 왼쪽으로 일어나고 중심부가 저기압인 (가)와 같은 기압 배치에서 바람은 시계 방향으로 불므로 해수의 이동이 바깥쪽으로 일어나 해수가 발산한다.

04 | 선택지 분석 |

✗ 엘니뇨 발생시 대기 순환은 (가)이다.
➡ 수온이 높은 해역에서 상승 기류가 발달한다. 동태평양에서 상승 기류가 발달하는 (나)가 엘니뇨 발생시 대기 순환이다.

✗ B에서 표층 수온은 (가)가 (나)보다 높다.
➡ B에서 표층 수온은 엘니뇨가 나타나는 (나)가 평상시인 (가)보다 높다.

㉢ A, B의 기압차인 남방 진동 지수는 (나)가 (가)보다 낮다.
➡ (가)에서는 A에 저기압, B에 고기압이 발달하므로 (B에서 기압－A에서 기압) 값인 남방 진동 지수는 (＋)이다. (나)에서는 반대 현상이 일어나므로 남방 진동 지수는 (－)이다.

05 | 선택지 분석 |

㉠ 무역풍은 (나)보다 (가)에서 강하게 분다.
➡ (가)는 평상시, (나)는 엘니뇨 발생 시의 모습이다. 따라서 무역풍이 더 강하게 부는 시기는 (가) 시기이다.

㉡ 인도네시아에서 강수량은 (나)보다 (가)에서 많다.
➡ 인도네시아에서 강수량은 (나)보다 평상시인 (가)에서 많다.

㉢ 페루 연안 해수의 용존 산소량은 (가)보다 (나)에서 적다.
➡ 페루 연안 해수 중의 용존 산소량이 더 많은 시기는 페루 연안에 용승이 강해질 때인 평상시인 (가) 시기이다.

06 | 선택지 분석 |

✗ 강수량 편차가 ＋0.5 mm/일 이상인 해역은 주로 동태평양 적도 부근에 위치한다.
➡ 동태평양 적도 부근에서는 강수량의 편차가 거의 나타나지 않으며, 강수량 편차가 ＋0.5 mm/일 이상인 해역은 주로 서태평양에 있다.

㉡ 서태평양 적도 해역과 동태평양 적도 해역 사이의 해수면 높이 차가 크다.
➡ 서태평양에서 강수량이 크게 증가한 것은 라니냐가 발생하여 서태평양의 해수면 온도가 높아졌기 때문이다. 따라서 서태평양 적도 해역과 동태평양 적도 해역 사이의 해수면 높이 차가 평년보다 크다.

㉢ 남적도 해류가 강하다.
➡ 라니냐가 발생한 시기에는 무역풍이 평년보다 강하게 불어 동→서로 따뜻한 해수를 운반하는 남적도 해류가 강하게 나타난다.

07 | 선택지 분석 |

✗ (가)에서 북반구는 근일점에서 여름이다.
➡ (가)에서 지구가 근일점에 있을 때 북반구는 태양의 남중 고도가 가장 낮은 시기이므로 겨울이다.

㉡ A는 북반구의 여름 기온을 상승시키는 요인이다.
➡ 지구 자전축 경사각이 현재보다 증가하면 (가)의 원일점 위치에서 북반구 여름철 태양의 남중 고도가 높아지므로 여름 기온이 상승한다.

㉢ B로 인해 북반구의 계절은 현재와 정반대로 된다.
➡ 지구 자전축 경사 방향이 현재의 정반대로 되면 북반구 계절은 (가)의 근일점에서 여름이 되고, 원일점에서 겨울이 되므로 현재와 정반대로 된다.

08 대기가 있는 경우 온실 효과로 대기가 지표를 보온하므로 지표의 온도가 더 높으나 대기가 없는 경우는 온도가 가장 낮다. 이산화 탄소는 온실 기체로서 지표의 온도를 상승시키므로 이산화 탄소 양이 2배 증가한 경우가 현재보다 기온이 높다. 화산재는 지구의 반사율을 증가시켜 햇빛을 가

로막으므로 지표의 온도를 낮추는 역할을 하여 현재보다 기온이 낮다.

09 | 선택지 분석 |

✕ 우리나라 기온의 연교차는 (가)보다 작아진다.
➡ (나)는 자전축의 경사각이 더 커지고, 자전축의 방향이 반대로 바뀐 세차 운동이 일어난 시기이다. 따라서 현재에 비하여 여름철 태양의 남중 고도는 높아지고, 겨울철 태양의 남중 고도는 낮아진다. 그리고 북반구에서 여름에 태양과의 거리는 가까워지고, 겨울에 태양과의 거리는 멀어지므로 우리나라에서 기온의 연교차는 커진다.

ㄴ 북반구 여름 동안 대륙 빙하의 면적은 (가)보다 좁아진다.
➡ 북반구 여름 동안은 (가)보다 (나)에서 거리가 가까우므로 지구에 입사하는 복사 에너지가 많아져 대륙 빙하의 면적은 현재보다 좁아진다.

✕ 지구에 입사하는 태양 복사 에너지양은 7월이 1월보다 많다.
➡ 지구에 입사하는 태양 복사 에너지는 태양과 지구의 거리에 의하여 결정된다. 그런데 (나)에서 1월과 7월에 태양과 지구의 거리가 같으므로 지구에 입사하는 태양 복사 에너지는 동일하다.

10 | 선택지 분석 |

✕ 오존홀의 면적 증가에 의한 현상이다.
➡ 남극 대륙과 그린란드 빙하가 감소한 것은 전 지구적인 온난화의 영향이며, 성층권의 오존 감소에 의한 오존홀과는 관련이 없다.

ㄴ 두 지역의 지표면 반사율은 감소하였을 것이다.
➡ 빙하 면적이 감소하면 지표면의 반사율이 감소한다.

✕ 평균 해수면 상승에 준 영향은 남극 대륙이 그린란드보다 컸을 것이다.
➡ 빙하가 녹은 물이 주변 해양으로 유입되면 평균 해수면이 상승하므로 해수면 상승에 준 영향은 남극 대륙보다 빙하 변화량이 더 큰 그린란드가 컸을 것이다.

11 | 선택지 분석 |

ㄱ 벚꽃의 개화 시기가 빨라질 것이다.
➡ 전국적으로 기온이 상승하여 벚꽃의 개화 시기는 빨라질 것으로 예상된다.

ㄴ 동해의 표층 수온이 상승할 것이다.
➡ 해수는 대기와 끊임없이 에너지를 교환하고 있으므로 동해의 표층 수온도 높아질 것이다.

ㄷ 1월의 0 ℃ 기온선은 북쪽으로 이동할 것이다.
➡ 2100년의 기온선은 2011년에 비해 기온선이 모두 북쪽으로 올라가 있다.

12 | 선택지 분석 |

ㄱ 적외선등을 상자 아래에서 켠 것은 지표 복사를 나타낸다.
➡ 지표는 태양으로부터 받은 에너지를 적외선으로 방출하므로 적외선등을 상자 아래에서 켠 것은 지표 복사를 나타낸다.

✕ 상자 안 기체의 적외선 흡수량은 (나)가 (다)보다 많다.
➡ (나)보다 (다)의 온도가 높은 것은 상자 안 기체의 적외선 흡수량이 (나)보다 (다)가 많기 때문이다.

ㄷ ㉠은 15.1보다 크다.
➡ 이산화 탄소는 온실 기체이므로 이산화 탄소량이 많을수록 적외선 흡수량이 많아져 상자 내부의 온도가 높아지게 된다. 따라서 ㉠은 (다)의 온도 값인 15.1보다 크다.

한번에 끝내는 대단원 문제 186쪽~189쪽

01 ④ **02** ④ **03** ④ **04** ④ **05** ⑤ **06** ⑤ **07** ③ **08** ①
09 ④ **10** ③ **11** ⑤ **12** ③ **13** ④ **14** ③ **15** ⑤ **16** ④

17 강수 구역: A, D, 기온이 높은 지역: B, C
18 수온: A>B, 유속: A>B, 영양 염류량: A<B
19 | **모범 답안** | 무역풍의 세기는 약해지고, 동태평양의 해면 기압은 낮아지며, 강수량은 많아진다.
20 (가) 침강 (나) 용승 (다) 용승
21 | **모범 답안** | (나)일 때가 태양의 남중 고도가 높고 태양과의 거리가 가까우므로 평균 기온이 높다.
22 ㉠ 가시광선 ㉡ 적외선 ㉢ 온실 효과

01 | 선택지 분석 |

ㄱ 기압
➡ B 지점이 A 지점보다 저기압 중심에 가까우므로 기압은 더 낮다.

✕ 기온
➡ A 지점은 한랭한 기단의 영향으로 온난한 기단의 영향을 받는 B 지점보다 기온이 낮다.

ㄷ 강수 확률

ㄹ 구름의 두께
➡ A 지점은 한랭 전선의 후면에 위치하고 B 지점은 온난 전선과 한랭 전선의 사이에 위치한다. A 지점에는 적운형 구름이 발달하고 B 지점은 대체로 날씨가 맑다. 따라서 B 지점보다 A 지점이 구름의 두께가 두껍고 강수 확률이 높다.

02 | 선택지 분석 |

① 바람의 세기는 서울이 부산보다 약하다.
➡ 바람의 세기는 안전 반원에 위치한 서울이 부산보다 약하였다.

② 태풍의 이동 방향은 편서풍의 영향을 받는다.
➡ 우리나라를 통과할 때 태풍은 북동쪽으로 이동하였으므로 편서풍의 영향을 받는다.

③ 서울 지방의 풍향은 반시계 방향으로 바뀐다.
➡ 서울 지방은 태풍의 진행 방향의 왼쪽에 위치하므로 풍향은 반시계 방향으로 바뀐다.

④ 우리나라를 통과하면서 중심 기압은 더 낮아진다.
➡ 태풍은 우리나라를 통과하면서 세력이 약해지므로 중심 기압은 높아진다.

⑤ 태풍의 눈의 영향을 받는 지역은 바람이 약하고 날씨가 맑다.

➡ 하강 기류가 나타나는 태풍의 눈의 영향을 받는 지역은 바람이 약하고 날씨가 맑다.

03 | 선택지 분석 |

① 온대 저기압은 전선을 동반한다.

➡ 온대 저기압은 전선을 동반하며 편서풍을 따라 이동하므로 동쪽으로 이동한다.

② 태풍의 에너지원은 수증기의 응결열이다.

➡ 태풍은 수증기가 응결할 때 방출되는 잠열(응결열)을 에너지원으로 한다.

③ 태풍은 등압선이 원형이고 상대적으로 조밀하다.

➡ 태풍은 등압선이 원형이고 매우 조밀하다.

④ 태풍의 발생 장소는 수온이 높은 적도 해상이다.

➡ 태풍은 수증기 공급이 활발한 수온이 높은 바다에서 형성되나 적도에서는 지구 자전 효과에 의한 소용돌이가 일어나지 않으므로 발생하지 않는다.

⑤ 온대 저기압은 편서풍을 따라 동쪽으로 이동한다.

04 | 선택지 분석 |

ㄱ. 적도 부근의 수온은 동태평양이 서태평양보다 높다.

➡ 자료에서처럼 평상시 무역풍에 의한 따뜻한 표층 해수의 서쪽 이동으로 적도 부근의 수온은 동태평양이 서태평양보다 낮다.

ㄴ. 표층 수온은 저위도에서 고위도로 갈수록 대체로 낮아진다.

➡ 표층 수온은 태양 복사 에너지양이 많은 적도 부근에서 가장 높고 고위도로 갈수록 대체로 낮아진다.

ㄷ. 대양의 중심부에서는 등온선이 위도와 대체로 나란하게 분포한다.

➡ 대양의 중심부에서는 수온이 대부분 태양 복사 에너지양의 영향을 받으므로 등온선이 위도와 대체로 나란하다.

05 | 선택지 분석 |

① 적도 부근은 증발량이 강수량보다 많다.

➡ 적도 부근은 강수량이 증발량보다 많으므로 표층 염분이 낮다.

② 대양에서 염분은 육지에 가까울수록 높다.

➡ 대양에서는 해수의 혼합이 상대적으로 덜 일어나는 중앙부가 염분이 높으며, 육지에 가까울수록 대체로 염분이 낮아진다.

③ (증발량－강수량) 값이 클수록 염분이 낮다.

➡ 표층 염분은 증발량이 클수록, 강수량이 적을수록 높으므로 (증발량－강수량) 값이 큰 해역일수록 염분이 높다.

④ 표층 염분은 적도 부근 해역에서 높게 나타난다.

⑤ 중위도 지역은 증발량이 강수량보다 많아서 염분이 높다.

➡ 중위도 지역은 증발량이 강수량보다 많으므로 표층 염분이 높다.

06 | 선택지 분석 |

ㄱ. A는 수온과 염분이 가장 높다.

➡ A는 수온이 가장 높으나 염분은 가장 낮다.

ㄴ. 수온이 일정하고 염분이 높아지면 밀도는 커진다.

➡ 수온이 일정한 상태에서 수평 방향으로 오른쪽에 위치할수록 밀도가 커지므로 염분이 높아지면 밀도는 커진다.

ㄷ. C가 B보다 밀도가 높은 것은 수온이 낮기 때문이다.

➡ C와 B는 염분은 비슷하나 C가 수온이 낮기 때문에 밀도가 높다.

07 | 선택지 분석 |

ㄱ. A, C 순환은 아열대 순환이다.

➡ A는 북반구에서 시계 방향으로 순환하고, C는 남반구에서 반시계 방향으로 순환하므로 아열대 순환이다.

ㄴ. B 해류는 적도 해류에 해당한다.

➡ B는 해수면 경사로 인해 적도를 따라 동쪽으로 흐르는 적도 반류이다. 무역풍에 의해 형성된 적도 해류는 서쪽으로 흐른다.

ㄷ. A, C 순환은 무역풍과 편서풍에 의해 형성된다.

➡ 아열대 순환은 무역풍과 편서풍의 영향으로 형성된다.

08 표층 해류를 일으키는 주 원인은 해수면 위를 부는 바람이고, 심층 해류를 일으키는 주 원인은 수온과 염분 변화에 따른 밀도 변화이다.

09 | 선택지 분석 |

ㄱ. A는 열대류에 의한 직접 순환이다.

➡ A는 해들리 순환과 극순환 사이에서 역학적으로 일어나는 간접 순환이다.

ㄴ. 위도 30° 지역은 고압대에 해당한다.

➡ 위도 30° 지역은 하강 기류가 발달하므로 고기압이 잘 형성되는 고압대에 해당한다.

ㄷ. 무역풍은 해들리 순환의 지표에서 부는 바람이다.

➡ 무역풍은 0°~30° 사이에 형성된 해들리 순환의 지표 부근에서 부는 바람이다.

10 | 선택지 분석 |

ㄱ. 남극 저층수가 북대서양 심층수보다 밀도가 크다.

➡ 가장 깊은 곳까지 가라앉아 해저를 따라 이동하는 남극 저층수가 상대적으로 위쪽에서 흐르는 북대서양 심층수보다 밀도가 크다.

ㄴ. 남극 중층수의 흐름은 바람의 영향으로 형성된 것이다.

➡ 남극 중층수의 흐름을 포함한 심층 순환은 바람에 의해 형성된 것이 아니고 밀도 차에 의하여 형성된 밀도류이다.

ㄷ. 북대서양 심층수의 흐름이 강해지면 표층수의 흐름도 강해진다.

➡ 북대서양 심층수의 흐름이 강해지면 표면에서 침강한 해수를 보충하기 위해 표층수의 흐름도 강해진다.

11 | 선택지 분석 |

ㄱ. A와 C는 고위도로 열에너지를 수송한다.

➡ A와 C는 저위도에서 고위도로 흐르는 난류로 열에너지를 수송한다.

ㄴ. B의 특성은 C보다 D의 특성에 가깝다.

➡ B, D는 한류이고 C는 난류이다. 따라서 B의 특성은 C보다 D의 특성에 가깝다.

ㄷ. 태평양과 대서양의 북적도 해류는 무역풍에 의해 형성되었다.

➡ 태평양과 대서양에서 북적도 해류는 서쪽으로 부는 북동 무역풍에 의해 형성되었다.

12 남반구에서는 에크만 수송이 풍향의 왼쪽 직각 방향으로 일어나므로 A 해역에서는 해수의 발산이 일어나면서 용승이 일어난다. 용승이 일어나면서 수온은 이전보다 낮아진다.

13 | 선택지 분석 |

ㄱ (가)는 지구 평균 기온을 높일 것이다.
➡ 태양 활동이 현재보다 더 활발해지면 태양 복사 에너지양이 증가하므로 지구 평균 기온은 높아질 것이다.

ㄴ (나)의 경우 우리나라의 겨울철 기온은 더 낮아진다.
➡ 지구 자전축 경사 방향이 현재와 반대로 되면 우리나라는 원일점에서 겨울이 되므로 겨울철 기온은 더 낮아진다.

ㄷ (다)는 기후 변화의 지구 외적 요인이다.
➡ 지표면의 태양 복사 에너지 흡수율의 변화는 기후 변화의 지구 내적 요인이다.

14 | 선택지 분석 |

ㄱ (가)는 엘니뇨 발생시의 모습이다.
➡ 엘니뇨는 따뜻한 표층 해수가 동쪽으로 흘러 동태평양의 표층 수온이 높아지는 현상이다. 따라서 (가)가 엘니뇨 발생시의 모습이다.

ㄴ 서태평양의 표층 수온은 (가)보다 (나)에서 더 높다.
➡ 따뜻한 해수가 서쪽으로 흐를 때 서태평양의 표층 수온이 높게 나타난다. 따라서 (가)보다 (나)에서 서태평양의 표층 수온이 더 높게 나타난다.

ㄷ 동태평양에서 홍수가 발생할 가능성은 (나) 시기에 더 높다.
➡ 엘니뇨가 발생하면 동태평양에서 수온이 상승하므로 증발량과 강수량이 많아져 홍수가 발생하기도 한다.

15 A는 온실 효과 기여도가 가장 큰 이산화 탄소이고, B는 메테인으로 유기물이 부패되거나 분해될 때 방출된다. 이산화 탄소인 A가 온실 효과 기여도가 가장 높은 것은 대기 중의 농도가 가장 높기 때문이다.

16 | 선택지 분석 |

① 재활용 상품을 이용한다.
➡ 재활용 상품을 이용하여 자원을 절약하면 화석 연료 사용량을 줄일 수 있다.

② 실내 온도를 적정하게 유지한다.
➡ 실내 온도를 적정하게 유지하거나 에너지를 절약하는 생활 습관을 기르며, 에너지 효율이 높은 전기 기구를 구입하여 사용하면 화석 연료 사용량을 줄일 수 있으므로 지구 온난화를 억제할 수 있다.

③ 에너지를 절약하는 생활 습관을 기른다.

④ 천연 가스를 이용한 화력 발전 비율을 높인다.
➡ 천연 가스도 화석 연료로 연소시 이산화 탄소를 생성하므로 이를 이용한 화력 발전 비율을 높이는 것은 지구 온난화를 촉진한다.

⑤ 에너지 효율이 높은 전기 기구를 구입하여 사용한다.

17 한랭 전선의 앞(B)에는 따뜻한 기단이 있고, 뒤(A)에는 찬 기단이 있다. 온난 전선의 앞(D)에는 찬 기단이 있고, 뒤(C)에는 따뜻한 기단이 있다. 따라서 상대적으로 기온이 높은 지역은 B, C이다.
한랭 전선의 뒤(A)에는 적운형의 구름이 발달하여 좁은 구역에 소나기성 강수 현상이 있고, 온난 전선의 앞(D)에는 층운형의 구름이 발달하여 넓은 구역에 지속적으로 가랑비가 내린다. 따라서 강수 지역은 A, D이다.

18 A는 북태평양의 서안을 따라 저위도에서 고위도로 흐르는 서안 경계류인 난류이고, B는 북태평양의 동안을 따라 고위도에서 저위도로 흐르는 동안 경계류인 한류이다. 따라서 A가 수온이 높고 유속이 빠르며 영양 염류량은 적다.

19 평상시보다 남동 무역풍이 약해져 표층의 따뜻한 해수가 동태평양으로 흘러 동태평양의 표층 수온이 높아졌다. 동태평양 표층 수온이 높아졌으므로 해면 기압이 평상시보다 낮아진다. 동태평양의 표층 수온이 높아져 상승 기류가 발달하므로 강수량은 평상시보다 많아진다.

채점 기준	배점
무역풍의 세기, 해면 기압, 강수량을 모두 옳게 서술한 경우	100 %
무역풍의 세기, 해면 기압, 강수량 중 2가지만 옳게 서술한 경우	50 %

20 북반구에서 에크만 수송은 풍향의 오른쪽으로 일어나므로 (가) 해역에는 해수의 수렴이 일어나 침강이 일어난다. (나) 해역에는 무역풍에 의해 에크만 수송이 고위도로 일어나면서 해수의 발산이 일어나 적도 용승이 일어난다. (다)와 같은 저기압 중심부에는 에크만 수송이 풍향의 오른쪽 방향인 바깥쪽으로 일어나 해수의 발산이 일어난다. 따라서 발산된 해수를 보충하기 위해 밑에서부터 해수가 올라오는 용승이 일어난다.

21 A와 B에서 우리나라의 계절은 여름이다. 그런데 (가)보다 (나)일 때 태양의 남중 고도가 높고 근일점에 위치하여 태양과의 거리가 가까우므로 평균 기온이 높다.

채점 기준	배점
남중 고도와 태양과의 거리를 언급하여 옳게 서술한 경우	100 %
남중 고도와 태양과의 거리에 대한 언급 없이 평균 기온만 옳게 서술한 경우	50 %

22 온실 효과는 대기가 가시광선인 태양 복사 에너지는 잘 통과시키고 적외선인 지구 복사 에너지를 흡수하여 지표로 재방출하면서 일어나는 현상이다.

1 »» 별과 외계 행성계

01 별의 물리량

개념POOL 196쪽

01 (1) 반지름이 큰 별이 광도가 크다. (2) 표면 온도가 높은 별이 광도가 크다. **02** 4배 **03** (1) A가 100배 더 밝다. (2) A가 2배 더 높다. (3) A가 2.5배 더 크다.

01 (1) $L=4\pi R^2\cdot\sigma T^4$에서 분광형이 같으면 표면 온도($T$)가 같으므로 반지름($R$)과 광도($L$)는 비례 관계에 있다.
(2) $L=4\pi R^2\cdot\sigma T^4$에서 반지름($R$)이 같으므로 표면 온도($T$)와 광도($L$)는 비례 관계에 있다.

02 슈테판·볼츠만의 법칙에 의해
$L : L_\odot=4\pi\left(\frac{1}{2}R_\odot\right)^2\cdot\sigma(2T_\odot)^4 : 4\pi R_\odot{}^2\cdot\sigma T_\odot{}^4$이므로
$L=4L_\odot$이다.(L, R, T: 별의 광도, 별의 반지름, 별의 표면 온도, $L_\odot$, $R_\odot$, $T_\odot$: 태양의 광도, 태양의 반지름, 태양의 표면 온도)

03 (1) A의 절대 등급이 B보다 5등급 작으므로 광도는 100배 더 밝다.
(2) A의 최대 에너지 방출 파장이 B의 $\frac{1}{2}$이므로 표면 온도는 A가 B보다 2배 더 높다.
(3) $L\propto R^2\cdot T^4$에서 $R\propto\sqrt{\frac{L}{T^4}}=\sqrt{\frac{100}{16}}$이므로, A가 B보다 크기가 2.5배 더 크다.

콕콕! 개념 확인하기 197쪽

✔ 잠깐 확인!
1 흑체 **2** 사진 등급 **3** 안시 등급 **4** 색지수 **5** 스펙트럼 **6** 광도 **7** 절대 등급 **8** 겉보기 등급

01 (1) ○ (2) × (3) ○ **02** (1) ㉠ (2) ㉢ (3) ㉡ **03** G형(G2형) **04** O, B, A, F, G, K, M **05** 광도 **06** 반지름

01 (2) 흑체는 입사된 에너지를 모두 흡수하고 방출하는 이상적인 물체를 말한다.

03 태양은 노란색의 빛이 가장 강하며, 이를 분광형에서 찾아보면 G형이다.

04 별의 표면 온도는 O형이 가장 높고, M형으로 갈수록 낮아진다.

05 광도(L)는 별이 단위 시간 동안 표면에서 방출하는 에너지의 총량으로, 단위 면적당 단위 시간에 방출하는 복사 에너지(σT^4)와 별의 겉넓이(표면적)($4\pi R^2$)의 곱으로 결정된다.
⇨ $L=4\pi R^2\cdot\sigma T^4$

06 분광형이 같은 두 별 A, B는 표면 온도가 같지만 반지름이 다르기 때문에 절대 등급이 다르다.

탄탄! 내신 다지기 198쪽~199쪽

01 ④ **02** ② **03** ③ **04** ㉠ 흡수 스펙트럼 ㉡ 흡수 **05** ③ **06** ⑤ **07** ② **08** 별의 표면 온도 **09** ② **10** ② **11** ③ **12** ①

01 별의 표면 온도와 관련 있는 물리량은 색, 색지수, 분광형(스펙트럼형)이다.

02 광도가 가장 큰 별은 절대 등급이 가장 작은 A이다. 별의 표면 온도가 가장 높은 별의 색은 파란색이고, 가장 낮은 별의 색은 붉은색이다. A는 B보다 절대 등급이 작아 더 밝지만, 표면 온도가 더 낮으므로, 반지름은 더 크다. B는 C보다 절대 등급이 5등급 작으므로 밝기는 100배 더 밝은 별이다. D는 흰색 별로 표면 온도가 매우 높지만, 절대 등급이 가장 큰 어두운 별로, 반지름이 가장 작다.

03 (가) 태양 빛의 스펙트럼에서 수백 개의 검은 선(흡수선)을 관찰하였다.
➡ 19세기 초반 프라운호퍼의 업적
(나) 프리즘을 통과한 햇빛이 무지개처럼 여러 색으로 나누어지는 것을 발견하였다.
➡ 17세기 뉴턴의 업적
(다) 수소 흡수 스펙트럼선의 세기에 따라 별의 스펙트럼을 A형~P형의 16가지로 구분하였다.
➡ 19세기 후반 피커링과 캐넌의 업적
(라) 금속 원소가 빛을 흡수하여 생긴 검은 선을 관찰하였다.
➡ 19세기 중엽 키르히호프와 분젠의 업적

04 흡수 스펙트럼은 별로부터 나온 빛이 대기를 통과하는 동안 대기를 구성하고 있는 원소에 특정 파장의 에너지가 흡수되어 나타난다.

05 | 선택지 분석 |

ㄱ. 별의 대기에 존재하는 저온의 기체는 흡수 스펙트럼을 만든다.

➡ 흡수 스펙트럼은 연속으로 색이 변화하는 중간에 기체가 흡수한 에너지로 인해 검은색의 흡수선이 나타나는 스펙트럼이다.

ㄴ. 방출 스펙트럼은 별의 내부에서 나온 빛이 밝은 선으로 나타난 것이다.

➡ 방출 스펙트럼은 별의 내부의 빛이 스펙트럼으로 나타나는 것이 아니라, 기체가 고온으로 가열되어 특정한 파장의 빛을 방출하여 나타난다.

ㄷ. 별과 같은 고온의 광원에서 방출되는 빛의 스펙트럼은 연속적인 띠로 나타난다.

➡ 연속 스펙트럼은 방출되는 빛의 파장이 무지개색의 연속적인 띠로 나타나는 스펙트럼이다.

06 선 스펙트럼에는 흡수 스펙트럼과 방출 스펙트럼이 있다. 저온의 기체는 별빛의 특정 파장대를 흡수하여 흡수 스펙트럼을, 고온의 기체는 방출 스펙트럼을 형성한다. (가)는 흡수 스펙트럼을, (나)는 방출 스펙트럼을 나타낸다. 흡수 스펙트럼은 기체의 종류에 따라 다른 종류의 선 스펙트럼이 나타난다. 별의 분광형을 분류하는 데에는 흡수 스펙트럼이 사용된다.

07 별의 표면 온도에 따라 흡수선의 세기가 달라지는데, 이러한 차이를 이용하여 별을 분류하였다. 별의 표면 온도에 따라 나타나는 흡수선의 기본 패턴을 기준으로 온도가 높은 별부터 O, B, A, F, G, K, M형의 7가지로 분류한다. 각 분광형은 고온의 0에서 저온의 9까지 10단계로 세분화한다.

더 알아보기 **표면 온도에 따른 분광형 분류**

분광형	스펙트럼 모습	표면 온도(K)	색
O	700 nm 수소 400 nm 헬륨	>30000	파란색
B	탄소 헬륨	10000~30000	청백색
A	철 칼슘	7500~10000	흰색
F	소듐 마그네슘 산소 철	6000~7500	황백색
G	산소	5000~6000	노란색
K		3500~5000	주황색
M	산화 타이타늄	<3500	붉은색

08 별빛을 분광기로 분산시키면 별의 표면 온도에 따라 원소들이 각각 특정한 흡수선을 형성하기 때문에 별들마다 다양한 흡수 스펙트럼이 나타난다.

더 알아보기 **분광형에 따른 흡수선의 종류 및 세기**

흡수선의 세기는 별의 표면 온도에 따라 별의 대기를 구성하는 기체들이 이온화되는 정도가 다르기 때문에 달라진다.

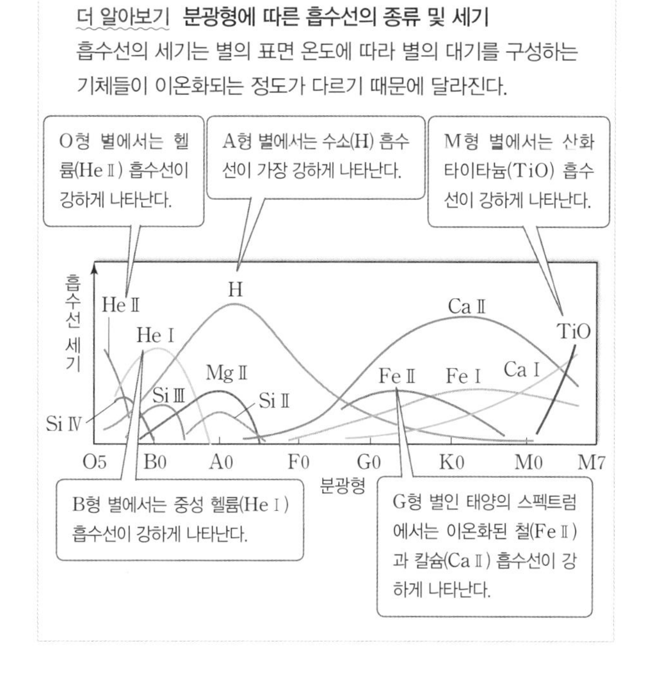

09 | 선택지 분석 |

① 광도는 별의 실제 밝기를 나타낸다.

➡ 별이 단위 시간 동안 표면에서 방출하는 에너지의 총 에너지양으로 별의 실제 밝기를 나타내는 용어이다.

② 별의 광도가 클수록 절대 등급은 크다.

➡ 광도가 클수록 절대 등급은 작다.

③ 광도는 별이 단위 시간에 방출하는 총 에너지양이다.

➡ 별의 광도(L)는 별의 표면적과 단위 면적당, 단위 시간에 방출하는 복사 에너지의 곱으로 결정된다.

④ 반지름이 같다면 표면 온도가 높은 별일수록 광도는 크다.

➡ $L=4\pi R^2 \cdot \sigma T^4$이므로 광도($L$)는 표면 온도($T$)의 4제곱에 비례한다.

⑤ 표면 온도가 같은 경우 반지름이 2배가 되면 광도는 4배가 된다.

➡ 광도는 별의 표면 온도의 4제곱과 반지름의 제곱에 비례하므로 표면 온도가 같은 경우 반지름이 2배가 되면 광도는 4배가 된다.

10 | 선택지 분석 |

ㄱ. (가)는 10 pc보다 멀리 있다.

➡ (가)는 절대 등급과 겉보기 등급이 같으므로 10 pc의 위치에 있다.

ㄴ. (나)는 10 pc보다 가까이 있다.

➡ (나)는 절대 등급보다 겉보기 등급이 작으므로 10 pc보다 가까이 있다.

ㄷ. 광도는 (가)가 (나)보다 100배 크다.

➡ (가)는 (나)보다 절대 등급이 5등급 크므로 광도는 100배 더 작다.

11 별의 밝기는 거리의 제곱에 반비례한다.

| 선택지 분석 |

ㄱ A, B, C의 광도는 같다.

➡ 세 별의 표면 온도와 크기가 동일하므로, A, B, C의 광도는 같다.

✗ A는 C보다 3배 밝게 보인다.

➡ 별의 밝기는 거리의 제곱에 반비례하므로 A는 C보다 9배 밝게 보인다.

ㄷ B는 절대 등급과 겉보기 등급이 같다.

➡ 10 pc의 거리에 있는 별은 절대 등급과 겉보기 등급이 같다.

12 별은 흑체와 같이 복사하므로 슈테판·볼츠만 법칙에 따라 에너지를 방출하므로 슈테판·볼츠만 법칙에 의해 유도되는 별의 광도(L)의 식은 $L=4\pi R^2\times\sigma T^4$에서 $R\propto\frac{\sqrt{L}}{T^2}$이다. 따라서 별의 광도($L$)와 표면 온도($T$)를 알면 별의 반지름($R$)을 구할 수 있다.

도전! 실력 올리기

200쪽~201쪽

01 ④ **02** ② **03** ② **04** ⑤ **05** ④ **06** ①

07 (1) D (2) A

08 | 모범 답안 | 별 A의 절대 등급은 겉보기 등급과 같은 -0.2등급이고, 별 A는 태양보다 5등급 작으므로 100배 더 밝다. 따라서 광도는 3.9×10^{28} W이다.
별 B의 절대 등급은 2.8등급으로, 태양보다 2등급 작으므로 밝기는 $10^{\frac{2}{5}}=2.5^2=6.25$배 더 밝다. 따라서 광도는 $3.9\times10^{26}\times6.25=2.4375\times10^{27}$ W이다.

09 | 모범 답안 | 안타레스 A와 안타레스 B의 두 별까지의 거리는 같고, 안타레스 A는 안타레스 B보다 표면 온도가 낮다. 안타레스 A가 지구에서 관측한 별의 상대적 밝기가 큰 것으로 보아 안타레스 A가 안타레스 B보다 더 큰 반지름을 가지고 있다는 것을 알 수 있다.

01 | 선택지 분석 |

① 10 pc의 거리에 있는 별은 (다)이다.

➡ 10pc의 거리에 있는 별은 절대 등급과 겉보기 등급이 같다.

② 표면 온도가 가장 높은 별은 (가)이다.

➡ 별의 분광형에서 B형이 G형보다 표면 온도가 더 높다.

③ 별 (나)와 (다)의 표면 온도는 거의 같다.

➡ 별 (나)와 (다)는 분광형이 같으므로 표면 온도는 거의 같다.

✓④ 우리 눈에 가장 어둡게 보이는 별은 (다)이다.

➡ 겉보기 등급이 클수록 어둡게 보이므로 우리 눈에 가장 어둡게 보이는 별은 (나)이다.

⑤ 별의 거리를 비교하면 (나)>(다)>(가) 순이다.

➡ (겉보기 등급－절대 등급)의 값이 클수록 멀리 있는 별이므로 별까지의 거리는 (나)>(다)>(가) 순이다.

02 | 선택지 분석 |

ㄱ 별 (가)는 별 (나)보다 표면 온도가 낮다.

➡ (U－B) 또는 (B－V) 값을 색지수라고 한다. 색지수는 표면 온도가 높을수록 작고 표면 온도가 낮을수록 크므로, 별 (가)는 별 (나)보다 표면 온도가 낮다.

ㄴ (B－V) 값은 별 (가)가 별 (나)보다 크다.

➡ 별 (가)는 별 (나)보다 표면 온도가 낮으므로, (B－V) 값은 별 (가)가 별 (나)보다 크다.

✗ 별 (나)는 U 등급이 V 등급보다 크다.

➡ 빛의 세기가 강할수록 등급이 낮으므로, 별 (나)의 U 등급이 V 등급보다 작다.

03 | 선택지 분석 |

ㄱ 색지수가 클수록 표면 온도는 낮다.

➡ 색지수가 클수록 표면 온도는 낮고, 색지수가 작으면 표면 온도는 높다.

ㄴ 표면 온도가 5000 K인 별은 B 등급이 V 등급보다 크다.

➡ 그래프에서 표면 온도가 5000 K인 별은 색지수가 (＋)이므로 B 등급이 V 등급보다 크다.

✗ 별 X는 붉은색 별이고, 별 Y는 파란색 별이다.

➡ 별 X는 색지수가 (－)이므로 파란색 별이고, 별 Y는 색지수가 (＋)이므로 붉은색 별이다.

04 | 선택지 분석 |

ㄱ 별의 흡수선 세기로 별의 분광형을 결정할 수 있다.

➡ 별의 흡수선의 종류와 세기로 별의 분광형을 알 수 있다.

ㄴ 태양의 흡수선에서는 이온화된 철과 칼슘의 흡수선이 강하게 나타난다.

➡ 태양은 G형 별이므로 이온화된 철과 칼슘의 흡수선이 강하게 나타난다.

ㄷ 중성 수소의 흡수선이 가장 강하게 나타나는 분광형은 A형이다.

➡ A형 별에서는 수소(H) 흡수선이 가장 강하게 나타난다.

05 | 선택지 분석 |

ㄱ 리겔이 더 멀리 있는 별이다.

➡ (겉보기 등급－절대 등급)이 클수록 멀리 있는 별이므로, 리겔의 거리가 더 멀다.

✗ 베텔게우스의 표면 온도가 더 높다.

➡ 분광형이 B형인 리겔이 M형인 베텔게우스보다 표면 온도가 더 높다.

ㄷ 광도는 리겔이 더 크다.

➡ 절대 등급은 숫자가 작을수록 광도가 큰 별이므로 리겔이 광도가 더 크다.

06 | 선택지 분석 |

✓① 거리가 가장 가까운 별은 A이다.

➡ A는 거리 지수(겉보기 등급－절대 등급)가 가장 작으므로 거리가 가장 가깝다.

② 가장 밝게 보이는 별은 B이다.

➡ B는 겉보기 등급이 가장 크므로 가장 어둡게 보인다.

③ 표면 온도가 가장 낮은 별은 C이다.
➡ C는 색지수가 가장 작으므로 표면 온도가 가장 높다.

④ B는 C보다 광도가 작다.
➡ B가 C보다 절대 등급이 더 작으므로 광도는 더 크다.

⑤ A는 B보다 반지름이 크다.
➡ 별의 광도는 표면 온도의 4제곱과 반지름의 제곱에 비례하므로, 상대적으로 광도가 작고 표면 온도가 높은 A가 B보다 반지름이 작다.

07 겉보기 등급의 숫자가 작을수록 우리 눈에 밝게 보이므로 별 D가 가장 밝게 보인다. 절대 등급의 숫자가 작을수록 실제 광도가 큰 별이므로 별 A의 광도가 가장 크다.

08 별 A는 거리가 10 pc이므로 절대 등급은 겉보기 등급과 같은 −0.2등급이다. 별 A는 태양보다 5등급 작으므로 100배 더 밝다. 따라서 광도는 3.9×10^{28} W이다.
별 B는 100 pc에서 겉보기 등급이 7.8등급이므로 10 pc에서는 100배(5등급) 밝은 2.8등급이다. 별 B의 절대 등급은 2.8등급으로, 태양보다 2등급 작으므로 밝기는 6.25배 더 밝다. 따라서 광도는 $3.9\times10^{26}\times6.25=2.4375\times10^{27}$ W이다.

채점 기준	배점
별의 광도를 구하는 과정을 옳게 쓰고, 별 A와 B의 광도를 정확히 구한 경우	100 %
별의 광도를 구하는 과정을 옳게 쓰고, 별 A와 B의 광도 중 하나만 정확히 구한 경우	50 %

09 안타레스 A와 안타레스 B는 쌍성계를 이루고 있으므로 두 별까지의 거리는 같다. 분광형을 보면 안타레스 A가 안타레스 B보다 표면 온도가 낮음을 알 수 있다. 따라서 별의 광도 $L=4\pi R^2\cdot\sigma T^4$으로부터 안타레스 A가 안타레스 B보다 더 큰 반지름을 가지고 있다는 것을 알 수 있다.

채점 기준	배점
안타레스 A가 안타레스 B보다 더 밝게 보이는 까닭을 표면 온도와 반지름을 비교하여 옳게 서술한 경우	100 %
안타레스 A가 안타레스 B보다 더 밝게 보이는 까닭을 표면 온도와 반지름 중에서 하나만 비교하여 서술한 경우	50 %

02 별의 분류와 진화

개념POOL 206쪽

01 ① 적색 거성 ② 행성상 성운 ③ 백색 왜성 ④ 초거성 ⑤ 초신성 ⑥ 중성자별 ⑦ 블랙홀 **02** 성운 → 원시별 → 주계열성 → 적색 거성 → 행성상 성운 → 백색 왜성
03 초신성 폭발

콕콕! 개념 확인하기 207쪽

✔ 잠깐 확인!
1 H－R도 **2** 주계열성 **3** 블랙홀 **4** 광도 계급 **5** 백색 왜성 **6** 중성자별

01 (1) 광도, 절대 등급 (2) 표면 온도, 분광형(스펙트럼형), 색지수 **02** (1) (가) 초거성 (나) 적색 거성 (다) 주계열성 (라) 백색 왜성 (2) (다) 주계열성 **03** (1) × (2) ○ (3) × (4) ○
04 ㉠ 적색 거성 ㉡ 백색 왜성

03 (1) 원시별은 밀도가 높고 온도가 낮은 성운이 중력 수축하여 생성된다. 행성상 성운은 태양 정도의 질량을 가진 별의 진화 단계에서 나타나는 천체이다.
(3) 원시별은 중력 수축에 의해 에너지가 발생한다. 중심부에서 수소 핵융합 반응이 일어나는 것은 주계열성이다.

탄탄! 내신 다지기 208쪽~209쪽

01 ㄱ, ㄹ, ㅂ **02** ① **03** ④ **04** (가) 주계열성, (나), (다) 적색 거성, (라) 백색 왜성 **05** ⑤ **06** ① **07** ② **08** 질량: A>B, 경과 시간: A<B **09** c, 적색 거성 **10** ② **11** (가) 백색 왜성, (나) 중성자별이나 블랙홀, 질량: (가)<(나) **12** ⑤

01 H－R도에서 가로축은 별의 온도와 관련된 표면 온도, 분광형(스펙트럼형), 색지수로 나타내고, 세로축은 별의 밝기와 관련된 절대 등급, 광도로 나타낸다.

02 H－R도에서 세로축 위로 갈수록 광도가 크고, 오른쪽 위로 갈수록 밀도가 작으며, 가로축 왼쪽으로 갈수록 표면 온도가 높다.

더 알아보기 H－R도에서 가로축과 세로축의 물리량

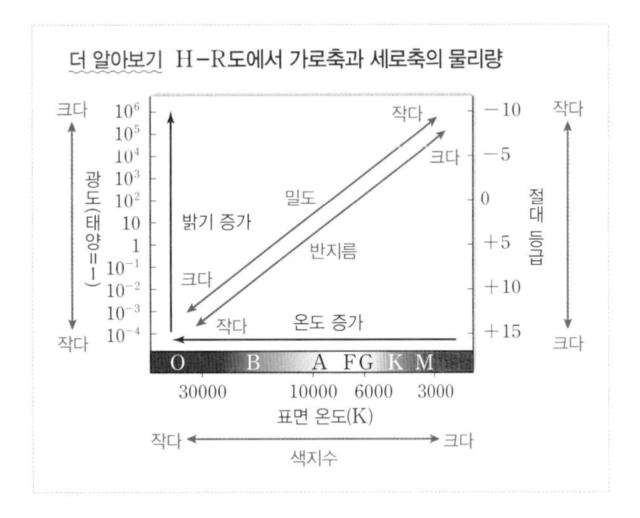

03 | 선택지 분석 |

ㄱ. (가)는 절대 등급, (나)는 표면 온도를 나타낸다.
➡ 세로축 물리량에는 별의 광도, 절대 등급이, 가로축 물리량에는 별의 표면 온도, 분광형(스펙트럼형), 색지수가 들어간다.

ㄴ. 주계열성의 표면 온도는 A＜B＜C 순이다.
➡ H－R도에서 왼쪽으로 갈수록 표면 온도가 높다. 따라서 주계열성의 표면 온도는 A＞B＞C 순이다.

ㄷ. 별 D는 별 E보다 평균 밀도가 작다.
➡ 오른쪽 위에서 왼쪽 아래로 갈수록 밀도가 크다.

04
H－R도상의 별을 그룹별로 나누었을 때, (가)는 왼쪽 상단에서 오른쪽 하단으로 내려오는 선 상에 있으므로 주계열성이다. (나)와 (다)는 H－R도의 오른쪽 위에 분포하므로 적색 거성이다. (라)는 H－R도의 왼쪽 아래에 분포하므로 백색 왜성이다.

05
적색 거성은 표면 온도가 낮은 별이지만 반지름이 매우 커서 밝게 보이며, 백색 왜성은 표면 온도는 높지만 반지름이 매우 작아서 어둡게 보이는 별이다.

06
알데바란 A는 적색 거성, 프로키온 B는 백색 왜성이다.

| 선택지 분석 |

① 레굴루스는 태양보다 질량이 작다.
➡ 주계열성에서는 광도가 큰 별일수록 표면 온도가 높고 질량이 큰 별이다. 따라서 레굴루스는 태양보다 질량이 크다.

② 프로키온 B는 태양보다 표면 온도가 높다.
➡ 프로키온 B는 백색 왜성이고, 태양은 주계열성이다. 프로키온 B의 분광형은 태양보다 표면 온도가 높은 A형이다.

③ 알데바란 A는 태양보다 반지름이 크다.
➡ 알데바란 A는 적색 거성으로 주계열성인 태양보다 반지름이 크다.

④ 레굴루스의 광도는 태양의 약 100배이다.
➡ 레굴루스와 태양은 모두 주계열성으로 등급 차이가 약 5등급이므로 광도는 약 100배 차이가 난다.

⑤ 레굴루스의 반지름은 알데바란 A보다 작다.
➡ 알데바란 A는 적색 거성으로 주계열성인 레굴루스보다 반지름이 크다. 또한 알데바란 A는 레굴루스보다 표면 온도는 낮지만 절대 등급이 같으므로 반지름은 알데바란 A가 레굴루스보다 더 크다는 것을 알 수 있다.

07
원시별의 에너지원은 중력 수축 에너지이고, 주계열성의 에너지원은 수소 핵융합 에너지이다.

08
주계열성이 되기까지의 경과 시간은 질량이 클수록 짧다. 원시별의 질량이 클수록 중력 수축 에너지가 많이 만들어져 별의 중심부와 표면 온도가 높고 밝게 보인다. 따라서 A가 B보다 질량이 크며, 주계열성이 되기까지의 경과 시간이 짧다.

더 알아보기 질량에 따른 원시별의 진화 경로와 원시별이 주계열성에 도달하는 데 걸리는 시간

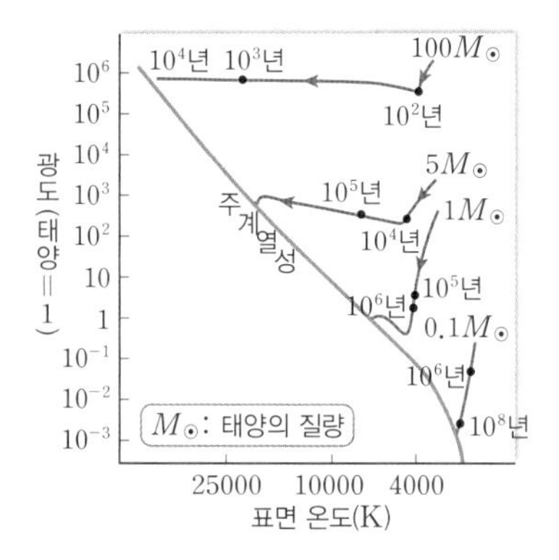

- 별의 질량이 클수록 중력 수축이 빠르게 일어나 빨리 주계열에 도달한다.
- 질량이 큰 원시별은 표면 온도가 높고, 광도가 큰 주계열성이 된다.

09
적색 거성은 별의 중심에서 수소 핵융합이 끝나고 헬륨으로 이루어진 중심핵이 중력 수축하며, 핵 외곽 수소 껍질부의 핵융합 반응으로 별의 바깥 부분이 급격히 팽창하여 형성된다.

10 | 선택지 분석 |

① 별의 중심핵은 중력 수축한다.
➡ 주계열성에서 거성 단계로 진화하는 과정에서 바깥층이 팽창하는 동안 중심부는 기체압보다 중력이 커져 수축한다.

② 별의 중심핵을 이루는 물질은 수소이다.
➡ 별의 중심부에서 수소가 소진되어 헬륨 핵이 된다.

③ 별 외곽부가 팽창하면서 광도가 크게 증가한다.
➡ 별 바깥층의 수소 핵융합으로 인해 부피가 엄청나게 팽창하면서 광도가 급증한다.

④ 중심핵 외곽부의 수소 껍질에서 수소 핵융합 반응이 일어난다.
➡ 별 바깥층에서 수소 핵융합이 일어난다.

⑤ 중심핵 외곽부에서 일어나는 수소 핵융합 반응으로 별의 표면 온도는 하강한다.
➡ 별의 외각부에서 수소 핵융합에 의해 별의 바깥 부분이 팽창하면서 반지름이 증가한다. 이때 별의 광도는 증가하지만 별의 부피가 팽창함에 따라 별의 표면 온도는 감소한다.

11 질량이 태양 정도인 별은 백색 왜성으로, 질량이 매우 큰 별은 중성자별이나 블랙홀로 진화한다.

12 (가)는 원시별, (나)는 주계열성, (다)는 적색 거성, (라)는 백색 왜성이다. 적색 거성 단계 이후 별은 맥동하며 별의 외곽에 있는 물질을 우주 공간으로 방출하는데, 이것이 행성상 성운이다.

도전! 실력 올리기

210쪽~211쪽

01 ③ **02** ④ **03** ④ **04** ① **05** ⑤ **06** ④

07 백색 왜성, C

08 | **모범 답안** | A: 원시별, B: 주계열성, 원시별(A)이 중력 수축에 의해 중심부 온도가 높아져서 약 1000만 K에 도달하면 수소 핵융합 반응이 일어나서 주계열성(B)이 된다.

09 | **모범 답안** | C: 적색 거성, 헬륨으로 이루어진 중심부의 중력 수축으로 발생한 에너지에 의해 헬륨 핵 바깥쪽의 수소층이 가열되어 수소 핵융합 반응이 일어난다. 따라서 별의 바깥층이 급격히 팽창하면서 적색 거성(C)으로 진화한다.

01 | **선택지 분석** |

ㄱ. 밀도가 가장 큰 별은 베텔게우스이다.
➡ H-R도에서 왼쪽 아래에 위치한 별일수록 밀도가 큰 별이므로 시리우스의 밀도가 가장 크다.

ㄴ. 반지름이 가장 큰 별은 시리우스이다.
➡ H-R도에서 오른쪽 위에 위치한 별일수록 반지름이 큰 별이므로 베텔게우스의 반지름이 가장 크다.

ㄷ. 표면 온도가 가장 높은 별은 스피카이다.
➡ 분광형이 O형인 별의 표면 온도가 가장 높고, 분광형이 M형 쪽으로 갈수록 별의 표면 온도가 낮아진다. 따라서 표면 온도가 가장 높은 별은 스피카이다.

02 | **선택지 분석** |

ㄱ. A는 D보다 질량이 작다.
➡ 주계열에서 왼쪽 위에 있을수록 질량이 크므로 A는 D보다 질량이 크다.

ㄴ. B와 D의 색은 비슷하다.
➡ B와 D는 표면 온도가 비슷하므로 색이 비슷하다.

ㄷ. A~D 중에서 가장 많이 진화한 단계의 별은 C이다.
➡ A와 D는 주계열성, B는 거성, C는 백색 왜성이므로, A~D 중에서 C가 가장 많이 진화한 단계의 별이다.

03 | **선택지 분석** |

ㄱ. 레굴루스의 질량은 태양보다 크다.
➡ H-R도에서 주계열성에 속하는 별들 중 왼쪽 위에 있는 별일수록 질량이 큰 별이다.

ㄴ. 프로키온 B의 밀도는 알데바란 A보다 작다.
➡ H-R도에서 왼쪽 아래에 있는 표면 온도가 높고 광도가 작은 별들은 백색 왜성으로 크기는 매우 작고 밀도는 크다. 반면, H-R도에서 오른쪽 위에 있는 표면 온도가 낮고 광도가 큰 별들은 거성으로 크기는 매우 크고 밀도는 작다.

ㄷ. 반지름은 알데바란 A>레굴루스>태양>프로키온 B의 순이다.
➡ 적색 거성인 알데바란 A의 크기가 가장 크고, 백색 왜성인 프로키온 B의 크기가 가장 작다. 주계열성 중에서는 광도가 큰 별일수록 반지름이 크다.

04 원시별에서 주계열성으로 진화하는 과정에서 에너지원은 중력 수축에 의한 에너지이다. 원시별에서 주계열성으로 진화할 때 반지름은 감소한다. 주계열에 도달할 때 질량이 가장 큰 별의 광도 변화가 가장 작다. 질량이 큰 원시별일수록 주계열에 빨리 도달하고, 중심핵의 온도가 높으며, 진화 속도도 빠르다.

05 | **선택지 분석** |

ㄱ. A는 백색 왜성이다.
➡ 태양과 비슷한 질량을 가진 별의 최종 진화 단계는 백색 왜성이다.

ㄴ. (가)는 (다)보다 별의 진화 속도가 느리다.
➡ 별의 질량이 클수록 진화 속도가 빠르다. 따라서 (가)가 (다)보다 진화 속도가 느리다.

ㄷ. (가)는 (나)보다 주계열성 단계에 머무는 시간이 길다.
➡ 별의 질량이 작을수록 에너지의 소모가 작아서 주계열성 단계에 머무는 시간이 길어진다. 따라서 (가)가 (나)보다 주계열성에 머무는 시간이 더 길다.

06 | **선택지 분석** |

ㄱ. 질량이 큰 주계열성일수록 더 빠른 속도로 진화한다.
➡ 질량이 큰 주계열성일수록 핵반응이 빠르게 일어나 더 빠른 속도로 진화한다.

ㄴ. 질량이 작은 주계열성일수록 진화 과정에서 표면 온도의 변화가 크게 일어난다.
➡ 태양보다 질량이 작은 별은 진화 과정에서 표면 온도의 변화는 거의 없으나 절대 등급의 변화가 크게 일어나고, 태양보다 질량이 큰 별은 진화 과정에서 절대 등급의 변화보다는 표면 온도의 변화가 크게 일어난다.

ㄷ. 태양보다 질량이 작은 주계열성은 적색 거성이나 초거성으로 진화하지 못하기도 한다.
➡ 태양보다 질량이 작은 별들은 거성이나 초거성의 단계를 거치지 못하고 백색 왜성으로 바로 진화하기도 한다.

07 백색 왜성은 밀도가 매우 큰 별로, 표면 온도가 높고 반지름이 태양보다 수십 배 이상 작다.

08 A: 원시별, B: 주계열성, 원시별(A)이 중력 수축에 의해 중심부 온도가 높아져서 약 1000만 K에 도달하면 수소 핵융합 반응이 일어나서 주계열성(B)이 된다.

채점 기준	배점
명칭을 모두 옳게 쓰고, 과정을 옳게 서술한 경우	100 %
명칭만 옳게 쓴 경우	50 %

09 헬륨으로 이루어진 중심부는 중력 수축하며, 이때 발생한 에너지에 의해 헬륨 핵 바깥쪽의 수소층이 가열되어 수소 핵융합 반응이 일어난다. 따라서 별의 바깥층이 급격히 팽창하면서 적색 거성(C)으로 진화한다.

채점 기준	배점
명칭을 옳게 쓰고, 과정을 옳게 서술한 경우	100 %
명칭만 옳게 쓴 경우	50 %

실전! 수능 도전하기

213쪽~215쪽

01 ⑤ 02 ② 03 ② 04 ③ 05 ② 06 ② 07 ⑤ 08 ②
09 ④ 10 ⑤ 11 ① 12 ③

01 | 선택지 분석 |

㉠ (가)는 (나)보다 표면 온도가 높다.
➡ 빈의 변위 법칙에 의해 최대 복사 에너지를 방출하는 파장(λ_{max})은 표면 온도(T)와 반비례하므로, 표면 온도는 (가)가 (나)보다 높다.

㉡ (가)의 색지수인 (B−V)는 (−)이다.
➡ (가)는 B 필터의 파장 영역에 해당하는 면적이 V 필터의 파장 영역에 해당하는 면적보다 넓다. 따라서 B 등급이 V 등급보다 작으므로 색지수인 (B−V)는 (−)이다.

㉢ (나)는 U 등급이 B 등급보다 크다.
➡ (나)는 U 필터의 파장 영역에 해당하는 면적이 B 필터의 파장 영역에 해당하는 면적보다 좁다. 따라서 (나)는 U 등급이 B 등급보다 크다.

02 | 선택지 분석 |

ㄱ. a별은 태양과 같은 색의 별이다.
➡ 태양은 G형의 별로 b와 색이 같다.

㉡ b별의 표면 온도가 가장 낮다.
➡ 별의 표면 온도는 c>a>b의 순이다.

ㄷ. c별의 반지름이 가장 크다.
➡ $L=4\pi R^2\cdot\sigma T^4$에서 $R\propto\frac{\sqrt{L}}{T^2}$이다. 별 a와 b의 광도가 c보다 크고 별 b의 표면 온도가 가장 낮으므로 별 b의 반지름이 가장 크다.

03 | 선택지 분석 |

ㄱ. (가)는 ㉢, (나)는 ㉡, (다)는 ㉠에 해당한다.
➡ H−R도에서 광도는 절대 등급과 관련이 있으며, 색지수는 표면 온도나 스펙트럼형(분광형)과 관련이 있다. 따라서 표와 그림을 비교해 보면 (가)는 ㉠, (나)는 ㉡, (다)는 ㉢이다.

㉡ 밀도가 가장 작은 별은 (나)이다.
➡ H−R도에서 왼쪽 아래에 위치할수록 밀도가 크다.

ㄷ. (다)는 거성 또는 초거성이다.
➡ 주계열의 오른쪽 위에 위치한 (나)는 거성 또는 초거성이고, 주계열성의 왼쪽 아래에 위치한 (다)는 백색 왜성이다.

04 | 선택지 분석 |

① A의 중심핵은 철(Fe)로 이루어져 있다.
➡ A는 백색 왜성으로 중심핵에는 철(Fe)을 갖지 않는다.

② B의 중심에서는 헬륨 핵융합이 일어나고 있다.
➡ B는 태양과 표면 온도나 광도가 비슷한 주계열성으로 중심에서는 수소 핵융합 반응 중 양성자·양성자 반응(p−p 반응)이 일어나고 있다.

③ 색지수는 C가 가장 크다.
➡ C는 적색 거성으로 표면 온도가 가장 낮으므로 색지수는 가장 크다.

④ 밀도는 A가 B보다 작다.
➡ 밀도는 백색 왜성인 A가 주계열성인 B보다 크다.

⑤ 겉보기 등급은 B가 C보다 작다.
➡ 별 A, B, C는 거리가 거의 비슷하므로, 절대 등급이 작은 C가 B보다 겉보기 등급도 작다.

05 | 선택지 분석 |

ㄱ. 밀도
➡ A는 주계열성이고, B는 적색 거성이다. H−R도에서 오른쪽 위로 갈수록 밀도가 작으므로 A가 B보다 밀도가 크다.

㉡ 반지름
➡ 광도(L)는 비슷한데 표면 온도(T)는 A가 B보다 높으므로 반지름(R)은 A가 B보다 작다. ($L\propto R^2\cdot T^4$)

ㄷ. 중심부에서의 수소 함량비
➡ 중심부에서 수소 핵융합 반응을 하는 A가 B보다 중심부에서의 수소 함량비가 더 크다.

06 | 선택지 분석 |

ㄱ. 색지수가 클수록 별의 질량은 크다.
➡ H−R도에서 주계열성은 좌측 상단에 분포할수록 표면 온도가 높고 광도가 크며, 질량이 크다.

㉡ 질량이 클수록 별의 반지름은 크다.
➡ H−R도에서 주계열성은 좌측 상단에 분포할수록 표면 온도가 높고 광도가 크며, 반지름과 질량이 크고, 색지수가 작다.

ㄷ. 별 A의 질량은 태양의 10배이다.
➡ 그림 (가)에서 별 A는 태양보다 절대 등급이 5등급 낮으므로 광도는 100배 더 밝다. 그림 (나)에서 태양보다 광도가 100배인 경우 질량은 태양의 10배가 되지 못한다.

07 | 선택지 분석 |

ㄱ. A는 B보다 질량이 크다.
➡ 원시별의 질량이 클수록 주계열의 왼쪽 위에 도달하여 광도가 큰 주계열성이 된다.

ㄴ. A는 B보다 더 빠른 시간에 주계열성이 된다.
➡ 원시별의 질량이 클수록 주계열에 도달하는 데 걸리는 시간이 짧다.

ㄷ. A와 B 모두 주계열성이 될 때까지 중력 수축 에너지가 주요 에너지원이다.
➡ 주계열 단계에 이르기 전까지의 주요 에너지원은 중력 수축 에너지이다.

08 | 선택지 분석 |

① B는 파란색 별이다.
➡ B는 색지수가 0.6 정도로 노란색 별이다. 색지수가 0인 별이 표면 온도 10000 K인 흰색 별이고, 색지수가 0보다 작은 별은 파란색을 나타내므로 B는 파란색 별이 아니다.

② 실제 밝기는 A가 B보다 밝다.
➡ A의 절대 등급은 약 3등급, B의 절대 등급은 약 5등급이다. 그러므로 실제 밝기는 A가 B보다 밝다.

③ 질량은 A가 B보다 작다.
➡ H-R도에서 A가 B보다 더 왼쪽 위에 위치하므로 질량은 A가 B보다 크다.

④ 반지름은 A가 B보다 작다.
➡ H-R도에서 A가 B보다 더 왼쪽 위에 위치하므로 반지름은 A가 B보다 크다.

⑤ 표면 온도는 A가 B보다 낮다.
➡ 색지수가 A가 B보다 작으므로 표면 온도는 A가 B보다 높다.

09 | 선택지 분석 |

① 색지수는 A가 C보다 크다.
➡ A는 C보다 표면 온도가 높으므로 색지수가 작다.

② 질량은 B가 A보다 크다.
➡ B는 A보다 표면 온도가 낮고 광도도 작으므로 질량이 작다.

③ 절대 등급은 D가 B보다 크다.
➡ D는 B보다 광도가 크므로 절대 등급이 작다.

④ 주계열에 머무는 기간은 B가 A보다 길다.
➡ B는 A보다 질량이 작아 에너지 소모도 적으므로 주계열에 머무는 기간이 길다.

⑤ B의 중심핵에서는 헬륨 핵융합 반응이 일어난다.
➡ B는 주계열성이므로 중심핵에서 수소 핵융합 반응이 일어난다.

10 | 선택지 분석 |

ㄱ. (가)의 ㉠에서 ㉡으로 진화하는 동안 광도는 증가한다.
➡ ㉠에서 ㉡으로 진화하는 동안 절대 등급이 커지므로 광도는 감소한다.

ㄴ. (가)의 ㉡에 도달하면 중심에서 수소 핵융합 반응이 시작된다.
➡ 원시별이 ㉡에 도달하면 수소 핵융합이 시작되며 영년 주계열에 위치한다.

ㄷ. (나)는 (가)의 ㉢ 단계에 해당하는 별의 내부 모습이다.
➡ (나)는 (가)의 ㉢ 단계에 해당하는 적색 거성의 내부 구조이다.

11 | 선택지 분석 |

ㄱ. A → B 과정에서 별의 반지름이 작아진다.
➡ 전주계열성은 중력 수축에 의해 반지름이 점점 줄어들면서 별 내부의 불투명도가 증가해 광도가 감소한다.

ㄴ. B → C 과정에서 별의 중심부에서의 주요 에너지원은 수소 핵융합 반응이다.
➡ 주계열성의 중심부에서는 수소 핵융합 반응이 일어난다. 주계열성의 중심부에서 수소가 고갈되면 더 이상 수소 핵융합 반응이 일어나지 않으므로 헬륨으로 이루어진 중심부가 수축한다. 이때 별의 바깥층은 팽창하여 반지름이 커지고 광도가 급증하면서 적색 거성이 된다.

ㄷ. A~C 중 C의 표면 온도가 가장 높다.
➡ H-R도의 왼쪽에 위치할수록 표면 온도가 높으므로 A~C 중 B의 표면 온도가 가장 높다.

12 | 선택지 분석 |

ㄱ. 별의 질량은 (가)가 (나)보다 크다.
➡ 초신성 폭발을 거쳐 중성자별이나 블랙홀이 되는 (가)는 상대적으로 질량이 큰 별의 진화 경로이고, 마지막 단계가 백색 왜성인 (나)는 상대적으로 질량이 작은 별의 진화 경로이다.

ㄴ. A 과정에 머무는 시간은 (가)가 (나)보다 짧다.
➡ 질량이 큰 별은 수소 핵융합 반응을 통해 더 많은 에너지를 만들어내는데, 이때 소모되는 수소의 양이 많아 주계열성으로 지내는 시간이 짧고 수명이 짧다.

ㄷ. 천체의 밀도는 (나)가 (가)보다 크다.
➡ 백색 왜성보다 중성자별과 블랙홀의 밀도와 중력이 더 크다.

03 별의 에너지원과 내부 구조

콕콕! 개념 확인하기

219쪽

✓ 잠깐 확인!

1 질량 에너지 등가 원리 **2** 핵융합 **3** CNO 순환 반응 **4** 정역학 평형 **5** 복사 **6** 대류

01 (1) ○ (2) × (3) × (4) ○ **02** (1) 수소 핵융합 반응 (2) 양성자·양성자(p-p) (3) 탄소·질소·산소(CNO)
03 ㉠ 복사, ㉡ 대류 **04** (가) < (나) **05** (1) 철 (2) 무거운

01~02 수소 핵융합 반응은 주계열성의 에너지원으로, 중심부의 온도가 1000만 K 이상일 때 수소 원자핵 4개가 융합하여 1개의 헬륨 원자핵을 만들며, 이 과정에서 줄어든 질량이 에너지로 전환된다. 별의 질량에 따라 태양 정도의 별

에서는 양성자·양성자(p-p) 반응이, 태양 질량의 약 1.5배가 넘는 별에서는 탄소·질소·산소 순환 반응이 우세하게 일어난다.

04 질량이 태양 정도인 주계열성은 중심부에 복사층, 바깥쪽에 대류층이 발달한다. 질량이 태양의 약 1.5배가 넘는 별은 대류핵과 복사층으로 구성되어 있다.

개념POOL 221쪽

01 B가 A보다 질량이 크고 온도가 높다.
02 (1) 양성자·양성자 반응 (2) 탄소·질소·산소 순환 반응

탄탄! 내신 다지기 222쪽~223쪽

01 중력 수축 에너지 **02** ⑤ **03** 18×10^{16} J **04** ④ **05** C(탄소), N(질소), O(산소) **06** ④ **07** ③ **08** 태양과 질량이 비슷한 별, 질량이 태양의 약 1.5배 이하 **09** ④ **10** ⑤ **11** (나) **12** ⑤

01 원시별에서는 기체압보다 중력이 더 크게 작용하여 중력 수축이 일어나고, 이때 위치 에너지가 다른 에너지(열에너지와 운동 에너지)로 바뀐다.

02 | 선택지 분석 |

ㄱ 수소 원자핵 4개가 융합하여 헬륨 원자핵 1개를 생성한다.
➡ 수소 핵융합 반응은 수소 원자핵 4개가 융합하여 헬륨 원자핵 1개를 생성하는 반응이다.

ㄴ 핵융합 반응에서 감소한 질량이 에너지로 변한다.
➡ 핵융합 반응 후에 질량이 줄어드는데, 이 줄어든 질량이 에너지로 전환된다.

ㄷ 태양도 이와 같은 반응으로 에너지를 생성한다.
➡ 태양도 주계열성이므로 수소 핵융합 과정을 통해 에너지를 생성한다.

03 질량 에너지 등가 원리에 의해 핵융합을 통해 만들어지는 에너지의 양 $E=\Delta mc^2$이다. 따라서 생성된 에너지의 양은 $2\ \text{kg}\times(3\times10^8\ \text{m/s})^2=18\times10^{16}$ J이다.

더 알아보기 수소 핵융합 반응 시 질량 결손 비율

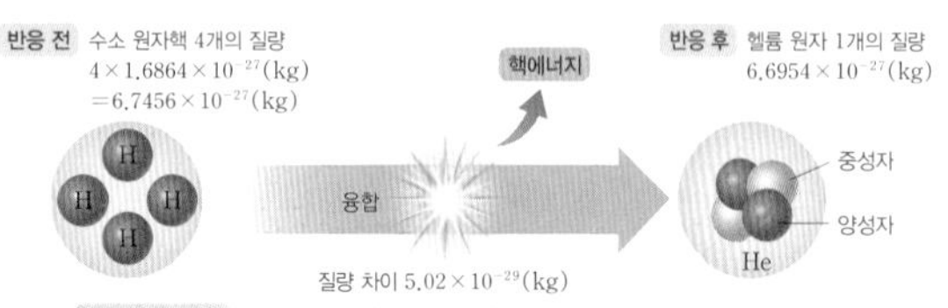

수소 원자핵 4개가 반응할 때 5.02×10^{-29} kg의 질량 결손이 생긴다. 즉, 수소 핵융합 반응 시에는 약 0.7 %의 질량 결손이 생긴다. 태양의 수소 중 핵융합 반응을 일으키는 양은 중심부의 약 15 %인데, 현재 태양의 광도를 고려할 때 태양 중심부의 수소가 모두 헬륨으로 변하는 데 약 100억 년이 걸린다.

04 그림은 양성자·양성자 반응(p-p 반응)으로 태양 정도의 질량을 가진 주계열성에서 우세하게 일어난다. 핵융합 과정에서 결손된 질량이 에너지로 변환되어 방출된다.

05 그림은 탄소·질소·산소 순환 반응(CNO 순환 반응)이다. 이 과정에서 탄소, 질소, 산소는 촉매 역할을 하며, 소모된 물질과 최종 산물은 p-p 반응과 동일하다.

06 | 자료 분석 |

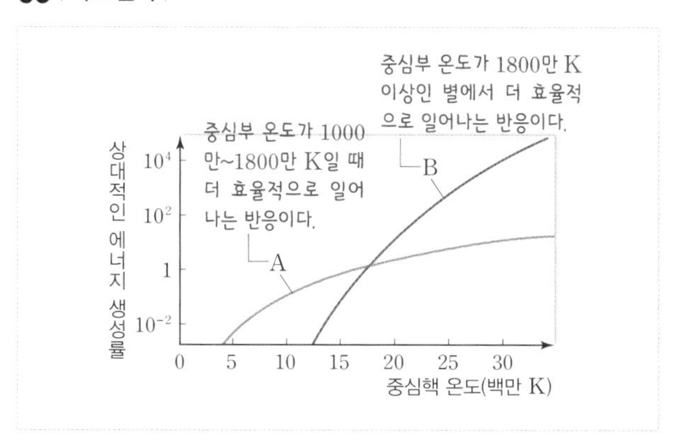

| 선택지 분석 |

ㄱ 태양의 내부에서는 A가 우세하게 일어난다.
➡ A는 별의 질량이 태양과 비슷하거나 질량이 작은 별에서 일어나는 p-p 반응이다.

ㄴ B는 p-p 반응이다.
➡ B는 질량이 태양 질량보다 1.5배가 넘는 별에서 일어나는 CNO 순환 반응이다.

ㄷ A, B 반응 후에 헬륨이 만들어진다.
➡ 두 반응 모두 마지막에 헬륨이 만들어진다.

07 태양과 같은 주계열성의 내부는 수축하려는 중력과 팽창하려는 기체압이 평형을 이루고 있어 별의 크기가 일정하게 유지된다.

08 안쪽에 복사층, 바깥층에 대류층으로 구성되어 있으므로 질량이 태양의 약 1.5배 이하인 주계열성이다.

09 (가)는 질량이 태양 정도인 별, (나)는 질량이 태양의 약 1.5배보다 큰 별의 에너지 전달 방식이다.

| 선택지 분석 |

ㄱ 질량
➡ (나)의 내부에 대류가 일어나는 것으로 보아 질량은 (나)가 (가)보다 크다.

ㄴ 표면 온도
➡ 질량이 큰 주계열성일수록 표면 온도가 높다.

ㄷ 반지름
➡ 질량이 큰 주계열성일수록 반지름도 크다.

✗ 별의 수명
➡ 질량이 큰 주계열성일수록 진화 속도가 빨라 수명이 짧다.

10 별의 중심에서 핵융합으로 만들어질 수 있는 원소는 철보다 원자량이 작은 원소들이다.

더 알아보기 **핵융합 반응이 일어나는 순서**

반응 원소	생성 원소	온도
수소	헬륨	↓
헬륨	탄소, 산소	
탄소	산소, 네온, 마그네슘	
네온	마그네슘	
산소	규소, 황	
규소	철	높다

11 질량이 충분히 큰 별은 적색 거성 단계를 지나 여러 단계의 핵반응을 거쳐 마지막에는 중심부에 철로 된 핵이 생성된다.

더 알아보기 **핵융합의 종착점**
핵융합의 경우 철보다 무거운 원자핵이 만들어지면 불안정해지고, 핵분열의 경우 철보다 가벼운 원자핵이 만들어지면 불안정해지므로, 두 핵반응의 종착점에 만들어지는 원소는 모두 철이다.

12 | **선택지 분석** |

ㄱ (나)는 (가)보다 별의 질량이 크다.
➡ 태양 질량의 10배 이상인 별은 내부의 온도가 높아 철을 생성하는 핵융합 반응이 일어난다. (나)의 별의 내부에 철까지 생성되었으므로, 별의 질량은 (나)가 (가)보다 크다.

ㄴ (나)는 (가)보다 별의 중심 온도가 더 높다.
➡ (나)의 별에서 철이 생성된 것으로 보아 내부의 온도가 (가)보다 높다.

ㄷ 초신성 폭발을 일으키는 별은 (나)이다.
➡ 철이 생성된 질량이 큰 별에서 초신성 폭발을 일으킨다.

도전! 실력 올리기 224쪽~225쪽

01 ① **02** ⑤ **03** ① **04** ② **05** ③ **06** ①

07 | **모범 답안** | (가)는 질량이 태양 정도인 별의 내부 구조이고, (나)는 태양 질량의 약 1.5배 이상인 별의 내부 구조이다. 질량이 클수록 중심 온도가 높으므로, 질량이 작은 (가)가 (나)보다 중심 온도가 낮고, 진화 속도가 느리다.
08 (가) 양성자·양성자 반응 (나) 탄소·질소·산소 순환 반응
09 | **모범 답안** | 철(Fe), 철보다 원자량이 큰 물질은 초신성 폭발 시 방출되는 에너지에 의해 생성된다.

01 | **선택지 분석** |

ㄱ (가)와 (나)에서는 수소 핵융합 반응이 일어난다.
➡ 주계열성은 수소 핵융합 반응을 통해 에너지를 생성한다.

✗ (다)의 에너지원은 중력 수축 에너지이다.
➡ (가)~(다) 모두 주계열성이므로 수소 핵융합 반응을 한다. 중력 수축 에너지는 아직 주계열에 도달하지 못한 원시별의 에너지원이다.

✗ (가)~(다) 중 (다)에서 CNO 순환 반응이 가장 활발하다.
➡ CNO 순환 반응은 질량이 큰 별에서 주로 일어난다. 따라서 왼쪽 위에 있는 (가)에서 가장 활발하다.

02 | **선택지 분석** |

ㄱ 탄소, 질소, 산소는 촉매의 역할을 한다.
➡ 그림은 수소 핵융합 반응 중 CNO 순환 반응을 나타낸 것으로, 별의 질량이 태양의 약 1.5배 이상인 별에서 우세하게 일어나는 반응이다.

ㄴ 이 별은 정역학적 평형 상태를 유지하고 있다.
➡ 수소 핵융합 반응이 일어나고 있는 별은 주계열 단계에 있는 별이므로 정역학 평형 상태를 유지하는 별이다.

ㄷ 이 별의 중심부에서는 대류의 형태로 에너지가 전달된다.
➡ 질량이 큰 별의 중심부는 대류의 형태로 에너지가 전달되고, 표면에서는 복사의 형태로 에너지가 전달된다.

03 | **선택지 분석** |

ㄱ (가)의 질량은 (나)보다 작다.
➡ (가)는 질량이 태양 정도인 별의 내부이고, (나)는 질량이 태양의 약 1.5배 이상인 별의 내부이다.

✗ (가)의 중심핵에서는 탄소가 촉매 역할을 하는 반응이 우세하다.
➡ 질량이 태양 정도인 별에서는 양성자·양성자 반응이 우세하다.

✗ (나)의 중심핵에서는 양성자·양성자 반응이 우세하다.
➡ 질량이 태양의 약 1.5배 이상인 별에서는 탄소·질소·산소 순환 반응이 우세하다.

04 | **선택지 분석** |

✗ 광도와 표면 온도 모두 증가한다.
➡ 주계열성에서 거성으로 진화할 때 반지름이 증가하므로 별의 광도는 증가하고 표면 온도는 약간 감소한다.

✗ 거성에서 초거성으로 진화하는 단계이다.
➡ 중심부는 수축하고 수소각 연소가 이루어지고 있으며, 외층은 팽창하고 있는 것으로 보아 주계열성에서 거성으로 진화하는 단계임을 알 수 있다.

ㄷ 헬륨의 중력 수축 에너지가 바깥쪽의 수소를 융합시킨다.
➡ 중심부의 헬륨이 중력 수축을 하면서 발생한 에너지가 바깥쪽의 수소에 공급되어 수소각 연소가 이루어진다.

05 | 선택지 분석 |

㉠ (가)는 거성의 내부 구조를 나타낸 것이다.
➡ (가)는 중심부에 헬륨 핵이 있으므로 거성의 내부 구조이다.

㉡ (나)는 (다)보다 질량이 작다.
➡ (나)는 질량이 태양 정도인 주계열성의 내부 구조이고, (다)는 태양 질량의 약 1.5배 이상인 주계열성의 내부 구조이다.

✕ (다)는 중심핵의 수소핵 융합 반응이 끝난 별의 내부 구조이다.
➡ 주계열을 이탈한 별의 내부 구조는 거성의 내부 구조인 (가)이다.

06 | 선택지 분석 |

㉠ 질량은 (가)가 (나)보다 작다.
➡ 헬륨 핵융합 반응을 거쳐 탄소 핵이 생성된 (가)보다 여러 가지 핵융합 반응을 거쳐 철(Fe)로 이루어진 중심핵이 생성된 (나)가 질량이 더 크다.

✕ 중심 온도 및 압력은 (가)가 (나)보다 높다.
➡ 질량이 큰 별일수록 중심핵에서의 압력과 온도가 더 높아서 무거운 원소의 핵융합 반응이 일어나게 된다.

✕ (가)는 주계열성, (나)는 적색 거성의 내부 구조이다.
➡ (가)와 같이 헬륨 핵융합 반응을 통해 탄소 핵이 만들어진 별은 적색 거성 단계의 내부 구조이고, (나)와 같이 여러 가지 원소들이 층을 이루고, 가장 중심에 철(Fe)의 핵이 나타나는 별은 초거성 단계의 내부 구조이다.

07 (가)는 질량이 태양 정도인 별의 내부 구조이고, (나)는 태양 질량의 약 1.5배 이상인 별의 내부 구조이다. 질량이 클수록 중심 온도가 높으므로, 질량이 작은 (가)가 (나)보다 중심부의 온도가 낮고, 진화 속도가 느리다.

채점 기준	배점
질량, 중심 온도, 진화 속도를 모두 비교하여 서술한 경우	100 %
질량, 중심 온도, 진화 속도 중 하나만 비교하여 서술한 경우	50 %

08 핵융합 반응 중 탄소·질소·산소 순환 반응은 중심부의 온도가 높은 (나)에서 우세하게 일어난다.

09 별의 중심부에서 핵융합 반응으로 만들어질 수 있는 원소 중 원자량이 가장 큰 원소는 철(Fe)이고, 철보다 원자량이 큰 물질은 초신성 폭발 시 방출되는 에너지에 의해 생성된다.

채점 기준	배점
원소의 명칭을 적고, 초신성 폭발을 언급하여 물질 생성 과정을 옳게 서술한 경우	100 %
원소의 명칭만 옳게 쓴 경우	50 %

04 외계 행성계와 외계 생명체 탐사

탐구POOL 230쪽

01 (1) 증가, 멀어 (2) G형 (3) 높고, 크다

콕콕! 개념 확인하기 231쪽

✓ 잠깐 확인!

1 외계 행성계 **2** 도플러 효과 **3** 중력 렌즈 현상 **4** 생명 가능 지대 **5** 물 **6** 세티 프로젝트

01 (1) 외계 행성 (2) 도플러 효과 **02** (1) × (2) × (3) ○ (4) ○ **03** 중력 렌즈 **04** (1) ○ (2) × (3) ○ (4) × **05** ㉠ 액체 ㉡ 물

02 (1) 별이 관측자에게 다가오면 별빛의 파장이 짧아지고, 멀어지면 파장이 길어진다.
(2) 도플러 효과를 이용하여 외계 행성을 탐사하려면 행성을 거느린 별에서 나오는 빛의 스펙트럼을 관측해야 한다.

03 앞쪽 별의 중력 때문에 뒤에서 오는 별빛이 휘어져 관찰되는 현상은 중력 렌즈 현상이다.

04 (2) 별의 광도가 클수록 생명 가능 지대는 중심별로부터 멀어진다.
(4) 생명 가능 지대는 별의 진화에 따라 폭이 넓어지고 거리가 멀어진다.

05 생명 탄생에 가장 중요한 요소는 액체 상태의 물이며, 외계 생명체의 기본 구성 물질은 탄소일 가능성이 높다.

탄탄! 내신 다지기 232쪽~233쪽

01 ㄱ, ㄷ **02** ③ **03** ③ **04** ⑤ **05** ③ **06** ④ **07** ③ **08** ⑤ **09** ③

01 외계 행성계 탐사 방법에는 중심별의 시선 속도 변화를 이용하는 방법, 식현상을 이용하는 방법, 미세 중력 렌즈 효과를 이용하는 방법 등이 있다.

| 선택지 분석 |

㉠ 외계 행성에 의한 식현상을 이용하는 방법
➡ 지구의 관측자와 시선 방향이 나란한 경우 식현상을 이용해 외계 행성을 찾아낼 수 있다.

✕ 우주 왕복선을 보내어 외계 행성계를 촬영하는 방법
➡ 외계 행성계는 태양계 밖의 천체로 우주 왕복선을 직접 보낼 만큼의 과학 기술이 발달하지 못했다.

ㄷ 중심별의 스펙트럼에 나타나는 도플러 효과를 이용하는 방법
➡ 중심별의 시선 속도 변화를 이용하여 외계 행성계를 찾아낼 수 있다.

ㄹ 외계 행성의 위상 변화를 관찰하는 방법
➡ 외계 행성은 너무 멀리 있어서 행성 자체를 직접 관측하기는 불가능하며, 특히 위상 변화와 같은 현상은 달이나 금성처럼 가까운 천체만 관측이 가능하다.

02 | 선택지 분석 |

ㄱ (가)는 별의 밝기 변화를 관측하여 외계 행성을 탐사한다.
➡ (가)는 식현상에 의한 밝기 변화를 이용한 탐사 방법이다.

ㄴ (나)는 도플러 효과를 이용하여 행성을 찾아낸다.
➡ (나)는 도플러 효과를 이용한 탐사 방법으로 중심별의 도플러 효과를 측정한다.

ㄷ 질량이 작은 행성은 (나)와 같은 방법으로 관측하기 유리하다.
➡ (나)는 도플러 효과를 이용한 외계 행성 탐사 방법으로, 행성의 질량이 클수록 행성의 존재를 확인하기 쉽다.

03 행성과 중심별은 공통 질량 중심 주위를 공전하므로 별의 스펙트럼을 분석하면 도플러 효과에 의한 이동 정도를 알아낼 수 있다.

04 | 선택지 분석 |

ㄱ 행성이 중심별 앞을 지날 때는 별의 밝기가 줄어든다.
➡ 행성은 빛을 내지 못하기 때문에 별의 앞을 지나가면 행성의 면적만큼 별의 밝기가 감소한다.

ㄴ 행성의 지름이 클수록 별의 밝기 변화가 심하다.
➡ 행성의 면적이 크면 별의 빛을 가리는 면적이 늘어나 밝기가 더 많이 감소한다.

ㄷ 식현상이 일어날 때 행성의 크기와 대기 성분을 알 수 있다.
➡ 행성의 크기는 식현상으로 감소한 광도로 구할 수 있고, 대기 성분은 식이 일어날 때 별빛의 스펙트럼을 관측하여 알 수 있다.

05 | 선택지 분석 |

ㄱ 행성의 반지름은 A가 B보다 크다.
➡ A에 의한 광도의 감소 폭이 B보다 더 크게 나타나므로, A가 B보다 반지름이 크다.

ㄴ A에 의한 식현상이 B보다 더 자주 일어난다.
➡ B는 A보다 공전 궤도 반지름이 길어 공전 주기가 더 길기 때문에 식현상이 일어나는 주기가 더 길다.

ㄷ A에 의한 식현상은 B보다 오래 지속된다.
➡ B는 A보다 공전 궤도 반지름이 길어 공전 주기가 더 길기 때문에 더 오래 지속된다.

06 | 선택지 분석 |

ㄱ 외계 행성의 시선 속도 변화를 직접 측정하여 알아낸 자료이다.
➡ 도플러 효과를 이용한 외계 행성 탐사법은 중심별의 스펙트럼에 나타난 시선 속도 변화를 측정하는 것이다.

ㄴ 외계 행성이 중심별에 가까이 있을수록 쉽게 발견된다.
➡ 외계 행성이 중심별에서 멀리 떨어져 있을수록 중심별에 미치는 중력 효과가 감소하여 도플러 효과에 의한 파장 변화도 감소한다.

ㄷ 발견된 외계 행성들의 질량은 대부분 지구보다 클 것이다.
➡ 외계 행성들의 질량은 대부분 목성 질량의 0.1~10배 정도(지구 질량의 30~3000배 정도)이다.

07 중심별에서 멀어지면 행성의 온도가 낮아져 생명체가 살기 어렵다.

08 | 선택지 분석 |

ㄱ 생명 가능 지대에 있는 행성에는 액체 상태의 물이 존재할 수 있다.
➡ 별의 둘레에서 물이 액체 상태로 존재할 수 있는 범위를 생명 가능 지대라고 한다.

ㄴ 중심별의 질량이 클수록 생명 가능 지대의 거리는 별에서 멀어진다.
➡ 중심별의 질량이 클수록 별의 광도가 증가하므로 생명 가능 지대는 별에서 멀어진다.

ㄷ 태양계 행성 중 지구만이 생명 가능 지대에 위치한다.
➡ 태양계 행성 중에서 지구만이 생명체가 거주할 가능성이 있는 영역에 포함된다.

09 | 선택지 분석 |

ㄱ 케플러-186 행성계 중심별의 질량이 가장 작다.
➡ 생명 가능 지대는 별의 광도가 클수록 중심별로부터 더 멀리, 더 넓게 분포한다. 따라서 케플러-186 행성계 중심별의 질량이 가장 작고, 케플러-452b 행성계 중심별의 질량이 가장 크다.

ㄴ 케플러-452 행성계 중심별의 수명이 케플러-186 행성계 중심별보다 길 것이다.
➡ 질량이 큰 별일수록 표면 온도는 높고, 수명은 짧다.

ㄷ 외계 행성 케플러-452b에는 액체 상태의 물이 존재할 수 있다.
➡ 외계 행성 케플러-452b는 생명 가능 지대 안에 있으므로 물이 존재할 수 있다.

도전! 실력 올리기 234쪽~235쪽

01 ⑤ **02** ③ **03** ⑤ **04** ② **05** ③ **06** ③

07 | 모범 답안 | ㉠ 방향으로 공전, A에서 청색 편이가 가장 크게 나타나고 이후 파장이 길어지다가 다시 짧아지므로 별이 처음에 지구와 가까워졌다가 다시 멀어져야 한다. 따라서 행성은 ㉠ 방향으로 공전해야 한다.

08 별 B의 밝기 변화

09 | 모범 답안 | 뒤쪽 별의 밝기가 불규칙하게 변하는 까닭은 행성의 중력에 의한 미세 중력 렌즈 현상이 추가로 작용하기 때문이다.

01 | 선택지 분석 |

㉠ 중심별의 위치를 나타낸 것은 1, 2이다.
➡ 공통 질량 중심으로부터 가까운 위치에 있는 1, 2가 중심별이다.

㉡ 외계 행성을 탐사하기 위해서는 1, 2의 스펙트럼을 관측해야 한다.
➡ 중심별의 스펙트럼을 통해 중심별의 도플러 효과를 측정한다.

㉢ 1′, 2′의 질량이 클수록 탐사에 유리하다.
➡ 외계 행성의 질량이 클수록 중심별의 움직임이 커서 도플러 효과가 더 크게 일어난다.

02 | 선택지 분석 |

㉠ 지구형 행성을 찾는 까닭은 목성형 행성에 비해 생명체가 존재할 가능성이 더 크기 때문이다.
➡ 지구형 행성을 찾는 까닭은 지구와 비슷한 환경의 행성에 생명체가 존재할 가능성이 크기 때문이다.

✕ 케플러 우주 망원경은 도플러 효과를 이용하여 외계 행성을 찾는다.
➡ 케플러 우주 망원경은 식현상을 이용하여 외계 행성을 찾는다.

㉢ 발견된 외계 행성의 공전 궤도면은 대부분 시선 방향에 나란하다.
➡ 외계 행성의 공전 궤도면이 시선 방향과 거의 나란해야 식현상이 일어날 수 있다.

03 | 선택지 분석 |

㉠ 중심별의 밝기가 어두워지는 까닭은 식현상 때문이다.
➡ 중심별의 밝기가 어두워지는 까닭은 식현상 때문이다.

㉡ A는 행성의 공전 주기가 길수록 길어진다.
➡ A는 행성이 중심별 앞면을 통과하는 데 걸린 시간으로 공전 주기가 길수록 길어진다.

㉢ B는 행성의 반지름이 클수록 커진다.
➡ 행성의 반지름이 클수록 중심별을 가리는 면적이 커서 중심별의 밝기가 어두워지는 정도(B)가 크다.

04 | 선택지 분석 |

✕ (가)는 이동하고 있는 별의 광도 변화를 나타낸다.
➡ (가)의 밝기 변화는 멀리 있는 별의 광도 변화이다

㉡ (나)는 외계 행성에 의해서 추가된 효과이다.
➡ (나)는 외계 행성에 의해 추가된 효과로 나타나는 미세 중력 렌즈 현상이다.

✕ 외계 행성의 공전에 의해 주기적으로 나타난다.
➡ 미세 중력 렌즈 현상은 같은 별에서 2번 이상 일어나는 경우가 거의 없는 우연히 일어나는 현상이다.

05 | 선택지 분석 |

㉠ 중심별까지의 거리가 가까운 행성들이 식현상에 의한 탐사가 비교적 쉽게 이루어진다.
➡ 중심별까지의 거리가 가까워야 식현상을 구별하기 쉽다.

✕ 목성과 질량이 같은 외계 행성들은 중심별로부터의 거리가 거의 같다.
➡ 목성과 질량이 같은 외계 행성들 중에는 목성보다 중성별로부터의 거리가 작은 것도 있고 큰 것도 있다.

㉢ 목성보다 질량이 큰 외계 행성들의 궤도 긴반지름은 다양하다.
➡ 목성보다 질량이 큰 외계 행성들 중에는 목성보다 중심별에서 먼 곳에 있는 것도 있고 가까운 것도 있다.

06 | 선택지 분석 |

㉠ 광도가 클수록 별의 수명이 짧다.
➡ 광도가 큰 별일수록 에너지 방출량이 많고, 중심부의 연료 소모율이 커진다. 따라서 별의 수명이 짧다.

㉡ 스피카의 생명 가능 지대는 프로키온의 생명 가능 지대보다 별에서 더 먼 거리에 위치한다.
➡ 질량이 큰 스피카의 생명 가능 지대가 질량이 작은 프로키온의 생명 가능 지대보다 별에서 더 먼 거리에 위치한다.

✕ 질량이 작은 별보다 질량이 큰 별 주변의 행성에서 생명체가 진화할 수 있는 안정된 환경이 오래 유지된다.
➡ 질량이 큰 별보다 질량이 작은 별 주변의 행성에서 생명체가 진화할 수 있는 안정된 환경이 오래 유지된다.

07 ㉠ 방향으로 공전, A에서 청색 편이가 가장 크게 나타나고 이후 파장이 길어지다가 다시 짧아지므로 별이 처음에 지구와 가까워졌다가 다시 멀어져야 한다. 따라서 행성은 ㉠ 방향으로 공전해야 한다.

채점 기준	배점
방향을 옳게 쓰고, 그 까닭을 도플러 이동과 관련지어 옳게 서술한 경우	100 %
방향만 옳게 쓴 경우	50 %

08 뒤쪽 별 B에서 오는 빛이 앞쪽 별(A)의 중력 때문에 굴절되어 보이는데, 외계 행성을 가지고 있다면 굴절되는 정도에 미세한 차이가 나타난다.

09 그림에서 뒤쪽 별의 밝기가 불규칙하게 변하는 까닭은 행성의 중력에 의한 미세 중력 렌즈 현상이 추가로 작용하기 때문이다.

채점 기준	배점
행성의 중력과 미세 중력 렌즈 현상을 2가지 모두 서술한 경우	100 %
행성의 중력과 미세 중력 렌즈 현상 중 1가지만 서술한 경우	50 %

실전! 수능 도전하기 237쪽~240쪽

01 ③ 02 ① 03 ③ 04 ① 05 ③ 06 ③ 07 ③ 08 ③
09 ② 10 ① 11 ① 12 ⑤ 13 ③ 14 ⑤ 15 ⑤

01 | 선택지 분석 |

ㄱ. (가)의 중심에서는 CNO 순환 반응이 우세하다.
➡ (가)는 주계열에, (나)는 전주계열에 있는 별을 나타낸다. (가)는 주계열성 중 질량이 큰 별이므로 CNO 순환 반응이 우세하게 일어난다.

ㄴ. (나)는 중력 수축 에너지가 주된 에너지원이다.
➡ (나)는 전주계열 단계에 있으므로 중력 수축 에너지가 주된 에너지원이다.

✕. 중심부의 온도는 (가)보다 (나)가 더 높다.
➡ (가)는 스펙트럼형이 B형에, (나)는 G형에 해당하므로 중심부의 온도는 (가)보다 (나)가 더 낮다

02 | 선택지 분석 |

ㄱ. 태양과 질량이 비슷한 별의 주계열 단계에서 일어나는 반응이다.
➡ 이 반응은 중심부의 온도가 1800만 K 이하인 주계열성에서 일어나는 p−p 반응으로 태양과 질량이 비슷한 별에서 나타나는 반응이다.

✕. 이 반응에서 감마선은 촉매 작용을 한다.
➡ 이 반응에서 남는 에너지가 감마선의 형태로 빠져나가게 된다.

✕. 헬륨 원자핵 1개의 질량은 수소 원자핵 4개의 질량의 합보다 크다.
➡ 수소 핵융합 반응에서는 핵융합 반응으로 생성된 헬륨 원자핵 1개의 질량이 반응에 참여한 수소 원자핵 4개의 질량의 합보다 작아 질량 손실이 일어나며, 손실된 질량이 에너지로 방출된다.

03 | 선택지 분석 |

ㄱ. (가)는 (나)보다 질량이 작다.
➡ 대류핵과 복사층으로 이루어진 (나)가 (가)보다 질량이 크고 중심 온도도 높다.

ㄴ. (나)에서 핵은 복사층보다 온도가 높다.
➡ (나)에서 대류가 일어나는 대류핵은 복사층보다 온도가 높다.

✕. 태양은 (나)와 같은 내부 구조를 갖는다.
➡ 태양 정도의 질량을 가진 주계열성은 핵융합 반응이 일어나는 중심핵을 복사층과 대류층이 차례로 둘러싸고 있는 (가)와 같은 내부 구조를 갖는다.

04 | 선택지 분석 |

ㄱ. A가 팽창하면서 표면 온도는 낮아진다.
➡ 바깥층은 팽창하여 크기가 커지고 표면 온도는 낮아지면서 적색 거성이 된다.

✕. B에서는 헬륨 핵융합 반응이 일어난다.
➡ 헬륨 핵의 중력 수축으로 발생한 에너지가 중심부 외곽에 공급되어 수소각에서 수소 핵융합 반응이 일어난다.

✕. 핵의 수축으로 온도가 높아지면서 중심부에서는 수소 핵융합 반응이 다시 시작된다.
➡ 중심부의 온도가 높아짐에 따라 중심부에서는 헬륨 핵융합 반응이 일어난다.

05 | 선택지 분석 |

✕. 행성이 A에 있을 때 청색 편이가 관측된다.
➡ 행성은 광도가 너무 낮아 직접 관측이 불가능하며, 행성이 아닌 별의 도플러 효과를 측정해야 한다. 별빛이 관측자에게서 멀어지고 있으므로 적색 편이가 관측된다.

✕. 별빛의 파장 변화는 별까지의 거리에 비례한다.
➡ 별빛의 파장 변화는 지구에서 별까지의 거리에 관계없이 별의 시선 속도 크기에 따라 달라진다.

ㄷ. 행성의 질량이 클수록 별빛의 편이량이 커진다.
➡ 행성의 질량이 클수록 공통 질량 중심은 별에서 멀어진다. 이로 인해 별의 흔들림이 더 커져 별빛의 편이량도 커진다.

06 | 선택지 분석 |

ㄱ. 도플러 효과를 이용한 방법이다.
➡ (가)는 도플러 효과를 이용한 외계 행성 탐사 방법이다.

ㄴ. A 위치일 때 별빛의 파장이 길게 관측되었다.
➡ (나)에서 A 위치일 때 별빛 스펙트럼이 파장이 긴 빨간색 쪽으로 치우쳐 있으므로 적색 편이가 나타난다.

✕. 행성은 ㉠ 방향으로 공전하고 있다.
➡ 별이 A 위치일 때 적색 편이가 나타나므로 중심별은 지구로부터 멀어지고 있다. 중심별과 행성은 공통 질량 중심을 같은 방향으로 회전하므로 둘 다 시계 방향으로 돌고 있다.

07 | 선택지 분석 |

ㄱ. 행성에 의한 별의 식현상을 관측한다.
➡ 공전하는 행성이 별의 일부분을 가리면 별의 밝기가 약간 어두워진다. 이를 통해 행성의 존재를 알아낼 수 있다.

✕. 행성에 의한 별의 표면 온도 변화를 관측한다.
➡ 행성은 별의 표면 온도에 영향을 미치지 않는다. 따라서 별의 표면 온도 변화를 관측하여 행성의 존재를 알아낼 수 없다.

ㄷ. 행성에 의한 별의 스펙트럼선 편이를 관측한다.
➡ 행성과 별이 공통 질량 중심을 공전하므로 별의 스펙트럼에 나타난 도플러 효과를 분석하면 행성의 존재를 확인할 수 있다.

08 | 선택지 분석 |

ㄱ. 중심별과 행성은 공통 질량 중심을 공전한다.
➡ 중심별과 행성은 공통 질량 중심을 서로 공전한다.

✕. (나)는 (가)보다 도플러 효과에 의한 별빛의 최대 편이량이 작다.
➡ (나)의 경우 (가)보다 행성의 질량이 크므로 중심별의 공전 궤도가 커져 지구에서 관측되는 도플러 효과가 더 크게 나타난다.

ㄷ. 행성에 의한 식이 진행되는 시간은 (다)가 (나)보다 길다.
➡ (나)와 (다)는 행성의 질량이 같지만, (다)의 공전 궤도 반지름이 더 길기 때문에 공전 속도가 느리고 공전 주기가 길다. 따라서 식이 진행되는 시간은 (다)가 (나)보다 길다.

09 스타이로폼 공이 전구를 중심으로 회전하므로 스타이로폼 공은 외계 행성, 전구는 중심별로 볼 수 있다. 두 스타이로폼 공의 크기가 다르기 때문에 전구의 밝기 변화 정도가 다른 것이다. 따라서 이 실험은 외계 행성의 크기가 클수

록 중심별을 많이 가려 중심별의 밝기 변화가 크게 관측된다는 것을 검증하고자 하는 것이다.

10 | 선택지 분석 |

ㄱ. (가)에서 행성의 반지름이 클수록 별의 밝기 변화가 크다.
➡ (가)에서 행성의 반지름이 클수록 중심별이 많이 가려지므로 별의 밝기 변화가 크다.

✕. (나)에서 A는 별의 중력 때문에 나타난다.
➡ (나)에서 A는 행성의 중력에 의한 추가적인 밝기 변화가 나타난 것이다.

✕. (가)와 (나)는 행성에 의한 중심별의 밝기 변화를 이용한다.
➡ (가)는 행성에 의한 중심별의 밝기 변화를 이용하며, (나)는 중심별과 행성에 의한 배경별의 밝기 변화를 이용한다.

11 | 선택지 분석 |

ㄱ. 외계 행성들의 질량은 대부분 지구보다 크다.
➡ 발견된 외계 행성들의 질량은 대부분 지구보다 크다.

✕. 외계 행성들의 공전 궤도 긴반지름은 대부분 지구보다 크다.
➡ 외계 행성들의 공전 궤도 긴반지름은 대부분 지구(1 AU)보다 작다.

✕. 이 방법을 이용한 외계 행성 탐사는 관측자의 시선 방향이 외계 행성의 공전 궤도면에 수직일 때 가능하다.
➡ 외계 행성의 공전 궤도면이 관측자의 시선 방향에 수직일 경우에는 식현상이 일어나지 않기 때문에 외계 행성의 존재 여부를 알 수 없다.

12 | 선택지 분석 |

ㄱ. 별의 광도는 A가 B보다 크다.
➡ 행성의 공전 궤도 반지름이 클수록 중심별로부터 생명 가능 지대까지의 거리가 멀다. 주계열성은 질량이 클수록 광도가 크고, 생명 가능 지대까지의 거리가 멀어지므로 별의 광도는 A가 B보다 크다.

ㄴ. A에서 생명 가능 지대의 폭은 0.8 AU보다 크다.
➡ A보다 질량이 작은 C의 생명 가능 지대의 폭은 0.8 AU이므로, A의 생명 가능 지대의 폭은 0.8 AU보다 크다.

ㄷ. 생명 가능 지대에 머무르는 기간은 B의 행성이 C의 행성보다 길다.
➡ B는 생명 가능 지대가 중심별에서 가장 가까우므로 중심별의 질량이 가장 작다. 별의 질량이 작을수록 별의 수명은 증가하므로 행성이 생명 가능 지대에 머물 수 있는 시간이 길어진다.

13 | 선택지 분석 |

ㄱ. 지구는 생명 가능 지대에 속한다.
➡ 태양계의 생명 가능 지대는 태양으로부터 약 0.95~1.15 AU 사이의 영역이므로, 지구는 생명 가능 지대에 속한다.

ㄴ. 질량이 작은 별일수록 생명 가능 지대의 폭이 좁아진다.
➡ 별의 질량이 작을수록 생명 가능 지대는 폭이 좁아지고, 별의 가까운 곳에 위치한다.

✕. 태양의 질량이 0.5배가 되면 현재 화성의 위치에 액체 상태의 물이 존재한다.
➡ 태양의 질량이 0.5배가 되면 생명 가능 지대는 현재보다 태양에 더 가까운 곳에 존재한다. 따라서 화성의 위치에 액체 상태의 물이 존재하기 어렵다.

14 | 선택지 분석 |

ㄱ. 시간이 지날수록 태양의 광도는 커진다.
➡ 시간이 지남에 따라 생명 가능 지대의 위치가 태양으로부터 멀어지고, 폭이 증가하므로 태양의 광도는 점차 증가함을 알 수 있다.

ㄴ. 시간이 지날수록 태양계 생명 가능 지대의 폭은 넓어진다.
➡ 태양의 광도가 커지면 생명 가능 지대의 폭은 넓어진다.

ㄷ. 현재로부터 40억 년 후에 지구상에는 액체 상태의 물이 존재하지 않을 것이다.
➡ 현재로부터 40억 년 후 태양계의 생명 가능 지대는 약 1.3~2.0 AU 거리에 위치하므로, 태양으로부터 1 AU 떨어진 지역은 온도가 매우 높아 물이 기체 상태로 존재할 것이다.

15 | 선택지 분석 |

ㄱ. 별의 질량은 태양보다 크다.
➡ 태양의 생명 가능 지대는 0.95~1.15 AU 사이이며, 문제에 제시된 별의 생명 가능 지대는 약 1.5~2.0 AU로 태양의 생명 가능 지대보다 멀기 때문에 이 별의 질량은 태양부다 크다.

ㄴ. 현재의 외계 행성에는 액체 상태의 물이 존재할 수 있다.
➡ 현재 외계 행성은 생명 가능 지대 안에 위치하므로 액체 상태의 물이 존재할 수 있다.

ㄷ. 20억 년 후에 별의 광도는 현재보다 크다.
➡ 20억 년 후 생명 가능 지대의 위치가 현재보다 멀어지고 폭도 넓어지는 것으로 볼 때 별의 광도가 증가했다는 것을 알 수 있다.

2 »» 외부 은하와 우주 팽창

01 ~ 외부 은하

탐구POOL 245쪽

01 (1) × (2) × (3) × 02 은하의 형태
03 (가) 타원 은하 (나) 나선 은하 (다) 불규칙 은하

01 (1) 모두 우리은하 밖의 외부 은하이다.
(2) ②는 정상 나선 은하이고, ⑧은 타원 은하이다.
(3) 은하들은 형태에 따라 한 가지 그룹에 속한다.

콕콕! 개념 확인하기 246쪽

✔ 잠깐 확인!
1 외부 은하 2 타원 은하 3 나선 은하 4 불규칙 은하
5 전파 은하 6 세이퍼트은하 7 퀘이사 8 충돌 은하

01 (1) 형태 (2) ㉠ 타원 ㉡ 나선 ㉢ 불규칙 02 (1) × (2) ○
(3) × 03 특이 04 (1) ㉠ (2) ㉢ (3) ㉡ 05 안드로메다

02 (1) 타원 은하는 찌그러진 정도에 따라 E0~E7으로 분류한다.
(3) 허블은 모양이 일정하지 않고 규칙적인 구조가 없는 은하를 불규칙 은하로 구분하였다.

탄탄! 내신 다지기 247쪽~249쪽

01 ② 02 ④ 03 (1) (나) (2) (가) (3) (다) 04 ④ 05 (1) 모양의 규칙성 (2) 나선팔의 유무 (3) 막대 모양 구조의 유무
06 ① 07 ① 08 ③ 09 ③ 10 ④ 11 ③ 12 ②

01 허블은 외부 은하를 형태에 따라 구분하였으며, 크게 타원 은하, 나선 은하(정상 나선 은하, 막대 나선 은하), 불규칙 은하로 나누었다.

02 그림은 정상 나선 은하의 모습이다.

선택지 분석

① 대부분의 별들이 나이가 많고, 색이 일반적으로 붉다.
➡ 타원 은하

② 중심부를 관통하는 막대가 있으며, 우리은하가 이에 해당한다.
➡ 막대 나선 은하

③ 차가운 기체나 먼지가 매우 적어 새로운 별을 거의 만들지 않는다.
➡ 타원 은하

④ 나선팔이 감긴 정도에 따라 a, b, c로 세분하는데, a로 갈수록 나선팔이 단단하게 감겨 있다.
➡ 나선 은하

⑤ 별이 둥글게 모여 있는 모양으로 중심부의 밀도가 높고 바깥쪽으로 갈수록 낮아진다.
➡ 타원 은하

03 (1) 성간 물질이 거의 없으며, 주로 나이가 많은 붉은색의 별들로 이루어져 있는 은하는 타원 은하이다.
(2) 규칙적인 모양이 없고, 주로 젊은 별과 성간 물질로 이루어져 있어 새로운 별의 형성이 매우 활발한 은하는 불규칙 은하이다.
(3) SB는 막대 나선 은하를 말한다.

04 우리은하는 나선팔과 막대 구조를 갖고 있는 막대 나선 은하에 속한다. A와 B는 타원 은하, C는 정상 나선 은하, D는 막대 나선 은하, E는 불규칙 은하이다.

05 (1) A는 타원 은하와 나선 은하가 속해 있고, B는 불규칙 은하이다.
(2) C는 타원 은하이고, D는 나선 은하이다.
(3) E는 정상 나선 은하이고, F는 막대 나선 은하이다.

06 **선택지 분석**

㉠ 우리은하는 위에서 보면 막대 나선 모양이다.
➡ 우리은하는 옆에서 보면 중심부가 볼록한 원반 모양이고, 위에서 보면 막대 모양의 중심 구조와 나선팔을 가지고 있는 막대 나선 모양이다.

✗ 성간 물질은 A보다 B에 많이 분포한다.

✗ 늙은 별은 B보다 A에 많이 분포한다.
➡ A는 은하 원반으로 성간 물질이 많고 주로 젊은 별들이 분포한다. B는 구상 성단으로 성간 물질이 적고 주로 늙은 별들이 분포한다.

07 **선택지 분석**

㉠ A는 로브로 거대한 전파 방출 영역이다.
➡ A는 로브, B는 제트이다.

✗ B는 제트로 전파 영역에서만 관측이 가능하다.
➡ 제트는 전파 영역뿐만 아니라 가시광선이나 X선에서 관측되기도 한다.

✗ 광학 망원경으로 로브와 제트를 모두 관측할 수 있다.
➡ 로브는 전파 영역으로 관측해야 한다.

더 알아보기 전파 은하가 강한 전파를 방출하는 까닭
⇨ 은하끼리 충돌했거나 은하 내에서 큰 폭발이 일어났기 때문으로 추정된다.
제트와 로브에서 방출되는 강한 X선을 통해 강한 자기장이 있고 전자가 매우 빠르게 움직이고 있음을 짐작할 수 있다.

08 퀘이사는 너무 멀리 있어 별처럼 보이지만 실제는 별이 아닌 수천~수만 개의 별로 이루어진 은하이다.

더 알아보기 퀘이사의 후퇴 속도로부터 알 수 있는 것

⇨ 퀘이사는 후퇴 속도가 매우 크며, 광속의 거의 90 %의 속도로 멀어지는 것도 있다.
⇨ 허블의 법칙에 의하면 이것은 어떤 외부 은하보다도 더 멀리 있다는 것을 뜻한다.
⇨ 이는 우주가 훨씬 거대하다는 것을 의미하기도 하며, 그만큼 오래 전에 만들어진 천체라는 것을 알 수 있다.

09 세이퍼트은하는 가시광선으로 관측하면 나선팔 구조를 볼 수 있다. 퀘이사는 적색 편이가 매우 크게 나타나는데, 이는 우리은하 밖 매우 먼 거리에 있기 때문이다.

10 | 선택지 분석 |

ㄱ. (가)는 자외선으로 관측한 영상이다.
➡ (가)는 세이퍼트 은하를 가시광선으로 관측하여 나선 은하로 보이는 모습이다.

ㄴ. (나)는 매우 큰 적색 편이를 나타낸다.
➡ (나)는 퀘이사로 적색 편이가 매우 크다.

ㄷ. (가)와 (나)는 모두 특이 은하에 해당한다.
➡ 허블의 분류 체계로는 분류하기 어려운 전파 은하, 세이퍼트 은하, 퀘이사와 같은 은하들을 특이 은하라고 한다.

11 (가)는 충돌 은하, (나)는 세이퍼트은하(자외선 영상)이다. 세이퍼트은하는 다른 은하에 비해 넓은 방출선이 보이는데, 이는 가스가 매우 빠른 속도로 움직이기 때문인 것으로 추정된다.

12 충돌 은하에서는 별의 크기보다 별 사이의 공간이 매우 크기 때문에 은하의 충돌이 일어나는 동안에도 별들은 거의 충돌하지 않는다.

도전! 실력 올리기

250쪽~251쪽

01 ④ **02** ③ **03** ⑤ **04** ③ **05** ③ **06** ②

07 은하들의 형태(모양)에 따라 분류

08 | 모범 답안 | 공통점은 (가)와 (다) 모두 별과 성운으로 이루어진 나선팔이 은하 중심부에서 나와 팽대부를 휘감고 있는 나선 은하이다. 차이점은 (가)는 중앙 팽대부가 공처럼 생긴 정상 나선 은하이고, (나)는 중앙 팽대부가 막대처럼 생긴 막대 나선 은하이다.

09 | 모범 답안 | 전파 은하는 보통의 은하에 비해 강한 전파를 방출하는 은하이다. 세이퍼트은하는 보통의 은하에 비해 아주 밝은 핵과 넓은 방출선이 나타나는 은하이다. 퀘이사는 수많은 별들이 모여 있는 은하이지만 너무 멀리 떨어져 있어서 별처럼 보이며, 적색 편이가 매우 크게 나타나는 은하이다.

01 | 선택지 분석 |

ㄱ. A 집단의 은하에서부터 시작하여 시간이 흐름에 따라 B, C 집단으로 진화한다.
➡ 은하의 모양과 진화는 관련이 없음이 밝혀졌다.

ㄴ. 우리은하는 C 집단에 해당한다.
➡ 우리은하는 막대 나선 은하로 C 집단에 해당한다.

ㄷ. D 집단은 주로 젊고 밝은 별들이 많이 포함되어 있다.
➡ D 집단은 불규칙 은하로 구성 성분이 나선 은하의 나선팔과 유사하다.

02 | 선택지 분석 |

ㄱ. (가)는 (나)보다 성간 물질의 비율이 높다.

ㄴ. (나)는 (가)보다 젊은 별의 비율이 높다.
➡ (가)는 막대 나선 은하, (나)는 타원 은하이다. 타원 은하는 내부에 기체나 먼지 등의 성간 물질이 거의 없고, 비교적 나이가 많은 별들로 이루어져 있어 붉거나 노란색으로 보인다. 나선 은하의 나선팔에는 나이가 적은 푸른색의 별과 많은 양의 성간 물질이 분포하고 있다.

ㄷ. 우리은하의 모양은 (나)보다 (가)에 가깝다.
➡ 우리은하는 막대 나선 은하에 속한다.

더 알아보기 우리은하의 구조

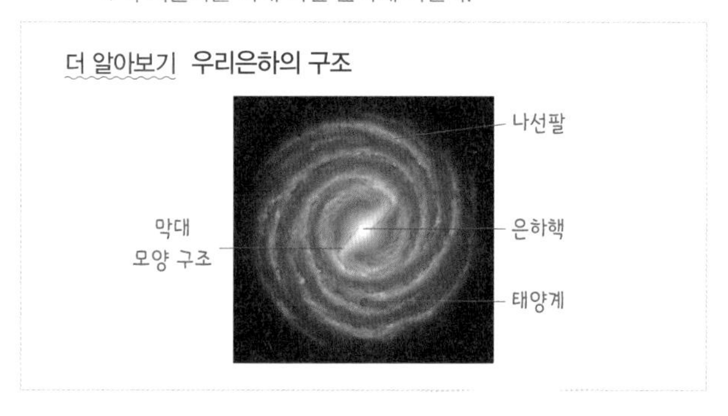

03 | 선택지 분석 |

ㄱ. (가)는 X선으로 관측했을 때의 모습으로 제트를 관측할 수 있다.

ㄴ. (나)는 전파 영역으로 관측한 것으로, 이 은하가 전파 은하임을 알 수 있다.
➡ (나)는 전파 영역으로 관측한 모습으로, 로브를 관측할 수 있다.

ㄷ. (다)에서 양쪽으로 넓게 퍼진 로브를 관측할 수 없다.
➡ (다)는 가시광선으로 관측했을 때의 모습으로, 로브를 관측할 수 없다.

04 | 선택지 분석 |

ㄱ. 타원 은하에는 나선 은하보다 붉은색을 띠는 별들이 많다.
➡ (나)에서 타원 은하는 K형에 가까우므로 나선 은하보다 붉은색을 띠는 별들이 많다.

ㄴ. 나선 은하는 a → b → c로 갈수록 붉은색을 띠는 별들이 많다.
➡ (나)에서 은하의 분광형 분포를 보면 a에서 c로 갈수록 분광형이 A형에 가깝다. 따라서 나선 은하는 a → b → c로 갈수록 파란색을 띠는 별들이 많다.

ㄷ. 정상 나선 은하는 a → b → c로 갈수록 은하핵의 크기가 작다.
➡ 나선 은하는 a → b → c로 갈수록 나선팔이 느슨하게 감겨 있고 은하핵의 크기가 작다.

더 알아보기 S0 은하
타원 은하와 나선 은하의 중간 형태의 은하로, 렌즈 모양을 띠므로 렌즈형 은하라고도 한다.

05 선택지 분석

ㄱ. 성운 X에서 퀘이사까지의 거리는 성운 X와 Y 사이의 거리보다 멀다.
➡ 그림 (나)의 D에서 관측한 흡수선과 방출선의 편이량을 비교해 보면 성운 X로부터 퀘이사까지의 거리가 성운 X와 Y 사이의 거리보다 더 멀다고 추론할 수 있다.

ㄴ. 현재 성운 X에서 관측한 퀘이사와 지구에서 관측한 퀘이사는 나이가 다르다.
➡ 성운 X가 지구보다 퀘이사에 가까이 있으므로 퀘이사에서 출발한 빛이 성운 X에 먼저 도착하게 되고 동일한 빛이 지구에는 나중에 도착한다. 따라서 현재 성운 X와 지구에서 관측하는 퀘이사는 나이가 다르다.

ㄷ. 퀘이사에서 성운 Y를 관측하면 스펙트럼의 청색 편이가 나타난다. (×)
➡ 우주의 팽창은 3 차원의 공간이 모든 방향으로 균일하게 늘어나는 것을 의미하므로 퀘이사와 성운 Y도 서로 멀어질 것이다. 따라서 퀘이사에서 성운 Y를 본다면 적색 편이가 나타날 것이다.

06 선택지 분석

ㄱ. 은하는 서로 충돌하더라도 각각 은하의 원래 모습을 유지한다. (×)
➡ 은하들이 서로 가까이 다가가면 중력장이 뒤틀어지면서 은하의 형태가 변하기도 한다.

ㄴ. 큰 나선 은하들이 충돌하면 거대 타원 은하가 생기기도 한다.
➡ 약 수십 억 년 후 안드로메다은하와 우리은하는 충돌한 후 완전히 합쳐져서 거대한 타원 은하가 될 것이다.

ㄷ. 은하들이 충돌하면 은하 안의 별들이 충돌하며 초신성 폭발을 일으킨다. (×)
➡ 은하가 충돌하더라도 별의 크기보다 별 사이의 공간이 크기 때문에 은하의 충돌이 일어나는 동안에도 별들은 거의 충돌하지 않는다.

07 허블은 외부 은하를 형태(모양)에 따라 분류하였으며, (가) 정상 나선 은하, (나) 타원 은하, (다) 막대 나선 은하, (라) 불규칙 은하이다.

08 (가)와 (다)는 모두 나선팔이 있는 나선 은하이며, 나선 은하는 중심부의 모양에 따라 정상 나선 은하와 막대 나선 은하로 분류한다.

채점 기준	배점
공통점과 차이점을 모두 옳게 서술한 경우	100 %
공통점과 차이점 중 1가지만 옳게 서술한 경우	50 %

09 외부 은하 중 허블의 은하 분류 기준으로는 분류하기 어려운 전파 은하, 세이퍼트은하, 퀘이사와 같은 것을 특이 은하라고 한다.

채점 기준	배점
3가지 은하의 특징을 모두 옳게 서술한 경우	100 %
3가지 중 2가지의 특징만을 옳게 서술한 경우	50 %
3가지 중 1가지의 특징만을 옳게 서술한 경우	30 %

02 빅뱅 우주론

개념POOL 257쪽

01 우주 배경 복사, 수소와 헬륨의 질량비
02 (1) ○ (2) × (3) ○

콕콕! 개념 확인하기 258쪽

✓ 잠깐 확인!
1 후퇴 속도 **2** 허블 법칙 **3** 정상 우주론 **4** 빅뱅 우주론 **5** 급팽창 이론 **6** 우주의 지평선 **7** 가속 팽창 우주

01 (1) 적색 편이 (2) 멀어 (3) ㉠ 크게 ㉡ 빨리
02 (1) ㉠ 허블 법칙 ㉡ $v=H\times r$ (2) 우주의 중심 (3) 우주의 나이 (4) 빅뱅 우주론 (5) 수소와 헬륨의 질량비, 우주 배경 복사 **03** (1) 자기 단극자, 우주의 지평선, 우주의 평탄성 (2) 가속 팽창

탄탄! 내신 다지기 259쪽~261쪽

01 ⑤ **02** ④ **03** ⑤ **04** ⑤ **05** ② **06** ③ **07** (1) ㉠ 고온 ㉡ 고밀도 (2) ㉠ 배경 ㉡ 수소 (3) 낮아지고 **08** ① **09** ③ **10** ⑤ **11** ① **12** ⑤

01 선택지 분석

ㄱ. (가) 은하는 지구로부터 멀어지고 있다.
➡ (가)와 (나) 모두 적색 편이 현상이 관찰되므로 (가), (나) 모두 지구로부터 멀어지고 있다.

ㄴ. (가) 은하의 후퇴 속도가 (나) 은하보다 느리다.
➡ 흡수선의 적색 편이 정도를 보면, (나) 은하의 후퇴 속도가 (가) 은하의 후퇴 속도보다 빠르다.

ㄷ. (가), (나)를 보았을 때 우주가 팽창하고 있음을 알 수 있다.
➡ (가)와 (나) 모두 적색 편이 현상이 관찰되므로 우주가 팽창하고 있다고 유추할 수 있다.

더 알아보기 모든 외부 은하는 적색 편이만 나타나는가?

⇨ 대부분의 은하들은 우리은하로부터 멀어지고 있지만 어떤 은하들은 우리은하에 가까워지고 있어 스펙트럼에서 청색 편이가 나타난다.

⇨ 이는 우리은하와 거리가 가까워 중력이 크게 작용하기 때문이다.

02 허블 상수는 은하의 거리에 대한 후퇴 속도의 비이다. 후퇴 속도는 스펙트럼의 적색 편이량으로 구할 수 있다.

03 | 선택지 분석 |

ㄱ 거리가 먼 은하일수록 후퇴 속도가 더 빠르다.
➡ 그래프에서 거리가 멀수록 후퇴 속도가 크다.

ㄴ 거리를 r, 속도를 v, 비례 상수를 H라고 하면 $v=Hr$로 표현할 수 있다.
➡ 그래프에서 거리가 멀수록 후퇴 속도가 크다. 이 관계를 식으로 표현하면 $v=Hr$로 표현할 수 있다.

ㄷ 기울기는 대략 500 km/s/Mpc이다.
➡ 기울기는 $\frac{15000\ \text{km/s}}{30\ \text{Mpc}}=500\ \text{km/s/Mpc}$이다.

04 | 선택지 분석 |

ㄱ 허블 상수는 후퇴 속도와 은하까지의 거리에 대한 관계로 알 수 있다.
➡ 허블 상수는 외부 은하까지의 거리와 후퇴 속도와의 관계식에서 비례 상수이다.

ㄴ 허블 상수의 역수는 우주의 나이에 해당한다.
➡ 허블 상수의 역수는 우주의 나이이다.

ㄷ 허블 상수의 값은 관측치의 정확도에 따라 조금씩 변해 왔다.
➡ 허블 상수의 값은 관측의 발달에 따라 조금씩 변하고 있다.

05 풍선 모형 실험에서 3 차원 우주는 풍선 표면, 동전은 외부 은하에 해당한다. 멀리 있는 동전 사이의 거리가 더 빨리 멀어진다.

| 선택지 분석 |

① 풍선 내부는 우주에 해당한다.
➡ 풍선 표면이 우주에 해당한다.

✔② 풍선 표면에서는 팽창의 중심이 없다.

③ 동전은 우리은하 안에 있는 별에 해당한다.
➡ 동전은 우주 안의 은하에 해당한다.

④ 가까운 동전 사이의 거리가 더 빨리 멀어진다.
➡ 멀리 있는 동전 사이의 거리가 더 빨리 멀어진다.

⑤ 풍선이 계속 팽창하더라도 동전 사이의 거리는 일정하게 유지된다.
➡ 풍선이 팽창할수록 동전 사이의 거리는 계속 멀어진다.

06 우주의 팽창에는 특별한 중심이 없다. 은하 내부에서는 우주의 팽창 효과보다 중력 효과가 훨씬 더 크기 때문에 별 사이의 거리가 넓어지지 않는다. 멀리 있는 외부 은하일수록 거리에 비례하여 적색 편이량이 커지기 때문에 후퇴 속도가 증가함을 알 수 있다.

더 알아보기 우주의 팽창

우주가 팽창하기 때문에 은하 내의 별과 별 사이의 거리가 점점 멀어진다고 생각하기 쉽다. 은하 내의 별들은 서로 간의 인력에 의해 큰 영향을 받고 있기 때문에 우주 팽창으로 별들 사이의 간격이 넓어져 은하가 커지는 것은 아니다.

⇨ 우주 팽창의 단위는 별이 아니라 은하이다.

07 (1) 초기 우주의 온도와 밀도는 고온, 고밀도 상태였다.

(2) 빅뱅 우주론을 뒷받침하는 관측적인 증거는 우주 배경 복사, 수소와 헬륨의 질량비이다.

(3) 대폭발 이후 우주의 온도는 점점 낮아지고, 어두운 상태가 된다.

08 | 선택지 분석 |

ㄱ (가)와 (나) 모두 팽창하는 우주를 기본으로 전제한다.
➡ (가)는 정상 우주론, (나)는 빅뱅 우주론으로 모두 팽창하는 우주를 표현하고 있다.

✗ (가)는 현재 가장 설득력 있는 우주론으로 받아들여지고 있다.
➡ 현재는 빅뱅 우주론이 가장 설득력이 있는 우주론으로 받아들여지고 있다.

✗ (나)는 우주의 크기와 상관없이 밀도가 일정하게 유지된다.
➡ 정상 우주론에서는 우주의 크기와 상관없이 밀도가 일정하게 유지된다.

09 빅뱅 우주론의 증거로는 우주 배경 복사, 수소와 헬륨의 질량비 등이 있다.

10 우주는 급팽창 이후 팽창 속도가 느려지다가 현재는 가속 팽창하고 있다.

더 알아보기 Ia형 초신성

매우 밝으며, 일정한 질량에서 폭발하여 절대 밝기가 일정하기 때문에 멀리 있는 외부 은하의 거리 측정에 사용된다.

⇨ 거리에 따라 밝기가 다르므로 이를 분석하여 과거 우주의 팽창 속도를 알 수 있다.

11 | 선택지 분석 |

✔① A – 가속 팽창 우주

② B – 평탄 우주 ➡ 텅 빈 우주

③ C – 닫힌 우주 ➡ 열린 우주

④ D – 열린 우주 ➡ 평탄 우주

⑤ E – 텅 빈 우주 ➡ 닫힌 우주

12 | 선택지 분석 |

ㄱ Ia형 초신성 관측을 통해 얻은 자료는 A 모형과 일치한다.
➡ Ia형 초신성 관측을 통해 얻은 자료는 A 모형인 가속 팽창 우주와 일치한다.

ㄴ B 모형은 우주에 중력을 미칠 수 있는 물질이 없다고 가정했을 때에 나타나는 모습을 나타낸 것이다.
➡ B 모형인 텅 빈 우주는 우주에 중력을 미칠 수 있는 물질이 없다고 가정했을 때에 나타나는 모습이다.

ㄷ 현재 과학자들은 우리 우주의 모습을 A 모형에 해당한다고 생각하고 있다.
➡ 현재 과학자들은 여러 가지 증거들을 통해 우리 우주의 모습을 가속 팽창 우주로 보고 있다.

도전! 실력 올리기 262쪽~263쪽

01 ④ **02** ③ **03** ④ **04** ⑤ **05** ③ **06** ⑤

07 (1) 50 nm (2) 3×10^4 km/s (3) 300 Mpc

08 | **모범 답안** | 약 140억 년, 우주의 나이는 허블 상수의 역수이다. 1 Mpc$=326\times10^4$ 광년이고, 1광년은 9.46×10^{12} km이므로 우주의 나이$=\dfrac{1}{H}=\dfrac{1}{70\ \text{km/s/Mpc}}$
$=\dfrac{1\ \text{Mpc}\cdot\text{s}}{70\ \text{km}}=\dfrac{(326\times10^4)(9.46\times10^{12})}{70}\fallingdotseq4.4\times10^{17}$(초)
≒140(억 년)이다.

09 | **모범 답안** | 약 4286 Mpc, 우주의 크기는 $H=\dfrac{v}{r}$에서 $r=\dfrac{v}{H}$로 구할 수 있다. 여기서 v는 빛의 속도(c)이다. 따라서 우주의 크기 $r=\dfrac{3\times10^5\ \text{km/s}}{70\ \text{km/s/Mpc}}\fallingdotseq4286$ Mpc이다.

01 거리가 먼 은하일수록 스펙트럼에서 적색 편이가 크게 나타난다. 적색 편이량은 B>C>A 순이다. 따라서 은하까지의 거리는 B>C>A 순이다.

02 | 선택지 분석 |

ㄱ A 은하는 B 은하보다 적색 편이량이 작다.
➡ 멀리 있는 은하일수록 후퇴 속도가 크다. 따라서 B 은하가 A 은하보다 더 빨리 멀어지고 있기 때문에 더 큰 적색 편이량을 갖게 된다.

✕ 그래프의 기울기의 역수는 허블 상수를 의미한다.
➡ 그래프의 기울기는 허블 상수이고, 허블 상수의 역수는 우주의 나이이다.

ㄷ 멀리 있는 은하일수록 더 빨리 멀어지고 있다.
➡ 멀리 있는 은하일수록 후퇴 속도가 크므로 더 빨리 멀어지고 있다.

03 | 선택지 분석 |

✕ A~B가 3 cm 멀어진다면, A~C도 3 cm 멀어진다.
➡ 각각의 은하들이 같은 비율로 멀어지는 것이지 같은 거리만큼 멀어지는 것은 아니다.

ㄴ (가)에서 (나)로 팽창하는 동안 풍선의 팽창에는 중심이 없다.
➡ 풍선이 팽창하는 것을 우주에 비교하여 생각해 보면, 풍선의 팽창에 중심이 없는 것처럼 우주의 팽창에도 중심이 없다.

ㄷ A~C 사이의 거리가 2배 멀어지는 동안 A~B 사이의 거리도 2배 멀어진다.
➡ 각각의 은하들이 같은 비율로 멀어진다.

04 | 선택지 분석 |

ㄱ (가)는 지상에서 전파 망원경을 통해 관측된 것이다.
➡ (가)는 지상의 전파 망원경, (나)는 COBE 망원경, (다)는 WMAP 망원경, (라)는 Plank 망원경으로 촬영한 우주 배경 복사이며, (가)에서 (라)로 갈수록 최근 관측 자료이다.

ㄴ (나)는 우주에서 관측한 것으로 우주 배경 복사의 비균일성을 보여 준다.
➡ (나)에서 전 하늘에 걸쳐 10만분의 1 정도의 매우 작은 온도 차이의 비균일성을 보여 준다.

ㄷ (다), (라)는 해상도가 높은 관측 결과로 국지적으로 미세한 온도 차이를 보여 준다.
➡ (나)에서 전 하늘에 걸쳐 10만분의 1 정도의 매우 작은 온도 차이가 나타나며, (다)와 (라)에서 더욱 정밀하게 측정되었다.

05 | 선택지 분석 |

ㄱ 현재 우주의 평균 온도는 약 2.7 K이다.
➡ 우주 배경 복사는 온도가 약 2.7 K인 흑체가 방출하는 복사와 일치한다. 빅뱅 후 우주의 온도가 약 3000 K일 때 중성 원자가 생성되면서 빛이 물질로부터 분리되어 사방으로 방출되기 시작하였는데, 팽창하면서 우주가 점점 식어서 현재 2.7 K 정도가 된 것이다.

ㄴ 우주 배경 복사는 주로 전파 영역에서 강하게 나타난다.
➡ 우주 배경 복사는 수 mm 정도의 전파 영역에서 강하게 나타난다.

✕ (나)의 온도 차이는 현재 별의 진화 과정에서 나타난 결과이다.
➡ 우주 배경 복사의 미세한 온도 차이는 우주 초기에 미세한 밀도 불균일이 존재했다는 증거이다.

06 | 선택지 분석 |

ㄱ 우주 탄생 직후 극히 짧은 시간 동안 우주가 급격히 팽창했다는 이론이다.
➡ 급팽창 이론은 대폭발 직후 극히 짧은 시간 동안 일어났던 사건에 관한 이론이다.

ㄴ 급팽창 이전에는 우주의 크기가 우주의 지평선보다 작았고, 급팽창 이후에는 우주의 지평선보다 크다고 설명한다.
➡ 급팽창 이론은 급팽창 이전에는 우주의 크기가 우주의 지평선보다 작았고, 급팽창 이후에는 우주의 지평선보다 크다고 설명한다.

ㄷ 빅뱅 우주론이 해결하지 못한 자기 단극자 문제, 우주의 지평선 문제, 우주의 평탄성 문제 등을 설명하였다.
➡ 급팽창 이론을 통해 빅뱅 우주론이 해결하지 못한 자기 단극자 문제, 우주의 지평선 문제, 우주의 평탄성 문제 등을 설명하였다.

07 (1) $\Delta\lambda=\lambda-\lambda_0=550-500=50$ (nm)

(2) $v=3\times10^5\times\frac{550-500}{500}=3\times10^4$ (km/s)

(3) $r=\frac{v}{H}=\frac{3\times10^4}{100}=300$ (Mpc)

08 우주의 나이는 허블 상수의 역수이다.

채점 기준	배점
풀이 과정과 답을 모두 옳게 설명한 경우	100 %
풀이 과정이나 답 중 하나만 옳게 설명한 경우	50 %

09 은하의 후퇴 속도는 광속을 넘을 수 없으므로, 관측 가능한 우주의 크기(r)는 광속(c)으로 멀어지는 은하까지의 거리에 해당한다.

채점 기준	배점
풀이 과정과 답을 모두 옳게 설명한 경우	100 %
풀이 과정이나 답 중 하나만 옳게 설명한 경우	50 %

03 우주의 구성 물질과 미래

개념POOL 266쪽

01 암흑 에너지 **02** 암흑 물질
03 암흑 에너지와 암흑 물질 **04** 밀도

콕콕! 개념 확인하기 267쪽

✓ 잠깐 확인!
1 암흑 물질 **2** 보통 물질 **3** 암흑 에너지 **4** 표준 우주 모형
5 중력 **6** 우주론

01 (1) 암흑 물질 (2) ㉠ 나선 은하 ㉡ 이동 ㉢ 중력 렌즈
02 (1) 암흑 물질 (2) 암흑 에너지 **03** (1) 암흑 에너지 (2) 증가
04 (1) 가속 팽창 (2) 표준 우주 모형

02 (2) 우주가 가속 팽창하기 위해서는 우주의 물질 중 중력과 반대 방향으로 작용하는 힘이 존재해야 하는데, 이러한 힘을 발생시키는 에너지가 암흑 에너지이다.

탄탄! 내신 다지기 268쪽~269쪽

01 ③ **02** ① **03** ③ **04** ③ **05** ① **06** 암흑 에너지
07 ③ **08** ② **09** ② **10** ①

01 | 선택지 분석 |

ㄱ. ✕ 우리은하의 질량은 대부분 중심에 집중되어 있다.
➡ 우리은하의 질량이 은하 중심에 집중되어 있는 것이 아니라 바깥쪽에 암흑 물질이 상당량 분포하고 있다.

ㄴ. ✕ 우리은하의 외곽에서 회전 속도가 감소하지 않는 이유는 별이 많이 분포하기 때문이다.
➡ 우리은하는 은하 중심에서 거리가 멀어져도 회전 속도가 감소하지 않고 거의 일정하게 유지되는데, 이는 우리은하의 질량이 은하 중심에 집중되어 있는 것이 아니라 바깥쪽에 암흑 물질이 상당량 분포하고 있음을 의미한다.

㉢ 중력 렌즈 현상을 이용하여 암흑 물질의 존재를 간접적으로 확인할 수 있다.
➡ 암흑 물질은 빛을 방출하지 않기 때문에 우리 눈에 보이지 않으며, 중력 렌즈 현상을 통해 간접적으로 확인할 수 있다.

02 | 선택지 분석 |

㉠ 암흑 물질은 중력 렌즈 효과로 인해 그 존재를 추정할 수 있다.
➡ 암흑 물질은 중력 렌즈 효과, 나선 은하의 회전 속도 등으로 그 존재를 추정할 수 있다.

ㄴ. ✕ 암흑 에너지로 인해 우주는 점차 감속 팽창하고 있다.
➡ 우주의 팽창을 가속하는 성분을 암흑 에너지라고 부른다.

ㄷ. ✕ 우주를 이루고 있는 요소 중 암흑 물질의 비율이 가장 크다.
➡ 암흑 에너지가 68 %로 가장 많은 비율을 차지하고 있다.

03 우주의 구성 성분은 대략 보통 물질 5 %, 암흑 물질 27 %, 암흑 에너지 68 %로 이루어져 있다. 보통 물질은 전자기파를 통해 확인할 수 있다.

04 | 자료 분석 |

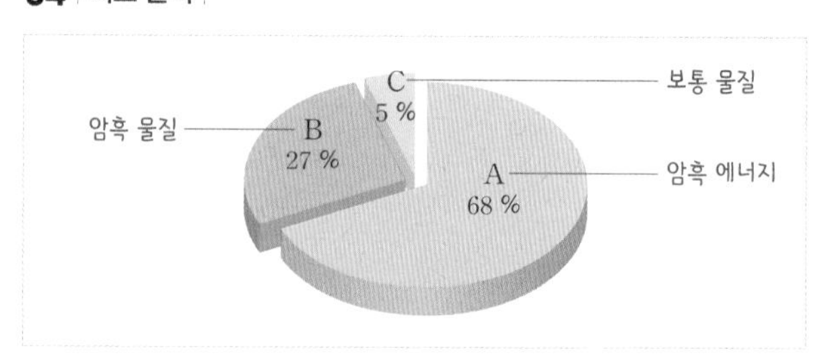

| 선택지 분석 |

㉠ A는 팽창 속도를 가속시키는 역할을 한다.
➡ A는 암흑 에너지로, 팽창을 가속시키는 역할을 한다.

ㄴ. ✕ A와 B는 중력을 일으키는 힘으로 작용한다.
➡ B는 암흑 물질, C는 보통 물질로 중력을 일으키는 힘으로 작용하며, A는 암흑 에너지로 중력의 반대되는 힘으로 작용한다.

㉢ 우리가 눈으로 볼 수 있는 보통 물질은 C에 해당한다.
➡ C는 보통 물질로 우리가 눈으로 볼 수 있다.

05 | 선택지 분석 |

㉠ 입자 물리학의 표준 모형에는 암흑 물질을 설명할 수 있는 입자가 없다.

➡ 표준 모형에는 암흑 물질이 될 수 있는 입자가 없으며, 아직 발견되지 않은 윔프와 액시온을 그 후보로 보고 있다.

✕ 암흑 에너지는 우주의 팽창 속도를 늦추는 암흑 물질과는 같은 개념이다.

➡ 암흑 에너지는 우주의 팽창 속도를 빠르게 한다.

✕ 암흑 물질은 전파 관측을 통해 그 존재를 알 수 있으며 물질을 끌어당기는 역할을 한다.

➡ 암흑 물질은 전파로 관측이 불가능하므로 중력의 작용으로 그 존재를 확인한다.

더 알아보기 **표준 모형**

우주를 구성하는 입자와 이들 사이의 상호 작용을 밝힌 현대 입자 물리학 이론을 표준 모형이라고 한다.

⇨ 기본 입자는 보통 물질을 구성하는 가장 작은 단위이다.

⇨ **기본 입자의 예:** 쿼크나 전자와 같이 물질을 구성하는 입자, 광자나 글루온과 같이 힘을 전달하는 입자, 다른 기본 입자들이 질량을 갖게 하는 힉스 입자

⇨ 기본 입자들은 우주의 탄생 초기에 다양한 방식으로 상호 작용하여 우주의 기본 물질들을 만들어냈다.

06 우주의 팽창률이 점점 더 커지려면 물질과는 반대로 척력으로 작용하는 요소가 있어야 한다. 우주의 팽창을 가속하는 성분을 암흑 에너지라고 부른다.

07 | 선택지 분석 |

㉠ 현재 우주의 팽창 속도는 점점 빨라지고 있다.

➡ (나)에서 시간에 따른 우주 크기의 변화율이 점점 커지므로 우주의 팽창 속도는 점점 빨라지고 있다.

✕ 암흑 에너지는 우주의 팽창 속도를 늦추는 작용을 한다.

➡ 암흑 에너지는 우주의 팽창 속도를 빨라지게 한다.

㉢ 우주에는 우리 눈으로 볼 수 없는 물질이 볼 수 있는 물질보다 많다.

➡ 우주에는 암흑 물질이 보통 물질보다 훨씬 많으므로 우리 눈으로 볼 수 있는 물질보다 볼 수 없는 물질이 더 많다.

08 | 선택지 분석 |

✕ A는 암흑 에너지이다.

➡ A는 암흑 물질이다. 현재 우주의 구성은 암흑 에너지(C)가 가장 많고, 그 다음으로 암흑 물질(A)과 보통 물질(B) 순으로 많다.

✕ 우주에 존재하는 암흑 에너지의 총량은 시간에 따라 감소한다.

➡ 우주가 팽창하고 있는데 암흑 에너지인 C의 밀도는 일정하므로 암흑 에너지의 총량은 시간에 따라 증가한다.

㉢ 보통 물질이 차지하는 비율은 시간에 따라 감소한다.

➡ 그림에서 보통 물질인 B가 차지하는 비율은 시간에 따라 감소하고 있다.

09 | 선택지 분석 |

✕ 만약 중력의 힘이 팽창을 이긴다면, 우주는 결국 모든 물질들이 찢어지는 빅립이 된다.

➡ 중력이 팽창을 이기면 결국 우주는 하나의 점으로 수축하여 빅크런치가 될 것이라고 예상된다.

✕ 만약 팽창이 중력의 힘을 이긴다면, 우주는 밀도가 점점 증가하며 결국 모두 하나의 점으로 수축할 것이다.

➡ 팽창이 중력을 이긴다면 우주는 점차 팽창하여 결국 빅립이 되거나 혹은 모두 빛으로 사라져 버릴 것으로 예상된다.

㉢ 현재 과학자들은 현재 우주의 팽창률이 증가하고 있다고 본다.

➡ 현재 시점에서 시간에 따른 우주의 크기 변화율이 증가하므로 우주의 팽창률은 증가하고 있다.

10 | 선택지 분석 |

㉠ (가)는 암흑 에너지이다.

➡ 우주 배경 복사의 관측 결과를 근거로 우주에는 68 %의 암흑 에너지가 존재한다고 추정한다.

✕ A는 B보다 작다.

➡ 우주에 존재하는 암흑 물질은 약 27 %를 차지하고, 보통 물질은 약 5 %를 차지한다. 즉, 암흑 물질이 보통 물질보다 훨씬 많다.

✕ 암흑 물질은 우주를 가속 팽창시키는 원인이 된다.

➡ 우주를 가속 팽창시키는 역할을 하는 것은 척력으로 작용하는 암흑 에너지인 것으로 설명되고 있다.

도전! 실력 올리기 270쪽~271쪽

01 ⑤ **02** ⑤ **03** ③ **04** ④ **05** ③ **06** ④

07 (1) A: 암흑 에너지 B: 암흑 물질 C: 보통 물질 (2) A

08 | **모범 답안** | 멀리 있는 초신성일수록 예상했던 것보다 거리 지수가 더 크게 관측된다. 이것은 멀리 있는 초신성일수록 예상보다 더 멀리 있다는 의미이고, 우주의 팽창 속도가 점점 더 빨라지고 있다는 뜻이다.

09 | **모범 답안** | 물질에 의한 수축 효과보다 중력의 반대 방향으로 작용하는 암흑 에너지의 효과가 증가하기 때문인 것으로 추정하고 있다.

01 | 선택지 분석 |

㉠ 은하의 바깥쪽에도 많은 질량이 존재한다.

➡ 은하의 회전 속도가 중심에서 멀어져도 거의 일정한 것은 은하의 바깥쪽에도 많은 질량이 존재하기 때문이다.

㉡ 암흑 물질이 존재한다는 증거 중 하나이다.

➡ 암흑 물질 존재의 증거로는 나선 은하의 회전 속도, 중력 렌즈 현상 등이 있다.

㉢ 예측된 회전 속도가 실제와 다른 이유는 우리가 관측할 수 없는 물질이 존재하기 때문이다.

➡ 은하의 회전 속도가 중심에서 멀어져도 거의 일정한 것은 은하의 바깥쪽에도 많은 질량이 존재하기 때문인데 바깥쪽에는 암흑 물질이 존재하는 것으로 보인다.

02 | 선택지 분석 |

ㄱ. A는 우주를 가속 팽창시키는 원인이 된다.
➡ 현재 우주를 구성하는 비율이 가장 높은 A는 암흑 에너지이며 현재 우주의 가속 팽창의 원인이 되는 것으로 알려져 있다.

ㄴ. B는 암흑 물질이다.
➡ 우주를 구성하는 비율은 암흑 에너지>암흑 물질>보통 물질 순이다.

ㄷ. 보통 물질은 대부분 수소와 헬륨으로 이루어져 있다.
➡ 별과 은하, 성간 물질을 이루는 보통 물질은 대부분 수소와 헬륨으로 이루어져 있다.

03 | 선택지 분석 |

~~ㄱ~~. Ia형 초신성은 밝게 보일수록 빠르게 멀어진다.
➡ Ia형 초신성들은 겉보기 등급이 클수록, 즉 어둡게 보일수록 후퇴 속도가 크다.

~~ㄴ~~. Ia형 초신성은 후퇴 속도로 예상한 것보다 밝게 관측된다.
➡ Ia형 초신성을 관측하여 얻어진 등급이 일정한 속도로 팽창하는 우주 모형에서 계산된 등급보다 더 크므로 더 어둡게 관측된다.

ㄷ. 우주는 가속 팽창하고 있다.
➡ 가속 팽창하지 않는 우주에서 예상되는 겉보기 등급을 이론적으로 계산한 것보다 실제 관측한 겉보기 등급이 더 크게 측정되었다. 이는 우주의 팽창 속도가 점점 빨라지고 있음을 의미한다.

04 | 선택지 분석 |

~~ㄱ~~. 현재 우주의 팽창 속도는 점점 느려지고 있다.
➡ 그림에서 시간에 따른 우주 크기의 증가율은 현재 점점 커지고 있다. 이는 우주 팽창 속도가 점점 빨라지고 있음을 의미한다.

ㄴ. (가)는 은하 간의 중력을 유발한다.
➡ (가)는 암흑 물질로 우리 눈에 보이지 않으며 중력을 유발한다.

ㄷ. A는 B보다 크다.
➡ 우주에서 암흑 에너지는 약 68 %, 보통 물질은 약 5 %의 구성비를 보인다.

05 | 선택지 분석 |

ㄱ. A는 우주의 가속 팽창을 일으키는 원인으로 추정된다.
➡ A는 암흑 에너지로 우주 가속 팽창의 원인으로 추정되고 있다.

~~ㄴ~~. B는 전자기파를 방출하거나 흡수하는 물질이다.
➡ B는 암흑 물질로 전자기파를 방출하거나 흡수하지 않아 관측을 통해 발견할 수 없다.

ㄷ. C는 관측을 통해서 그 존재를 확인할 수 있다.
➡ C는 보통 물질로 관측을 통해 발견할 수 있다.

06 암흑 에너지를 고려하지 않을 때 우주가 영원히 팽창하게 될지 아니면 팽창을 멈추게 될지는 우주의 밀도에 따라 결정된다. 평탄한 우주가 되기 위해서는 우주의 밀도가 정확히 임계 밀도와 같아야 한다. 그러나 암흑 에너지가 많은 부분을 차지하면 평탄한 우주라도 우주는 가속 팽창한다.

| 선택지 분석 |

~~ㄱ~~. (가)는 우주의 밀도가 매우 작은 우주이다.
➡ 닫힌 우주의 모형으로 우주의 평균 밀도가 임계 밀도보다 클 때 중력의 작용이 우세하여 닫힌 우주가 된다.

ㄴ. (나)는 암흑 에너지가 없을 때 우주의 밀도가 임계 밀도와 같은 우주이다.
➡ 평탄 우주 모형으로 우주의 평균 밀도가 임계 밀도와 같을 때 우주의 팽창 속도가 점점 감소하여 0에 수렴하는 평탄한 우주가 된다.

ㄷ. (다)는 암흑 에너지가 우주의 대부분을 차지하는 우주이다.
➡ 열린 우주의 모형으로 우주의 평균 밀도가 임계 밀도보다 작을 때 우주는 영원히 팽창한다.

07 (1) 최근 플랑크 망원경 관측 결과에 의하면 우주 전체에 존재하는 에너지와 물질 가운데 약 68.3 %는 암흑 에너지이고, 약 26.8 %는 암흑 물질, 나머지 약 4.9 %가 보통 물질로 밝혀졌다.

(2) 암흑 에너지는 중력과 반대 방향으로 작용하는 미지의 에너지이다.

08 멀리 있는 Ia형 초신성일수록 거리 지수가 예상보다 더 크게 관측되었다. 이것은 이 초신성들이 예상했던 것보다 훨씬 더 멀리 있다는 것을 의미하며, 우주의 팽창 속도가 점점 빨라지고 있다고 결론내릴 수 있다.

채점 기준	배점
예시 답안과 같이 옳게 서술한 경우	100 %
우주의 팽창 속도가 빨라지고 있다는 서술이 빠진 경우	50 %

09 우주를 가속 팽창시키는 역할을 하는 것은 중력에 척력으로 작용하는 암흑 에너지이다.

채점 기준	배점
예시 답안과 같이 옳게 서술한 경우	100 %
암흑 에너지에 의한 효과라는 서술이 빠진 경우	50 %

실전! 수능 도전하기

273쪽~275쪽

01 ③ **02** ③ **03** ⑤ **04** ① **05** ② **06** ③ **07** ⑤ **08** ③ **09** ③ **10** ② **11** ④ **12** ④

01 | 선택지 분석 |

ㄱ. A는 불규칙 은하이다.
➡ A는 규칙적인 모양이 보이지 않고 비대칭적이므로 불규칙 은하에 해당한다.

~~ㄴ~~. B의 경우 별의 평균 색지수는 은하 중심부보다 나선팔에서 크다.

➡ B는 나선 은하로 중심부에는 늙은 별이, 나선팔에는 젊은 별이 많아서 별의 평균 색지수는 은하 중심부보다 나선팔에서 작다.

ㄷ 보통 물질 중 성간 물질이 차지하는 질량의 비율은 B가 C보다 크다.
➡ C는 타원 은하로 성간 물질이 거의 없지만, 나선 은하 B의 나선팔에는 성간 물질이 많이 있다.

02 | 선택지 분석 |

ㄱ 푸른 별은 (가)보다 (나)에 많다.
➡ 타원 은하인 (가)는 나선 은하인 (나)에 비해 비교적 나이가 많은 별들로 이루어져 있다.

ㄴ (나)가 진화하면 (가)와 같은 형태가 된다.
➡ 타원 은하나 나선 은하와 같은 허블의 은하 분류는 은하의 진화 단계를 나타내는 것이 아니다.

ㄷ 성간 기체는 (가)보다 (나)에 많이 분포한다.
➡ 성간 기체를 비롯한 성간 물질은 타원 은하에는 거의 없고 나선 은하의 나선팔에 특히 많이 분포한다.

03 | 선택지 분석 |

ㄱ 이 은하는 강한 전파를 방출한다.
➡ (나)에서 강한 전파가 방출되고 있음을 관찰할 수 있다.

ㄴ 중심핵에서는 물질이 분출되고 있다.
➡ (나)에서 중심핵에서 물질이 분출되고 있음을 관찰할 수 있다.

ㄷ 이 은하를 허블의 분류에 따라 분류하면 타원 은하에 해당한다.
➡ (가)에서 이 은하는 나선팔이 없고 원에 가까운 타원 은하임을 알 수 있다.

04 | 선택지 분석 |

ㄱ 광도는 항성보다 크다.
➡ 퀘이사는 아주 멀리 있음에도 우리은하의 항성과 비슷한 겉보기 등급을 보이므로 항성보다 광도가 훨씬 큼을 알 수 있다.

ㄴ 연주 시차를 측정하여 거리를 구한다.
➡ 퀘이사까지의 거리는 스펙트럼선의 적색 편이량을 이용하여 구한다.

ㄷ 퀘이사는 질량이 매우 큰 별로 판단된다.
➡ 퀘이사는 많은 별들로 된 거대한 은하이지만 너무 멀리 있어서 별처럼 보인다.

05 | 선택지 분석 |

ㄱ 멀리 있는 외부 은하일수록 $\Delta\lambda$는 작아진다.
➡ 먼 은하일수록 더 빨리 멀어지므로 $\Delta\lambda$가 커진다.

ㄴ X의 후퇴 속도는 15000 km/s이다.
➡ X의 후퇴 속도$=\frac{200\ \text{Å}}{4000\ \text{Å}}\times3\times10^5$ km/s$=$15000 km/s이다.

ㄷ X를 이용하여 구한 허블 상수는 75 km/s/Mpc이다.
➡ X를 이용하여 구한 허블 상수$=\frac{15000\ \text{km/s}}{300\ \text{Mpc}}=$50 km/s/Mpc이다.

06 | 선택지 분석 |

ㄱ 풍선 표면의 A, B, C는 서로 멀어진다.
➡ 풍선의 크기가 커짐에 따라 풍선 표면의 A, B, C는 서로 멀어지게 된다.

ㄴ 풍선 표면의 중심은 B의 위치에 있다.
➡ 우주에는 특정한 중심이 없다. 풍선 표면의 중심 또한 특정한 지점이 아니다.

ㄷ 우주가 팽창하면 우주 배경 복사의 파장이 길어진다.
➡ 풍선 표면에 그려진 물결 무늬가 풍선의 크기가 커짐에 따라 커지는 것처럼, 우주가 팽창하면 우주 배경 복사의 파장도 길어진다.

07 | 선택지 분석 |

ㄱ 우리은하가 우주의 중심이다.
➡ 팽창하는 우주에는 특별한 중심이 없으므로 우리은하도 우주의 중심이 아니다.

ㄴ 우리은하에서 측정한 적색 편이 값은 B가 가장 작다.
➡ 멀리 있는 은하가 더 빠르게 멀어지는 것으로 우주가 팽창하고 있음을 알 수 있다. B는 우리은하에서 가장 가까이 있고 후퇴 속도가 1400 km/s로 가장 작으므로 적색 편이 값도 가장 작다.

ㄷ A에서 측정한 후퇴 속도는 우리은하가 C보다 작다.
➡ A에서는 우리은하가 C보다 가까이 있으므로 후퇴 속도는 우리은하가 C보다 작다.

08 | 선택지 분석 |

ㄱ A에서 관측하면 B는 적색 편이가 나타난다.
➡ A, B 은하는 서로 멀어지고 있으므로 적색 편이가 나타난다.

ㄴ A와 B 사이에 우주의 중심이 존재한다.
➡ 팽창하는 우주에서 우주의 중심을 정할 수 없다.

ㄷ B에서 측정되는 허블 상수의 값은 70 km/s/Mpc이다.
➡ 허블 상수의 값은 은하의 후퇴 속도를 거리로 나눈 값이므로 $\frac{14000\ \text{km/s}}{200\ \text{Mpc}}=$70 km/s/Mpc이다.

09 | 선택지 분석 |

ㄱ 우주 배경 복사의 온도
➡ 우주 배경 복사는 우주 온도가 약 3000 K일 때 방출되었던 복사가 현재 2.7 K로 관측되고 있는 것이다.

ㄴ 우주에서 관측되는 수소와 헬륨의 질량비
➡ 우주를 구성하는 물질의 약 75 %가 수소, 약 25 %가 헬륨으로 되어 있다는 관측 결과는 빅뱅 우주론에서 예측한 것과 잘 일치한다.

ㄷ 우주의 평탄성 문제
➡ 우주의 평탄성 문제는 빅뱅 우주론으로는 설명할 수 없다.

10 | 선택지 분석 |

ㄱ (가)는 별과 은하와 같은 천체이다.
➡ 우주를 구성하는 요소 중 가장 많은 비율을 차지하는 것은 암흑 에너지이다.

ㄴ A는 B보다 크다.
➡ A는 약 27 %, B는 약 5 %로, 암흑 물질이 보통 물질보다 그 양이 훨씬 더 많다.

✕ 암흑 물질은 우주를 가속 팽창시키는 원인이 된다.

➡ 우주가 중력을 가진 물질로만 되어 있다면 우주 자체는 물질들의 중력에 의해 수축되어야 하지만, 우주는 암흑 에너지에 의해 현재 가속 팽창하고 있다.

11 | 선택지 분석 |

✕ 현재 시점에서 우주의 팽창 속도는 감소하고 있다.

➡ 우주의 팽창 속도가 점점 빨라지는 것은 척력으로 작용하는 암흑 에너지 때문인 것으로 설명되고 있다. 그림의 현재 시점에서 가속 팽창이 관찰되고 있다.

ㄴ 암흑 에너지의 비율은 A 시점보다 현재가 크다.

➡ 암흑 에너지의 비율은 A 시점일 때 1 %, 현재는 68 %이다.

ㄷ 우주의 평균 밀도는 A 시점보다 현재가 작다.

➡ 질량은 같으나 부피가 작은 A 시점이 평균 밀도가 더 크다.

12 | 선택지 분석 |

✕ Ia형 초신성의 절대 등급은 거리가 멀수록 커진다.

➡ Ia형 초신성은 일정한 질량에서 폭발하기 때문에 절대 등급이 일정하다.

ㄴ $z=1.2$인 Ia형 초신성의 거리 예측값은 A가 B보다 크다.

➡ 그래프에서 거리 지수가 큰 A가 B보다 거리 예측값이 크다.

ㄷ 관측 자료에 나타난 우주의 팽창을 설명하기 위해서는 암흑 에너지도 고려해야 한다.

➡ Ia형 초신성 관측을 통해 우주가 가속 팽창하고 있음이 밝혀졌고 그 원인으로 암흑 에너지를 가정한다. 암흑 에너지는 척력으로 작용해 우주를 가속 팽창시키는 역할을 하는 것으로 여겨진다.

한번에 끝내는 대단원 문제 278쪽~280쪽

01 ④ 02 ④ 03 ③ 04 ③ 05 ④ 06 ③ 07 ⑤ 08 ⑤ 09 ③ 10 ① 11 ⑤

12 | **모범 답안** | 행성상 성운 이전에는 적색 거성 단계, 그 이후에는 백색 왜성이 된다. 행성상 성운을 거쳐 백색 왜성이 되는 별은 질량이 태양 질량 정도이다.

13 | **모범 답안** | 15000 km/s, $V_R=\frac{\lambda-\lambda_0}{\lambda_0}\times c=\frac{20}{400}\times 3\times 10^5$ km/s$=1.5\times 10^4$ km/s이다.

18 | **모범 답안** | 300 Mpc, 그림 (나)로부터 시선 속도는 거리에 비례함을 알 수 있다. 따라서 80 : 4000=거리 : 15000에서 거리는 300 Mpc이다.

01 | 선택지 분석 |

✕ 표면 온도는 ㉠보다 ㉡쪽으로 갈수록 높아진다.

➡ 표면 온도는 분광형과 밀접한 관련이 있다. B형으로 갈수록 표면 온도가 높다. 따라서 표면 온도는 ㉠쪽으로 갈수록 높다.

ㄴ 중성 수소 흡수선은 A형 별에서 가장 세다.

➡ 중성 수소 흡수선은 A형에서 가장 세게 나타난다.

ㄷ 태양보다 고온인 별에서 헬륨 흡수선이 나타난다.

➡ 태양(G형)보다 고온인 별에서 헬륨 흡수선이 나타난다.

02 | 선택지 분석 |

✕ 별의 표면 온도는 ㉠이 가장 낮다.

➡ 분광형이 O형으로 갈수록 별의 표면 온도가 높다. 따라서 별의 표면 온도는 ㉠이 가장 높다.

ㄴ 별의 반지름은 ㉡이 ㉢보다 100배 크다.

➡ 별의 반지름은 별의 광도의 제곱근에 비례하고 표면 온도의 제곱에 반비례한다. ㉡, ㉢은 표면 온도는 같고 ㉡이 ㉢보다 밝기가 10000배 밝으므로 별의 반지름은 ㉡이 ㉢보다 100배 크다.

ㄷ 앞으로 수명이 가장 긴 것은 ㉢이다.

➡ ㉡은 이미 거성으로 진화하였고 ㉠은 질량이 커서 먼저 거성으로 진화할 것이다. 따라서 가장 수명이 긴 것은 ㉢이다.

03 | 선택지 분석 |

ㄱ 원시별은 질량이 클수록 주계열에 도달하는 속도가 빠르다.

➡ 원시별은 질량이 클수록 진화 속도가 빨라서 주계열성에 도달하는 시간이 적게 걸린다.

ㄴ 원시별이 중심핵에서 수소 핵융합 반응을 시작하면 주계열에 도달한다.

➡ 원시별의 중심 온도가 1000만 K에 도달하면 수소 핵융합 반응을 시작하면서 주계열성으로 진화한다.

✕ 질량이 작은 원시별일수록 진화 과정 중 표면 온도 변화가 크게 일어난다.

➡ 원시별이 주계열성으로 진화하는 과정에서 질량이 큰 원시별일수록 표면 온도가 크게 증가하고, 질량이 작은 원시별일수록 표면 온도가 작게 증가한다.

04 | 선택지 분석 |

ㄱ 행성의 공전 주기가 길수록 t_1~t_3까지의 밝기가 변화하는 시간이 길어진다.

➡ 식 현상이 반복되는 시간 간격이 행성의 공전 주기로 주기가 길면 공전 속도가 느리므로, t_1~t_3까지 밝기가 변화하는 시간도 길어진다.

ㄴ 행성의 반지름이 클수록 별의 밝기 변화가 크다.

➡ 행성의 반지름이 클수록 식 현상으로 가려지는 별의 부분이 넓어져 밝기의 변화 정도가 크다.

✕ 행성이 1→3으로 이동하는 동안 중심별의 스펙트럼에서는 청색 편이가 일어난다.

➡ 행성이 1에서 3으로 이동하는 동안에는 시선 방향에 수평으로 움직이므로 편이가 나타나지 않는다.

05 | 선택지 분석 |

✕ 행성이 A의 위치에 있을 때 중심별은 청색 편이가 관측된다.

➡ 행성이 A에 위치할 때 중심별은 B에 위치하며, 멀어지고 있으므로 적색 편이가 관측된다.

ㄴ. 공통 질량 중심을 회전하는 주기는 A와 B가 같다.
➡ 공통 질량 중심을 회전하는 천체의 주기는 같다.

ㄷ. B와 B'의 시선 속도 방향은 반대이다.
➡ 중심별이 B에 위치할 때는 시선에서 멀어지는 방향, B'에 위치할 때는 시선에서 가까워지는 방향이다.

06 | 선택지 분석 |

ㄱ. 태양계의 생명 가능 지대는 1 AU 내외의 범위에 존재한다.
➡ 태양계의 생명 가능 지대는 0.95 AU~1.15 AU 사이이며, 지구가 이 영역 안에 있다.

✕ 화성에는 기체 상태의 물이 존재할 것이다.
➡ 화성은 생명 가능 지대보다 멀리 있으므로 물이 존재한다면 온도가 낮아 고체 상태의 얼음으로 존재할 것이다.

ㄷ. 태양의 질량이 현재보다 컸다면 생명 가능 지대는 태양에서 더 멀어졌을 것이다.
➡ 중심별의 질량이 클수록 생명 가능 지대의 거리가 더 멀어지고 폭이 더 넓어진다.

더 알아보기 **골디락스 지대**
생명체가 살아가기 위해서는 물이 있어야 하고, 기온이 높지도 낮지도 않아야 하며, 태양과 같은 항성의 빛을 꾸준하게 받을 수 있는 위치에 행성이 존재해야 한다. 이 같은 조건을 갖춘 지역을 골디락스 지대라고 하는데, '골디락스'는 영국의 전래동화인 '골디락스와 세 마리의 곰'에 등장하는 소녀의 이름에서 유래했다.

07 | 자료 분석 |

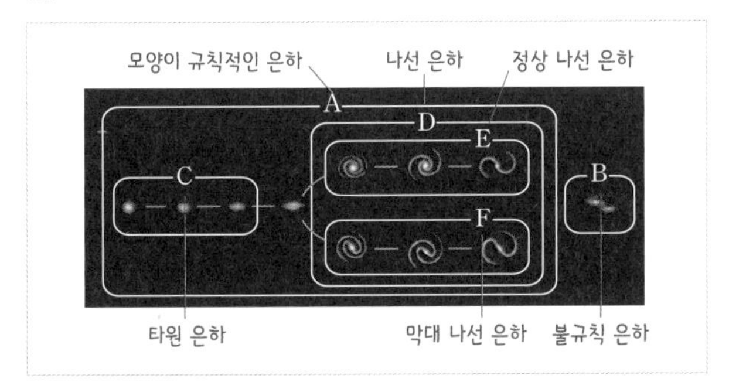

| 선택지 분석 |

ㄱ. A와 B의 분류 기준은 모양의 규칙성 여부이다.
➡ 불규칙 은하(B)는 일정한 모양이 없는 은하이다.

ㄴ. C와 D의 분류 기준은 나선팔의 유무이다.
➡ 나선 은하(D)는 타원 은하(C)와 달리 나선팔을 가진다.

ㄷ. E와 F의 분류 기준은 중심부에 막대 구조의 유무이다.
➡ 나선 은하는 막대 구조 유무에 따라 정상 나선 은하(E)와 막대 나선 은하(F)로 나눌 수 있다.

08 | 선택지 분석 |

ㄱ. 강한 방출선이 관측된다.

ㄴ. 선 스펙트럼의 폭이 넓게 나타난다.
➡ 세이퍼트은하는 중심부에 블랙홀이 있을 것으로 추정되는 활동 은하이다. 세이퍼트은하는 일반적인 은하에 비해 아주 밝은 핵과 스펙트럼에서 넓고 강한 방출선을 보인다.

ㄷ. 가시광선 영역에서 대부분 나선 은하로 관측된다.
➡ 세이퍼트은하는 가시광선 영역에서 대부분 나선 은하로 관측된다.

09 | 선택지 분석 |

ㄱ. Ia형 초신성의 겉보기 등급은 멀리 있을수록 더 어둡게 관측된다.
➡ Ia형 초신성의 절대 등급은 거의 일정하므로 겉보기 등급은 멀리 있을수록 더 어둡게 관측된다.

✕ 빅뱅 이후 우주의 팽창 속도는 계속 증가하고 있다.
➡ 빅뱅 이후 급팽창 시기를 거쳐 점차 우주의 팽창 속도가 감소하다가 약 70억 년 전부터 현재까지 다시 가속 팽창하고 있다.

ㄷ. 우주가 가속 팽창하는 까닭은 암흑 에너지에 의한 척력 때문이다.
➡ 우주가 가속 팽창하는 까닭은 암흑 에너지에 의한 우주 척력 때문인 것으로 추정하고 있다.

10 | 선택지 분석 |

ㄱ. 우주 배경 복사는 2.7 K 흑체 복사와 일치한다.
➡ 그래프에서 흑체의 복사 곡선과 관측값이 일치한다.

✕ 이 관측 결과는 빅뱅 우주론이 설명하지 못하는 취약점이다.
➡ 이 관측 결과는 빅뱅 우주론의 강력한 증거이다.

✕ 이 그래프는 우주 전체의 국지적으로 미세한 온도 변화를 보여 준다.
➡ 이 그래프로는 우주 전체의 국지적인 미세한 온도 변화를 확인할 수 없다. 우주 배경 복사 지도를 살펴보았을 때 알 수 있다.

11 | 선택지 분석 |

ㄱ. A 구간은 급팽창이 일어났음을 의미한다.
➡ A 구간에서 반지름이 급격하게 늘어난 것으로 급팽창이 일어났음을 알 수 있다.

ㄴ. B 구간은 A 구간보다는 느린 속도이지만, 우주가 계속 팽창하고 있음을 나타낸다.
➡ B 구간에서는 A 구간보다 기울기가 작지만, 양의 값을 가지므로, 계속 팽창하고 있음을 나타낸다.

✕ 이 우주론은 기존 빅뱅 이론의 우주의 지평선 문제를 해결하였다.
➡ 급팽창 이론을 통해, 우주의 크기가 급팽창 이전에는 우주의 지평선보다 작았고, 급팽창 이후에는 우주의 지평선보다 크다고 가정하여 기존 빅뱅 우주론의 문제점을 해결하였다.

12 그림은 행성상 성운의 모습으로, 태양과 질량이 비슷한 별은 적색 거성을 거쳐 행성상 성운을 만들고 백색 왜성이 된다.

채점 기준	배점
적색 거성, 백색 왜성, 별의 질량 범위를 모두 옳게 서술한 경우	100 %
적색 거성, 백색 왜성만 옳게 서술한 경우	60 %
별의 질량 범위만 옳게 서술한 경우	40 %

더 알아보기 **행성상 성운**

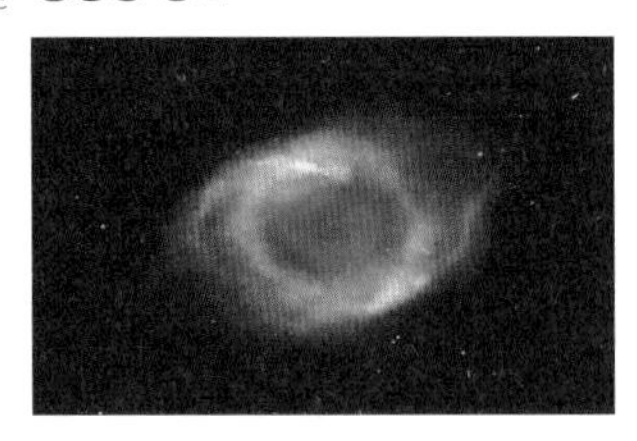

행성상 성운은 적색 거성의 외곽 물질이 팽창하여 형성되며, 수명은 약 수만 년에 불과하다.

13 $V_R=\frac{\lambda-\lambda_0}{\lambda_0}\times c=\frac{20}{400}\times 3\times 10^5$ km/s$=1.5\times 10^4$ km/s 이다.

채점 기준	배점
풀이 과정과 답을 모두 옳게 설명한 경우	100 %
풀이 과정이나 답 중 한 가지만 옳게 설명한 경우	50 %

14 그림 (나)로부터 시선 속도는 거리에 비례함을 알 수 있다.

채점 기준	배점
풀이 과정과 답을 모두 옳게 설명한 경우	100 %
풀이 과정이나 답 중 하나만 옳게 설명한 경우	50 %

Never, never, never, never give up.

- *Winston Churchill*

절대로, 절대로, 절대로, 절대로 포기하지 마라.

– 윈스턴 처칠

집중력을 높이는 미로 Game

주방보조 몬스터!

냥셰프에게 요리 재료를 무사히 전달하라!

집중력을 높이는 미로 Game

주방보조 몬스터!

냥셰프에게 요리 재료를 무사히 전달하라!

개념 학습과 정리가 한번에 끝나는 기본서
개념풀
지구과학 I

지학사 서포터즈 모집안내

모집 분야

개념 학습과 정리가 한번에 끝나는 기본서	수학을 쉽게 만들어 주는 자
개념풀	**풍산자**
• **대상** 고등학생(1~2학년)	• **대상** 중·고등학생(1~3학년)
• **모집 시기** 매년 3월, 12월	• **모집 시기** 매년 2월, 8월

활동 내용

❶ 교재 리뷰 작성

❷ 홍보 미션 수행

혜택

❶ 해당 시리즈 교재 중 1권 증정

❷ 미션 수행자에게 푸짐한 선물 증정

상기 모집 내용 및 일정은 사정에 따라 변동될 수 있습니다. 자세한 사항은 지학사 홈페이지 (www.jihak.co.kr)를 통해 공지됩니다.

발 행 인 권준구
발 행 처 (주)지학사 (등록번호 : 1957.3.18 제 13-11호) 04056 서울시 마포구 신촌로6길 5
발 행 일 2018년 9월 30일 [초판 1쇄] 2023년 9월 30일 [2판 2쇄]
구입 문의 TEL 02-330-5300 | FAX 02-325-8010 구입 후에는 철회되지 않으며, 잘못된 제품은 구입처에서 교환해 드립니다.
내용 문의 www.jihak.co.kr 전화번호는 홈페이지 〈고객센터 → 담당자 안내〉에 있습니다.

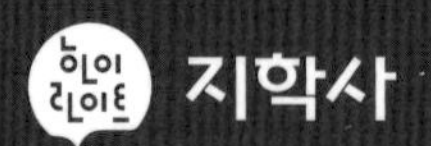

학습한 개념을
스스로 정리해 보는
개념책 1:1 맞춤

정리 노트

개념풀 지구과학 I

의 노트

개념과 정리가 한번에 끝나는 기본서

개념풀

지구과학 I

개념책 1:1 맞춤

정리노트

contents

학습한 개념을 단권화 할 수 있는

개념풀 정리노트 사용법

정리노트를 작성하기 전 중단원의 흐름을 살펴보면서 워밍업을 해 보세요.

❶ 노트 정리 전에 공부할 마음을 다잡아 보아요.

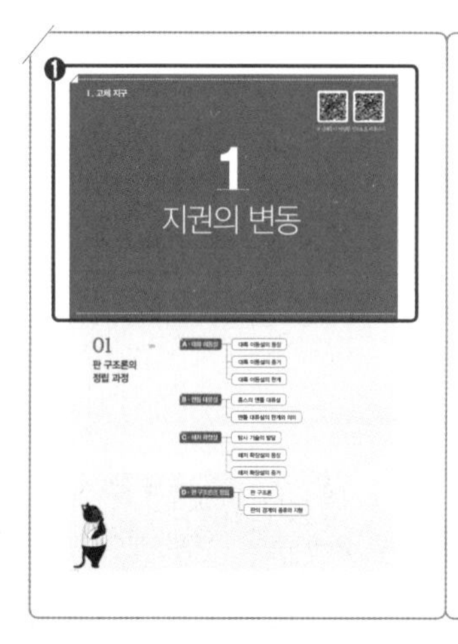

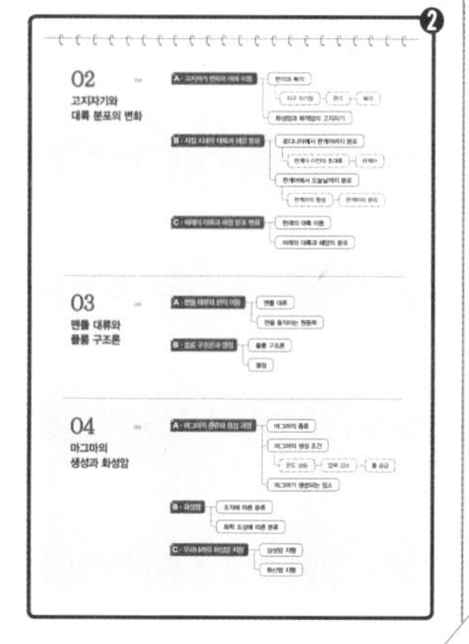

❷ 중단원의 흐름을 한번에 훑어 보세요. 공부했던 내용들의 흐름이 기억날 거예요.

기억이 잘 안난다구요?
기억이 나지 않아도 걱정 마세요.
이제부터 시작이니까요.

소단원별 중요 내용의 구조를 보고, 개념을 정리하세요.

❶ 선배들이 개념책을 보고 소단원 전체의 소제목과 내용 구조를 정리했어요.

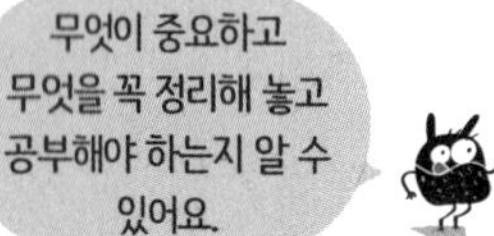

무엇이 중요하고
무엇을 꼭 정리해 놓고
공부해야 하는지 알 수
있어요.

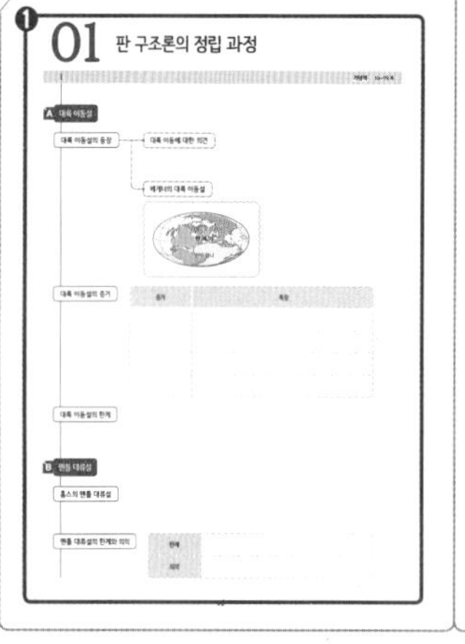

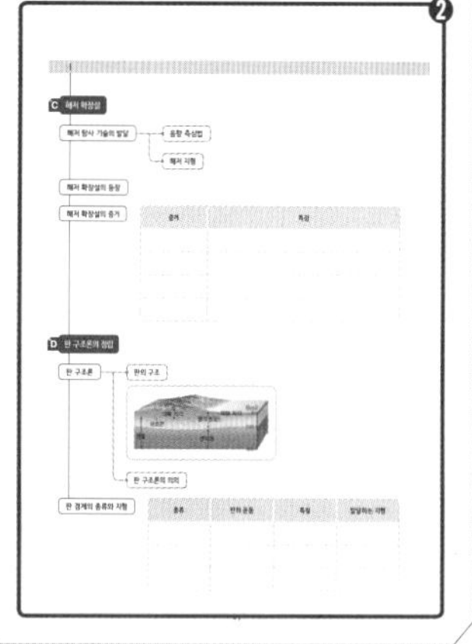

❷ 어디서부터 어떻게 정리해야 할지 모른다구요? 개념책을 펴 보세요. 흐름이 같지요? 개념책의 내용을 나만의 스타일로 정리해 보세요.

대단원별 중요 그림 다시 보기와 마인드맵으로 단원 내용을 확실하게 정리하세요.

❶ 대단원별 중요한 그림에 자신만의 설명을 적어 보세요. 단원의 핵심 자료를 확실하게 정리할 수 있어요.

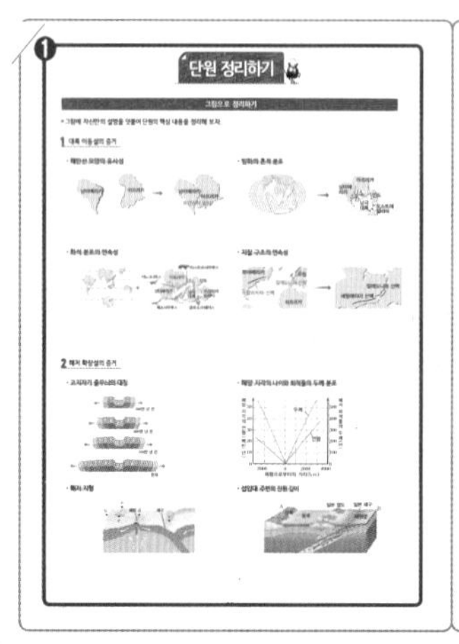

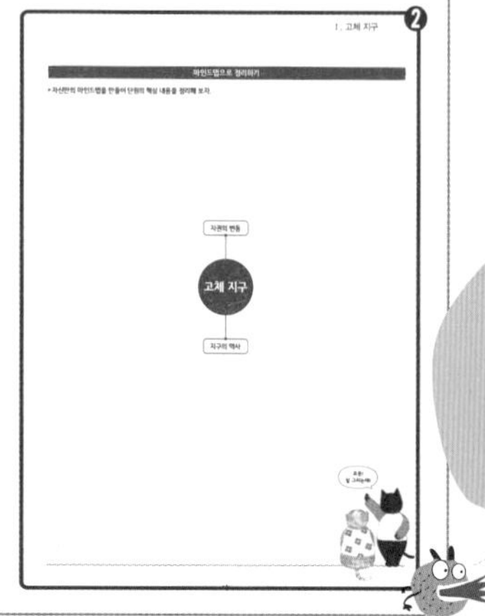

❷ 자신만의 마인드맵을 만들어 보아요. 단원의 핵심 내용이 머릿속에 쏙!

정리노트 사용하는 2가지 방법

1. 개념책이나 교과서를 펴놓고 중요 개념을 보면서 써 보기!
2. 외웠던 것을 스스로 확인하는 차원에서 정리해 보기!

수능 1등급 받은

선배들의 정리노트 이야기

정리노트를 작성하기가 막막해?
정리노트를 다시 쓰고 싶다고?
지학사 홈페이지(www.jihak.co.kr)에 들어오면,
빈 노트와 선배들의 정리노트를 다운받을 수 있어!

선배들이 직접 들려주는 정리노트 노하우!

"노트 정리를 하며 공부하려고 하면 무엇부터 써야하는지 막막하잖아. 노트 정리법을 직접 알려주려고 동영상을 만들었어. 어떤 노하우가 있는지 궁금하지 않아?"

▲ 정리노트 활용법 동영상 바로보기

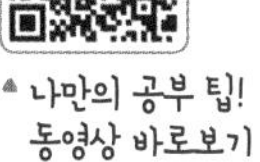

▲ 나만의 공부 팁! 동영상 바로보기

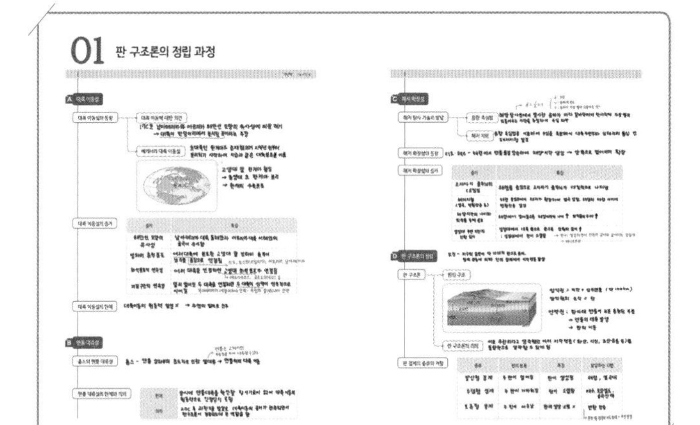

도유정 서울대 재학생

"개념풀 정리노트는 단원의 전체 흐름은 어떤지, 어떤 개념이 중요한지 한눈에 알 수 있도록 구성되어 있어. 중요한 그래프도 제시되어 있어서 그래프 모양을 잘못 그릴까 봐 걱정 안해도 되고 정리하기 너무 좋아!"

◀ 도유정 학생의 노트 바로가기

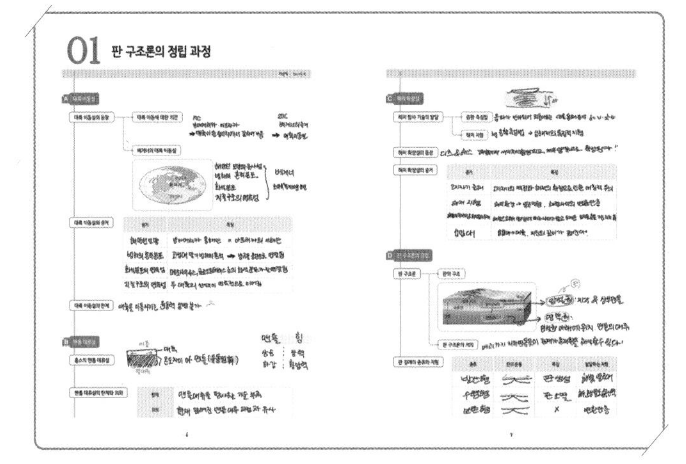

최민호 서울대 재학생

"개념풀 정리노트는 단원의 전체 흐름과 중요한 세부 내용까지 모두 볼 수 있도록 구성되어 있어. 그동안 공부했던 걸 정리노트에 채워 시험 전날 보고 가면 그 시험은 만점 예약!"

◀ 최민호 학생의 노트 바로가기

I . 고체 지구

» 선배들이 작성한 정리노트 바로가기

1 지권의 변동

01 판 구조론의 정립 과정

»»

- A · 대륙 이동설
  - 대륙 이동설의 등장
  - 대륙 이동설의 증거
  - 대륙 이동설의 한계
- B · 맨틀 대류설
  - 홈스의 맨틀 대류설
  - 맨틀 대류설의 한계와 의의
- C · 해저 확장설
  - 탐사 기술의 발달
  - 해저 확장설의 등장
  - 해저 확장설의 증거
- D · 판 구조론의 정립
  - 판 구조론
  - 판의 경계의 종류와 지형

02 고지자기와 대륙 분포의 변화

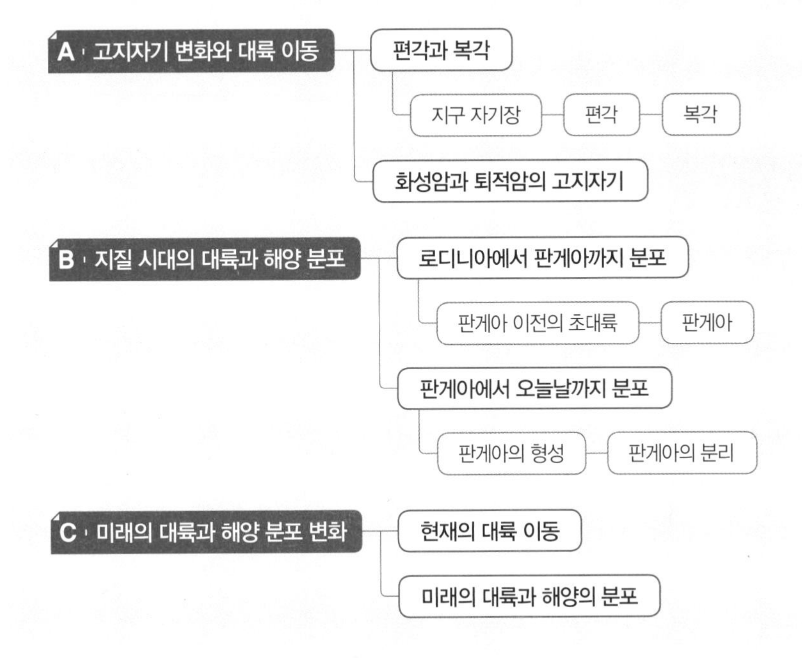

03 맨틀 대류와 플룸 구조론

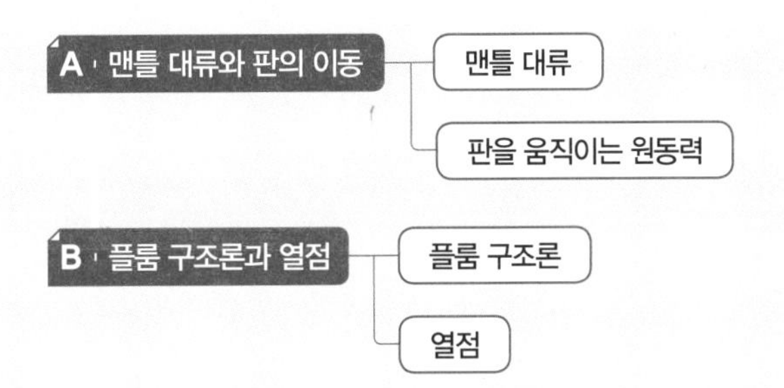

04 마그마의 생성과 화성암

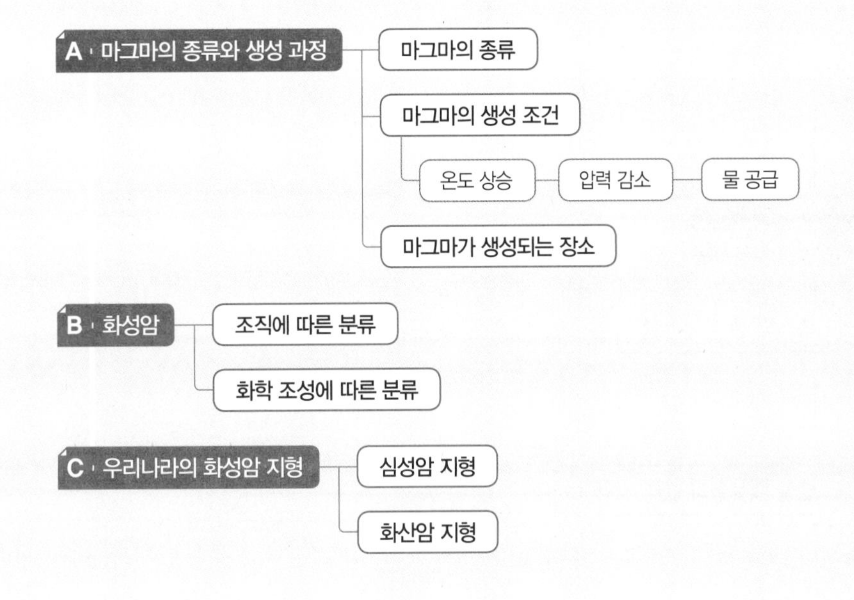

01 판 구조론의 정립 과정

개념책 10~19 쪽

A 대륙 이동설

대륙 이동설의 등장

대륙 이동에 대한 의견

베게너의 대륙 이동설

로라시아
판게아
테티스 해
곤드와나

대륙 이동설의 증거

증거	특징

대륙 이동설의 한계

B 맨틀 대류설

홈스의 맨틀 대류설

맨틀 대류설의 한계와 의의

한계	
의의	

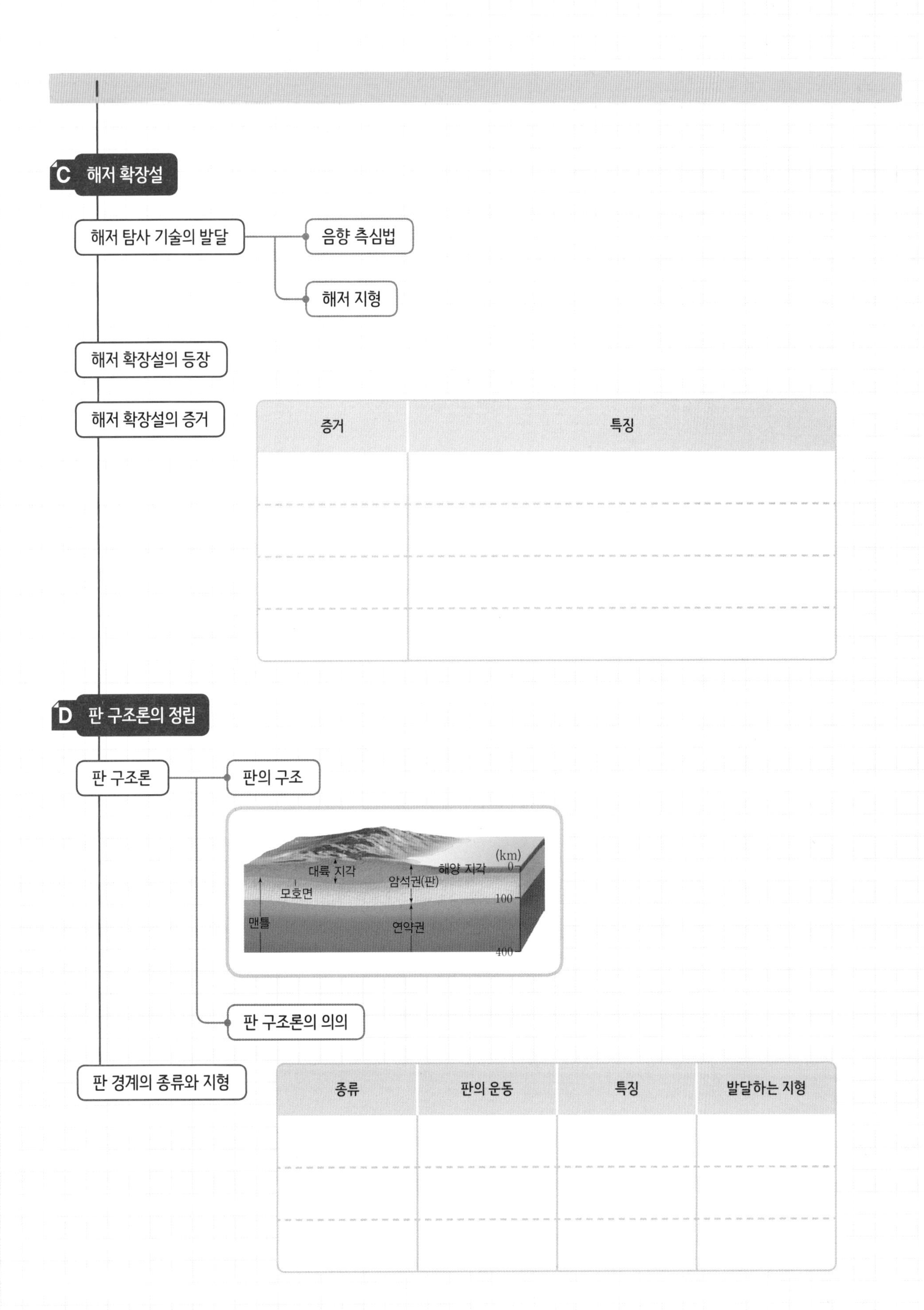
C 해저 확장설
해저 탐사 기술의 발달
음향 측심법
해저 지형
해저 확장설의 등장
해저 확장설의 증거
증거
특징
D 판 구조론의 정립
판 구조론
판의 구조
대륙 지각
해양 지각
(km)
0
암석권(판)
모호면
100
맨틀
연약권
400
판 구조론의 의의
판 경계의 종류와 지형
종류
판의 운동
특징
발달하는 지형

02 고지자기와 대륙 분포의 변화

개념책 20~29쪽

A 고지자기 변화와 대륙 이동

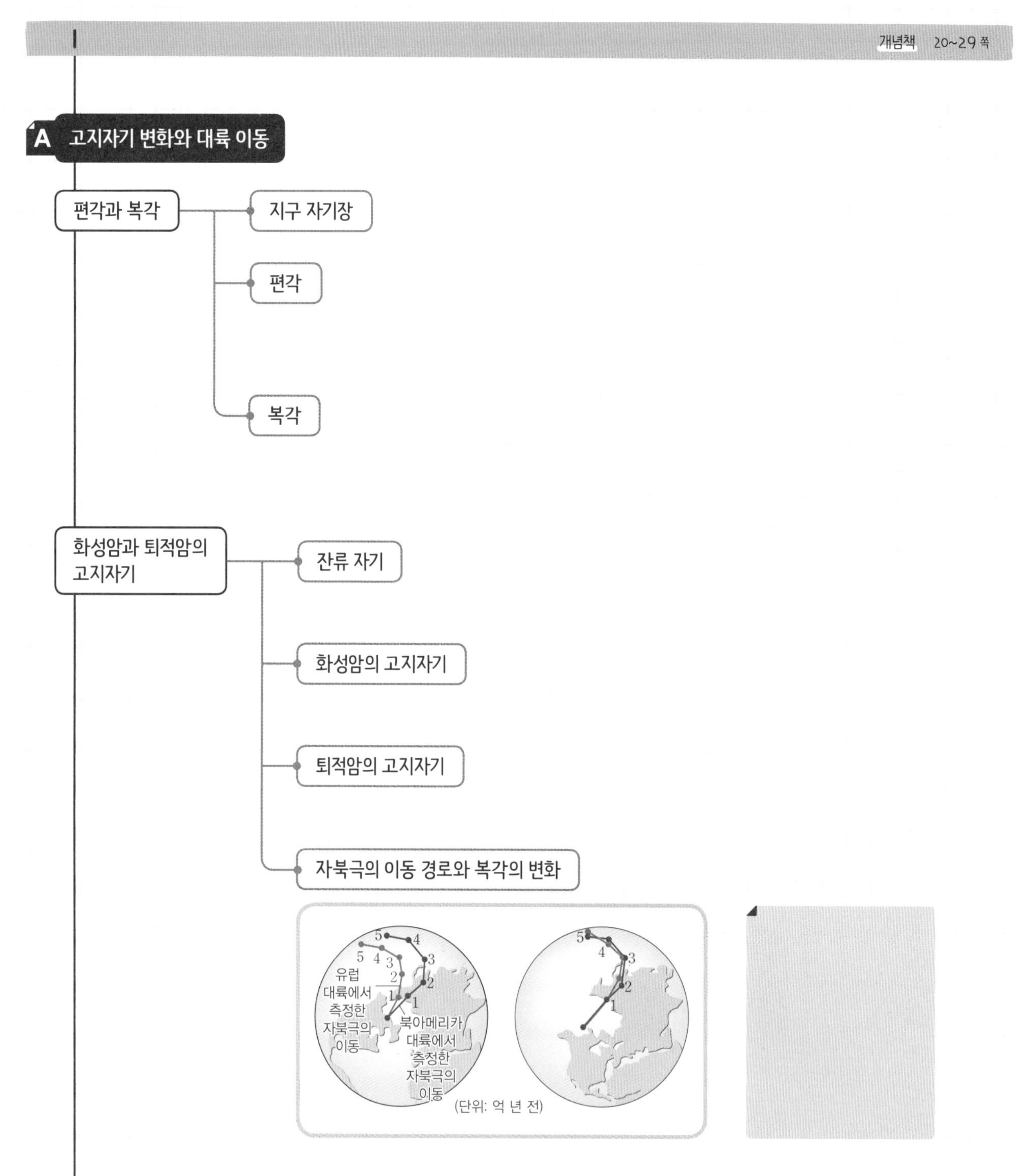

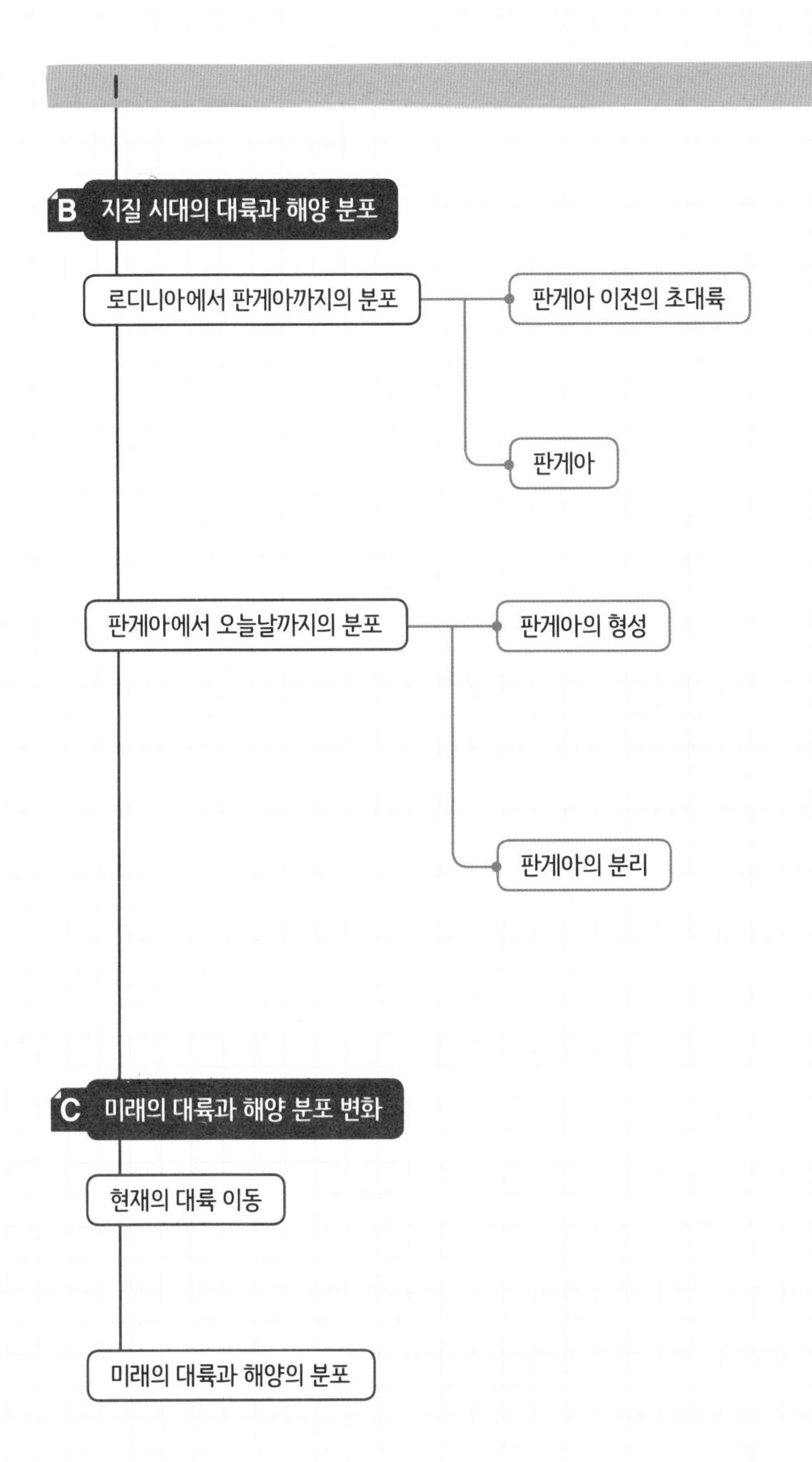
B 지질 시대의 대륙과 해양 분포
로디니아에서 판게아까지의 분포
판게아 이전의 초대륙
판게아
판게아에서 오늘날까지의 분포
판게아의 형성
판게아의 분리
C 미래의 대륙과 해양 분포 변화
현재의 대륙 이동
미래의 대륙과 해양의 분포

03 맨틀 대류와 플룸 구조론

개념책 34~41 쪽

A 맨틀 대류와 판의 이동

맨틀 대류

연약권

맨틀 대류

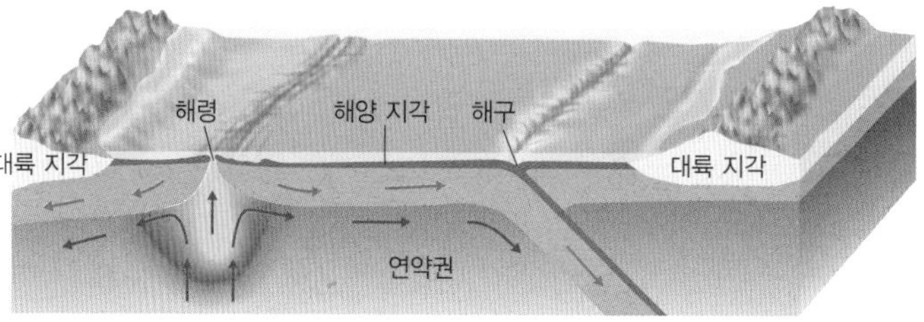

판을 움직이는 원동력

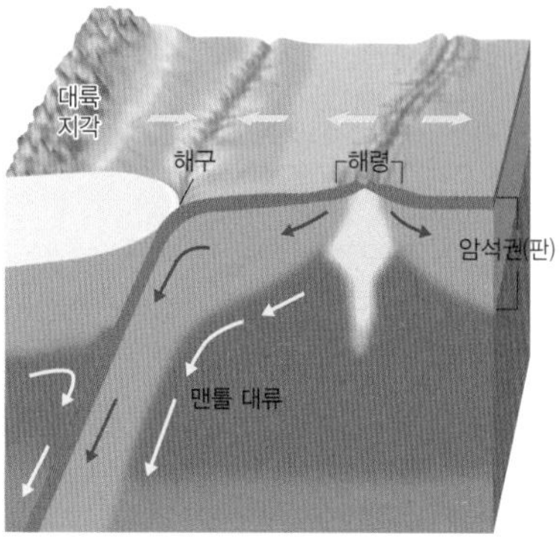

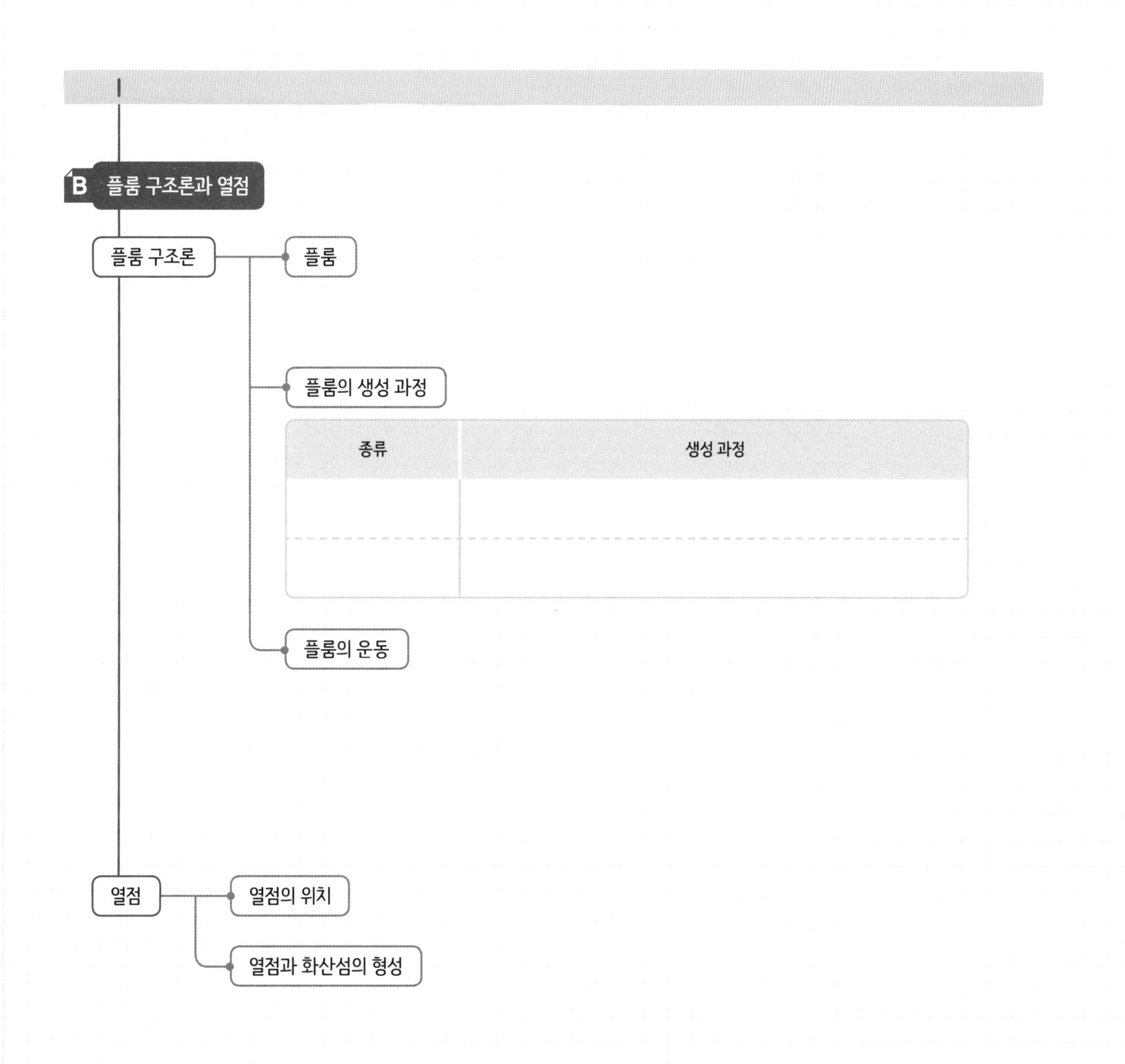

종류	생성 과정

나만의 메모

04 마그마의 생성과 화성암

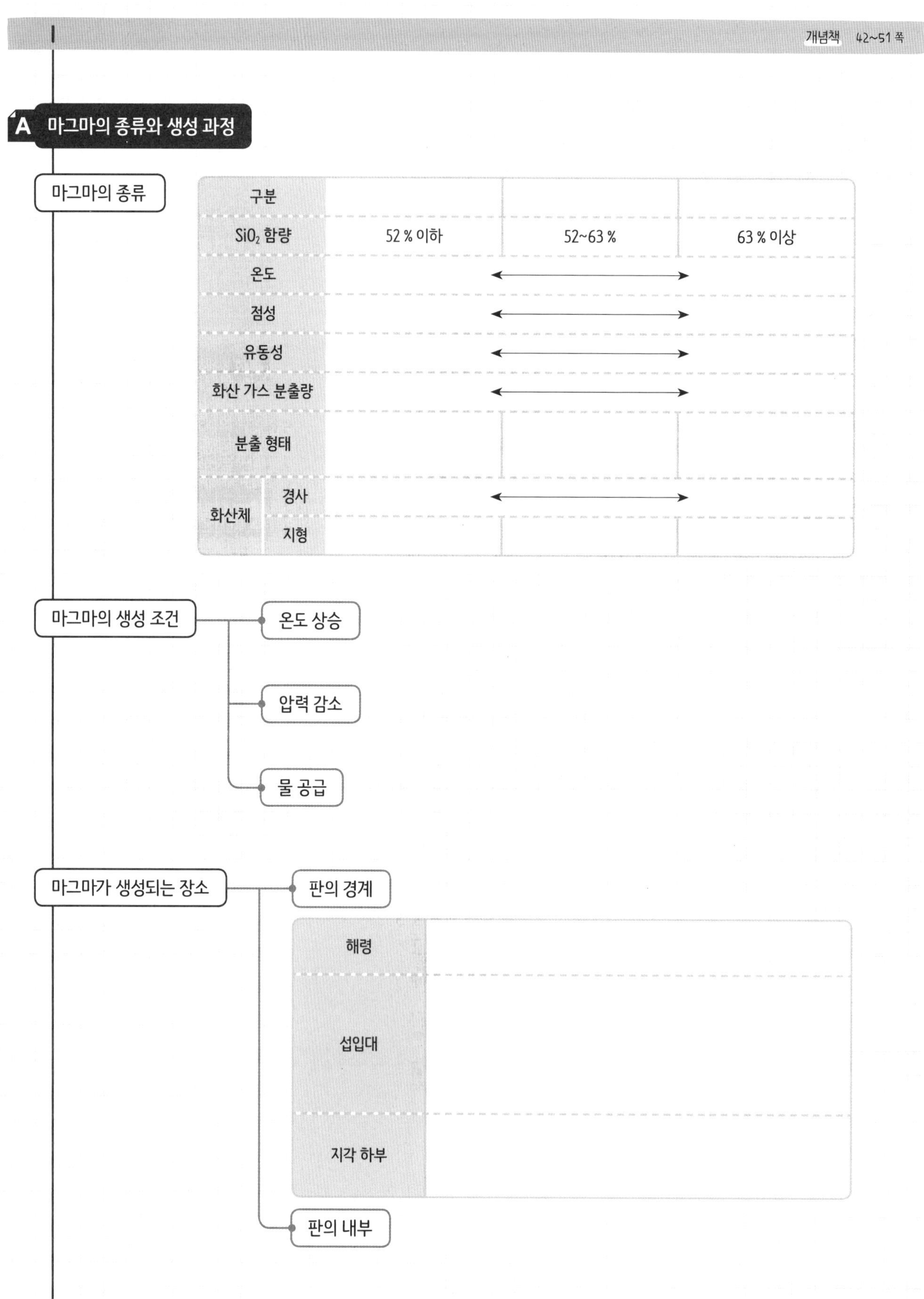

구분				
SiO_2 함량		52 % 이하	52~63 %	63 % 이상
온도			←→	
점성			←→	
유동성			←→	
화산 가스 분출량			←→	
분출 형태				
화산체	경사		←→	
	지형			

해령	
섭입대	
지각 하부	

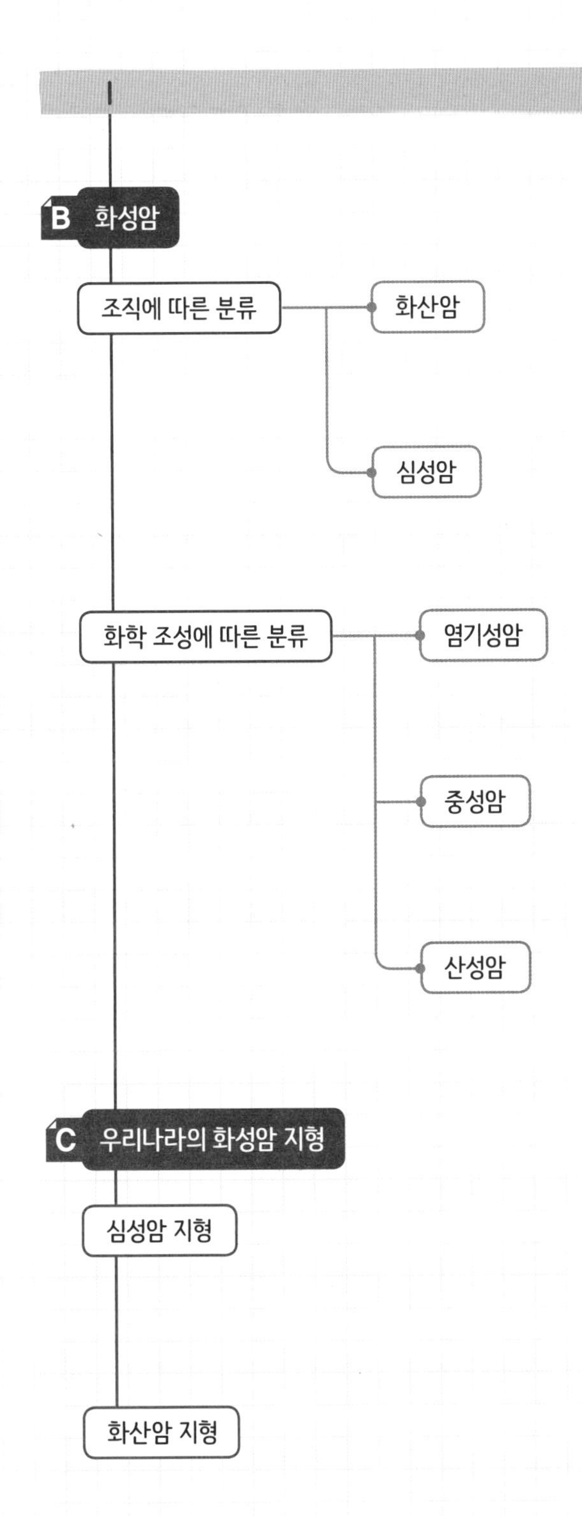
B 화성암
조직에 따른 분류
화산암
심성암
화학 조성에 따른 분류
염기성암
중성암
산성암
C 우리나라의 화성암 지형
심성암 지형
화산암 지형

2

지구의 역사

01 퇴적 구조와 퇴적 환경

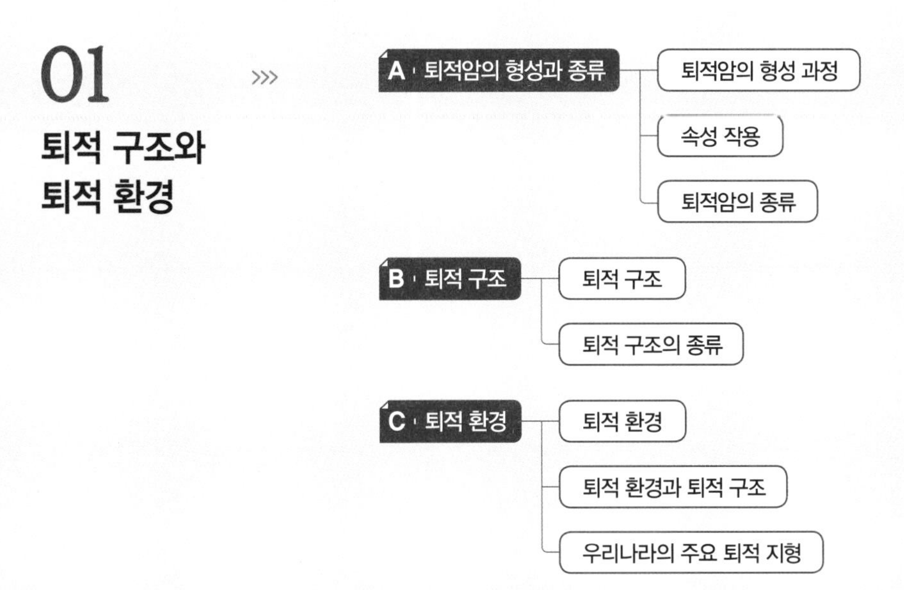

02 지질 구조와 지층의 나이

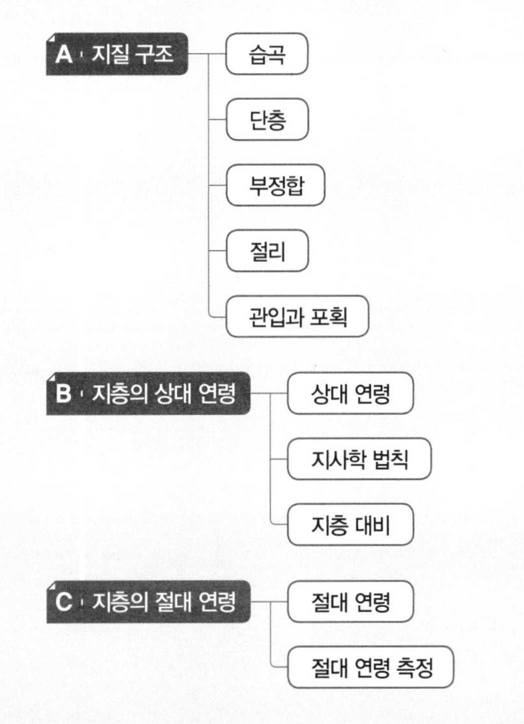

03 지질 시대의 환경과 생물

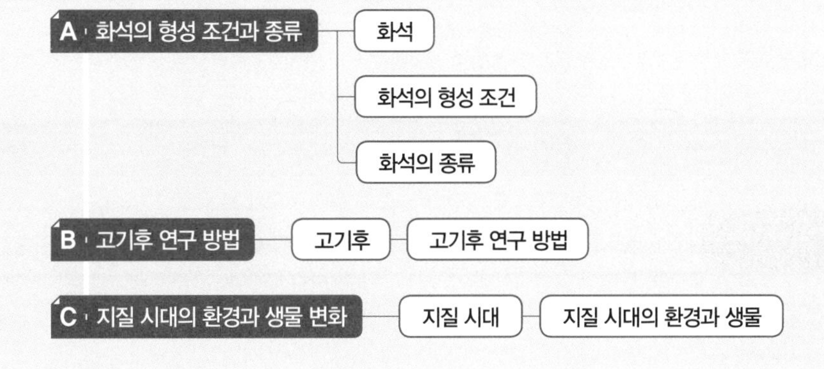

01 퇴적 구조와 퇴적 환경

개념책 56~65 쪽

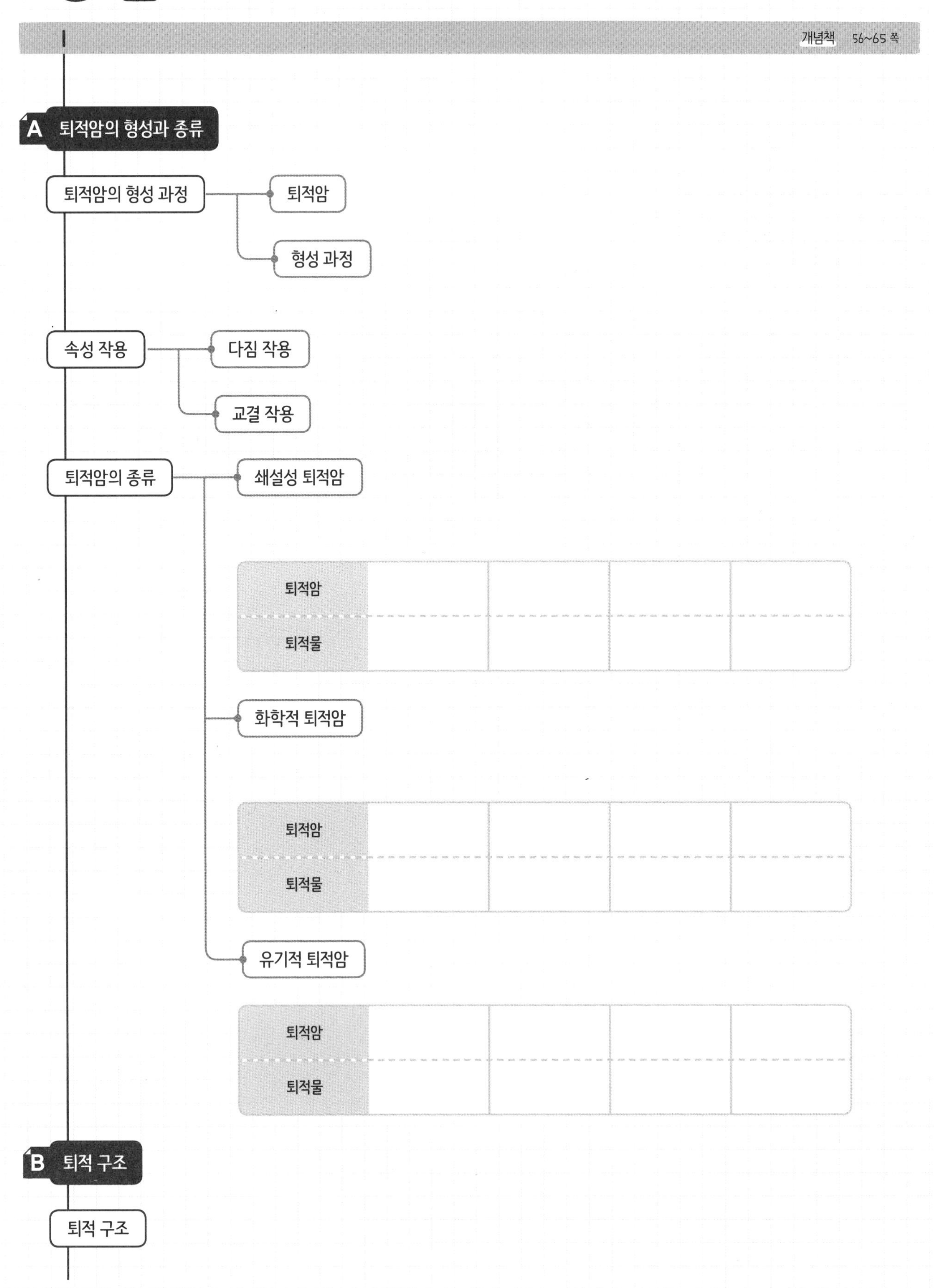

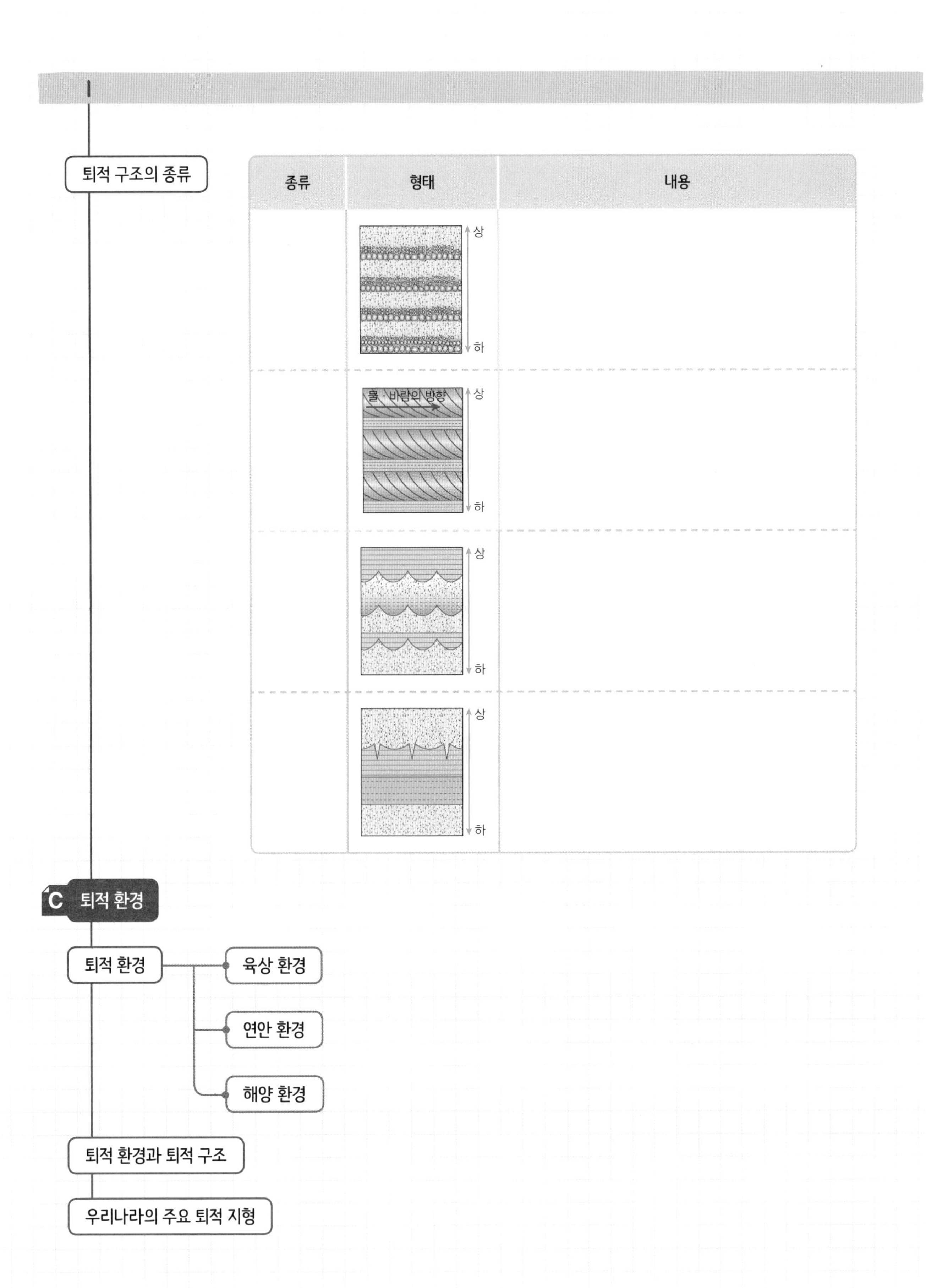

퇴적 구조의 종류
종류
형태
내용
상
하
물·바람의 방향
상
하
상
하
상
하
C 퇴적 환경
퇴적 환경
육상 환경
연안 환경
해양 환경
퇴적 환경과 퇴적 구조
우리나라의 주요 퇴적 지형

02 지질 구조와 지층의 나이

개념책 66~75 쪽

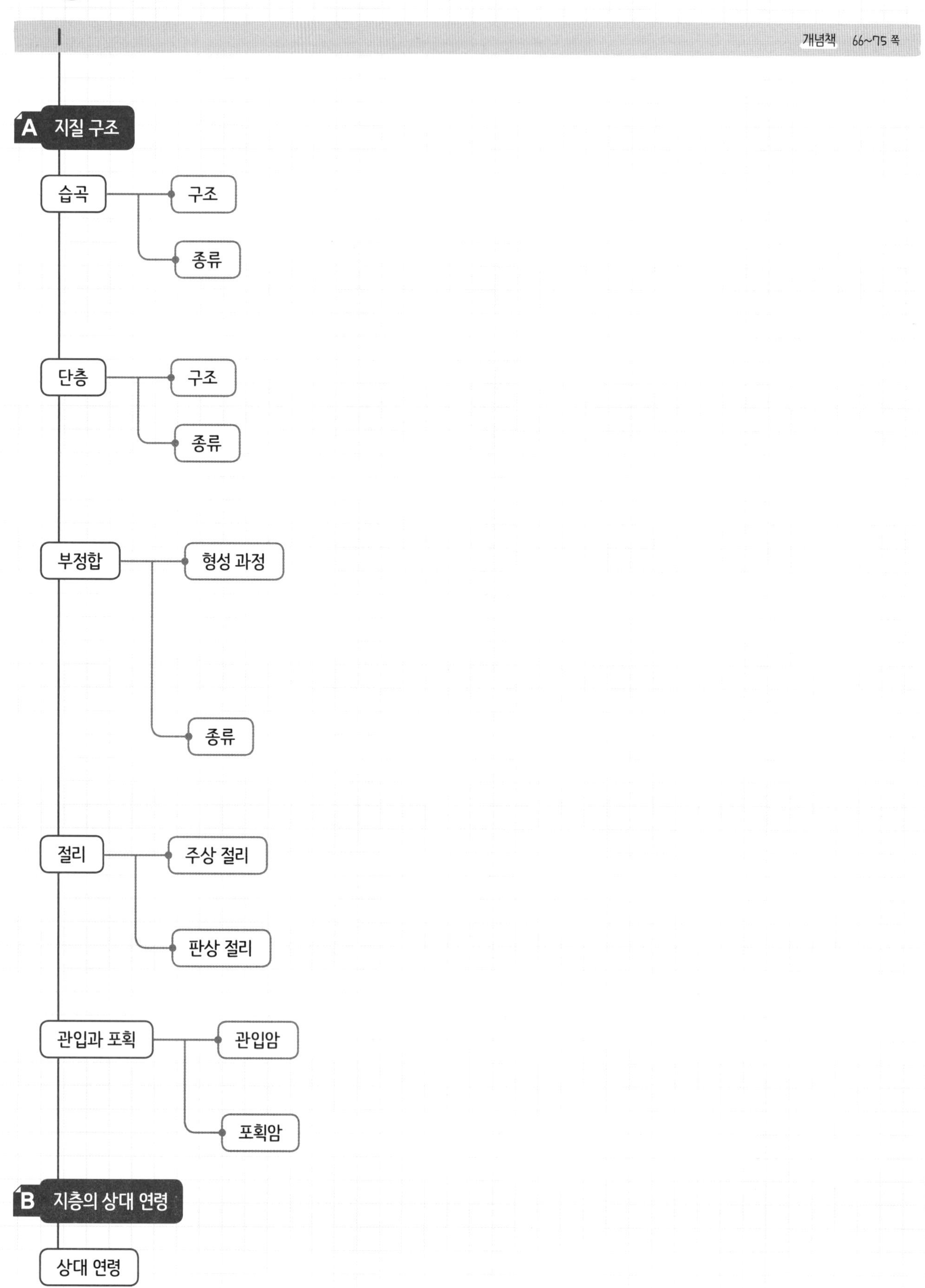

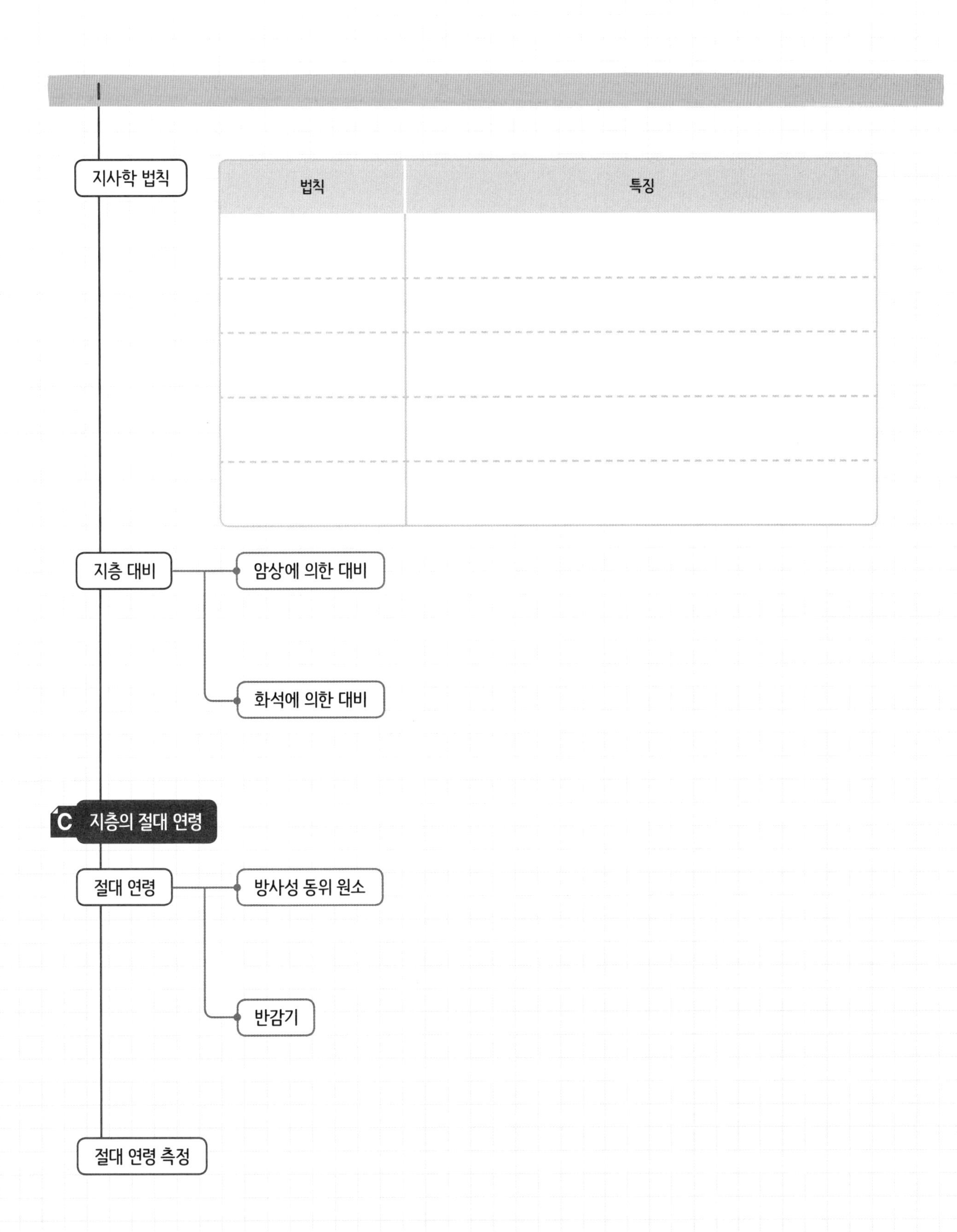

지사학 법칙
법칙
특징
지층 대비
암상에 의한 대비
화석에 의한 대비
C 지층의 절대 연령
절대 연령
방사성 동위 원소
반감기
절대 연령 측정

03 지질 시대의 환경과 생물

개념책 76~85 쪽

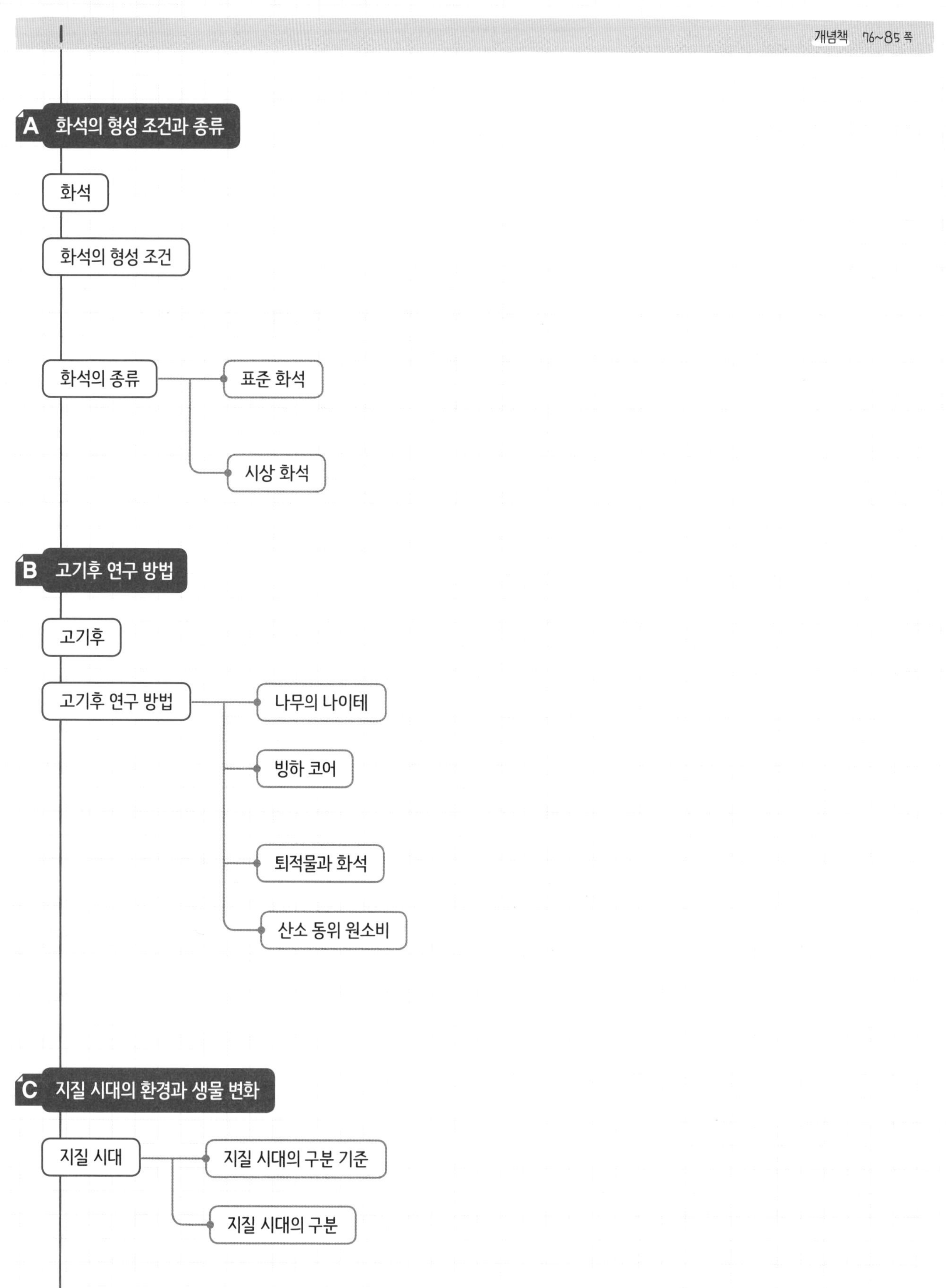

지질 시대의 환경과 생물

선캄브리아 시대

기후	
수륙 분포	
생물	

고생대

기후	
수륙 분포	
생물	

중생대

기후	
수륙 분포	
생물	

신생대

기후	
수륙 분포	
생물	

현생 누대 생물 수의 변화

단원 정리하기

그림으로 정리하기

그림에 자신만의 설명을 덧붙여 단원의 핵심 내용을 정리해 보자.

1 대륙 이동설의 증거

• 해안선 모양의 유사성

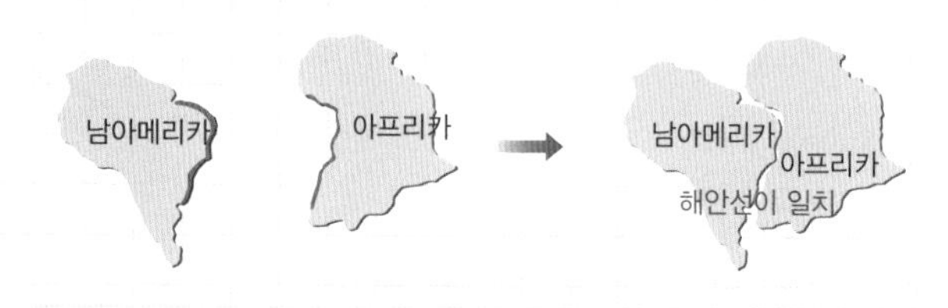

• 빙하의 흔적 분포

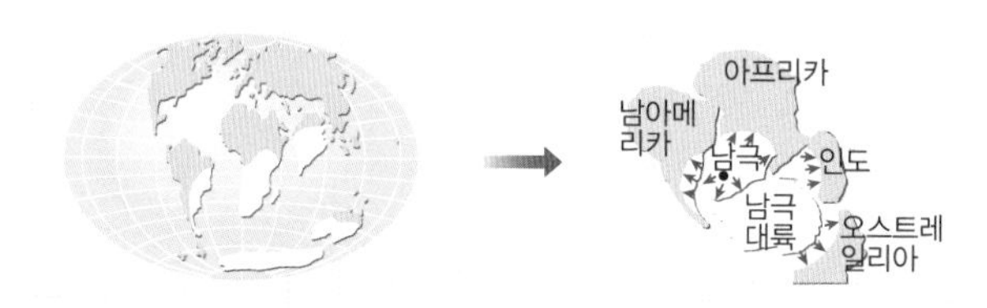

• 화석 분포의 연속성

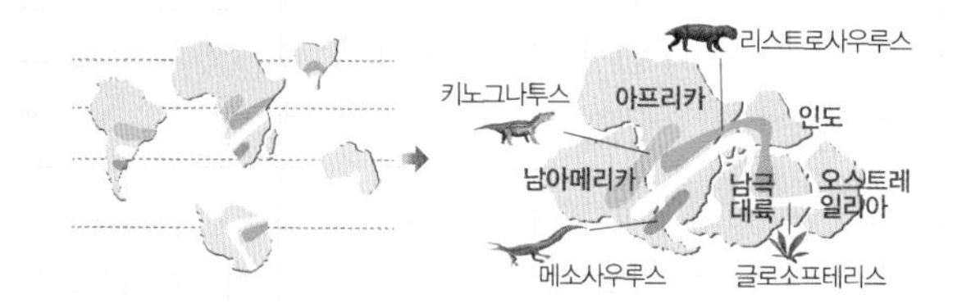

• 지질 구조의 연속성

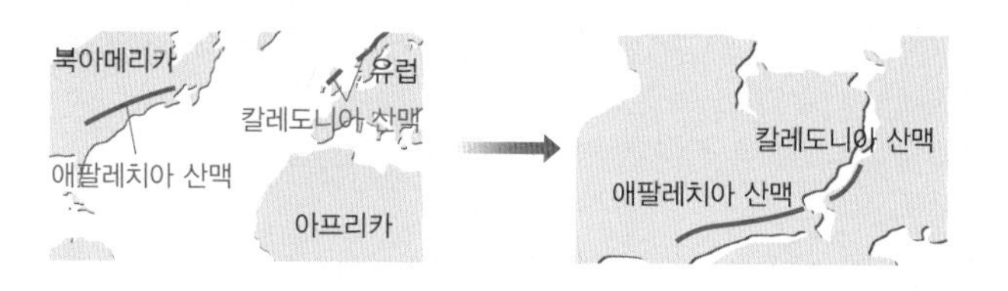

2 해저 확장설의 증거

• 고지자기 줄무늬의 대칭

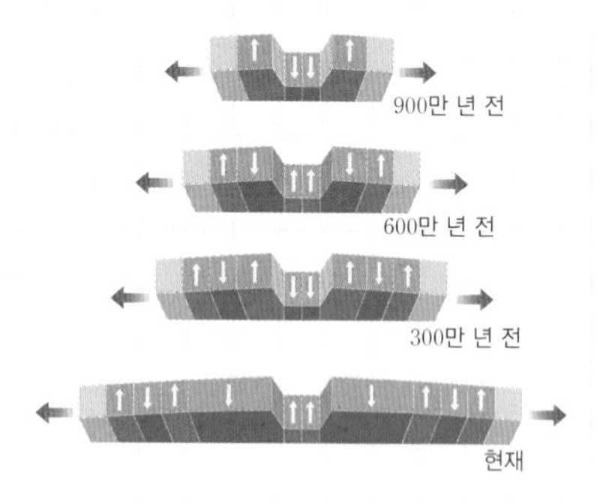

• 해양 지각의 나이와 퇴적물의 두께 분포

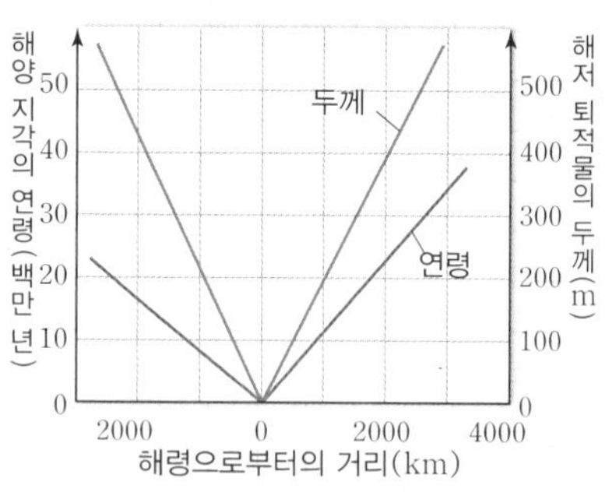

• 해저 지형

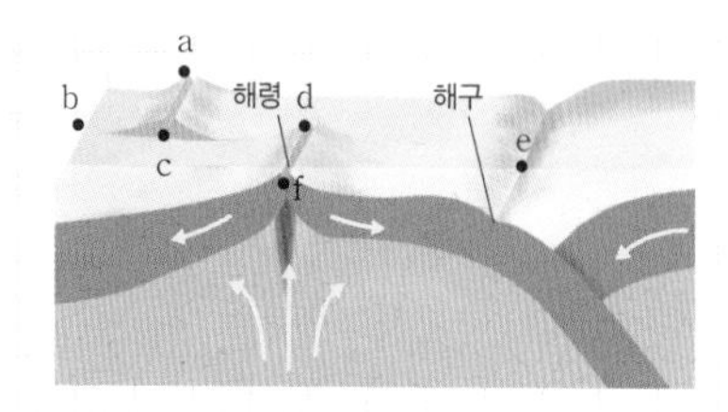

• 섭입대 주변의 진원 깊이

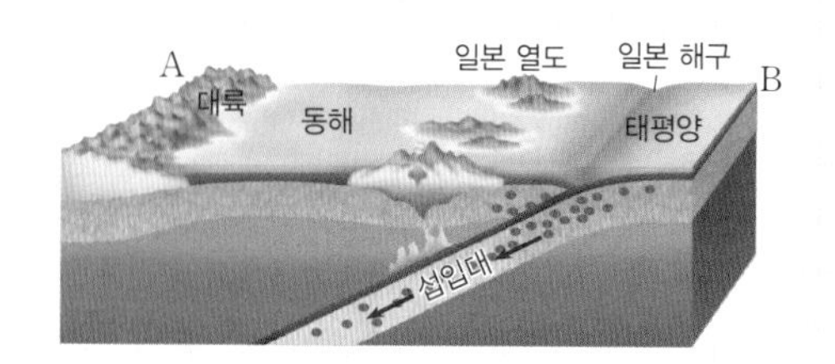

그림으로 정리하기

◎ 그림에 자신만의 설명을 덧붙여 단원의 핵심 내용을 정리해 보자.

3 복각과 편각

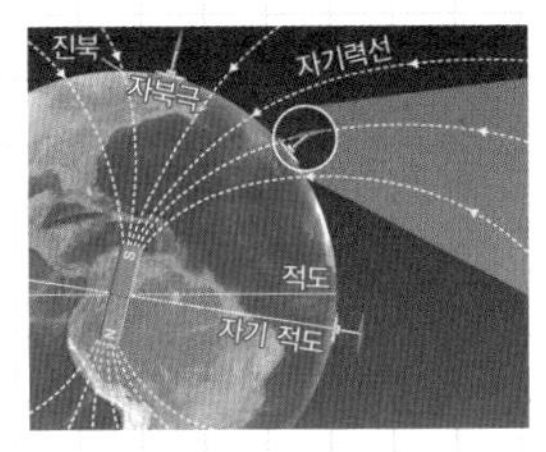

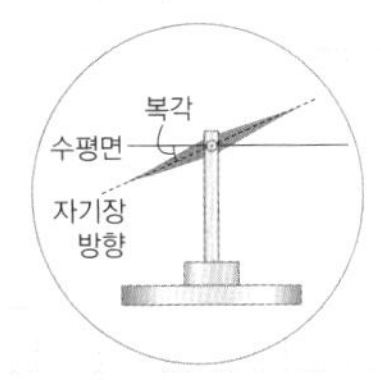

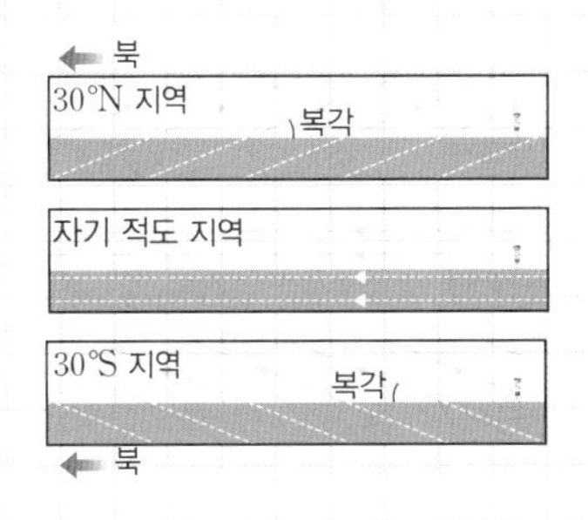

4 플룸 구조론의 모식도

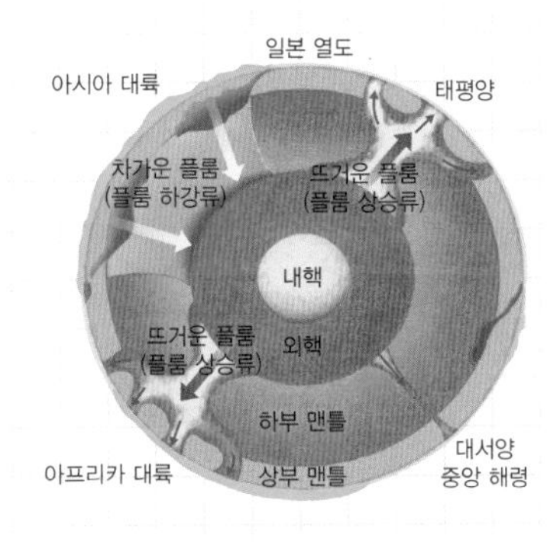

5 열점과 화산섬의 형성

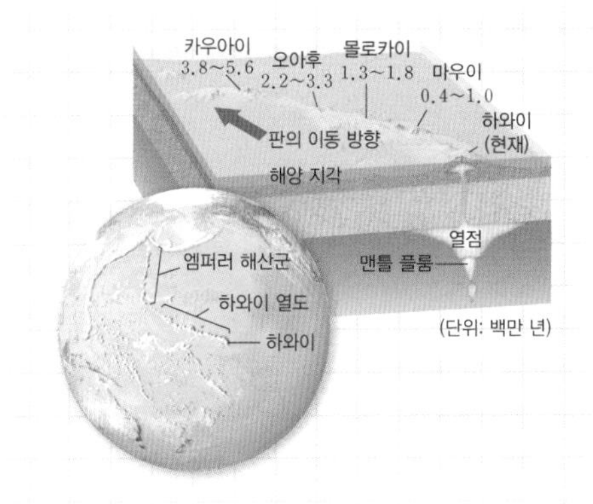

6 마그마가 생성되는 장소

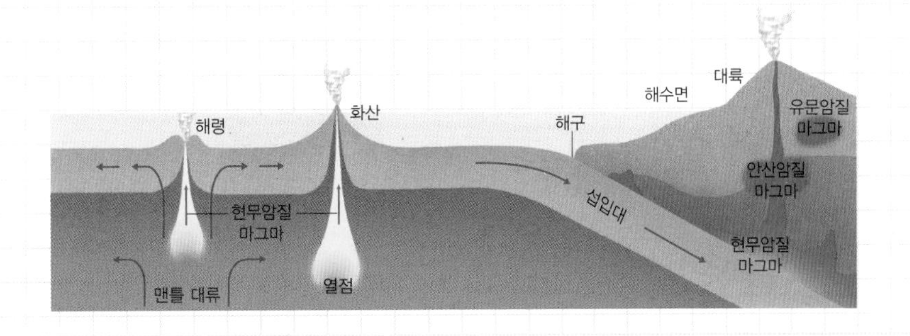

그림으로 정리하기

그림에 자신만의 설명을 덧붙여 단원의 핵심 내용을 정리해 보자.

7 퇴적 구조와 퇴적 환경

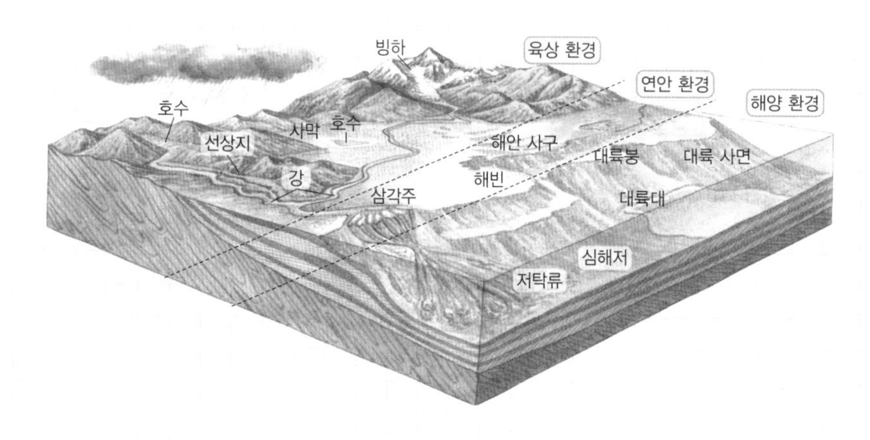

8 상대 연령과 절대 연령

• 상대 연령

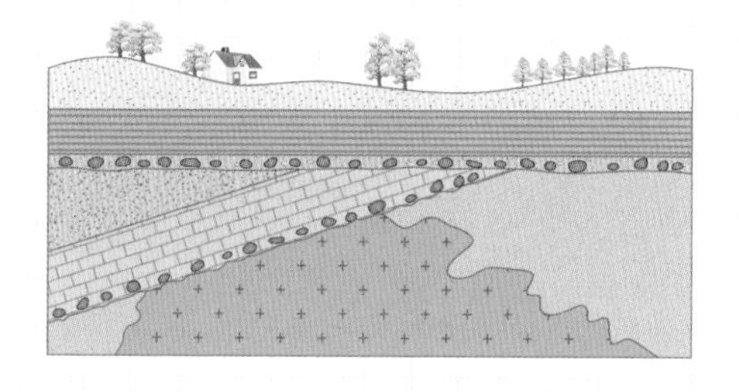

• 절대 연령

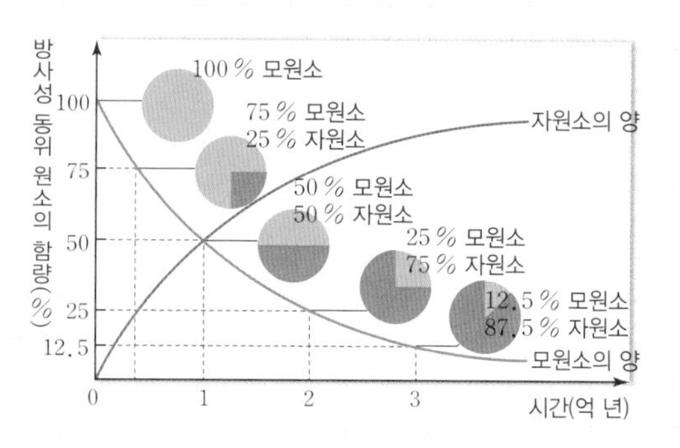

9 지질 시대의 생물

• 선캄브리아 시대

• 고생대

• 중생대

• 신생대

마인드맵으로 정리하기

◎ 자신만의 마인드맵을 만들어 단원의 핵심 내용을 정리해 보자.

» 선배들이 작성한 정리노트 바로가기

1

대기와 해양의 변화

01

기압과 날씨 변화

- A 고기압과 저기압
- B 고기압과 날씨 — 기단 — 고기압과 날씨
- C 온대 저기압과 날씨 — 전선 — 온대 저기압과 날씨
- D 일기 예보
  - 일기 예보 과정
  - 일기도 해석
  - 기상 자료 해석

02

태풍과 우리나라의 악기상

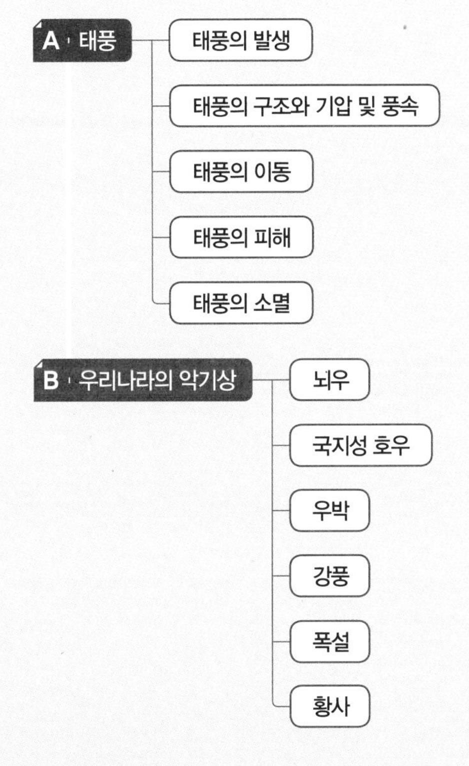

03

해수의 성질

- A 해수의 염분 — 염분 — 염분비 일정 법칙
- B 해수의 온도 — 표층 해수의 수온 — 해수의 연직 수온 분포
- C 해수의 밀도 — 해수의 밀도에 영향을 주는 요인 — 해수의 밀도 분포 — 수온 염분도
- D 해수의 용존 기체 — 용존 기체 — 용존 산소량과 용존 이산화 탄소량

01 기압과 날씨 변화

개념책 100~109 쪽

A 고기압과 저기압

구분	고기압	저기압
정의		
풍향(북반구)		
날씨		

B 고기압과 날씨

기단

기단

우리나라에 영향을 미치는 기단

기단	성질	시기	날씨 특징

기단의 변질

고기압과 날씨

고기압의 종류

고기압과 우리나라의 날씨

계절	특징
봄•가을	
초여름(장마철)	
여름	
겨울	

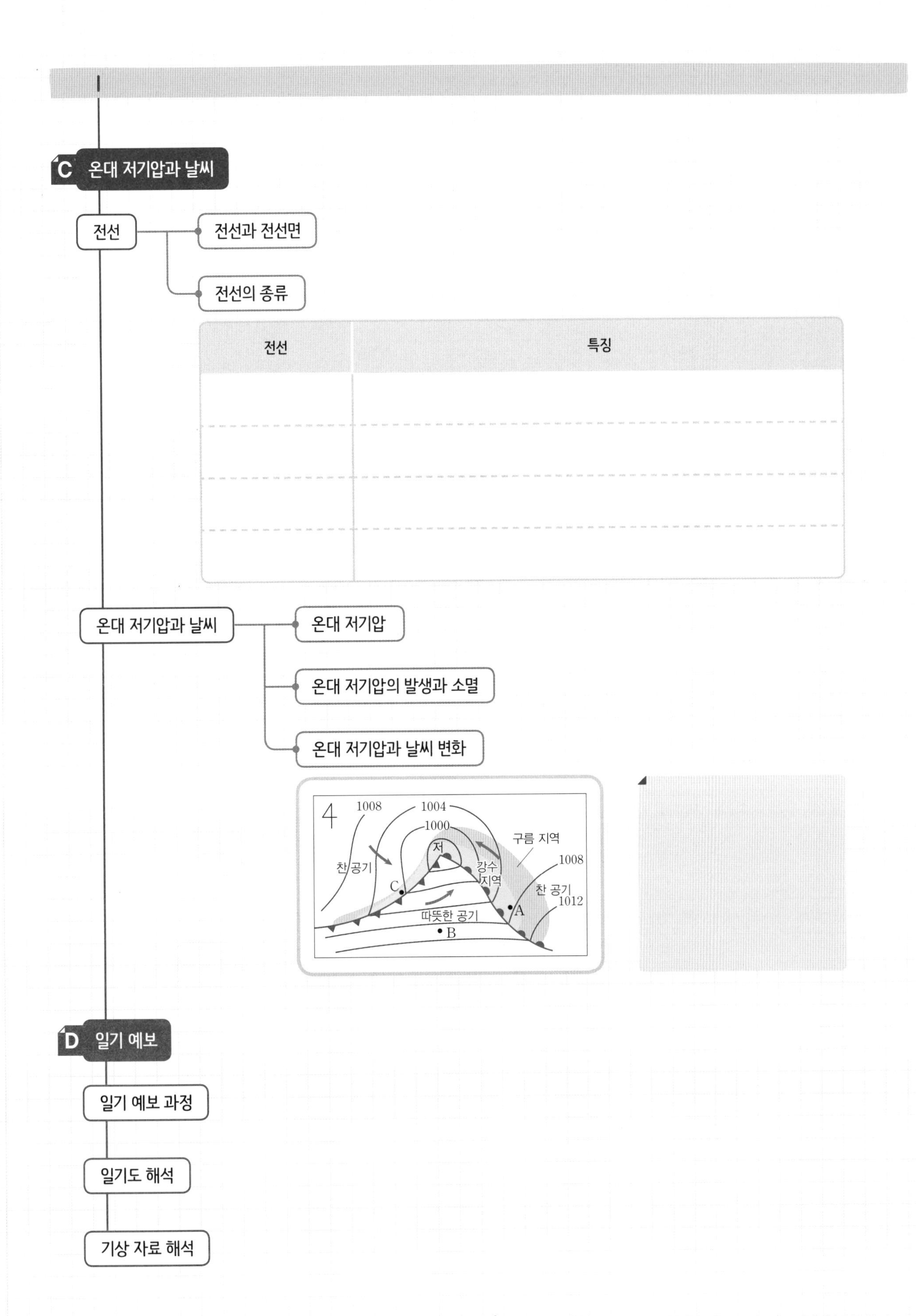
C 온대 저기압과 날씨
전선
전선과 전선면
전선의 종류
전선
특징
온대 저기압과 날씨
온대 저기압
온대 저기압의 발생과 소멸
온대 저기압과 날씨 변화
1008
1004
1000
저
찬 공기
C
강수 지역
구름 지역
1008
찬 공기
1012
A
따뜻한 공기
B
D 일기 예보
일기 예보 과정
일기도 해석
기상 자료 해석

02 태풍과 우리나라의 악기상

개념책 110~119 쪽

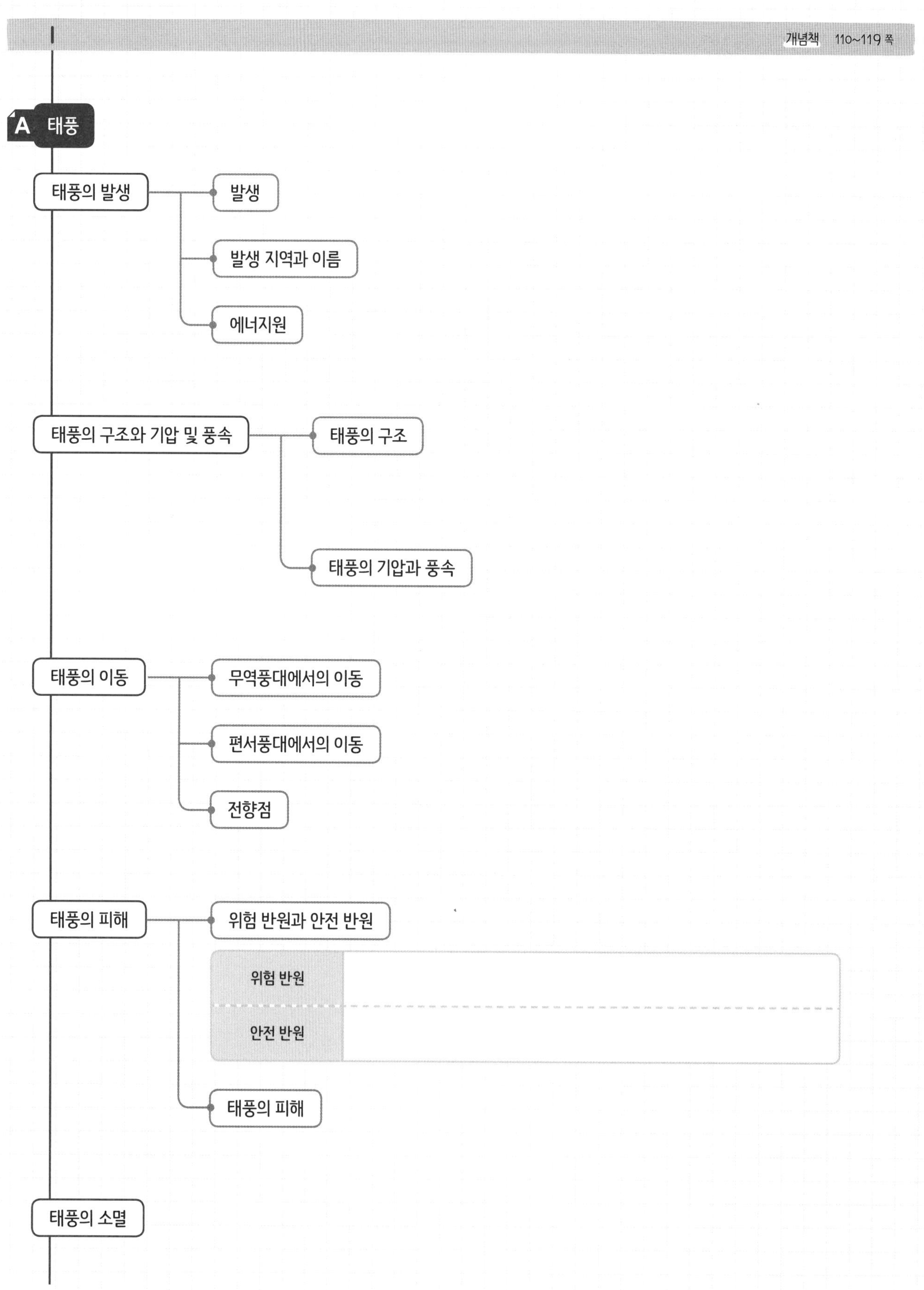

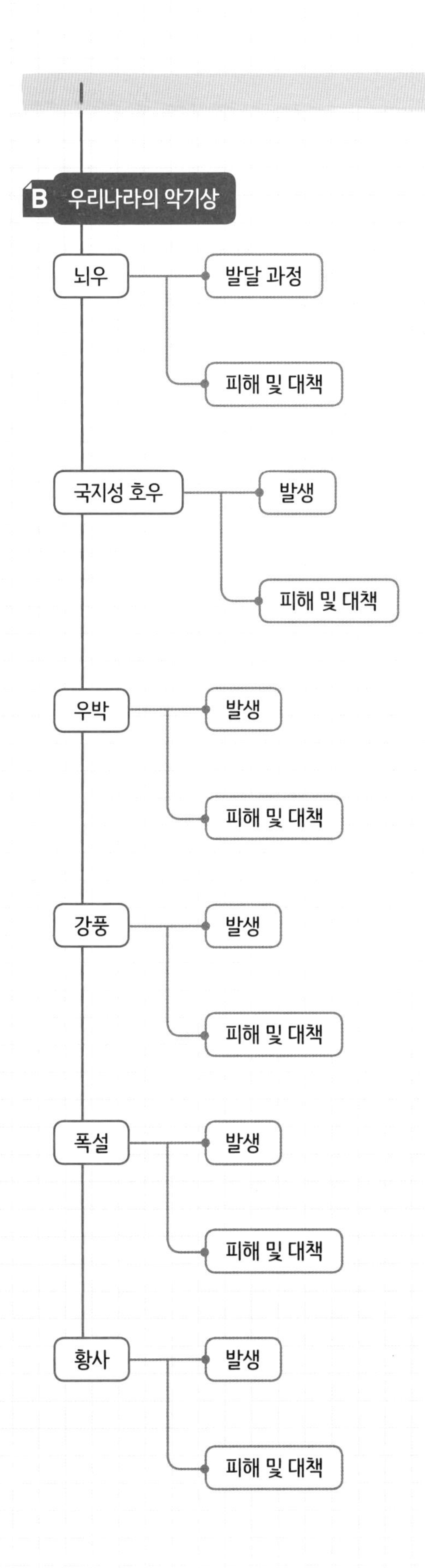
B 우리나라의 악기상
뇌우
발달 과정
피해 및 대책
국지성 호우
발생
피해 및 대책
우박
발생
피해 및 대책
강풍
발생
피해 및 대책
폭설
발생
피해 및 대책
황사
발생
피해 및 대책

03 해수의 성질

개념책 120~129 쪽

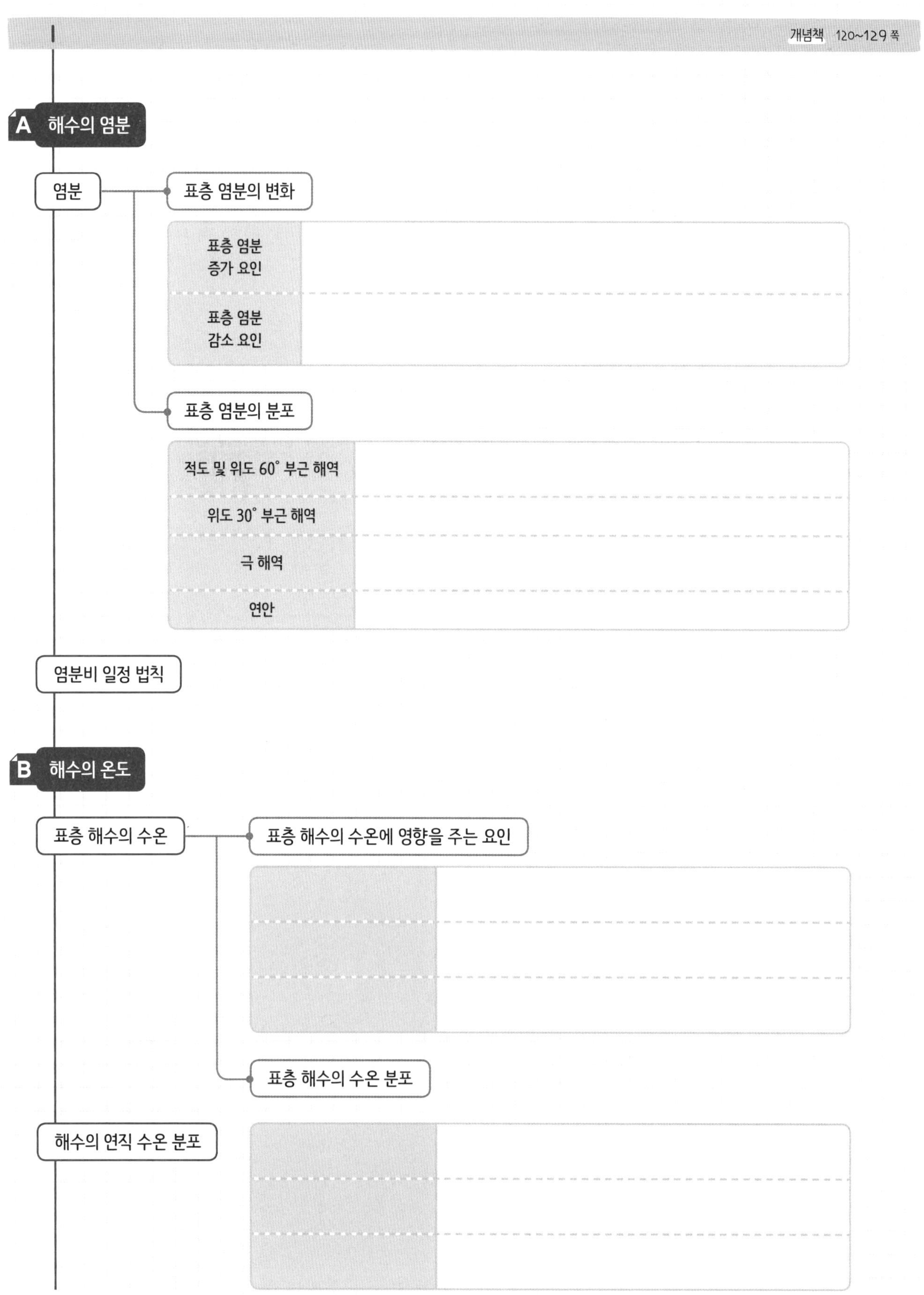

C 해수의 밀도

해수의 밀도에 영향을 주는 요인

해수의 밀도 분포

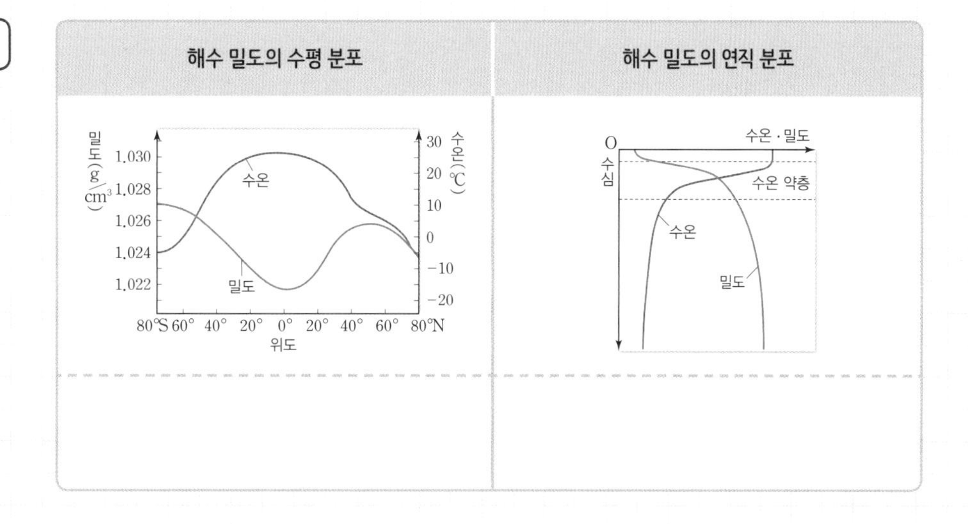

수온 염분도

D 해수의 용존 기체

용존 기체

용존 산소량과 용존 이산화 탄소량

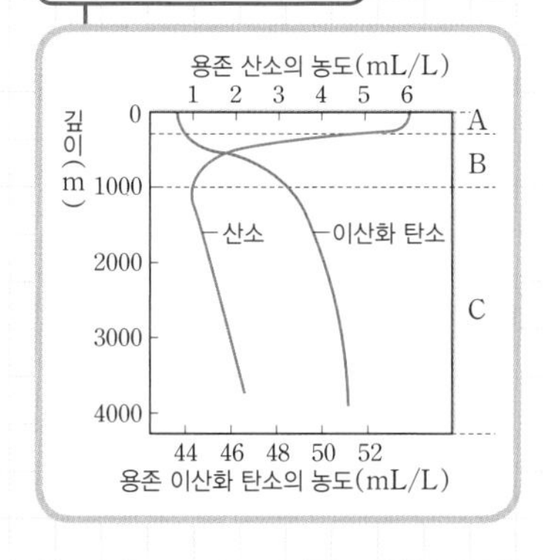

구분	특징	용존 기체의 양 변화
A		
B		
C		

Ⅱ. 대기와 해양

2 대기와 해양의 상호 작용

01 해수의 표층 순환

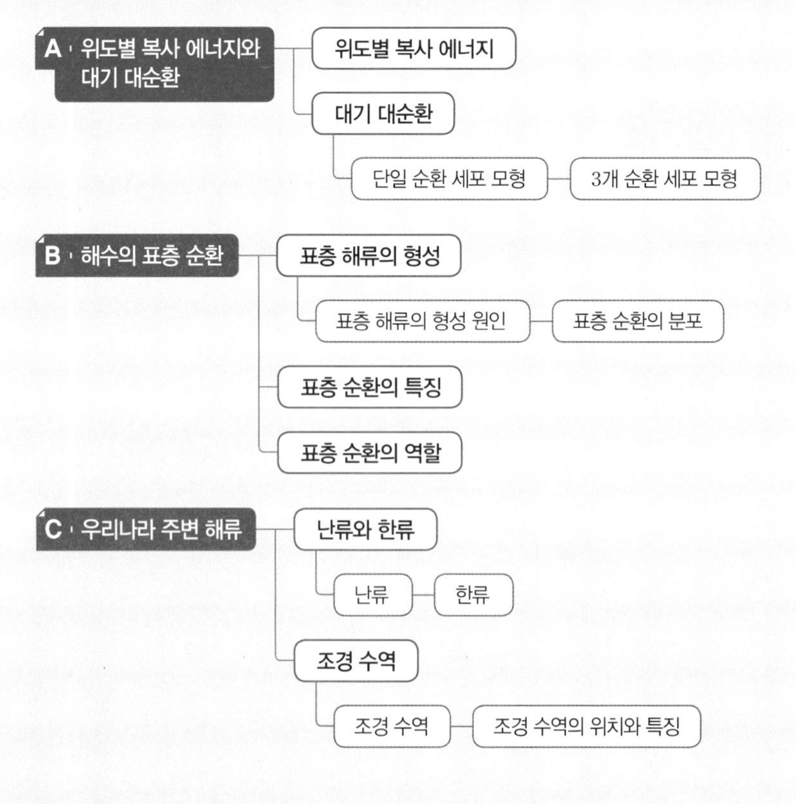

02 해수의 심층 순환

- A 심층 순환의 발생과 관측 — 심층 순환의 발생 — 심층 순환의 관측
- B 대서양의 심층 순환 — 해수의 침강 해역 — 대서양 심층 순환의 형성과 흐름
- C 전 세계 해수의 순환과 심층 순환의 역할 — 전 세계 해수의 순환 — 심층 순환의 역할

03 대기와 해양의 상호 작용

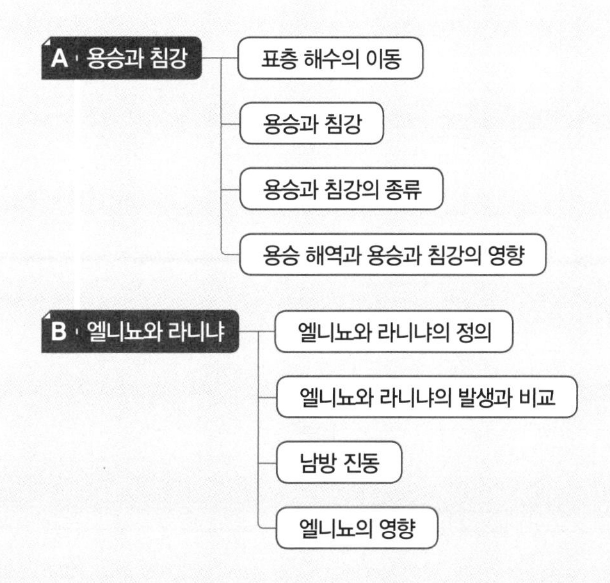

04 지구의 기후 변화

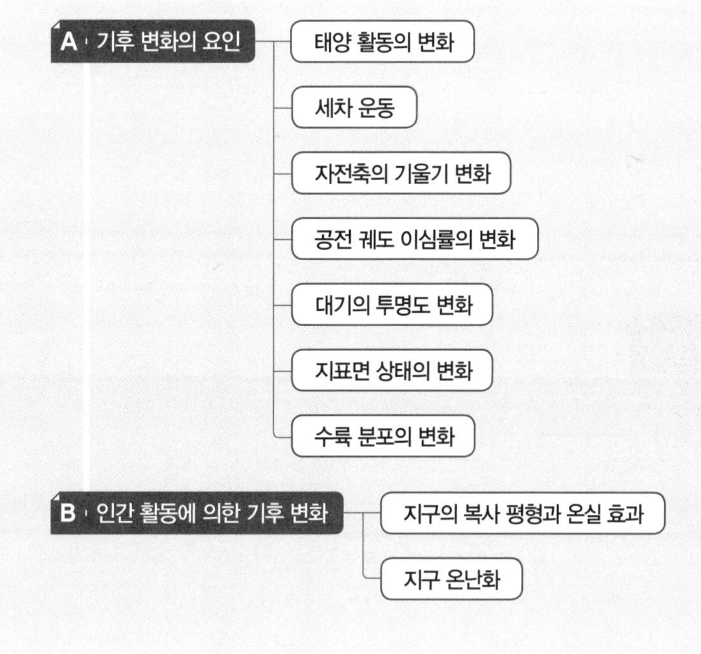

01 해수의 표층 순환

개념책 136~145 쪽

A 위도별 복사 에너지와 대기 대순환

위도별 복사 에너지
- 위도별 복사 에너지 분포
- 위도별 에너지 불균형
- 위도별 에너지 불균형의 해소

대기 대순환
- 단일 순환 세포 모형
- 3개 순환 세포 모형

해들리 순환	
페렐 순환	
극 순환	

B 해수의 표층 순환

표층 해류의 형성
- 표층 해류의 형성 원인
- 표층 순환의 분포

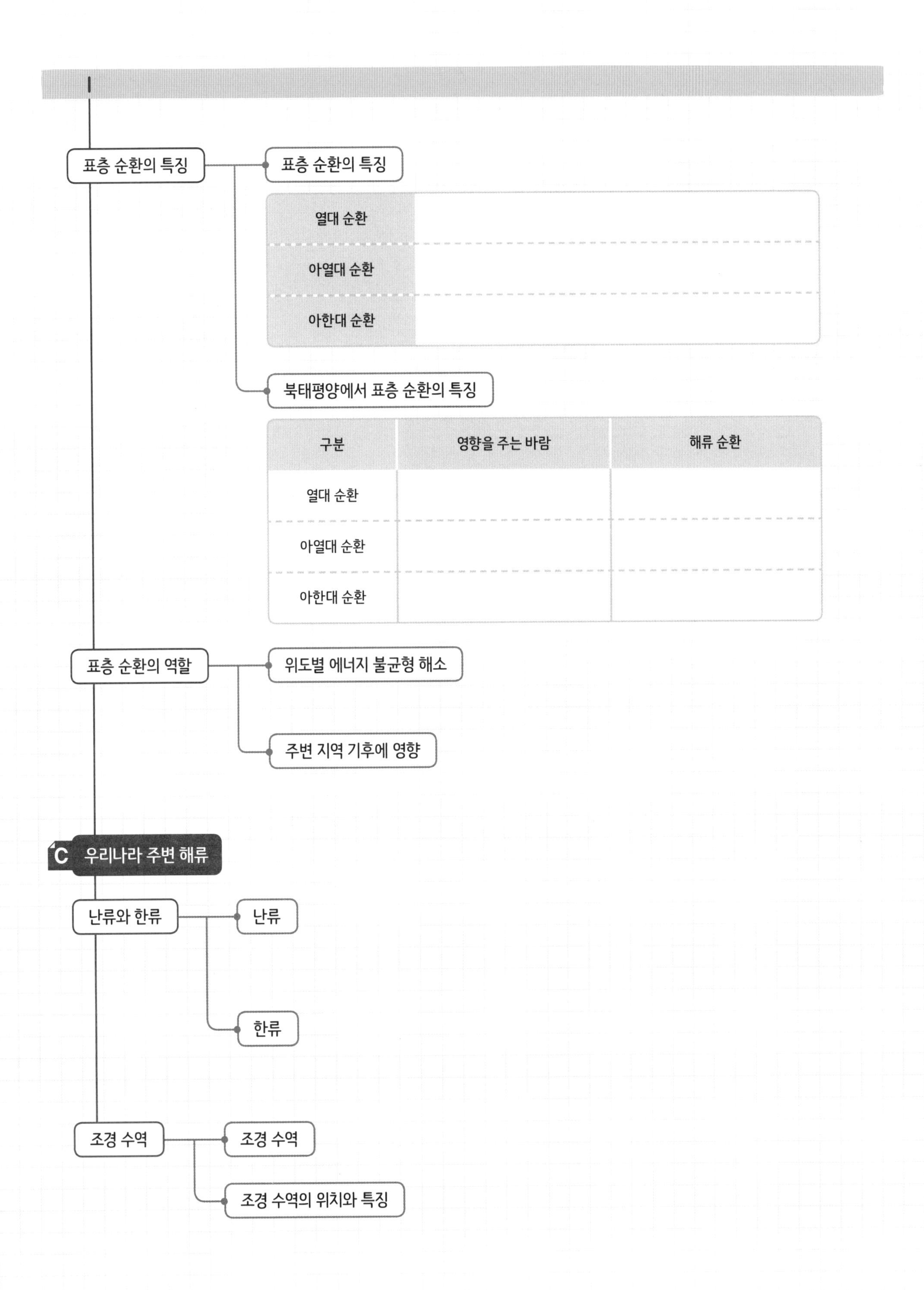

표층 순환의 특징
표층 순환의 특징
열대 순환
아열대 순환
아한대 순환
북태평양에서 표층 순환의 특징
구분
영향을 주는 바람
해류 순환
열대 순환
아열대 순환
아한대 순환
표층 순환의 역할
위도별 에너지 불균형 해소
주변 지역 기후에 영향
C 우리나라 주변 해류
난류와 한류
난류
한류
조경 수역
조경 수역
조경 수역의 위치와 특징

02 해수의 심층 순환

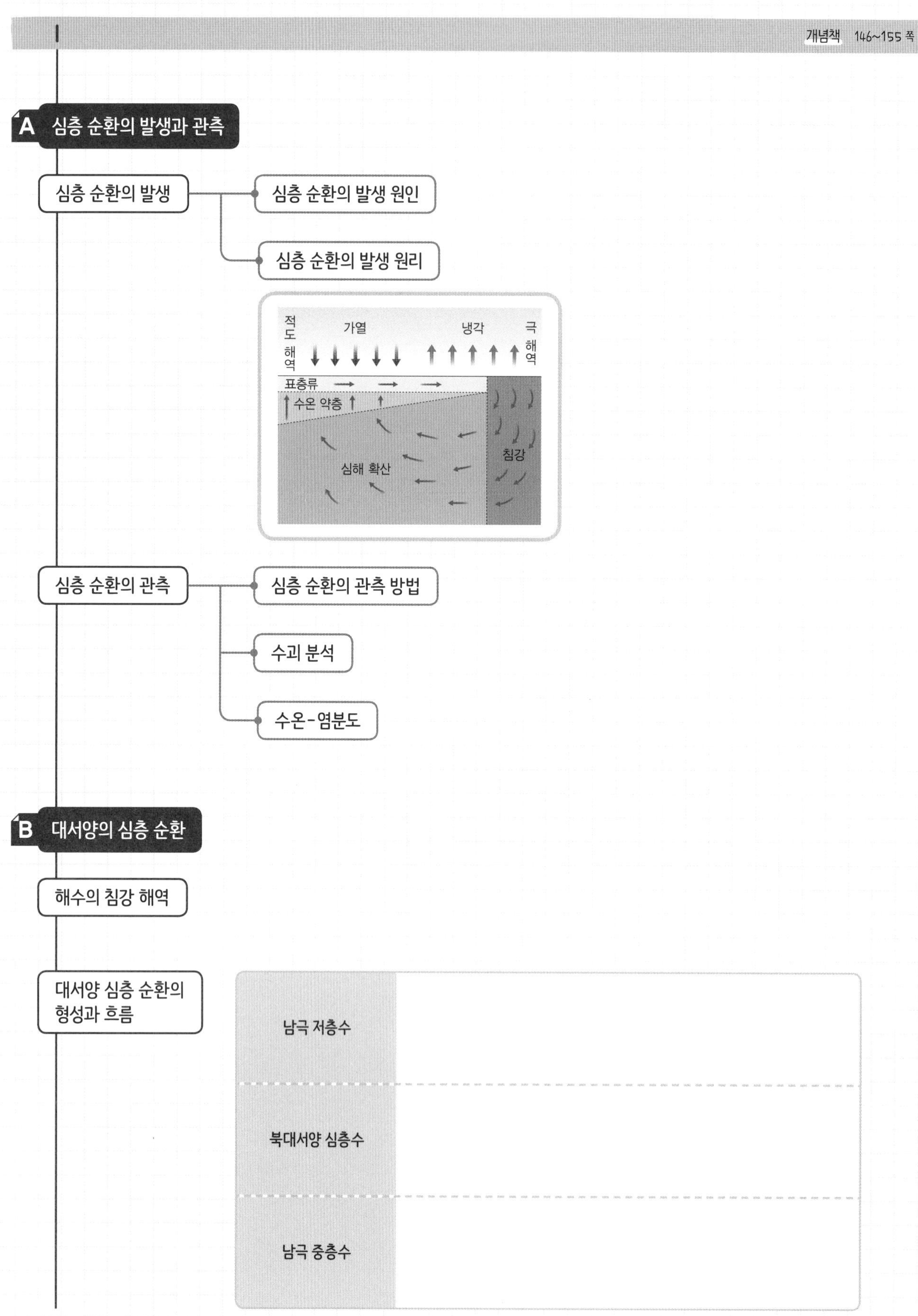

개념책 146~155 쪽
A 심층 순환의 발생과 관측
심층 순환의 발생
심층 순환의 발생 원인
심층 순환의 발생 원리
적도 해역
가열
냉각
극 해역
표층류
수온 약층
심해 확산
침강
심층 순환의 관측
심층 순환의 관측 방법
수괴 분석
수온-염분도
B 대서양의 심층 순환
해수의 침강 해역
대서양 심층 순환의 형성과 흐름
남극 저층수
북대서양 심층수
남극 중층수

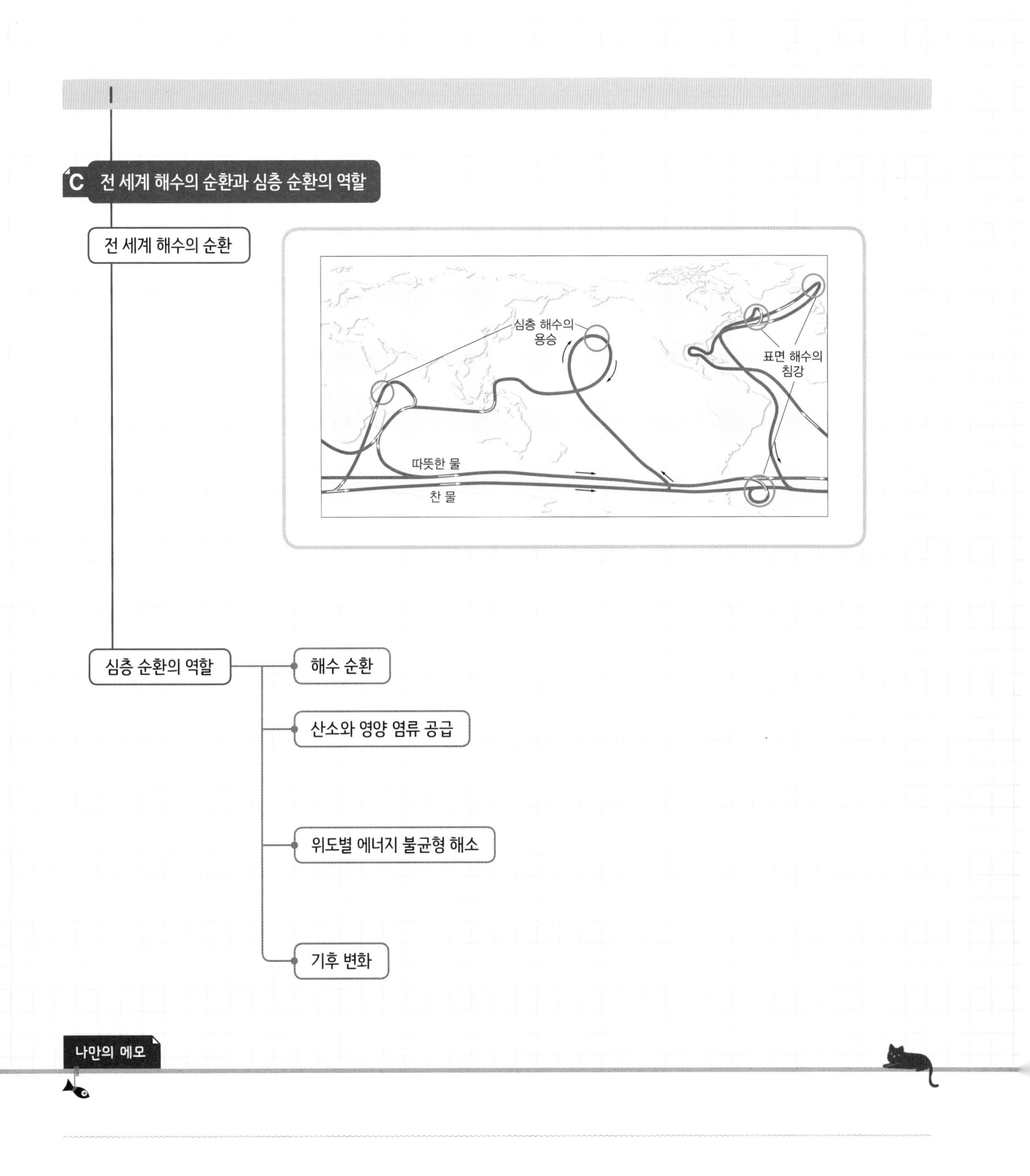
C 전 세계 해수의 순환과 심층 순환의 역할
전 세계 해수의 순환
심층 해수의 용승
표면 해수의 침강
따뜻한 물
찬 물
심층 순환의 역할
해수 순환
산소와 영양 염류 공급
위도별 에너지 불균형 해소
기후 변화

나만의 메모

03 대기와 해양의 상호 작용

개념책 160~169 쪽

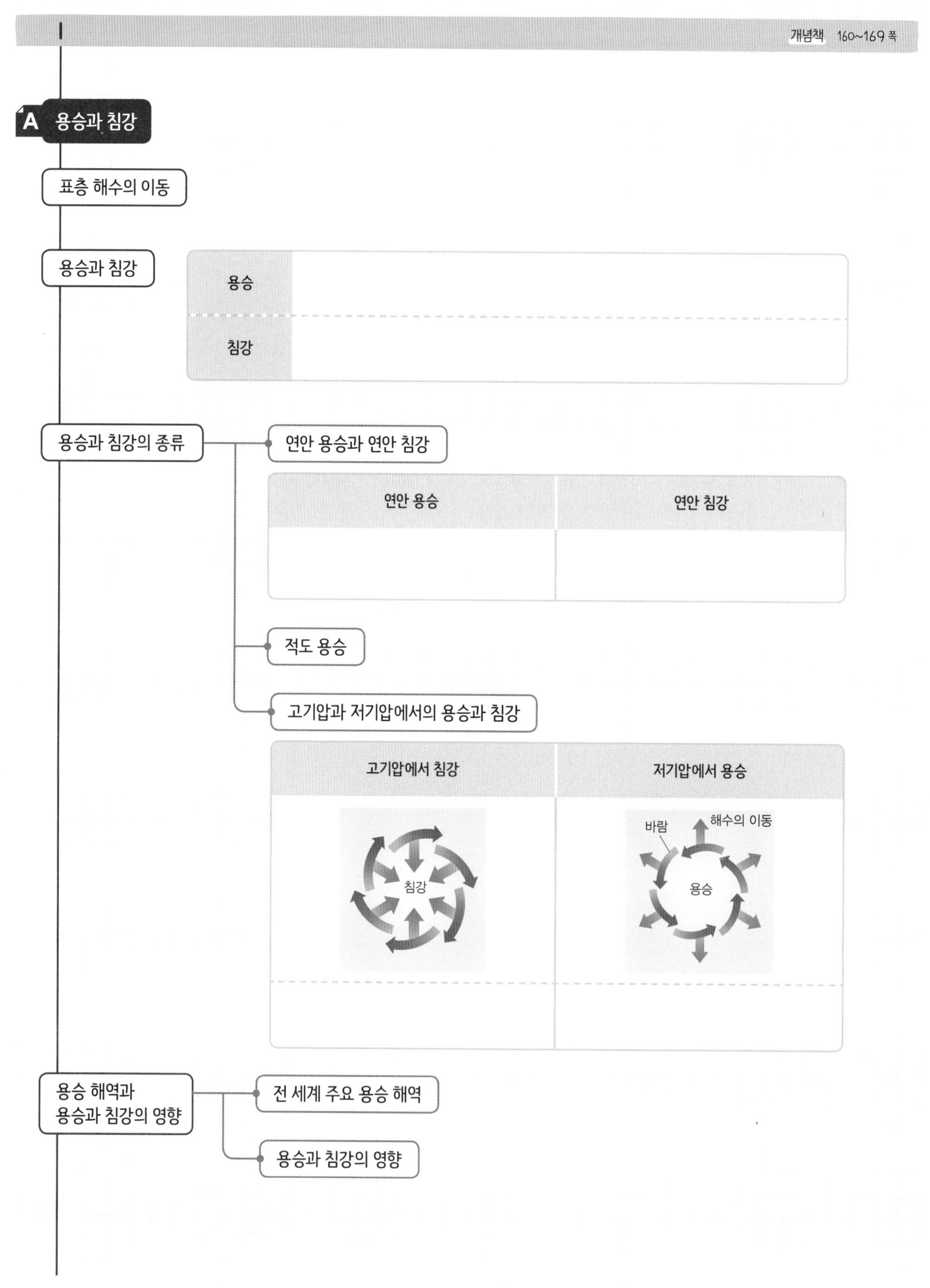

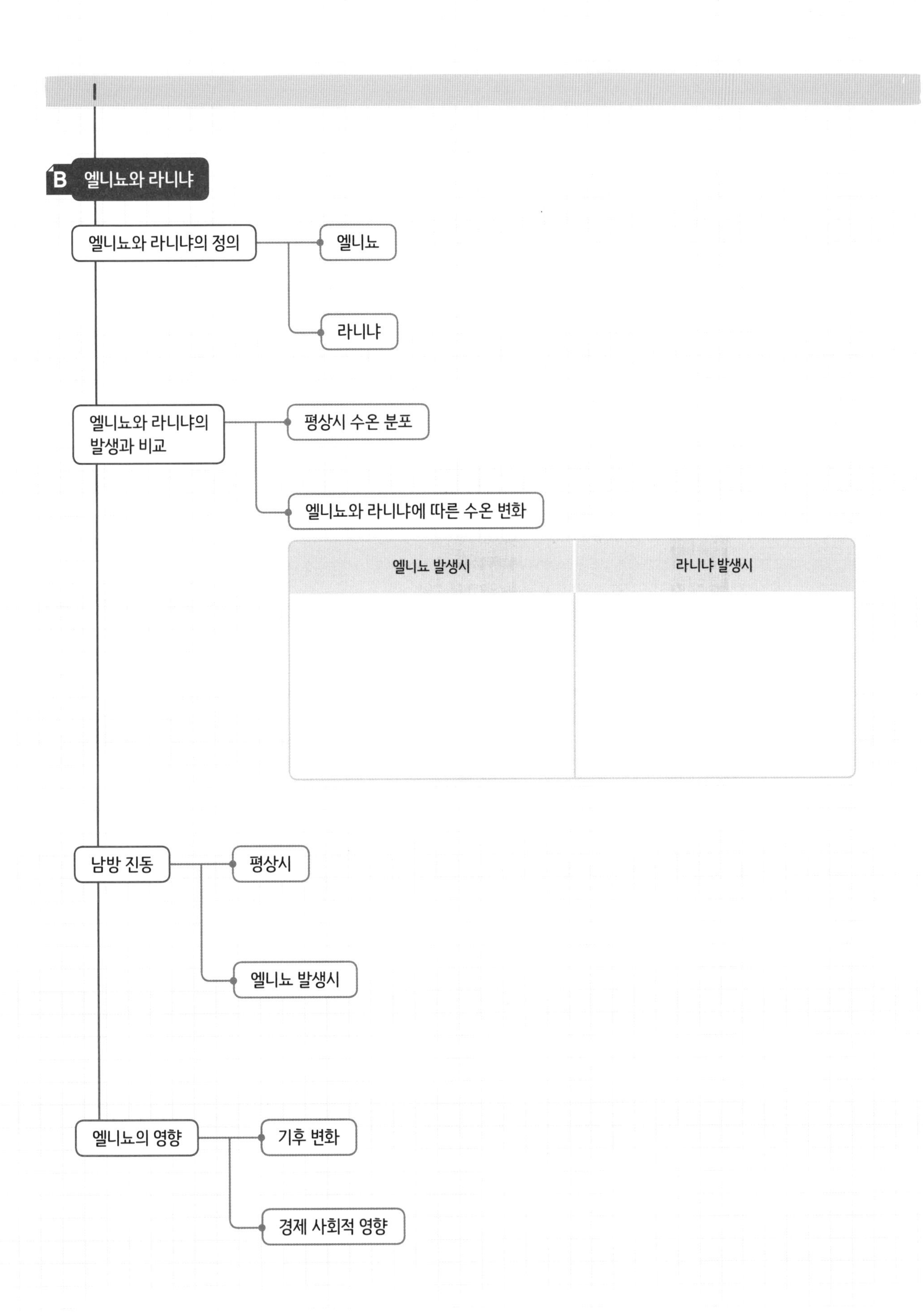
B 엘니뇨와 라니냐
엘니뇨와 라니냐의 정의
엘니뇨
라니냐
엘니뇨와 라니냐의 발생과 비교
평상시 수온 분포
엘니뇨와 라니냐에 따른 수온 변화
엘니뇨 발생시
라니냐 발생시
남방 진동
평상시
엘니뇨 발생시
엘니뇨의 영향
기후 변화
경제 사회적 영향

04 지구의 기후 변화

개념책 170~179 쪽

A 기후 변화의 요인

태양 활동의 변화

세차 운동

지구의 위치		현재	13000년 후	13000년 후 기온 변화
북반구	근일점			
	원일점			
남반구	근일점			
	원일점			

자전축의 기울기 변화

구분	계절	태양의 남중 고도	기온 변화	연교차
지구의 자전축 기울기 증가				
지구의 자전축 기울기 감소				

공전 궤도 이심률의 변화

구분	계절		기온 변화	연교차
이심률 감소 (타원형 → 원형)	북반구	여름		
		겨울		
	남반구	여름		
		겨울		
이심률 증가 (원형 → 타원형)	북반구	여름		
		겨울		
	남반구	여름		
		겨울		

대기의 투명도 변화

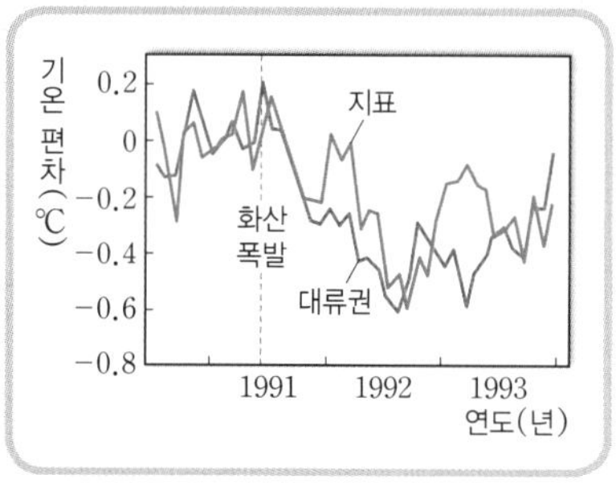

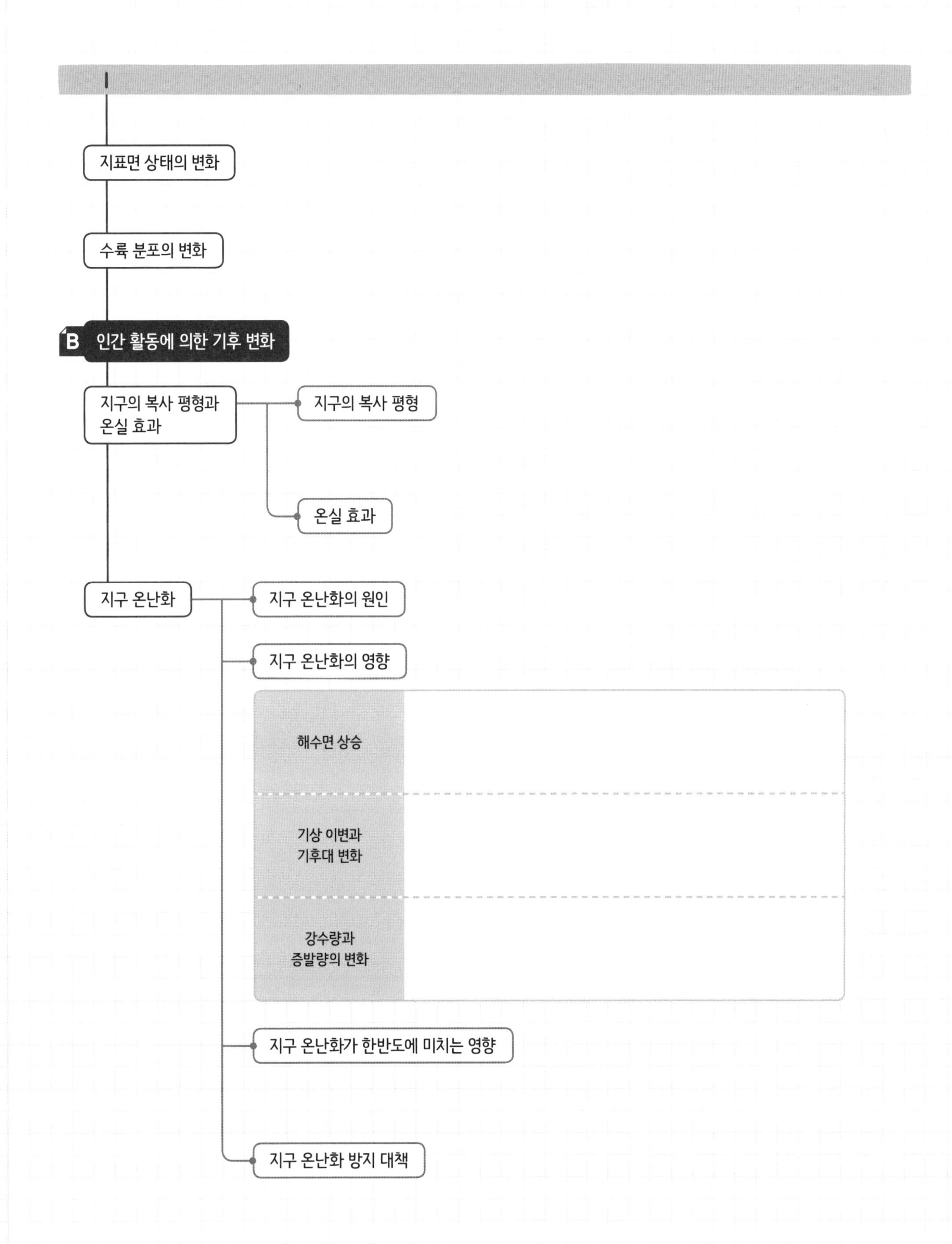

지표면 상태의 변화
수륙 분포의 변화
B 인간 활동에 의한 기후 변화
지구의 복사 평형과 온실 효과
지구의 복사 평형
온실 효과
지구 온난화
지구 온난화의 원인
지구 온난화의 영향
해수면 상승
기상 이변과 기후대 변화
강수량과 증발량의 변화
지구 온난화가 한반도에 미치는 영향
지구 온난화 방지 대책

단원 정리하기

그림으로 정리하기

그림에 자신만의 설명을 덧붙여 단원의 핵심 내용을 정리해 보자.

1 고기압과 저기압

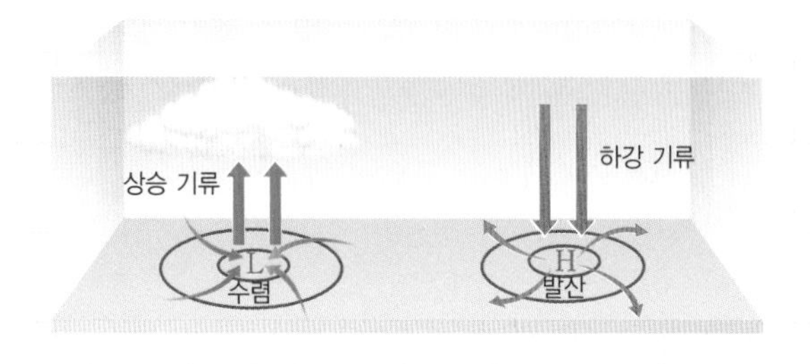

2 우리나라 주변 기단

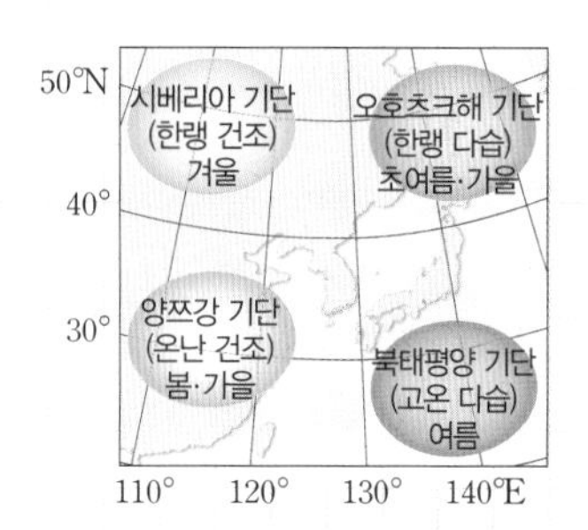

3 한랭 전선과 온난 전선

• 한랭 전선

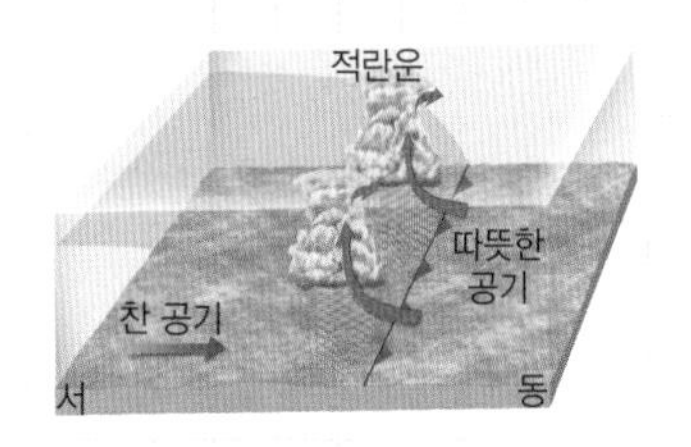

• 온난 전선

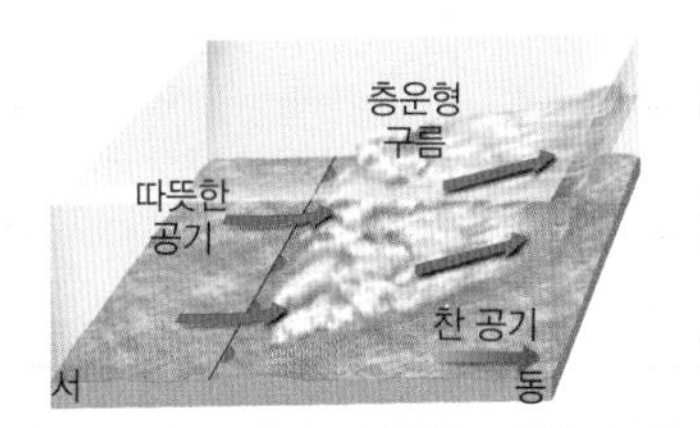

4 일기도 해석

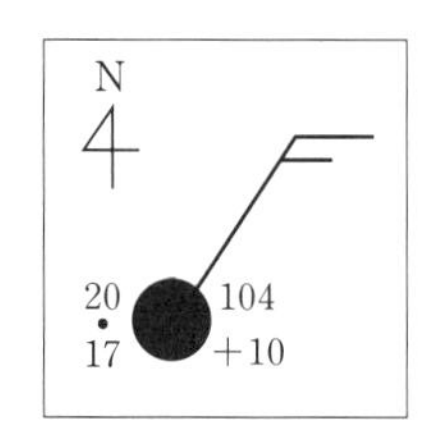

5 태풍의 기압과 풍속

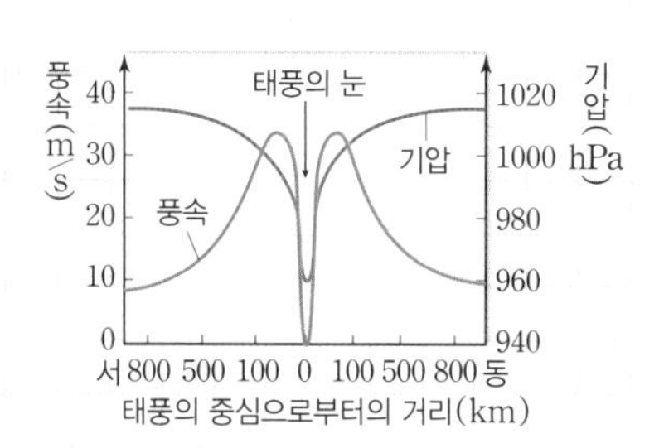

그림으로 정리하기

◉ 그림에 자신만의 설명을 덧붙여 단원의 핵심 내용을 정리해 보자.

6 뇌우의 발달 과정

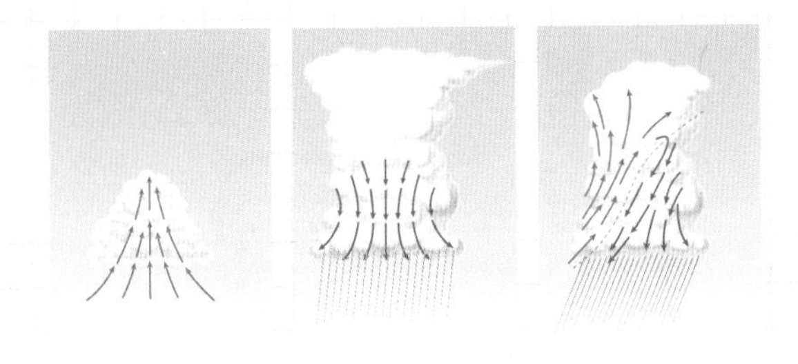

7 수온 염분도

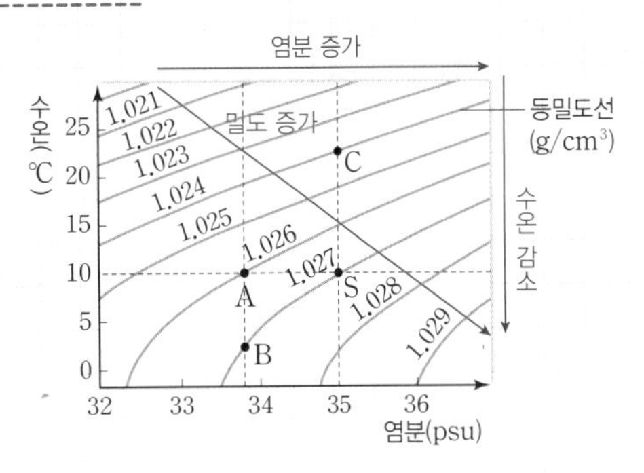

8 세계의 표층 해류와 대기 대순환

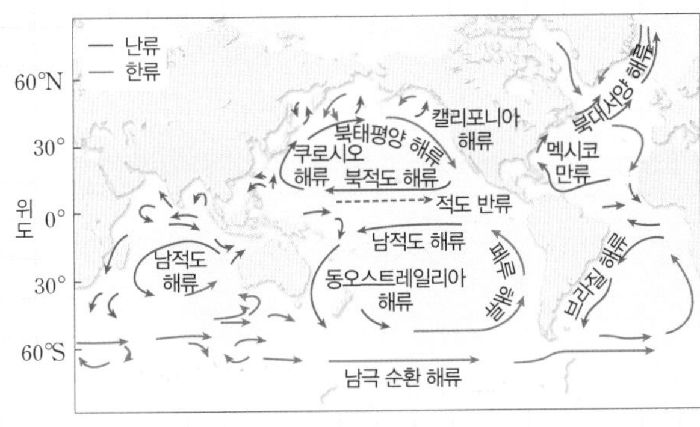

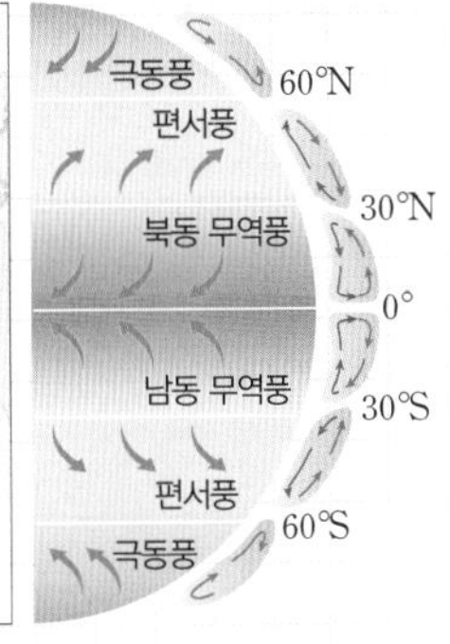

9 수온 염분도에 나타낸 대서양의 수괴

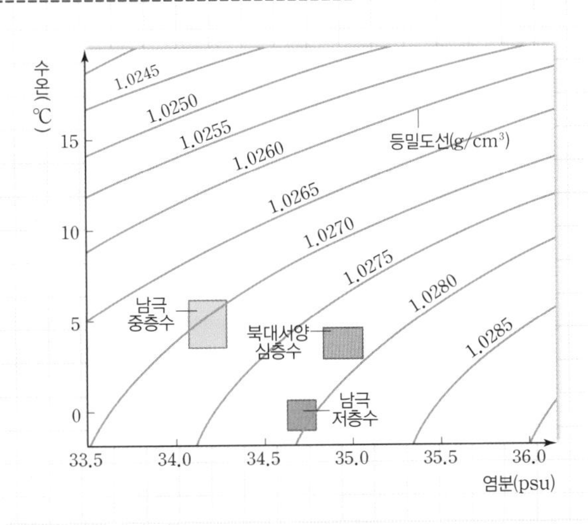

10 전 세계 해수의 순환

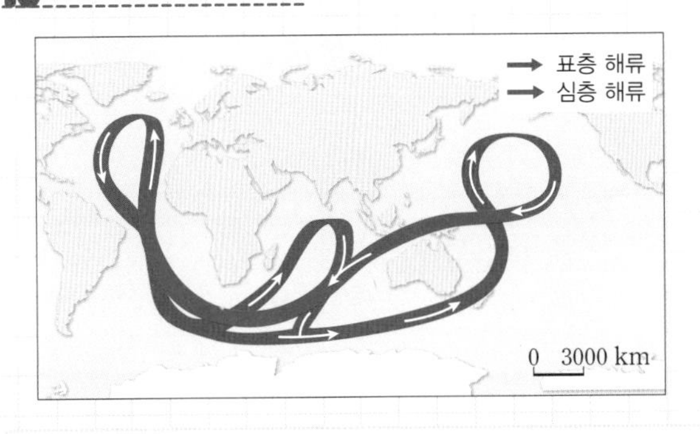

그림으로 정리하기

그림에 자신만의 설명을 덧붙여 단원의 핵심 내용을 정리해 보자.

11 엘니뇨와 라니냐

• 엘니뇨

• 라니냐

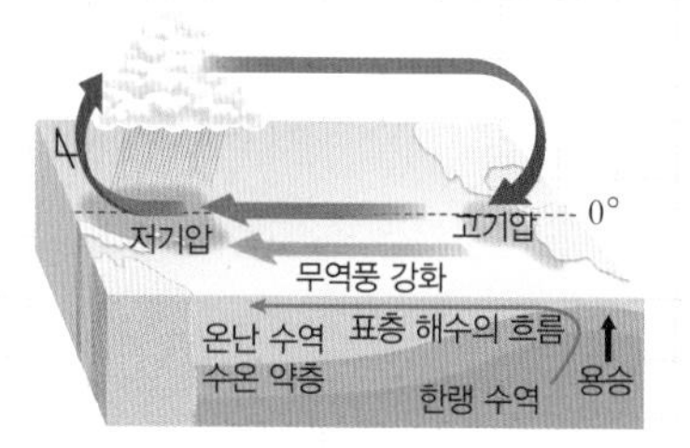

12 세차 운동

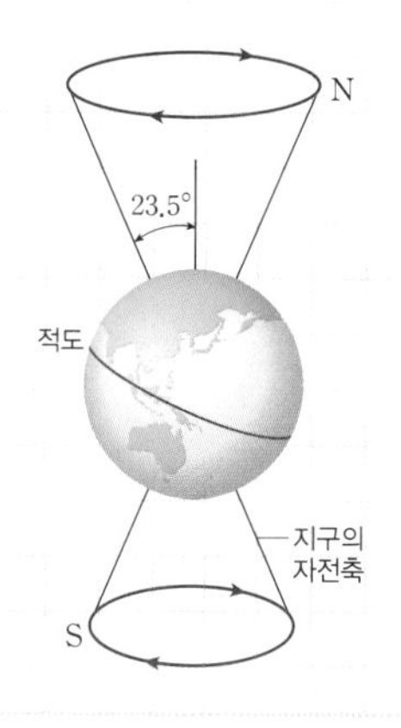

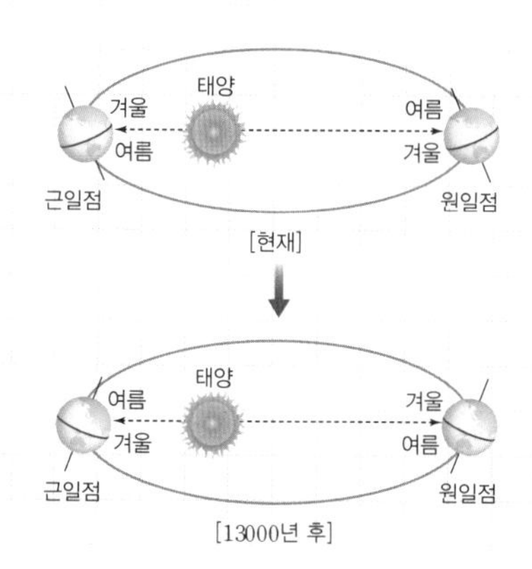

13 자전축의 기울기 변화

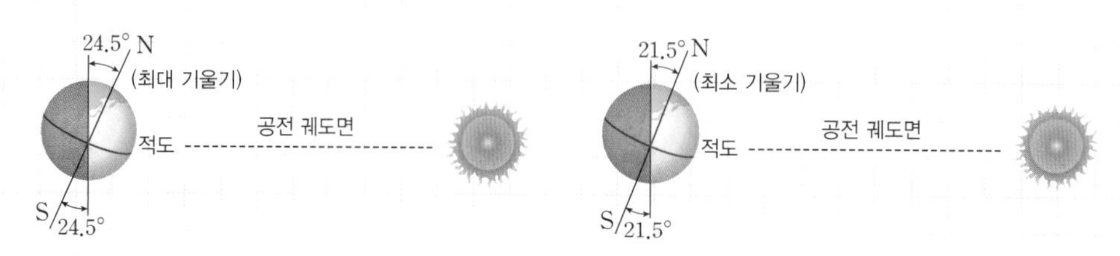

마인드맵으로 정리하기

◎ 자신만의 마인드맵을 만들어 단원의 핵심 내용을 정리해 보자.

III. 우주

» 선배들이 작성한 정리노트 바로가기

1 별과 외계 행성계

01 별의 물리량

A · 별의 색과 표면 온도
- 별의 복사
  - 흑체 — 빈의 변위 법칙
- 별의 표면 온도와 색
- 별의 색지수와 표면 온도
  - 색지수 — 별의 표면 온도와 색지수

B · 별의 분광형과 표면 온도
- 분광 관측
- 스펙트럼의 종류
- 별의 분광형과 표면 온도

C · 별의 광도와 크기
- 별의 광도 구하기
  - 겉보기 등급과 절대 등급 — 별의 절대 등급과 광도
- 별의 크기 구하기
  - 슈테판·볼츠만 법칙 — 별의 반지름 구하기

02 별의 분류와 진화

03 별의 에너지원과 내부 구조

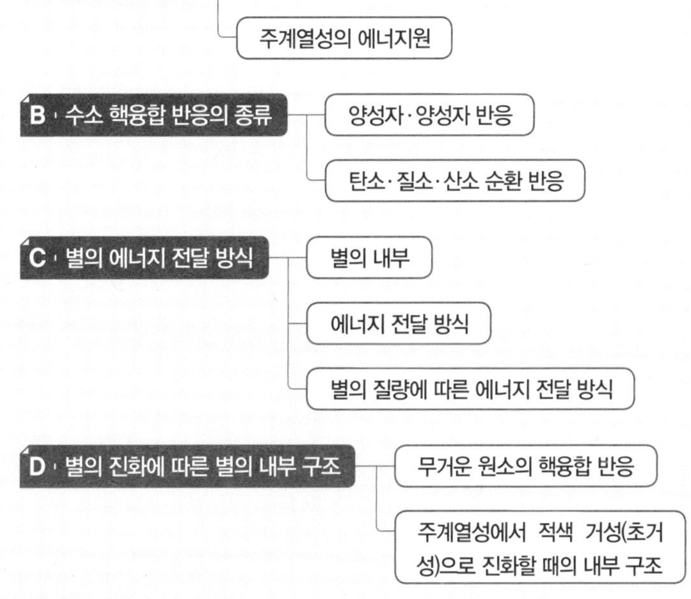

04 외계 행성계와 외계 생명체 탐사

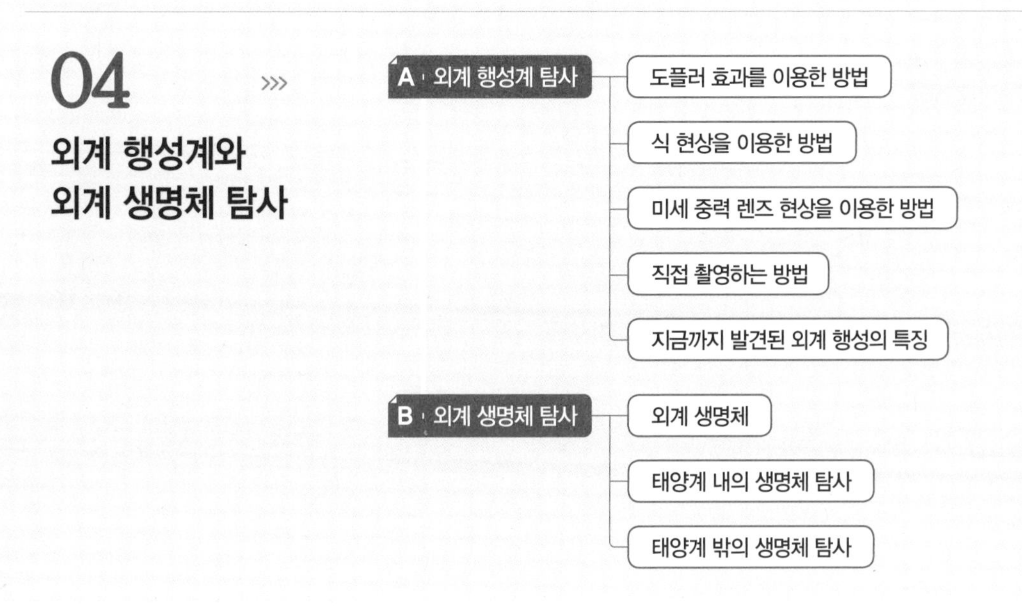

01 별의 물리량

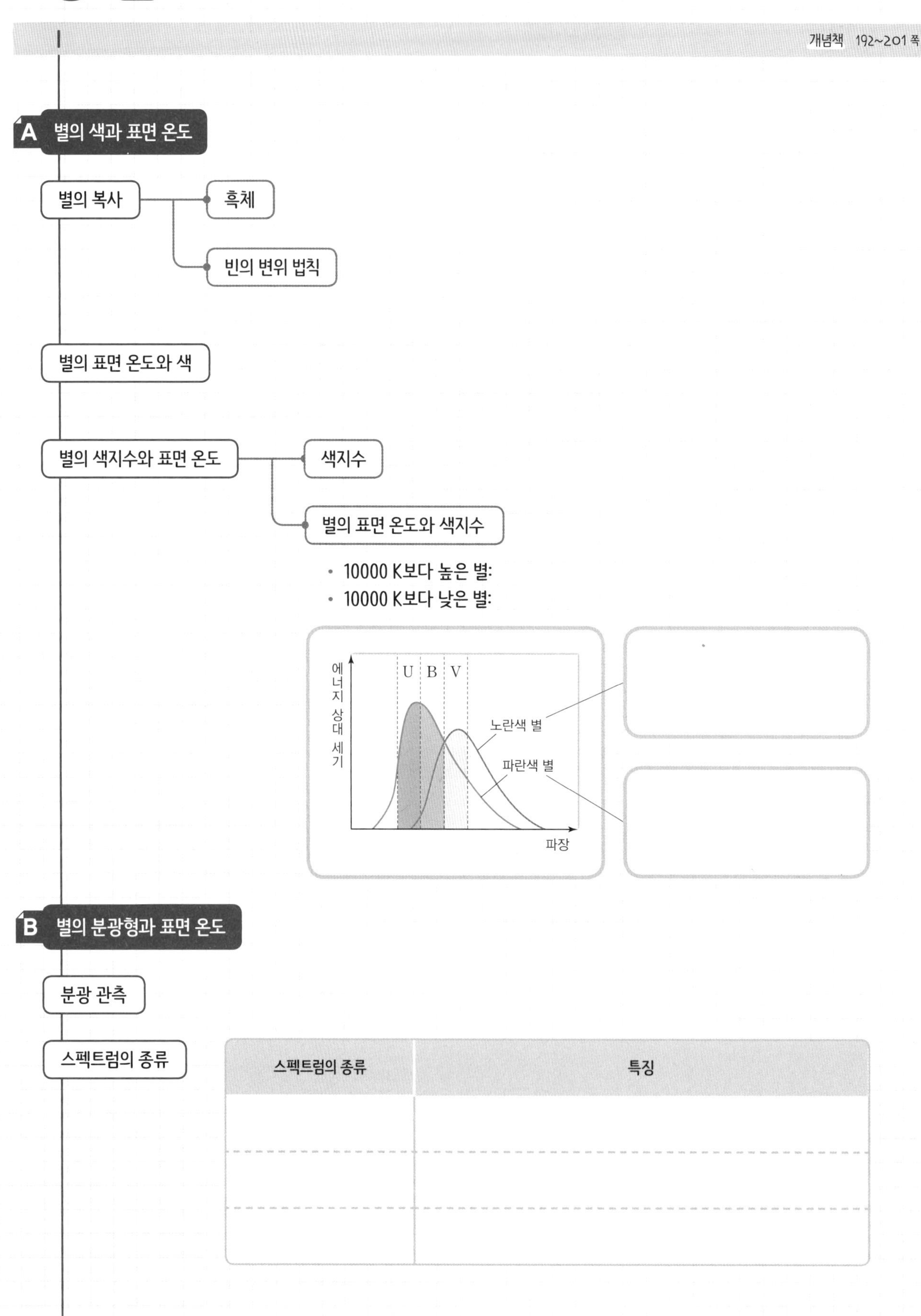
개념책 192~201 쪽
A 별의 색과 표면 온도
별의 복사
흑체
빈의 변위 법칙
별의 표면 온도와 색
별의 색지수와 표면 온도
색지수
별의 표면 온도와 색지수
• 10000 K보다 높은 별:
• 10000 K보다 낮은 별:
에너지 상대 세기
U
B
V
노란색 별
파란색 별
파장
B 별의 분광형과 표면 온도
분광 관측
스펙트럼의 종류
스펙트럼의 종류
특징

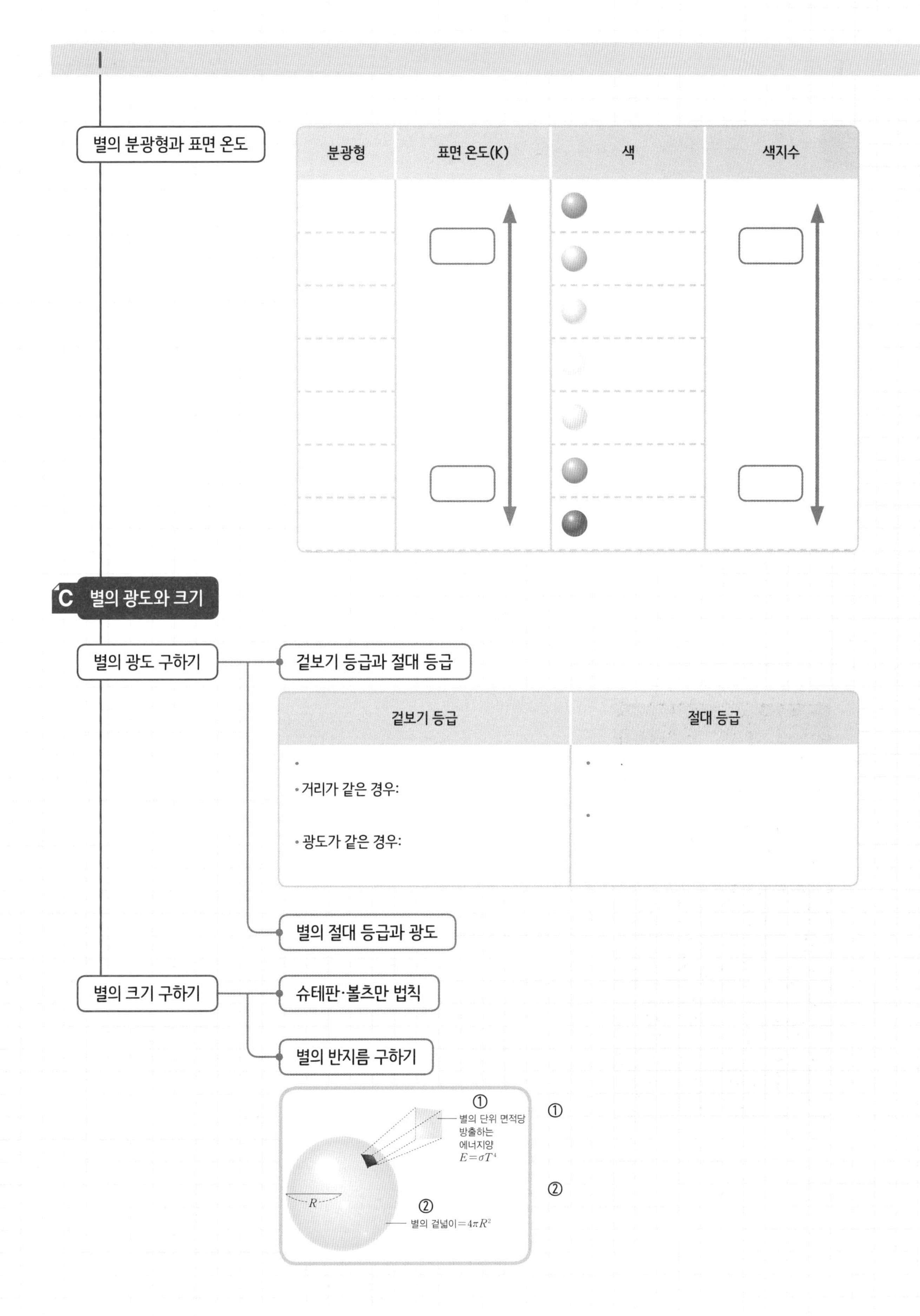

별의 분광형과 표면 온도
분광형
표면 온도(K)
색
색지수
C 별의 광도와 크기
별의 광도 구하기
겉보기 등급과 절대 등급
겉보기 등급
절대 등급
거리가 같은 경우:
광도가 같은 경우:
별의 절대 등급과 광도
별의 크기 구하기
슈테판·볼츠만 법칙
별의 반지름 구하기
①
별의 단위 면적당
방출하는
에너지양
E=σT⁴
R
②
별의 겉넓이=4πR²
①
②

02 별의 분류와 진화

개념책 202~211 쪽

A H-R도

H-R도의 물리량
- 가로축 물리량
- 세로축 물리량

A D (가) B C E (나)

가로축에서 왼쪽으로 갈수록	
세로축에서 위로 갈수록	
오른쪽 위로 갈수록	

B 별의 분류와 광도 계급

H-R도와 별의 분류

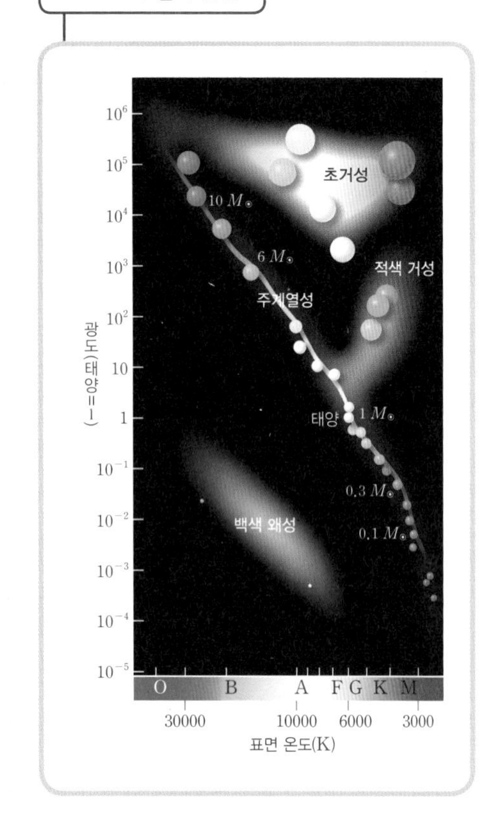

구분	특징
주계열성	
적색 거성	
초거성	
백색 왜성	

광도 계급

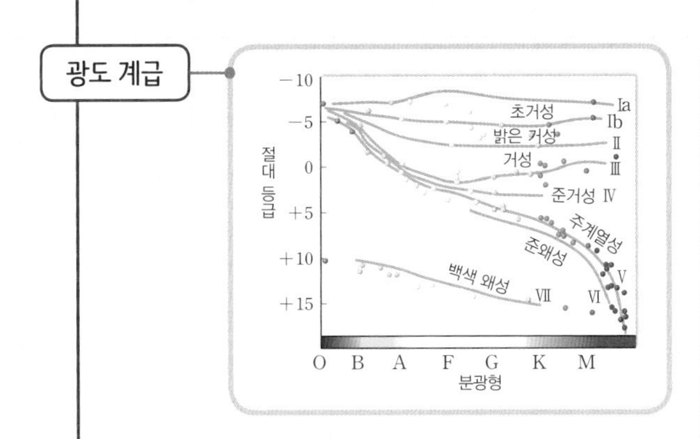

광도 계급	별의 종류
Ⅰa	
Ⅰb	
Ⅱ	
Ⅲ	
Ⅳ	
Ⅴ	
Ⅵ	
Ⅶ(D)	

C 별의 탄생과 주계열성

별의 탄생

별의 탄생 장소

별의 탄생 과정

① 성운의 중력 수축:

② ________의 형성:

③ 전주계열 단계:

④ 주계열 단계:

원시별의 진화 경로

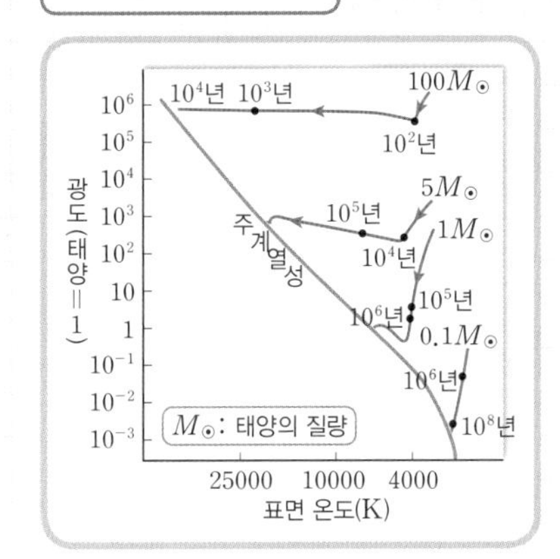

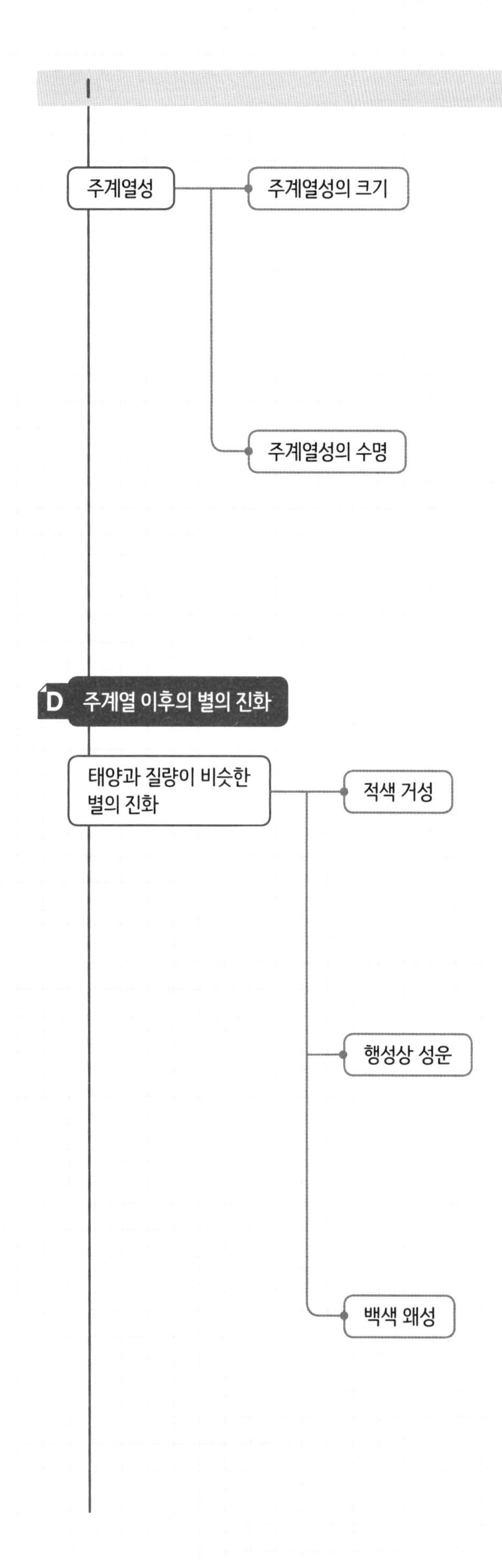
주계열성
주계열성의 크기
주계열성의 수명
D 주계열 이후의 별의 진화
태양과 질량이 비슷한 별의 진화
적색 거성
행성상 성운
백색 왜성

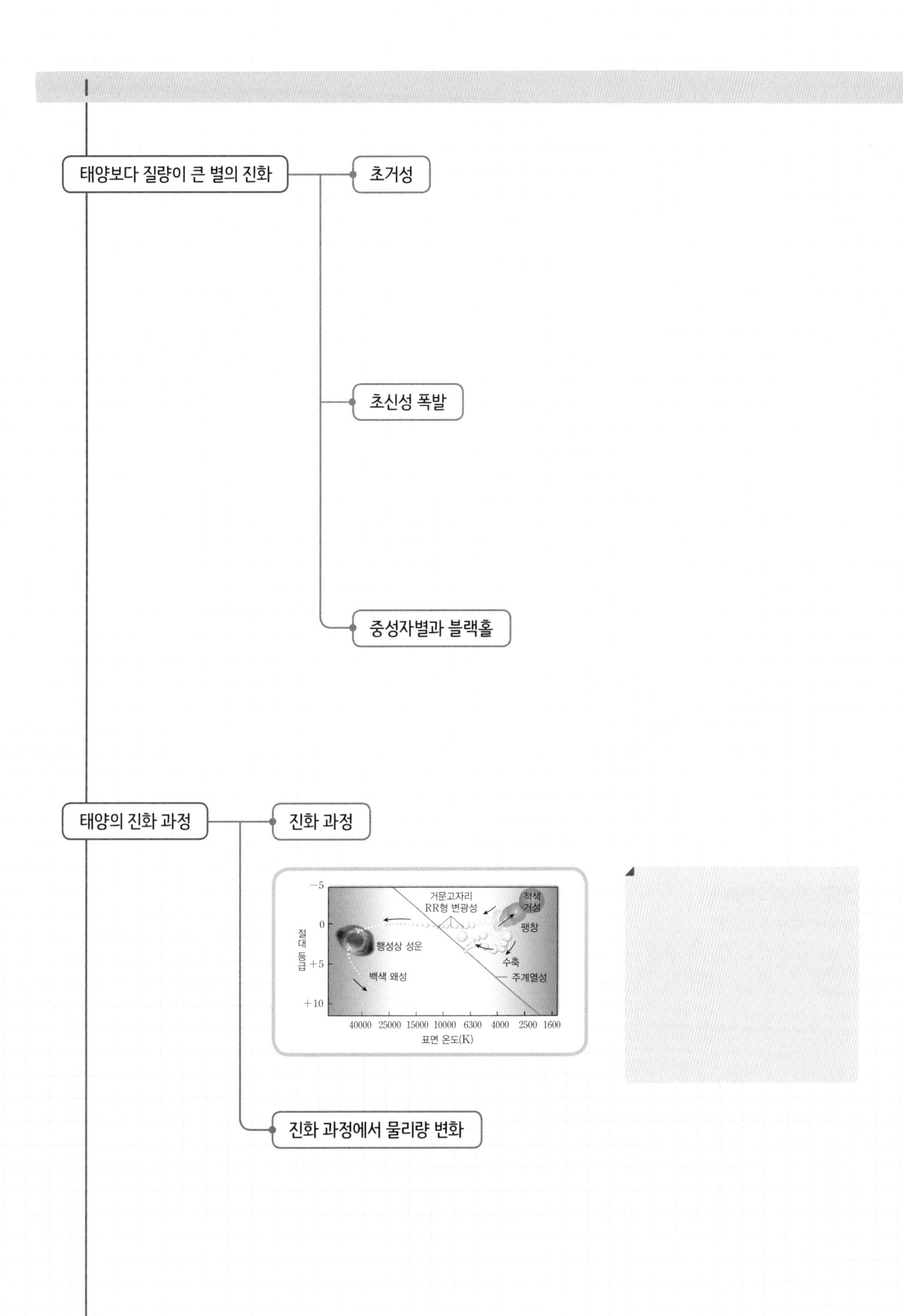

태양보다 질량이 큰 별의 진화
초거성
초신성 폭발
중성자별과 블랙홀
태양의 진화 과정
진화 과정
−5
0
+5
+10
절대 등급
거문고자리
RR형 변광성
적색 거성
팽창
행성상 성운
수축
백색 왜성
주계열성
40000 25000 15000 10000 6300 4000 2500 1600
표면 온도(K)
진화 과정에서 물리량 변화

03 별의 에너지원과 내부 구조

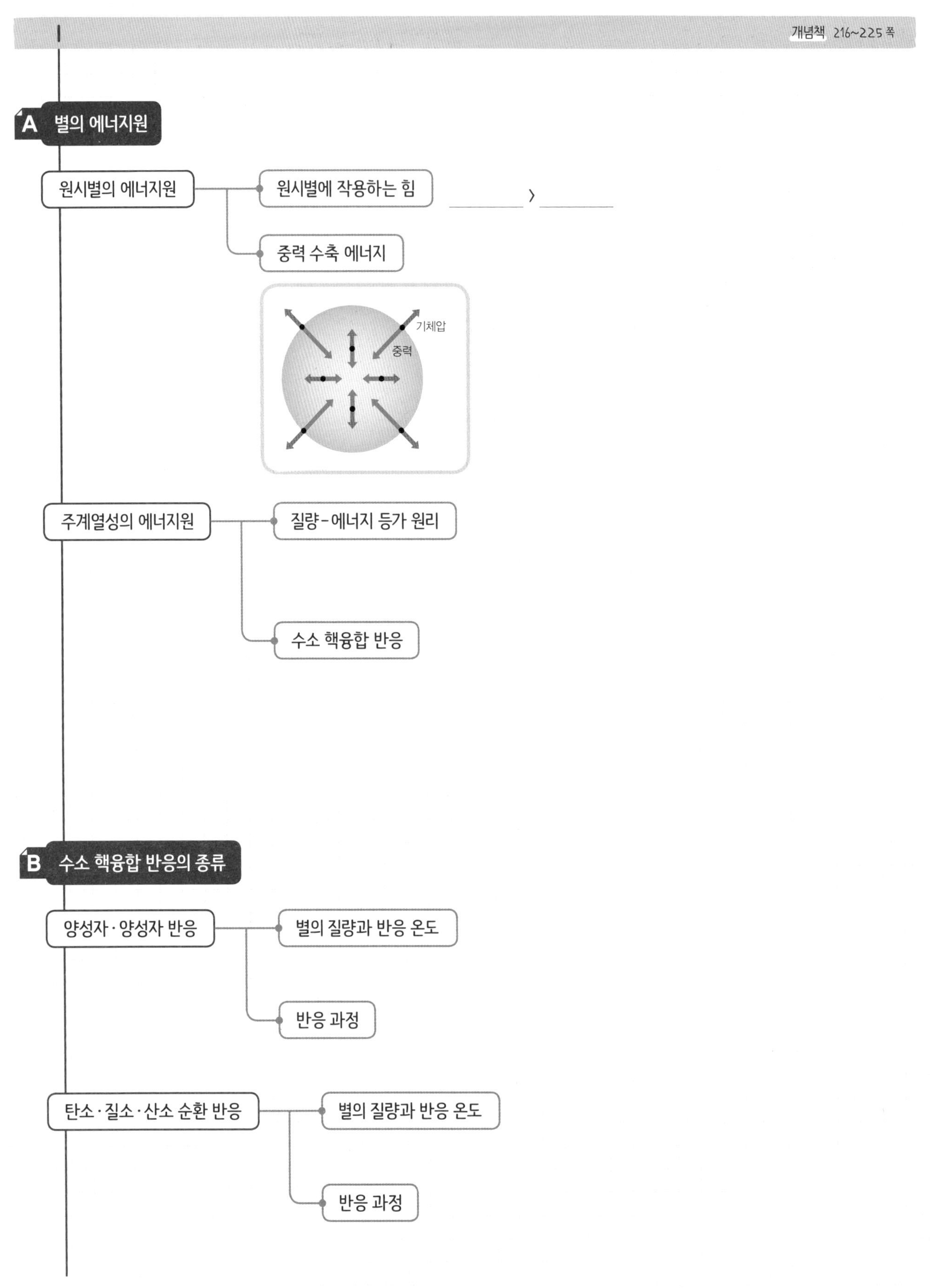

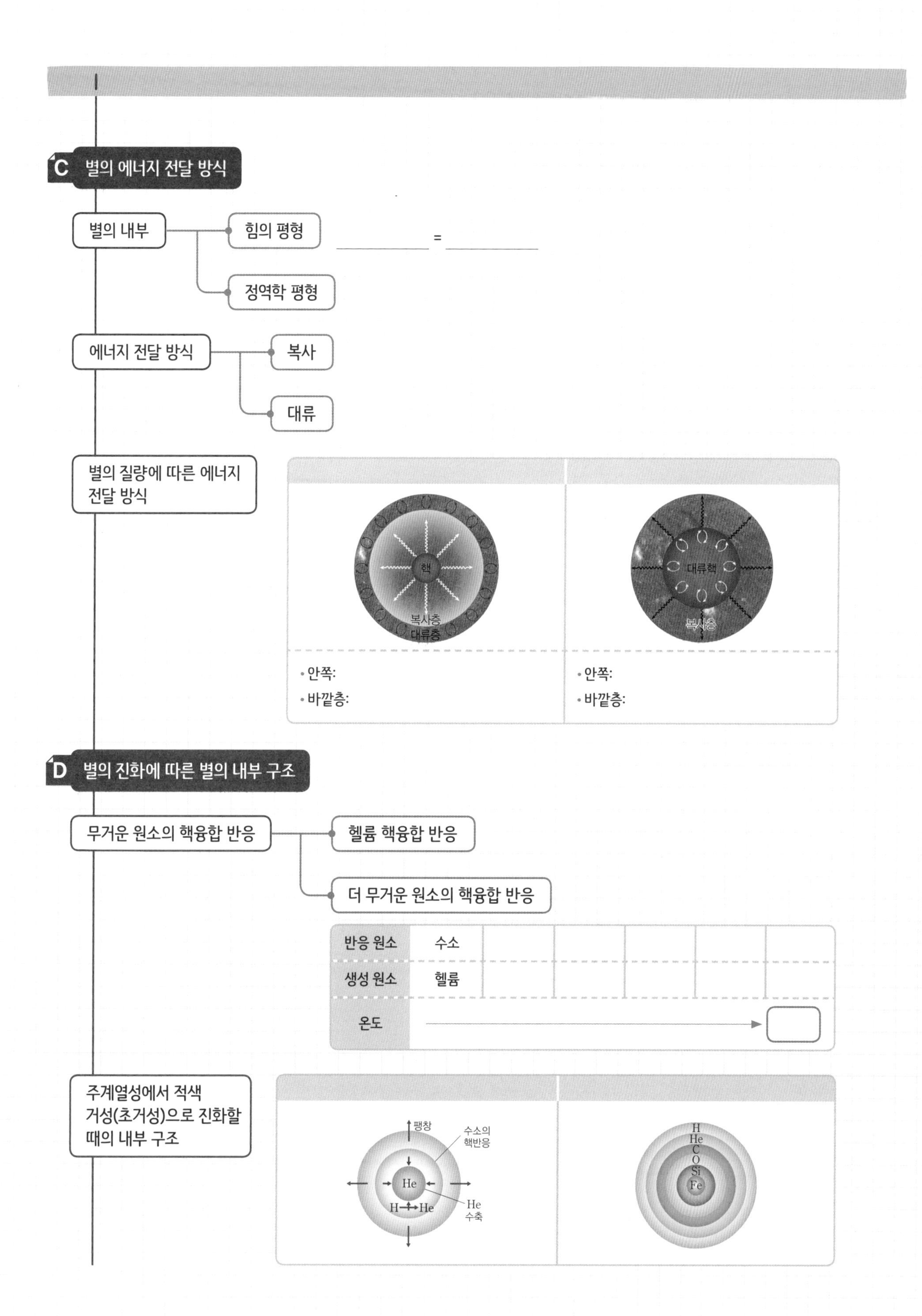

반응 원소	수소					
생성 원소	헬륨					
온도	→					

04 외계 행성계와 외계 생명체 탐사

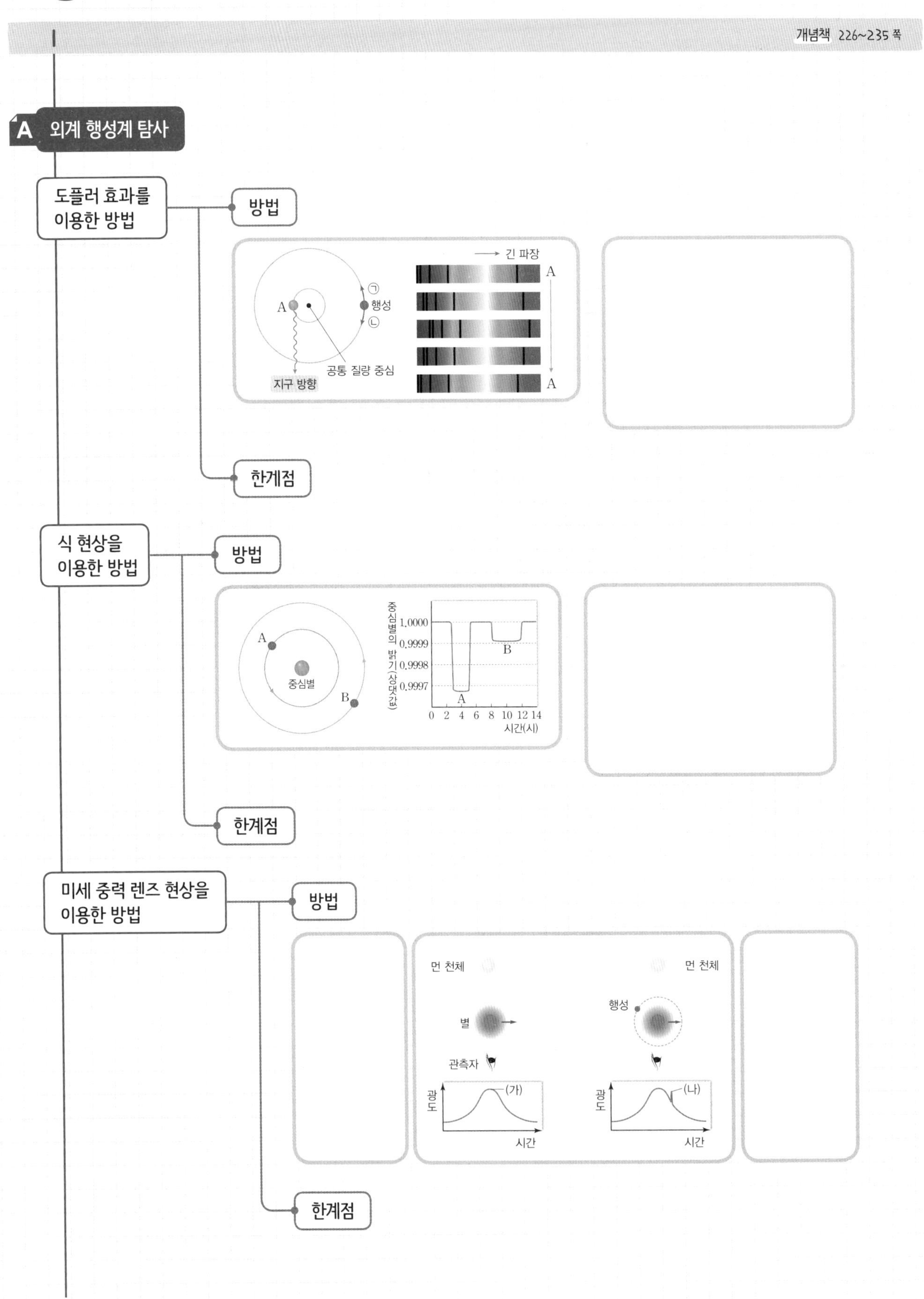

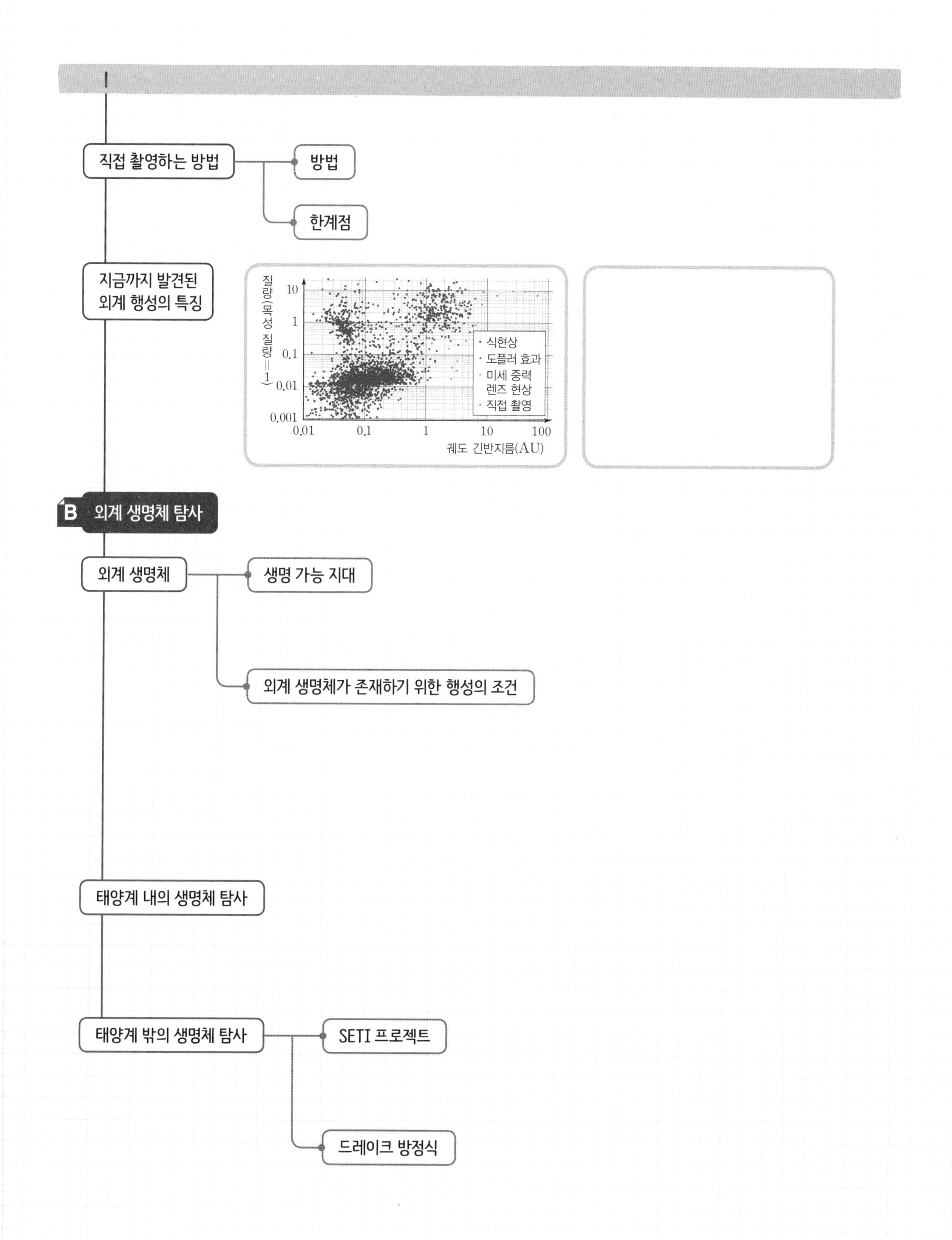
직접 촬영하는 방법
방법
한계점
지금까지 발견된 외계 행성의 특징
질량(목성 질량=1)
10
1
0.1
0.01
0.001
0.01
0.1
1
10
100
궤도 긴반지름(AU)
· 식현상
· 도플러 효과
· 미세 중력 렌즈 현상
· 직접 촬영
B 외계 생명체 탐사
외계 생명체
생명 가능 지대
외계 생명체가 존재하기 위한 행성의 조건
태양계 내의 생명체 탐사
태양계 밖의 생명체 탐사
SETI 프로젝트
드레이크 방정식

2

외부 은하와 우주 팽창

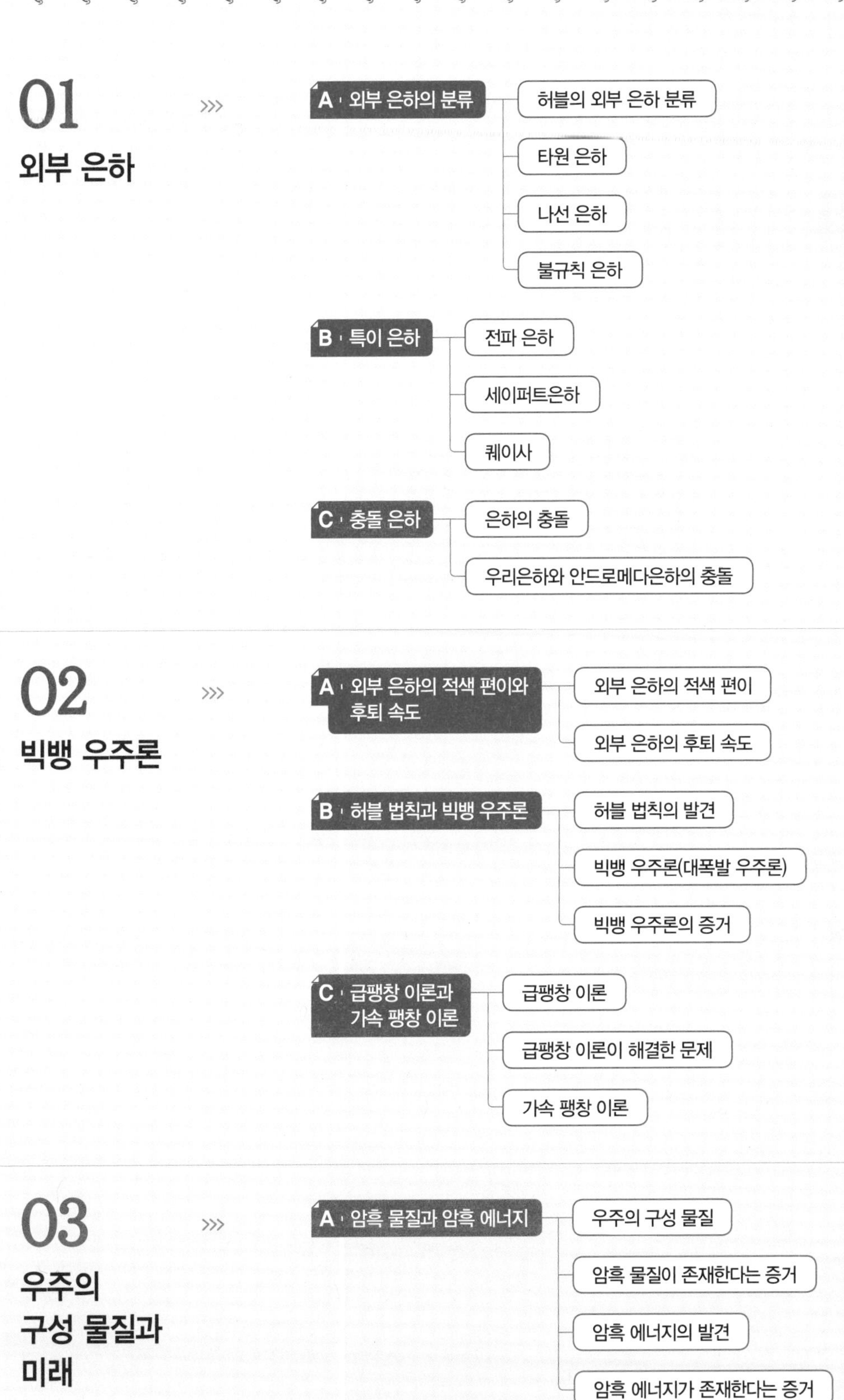

03 우주의 구성 물질과 미래

- A 암흑 물질과 암흑 에너지
  - 우주의 구성 물질
  - 암흑 물질이 존재한다는 증거
  - 암흑 에너지의 발견
  - 암흑 에너지가 존재한다는 증거
- B 표준 우주 모형과 우주의 미래
  - 표준 우주 모형
  - 표준 우주 모형으로 설명할 수 있는 것
  - 우주의 미래

01 외부 은하

개념책 242~251 쪽

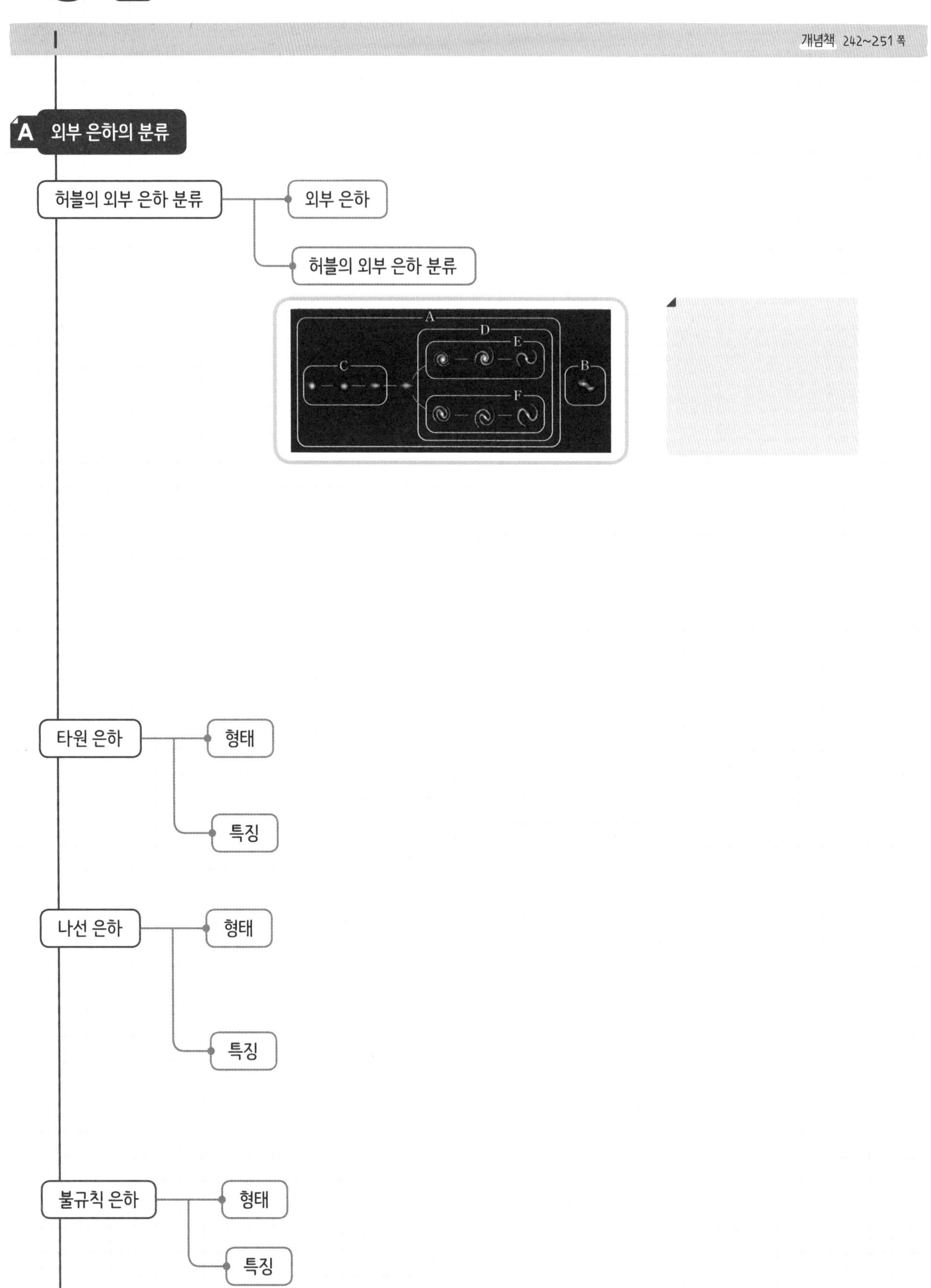

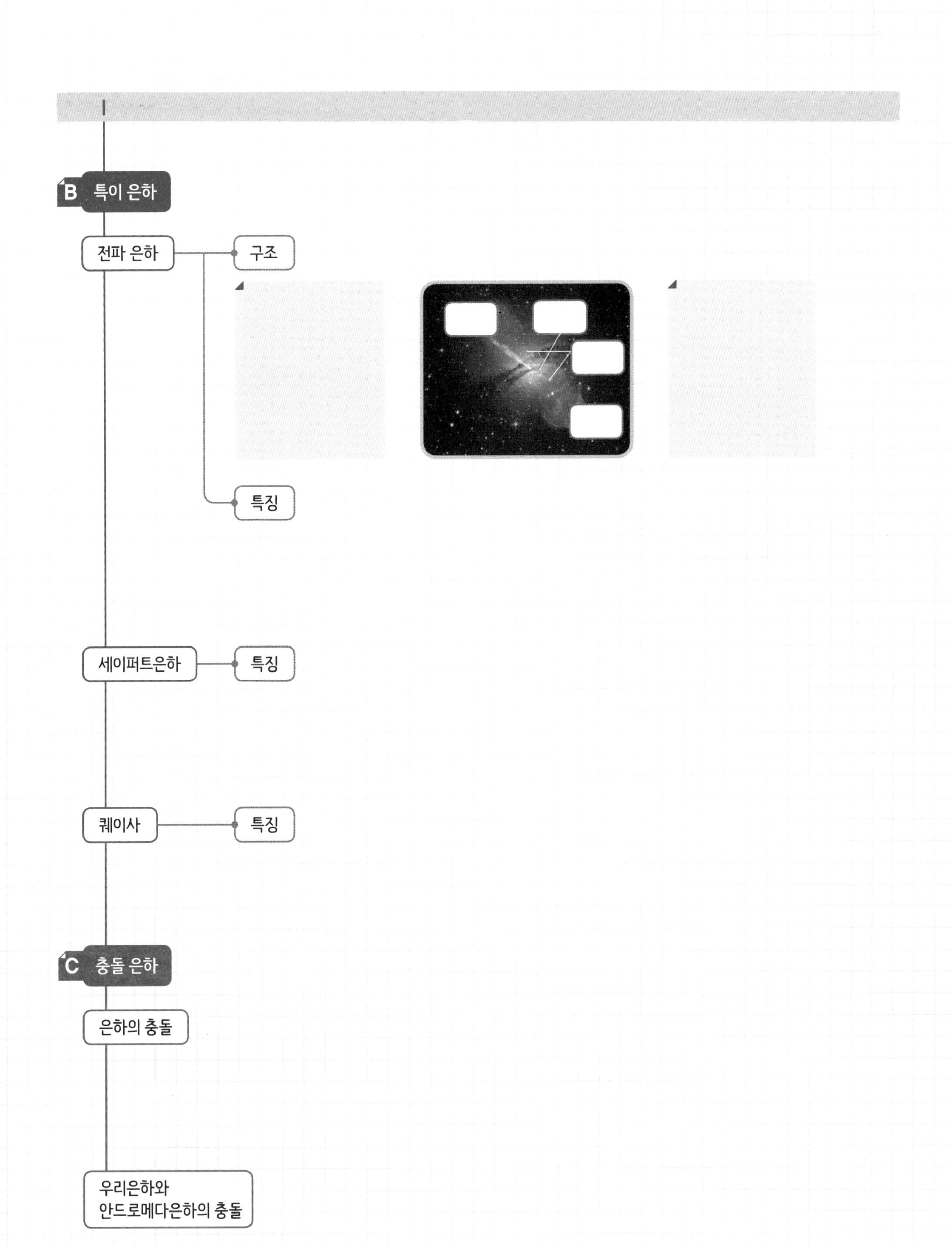
B 특이 은하
전파 은하
구조
특징
세이퍼트은하
특징
퀘이사
특징
C 충돌 은하
은하의 충돌
우리은하와
안드로메다은하의 충돌

02 빅뱅 우주론

개념책 252~263 쪽

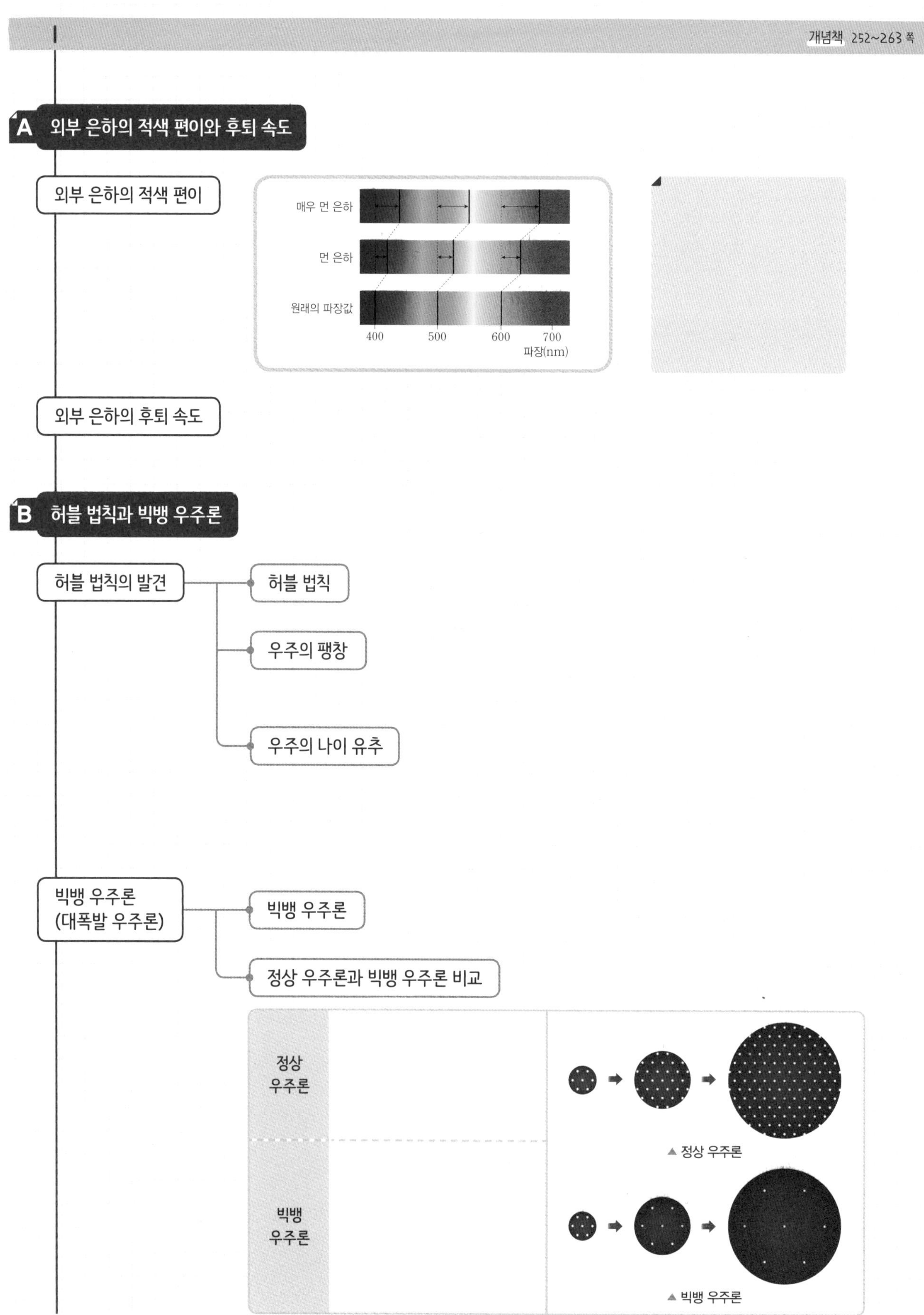

▲ 정상 우주론

▲ 빅뱅 우주론

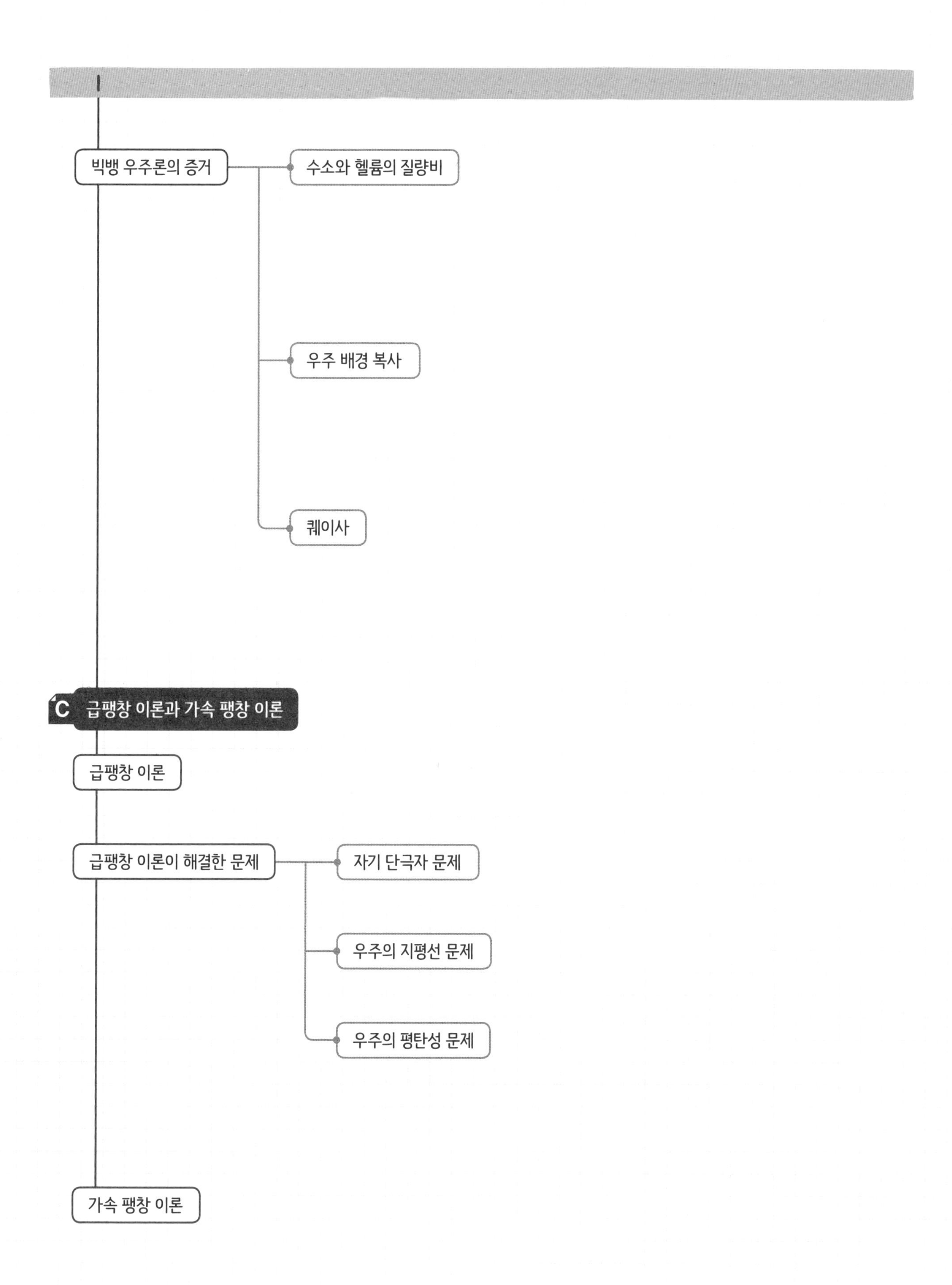
빅뱅 우주론의 증거
수소와 헬륨의 질량비
우주 배경 복사
퀘이사
C 급팽창 이론과 가속 팽창 이론
급팽창 이론
급팽창 이론이 해결한 문제
자기 단극자 문제
우주의 지평선 문제
우주의 평탄성 문제
가속 팽창 이론

03 우주의 구성 물질과 미래

개념책 264~271 쪽

A 암흑 물질과 암흑 에너지

- 우주의 구성 물질
  - 보통 물질
  - 암흑 물질
- 암흑 물질이 존재한다는 증거
  - 나선 은하의 회전 속도
  - 중력 렌즈 현상
  - 은하들의 이동 속도
  - 은하의 질량
- 암흑 에너지의 발견
- 암흑 에너지가 존재한다는 증거
  - 우주 물질의 총량
  - 가속 팽창 우주

B 표준 우주 모형과 우주의 미래

- 표준 우주 모형
- 표준 우주 모형으로 설명할 수 있는 것
- 우주의 미래

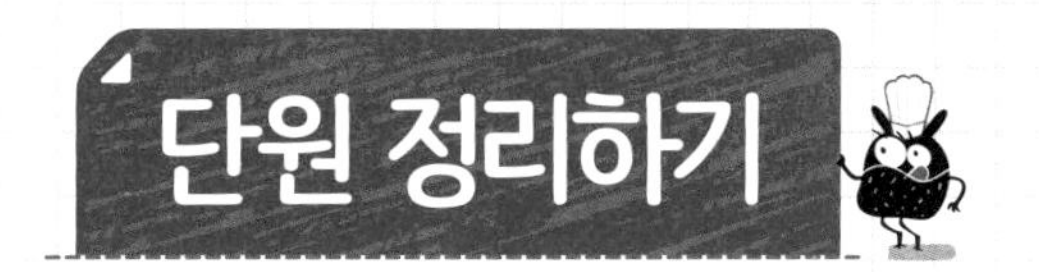

그림으로 정리하기

◎ 그림에 자신만의 설명을 덧붙여 단원의 핵심 내용을 정리해 보자.

1 별의 표면 온도와 분광형

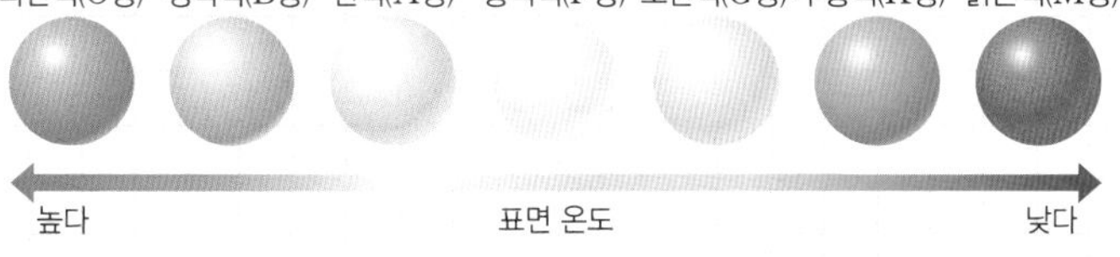

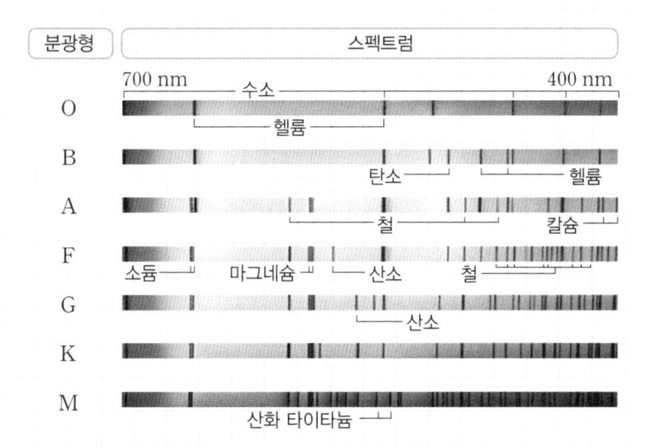

2 H-R도와 별의 분류

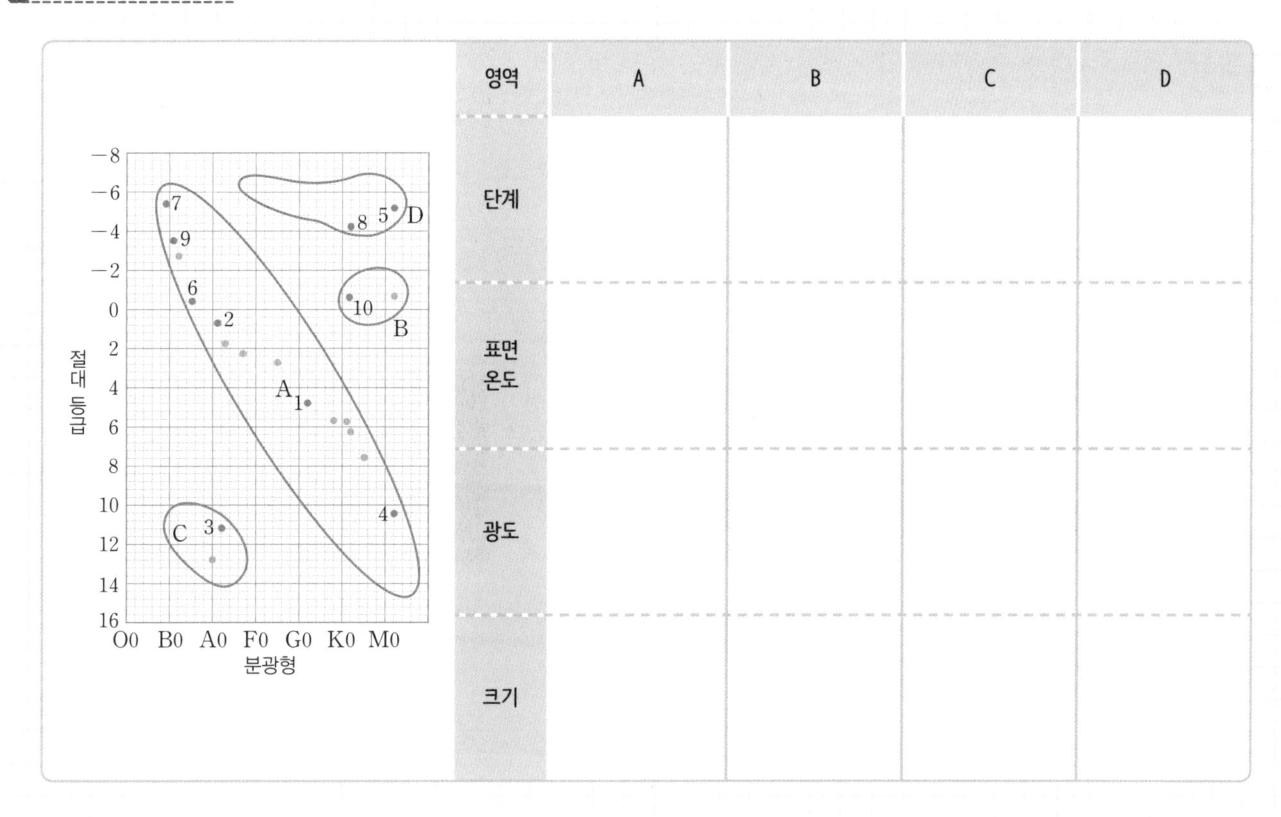

영역	A	B	C	D
단계				
표면 온도				
광도				
크기				

그림으로 정리하기

◎ 그림에 자신만의 설명을 덧붙여 단원의 핵심 내용을 정리해 보자.

3 질량에 따른 별의 진화

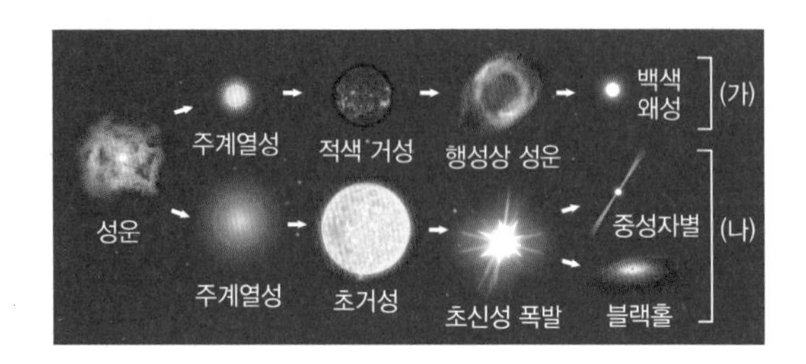

4 외계 행성계 탐사 방법

• 도플러 효과를 이용한 방법

• 식 현상을 이용한 방법

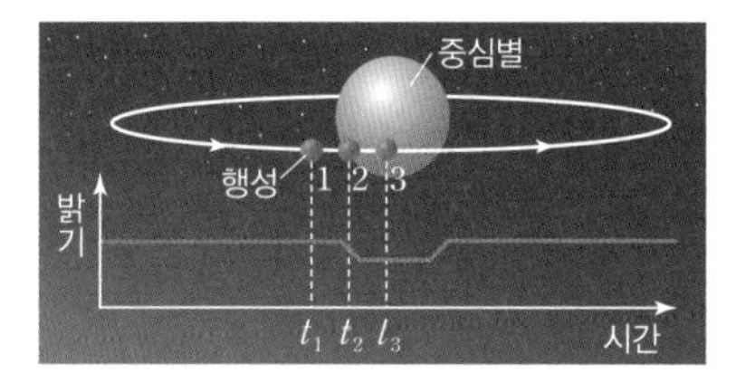

• 미세 중력 렌즈 현상을 이용한 방법

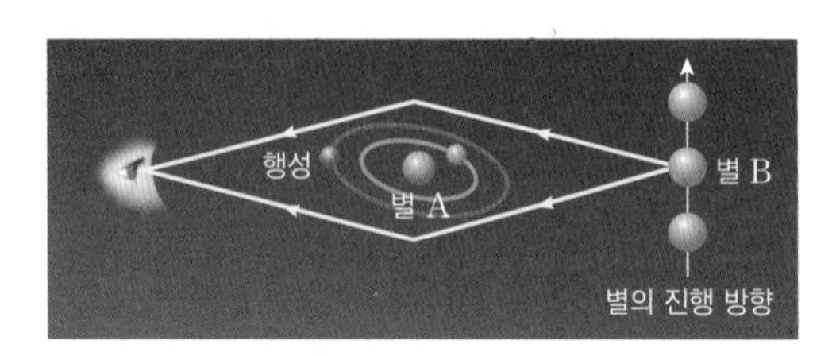

• 직접 촬영

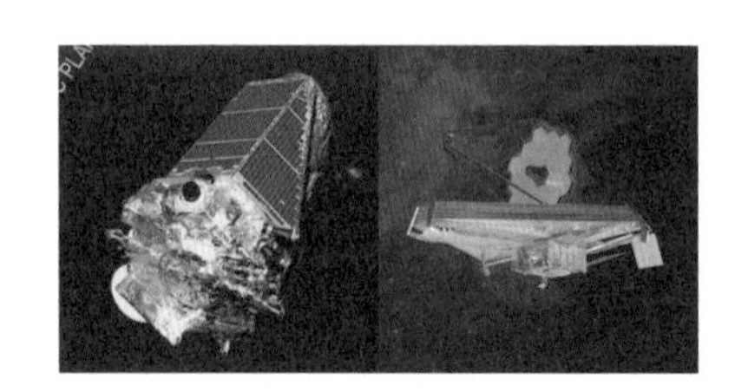

그림으로 정리하기

◎ 그림에 자신만의 설명을 덧붙여 단원의 핵심 내용을 정리해 보자.

5 생명 가능 지대

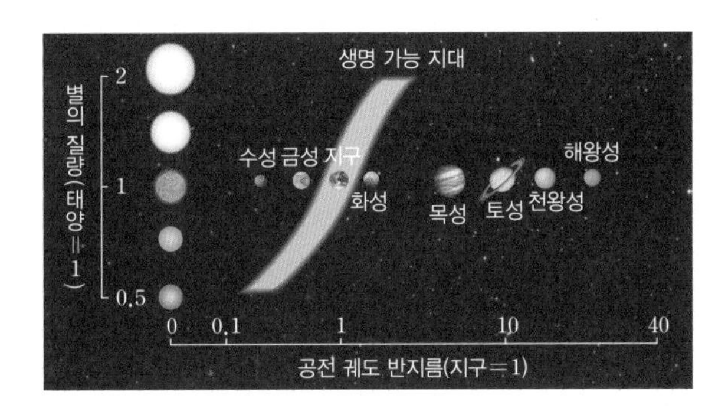

6 은하의 분류

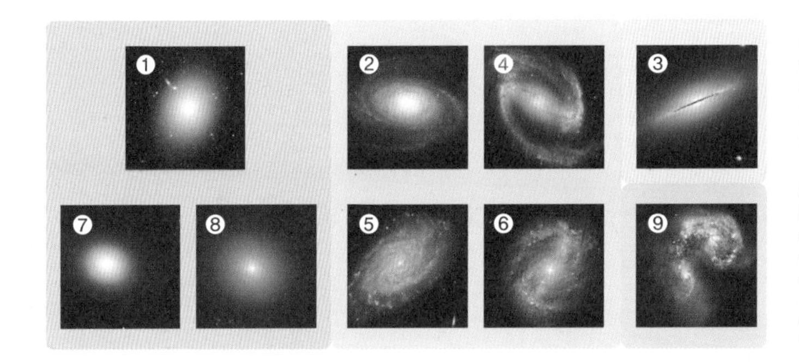

7 외부 은하의 적색 편이와 허블 법칙

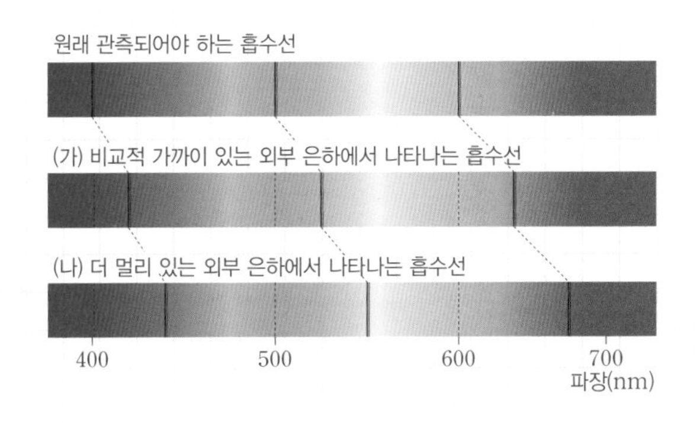

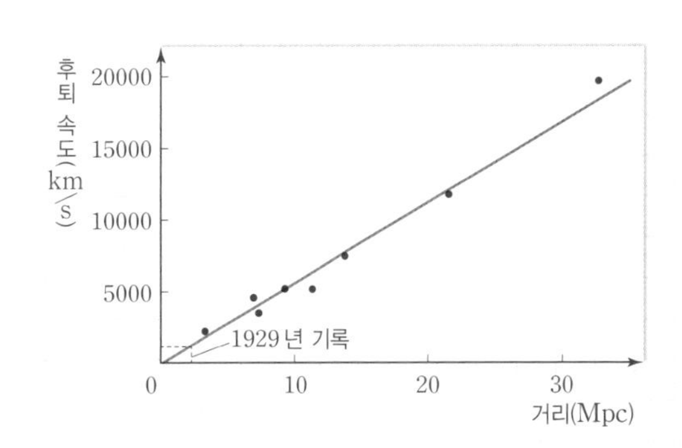

그림으로 정리하기

◎ 그림에 자신만의 설명을 덧붙여 단원의 핵심 내용을 정리해 보자.

8 빅뱅 우주론의 증거

• 수소와 헬륨의 질량비

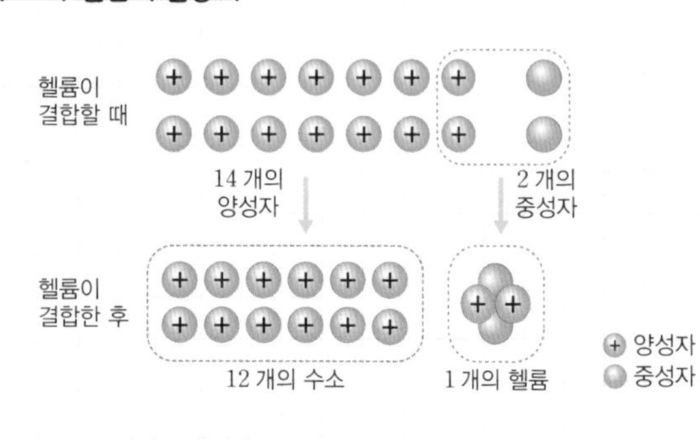

• 우주 배경 복사

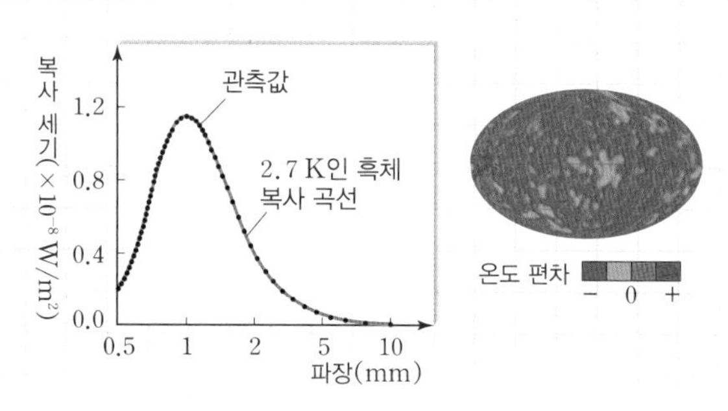

9 급팽창 이론

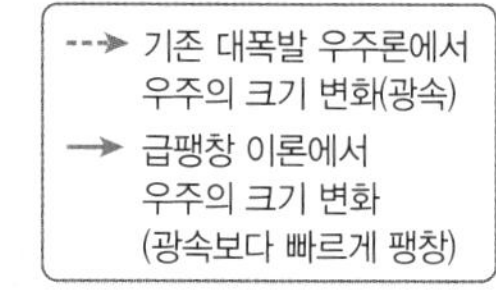

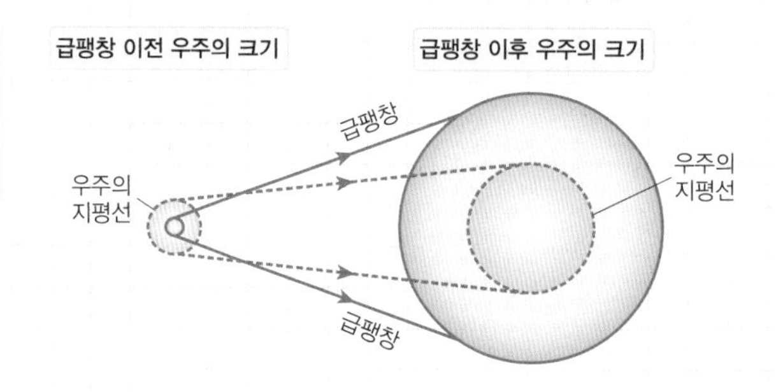

10 표준 우주 모형

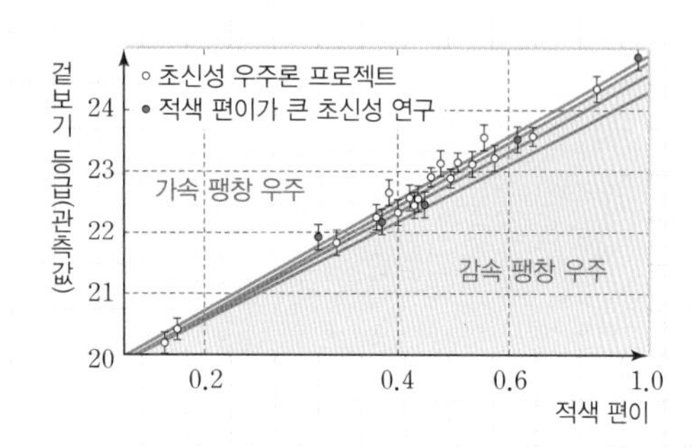

마인드맵으로 정리하기

자신만의 마인드맵을 만들어 단원의 핵심 내용을 정리해 보자.

집중력을 높이는 컬러링! note